Capital
et idéologie

Thomas Piketty

Capital
et idéologie

Éditions du Seuil
57, rue Gaston-Tessier, Paris XIXe

Ce livre est publié dans la collection
« Les livres du nouveau monde »
dirigée par Pierre Rosanvallon

ISBN 978-2-02-133804-1

Sommaire

AVERTISSEMENT AU LECTEUR ET REMERCIEMENTS

Ce livre est dans une large mesure le prolongement du *Capital au XXIe siècle* (2013), mais il peut être lu indépendamment. De même que mon précédent ouvrage, il est l'aboutissement d'un travail collectif, dans le sens où il n'aurait jamais pu voir le jour sans la participation et le soutien de très nombreux amis et collègues. Je suis évidemment seul responsable des interprétations et analyses développées dans les pages qui vont suivre ; mais je n'aurais jamais pu rassembler seul les sources historiques formant le soubassement de cette recherche.

Je m'appuie notamment sur les données rassemblées dans la *World Inequality Database* (http://WID.world). Ce projet repose sur les efforts combinés de plus de 100 chercheurs couvrant désormais plus de 80 pays sur tous les continents. Il propose la plus vaste base de données actuellement disponible sur l'évolution historique des inégalités de revenus et de patrimoines, aussi bien entre pays qu'à l'intérieur des pays. J'ai également rassemblé dans le cadre de ce livre de multiples autres sources et matériaux portant sur des périodes, des pays ou des aspects des inégalités mal couverts dans WID.world, par exemple sur les sociétés préindustrielles ou les sociétés coloniales, ainsi que sur les inégalités d'éducation, de genre, de race, de religion, de statut, de croyances ou d'attitudes politiques et électorales.

Les lecteurs souhaitant obtenir des informations détaillées sur l'ensemble des sources historiques, des références bibliographiques et des méthodes utilisées dans ce livre sont invités à consulter l'annexe technique disponible en ligne (seules les sources et références principales ont pu être citées dans le texte du livre ou dans les notes de bas de page) : http://piketty.pse.ens.fr/files/AnnexeKIdeologie.pdf.

Toutes les séries statistiques, graphiques et tableaux présentés dans le livre sont également disponibles en ligne : http://piketty.pse.ens.fr/ideologie

Le lecteur intéressé trouvera également dans l'annexe en ligne un grand nombre de graphiques et séries supplémentaires qui n'ont pu être intégrés au livre pour ne pas le surcharger, et auxquelles je me réfère parfois dans les notes de bas de page.

Je suis particulièrement reconnaissant à Facundo Alvaredo, Lucas Chancel, Emmanuel Saez et Gabriel Zucman, avec qui nous coanimons le projet WID.world et le Laboratoire sur les inégalités mondiales à l'École d'économie de Paris et à l'université Berkeley (Californie). Ce projet a récemment conduit à la publication du *Rapport sur les inégalités mondiales 2018* (http://wir2018.wid.world), que j'utilise abondamment dans ce livre. Je veux aussi remercier les institutions qui ont rendu ce projet possible, et en premier lieu l'École des hautes études en sciences sociales, où j'enseigne depuis 2000, et qui est l'une des rares institutions au monde où toutes les sciences sociales peuvent s'écouter et échanger, ainsi que l'École normale supérieure et tous les autres établissements qui ont uni leurs forces en 2007 pour créer et coanimer l'École d'économie de Paris, une école qui contribuera, je l'espère, au développement en ce début de XXIᵉ siècle d'une économie politique et historique, multipolaire et pluridisciplinaire.

Je voudrais également remercier pour leur aide précieuse Lydia Assouad, Abhijit Banerjee, Adam Barbe, Charlotte Bartels, Nitin Bharti, Asma Benhenda, Erik Bengtsson, Yonatan Berman, Thomas Blanchet, Cécile Bonneau, Manon Bouju, Jérôme Bourdieu, Antoine Bozio, Cameron Campbell, Guillaume Carré, Guilhem Cassan, Amélie Chelly, Bijia Chen, Denis Cogneau, Léo Czajka, Richard Dewever, Mark Dincecco, Anne-Laure Delatte, Mauricio de Rosa, Esther Duflo, Luis Estevez Bauluz, Ignacio Flores, Juliette Fournier, Bertrand Garbinti, Amory Gethin, Yajna Govind, Jonathan Goupille-Lebret, Julien Grenet, Jean-Yves Grenier, Malka Guillot, Pierre-Cyrille Hautcoeur, Stéphanie Hennette, Simon Henochsberg, Cheuk Ting Hung, Thanasak Jenmana, Francesca Jensenius, Fabian Kosse, Attila Lindner, Noam Maggor, Clara Martinez-Toledano, Ewan McGaughey, Cyril Milhaud, Marc Morgan, Éric Monnet, Mathilde Munoz, Alix Myczkowski, Delphine Nougayrède, Filip Novokmet, Katharina Pistor, Gilles Postel-Vinay, Jean-Laurent Rosenthal, Nina Roussille, Guillaume Sacriste, Aurélie Sotura, Alessandro Stanziani, Blaise Truong-Loï, Antoine Vauchez, Sebastian Veg, Marlous van Waijenburg, Richard von Glahn, Daniel Waldenström, Li Yang, Tom Zawisza, Roxane Zighed ; ainsi que tous mes amis et collègues du Centre François-Simiand d'histoire économique et sociale et du Centre de recherches historiques de l'EHESS et de l'École d'économie de Paris.

Ce livre a également bénéficié des très nombreux débats et discussions auxquels j'ai eu la chance de participer depuis la publication en 2013 du *Capital au XXIᵉ siècle*. J'ai passé une bonne partie des années 2014-2016 à voyager autour du monde, à rencontrer des lecteurs, des chercheurs, des contradicteurs, des citoyens animés par la soif de débattre. J'ai participé à des centaines d'échanges autour de mon livre et des questions qu'il pose. Toutes ces rencontres m'ont immensément appris, et m'ont permis d'approfondir ma réflexion sur la dynamique historique des inégalités.

Parmi les multiples limitations de mon précédent ouvrage, deux méritent une mention particulière. D'une part, mon livre de 2013 est beaucoup trop occidentalo-centré, dans le sens où il accordait une place excessive à l'expérience historique des pays riches (Europe de l'Ouest, Amérique du Nord, Japon). Cela découle en partie des difficultés d'accès à des sources historiques adéquates pour les autres pays et régions du monde, mais n'en impliquait pas moins un rétrécissement considérable de la perspective et de la réflexion. D'autre part, *Le Capital au XXIᵉ siècle* a tendance à traiter les évolutions politico-idéologiques autour des inégalités et de la redistribution comme une sorte de boîte noire. J'y formule certes quelques hypothèses à leur sujet, par exemple sur les transformations des représentations et attitudes politiques face aux inégalités et à la propriété privée induites au XXᵉ siècle par les guerres mondiales, les crises économiques et le défi communiste, mais sans véritablement aborder de front la question de l'évolution des idéologies inégalitaires. C'est ce que je tente de faire de façon beaucoup plus explicite dans ce nouvel ouvrage, en replaçant en outre cette question dans une perspective temporelle, spatiale et comparative beaucoup plus vaste.

Grâce au succès du livre de 2013 et au soutien de nombreux citoyens, chercheurs et journalistes, j'ai pu obtenir l'accès à des sources fiscales et historiques que de multiples gouvernements se refusaient jusqu'ici à ouvrir, par exemple au Brésil et en Inde, en Afrique du Sud et en Tunisie, au Liban et en Côte d'Ivoire, en Corée et à Taïwan, en Pologne et en Hongrie, et d'une façon malheureusement plus limitée en Chine et en Russie, ce qui m'a aidé à sortir du cadre strictement occidental et à développer une analyse plus étoffée de la diversité des régimes inégalitaires, des trajectoires et des bifurcations possibles. Surtout, ces années de rencontres, d'échanges et de lectures m'ont donné l'opportunité d'apprendre et de réfléchir davantage à la dynamique politico-idéologique des inégalités, d'exploiter de nouvelles sources sur les discours et attitudes politiques face aux inégalités, et d'écrire un livre qui est, je crois, plus riche que le précédent, tout en le prolongeant. En voici le résultat : à chacun de se faire son idée.

Enfin, rien ne serait possible sans mes proches. Six années de bonheur se sont écoulées depuis la rédaction et la publication du *Capital au XXIe siècle*. Mes trois filles chéries sont devenues de jeunes adultes (ou presque : plus que deux ans, Hélène, et tu rejoindras Déborah et Juliette dans le club !). Sans leur amour et leur énergie, la vie ne serait pas la même. Avec Julia, nous n'avons cessé de voyager, d'échanger, de rencontrer, de nous relire, de nous réécrire, de refaire le monde. Elle seule sait tout ce que ce livre lui doit, tout ce que je lui dois. Vivement la suite !

INTRODUCTION

Chaque société humaine doit justifier ses inégalités : il faut leur trouver des raisons, faute de quoi c'est l'ensemble de l'édifice politique et social qui menace de s'effondrer. Chaque époque produit ainsi un ensemble de discours et d'idéologies contradictoires visant à légitimer l'inégalité telle qu'elle existe ou devrait exister, et à décrire les règles économiques, sociales et politiques permettant de structurer l'ensemble. De cette confrontation, qui est à la fois intellectuelle, institutionnelle et politique, émergent généralement un ou plusieurs récits dominants sur lesquels s'appuient les régimes inégalitaires en place.

Dans les sociétés contemporaines, il s'agit notamment du récit propriétariste, entrepreneurial et méritocratique : l'inégalité moderne est juste, car elle découle d'un processus librement choisi où chacun a les mêmes chances d'accéder au marché et à la propriété, et où chacun bénéficie spontanément des accumulations des plus riches, qui sont aussi les plus entreprenants, les plus méritants et les plus utiles. Cela nous situerait aux antipodes de l'inégalité des sociétés anciennes, qui reposait sur des disparités statutaires rigides, arbitraires et souvent despotiques.

Le problème est que ce grand récit propriétariste et méritocratique, qui a connu une première heure de gloire au XIXe siècle, après l'effondrement des sociétés d'ordres d'Ancien Régime, et une reformulation radicale et à visée mondiale depuis la fin du XXe siècle, à la suite de la chute du communisme soviétique et du triomphe de l'hypercapitalisme, apparaît de plus en plus fragile. Il conduit à des contradictions dont les formes sont certes très différentes en Europe et aux États-Unis, en Inde et au Brésil, en Chine et en Afrique du Sud, au Venezuela et au Moyen-Orient. Pour autant, ces différentes trajectoires, issues d'histoires spécifiques et en partie connectées, sont en ce début de XXIe siècle de plus en plus étroitement liées les unes aux autres. Seule une perspective transnationale peut permettre de mieux comprendre ces fragilités et d'envisager la reconstruction d'un récit alternatif.

De fait, la montée des inégalités socio-économiques s'observe dans presque toutes les régions du monde depuis les années 1980-1990. Dans certains cas, elle a pris des proportions tellement massives qu'il devient de plus en plus difficile de les justifier au nom de l'intérêt général. Il existe en outre un peu partout un gouffre béant entre les proclamations méritocratiques officielles et les réalités auxquelles font face les classes défavorisées en termes d'accès à l'éducation et à la richesse. Le discours méritocratique et entrepreneurial apparaît bien souvent comme une façon commode pour les gagnants du système économique actuel de justifier n'importe quel niveau d'inégalité, sans même avoir à les examiner, et de stigmatiser les perdants pour leur manque de mérite, de vertu et de diligence. Cette culpabilisation des plus pauvres n'existait pas, ou tout du moins pas avec la même ampleur, dans les régimes inégalitaires précédents, qui insistaient davantage sur la complémentarité fonctionnelle entre les différents groupes sociaux.

L'inégalité moderne se caractérise également par un ensemble de pratiques discriminatoires et d'inégalités statutaires et ethno-religieuses dont la violence est mal décrite par le conte de fées méritocratique, et qui nous rapproche des formes les plus brutales des inégalités anciennes dont nous prétendons nous distinguer. On peut citer les discriminations auxquelles font face celles et ceux qui n'ont pas de domicile ou sont issus de certains quartiers et origines. On pense aussi aux migrants qui se noient. Devant ces contradictions, et faute d'un nouvel horizon universaliste et égalitaire crédible permettant de faire face aux défis inégalitaires, migratoires et climatiques à venir, il est à craindre que le repli identitaire et nationaliste fasse de plus en plus souvent figure de grand récit de substitution, comme cela a pu se voir en Europe au cours de la première moitié du XXe siècle, et comme cela se manifeste de nouveau en ce début de XXIe siècle dans différentes parties du monde.

C'est la Première Guerre mondiale qui a lancé le mouvement de destruction puis de redéfinition de la très inégalitaire mondialisation commerciale et financière en cours à la « Belle Époque » (1880-1914), époque qui n'est apparue « belle » qu'en comparaison au déchaînement de violence qui a suivi, et qui en vérité l'était surtout pour les propriétaires, et tout particulièrement pour l'homme blanc propriétaire. Si l'on ne transforme pas profondément le système économique actuel pour le rendre moins inégalitaire, plus équitable et plus durable, aussi bien entre pays qu'à l'intérieur des pays, alors le « populisme » xénophobe et ses possibles succès électoraux à venir pourraient très vite amorcer le mouvement de destruction de la mondialisation hypercapitaliste et digitale des années 1990-2020.

Pour conjurer ce risque, le savoir et l'histoire demeurent nos meilleurs atouts. Chaque société humaine a besoin de justifier ses inégalités, et ces justifications contiennent toujours leur part de vérité et d'exagération, d'imagination et de bassesse, d'idéalisme et d'égoïsme. Un régime inégalitaire, tel qu'il sera défini dans cette enquête, se caractérise par un ensemble de discours et de dispositifs institutionnels visant à justifier et à structurer les inégalités économiques, sociales et politiques d'une société donnée. Chaque régime a ses faiblesses et ne peut survivre qu'en se redéfinissant en permanence, souvent de façon conflictuelle et violente, mais également en s'appuyant sur des expériences et connaissances partagées. Ce livre a pour objet l'histoire et le devenir des régimes inégalitaires. En rassemblant des matériaux historiques portant sur des sociétés très éloignées les unes des autres, et qui le plus souvent s'ignorent ou refusent de se comparer les unes aux autres, j'espère contribuer à une meilleure compréhension des transformations en cours, dans une perspective globale et transnationale.

De cette analyse historique émerge une conclusion importante : c'est le combat pour l'égalité et l'éducation qui a permis le développement économique et le progrès humain, et non pas la sacralisation de la propriété, de la stabilité et de l'inégalité. Le nouveau récit hyperinégalitaire qui s'est imposé depuis les années 1980-1990 est en partie le produit de l'histoire et du désastre communiste. Mais il est également le fruit de l'ignorance et de la division des savoirs, et il a largement contribué à nourrir le fatalisme et les dérives identitaires actuelles. En reprenant le fil de l'histoire, dans une perspective pluridisciplinaire, il est possible d'aboutir à un récit plus équilibré, et de dresser les contours d'un nouveau socialisme participatif pour le XXIe siècle ; c'est-à-dire un nouvel horizon égalitaire à visée universelle, une nouvelle idéologie de l'égalité, de la propriété sociale, de l'éducation et du partage des savoirs et des pouvoirs, plus optimiste en la nature humaine, et aussi plus précise et convaincante que les récits précédents, car mieux ancrée dans les leçons de l'histoire globale. Il appartient bien sûr à chacun d'en juger, et de s'emparer de ces quelques leçons fragiles et provisoires pour les transformer et les mener plus loin.

Avant de décrire l'organisation de ce livre et les différentes étapes de mon exposé historique, de l'étude des sociétés ternaires et esclavagistes anciennes à celle des sociétés postcoloniales et hypercapitalistes modernes, je vais commencer par exposer les principales sources sur lesquelles je m'appuie, et la façon dont ce travail s'articule avec mon ouvrage précédent, *Le Capital au XXIᵉ siècle*. Mais il me faut d'abord dire quelques mots sur la notion d'idéologie utilisée dans cette enquête.

Qu'est-ce qu'une idéologie ?

Je vais tenter dans le cadre de ce livre d'utiliser la notion d'idéologie d'une façon positive et constructive, c'est-à-dire comme un ensemble d'idées et de discours *a priori* plausibles visant à décrire comment devrait se structurer la société. L'idéologie sera envisagée dans ses dimensions à la fois sociales, économiques et politiques. Une idéologie est une tentative plus ou moins cohérente d'apporter des réponses à un ensemble de questions extrêmement vastes portant sur l'organisation souhaitable ou idéale de la société. Compte tenu de la complexité des questions posées, il va de soi qu'aucune idéologie ne pourra jamais emporter l'adhésion pleine et entière de tous : le conflit et le désaccord idéologique sont inhérents à l'idéologie elle-même. Pourtant, chaque société n'a d'autre choix que de tenter de répondre à ces questions, souvent sur la base de sa propre expérience historique, et parfois aussi en s'appuyant sur celles des autres. Dans une large mesure, chaque individu se sent également tenu d'avoir une opinion, aussi imprécise et insatisfaisante soit-elle, sur ces questions fondamentales et existentielles.

Il s'agit notamment de la question du régime politique, c'est-à-dire de l'ensemble des règles décrivant les contours de la communauté et de son territoire, les mécanismes permettant de prendre des décisions collectives en son sein, et les droits politiques de ses membres. Cela comprend les différentes formes de la participation politique, le rôle des citoyens et des étrangers, des présidents et des assemblées, des ministres et des rois, des partis et des élections, des empires et des colonies.

Il s'agit également de la question du régime de propriété, c'est-à-dire de l'ensemble des règles décrivant les différentes formes de possessions possibles, ainsi que les procédures légales et pratiques définissant et encadrant les relations de propriété entre les groupes sociaux concernés. Cela inclut le rôle de la propriété privée et publique, immobilière et financière, terrienne et minérale, esclavagiste et servile, intellectuelle et immatérielle, et la régulation des relations entre propriétaires et locataires, nobles et paysans, maîtres et esclaves, actionnaires et salariés.

Chaque société, chaque régime inégalitaire, se caractérise par un ensemble de réponses plus ou moins cohérentes et durables apportées à la question du régime politique et à celle du régime de propriété. Ces deux séries de réponses et de discours sont souvent étroitement liées l'une à l'autre, car dans une large mesure elles découlent toutes deux d'une théorie de l'inégalité sociale et des disparités entre les différents groupes sociaux en présence (réelles ou supposées, légitimes ou condamnables). Elles impliquent généralement divers autres dispositifs intellectuels et institutionnels, en particulier un régime éducatif (c'est-à-dire les règles et institutions organisant les transmissions spirituelles et cognitives : familles et Églises, pères et mères, écoles et universités) et un régime fiscal (c'est-à-dire les dispositifs permettant d'apporter des ressources adéquates aux États et régions, communes et empires, ainsi qu'à des organisations sociales, religieuses et collectives de diverses natures). Pour autant, les réponses apportées à ces différentes dimensions de questionnements peuvent varier considérablement. On peut être en accord sur la question du régime politique et non sur celle du régime de propriété, ou sur tel aspect des questions fiscales ou éducatives et pas sur d'autres. Le conflit idéologique est presque toujours multidimensionnel, même s'il arrive qu'un axe prenne une importance primordiale, au moins pour un temps, ce qui peut donner l'illusion d'un consensus majoritaire, et peut parfois permettre de vastes mobilisations collectives et des transformations historiques de grande ampleur.

La frontière et la propriété

Pour simplifier, on peut dire que chaque régime inégalitaire, chaque idéologie inégalitaire, repose sur une théorie de la frontière et une théorie de la propriété.

Il faut d'une part répondre à la question de la frontière. Il faut expliquer qui fait partie de la communauté humaine et politique à laquelle on se rattache et qui n'en fait pas partie, sur quel territoire et suivant quelles institutions elle doit se gouverner, et comment organiser ses relations avec les autres communautés, au sein de la vaste communauté humaine universelle (qui suivant les idéologies peut être plus ou moins reconnue comme telle). Il s'agit dans une large mesure de la question du régime politique, mais elle implique aussi de répondre immédiatement à des questions portant sur l'inégalité sociale, en particulier celle séparant les citoyens des étrangers.

Il faut d'autre part répondre à la question de la propriété : peut-on posséder les autres individus, les terres agricoles, les immeubles, les entreprises, les ressources naturelles, les connaissances, les actifs financiers, la dette publique, et suivant quelles modalités pratiques et quel système légal et juridictionnel doit-on organiser les rapports entre propriétaires et non-propriétaires et la perpétuation de ces relations ? Cette question du régime de propriété, avec celles du régime éducatif et du régime fiscal, a un impact structurant sur les inégalités sociales et leur évolution.

Dans la plupart des sociétés anciennes, la question du régime politique et celle du régime de propriété, autrement dit la question du pouvoir sur les individus et celle du pouvoir sur les choses (c'est-à-dire les objets de détention, qui sont parfois des personnes dans le cas de l'esclavage, et qui en tout état de cause ont un impact déterminant sur les relations de pouvoir entre les personnes) sont liées de façon directe et immédiate. C'est le cas évidemment dans les sociétés esclavagistes, où les deux questions se confondent pour une large part : certains individus en possèdent d'autres, dont ils sont à la fois les gouvernants et les propriétaires.

Il en va de même, mais de façon plus subtile, dans les sociétés ternaires ou « trifonctionnelles » (c'est-à-dire séparées en trois classes fonctionnelles : une classe cléricale et religieuse, une classe noble et guerrière, une classe roturière et laborieuse). Dans cette forme historique, observée dans la plupart des civilisations prémodernes, les deux classes dominantes sont inséparablement des classes dirigeantes dotées de pouvoirs régaliens (sécurité, justice) et des classes possédantes. Pendant des siècles, le *landlord* fut ainsi le seigneur des personnes vivant et travaillant sur la terre autant que le seigneur de la terre elle-même.

Les sociétés de propriétaires, qui fleurissent notamment en Europe au XIXᵉ siècle, tentent au contraire de séparer strictement la question du droit de propriété (réputé universel et ouvert à tous) et celle du pouvoir régalien (désormais monopole de l'État centralisé). Le régime politique et le régime de propriété n'en restent pas moins étroitement liés, d'une part car les droits politiques furent longtemps réservés aux propriétaires, dans le cadre des régimes politiques dits censitaires, et d'autre part et plus généralement car de multiples règles constitutionnelles continuèrent (et continuent toujours) de limiter drastiquement toute possibilité pour une majorité politique de redéfinir le régime de propriété dans un cadre légal et apaisé.

Nous verrons que la question du régime politique et celle du régime de propriété n'ont en réalité jamais cessé d'être inextricablement liées, des sociétés ternaires et esclavagistes anciennes aux sociétés postcoloniales et hypercapitalistes modernes, en passant bien sûr par les sociétés de propriétaires et les sociétés communistes et sociales-démocrates, qui se développèrent en réaction aux crises inégalitaires et identitaires provoquées par les sociétés propriétaristes.

C'est pourquoi je propose d'analyser ces transformations historiques en utilisant la notion de « régime inégalitaire », qui englobe celles de régime politique et de régime de propriété (ou encore de régime éducatif et de régime fiscal) et permet de mieux en percevoir la cohérence. Pour illustrer les liens structurants et persistants entre régime politique et régime de propriété, toujours présents dans le monde actuel, on peut également citer l'absence de tout mécanisme démocratique permettant à une majorité de citoyens de l'Union européenne (et *a fortiori* à une majorité de citoyens du monde) d'adopter le moindre impôt ou le moindre projet de redistribution et de développement en commun, compte tenu du droit de veto fiscal de chaque pays, aussi minoritaire sa population soit-elle, et quels que soient les bénéfices qu'elle tire par ailleurs de son intégration commerciale et financière à l'ensemble.

Plus généralement, le fait central est que l'inégalité contemporaine est fortement et puissamment structurée par le système de frontières, de nationalités et de droits sociaux et politiques qui lui est associé. Ceci contribue d'ailleurs à engendrer en ce début de XXIᵉ siècle des conflits idéologiques violemment multidimensionnels sur les questions inégalitaires, migratoires et identitaires, ce qui complique considérablement la constitution de coalitions majoritaires permettant de faire face à la montée des inégalités. Concrètement, les clivages ethno-religieux et nationaux empêchent souvent les classes populaires issues de différentes origines et de différents pays de se rassembler dans une même coalition politique, ce qui peut faire le jeu des plus riches et de la dérive inégalitaire, faute d'une idéologie et d'une plate-forme programmatique suffisamment persuasives pour convaincre les groupes sociaux défavorisés que ce qui les unit est plus important que ce qui les divise. Ces questions seront examinées en temps utile. Je veux simplement insister ici sur le fait que le lien étroit entre régime politique et régime de propriété correspond à une réalité ancienne, structurelle et durable, qui ne peut être correctement analysée qu'au terme d'une vaste remise en perspective historique et transnationale.

Prendre l'idéologie au sérieux

L'inégalité n'est pas économique ou technologique : elle est idéologique et politique. Telle est sans doute la conclusion la plus évidente de l'enquête historique présentée dans ce livre. Autrement dit, le marché et la concurrence, le profit et le salaire, le capital et la dette, les travailleurs qualifiés et non qualifiés, les nationaux et les étrangers, les paradis fiscaux et la compétitivité, n'existent pas en tant que tels. Ce sont des constructions sociales et historiques qui dépendent entièrement du système légal, fiscal, éducatif et politique que l'on choisit de mettre en place et des catégories que l'on se donne. Ces choix renvoient avant tout aux représentations que chaque société se fait de la justice sociale et de l'économie juste, et des rapports de force politico-idéologiques entre les différents groupes et discours en présence. Le point important est que ces rapports de force ne sont pas seulement matériels : ils sont aussi et surtout intellectuels et idéologiques. Autrement dit, les idées et les idéologies comptent dans l'histoire. Elles permettent en permanence d'imaginer et de structurer des mondes nouveaux et des sociétés différentes. De multiples trajectoires sont toujours possibles.

Cette approche se distingue des nombreux discours conservateurs visant à expliquer qu'il existe des fondements « naturels » aux inégalités. De façon peu surprenante, les élites des différentes sociétés, à toutes les époques et sous toutes les latitudes, ont souvent tendance à « naturaliser » les inégalités, c'est-à-dire à tenter de leur donner des fondements naturels et objectifs, à expliquer que les disparités sociales en place sont (comme il se doit) dans l'intérêt des plus pauvres et de la société dans son ensemble, et qu'en tout état de cause leur structure présente est la seule envisageable, et ne saurait être substantiellement modifiée sans causer d'immenses malheurs. L'expérience historique démontre le contraire : les inégalités varient fortement dans le temps et dans l'espace, dans leur ampleur comme dans leur structure, et dans des conditions et avec une rapidité que les contemporains auraient souvent peiné à anticiper quelques décennies plus tôt. Il en a parfois résulté des malheurs. Mais dans leur ensemble les diverses ruptures et processus révolutionnaires et politiques qui ont permis de réduire et de transformer les inégalités du passé ont été un immense succès, et sont à l'origine de nos institutions les plus précieuses, celles précisément qui ont permis que l'idée de progrès humain devienne une réalité (le suffrage universel, l'école gratuite et obligatoire, l'assurance-maladie universelle, l'impôt progressif). Il est très probable qu'il en aille de même à l'avenir. Les inégalités actuelles et les institutions présentes ne sont pas les seules possibles, quoique puissent en penser les conservateurs, et elles seront appelées elles aussi à se transformer et se réinventer en permanence.

Mais cette approche centrée sur les idéologies, les institutions et la diversité des trajectoires possibles se différencie également de certaines doctrines parfois qualifiées de « marxistes », selon lesquelles l'état des forces économiques et des rapports de production déterminerait presque mécaniquement la « superstructure » idéologique d'une société. J'insiste au contraire sur le fait qu'il existe une véritable autonomie de la sphère des idées, c'est-à-dire de la sphère idéologico-politique. Pour un même état de développement de l'économie et des forces productives (dans la mesure où ces mots ont un sens, ce qui n'est pas certain), il existe toujours une multiplicité de régimes idéologiques, politiques et inégalitaires possibles. Par exemple, la théorie du passage mécanique du « féodalisme » au « capitalisme » à la suite de la révolution industrielle ne permet pas de rendre compte de la complexité et de la diversité des trajectoires historiques et politico-idéologiques observées dans les différents pays et régions du monde, en particulier entre régions colonisatrices et colonisées, comme d'ailleurs au sein de chaque ensemble, et surtout ne permet pas de tirer les leçons les plus utiles pour les étapes suivantes. En reprenant le fil de cette histoire, on constate qu'il a toujours existé et qu'il existera toujours des alternatives. À tous les niveaux de développement, il existe de multiples façons de structurer un système économique, social et politique, de définir les relations de propriété, d'organiser un régime fiscal ou éducatif, de traiter un problème de dette publique ou privée, de réguler les relations entre les différentes communautés humaines, et ainsi de suite. Il existe toujours plusieurs voies possibles permettant d'organiser une société et les rapports de pouvoir et de propriété en son sein, et ces différences ne portent pas que sur des détails, tant s'en faut. En particulier, il existe plusieurs façons d'organiser les rapports de propriété au XXIe siècle, et certaines peuvent constituer un dépassement du capitalisme bien plus réel que la voie consistant à promettre sa destruction sans se soucier de ce qui suivra.

L'étude des différentes trajectoires historiques et des multiples bifurcations inachevées du passé est le meilleur antidote tout à la fois au conservatisme élitiste et à l'attentisme révolutionnaire du grand soir. Un tel attentisme dispense souvent de réfléchir au régime institutionnel et politique réellement

émancipateur à appliquer au lendemain du grand soir, et conduit généralement à s'en remettre à un pouvoir étatique tout à la fois hypertrophié
et indéfini, ce qui peut s'avérer tout aussi dangereux que la sacralisation
propriétariste à laquelle on prétend s'opposer. Cette attitude a causé au
XXᵉ siècle des dégâts humains et politiques considérables, dont nous n'avons
pas fini de payer le prix. Le fait que le postcommunisme (dans sa variante
russe comme dans sa version chinoise, ainsi, dans une certaine mesure, que
dans sa variante est-européenne, en dépit de tout ce qui différencie ces trois
trajectoires) est devenu en ce début de XXIᵉ siècle le meilleur allié de l'hypercapitalisme est la conséquence directe des désastres communistes staliniens
et maoïstes, et de l'abandon de toute ambition égalitaire et internationaliste
qui en a découlé. Le désastre communiste a même réussi à faire passer au
second plan les dégâts causés par les idéologies esclavagistes, colonialistes
et racialistes, ainsi que les liens profonds qui les rattachent à l'idéologie
propriétariste et hypercapitaliste, ce qui n'est pas un mince exploit.

Dans la mesure du possible, je vais tenter dans ce livre de prendre les
idéologies au sérieux. Je voudrais en particulier donner une chance à chaque
idéologie du passé, en particulier aux idéologies propriétaristes, sociales-
démocrates et communistes, mais aussi aux idéologies trifonctionnelles,
esclavagistes ou colonialistes, en les restituant dans leur cohérence propre.
Je pars du principe que chaque idéologie, aussi extrême et excessive puisse-
t-elle sembler dans sa défense d'un certain type d'inégalité ou d'égalité,
exprime à sa façon une certaine vision de la société juste et de la justice
sociale. Cette vision a toujours un fond de plausibilité, de sincérité et de
cohérence, dont il est possible d'extraire des leçons utiles pour la suite, à
la condition toutefois d'étudier ces développements politico-idéologiques
non pas de façon abstraite, anhistorique et a-institutionnel, mais bien
au contraire tels qu'ils se sont incarnés dans des sociétés singulières, des
périodes historiques et des institutions spécifiques, caractérisées notamment
par des formes particulières de propriété et de régime fiscal et éducatif. Ces
formes doivent être pensées rigoureusement, sans craindre d'étudier précisément leurs règles et leurs conditions de fonctionnement (systèmes légaux,
barèmes fiscaux, ressources éducatives, etc.), sans lesquelles les institutions
comme les idéologies ne sont que des coquilles vides, inaptes à transformer
réellement la société et à susciter une adhésion durable.

Ce faisant, je n'ignore pas qu'il existe également un usage péjoratif de
la notion d'idéologie, et que cet usage est parfois justifié. Est souvent qualifiée d'idéologique une vision caractérisée par le dogmatisme et le manque

de souci pour les faits. Le problème est que ceux qui se revendiquent du pragmatisme absolu sont souvent les plus « idéologiques » de tous (au sens péjoratif) : leur posture prétendument postidéologique dissimule mal leur manque d'intérêt pour les faits, l'ampleur de leur ignorance historique, la lourdeur de leurs présupposés et de leur égoïsme de classe. En l'occurrence, ce livre sera très « factuel ». Je vais présenter de nombreuses évolutions historiques concernant la structure des inégalités et leur transformation dans différentes sociétés, d'une part car il s'agit de ma spécialité initiale en tant que chercheur, et d'autre part parce que je suis convaincu que l'examen serein des sources disponibles sur ces questions permet de faire progresser notre réflexion collective. Cela permet notamment de mettre en comparaison des sociétés très différentes les unes des autres, et qui souvent refusent de se comparer les unes aux autres, car elles sont convaincues (généralement à tort) de leur « exceptionnalisme » et du caractère unique et incomparable de leur trajectoire.

En même temps, je suis bien placé pour savoir que les sources disponibles ne seront jamais suffisantes pour trancher tous les différends. Jamais l'examen des « faits » ne permettra de résoudre définitivement la question du régime politique idéal ou du régime de propriété idéal ou du régime éducatif ou fiscal idéal. D'abord parce que les « faits » sont largement tributaires des dispositifs institutionnels (recensements, enquêtes, impôts, etc.) et des catégories sociales, fiscales ou juridiques forgées par les différentes sociétés pour se décrire, se mesurer et se transformer elles-mêmes. Autrement dit, les « faits » sont eux-mêmes des constructions, et ils ne peuvent être correctement appréhendés que dans le contexte de ces interactions complexes, croisées et intéressées entre l'appareil d'observation et la société étudiée. Cela n'implique évidemment pas qu'on ne puisse rien apprendre d'utile de ces constructions cognitives, mais bien plutôt que toute tentative d'apprentissage doit prendre en compte cette complexité et cette réflexivité.

Ensuite parce que les questions étudiées – la nature de l'organisation sociale, économique et politique idéale – sont beaucoup trop complexes pour qu'une conclusion unique puisse un jour émerger d'un simple examen « objectif » des « faits », qui ne seront jamais que le reflet des expériences limitées issues du passé, et des délibérations incomplètes auxquelles nous aurons pu participer. Enfin car il est tout à fait possible que le régime « idéal » (quel que soit le sens que l'on choisisse de donner à ce terme) ne soit pas unique et dépende d'un certain nombre de caractéristiques de la société étudiée.

Apprentissage collectif et sciences sociales

Pour autant, je n'ai pas l'intention de pratiquer un relativisme idéologique généralisé. Il est trop facile pour le chercheur en sciences sociales de se tenir à égale distance des différentes croyances et de ne pas se prononcer. Ce livre prendra position, en particulier dans la dernière partie, mais je tenterai de le faire en explicitant autant que possible le cheminement suivi et les raisons qui me conduisent à ces positions.

Le plus souvent, l'idéologie des sociétés évolue avant tout en fonction de leur propre expérience historique. Par exemple, la Révolution française naît pour partie du sentiment d'injustice et des frustrations suscitées par l'Ancien Régime. Par les ruptures qu'elle entraîne et les transformations qu'elle entreprend, la Révolution contribue à son tour à transformer durablement les perceptions du régime inégalitaire idéal, en fonction des succès et des échecs que les différents groupes sociaux prêtent aux expérimentations révolutionnaires, aussi bien sur le plan de l'organisation politique que sur celui du régime de propriété ou du système social, fiscal ou éducatif. Ces apprentissages conditionnent les ruptures politiques futures, et ainsi de suite. Chaque trajectoire politico-idéologique nationale peut se voir comme un gigantesque processus d'apprentissage collectif et d'expérimentation historique. Ce processus est inévitablement conflictuel, car les différents groupes sociaux et politiques, outre qu'ils n'ont pas toujours les mêmes intérêts et aspirations, n'ont pas la même mémoire et la même interprétation des événements et du sens à leur donner pour la suite. Mais ces apprentissages comportent également souvent des éléments de consensus national, au moins pour un temps.

Ces processus d'apprentissage collectif ont leur part de rationalité, mais ils ont également leurs limites. En particulier, ils ont tendance à avoir la mémoire courte (on oublie souvent les expériences de son propre pays au bout de quelques décennies, ou bien on n'en retient que quelques bribes, rarement choisies au hasard), et surtout ils sont le plus souvent étroitement nationalistes. Ne noircissons pas le trait : chaque société tire parfois quelques leçons des expériences des autres pays, par la connaissance qu'elles en ont, et aussi bien sûr au travers des rencontres plus ou moins violentes entre les différentes sociétés (guerres, colonisations, occupations, traités plus ou moins inégaux, ce qui n'est pas toujours le mode d'apprentissage le plus serein ni le plus prometteur). Mais, pour l'essentiel, les différentes visions du régime politique idéal, du régime de propriété souhaitable ou du système légal, fiscal ou éducatif juste se forgent à partir des expériences nationales en la matière, et ignorent presque complètement les expériences des autres pays, surtout lorsqu'ils sont perçus comme éloignés et relevant d'essences civilisationnelles, religieuses ou morales distinctes, ou bien lorsque les rencontres se sont passées de façon violente (ce qui peut renforcer le sentiment d'étrangeté radicale). Plus généralement, ces apprentissages se fondent souvent sur des représentations relativement grossières et imprécises des dispositifs institutionnels réellement expérimentés dans les différentes sociétés (y compris d'ailleurs au niveau national ou entre pays vivant en bon voisinage), aussi bien dans le domaine politique que sur les questions légales, fiscales et éducatives, ce qui limite considérablement l'utilité des enseignements qu'il est possible d'en tirer pour la suite.

Bien évidemment, ces limitations ne sont pas données de toute éternité. Elles évoluent en fonction de multiples processus de diffusion et de mobilisation des connaissances et des expériences : écoles et livres, migrations et intermariages, partis et syndicats, mobilités et rencontres, journaux et médias, et ainsi de suite. C'est ici que les recherches en sciences sociales peuvent jouer leur rôle. En confrontant minutieusement les expériences historiques issues de pays et d'aires culturelles et civilisationnelles différents, en exploitant de façon aussi systématique que possible les sources disponibles, en étudiant l'évolution de la structure des inégalités et des régimes politico-idéologiques dans les différentes sociétés, je suis convaincu qu'il est possible de contribuer à une meilleure compréhension des transformations en cours. Surtout, une telle approche comparative, historique et transnationale permet de se forger une idée plus précise de ce à quoi pourrait ressembler une meilleure organisation politique, économique et sociale pour les différentes sociétés du monde au XXIe siècle, et surtout pour la société mondiale, qui est la communauté politique humaine à laquelle nous appartenons tous. Pour autant, je ne prétends évidemment pas que les conclusions que je présenterai au fil du livre soient les seules possibles. Elles me semblent être celles qui découlent le plus logiquement des expériences historiques disponibles et des matériaux que je vais présenter, et je tenterai d'expliciter aussi précisément que possible les épisodes et les comparaisons qui me paraissent les plus décisives pour justifier telle ou telle conclusion (sans chercher à dissimuler l'ampleur des incertitudes qui demeurent). Mais il va de soi que ces conclusions sont tributaires de connaissances et de raisonnements eux-mêmes fort limités. Ce livre n'est qu'une minuscule étape dans un vaste processus d'apprentissage collectif, et je suis infiniment curieux et impatient de connaître les étapes suivantes de cette aventure humaine.

Je veux aussi ajouter, à l'intention de ceux qui se lamentent de la montée des inégalités et des dérives identitaires, et aussi de ceux qui craignent que je me lamente à mon tour, que ce livre n'est en aucune façon un livre de lamentations. Je suis plutôt d'un naturel optimiste, et mon premier objectif est de contribuer à trouver des solutions aux problèmes qui se posent. Plutôt que de voir toujours le verre à moitié vide, il n'est pas interdit de s'émerveiller face à l'étonnante capacité des sociétés humaines à imaginer des institutions et des coopérations nouvelles, à faire tenir ensemble des millions (parfois des centaines de millions, voire des milliards) de personnes qui ne se sont jamais rencontrées et ne se rencontreront jamais, et qui pourraient s'ignorer ou se détruire au lieu de se soumettre à des règles pacifiques, alors même que l'on sait si peu de choses sur la nature du régime idéal, et donc des règles auxquelles il est justifié de se soumettre. Pour autant, cette imagination institutionnelle a ses limites et doit faire l'objet d'une analyse raisonnée. Dire que l'inégalité est idéologique et politique, et non pas économique ou technologique, ne signifie pas que l'on puisse faire disparaître l'inégalité comme par enchantement. Cela veut dire, plus modestement, qu'il faut prendre au sérieux la diversité idéologico-institutionnelle des sociétés humaines, et se méfier de tous les discours visant à naturaliser les inégalités et à nier l'existence d'alternatives. Cela signifie également qu'il faut étudier de près les dispositifs institutionnels et les détails des règles légales, fiscales ou éducatives mises en place dans les différents pays, car ce sont ces détails décisifs qui en réalité font que la coopération fonctionne et que l'égalité progresse (ou pas), au-delà de la bonne volonté des uns et des autres, qui doit toujours être présumée, mais qui n'est jamais suffisante, tant qu'elle ne s'incarne pas dans des dispositifs cognitifs et institutionnels solides. Si je parviens à communiquer un peu de cet émerveillement raisonné au lecteur, et à le convaincre que les connaissances historiques et économiques sont trop importantes pour être abandonnées à d'autres, alors mon objectif aura été pleinement atteint.

Les sources utilisées dans ce livre : inégalités et idéologies

Ce livre s'appuie sur deux grands types de sources historiques : d'une part des sources permettant de mesurer l'évolution des inégalités, dans une perspective historique, comparative et multidimensionnelle (inégalités de revenus, salaire, patrimoine, éducation, genre, âge, profession, origine, religion, race, statut, etc.) ; et d'autre part des sources permettant d'étudier les transformations des idéologies, des croyances politiques et des représentations des inégalités et des institutions économiques, sociales et politiques qui les structurent.

Pour ce qui concerne les inégalités, je vais notamment m'appuyer sur les données rassemblées dans le cadre de la *World Inequality Database* (WID. world). Ce projet repose sur les efforts combinés de plus de 100 chercheurs couvrant désormais plus de 80 pays sur tous les continents. Il rassemble la plus vaste base de données actuellement disponible sur l'évolution historique des inégalités de revenus et de patrimoines, aussi bien entre pays qu'à l'intérieur des pays. Le projet WID.world est issu de travaux historiques lancés avec Anthony Atkinson et Emmanuel Saez au début des années 2000, et qui visaient eux-mêmes à généraliser et à étendre des recherches entamées dans les années 1950 et 1970 par Simon Kuznets, Atkinson et Allan Harrison[1]. Ces travaux reposent sur une confrontation systématique des différentes sources disponibles, et en particulier les comptes nationaux, les données d'enquêtes et les données fiscales et successorales, qui permettent généralement de remonter à la fin du XIXᵉ siècle et au début du XXᵉ siècle, période où furent créés des systèmes d'impôt progressif sur les revenus et les successions dans de nombreux pays, ce qui a également permis de donner à voir plus de choses sur les richesses (l'impôt est toujours un moyen de produire des catégories et des connaissances, et pas seulement des recettes fiscales et du mécontentement). On peut même pour certains pays débuter à la fin du XVIIIᵉ siècle et au début du XIXᵉ, en particulier dans le cas de la France, où la Révolution conduisit à la mise en place précoce d'un système unifié d'enregistrement des propriétés et de leur transmission. Ces recherches ont permis de mettre dans une perspective historique longue le

---

1. Voir les ouvrages fondateurs de S. Kuznets, *Shares of Upper Income Groups in Income and Savings*, National Bureau of Economic Research (NBER), 1953 (travail exploitant les données étasuniennes des années 1913-1948 issues des déclarations de revenus et des comptes nationaux, que Simon Kuznets venait de contribuer à créer) et A. Atkinson, A. Harrison, *Distribution of Personal Wealth in Britain*, Cambridge University Press, 1978 (livre utilisant notamment les données successorales britanniques des années 1923-1972). Voir également T. Piketty, *Les Hauts Revenus en France au XXᵉ siècle*, Grasset, 2001 ; A. Atkinson, T. Piketty, *Top Incomes over the Twentieth Century : A Contrast between Continental-European and English-Speaking Countries*, Oxford University Press, 2007 ; Id., *Top Incomes : A Global Perspective*, Oxford University Press, 2010 ; T. Piketty, *Le Capital au XXIᵉ siècle*, Seuil, 2013, p. 39-46.

phénomène de remontée des inégalités observé depuis les années 1980-1990, et ainsi de contribuer à nourrir le débat public mondial sur ces questions, comme en témoigne l'intérêt suscité par le *Capital au XXIᵉ siècle*, publié en 2013, ainsi que par le *Rapport sur les inégalités mondiales* publié en 2018[1]. Cet intérêt montre également le besoin profond de démocratisation des connaissances économiques et de participation politique. Dans des sociétés de plus en plus éduquées et informées, il devient de moins en moins acceptable d'abandonner les questions économiques et financières à un petit groupe d'experts aux compétences douteuses, et il est bien naturel que des citoyens de plus en plus nombreux souhaitent se faire leur propre opinion et s'engager en conséquence. L'économie est au cœur de la politique ; elle ne se délègue pas, pas plus que la démocratie.

Les données disponibles sur les inégalités restent malheureusement incomplètes, du fait notamment du manque de transparence économique et financière et des difficultés d'accès aux sources fiscales, administratives et bancaires dans de trop nombreux pays. Grâce au soutien de centaines de citoyens, chercheurs et journalistes, nous avons pu au cours de ces dernières années obtenir l'accès à de nouvelles sources que les gouvernements en place se refusaient jusqu'ici à ouvrir, par exemple au Brésil et en Inde, en Afrique du Sud et en Tunisie, au Liban et en Côte d'Ivoire, en Corée et à Taïwan, en Pologne et en Hongrie, et d'une façon malheureusement plus limitée en Chine et en Russie. Parmi les multiples limitations de mon livre de 2013, l'une des plus évidentes est son occidentalo-centrisme, dans le sens où il accorde une place excessive à l'expérience historique des pays riches (Europe de l'Ouest, Amérique du Nord, Japon). Cela découlait en partie des difficultés d'accès à des sources historiques adéquates pour les autres pays. Les données inédites maintenant disponibles dans WID.world me permettent dans ce nouvel ouvrage de sortir du cadre occidental et de développer une analyse plus riche de la diversité des régimes inégalitaires et des trajectoires et bifurcations possibles. Malgré ces progrès, il me faut cependant souligner que les données disponibles demeurent très insuffisantes, aussi bien d'ailleurs dans les pays riches que dans les pays pauvres.

J'ai également rassemblé dans le cadre de ce livre de multiples autres sources et matériaux portant sur des périodes, des pays ou des aspects des inégalités mal couverts dans WID.world, par exemple sur les sociétés

---

1. Voir F. ALVAREDO, L. CHANCEL, T. PIKETTY, E. SAEZ, G. ZUCMAN, *Rapport sur les inégalités mondiales 2018*, Seuil. Le rapport est également disponible en ligne : http://wir2018.wid.world.

préindustrielles ou les sociétés coloniales, ainsi que sur les inégalités de statut, de profession, d'éducation, de genre, de race ou de religion.

En ce qui concerne les idéologies, les sources utilisées seront naturellement très diverses. Je solliciterai bien sûr les sources classiques : débats parlementaires, discours politiques, programmes et plates-formes électorales des partis. J'utiliserai les textes des théoriciens comme ceux des acteurs politiques, car les uns et les autres jouent un rôle important dans l'histoire. Ils nous apportent des éclairages complémentaires sur les schémas de justification de l'inégalité qui ont eu cours aux différentes époques. Cela vaut par exemple pour les textes d'évêques du début du XIᵉ siècle justifiant l'organisation trifonctionnelle de la société en trois classes cléricales, guerrières et laborieuses, aussi bien que pour l'influent traité néopropriétariste et semi-dictatorial publié au début des années 1980 par Friedrich Hayek (*Law, Legislation and Liberty*), en passant par les écrits consacrés par le sénateur démocrate de Caroline du Sud et vice-président des États-Unis John Calhoun à la justification de « l'esclavage comme bien positif » (*slavery as a positive good*) dans les années 1830. Cela vaut également pour les textes de Xi Jinping et du *Global Times* sur le rêve néocommuniste chinois, qui sont tout aussi révélateurs que les tweets de Donald Trump ou les articles du *Wall Street Journal* ou du *Financial Times* sur la vision hypercapitaliste étatsunienne et anglo-saxonne. Toutes ces idéologies doivent être prises au sérieux, non seulement car elles ont un impact considérable sur le cours des choses, mais aussi parce qu'elles témoignent toutes à leur façon de tentatives (plus ou moins convaincantes) de donner du sens à des réalités sociales complexes. Or les êtres humains ne peuvent faire autrement que de tenter de donner du sens aux sociétés dans lesquelles ils vivent, aussi inégales et injustes soient-elles. Je pars du principe qu'il y a toujours des choses à apprendre dans l'expression de ces différents schémas idéologiques, et que seul un examen de l'ensemble des discours et trajectoires historiques peut permettre de dégager des leçons utiles pour la suite.

J'aurai également recours à la littérature, qui constitue souvent l'une des meilleures sources capables d'illustrer les transformations des représentations des inégalités. Dans *Le Capital au XXIᵉ siècle*, j'avais notamment utilisé le roman classique européen du XIXᵉ siècle, en particulier les textes de Balzac ou de Jane Austen, qui nous offrent un point de vue irremplaçable sur les sociétés de propriétaires qui s'épanouissent en France et au Royaume-Uni dans les années 1790-1830. Les deux romanciers ont une connaissance intime de la hiérarchie de la propriété en vigueur autour d'eux. Ils en connaissent mieux que personne les ressorts cachés et les frontières secrètes, les conséquences implacables sur la vie de ces femmes et de ces hommes, leurs stratégies de rencontre et d'alliance, leurs espoirs et leurs malheurs. Ils analysent la structure profonde des inégalités, leurs justifications, leurs implications dans la vie de chacun, avec une vérité et une puissance évocatrice qu'aucun discours politique, qu'aucun texte de sciences sociales ne saurait égaler.

Nous verrons que cette capacité unique de la littérature à évoquer les rapports de pouvoir et de domination entre groupes sociaux, à ausculter les perceptions des inégalités telles qu'elles sont ressenties par les uns et les autres, se retrouve dans toutes les sociétés, et peut nous apporter des témoignages précieux sur des régimes inégalitaires très divers. Dans *La Volonté et la Fortune,* magnifique fresque publiée en 2008, quelques années avant sa mort, Carlos Fuentes dessine un tableau édifiant du capitalisme mexicain et des violences sociales qui traversent son pays. Dans *Le Monde des hommes*, publié en 1980, Pramoedya Ananta Toer nous donne à voir le fonctionnement du régime colonial et inégalitaire néerlandais dans l'Indonésie de la fin du XIXe siècle et du début du XXe, avec une brutalité et une vérité qu'aucune autre source ne peut atteindre. Dans *Americanah*, Chimamanda Ngozie Adichie nous offre en 2013 un regard fier et ironique sur les trajectoires migratoires d'Ifemelu et d'Obinze, du Nigeria aux États-Unis et en Europe, et par là même un point de vue unique sur l'une des dimensions les plus fortes du régime inégalitaire actuel.

Pour étudier les idéologies et leurs transformations, ce livre s'appuiera également sur une exploitation systématique et originale des enquêtes postélectorales réalisées dans la plupart des pays où des élections se sont tenues depuis la Seconde Guerre mondiale. Malgré toutes leurs limites, ces enquêtes fournissent un observatoire incomparable sur la structure et les dimensions du conflit politique, idéologique et électoral, des années 1940-1950 jusqu'à la fin des années 2010, non seulement dans la quasi-totalité des pays occidentaux (et en particulier en France, aux États-Unis et au Royaume-Uni, pays sur lesquels je me pencherai plus particulièrement), mais également dans un grand nombre d'autres pays que j'examinerai également, en particulier l'Inde, le Brésil ou l'Afrique du Sud. L'une des limites les plus importantes de mon livre de 2013, outre son caractère occidentalo-centré, est sa tendance à traiter les évolutions politico-idéologiques autour des inégalités et de la redistribution comme une sorte de boîte noire. J'y formule certes quelques hypothèses à leur sujet, par exemple sur les transformations des représentations et attitudes politiques face aux inégalités et à la propriété privée induites au XXe siècle par les guerres mondiales, les crises économiques et le défi communiste, mais sans véritablement aborder de front la question de l'évolution des idéologies inégalitaires. C'est ce que je tente maintenant de faire de façon beaucoup plus explicite dans ce nouvel ouvrage, en replaçant cette question dans une perspective temporelle et spatiale plus vaste, et en m'appuyant notamment sur ces enquêtes postélectorales, ainsi que sur les autres sources permettant d'analyser l'évolution des idéologies.

Le progrès humain, le retour des inégalités, la diversité du monde

Entrons maintenant dans le vif du sujet. Le progrès humain existe, mais il est fragile, et il peut à tout moment se fracasser sur les dérives inégalitaires et identitaires du monde. Le progrès humain existe : il suffit pour s'en convaincre d'observer l'évolution de la santé et de l'éducation dans le monde au cours des deux derniers siècles (voir graphique 0.1). L'espérance de vie à la naissance est passée d'environ 26 ans dans le monde en moyenne en 1820 à 72 ans en 2020. Au début du XIXe siècle, la mortalité infantile frappait autour de 20 % des nouveau-nés de la planète au cours de leur première année, contre moins de 1 % aujourd'hui. Si l'on se concentre sur les personnes atteignant l'âge de 1 an, l'espérance de vie à la naissance est passée d'environ 32 ans en 1820 à 73 ans en 2020. On pourrait multiplier les indicateurs : la probabilité pour un nouveau-né d'atteindre l'âge de 10 ans, celle pour un adulte d'atteindre l'âge de 60 ans, celle pour une personne âgée de passer cinq ou dix ans de retraite en bonne santé. Sur tous ces indicateurs, l'amélioration de long terme est impressionnante. On peut certes trouver des pays et des époques où l'espérance de vie décline, y compris en temps de paix, comme l'Union soviétique dans les années 1970 ou les États-Unis dans les années 2010, ce qui en général n'est pas bon signe pour les régimes concernés. Mais sur la longue durée la tendance à l'amélioration est incontestable, dans toutes les parties du monde, quelles que soient par ailleurs les limites des sources démographiques disponibles[1].

---

1. Vers 1820, l'espérance de vie parmi les personnes atteignant 1 an était d'environ 30 ans en Afrique et en Asie et de 41 ans en Europe occidentale (pour une moyenne mondiale autour de 32 ans) ; vers 2020 elle sera de 56 ans en Afrique subsaharienne et dépasse 80 ans dans les pays les plus riches d'Europe et d'Asie (pour une moyenne mondiale d'environ 73 ans). Ces estimations sont imparfaites, mais les ordres de grandeur sont extrêmement clairs. Toutes ces

Graphique 0.1

Santé et éducation dans le monde, 1820-2020

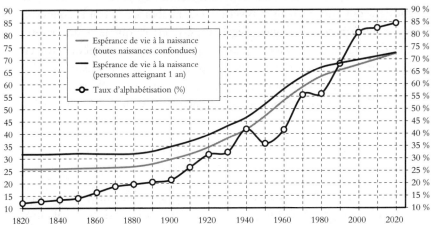

Lecture : l'espérance de vie à la naissance (toutes naissances confondues) est passée d'environ 26 ans en moyenne dans le monde en 1820 à 72 ans en 2020. L'espérance de vie à la naissance parmi les personnes atteignant l'âge de 1 an est passée de 32 ans à 73 ans (la mortalité infantile avant l'âge de 1 an est passée d'environ 20 % en 1820 à moins de 1 % en 2020). Le taux d'alphabétisation au sein de la population mondiale âgée de 15 ans ou plus est passé de 12 % à 85 %.

Sources et séries : voir piketty.pse.ens.fr/ideologie.

L'humanité vit aujourd'hui en meilleure santé qu'elle n'a jamais vécu ; elle a également davantage accès à l'éducation et à la culture qu'elle ne l'a jamais eu. L'Unesco n'existait pas au début du XIXe siècle pour définir l'alphabétisation comme elle le fait depuis 1958, c'est-à-dire la capacité d'une personne « à lire et écrire, en le comprenant, un énoncé simple et bref se rapportant à sa vie quotidienne ». Les informations recueillies dans de multiples enquêtes et recensements permettent toutefois d'estimer qu'à peine 10 % de la population mondiale âgée de plus de 15 ans était alphabétisée au début du XIXe siècle, contre plus de 85 % aujourd'hui. Là encore, des indicateurs plus fins, comme le nombre moyen d'années de scolarisation qui serait passé d'à peine une année il y a deux siècles à plus de huit années dans le monde aujourd'hui, et plus de douze années dans les pays les plus avancés, confirmeraient le diagnostic. À l'époque d'Austen et de Balzac, moins de 10 % de la population mondiale accédait à l'école primaire ; à celle d'Adichie et de Fuentes, plus de la moitié des jeunes

---

espérances de vie se fondent sur les mortalités par âge observées au cours de l'année considérée (l'espérance de vie des personnes nées au cours de l'année en question est donc légèrement supérieure). Voir annexe technique.

générations des pays riches accèdent à l'université : ce qui était depuis toujours un privilège de classe devient ouvert à la majorité.

Pour prendre conscience de l'ampleur des transformations en jeu, il convient également de rappeler que la population humaine tout comme le revenu moyen ont été multipliés par plus de 10 depuis le XVIIIᵉ siècle. La première est passée d'environ 600 millions en 1700 à plus de 7 milliards en 2020, alors que le second, autant que l'on puisse le mesurer, est passé d'un pouvoir d'achat moyen (exprimé en euros de 2020) d'à peine 80 euros par mois et par habitant de la planète autour de 1700 à environ 1 000 euros par mois en 2020 (voir graphique 0.2). Il n'est pas certain toutefois que ces progressions quantitatives considérables, dont il est utile de rappeler qu'elles correspondent toutes deux à des rythmes de croissance annuelle moyenne d'à peine 0,8 %, cumulés il est vrai sur plus de trois siècles (preuve s'il en est qu'il n'est peut-être pas indispensable de viser une croissance de 5 % par an pour atteindre le bonheur terrestre), représentent des « progrès » en un sens aussi incontestables que ceux réalisés en termes de santé et d'éducation.

Graphique 0.2
Population et revenu moyen dans le monde, 1700-2020

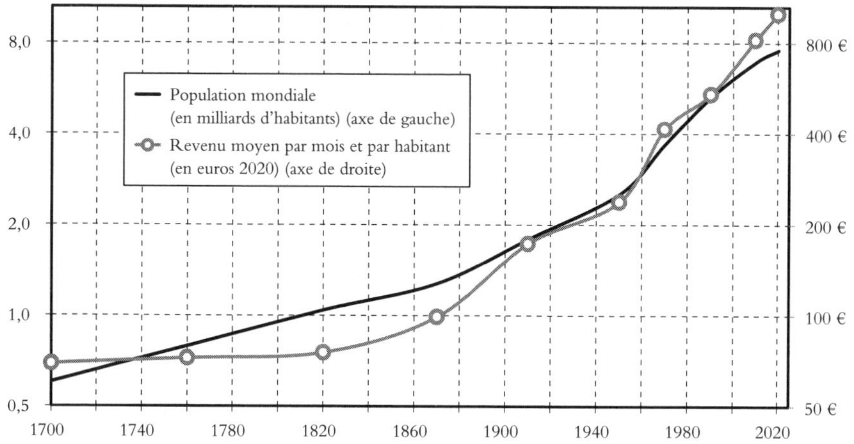

Lecture : la population mondiale comme le revenu national moyen ont été multipliés par plus de 10 entre 1700 et 2020 : la première est passée d'environ 600 millions d'habitants en 1700 à plus de 7 milliards en 2020 ; le second, exprimé en euros de 2020 et en parité de pouvoir d'achat, est passé d'à peine 80 € par mois et par habitant de la planète en 1700 à environ 1 000 € par mois et par habitant en 2020.
Sources et séries : voir piketty.pse.ens.fr/ideologie.

Dans les deux cas, l'interprétation de ces évolutions est ambiguë, et ouvre des débats complexes pour l'avenir. La croissance démographique reflète certes pour partie la chute de la mortalité infantile et le fait qu'un nombre croissant de parents a pu grandir avec des enfants en vie, ce qui n'est pas rien. Il reste qu'une telle hausse de la population, si elle se poursuivait au même rythme, nous conduirait à plus de 70 milliards d'humains dans trois siècles, ce qui ne semble ni souhaitable ni supportable par la planète. La croissance du revenu moyen reflète pour partie une amélioration bien réelle des conditions de vie (les trois quarts des habitants de la planète vivaient proches du seuil de subsistance au XVIIIe siècle, contre moins d'un cinquième aujourd'hui), ainsi que des possibilités nouvelles de voyages, de loisirs, de rencontres et d'émancipation. Il reste que les comptes nationaux mobilisés ici pour décrire l'évolution de long terme du revenu moyen, et qui depuis leur invention à la fin du XVIIe et au début du XVIIIe siècle au Royaume-Uni et en France tentent de mesurer le revenu national, le produit intérieur brut et parfois le capital national des pays, posent de multiples problèmes. Outre leur focalisation sur les moyennes et les agrégats et leur absence totale de prise en compte des inégalités, ils ne commencent que trop lentement à intégrer la question de la soutenabilité et du capital humain et naturel. Par ailleurs, leur capacité à résumer en un indicateur unique les transformations multidimensionnelles des conditions de vie et du pouvoir d'achat sur des périodes aussi longues ne doit pas être surestimée[1].

De façon générale, les réels progrès réalisés en termes de santé, d'éducation et de pouvoir d'achat masquent d'immenses inégalités et fragilités. En 2018, le taux de mortalité infantile avant 1 an était inférieur à 0,1 % dans les pays européens, nord-américains et asiatiques les plus riches, mais ils atteignaient quasiment 10 % dans les pays africains les plus pauvres. Le revenu moyen mondial atteignait certes 1 000 euros par mois et par habitant, mais il était d'à peine 100-200 euros par mois dans les pays les plus pauvres, et dépassait les 3 000-4 000 euros par mois

1. Rappelons que le revenu national évoqué ici (et auquel j'aurai fréquemment recours dans ce livre) est défini comme le produit intérieur brut, diminué de la dépréciation du capital (qui représente en pratique autour de 10 %-15 % du produit intérieur brut), augmenté ou diminué du revenu net perçu de l'étranger (terme qui peut être positif ou négatif suivant les pays, mais qui s'annule au niveau mondial). Voir T. PIKETTY, *Le Capital au XXIe siècle*, *op. cit.*, chapitres 1-2. Je reviendrai à plusieurs reprises sur les enjeux sociopolitiques posés par les comptes nationaux et leurs multiples limitations, en particulier dans une perspective de développement durable et équitable. Voir notamment chapitre 13, p. 771-775.

dans les pays les plus riches, voire davantage dans quelques micro-paradis fiscaux que d'aucuns soupçonnent (non sans raison) de voler le reste de la planète, quand il ne s'agit pas de pays dont la prospérité s'appuie sur les émissions carbone et le réchauffement à venir. Certains progrès ont bien eu lieu, mais cela ne change rien au fait qu'il est toujours possible de mieux faire, ou en tout état de cause de s'interroger sérieusement à ce sujet, plutôt que de se complaire dans un sentiment de béatitude face aux succès du monde.

Surtout, ce progrès humain moyen incontestable, si l'on compare les conditions de vie en vigueur au XVIIIᵉ siècle et au début du XXIᵉ, ne doit pas faire oublier que cette évolution de très long terme s'est accompagnée de phases terribles de régression inégalitaire et civilisationnelle. Les « Lumières » euro-américaines et la révolution industrielle se sont appuyées sur des systèmes extrêmement violents de dominations propriétaristes, esclavagistes et coloniales, qui ont pris une ampleur historique sans précédent au cours des XVIIIᵉ, XIXᵉ et XXᵉ siècles, avant que les puissances européennes sombrent elles-mêmes dans une phase d'autodestruction génocidaire entre 1914 et 1945. Ces mêmes puissances se sont ensuite vu imposer les décolonisations dans les années 1950-1960, au moment où les autorités étatsuniennes finissaient par étendre les droits civiques aux descendants d'esclaves. Les craintes d'apocalypse atomique liées au conflit communisme-capitalisme étaient à peine oubliées, après l'effondrement soviétique de 1989-1991, et l'apartheid sud-africain était à peine aboli en 1991-1994, que le monde entrait à partir des années 2000-2010 dans une nouvelle torpeur, celle du réchauffement climatique et d'une tendance générale au repli identitaire et xénophobe, tout cela dans un contexte de remontée inédite des inégalités socio-économiques à l'intérieur des pays depuis les années 1980-1990, dopée par une idéologie néopropriétariste particulièrement radicale. Prétendre que tous ces épisodes observés depuis le XVIIIᵉ siècle jusqu'au XXIᵉ siècle étaient nécessaires et indispensables pour que le progrès humain se réalise n'aurait guère de sens. D'autres trajectoires et régimes inégalitaires étaient possibles, d'autres trajectoires et d'autres régimes plus égalitaires et plus justes sont toujours possibles.

S'il y a bien une leçon à retenir de l'histoire mondiale des trois derniers siècles, c'est que le progrès humain n'est pas linéaire, et que l'on aurait bien tort de faire l'hypothèse que tout ira toujours pour le mieux, et que la libre compétition des puissances étatiques et des acteurs économiques suffirait à nous conduire comme par miracle à l'harmonie sociale et universelle. Le progrès humain existe, mais il est un combat, et il doit avant tout s'appuyer sur une analyse raisonnée des évolutions historiques passées, avec ce qu'elles comportent de positif et de négatif.

Le retour des inégalités : premiers repères

La remontée des inégalités socio-économiques, observée à l'intérieur de la plupart des pays et régions de la planète depuis les années 1980-1990, figure parmi les évolutions structurelles les plus inquiétantes auxquelles le monde est confronté en ce début de XXIe siècle. Nous verrons également qu'il est très difficile d'envisager des solutions aux autres grands défis de notre temps, à commencer par les défis climatiques et migratoires, si l'on ne parvient pas dans le même temps à réduire les inégalités et à bâtir une norme de justice acceptable par le plus grand nombre.

Commençons par examiner l'évolution d'un indicateur simple, à savoir la part du décile supérieur (c'est-à-dire les 10 % de la population bénéficiant des revenus les plus élevés) dans le revenu total, dans les différentes régions du monde depuis 1980. En cas d'égalité sociale absolue, cette part devrait être égale à 10 % ; en cas d'inégalité absolue, elle devrait être égale à 100 %. En pratique, elle est évidemment toujours comprise entre ces deux extrêmes, mais avec des variations considérables dans le temps et l'espace. On observe en particulier une tendance à la hausse dans quasiment tous les pays au cours des dernières décennies. Si l'on compare le cas de l'Inde, des États-Unis, de la Russie, de la Chine et de l'Europe, on constate ainsi que la part du décile supérieur se situait aux alentours de 25 %-35 % du revenu total dans chacune de ces cinq régions en 1980, et qu'elle se situe autour de 35 %-55 % en 2018 (voir graphique 0.3). Compte tenu de son ampleur, il est légitime de se demander jusqu'où ira une telle évolution : la part du décile supérieur atteindra-t-elle 55 %-75 % du revenu total dans quelques décennies, et ainsi de suite ? On notera également que l'ampleur de la hausse des inégalités varie considérablement suivant les régions, y compris pour un même niveau de développement. Les inégalités ont ainsi progressé beaucoup plus vite aux États-Unis qu'en Europe, et beaucoup plus fortement en Inde qu'en Chine. Les données détaillées indiquent également que cette hausse des inégalités s'est faite notamment aux dépens des 50 % les plus pauvres, dont la part dans le revenu total se situait autour de 20 %-25 % en 1980 dans ces cinq régions, et n'est plus que de 15 %-20 % en 2018 (voire à peine plus de 10 % aux États-Unis, ce qui est particulièrement inquiétant)[1].

Graphique 0.3

La montée des inégalités dans le monde, 1980-2018

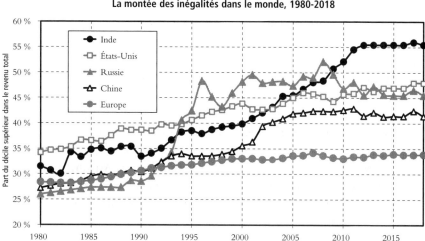

Lecture : la part du décile supérieur (les 10 % des revenus les plus élevés) dans le revenu national total était comprise entre 26 % et 34 % en 1980 dans les différentes régions du monde ; elle est comprise entre 34 % et 56 % en 2018. La hausse des inégalités est générale, mais son ampleur varie fortement suivant les pays, à tous les niveaux de développement. Elle est par exemple plus forte aux États-Unis qu'en Europe (UE), et plus forte en Inde qu'en Chine.
Sources et séries : voir piketty.pse.ens.fr/ideologie.

Si l'on prend une perspective de plus long terme, on constate que les cinq grandes régions du monde représentées sur le graphique 0.3 ont connu entre 1950 et 1980 une phase historique relativement égalitaire, avant d'entrer dans une période de montée des inégalités depuis 1980 (voir par exemple graphique 0.6). La phase égalitaire 1950-1980 correspond à des régimes politiques variables suivant les régions – des régimes communistes en Chine et en Russie, et des régimes que l'on peut qualifier de sociaux-démocrates en Europe, ainsi que, d'une certaine façon, aux États-Unis et en Inde, suivant des modalités fort différentes, qu'il nous faudra étudier

---

1. L'Europe au sens défini sur le graphique 0.3 (et repris dans la suite du livre, sauf précision contraire) correspond à l'Union européenne, en incluant toutefois les pays liés à l'UE comme la Suisse ou la Norvège, soit au total plus de 540 millions d'habitants (dont environ 420 millions pour l'Europe de l'Ouest et 120 millions pour l'Europe de l'Est, et 520 millions pour l'UE proprement dite, Royaume-Uni inclus). La Russie, l'Ukraine et la Biélorussie ne sont pas incluses. Si l'on se restreint à l'Europe occidentale, l'écart avec les États-Unis apparaît plus fort encore. Voir chapitre 12, graphique 12.9, p. 741.

de près –, mais qui avaient pour point commun de favoriser une relative égalité socio-économique (ce qui ne veut pas dire que d'autres inégalités ne jouaient pas un rôle essentiel).

Si l'on élargit la perspective à d'autres parties du monde, on constate qu'il existe des régions encore plus inégalitaires (voir graphique 0.4). La part du décile supérieur atteint par exemple 54 % du revenu total en Afrique subsaharienne (et même 65 % si l'on se concentre sur l'Afrique du Sud), 56 % au Brésil et 64 % au Moyen-Orient, qui apparaît comme la région la plus inégalitaire du monde en 2018 (quasiment à égalité avec l'Afrique du Sud), avec une part inférieure à 10 % du revenu total pour les 50 % les plus pauvres[1]. Les origines des inégalités dans ces différentes régions sont extrêmement variées : un lourd héritage historique lié aux discriminations raciales et coloniales et à l'esclavage dans certains cas (en particulier au Brésil et en Afrique du Sud, ainsi d'ailleurs qu'aux États-Unis), aussi bien que des facteurs plus « modernes » liés à l'hyperconcentration des richesses pétrolières et à leur transformation en richesses financières durables dans le cas du Moyen-Orient, par le truchement des marchés internationaux et d'un système légal sophistiqué. Le principal point commun entre ces différents régimes (Afrique du Sud, Brésil, Moyen-Orient) est qu'ils se situent à la frontière inégalitaire du monde contemporain, avec une part du décile supérieur autour de 55 %-65 % du revenu total. Par ailleurs, même si les données historiques sont imparfaites, il semblerait que ces régions se soient toujours caractérisées par un niveau d'inégalité élevée : elles n'ont jamais connu de phase égalitaire « sociale-démocrate » (et encore moins communiste).

Pour résumer : on assiste à une remontée des inégalités dans quasiment toutes les régions du monde depuis 1980-1990, sauf dans celles qui n'avaient jamais cessé d'être fortement inégalitaires. D'une certaine façon, les régions qui ont connu une relative égalité entre 1950 et 1980 semblent en passe de rejoindre la frontière inégalitaire du monde, avec toutefois de larges variations entre pays.

1. Encore faut-il préciser que les estimations présentées ici pour le Moyen-Orient (ainsi d'ailleurs que pour les autres régions) doivent être considérées comme des bornes inférieures, dans la mesure où les revenus domiciliés dans les paradis fiscaux ne sont que très imparfaitement pris en compte. Pour des estimations alternatives, voir chapitre 13, p. 761-763. Le Moyen-Orient est ici défini comme la région allant de l'Égypte à l'Iran et de la Turquie à la péninsule arabique, soit environ 420 millions d'habitants.

Graphique 0.4

L'inégalité dans les différentes régions du monde en 2018

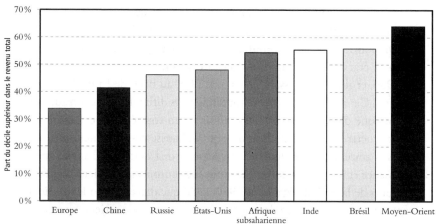

Lecture : en 2018, la part du décile supérieur (les 10 % des revenus les plus élevés) dans le revenu national était de 34 % en Europe, 41 % en Chine, 46 % en Russie, 48 % aux États-Unis, 54 % en Afrique subsaharienne, 55 % en Inde, 56 % au Brésil et 64 % au Moyen-Orient.
Sources et séries : voir piketty.pse.ens.fr/ideologie.

La courbe de l'éléphant : débattre sereinement de la mondialisation

La remontée des inégalités à l'intérieur des pays depuis 1980 est un phénomène qui est maintenant bien documenté et largement reconnu comme tel. Mais le fait de s'accorder sur ce constat n'implique évidemment pas un quelconque accord sur les solutions : la question cruciale n'est pas tant le niveau de l'inégalité mais bien plutôt son origine et son schéma de justification. Par exemple, on peut tout à fait considérer que le niveau d'inégalité monétaire était artificiellement et excessivement bas sous les régimes communistes russes et chinois en 1980, et dès lors que la remontée des écarts de revenus observée depuis les années 1980-1990 n'a rien de négatif, et aurait au contraire contribué à stimuler l'innovation et la croissance, pour le plus grand bénéfice de tous, y compris des plus modestes, en particulier en Chine où la pauvreté a fortement diminué. Un tel argument est potentiellement acceptable, mais uniquement s'il est utilisé avec modération et clairvoyance, à l'issue d'un examen attentif des éléments dont nous disposons. Ainsi on ne peut pas justifier n'importe quel accaparement privé de richesses naturelles ou d'anciennes entreprises publiques par des oligarques russes ou chinois des années 2000-2020 (qui n'ont pas toujours fait preuve d'une grande capacité individuelle d'innovation, à part peut-être pour imaginer des montages légaux et fiscaux permettant de sécuriser leurs appropriations) au nom du fait que les inégalités monétaires étaient dans ces deux pays exagérément faibles en 1980.

On pourrait aussi avancer un même argument pour les cas indien, européen et étatsunien : le niveau d'égalité y aurait été excessif entre 1950 et 1980, et il était nécessaire d'y mettre fin, au nom de l'intérêt des plus pauvres. Cet argument se heurte toutefois à des difficultés plus considérables encore que dans les cas russe et chinois et, en tout état de cause, ne peut pas permettre de justifier n'importe quelle hausse des inégalités, quelle que soit son ampleur, sans même prendre la peine de l'examiner. Par exemple, la croissance étatsunienne comme la croissance européenne étaient plus fortes au cours de la période égalitaire 1950-1980 que dans la période ultérieure, caractérisée par la hausse des inégalités, ce qui pose de sérieuses questions sur l'utilité sociale de cette dernière. L'accroissement plus important des inégalités observé depuis 1980 aux États-Unis, par comparaison à l'Europe, n'a par ailleurs guère engendré de croissance supplémentaire, et en tout état de cause n'a pas bénéficié aux 50 % les plus pauvres, qui ont connu une totale stagnation de leur niveau de vie absolu aux États-Unis, et un effondrement de leur niveau relatif. Enfin, la plus forte hausse des inégalités observée depuis 1980 en Inde, par comparaison à la Chine, s'est accompagnée d'une croissance nettement plus faible, résultant en une forme de double peine pour les 50 % les plus pauvres : une moins forte croissance totale, et une plus faible part. Aussi fragiles soient-ils, ces arguments fondés sur l'idée d'une compression excessive des écarts de revenus entre 1950 et 1980 et d'un accroissement utile des inégalités depuis 1980 doivent toutefois être pris au sérieux, au moins jusqu'à un certain point, et nous les examinerons de façon approfondie dans le cadre de ce livre.

Une manière particulièrement transparente et expressive de représenter la répartition de la croissance globale depuis 1980 et la complexité des évolutions en jeu consiste à relier la position dans la hiérarchie mondiale des revenus et l'ampleur de la croissance observée à ce niveau de la hiérarchie. On obtient alors ce que l'on peut appeler la « courbe de l'éléphant » (voir graphique 0.5)[1]. Pour résumer : les niveaux de revenus compris entre les percentiles 60 et 90 de la répartition mondiale (c'est-à-dire ceux qui

---

1. La première formulation de la « courbe de l'éléphant » est due à C. Lakner et B. Milanovic, « Global Income Distribution : From the Fall of the Berlin Wall to the Great Recession », *World Bank Economic Review*, vol. 30, n° 2, 2015, p. 203-232. Les estimations

Graphique 0.5

La courbe de l'éléphant des inégalités mondiales, 1980-2018

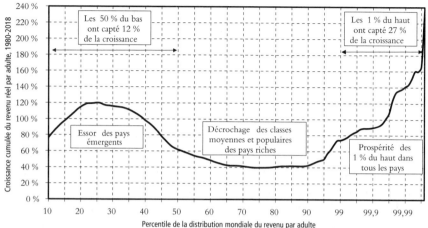

Lecture : les 50 % des revenus les plus bas du monde ont connu une croissance importante de leur pouvoir d'achat entre 1980 et 2018 (entre + 60 % et + 120 %) ; les 1 % des revenus les plus élevés du monde ont connu une croissance encore plus forte (entre + 80 % et + 240 %) ; les revenus intermédiaires ont en revanche connu une croissance plus limitée. Pour résumer : les inégalités ont diminué entre le bas et le milieu de la distribution mondiale des revenus, et ont progressé entre le milieu et le haut.
Sources et séries : voir piketty.pse.ens.fr/ideologie.

n'appartiennent ni aux 60 % des revenus les plus bas de la planète, ni aux 10 % des revenus les plus élevés), intervalle qui correspond *grosso modo* aux classes moyennes et populaires des pays riches, ont été largement oubliés par la croissance mondiale de la période 1980-2018, qui a en revanche fortement bénéficié aux autres groupes, placés au-dessous et au-dessus d'eux, c'est-à-dire les ménages des pays pauvres et émergents (le dos de l'éléphant, en particulier entre les percentiles 20 et 40), et plus encore les ménages les plus riches des pays riches et de toute la planète (le haut de la trompe, au-delà du percentile 99, c'est-à-dire les 1 % des revenus les plus élevés du monde, et surtout les 0,1 % et 0,01 % les plus élevés, qui ont bénéficié d'une croissance de plusieurs centaines de pourcents). Si la répartition mondiale des revenus était dans une situation d'équilibre, alors cette courbe devrait être plate : tous les centiles devraient progresser en moyenne au même rythme. Il y aurait toujours des riches et des pauvres, et il y aurait toujours de fortes mobilités individuelles, ascendantes ou descendantes, mais les niveaux de revenus moyens des différents centiles progresseraient

présentées ici sont issues du *Rapport sur les inégalités mondiales 2018* et de la base WID.world, qui permet de mieux prendre en compte le haut de la distribution.

41

tous au même rythme[1]. La croissance mondiale serait alors comme « une marée montante tirant tous les bateaux » (*a rising tide that lifts all boats*), pour reprendre l'expression anglo-saxonne qui avait cours dans l'après-guerre pour décrire une croissance bénéficiant dans des proportions comparables à toutes les classes de revenus. Le fait que l'on soit si éloigné d'une courbe plate montre l'ampleur des transformations en cours.

Cette courbe est fondamentale, car elle permet de mieux comprendre le dialogue difficile qui caractérise parfois le débat public sur la mondialisation : certains s'émerveillent de la réduction des inégalités et de la pauvreté mondiales que permettrait la formidable croissance des pays les moins avancés, alors que d'autres se lamentent de la hausse massive des inégalités qu'entraîneraient inexorablement les excès de l'hypercapitalisme mondialisé. En réalité, l'un et l'autre discours ont chacun leur part de vérité : les inégalités ont diminué entre le bas et le milieu de la répartition mondiale des revenus, et elles ont augmenté entre le milieu et le haut de la distribution. Ces deux aspects de la mondialisation sont tout aussi réels l'un que l'autre, et la question n'est pas de nier l'un ou l'autre, mais bien plutôt de savoir comment faire pour conserver les bons aspects de la mondialisation tout en se débarrassant des mauvais. On notera au passage l'importance du langage, des catégories et du dispositif cognitif utilisé : si l'on décrivait les inégalités par un indicateur unique, comme le coefficient de Gini, alors on pourrait avoir l'illusion que rien ne change, précisément car l'on ne se donnerait pas les moyens de voir que les évolutions sont complexes et multidimensionnelles, et que l'on laisse plusieurs effets se mêler et se compenser au sein d'un indicateur unique. C'est pourquoi dans ce livre je n'aurai pas recours à ce type d'indicateur « synthétique ». Je prendrai toujours soin de décrire les inégalités et leur évolution en distinguant clairement les différents déciles et centiles de revenus et patrimoines concernés, et par conséquent les groupes sociaux en jeu[2].

---

1. La « courbe de l'éléphant » indique la croissance du revenu moyen d'un percentile donné entre deux dates, étant entendu qu'un même percentile ne regroupe pas les mêmes personnes aux deux dates, compte tenu de la mobilité individuelle ascendante ou descendante et des décès et naissances.

2. Précisons que le coefficient de Gini a été inventé au début du XXe siècle par l'économiste-statisticien italien Corrado Gini, qui comme son compatriote Vilfredo Pareto avait une vision relativement conservatrice des inégalités et de leur permanence. Voir T. PIKETTY, *Le Capital au XXIe siècle, op. cit.*, p. 417-425. Nous reviendrons plus loin sur l'importance du choix des indicateurs et le rôle ambigu des instituts statistiques et des organisations internationales dans ces débats. Voir en particulier chapitre 13, p. 764-770. Par ailleurs, tous les coefficients de

En l'occurrence, certains pourraient être tentés de reprocher à la « courbe de l'éléphant » d'accorder une importance visuelle excessive aux 1 % ou aux 0,1 % de la population mondiale qui se sont enrichis au sommet de la répartition. Plutôt que d'attiser aussi sottement l'envie et la convoitise vis-à-vis de groupes aussi minuscules, ne devrait-on pas plutôt se réjouir de la croissance observée en bas de la distribution ? En vérité, les recherches les plus récentes ont non seulement confirmé la pertinence de cette approche, mais ont même montré que la courbe de l'éléphant était encore plus marquée à son sommet que ce qui avait été initialement estimé. On constate ainsi qu'au cours de la période 1980-2018, la part de la croissance mondiale totale des revenus captée par les 1 % les plus riches du monde est de 27 %, contre 12 % pour les 50 % les plus pauvres (voir graphique 0.5). Autrement dit, le haut de la trompe concerne certes une faible part de la population, mais s'est approprié une part pachydermique de la croissance, plus de deux fois plus élevée que la part allant aux quelque 3,5 milliards de personnes formant la moitié la plus pauvre du monde[1]. Cela implique par exemple qu'un modèle de croissance légèrement moins favorable au sommet de la pyramide aurait permis (et pourrait permettre à l'avenir) une réduction bien plus rapide de la pauvreté mondiale.

Là encore, ce type de données peut aiguiller le débat, mais n'a pas vocation à le clore. Tout dépend de nouveau des origines des inégalités et de leur justification. La question centrale est de savoir jusqu'où il est possible de justifier la croissance du sommet au nom des multiples bienfaits apportés par les plus riches au reste de la société. Si l'on pense vraiment que la hausse des inégalités permet encore et toujours d'améliorer le revenu et les conditions de vie des 50 % les plus pauvres, alors il devient possible de justifier

---

Gini correspondant aux répartitions de revenus et de patrimoines évoquées dans ce livre sont disponibles dans l'annexe technique. Pour simplifier : les coefficients de Gini, qui par définition sont toujours compris entre 0 (égalité absolue) et 1 (inégalité absolue), montent généralement jusque vers 0,8-0,9 quand la part du décile supérieur atteint 80 %-90 % du total, et s'abaissent jusqu'à 0,1-0,2 lorsque la part du décile supérieur se réduit autour de 10 %-20 % du total. Mais il est beaucoup plus parlant et pertinent de s'intéresser aux parts des différents groupes (les 50 % les plus pauvres, les 10 % les plus riches, etc.), et je recommande vivement au lecteur de raisonner de cette façon et de retenir ces ordres de grandeur, plutôt que les coefficients de Gini.

1. L'échelle adoptée sur le graphique 0.5 est intermédiaire entre une échelle proportionnelle aux parts dans la population (qui ferait effectivement une place minuscule aux 1 % et 0,1 % des revenus les plus élevés) et une échelle proportionnelle aux parts dans la croissance totale (qui leur ferait une part plus grande que celle indiquée ici, ce qui ne serait pas absurde, dans la mesure où il s'agit de débattre de la répartition de la croissance). Voir *Rapport sur les inégalités mondiales 2018* (wir2018.wid.world) et annexe technique.

que les 1 % les plus riches concentrent 27 % de la croissance mondiale, voire bien plus encore, par exemple 40 %, 60 % ou même 80 %. L'analyse des différentes trajectoires, en particulier les comparaisons États-Unis/Europe et Inde/Chine déjà évoquées plus haut, ne plaide guère pour ce type d'interprétation, puisque les pays où le sommet s'est enrichi le plus fortement ne sont pas ceux où les plus pauvres ont prospéré davantage. Ces comparaisons suggèrent plutôt que la part de la croissance mondiale captée par les 1 % les plus riches aurait pu (et pourrait à l'avenir) être abaissée autour de 10 %-20 %, ou moins encore, et ainsi permettre une forte hausse de la part allant aux 50 % les plus pauvres. Mais ces questions sont suffisamment importantes pour mériter un examen détaillé. En tout état de cause, il paraît bien difficile au vu de ces données de prétendre qu'il existerait une seule façon d'organiser la mondialisation, et que la part allant aux 1 % doit être nécessairement et précisément de 27 % (contre 12 % aux 50 % les plus pauvres), ni plus ni moins. La mondialisation met en jeu des déformations considérables de la répartition qui ne peuvent être ignorées au motif que seule la croissance totale importerait. Le débat sur les alternatives et les choix institutionnels et politiques susceptibles d'affecter cette répartition de la croissance mondiale doit avoir lieu, dans un sens ou dans un autre.

De la justification de l'inégalité extrême

Nous verrons également que les plus hautes fortunes mondiales ont connu depuis les années 1980 des progressions encore plus fortes que les plus hauts revenus mondiaux représentés sur le graphique 0.5. Dans toutes les parties du monde, on constate ainsi un accroissement extrêmement rapide des plus hauts patrimoines, qu'il s'agisse des oligarques russes ou des magnats mexicains, des milliardaires chinois ou des financiers indonésiens, des propriétaires saoudiens ou des fortunes étatsuniennes, des industriels indiens ou des portefeuilles européens. On observe des progressions à des rythmes qui sont beaucoup plus élevés que la croissance de la taille de l'économie mondiale, de l'ordre de trois, quatre fois plus rapides que la croissance mondiale au cours de la période 1980-2018. Par définition, un tel phénomène ne peut pas continuer indéfiniment, sauf à accepter l'idée que la part des milliardaires dans le total des patrimoines mondiaux tende peu à peu vers 100 %, perspective difficilement défendable. Cette divergence s'est néanmoins poursuivie au cours de la décennie qui a suivi la crise financière de 2008, quasiment à la même allure qu'au cours de la période 1990-2008, ce qui suggère que nous sommes face à une évolution structurelle de grande ampleur dont nous n'avons peut-être pas vu le bout[1].

Face à des évolutions aussi spectaculaires, les discours de justification de l'inégalité patrimoniale extrême oscillent souvent entre plusieurs attitudes, et prennent parfois des formes étonnantes. Dans les pays occidentaux, une distinction très forte est souvent faite entre d'une part les « oligarques » russes, les pétro-milliardaires moyen-orientaux et autres milliardaires chinois, mexicains, guinéens, indiens ou indonésiens, dont on considère souvent qu'ils ne « méritent » pas véritablement leur fortune, car elle aurait été obtenue par l'entremise de relations avec les pouvoirs étatiques (par exemple par l'appropriation indue de ressources naturelles ou de diverses licences) et ne serait guère utile pour la croissance ; et d'autre part les « entrepreneurs » européens et étatsuniens, californiens de préférence, dont il est de bon ton de chanter les louanges et les contributions infinies au bien-être mondial, et de penser qu'ils devraient être encore plus riches si la planète savait les récompenser comme ils le méritent. Peut-être même devrait-on étendre notre dette morale considérable à leur égard en une dette financière sonnante et trébuchante, ou bien en leur cédant nos droits de vote, ce qui d'ailleurs n'est pas loin d'être déjà le cas dans plusieurs pays. Un tel régime de justification des inégalités, qui se veut à la fois hypermé-ritocratique et occidentalo-centré, illustre bien le besoin irrépressible des sociétés humaines de donner du sens à leurs inégalités, parfois au-delà du raisonnable. De fait, ce discours de quasi-béatification de la fortune n'est pas exempt de contradictions, pour certaines abyssales. Est-on bien sûr que Bill Gates et les autres techno-milliardaires auraient pu développer leurs affaires sans les centaines de milliards d'argent public investies dans la formation et la recherche fondamentale depuis des décennies, et pense-t-on vraiment que leur pouvoir de quasi-monopole commercial et de brevetage privé de connaissances publiques aurait pu prospérer autrement qu'avec le soutien actif du système légal et fiscal en vigueur ?

C'est pourquoi la justification de ces inégalités extrêmes passe souvent par un discours moins grandiloquent, et insistant surtout sur le besoin de stabilité patrimoniale et de protection du droit de propriété. Autre-ment dit, l'inégalité des fortunes n'est peut-être pas entièrement juste, et

---

1. Voir en particulier chapitre 13, tableau 13.1, p. 799.

pas toujours utile, surtout dans les proportions observées, y compris en Californie, mais sa remise en cause risquerait d'ouvrir une escalade sans fin dont les plus pauvres et la société dans son ensemble finiraient par faire les frais. Cet argument propriétariste fondé sur le besoin de stabilité sociopolitique et de sécurisation absolue (et parfois quasi religieuse) des droits de propriété acquis dans le passé jouait déjà un rôle central pour justifier les fortes inégalités caractérisant les sociétés de propriétaires qui prospéraient en Europe et aux États-Unis au XIXe siècle et au début du XXe. On retrouvera aussi cet éternel argument de la stabilité dans la justification des sociétés trifonctionnelles et esclavagistes. Il faut aussi y ajouter aujourd'hui un discours sur l'inefficacité supposée de l'État et l'agilité réputée supérieure de la philanthropie privée, argument qui jouait également un rôle lors des périodes précédentes, mais qui a pris une ampleur nouvelle à l'époque contemporaine. Ces différents discours sont légitimes et doivent être entendus, jusqu'à un certain point, mais je tenterai de démontrer qu'ils peuvent être dépassés, en nous fondant sur les leçons de l'histoire.

Apprendre de l'histoire, apprendre du XXe siècle

De façon générale, nous verrons dans ce livre qu'il est nécessaire pour analyser les évolutions en cours à la fin du XXe siècle et en ce début du XXIe siècle, et surtout pour dégager des leçons pour l'avenir, de replacer l'histoire des régimes et idéologies inégalitaires dans le cadre d'une perspective historique et comparative de longue durée. Le régime inégalitaire actuel, que l'on peut qualifier de néopropriétariste, porte en lui des traces de tous les régimes précédents. Il ne peut être correctement étudié que si l'on commence par examiner comment les sociétés trifonctionnelles anciennes (fondées sur la structure ternaire clergé-noblesse-tiers état) se sont transformées en sociétés de propriétaires aux XVIIIe et XIXe siècles, puis comment ces dernières se sont effondrées au cours du XXe siècle, sous les coups à la fois des défis communistes et sociaux-démocrates, des guerres mondiales et des indépendances, qui ont mis fin à plusieurs siècles de domination coloniale. Toutes les sociétés humaines ont besoin de donner du sens à leurs inégalités, et les justifications du passé, si on les étudie de près, ne sont pas toujours plus folles que celles du présent. C'est en les examinant toutes, dans leur déroulé historique concret, et en mettant l'accent sur la multiplicité des trajectoires et des bifurcations possibles, que l'on peut mettre en perspective le régime inégalitaire actuel et envisager les conditions de sa transformation.

Nous accorderons une importance particulière à la chute des sociétés propriétaristes et coloniales au XXᵉ siècle, chute qui s'est accompagnée d'une transformation radicale de la structure des inégalités et de leur régime de justification, et dont le monde actuel est directement issu. Les pays ouest-européens, à commencer par la France, le Royaume-Uni et l'Allemagne, qui à la veille de la Première Guerre mondiale étaient plus inégalitaires que les États-Unis, sont devenus moins inégalitaires au cours du XXᵉ siècle, d'abord car la compression des inégalités entraînée par les chocs des années 1914-1945 y fut plus massive, et ensuite car l'accroissement des inégalités depuis les années 1980 fut moins marqué qu'aux États-Unis (voir graphique 0.6)[1]. Nous verrons que la forte compression des inégalités qui a eu lieu entre 1914 et les années 1950-1960 s'explique en Europe comme

Graphique 0.6

Les inégalités de 1900 à 2020 : Europe, États-Unis, Japon

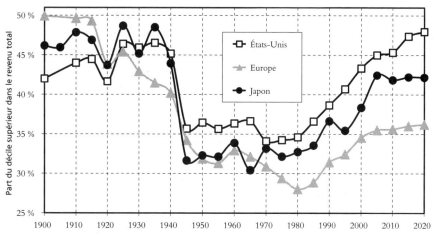

Lecture : la part du décile supérieur (les 10 % des revenus les plus élevés) dans le revenu national total était d'environ 50 % en Europe occidentale en 1900-1910, avant de s'abaisser à environ 30 % en 1950-1980, puis de remonter au-dessus de 35 % en 2010-2020. La remontée des inégalités a été beaucoup plus forte aux États-Unis, où la part du décile supérieur s'approche de 50 % en 2010-2020 et dépasse le niveau de 1900-1910. Le Japon est dans une situation intermédiaire entre l'Europe et les États-Unis.
Sources et séries : voir piketty.pse.ens.fr/ideologie.

1. L'Europe occidentale telle que définie sur le graphique 0.6 correspond à la moyenne du Royaume-Uni, de la France, de l'Allemagne et de la Suède. Voir chapitre 10, graphiques 10.1 et 10.3 (p. 493, 495) pour une analyse séparée des évolutions de long terme dans les différents pays européens. Voir également annexe technique, graphique supplémentaire S0.6 pour les séries annuelles correspondantes.

aux États-Unis par un ensemble de transformations du système légal, social et fiscal, dont le déroulement a été de fait considérablement accéléré par les guerres de 1914-1918 et 1939-1945, la révolution bolchevique de 1917 et la crise de 1929, mais qui, dans une certaine mesure, étaient en gestation intellectuelle et politique depuis la fin du XIXᵉ siècle, et dont il est possible de penser qu'elles auraient eu lieu de toute façon, sous une forme différente, à la faveur d'autres crises. C'est la rencontre d'évolutions intellectuelles et de logiques événementielles qui produit le changement historique : les unes ne peuvent rien sans les autres. Nous retrouverons cette leçon à de multiples reprises, par exemple lorsque nous analyserons les événements de la Révolution française ou les transformations de la structure des inégalités en Inde depuis l'époque coloniale.

Parmi les transformations légales, fiscales et sociales mises en place au cours du XXᵉ siècle pour réduire les inégalités figure notamment le développement à grande échelle d'un système d'impôt progressif sur les revenus et sur les patrimoines hérités, c'est-à-dire d'un système d'imposition pesant à des taux beaucoup plus lourds sur les plus hauts revenus et les plus hauts patrimoines que sur les revenus et patrimoines moins élevés. Cette invention de la progressivité fiscale moderne de grande ampleur fut notamment le fait des États-Unis, qui, à l'époque du *Gilded Age* (1865-1900) et des grandes accumulations industrielles et financières du début du XXᵉ siècle, s'inquiétaient beaucoup à l'idée de devenir un jour aussi inégalitaires que la vieille Europe, alors perçue comme oligarchique et contraire à l'esprit démocratique étatsunien. Cette invention fut également l'œuvre du Royaume-Uni, qui ne connut pas les mêmes destructions patrimoniales que la France et l'Allemagne entre 1914 et 1945, mais qui entreprit, dans un cadre politique plus apaisé, de tourner le dos à son lourd passé inégalitaire aristocratique et propriétariste, en particulier au moyen de l'impôt progressif sur les revenus et les successions.

Concernant l'impôt sur le revenu, on constate par exemple que le taux supérieur, c'est-à-dire le taux appliqué aux revenus les plus élevés, a atteint en moyenne 81 % aux États-Unis entre 1932 et 1980, c'est-à-dire pendant près d'un demi-siècle, et 89 % au Royaume-Uni, contre « seulement » 58 % en Allemagne et 60 % en France (voir graphique 0.7)[1]. Précisons que ces taux n'incluent pas les autres impôts (par exemple sur

---

1. Les taux supérieurs indiqués ici correspondent à ce qu'il est convenu d'appeler le taux marginal supérieur d'imposition, c'est-à-dire le taux s'appliquant à la fraction de revenu dépassant un certain seuil (en général moins de 1 % des contribuables). Nous verrons que les

la consommation), et dans le cas étatsunien n'incluent pas les impôts sur les revenus des États fédérés (qui en pratique sont de l'ordre de 5 % ou 10 %, et s'ajoutent aux taux de l'impôt fédéral). Manifestement, ces taux supérieurs à 80 %, appliqués pendant un demi-siècle, ne semblent pas avoir conduit à la destruction du capitalisme étatsunien, bien au contraire.

Graphique 0.7

Le taux supérieur de l'impôt sur le revenu, 1900-2020

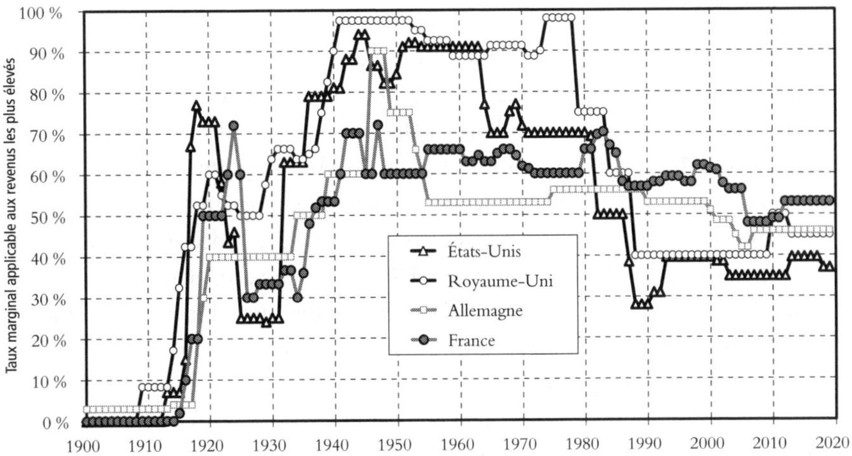

Lecture : le taux marginal supérieur de l'impôt sur le revenu (applicable aux revenus les plus élevés) était en moyenne de 23 % États-Unis de 1900 à 1932, de 81 % entre 1932 et 1980, et de 39 % entre 1980 et 2018. Sur ces mêmes périodes, le taux supérieur a été de 30 %, 89 % et 46 % au Royaume-Uni, de 18 %, 58 % et 50 % en Allemagne, et de 23 %, 60 % et 57 % en France. La progressivité fiscale a été maximale au milieu du siècle, particulièrement aux États-Unis et au Royaume-Uni.
Sources et séries : voir piketty.pse.ens.fr/ideologie.

Nous verrons que cette forte progressivité fiscale a largement contribué à réduire les inégalités au XXᵉ siècle, et nous analyserons de façon détaillée la façon dont elle a été remise en cause dans les années 1980, en particulier aux États-Unis et au Royaume-Uni, et les leçons qu'il est possible de tirer de ces différentes expériences historiques et trajectoires nationales. Pour les républicains étatsuniens menés par Ronald Reagan, comme pour les conservateurs britanniques dirigés par Margaret Thatcher, arrivés tous deux au pouvoir à la suite des élections de 1979-1980, l'abaissement spectaculaire

---

taux effectifs d'imposition réellement acquittés par les plus hauts revenus ont connu des fluctuations d'une ampleur comparable. Voir en particulier chapitre 10, graphique 10.13, p. 531.

de la progressivité fiscale constitua la mesure la plus emblématique de ce qui fut alors appelé la « révolution conservatrice ». Ce tournant politico-idéologique des années 1980 eut un impact considérable sur l'évolution de la progressivité fiscale et des inégalités non seulement dans ces deux pays, mais également au niveau mondial, d'autant plus que ce tournant ne fut jamais véritablement remis en cause par les gouvernements et mouvements politiques qui se sont succédé depuis lors dans ces deux pays. Aux États-Unis, le taux supérieur de l'impôt fédéral sur le revenu a fluctué autour de 30 %-40 % depuis la fin des années 1980 ; au Royaume-Uni, le taux supérieur a oscillé aux environs de 40 %-45 %, avec peut-être une légère tendance à la hausse depuis la crise de 2008. Dans les deux cas, les niveaux observés sur la période 1980-2018 se situent *grosso modo* deux fois plus bas que ceux appliqués pendant les années 1932-1980, c'est-à-dire autour de 40 % et non plus autour de 80 % (voir graphique 0.7).

Aux yeux des promoteurs et des défenseurs de ce tournant, l'abaissement spectaculaire de la progressivité fiscale se justifiait par l'idée selon laquelle les taux supérieurs d'imposition avaient atteint des niveaux démesurés dans les deux pays entre 1950 et 1980. Selon certains discours, ils auraient même ramolli les entrepreneurs anglo-saxons, contribuant ainsi au rattrapage par les pays d'Europe continentale et par le Japon (thème fortement présent dans les campagnes électorales étatsuniennes et britanniques des années 1970-1980). Avec le recul dont nous disposons aujourd'hui, plus de trois décennies plus tard, il me semble que cette thèse résiste très mal à l'épreuve des faits, et que l'ensemble de la question mérite d'être réexaminée. Le rattrapage des années 1950-1980 peut s'expliquer par bien d'autres facteurs, à commencer par le fait que l'Allemagne, la France, la Suède ou le Japon avaient un fort retard de croissance en 1950 vis-à-vis des pays anglo-saxons (et notamment des États-Unis), si bien qu'il était quasiment inévitable qu'ils croissent plus vite au cours des décennies suivantes. La forte croissance de ces pays peut également avoir été favorisée par un certain nombre de facteurs institutionnels, en particulier par les politiques éducatives et sociales relativement ambitieuses et égalitaires qu'ils ont mises en place après la Seconde Guerre mondiale, et qui ont permis un rattrapage éducatif particulièrement rapide vis-à-vis des États-Unis, et un net dépassement du Royaume-Uni, qui accusait un retard historique de plus en plus important en termes de formation depuis la fin du XIXe siècle, auquel le pays n'a jamais véritablement fait face autant qu'il aurait pu. Par ailleurs, il faut insister sur le fait que la croissance de la productivité aux États-Unis et au Royaume-Uni a été en réalité sensiblement plus élevée au cours de la période 1950-1990 qu'elle ne l'a été pendant les années 1990-2020, ce qui jette de sérieux doutes sur les vertus dynamisantes de la baisse des taux supérieurs d'imposition.

Au final, il est permis de penser que l'abaissement de la progressivité fiscale décidée dans les années 1980 a surtout contribué à un accroissement sans précédent des inégalités observé aux États-Unis et au Royaume-Uni au cours de la période 1980-2018, à un effondrement de la part du revenu national allant aux plus bas revenus, ainsi peut-être qu'à la montée d'un sentiment d'abandon des classes moyennes et populaires et des attitudes de repli identitaire et xénophobe qui se sont manifestées si violemment dans ces deux pays en 2016-2017 avec le référendum sur la sortie de l'Union européenne (le Brexit) et l'élection de Donald Trump. En tout état de cause, ces expériences peuvent être mobilisées pour repenser des formes plus ambitieuses de progressivité fiscale pour le XXIe siècle, pour les revenus comme pour les patrimoines, et pour les pays riches comme pour les pays pauvres, qui ont été les premières victimes de la concurrence fiscale et du manque de transparence financière. La libre circulation des capitaux sans contrôle et sans échange d'informations entre administrations fiscales a été l'un des principaux vecteurs de pérennisation et d'extension internationale de la révolution fiscale conservatrice des années 1980-1990. Elle a eu un impact extrêmement négatif sur le processus de construction de l'État et d'une fiscalité légitime sur l'ensemble de la planète. En réalité, c'est aussi et surtout l'incapacité des coalitions sociales-démocrates de l'après-guerre à répondre à ces défis qu'il nous faudra interroger, et en particulier leur incapacité à étendre la problématique de la progressivité fiscale à l'échelle transnationale et à la notion de propriété privée temporaire (ce à quoi conduirait de fait un impôt suffisamment progressif sur les détenteurs les plus importants, qui devraient alors rendre chaque année à la communauté une fraction significative de leurs propriétés). Cette limitation programmatique, intellectuelle et idéologique fait partie des raisons de fond qui expliquent l'épuisement du mouvement historique vers l'égalité et le phénomène de remontée des inégalités.

De la glaciation idéologique et des nouvelles inégalités éducatives

Pour bien comprendre l'ensemble des évolutions en jeu, il nous faudra également analyser les transformations politico-idéologiques portant sur d'autres institutions politiques et sociales permettant la réduction et la régulation des inégalités. Cela concerne notamment la question du partage du pouvoir économique et de l'implication des salariés dans les instances décisionnelles et les stratégies des entreprises, question sur lesquelles plusieurs pays (comme l'Allemagne et la Suède), ont développé dès les années 1950 des solutions innovantes, qui jusqu'à récemment n'ont pas été véritablement généralisées et approfondies. Les raisons tiennent sans doute à la diversité des trajectoires politico-idéologiques propres à chaque pays, les travaillistes britanniques et les socialistes français ayant par exemple favorisé jusqu'aux années 1980 un programme axé sur les nationalisations, avant d'abandonner subitement toute perspective de ce type après la chute du Mur et la fin du communisme. Mais elles s'expliquent aussi par l'absence un peu partout d'une réflexion suffisante sur le dépassement de la propriété purement privée.

De fait, la guerre froide n'a pas seulement produit l'effet que l'on sait sur le système de relations internationales. Par bien des aspects, elle a également contribué à une glaciation de la réflexion sur le dépassement du capitalisme, ce que l'euphorie anticommuniste consécutive à la chute du Mur n'a fait que renforcer, quasiment jusqu'à la « grande récession » de 2008. Ce n'est donc que tout récemment que les réflexions en vue d'un meilleur encastrement social des forces économiques ont véritablement repris leur cours.

Il en va de même pour la question cruciale de l'investissement éducatif et de l'accès à la formation. L'aspect le plus frappant de l'accroissement des inégalités aux États-Unis est l'effondrement de la part des 50 % les plus pauvres dans le revenu total, qui est passée d'environ 20 % en 1980 à guère plus de 12 % en 2018. Une chute aussi massive, partant d'un niveau qui n'était déjà pas très haut, ne peut s'expliquer que par une multitude de facteurs, à commencer par l'évolution des règles sociales et salariales (comme la forte baisse du salaire minimum fédéral réel depuis 1980) et les très fortes inégalités d'accès à l'éducation. De ce point de vue, il est frappant de constater à quel point les chances d'accès à l'université aux États-Unis sont déterminées par le revenu parental. En appariant les informations sur les étudiants et les déclarations de revenus des parents, des chercheurs ont ainsi pu démontrer que la probabilité d'accès à l'enseignement supérieur (y compris les diplômes courts en deux ans) était dans les années 2010 d'à peine plus de 20 % parmi les 10 % des jeunes adultes ayant le revenu parental le plus faible, et passait presque linéairement à plus de 90 % pour les jeunes adultes ayant le revenu parental le plus élevé (voir graphique 0.8)[1]. Encore faut-il préciser que lorsqu'ils y ont accès, les uns et les autres n'ont pas droit au même enseignement supérieur. La concentration de l'investissement éducatif et des financements sur les filières élitistes est particulièrement extrême aux États-Unis, avec en outre une grande opacité sur les procédures d'admission et une quasi-absence de régulation publique.

Graphique 0.8

Revenu parental et accès à l'université : États-Unis, 2014

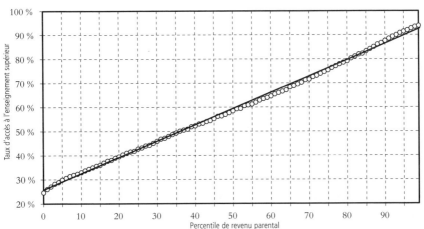

Lecture : en 2014, le taux d'accès à l'enseignement supérieur (pourcentage de personnes âgées de 19 à 21 ans inscrites dans une université, un collège ou tout autre établissement d'enseignement supérieur) était d'à peine 30 % pour les enfants des 10 % les plus pauvres aux États-Unis, et de plus de 90 % pour les enfants des 10 % les plus riches.

Sources et séries : voir piketty.pse.ens.fr/ideologie.

Ces résultats sont frappants, car ils illustrent le gouffre considérable qui existe parfois entre les proclamations méritocratiques officielles (qui insistent à foison sur l'importance de l'égalité des opportunités, tout du moins à un niveau théorique et rhétorique) et les réalités auxquelles font face les classes les plus défavorisées en termes d'accès à la formation. Nous verrons que les inégalités d'accès et de financement de l'éducation sont un peu moins extrêmes en Europe et au Japon, et que cela peut contribuer à expliquer la plus forte divergence entre hauts et bas revenus observée aux États-Unis. Pour autant, la question des inégalités d'investissement éducatif

1. Ces travaux ont été développés notamment par R. Chetty et E. Saez. Voir annexe technique.

53

et du manque de transparence démocratique à ce sujet est un enjeu qui concerne tous les pays, et qui fait partie des échecs sociaux-démocrates les plus importants, avec ceux portant sur la redéfinition de la propriété.

Le retour des élites multiples et les difficultés d'une coalition égalitaire

Plus généralement, nous tenterons dans ce livre de mieux comprendre sous quelles conditions des coalitions politiques égalitaires sont parvenues à se former au milieu du XXᵉ siècle pour réduire les inégalités issues du passé, pourquoi elles ont fini par s'épuiser, et sous quelles conditions de nouvelles coalitions égalitaires pourraient réussir à émerger en ce début de XXIᵉ siècle.

Il faut tout d'abord préciser que les coalitions redistributives de type social-démocrate (au sens large) qui se sont imposées au milieu du XXᵉ siècle avaient une dimension qui n'était pas seulement électorale, institutionnelle et partidaire, mais qui était avant tout intellectuelle et idéologique. Autrement dit, c'est avant tout sur le terrain des idées que les combats ont été menés et remportés. Il est certes essentiel que ces coalitions se soient également incarnées dans des partis et des élections particulières, qu'il s'agisse d'un parti authentiquement et explicitement « social-démocrate » comme le SAP en Suède ou le SPD en Allemagne, qui exercèrent tous deux des responsabilités importantes dès les années 1920-1930[1], ou bien sous la forme du parti travailliste au Royaume-Uni (qui obtint la majorité absolue des sièges lors des élections historiques de 1945), du parti démocrate aux États-Unis (au pouvoir de 1932 à 1952 sous Roosevelt puis Truman), ou encore sous la forme de diverses alliances socialistes-communistes en France (au pouvoir en 1936 et en 1945) et dans de nombreux autres pays. Mais au-delà de ces incarnations spécifiques, le fait est que la véritable prise de pouvoir fut d'abord idéologique et intellectuelle. Il s'agissait de coalitions d'idées fondées sur des programmes de réduction des inégalités et de transformations profondes du système légal, fiscal et social qui finirent par s'imposer à l'ensemble des forces politiques au cours de la période

1. Le SAP (Sveriges Socialdemokratiska Arbetareparti) est au pouvoir dès le début des années 1920, et de façon quasi permanente à partir de 1932. Le SPD (Sozialdemokratische Partei Deutschlands) fournit le premier président de la république de Weimar en 1919 (Friedrich Ebert), même s'il devra le plus souvent gouverner en coalition, ou influencer le pouvoir depuis l'opposition (en particulier durant la longue phase où les chrétiens-démocrates de la CDU occupent le pouvoir, de 1949 à 1966).

1930-1980, y compris d'ailleurs aux partis situés plus à droite sur l'échiquier politique de l'époque. Cette transformation s'appuya naturellement sur les stratégies de mobilisations mises en œuvre par les partis sociaux-démocrates (au sens large), mais plus généralement sur l'implication de larges parts du corps social (syndicats, militants, médias, intellectuels) et d'une transformation d'ensemble de l'idéologie dominante, qui, tout au long du XIXe siècle et jusqu'au début du XXe siècle, reposait sur le dogme quasi religieux du marché, de l'inégalité et de la propriété.

Le facteur le plus important conduisant à l'émergence de telles coalitions d'idées et de cette nouvelle vision du rôle de l'État fut la perte de légitimité du système de propriété privée et de libre concurrence, d'abord de façon graduelle au XIXe siècle et au début du XXe, du fait des énormes concentrations de richesses engendrées par la croissance industrielle et des sentiments d'injustice provoqués par ces évolutions, et ensuite de façon accélérée à la suite des guerres mondiales et de la crise des années 1930. L'existence d'un contre-modèle communiste en Union soviétique joua également un rôle essentiel, d'une part pour imposer un agenda redistributif ambitieux à des acteurs et des partis conservateurs qui souvent n'en voulaient pas, et d'autre part pour accélérer le processus de décolonisation dans les empires coloniaux européens et d'extension des droits civiques aux États-Unis.

Or si l'on examine l'évolution de la structure des électorats sociaux-démocrates (au sens large) depuis 1945, il est frappant de constater à quel point ils se sont transformés, aussi bien d'ailleurs en Europe qu'aux États-Unis, dans des conditions relativement proches, ce qui n'a rien d'évident *a priori*, compte tenu des origines historiques très différentes des systèmes de partis des deux côtés de l'Atlantique. Dans les années 1950-1970, le vote pour le parti démocrate aux États-Unis était particulièrement élevé parmi les électeurs les moins diplômés et les électeurs disposant des revenus et patrimoines les plus faibles (alors que le vote républicain était au contraire plus important parmi les plus diplômés et les plus hauts revenus et patrimoines). On retrouve la même structure en France, dans des proportions quasi identiques : les partis socialistes, communistes et radicaux attiraient dans les années 1950-1970 davantage de suffrages parmi les moins diplômés et les revenus et patrimoines les plus modestes (et inversement pour les partis de centre droit et de droite de diverses tendances). Cette structure électorale a commencé à se transformer à la fin des années 1960 et au cours des années 1970, et on constate à partir des années 1980-2000 une structure sensiblement différente de celles des années 1950-1970, là encore de façon quasi identique aux États-Unis et en France : le vote démocrate comme le vote socialiste-communiste sont devenus les plus élevés parmi les électeurs les plus diplômés, tout en restant plus faibles parmi les plus hauts revenus. Cela pourrait cependant ne durer qu'un temps : lors de l'élection présidentielle américaine de 2016, ce sont pour la première fois non seulement les plus diplômés mais également les plus hauts revenus qui ont préféré voter démocrate plutôt que républicain, d'où un renversement complet de la structure sociale du vote par comparaison aux années 1950-1970 (voir graphique 0.9).

Graphique 0.9

**La transformation du conflit politique et électoral, 1945-2020 :
émergence d'un système d'élites multiples ou grand renversement ?**

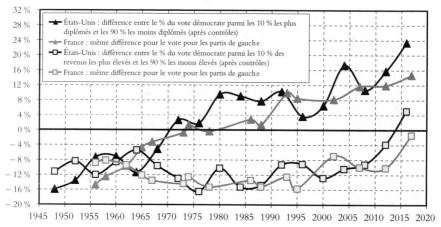

Lecture : dans les années 1950-1970, le vote pour le parti démocrate aux États-Unis et pour les partis de gauche (socialistes, communistes, radicaux, écologistes) en France était associé aux électeurs ayant les niveaux de diplôme et de revenus les moins élevés ; dans les années 1980-2000, il est devenu associé aux électeurs les plus diplômés ; dans les années 2010-2020, il est en passe de devenir également associé aux électeurs disposant des revenus les plus élevés (particulièrement aux États-Unis).
Sources et séries : voir piketty.pse.ens.fr/ideologie.

Autrement dit, la décomposition de la structure gauche-droite de l'après-guerre, sur laquelle s'était appuyée la réduction des inégalités au milieu du XXᵉ siècle, et dont les élections menées aux États-Unis et en France en 2016-2017 montrent à quel point elle était avancée, est un phénomène qui vient de loin, et qui ne peut être correctement appréhendé qu'au terme d'une vaste remise en perspective.

Nous verrons d'ailleurs que l'on retrouve des transformations similaires avec le vote travailliste au Royaume-Uni et les votes sociaux-démocrates de diverses tendances en Europe[1]. Le vote social-démocrate (au sens large) correspondait dans les années 1950-1980 au vote du parti des travailleurs ; il est devenu à partir des années 1990-2010 le vote du parti des diplômés. Nous verrons cependant que les plus hauts patrimoines continuent de se méfier des partis sociaux-démocrates, travaillistes et socialistes, y compris d'ailleurs dans le cas du vote démocrate aux États-Unis (quoique dans les deux cas de moins en moins nettement). Le point important est que ces différentes dimensions des inégalités sociales (diplôme, revenus, propriété) ont toujours été reliées les unes aux autres, mais seulement de façon partielle : dans les années 1950-1980 comme dans les années 2000-2020, on peut trouver de nombreuses personnes dont la position dans la hiérarchie des diplômes est plus élevée que dans celle de la propriété, et inversement[2]. Le changement important qui a eu lieu concerne la capacité des organisations et coalitions politiques en présence à unir ou au contraire à opposer ces différentes dimensions de l'inégalité sociale.

Concrètement, dans les années 1950-1980, ces différentes dimensions étaient politiquement alignées : les personnes qui occupaient des positions moins élevées de la hiérarchie sociale avaient tendance à voter pour le même parti ou coalition, quelle que soit la dimension considérée (diplôme, revenus, patrimoine), et le fait d'être mal placé dans plusieurs dimensions produisait des effets cumulatifs sur le vote. La structure du conflit politique était « classiste », dans le sens où il opposait les classes sociales les plus modestes aux classes sociales plus élevées, quelle que soit la dimension retenue pour définir l'identité de classe (identité qui en pratique est toujours profondément complexe et multidimensionnelle, ce qui précisément tend à compliquer la formation de coalitions majoritaires).

À l'inverse, à partir des années 1980-2000, les différentes dimensions de l'inégalité sociale ont cessé d'être alignées. La structure du conflit politique

1. Voir quatrième partie, chapitres 14-16. On observe des transformations similaires si l'on compare non pas les 10 % du haut et les 90 % du bas (comme cela est fait sur le graphique 0.9, ce qui permet de faire apparaître des résultats particulièrement marqués) mais également les 50 % du haut et les 50 % du bas, ou tout autre découpage de la répartition des diplômes, du revenu ou du patrimoine.

2. La corrélation entre les différentes dimensions (diplôme, revenus, patrimoine) ne semble pas s'être substantiellement modifiée au cours de la période étudiée. Voir quatrième partie, chapitre 14, p. 850.

correspond à ce que l'on peut décrire comme un système « d'élites multiples » : un parti ou une coalition attire les votes des plus diplômés (l'élite intellectuelle et culturelle), alors que l'autre parti ou coalition séduit les votes des plus hauts patrimoines et dans une certaine mesure des plus hauts revenus (l'élite marchande et financière). Parmi les multiples difficultés posées par une telle situation, on trouve notamment le fait que toutes les personnes qui n'ont ni de diplôme élevé, ni de patrimoine ou de revenus élevés, risquent fort de se sentir abandonnées avec cette structure du conflit politique. Cela peut expliquer pourquoi la participation électorale s'est effondrée au cours des dernières décennies au sein des groupes sociaux disposant des niveaux de diplôme, de revenus et de patrimoines les plus faibles, alors qu'elle était tout aussi forte que pour les groupes mieux dotés pendant les années 1950-1970. Si l'on veut comprendre la montée du « populisme » (terme fourre-tout souvent utilisé par les élites pour disqualifier des mouvements politiques dont ils se sentent insuffisamment aux commandes), il n'est pas inutile de commencer par analyser cette montée en puissance de « l'élitisme » au sein des structures partisanes. On peut aussi noter que ce système d'élites multiples n'est pas totalement sans rapport avec le régime trifonctionnel ancien, qui se fondait sur un certain équilibre entre les élites cléricales et guerrières, même si les formes de légitimité ont évidemment bien changé.

Repenser la propriété juste, l'éducation juste, la frontière juste

Nous tenterons de comprendre de façon approfondie les origines et les implications de cette transformation de la structure des clivages politiques et électoraux depuis les années 1950-1970. Disons-le d'emblée : il s'agit d'une évolution complexe, qui peut s'analyser à la fois comme cause et comme conséquence de la montée des inégalités, et qui nécessiterait de nombreux autres travaux et matériaux que ceux que j'ai pu rassembler dans ce livre pour pouvoir être appréhendée de façon totalement satisfaisante. On peut tout d'abord voir cette évolution comme la conséquence de la « révolution conservatrice » des années 1980 et du mouvement de dérégulation sociale et financière qui en a découlé, et auquel les sociaux-démocrates ont fortement contribué, faute d'avoir suffisamment pensé un modèle alternatif d'organisation de l'économie-monde et de dépassement de l'État-nation. C'est ainsi que les anciens partis et coalitions sociaux-démocrates ont progressivement abandonné toute ambition forte en termes de redistribution et de réduction des inégalités, en partie du fait de la concurrence fiscale croissante entre pays et de la libre circulation des biens et capitaux (qu'ils ont eux-mêmes participé à mettre en place, sans contrepartie en termes de nouvelles règles fiscales et sociales communes), si bien qu'ils ont perdu le soutien des électeurs les moins favorisés, et ont de plus en plus concentré leur attention sur les plus diplômés, qui étaient les premiers gagnants de la mondialisation en cours.

On peut également considérer que c'est la montée des clivages raciaux et ethno-religieux, d'abord aux États-Unis à la suite du mouvement des *Civil Rights* dans les années 1960, puis en Europe quand les conflits autour des questions migratoires et postcoloniales ont commencé à se durcir dans les années 1980-1990, qui a provoqué l'apparition de divisions fortes au sein des classes populaires, et qui a conduit à l'éclatement progressif de la coalition égalitaire des années 1950-1980, avec le départ graduel d'une partie des classes populaires blanches ou autochtones vers des votes xénophobes et nativistes. Selon la première explication, les sociaux-démocrates auraient abandonné les classes populaires ; selon la seconde, c'est le contraire qui se serait produit.

Ces différentes explications ont sans doute chacune leur part de vérité, mais l'analyse des multiples trajectoires et chronologies suggère qu'elles peuvent être englobées dans un même facteur : l'incapacité de la coalition égalitaire sociale-démocrate de l'après-guerre à approfondir et à renouveler son programme et son idéologie. Plutôt que de blâmer la mondialisation libérale (qui n'est pas tombée du ciel) ou le supposé racisme populaire (qui n'a rien de plus spontané que celui des élites), il est plus constructif d'expliquer ces évolutions par l'idéologie, et en l'occurrence par la faiblesse idéologique de la coalition égalitaire.

Cette faiblesse concerne notamment l'incapacité à penser et à organiser la redistribution et la progressivité fiscale à l'échelle transnationale, question qui avait été largement évacuée par les sociaux-démocrates à l'époque de l'État-nation redistributif triomphant de l'après-guerre, et dont ils ne se sont jamais véritablement saisis jusqu'ici, en particulier dans le cadre de l'Union européenne, et plus généralement au niveau mondial. Cela concerne aussi les difficultés rencontrées pour intégrer dans la réflexion sur l'inégalité sociale la question de la diversité des origines, question qui ne s'était, à dire vrai, jamais véritablement posée avant les années 1960-1970, dans la mesure où les personnes issues de différentes origines continentales, raciales ou ethno-religieuses ne se croisaient guère dans les mêmes sociétés, si ce n'est par l'intermédiaire des relations interétatiques et des dominations coloniales. Au fond, ces deux faiblesses posent une même question : celle de la frontière de la communauté humaine à laquelle on se rattache pour organiser la vie collective, et en particulier pour réduire les inégalités et bâtir une norme d'égalité acceptable par le plus grand nombre. Le mouvement général de mise en contact des différentes parties du monde, du fait notamment des progrès des technologies de transport et de communication, oblige à revoir en permanence le cadre d'action, et à envisager la question de la justice sociale dans un cadre explicitement transnational et mondial.

Nous verrons également que le programme social-démocrate n'a jamais véritablement pensé les conditions d'une propriété juste depuis l'échec communiste. Les compromis sociaux-démocrates de l'après-guerre ont été bâtis à la hâte, et les questions d'impôt progressif, de propriété temporaire et de diffusion de la propriété (par exemple au moyen d'une dotation universelle en capital, financée par un impôt progressif sur la propriété et les successions), de partage du pouvoir et de propriété sociale au sein des entreprises (cogestion, autogestion), de démocratie budgétaire et de propriété publique, n'ont jamais été examinées et expérimentées de façon aussi globale et cohérente qu'elles auraient pu l'être. Le fait que l'enseignement supérieur ait cessé d'être réservé à une mince élite, excellente évolution en soi, a également transformé les conditions d'une éducation juste. À l'âge de l'enseignement primaire puis secondaire, il existait un programme égalitaire relativement simple en matière éducative : il suffisait de consacrer les moyens nécessaires pour amener la totalité d'une génération à la fin du primaire, puis à la fin du secondaire. Avec l'enseignement supérieur, il est devenu plus complexe de définir un objectif égalitaire. Des idéologies prétendument fondées sur l'égalité des chances, mais visant en réalité surtout à glorifier les mérites des gagnants du système éducatif, se sont développées à vive allure avec pour conséquences des répartitions particulièrement inégalitaires et hypocrites des places et des ressources (voir graphique 0.8 plus haut). L'incapacité des sociaux-démocrates à convaincre les classes défavorisées qu'ils se souciaient de leurs enfants et de leur éducation autant que de leurs propres enfants et des filières élitistes (peu étonnante au demeurant, puisqu'ils n'ont jamais véritablement développé de politique juste et transparente en la matière) explique sans doute pour une large part pourquoi ils sont devenus le parti des diplômés.

Je tenterai dans la dernière partie de ce livre d'analyser sur ces différentes questions les leçons qu'il est possible de tirer des expériences historiques disponibles, et les dispositifs institutionnels permettant d'aborder les conditions d'une propriété juste, d'une éducation juste et d'une frontière juste. Ces conclusions doivent être prises pour ce qu'elles sont : quelques leçons imparfaites, fragiles et provisoires, permettant de dresser les contours d'un socialisme participatif et d'un social-fédéralisme fondé sur les leçons de l'histoire. Je veux surtout insister sur ce qui est l'un des principaux enseignements du récit historique qui va suivre et qui constitue la trame principale de ce livre : les idées et idéologies comptent dans l'histoire, mais elles ne sont rien sans le truchement des logiques événementielles, des expérimentations historiques et institutionnelles concrètes, et souvent de crises plus ou moins violentes. Un point paraît certain : compte tenu de la transformation profonde de la structure des clivages politiques et électoraux depuis les années 1950-1980, il est peu probable qu'une nouvelle coalition égalitaire puisse un jour émerger sans une redéfinition radicale de ses bases programmatique, intellectuelle et idéologique.

La diversité du monde : l'indispensable passage par la longue durée

Avant de reprendre le fil de cet examen des évolutions récentes et du temps présent, ce livre va commencer par faire un long détour par l'histoire des régimes inégalitaires. En particulier, il nous faudra étudier la transformation des sociétés trifonctionnelles anciennes en sociétés de propriétaires, et la façon dont la rencontre avec les puissances propriétaristes et coloniales européennes a affecté les trajectoires des sociétés extraeuropéennes. J'ai déjà esquissé les raisons de cet indispensable passage par la longue durée. Cela nous permettra tout d'abord de prendre la mesure de la diversité politico-idéologique des régimes inégalitaires, ainsi que la multiplicité des trajectoires et des bifurcations possibles. Les différentes sociétés humaines ont fait preuve dans l'histoire d'une grande créativité pour structurer idéologiquement et institutionnellement les inégalités sociales, et on aurait bien tort de voir dans ces constructions intellectuelles et politiques un pur voile hypocrite et sans importance permettant aux élites de justifier leur immuable domination. Ces constructions reflètent des luttes et des visions contradictoires, qui jusqu'à un certain point ont toutes un fond de sincérité et de plausibilité, et dont il est possible de tirer des enseignements utiles.

La question de l'organisation idéale d'une société de grande taille est tout sauf simple, et il ne suffit pas de dénoncer le régime en place pour être certain que celui qui le remplacera sera plus satisfaisant. Il faut prendre au sérieux les constructions idéologiques du passé, d'abord parce qu'elles ne sont pas toujours plus folles que celles du présent, et aussi parce que nous disposons pour les analyser d'un recul et de possibilités de mise à distance qui nous font souvent défaut avec le temps présent. Nous verrons également que de nombreux débats éminemment contemporains ont des racines anciennes, comme avec les discussions sur l'impôt progressif et la redistribution des propriétés lors de la Révolution française. L'étude de cette généalogie est nécessaire pour mieux comprendre les conflits à venir et les solutions qui peuvent être envisagées.

Ensuite et surtout, ce long détour par l'histoire est indispensable, car la mise en contact des différentes parties du monde a été un processus très graduel. Pendant des siècles, les multiples sociétés de la planète n'avaient que très peu de liens. Puis les rencontres commencèrent à se développer, par l'intermédiaire d'échanges intellectuels et commerciaux, ainsi que dans le cadre des rapports de force interétatiques et des relations de domination coloniale. Ce n'est que depuis la décolonisation et les indépendances, et d'une certaine façon depuis la fin de la guerre froide, que les différentes régions du monde sont véritablement connectées les unes aux autres, non seulement en ce qui concerne les flux économiques et financiers, mais également et surtout du point de vue des échanges humains et culturels. Dans de nombreux pays, par exemple au sein des sociétés européennes, il n'existait avant les années 1960-1970 quasiment aucun contact direct entre les populations issues de différentes origines continentales et religieuses. Ces rapports ont commencé à prendre une ampleur nouvelle avec les flux migratoires postcoloniaux, et ils ont eu un impact considérable sur l'évolution de la structure du conflit idéologique et électoral en Europe. D'autres parties du monde, par exemple en Inde ou aux États-Unis, au Brésil ou en Afrique du Sud, ont une expérience plus ancienne des rencontres sur le même sol de populations se percevant comme radicalement différentes les unes des autres, pour des raisons raciales, sociales ou religieuses, ce qui a conduit à diverses trajectoires ponctuées à la fois de métissages, de compromis et d'antagonismes parfois persistants. Seule une vaste remise en perspective historique de ces rencontres et des régimes inégalitaires qui en ont résulté peut permettre d'envisager de passer aux étapes suivantes de cette longue histoire commune et connectée.

De la complémentarité du langage naturel et du langage mathématique

Avant d'aller plus loin dans cette enquête, je voudrais enfin préciser un point de méthode. Ce livre aura recours principalement au langage naturel (qui n'a d'ailleurs rien de particulièrement naturel, ni dans le cas de la langue française, dans laquelle j'écris ce livre, ni dans celui des autres langues), et à titre complémentaire au langage mathématique et statistique. Par exemple, j'aurai souvent recours aux notions de déciles et de centiles pour mesurer l'inégalité des revenus ou de la propriété, ou la hiérarchie des diplômes. Ce faisant, mon intention n'est pas de substituer la guerre des déciles à la guerre des classes. Les identités sociales sont et seront toujours flexibles et multidimensionnelles, et c'est en utilisant le langage naturel que les groupes sociaux des différentes sociétés peuvent trouver les ressources linguistiques permettant de désigner les professions et les métiers, les actifs et les qualifications, les espoirs et les expériences auxquels ils s'identifient. Rien ne pourra jamais remplacer le langage naturel, ni pour exprimer les identités sociales et les idéologies politiques, ni pour structurer la recherche en sciences sociales et la réflexion sur la société juste. Ceux qui attendent que l'on puisse un jour déléguer à une formule mathématique, un algorithme ou un modèle économétrique le soin de choisir le niveau « socialement optimal » d'inégalité et les institutions permettant d'y conduire en seront pour leurs frais. Cela ne se produira jamais, et c'est tant mieux. Seule la délibération ouverte et démocratique, formulée dans le langage naturel (ou plutôt les différentes langues naturelles, ce qui n'est pas un mince détail), peut offrir les nuances et finesses nécessaires pour envisager de tels choix.

Pour autant, l'utilisation du langage mathématique, de séries statistiques, de graphiques et de tableaux, occupe une place importante dans ce livre, et joue également un rôle essentiel dans la délibération politique et dans le changement historique. Redisons-le : comme toutes les statistiques, les séries historiques et autres évaluations quantitatives présentées dans cet ouvrage ne sont rien d'autre que des constructions sociales imparfaites, provisoires et fragiles. Elles ne visent pas à établir « la » vérité des chiffres ou la certitude des « faits ». De mon point de vue, les statistiques visent avant toute chose à développer un langage permettant d'établir des ordres de grandeur, et surtout de comparer de la façon la plus sensée possible des époques, des sociétés et des cultures qui se considèrent comme très éloignées les unes des autres, et qui par construction ne pourront jamais être parfaitement comparées les unes aux autres. Pourtant, au-delà de l'unicité absolue et de la spécificité radicale de chaque société, il peut être légitime de chercher par exemple à comparer la concentration de la propriété en vigueur aux États-Unis en 2018 avec celle de la France de 1914 ou du Royaume-Uni de 1800.

Les conditions d'exercice du droit de propriété ne sont certes pas les mêmes dans les trois cas. Les systèmes légaux, fiscaux et sociaux diffèrent de multiples façons, et les catégories d'actifs détenus (terres, immobilier urbain, actifs financiers, biens immatériels, etc.) sont elles-mêmes très différentes. Pour autant, si l'on est conscient de toutes ces spécificités et de leur importance, et si l'on garde toujours présent à l'esprit les conditions sociales et politiques de la construction des sources dont on dispose, alors cela peut avoir du sens de faire ce type de comparaisons, par exemple en estimant la part du total des propriétés détenues par les 10 % les plus riches et les 50 % les plus pauvres dans ces différentes sociétés. Avoir recours à des données statistiques dans la recherche historique est également la meilleure façon de mesurer l'ampleur de notre ignorance. Le fait d'apporter des chiffres appelle immédiatement d'autres chiffres, qui le plus souvent ne sont pas disponibles, ce qu'il est important de dire et de constater explicitement. Cela conduit à préciser les comparaisons qui peuvent être faites et celles qui ne peuvent pas l'être. En pratique, il existe généralement quelques comparaisons qui ont un sens, y compris entre des sociétés qui se pensent comme exceptionnelles et radicalement différentes les unes des autres, et refusent souvent d'apprendre les unes des autres. L'un des principaux objectifs de la recherche en sciences sociales est d'identifier ces comparaisons, tout en indiquant clairement toutes celles qui ne peuvent pas être réalisées.

Ces comparaisons sont utiles, car elles peuvent aider à tirer des leçons des différentes expériences politiques et trajectoires historiques, à analyser les effets du système légal ou fiscal, à construire des normes de justice sociale et économique communes, et à bâtir des dispositifs institutionnels acceptables par le plus grand nombre. Trop souvent, les sciences sociales se contentent de dire que chaque statistique est une construction sociale, ce qui bien sûr est toujours vrai, mais insuffisant, car cela revient à abandonner à d'autres des débats essentiels, et en particulier les débats économiques. Cette attitude traduit parfois un certain conservatisme, ou en tout cas un grand scepticisme sur la possibilité de tirer des leçons des sources imparfaites léguées par l'histoire.

C'est pourtant en s'appuyant sur des dispositifs statistiques et des constructions mathématiques de diverses natures que de multiples processus historiques d'émancipation sociale et politique ont pu avoir lieu. Il est difficile, par exemple, d'organiser le suffrage universel si l'on ne dispose pas de recensements permettant de découper les circonscriptions et de s'assurer que chaque électeur a le même poids, ainsi que des règles électorales permettant de transformer les voix en décisions. Il n'est pas simple de prétendre à la justice fiscale si un barème exprimé en taux d'imposition ne vient pas se substituer au pouvoir discrétionnaire du collecteur d'impôts. Ces barèmes doivent eux-mêmes s'appliquer à des grandeurs telles que le revenu ou le capital, qui sont des concepts abstraits et théoriques dont la définition pratique pose de multiples difficultés, mais qui permettent de faire en sorte que des groupes sociaux très différents acceptent de se comparer les uns aux autres, au prix de négociations et de compromis sociopolitiques complexes lors de l'application concrète de ces catégories au tissu social et à ses subtiles frontières. D'ici quelques années, on se rendra peut-être compte qu'il n'était pas très crédible de prétendre organiser la justice éducative sans se donner les moyens de vérifier si les classes sociales défavorisées bénéficiaient ou non de ressources publiques au moins égales à celles accordées aux classes les plus favorisées (et non pas de ressources nettement inférieures, comme c'est le cas actuellement un peu partout), et sans introduire de façon explicite et vérifiable les origines sociales dans les dispositifs visant à allouer les ressources. Pour lutter contre le nationalisme intellectuel comme pour échapper à l'arbitraire des élites et bâtir un nouvel horizon égalitaire, le langage mathématique et statistique, utilisé avec modération et à bon escient, est un complément indispensable au langage naturel.

Plan du livre

La suite de ce livre est composée de quatre parties et de dix-sept chapitres. La première partie, intitulée « Les régimes inégalitaires dans l'histoire », est formée de cinq chapitres. Le chapitre 1 présente une introduction générale à l'étude des sociétés ternaires (ou trifonctionnelles), c'est-à-dire des sociétés organisées autour d'une tripartition en trois groupes fonctionnels (clergé, noblesse, tiers état). Le chapitre 2 analyse le cas des sociétés d'ordres européennes, fondées sur une forme d'équilibre entre les légitimités des élites intellectuelles et guerrières et des formes spécifiques de propriété et de rapports de pouvoir. Le chapitre 3 étudie l'invention des sociétés de propriétaires, notamment au travers de la césure emblématique de la Révolution française, qui tenta d'établir une séparation radicale entre le droit de propriété (réputé ouvert à tous) et les pouvoirs régaliens (désormais monopole étatique), et qui buta sur la question de l'inégalité de la propriété et de sa persistance. Le chapitre 4 analyse le développement d'une société de propriétaires hyperinégalitaire en France au XIXᵉ siècle et jusqu'à la Première Guerre mondiale. Le chapitre 5 étudie les différentes variantes européennes de transition entre logiques trifonctionnelles et propriétaristes, en se focalisant notamment sur le cas du Royaume-Uni et de la Suède, ce qui permet d'illustrer la multiplicité des trajectoires possibles, ainsi que l'importance des mobilisations collectives et des bifurcations politico-idéologiques dans la transformation des régimes inégalitaires.

La deuxième partie, intitulée « Les sociétés esclavagistes et coloniales », est composée de quatre chapitres. Le chapitre 6 s'intéresse aux sociétés esclavagistes, qui constituent la forme historique la plus extrême de régime inégalitaire. Je me pencherai notamment sur les abolitions du XIXᵉ siècle et les formes de compensations aux propriétaires auxquelles elles ont donné lieu. Ces épisodes illustrent la force du régime de quasi-sacralisation de la propriété qui avait cours à l'époque, et dont est en partie issu le monde actuel. Le chapitre 7 étudie la structure des inégalités dans les sociétés coloniales postesclavagistes, moins extrêmes certes que dans les sociétés esclavagistes auxquelles elles ont succédé, mais qui ont également laissé des traces profondes dans la structure de l'inégalité contemporaine, aussi bien entre pays qu'à l'intérieur des pays. Les chapitres 8 et 9 examinent la façon dont la transformation des sociétés trifonctionnelles extraeuropéennes a été affectée par leur rencontre avec les puissances coloniales et propriétaristes européennes, en se focalisant tout d'abord sur le cas de l'Inde (où les divisions statutaires anciennes ont laissé des traces inhabituellement tenaces, en partie du fait de leur codification rigide par le colonisateur britannique), puis en se plaçant dans une perspective eurasiatique plus large (Chine, Japon, Iran).

La troisième partie, intitulée « La grande transformation du XXᵉ siècle », comprend quatre chapitres. Le chapitre 10 analyse la chute des sociétés de propriétaires au XXᵉ siècle, conséquence des deux guerres mondiales, de la crise des années 1930, et du défi du communisme et des indépendances, et plus encore des mobilisations collectives et idéologiques (notamment sociales-démocrates et syndicales) en gestation depuis la fin du XIXe siècle pour refonder un régime inégalitaire plus juste que le propriétarisme. Le chapitre 11 étudie les acquis et les limites des sociétés sociales-démocrates qui se sont mises en place à l'issue de la Seconde Guerre mondiale, et en particulier les limitations qui ont été les leurs pour repenser les conditions d'une propriété juste, faire face au défi inégalitaire de l'enseignement supérieur et étendre la question de la redistribution à l'échelle transnationale. Le chapitre 12 examine les sociétés communistes et postcommunistes, à la fois dans leurs variantes russe, chinoise et est-européenne, et la façon dont le postcommunisme a contribué à nourrir les dérives inégalitaires et identitaires récentes. Le chapitre 13 remet en perspective le régime hypercapitaliste inégalitaire mondial actuel, entre modernité et archaïsme, en insistant sur son incapacité à prendre la mesure des crises inégalitaires et environnementales qui le minent.

La quatrième partie, intitulée « Repenser les dimensions du conflit politique », est composée de quatre chapitres, dans lesquelles j'étudie l'évolution de la structure socio-économique des électorats des différents partis et mouvements politiques depuis le milieu du XXe siècle, et les perspectives de recompositions futures. Le chapitre 14 étudie les conditions de la formation historique puis de la disparition d'une coalition électorale égalitaire, c'est-à-dire fondée sur une plate-forme redistributrice assez convaincante pour rassembler les classes populaires issues de différentes origines, en commençant par le cas de la France. Le chapitre 15 montre comment le processus de désagrégation-gentrification-brahmanisation de la coalition sociale-démocrate de l'après-guerre s'est également produit aux États-Unis et au Royaume-Uni, ce qui suggère des causes structurelles communes. Le chapitre 16 étend l'analyse aux autres démocraties électorales occidentales, à l'Europe de l'Est, à l'Inde et au Brésil. J'y étudie la formation d'un véritable piège social-nativiste en ce début de XXIe siècle. J'insiste sur la façon dont les dérives identitaires actuelles sont alimentées par l'absence d'une plate-forme égalitaire et internationaliste suffisamment forte pour lui faire contrepoids, autrement dit l'absence d'un véritable social-fédéralisme crédible. Le chapitre 17 tente de tirer les leçons des expériences historiques relatées dans les chapitres et parties précédentes, et de présenter les contours d'un possible socialisme participatif pour le XXIe siècle. J'analyse en particulier les formes que pourrait prendre une propriété juste, avec deux piliers principaux : d'une part, un réel partage du pouvoir et des droits de vote dans les entreprises, permettant d'instituer la propriété sociale et d'aller au-delà de la cogestion et de l'autogestion ; et d'autre part, un impôt fortement progressif sur la propriété, permettant de financer une dotation en capital significative à chaque jeune adulte et de mettre en place une forme de propriété temporaire et de circulation permanente des patrimoines. Je traiterai également de la question de l'éducation juste et de l'impôt juste, et du besoin de garantir par la transparence et le contrôle citoyen la justice éducative comme la justice fiscale. J'examinerai enfin les conditions d'une démocratie juste et d'une frontière juste. La question centrale est ici celle d'une organisation alternative de l'économie-monde, permettant de développer grâce au social-fédéralisme des formes nouvelles de solidarité fiscale, sociale et environnementale, à la place des traités de libre circulation des biens et des capitaux qui tiennent lieu aujourd'hui de gouvernance mondiale.

Certains lecteurs pressés seront peut-être tentés de se rendre directement au dernier chapitre et à la conclusion. Je ne peux pas les en empêcher, mais je les mets en garde sur le fait qu'ils éprouveront des difficultés à comprendre d'où je tire les éléments qui y sont présentés s'ils ne lisent pas auparavant les quatre premières parties, au moins par bribes. D'autres considéreront peut-être que les matériaux présentés dans les deux premières parties relèvent d'une histoire trop ancienne pour être véritablement pertinente à leurs yeux, et préféreront se concentrer sur les troisième et quatrième parties. J'ai tenté de placer suffisamment de rappels et de renvois au début de chaque partie et de chaque chapitre pour que l'ouvrage puisse être abordé de différentes façons. À chacun donc de choisir son chemin, même si la ligne droite demeure naturellement la progression la plus logique.

Afin d'alléger la lecture, seules les sources et références principales sont citées dans le texte et les notes de bas de page. Les lecteurs souhaitant obtenir des informations détaillées sur l'ensemble des sources historiques, des références bibliographiques et des méthodes utilisées dans ce livre sont invités à consulter l'annexe technique disponible en ligne : http://piketty. pse.ens.fr/files/AnnexeKIdeologie.pdf[1].

---

1. Toutes les séries statistiques, graphiques et tableaux présentés dans le livre sont également disponibles en ligne : http://piketty.pse.ens.fr/ideologie.

Les régimes inégalitaires dans l'histoire

Chapitre 1

LES SOCIÉTÉS TERNAIRES : L'INÉGALITÉ TRIFONCTIONNELLE

L'objectif des deux premières parties de ce livre est de placer l'histoire des régimes inégalitaires dans une perspective de longue durée. En particulier, nous allons tenter de mieux comprendre la complexité et la multiplicité des processus et trajectoires qui ont conduit des sociétés ternaires et esclavagistes anciennes au triomphe des sociétés de propriétaires et des sociétés coloniales postesclavagistes au XIXᵉ siècle. La première partie étudie notamment le cas des sociétés d'ordres européennes et leur transformation en sociétés de propriétaires. La deuxième partie examine celui des sociétés esclavagistes et coloniales, et la façon dont l'évolution des sociétés trifonctionnelles extraeuropéennes a été affectée par leur rencontre avec les puissances européennes. La troisième partie analysera ensuite la crise des sociétés de propriétaires et des sociétés coloniales au XXᵉ siècle, sous les coups notamment des guerres mondiales et du défi communiste. Puis la quatrième partie étudiera les conditions de leur régénération et de leur possible transformation dans le monde postcolonial et néopropriétariste de la fin du XXᵉ et du début du XXIᵉ siècle.

La logique des trois fonctions : clergé, noblesse, tiers état

Nous allons donc débuter cette enquête par l'étude de ce que je propose de nommer les « sociétés ternaires ». Ces dernières constituent la catégorie de régime inégalitaire la plus ancienne et la plus répandue dans l'histoire. Elles ont en outre laissé une empreinte durable sur le monde actuel, et il est impossible d'examiner correctement les développements politico-idéologiques ultérieurs sans commencer par l'analyse de cette matrice originelle de l'inégalité sociale et de sa justification.

Dans leur forme la plus simple, les sociétés ternaires se composent de trois groupes sociaux distincts, chacun remplissant des fonctions essentielles au service de l'ensemble de la communauté, et indispensables pour sa perpétuation : le clergé, la noblesse, et le tiers état. Le clergé est la classe religieuse et intellectuelle : elle est chargée de la direction spirituelle de la communauté, de ses valeurs et de son éducation ; elle donne du sens à son histoire et son devenir et lui fournit pour cela les normes et repères intellectuels et moraux nécessaires. La noblesse est la classe guerrière et militaire : elle manie les armes et apporte la sécurité, la protection et la stabilité à l'ensemble de la société ; elle permet ainsi d'éviter que la communauté ne sombre dans le chaos permanent et le brigandage généralisé. Le tiers état est la classe laborieuse et roturière : elle regroupe le reste de la société, à commencer par les paysans, artisans et commerçants ; par son travail, elle permet à l'ensemble de la communauté de se nourrir, se vêtir et se reproduire. On pourrait aussi parler de « sociétés trifonctionnelles » pour désigner ce type historique, qui en pratique prend le plus souvent des formes plus complexes et diversifiées, avec de multiples sous-classes à l'intérieur de chaque groupe, mais dont le schéma général de justification – et parfois aussi d'organisation politique formelle – repose sur les trois fonctions.

On retrouve ce type général d'organisation sociale non seulement dans toute l'Europe chrétienne jusqu'à la Révolution française, mais aussi dans de très nombreuses sociétés extraeuropéennes et dans la plupart des religions, en particulier dans le cadre de l'hindouisme et de l'islam chiite et sunnite, suivant des modalités différentes. Des anthropologues ont fait naguère l'hypothèse (contestée) selon laquelle les systèmes de « tripartition » sociale observés en Europe et en Inde avaient une origine indo-européenne commune, décelable dans les mythologies et les structures linguistiques[1]. Bien que fort incomplètes, les connaissances actuelles laissent à penser que ce type d'organisation en trois classes est en réalité beaucoup plus général, et que la thèse de l'origine unique ne tient guère. Le schéma ternaire se retrouve dans la quasi-totalité des sociétés anciennes et dans toutes les

---

1. Voir en particulier G. Dumézil, *Jupiter. Mars. Quirinus. Essai sur la conception indo-européenne de la société et les origines de Rome*, Gallimard, 1941 ; Id., « Métiers et classes fonctionnelles chez divers peuples indo-européens », *Annales. Histoire, Sciences sociales*, vol. 13 (4), 1958, p. 716-724 ; Id., *Mythe et épopée. L'idéologie des trois fonctions dans les épopées des peuples indo-européens*, Gallimard, 1968.

parties du monde jusqu'en Extrême-Orient, en Chine et au Japon, avec toutefois des variations substantielles qu'il convient d'étudier, car elles sont au fond plus intéressantes que les similitudes superficielles. L'émerveillement face à ce qui est intangible ou supposé tel traduit souvent un certain conservatisme politique et social, alors que la réalité historique est toujours changeante et multiple, pleine de potentialités imprévues, de bricolages institutionnels surprenants et précaires, de compromis instables et de bifurcations inachevées. Pour comprendre cette réalité, et aussi pour se préparer aux bifurcations à venir, mieux vaut analyser les conditions du changement sociohistorique, au moins autant que celles de la conservation. Cela vaut pour les sociétés ternaires comme pour les autres. Pour progresser dans cette analyse, il est utile de comparer les dynamiques longues observées dans des contextes très différents, en particulier en Europe et en Inde, et plus généralement dans une perspective comparative et transnationale. C'est ce que nous allons tenter de faire dans ce chapitre et les suivants.

Les sociétés ternaires et la formation de l'État moderne

Les sociétés ternaires se distinguent des formes historiques ultérieures par deux caractéristiques essentielles, qui sont d'ailleurs étroitement liées l'une à l'autre : d'une part le schéma trifonctionnel de justification de l'inégalité ; et d'autre part le fait qu'il s'agit de sociétés anciennes qui précèdent la formation de l'État centralisé moderne, et dans lesquelles le pouvoir inséparablement politique et économique était initialement exercé au niveau local, sur un territoire le plus souvent de faible dimension, parfois avec des liens relativement lâches avec un pouvoir central monarchique ou impérial plus ou moins lointain. L'ordre social était structuré autour de quelques institutions clés (le village, la communauté rurale, le château, le fort, l'église, le temple, le monastère), de façon fortement décentralisée, avec une coordination limitée entre les différents territoires et lieux de pouvoir. Ces derniers étaient le plus souvent mal reliés les uns aux autres, compte tenu notamment de la faiblesse des moyens de transport. Cette décentralisation du pouvoir n'empêche évidemment pas la brutalité et la domination dans les rapports sociaux, mais cela se produit suivant des modalités et des configurations distinctes de celles rencontrées avec les structures étatiques centralisées de l'âge moderne.

Concrètement, dans les sociétés ternaires traditionnelles, les droits de propriété et les fonctions régaliennes sont inextricablement enchevêtrés dans le cadre des relations de pouvoir au niveau local. Les deux classes dirigeantes – le clergé et la noblesse – sont certes des classes possédantes. En particulier, elles détiennent en général la majorité des terres agricoles (parfois la quasi-totalité), possession qui dans toutes les sociétés rurales constitue le socle du pouvoir économique et politique. Dans le cas du clergé, la détention s'organise fréquemment par l'intermédiaire des multiples formes d'institutions ecclésiastiques (églises, temples, évêchés, fondations pieuses, monastères, etc.) observées dans les différentes religions, en particulier dans le christianisme, l'hindouisme et l'islam. Dans le cas de la noblesse, la possession s'apparente davantage à une détention au niveau individuel, ou plutôt au niveau du lignage et du titre nobiliaire, parfois dans le cadre d'indivisions familiales ou de quasi-fondations visant à éviter la dilapidation du patrimoine et du rang.

Dans tous les cas, le point important est que ces droits de propriété du clergé et de la noblesse vont de pair avec des pouvoirs régaliens essentiels, notamment en termes de maintien de l'ordre et de pouvoir policier et militaire (c'est l'apanage en principe de la noblesse guerrière, mais il peut également être exercé au nom d'un seigneur ecclésiastique), ainsi qu'en termes de pouvoir juridictionnel (la justice est généralement rendue au nom du seigneur du lieu, là aussi noble ou religieux). Dans l'Europe médiévale aussi bien que dans l'Inde précoloniale, le seigneur français comme le *landlord* anglais, l'évêque espagnol comme le brahmane et le *rajput* indiens, et leurs équivalents dans d'autres contextes, sont en même temps les maîtres de la terre et les maîtres des personnes qui travaillent et vivent sur la terre. Ils sont dotés à la fois de droits de propriété et de droits régaliens, suivant des modalités variées et changeantes.

Que le seigneur soit issu de la classe guerrière ou cléricale, que l'on étudie l'Europe, l'Inde ou d'autres aires géographiques, on constate ainsi, dans toutes les sociétés ternaires anciennes, l'importance et l'imbrication extrême de ces relations de pouvoir au niveau local. Ceci prend parfois la forme extrême du travail forcé et du servage, ce qui implique une limitation stricte du droit de mobilité de tout ou partie de la classe des travailleurs : ces derniers ne peuvent alors plus quitter leur territoire et partir travailler ailleurs. En ce sens, ils appartiennent aux seigneurs nobles ou religieux, même s'il s'agit d'une relation de possession différente de celles que nous étudierons dans le chapitre consacré aux sociétés esclavagistes.

Plus généralement, cela peut prendre des formes d'encadrement moins extrêmes et potentiellement plus bienveillantes, mais bien réelles, et qui peuvent aboutir à la formation de quasi-États au niveau local, dirigés par le clergé et la noblesse, avec un partage des rôles variable suivant les cas. Outre le pouvoir de police et de justice, les formes d'encadrement les plus importantes dans les sociétés ternaires traditionnelles comprennent notamment le contrôle et l'enregistrement des mariages, des naissances et des décès. Il s'agit d'une fonction essentielle pour la perpétuation et la régulation de la communauté, étroitement liée aux cérémonies religieuses et aux règles concernant les alliances et les formes recommandées de la vie familiale (en particulier pour tout ce qui touche à la sexualité, au pouvoir paternel, au rôle des femmes et à l'éducation des enfants). Cette fonction est généralement l'apanage de la classe cléricale, et les registres correspondants sont tenus dans les églises et les temples des différentes religions concernées.

Il faut aussi mentionner l'enregistrement des transactions et des contrats. Cette fonction joue un rôle central pour réguler l'activité économique et les relations de propriété, et elle peut être exercée par le seigneur noble ou religieux, généralement en lien avec l'exercice du pouvoir juridictionnel local et le règlement des litiges civils, commerciaux et successoraux. D'autres fonctions et services collectifs peuvent également jouer un rôle important dans la société ternaire traditionnelle, comme l'enseignement et les soins médicaux (souvent rudimentaires, parfois plus élaborés) et certaines infrastructures collectives (moulins, ponts, routes, puits). Il est à noter que les pouvoirs régaliens détenus par les deux premiers ordres des sociétés ternaires (clergé et noblesse) sont conçus comme la contrepartie naturelle des services qu'ils apportent au troisième ordre en termes de sécurité et de spiritualité, et plus généralement en termes de structuration de la communauté. Tout se tient dans la société trifonctionnelle : chaque groupe prend place dans un ensemble de droits, de devoirs et de pouvoirs étroitement liés les uns aux autres au niveau local.

Dans quelle mesure le développement de l'État centralisé moderne est-il à l'origine de la disparition des sociétés ternaires ? Nous allons voir que les interactions entre ces deux processus politico-économiques fondamentaux sont en réalité plus complexes, et ne peuvent être décrites de façon mécanique, unidirectionnelle ou déterministe. Dans certains cas, le schéma idéologique trifonctionnel peut même réussir à s'appuyer durablement sur des structures étatiques centralisées et à se redéfinir et se perpétuer dans ce nouveau cadre, au moins pour un temps. On pense par exemple à la Chambre des lords britannique, institution nobiliaire et cléricale directement issue du monde trifonctionnel médiéval, mais qui joua un rôle central dans le gouvernement du premier empire colonial mondial pendant la majeure partie du XIXe siècle et jusqu'au début du XXe siècle. On peut aussi citer le clergé chiite iranien, qui avec la création du Conseil des gardiens de la Constitution et de l'Assemblée des experts (chambre élue mais réservée aux clercs, et chargée notamment de la désignation du Guide suprême) est parvenu à constitutionnaliser son rôle politique dominant avec la création de la République islamique à la fin du XXe siècle, régime largement inédit dans l'histoire, et toujours en place en ce début de XXIe siècle.

La délégitimation des sociétés ternaires, entre révolutions et colonisations

Il reste que la construction de l'État moderne tend naturellement à saper les fondements mêmes de l'ordre trifonctionnel, et s'accompagne généralement du développement de formes idéologiques concurrentes, par exemple les idéologies propriétaristes, colonialistes ou communistes, qui finissent le plus souvent par remplacer et éradiquer purement et simplement l'idéologie ternaire comme idéologie dominante. À partir du moment où une structure étatique centralisée parvient à garantir la sécurité des personnes et des biens sur un territoire de grande taille, cela en mobilisant une administration et des moyens humains spécifiques (policiers, militaires, officiers), de moins en moins liés à l'ancienne noblesse guerrière, il est bien évident que c'est la légitimité même de la noblesse en tant que garante de l'ordre et de la sécurité qui s'en trouve durement éprouvée. De même, à partir du moment où se développent des processus et des institutions civiles, scolaires et universitaires visant à éduquer et à produire des connaissances et des sagesses nouvelles, menées par de nouveaux réseaux d'enseignants, d'intellectuels, de médecins, de scientifiques et de philosophes, de moins en moins liés à l'ancienne classe cléricale, il ne fait guère de doute que c'est la légitimité même du clergé en tant que garante de la direction spirituelle de la communauté qui s'en trouve gravement remise en cause.

De tels processus de délégitimation des anciennes classes guerrières et cléricales peuvent se dérouler de façon extrêmement graduelle et, dans certains cas, s'étaler sur plusieurs siècles. Dans de nombreux pays européens (par exemple au Royaume-Uni et en Suède, cas sur lesquels nous reviendrons), la transformation des sociétés d'ordres européennes en sociétés de propriétaires met en jeu une évolution très longue et progressive, qui débute autour de 1500-1600 (voire plus tôt) et ne s'achève qu'autour de 1900-1920 ; et encore pas complètement, puisqu'il demeure des traces trifonctionnelles jusqu'à nos jours, ne serait-ce que sous la forme de l'institution monarchique, toujours présente dans un grand nombre d'États ouest-européens, parfois avec des reliquats largement symboliques de pouvoir nobiliaire ou clérical (comme la Chambre des lords britannique)[1].

Il existe également des moments d'accélération brutale, quand des idéologies nouvelles et des structures étatiques appropriées agissent de concert pour transformer radicalement et consciemment l'organisation des sociétés ternaires anciennes. Nous analyserons en particulier le cas de la Révolution française, qui est le plus emblématique, et aussi l'un des mieux documentés. À la suite de l'abolition des « privilèges » de la noblesse et du clergé lors de la nuit du 4 août 1789, les assemblées révolutionnaires et leurs administrations et tribunaux durent donner un sens précis à ce terme. Il fallut opérer en peu de temps une démarcation stricte entre ce qui relevait aux yeux des législateurs révolutionnaires de l'exercice légitime du droit de propriété (y compris lorsque ce droit était exercé par un ex- « privilégié », et avait parfois été acquis et consolidé dans des conditions douteuses) et ce qui appartenait au monde ancien de l'appropriation illégitime de pouvoirs régaliens locaux (désormais domaine exclusif de l'État central). Cela n'a pas été sans peine, tant ces droits étaient en pratique inextricablement liés. Cette expérience permet ainsi de mieux saisir la spécificité des enchevêtrements de pouvoirs et de droits qui caractérisent la société ternaire traditionnelle, et particulièrement la société d'ordres européenne.

Nous nous pencherons également sur une séquence historique tout à fait différente, mais tout aussi instructive, en examinant la façon dont l'État colonial britannique a entrepris de prendre la mesure et de transformer la structure trifonctionnelle en vigueur en Inde, notamment au travers des recensements des castes menés de 1871 à 1941. Il s'agit en quelque sorte du cas opposé à celui de la Révolution française : en Inde, une puissance étatique étrangère entreprend de reconfigurer une société ternaire ancienne et interrompt le processus autochtone de formation de l'État et de transformation sociale. La confrontation de ces deux expériences

---

1. En 2004, à la veille de son élargissement aux pays ex-communistes d'Europe de l'Est (uniquement des républiques, malgré quelques tentatives de restauration monarchique à la fin du communisme), l'Union européenne comptait quinze États membres, dont sept monarchies parlementaires (Belgique, Danemark, Espagne, Luxembourg, Pays-Bas, Royaume-Uni, Suède) et huit républiques parlementaires (Allemagne, Autriche, Italie, Irlande, Finlande, France, Grèce, Portugal).

opposées (ainsi que l'examen d'autres transitions où se combinent logiques post-ternaires et postcoloniales, comme en Chine, au Japon ou en Iran) nous permettra de mieux comprendre la diversité des trajectoires possibles et des mécanismes à l'œuvre.

De l'actualité des sociétés ternaires

Avant d'aller plus loin, il me faut cependant répondre à une interrogation naturelle : au-delà de leur intérêt historique, pourquoi faut-il étudier les sociétés ternaires ? Certains pourraient être tentés de les négliger et de les renvoyer à un passé lointain, mal connu et peu documenté, et surtout peu pertinent pour la compréhension du monde moderne. Les différences statutaires strictes qui les caractérisent ne sont-elles pas aux antipodes de nos sociétés démocratiques et méritocratiques modernes, qui prétendent se fonder sur l'égalité d'accès aux professions, la fluidité sociale et la mobilité intergénérationnelle ? On aurait pourtant bien tort de commettre une telle erreur, pour au moins deux raisons. D'une part, la structure des inégalités dans les sociétés ternaires anciennes est moins radicalement éloignée de celle en vigueur dans les sociétés modernes que ce que l'on imagine parfois. D'autre part et surtout, les conditions de la disparition des sociétés trifonctionnelles, extrêmement variables suivant les pays, les régions et les contextes religieux, coloniaux et postcoloniaux, ont laissé des traces profondes dans le monde contemporain.

Tout d'abord, il faut insister sur le fait que même si la rigidité statutaire est la norme dans le schéma trifonctionnel, la mobilité entre classes n'est en réalité jamais totalement absente dans ces sociétés, qui se rapprochent sur ce point des sociétés modernes. Par exemple, nous allons voir que la taille relative des groupes cléricaux, nobles et roturiers ainsi que l'étendue de leurs ressources varient fortement dans le temps et suivant les pays, conséquence notamment de variations dans les règles d'admission et les stratégies d'alliance suivies par les groupes dominants, plus ou moins ouvertes ou fermées suivant les cas, et des institutions et rapports de force régulant les relations entre les groupes. Les deux classes dominantes (le clergé et la noblesse) regroupaient au total à peine plus de 2 % de la population adulte masculine en France à la fin de l'Ancien Régime, contre plus de 5 % deux siècles plus tôt. Elles représentaient autour de 11 % dans l'Espagne du XVIIIᵉ siècle, et plus de 10 % pour les deux *varnas* correspondant aux classes cléricales et guerrières – les brahmanes et les *kshatriya* – dans l'Inde du

XIXᵉ siècle (voire près de 20 % si l'on ajoute l'ensemble des hautes castes), ce qui traduit des réalités humaines, économiques et politiques fort différentes (voir graphique 1.1). Autrement dit, loin d'être figées, les frontières entre les trois groupes des sociétés ternaires font l'objet de négociations et de conflits permanents, qui peuvent en altérer radicalement la définition et les contours. On notera aussi que du point de vue des effectifs des deux plus hautes classes, l'Inde et l'Espagne apparaissent finalement plus proches l'une de l'autre que la France et l'Espagne, ce qui suggère peut-être que les oppositions radicales parfois établies entre les différentes essences civilisationnelles, culturelles et religieuses (les castes indiennes jouant souvent le rôle de l'étrangeté absolue dans le regard occidental, quand elles ne sont pas considérées comme le symbole du goût immodéré de l'Orient et du despotisme oriental pour l'inégalité et la tyrannie) sont en réalité moins importantes que les processus sociopolitiques et institutionnels permettant de transformer les structures sociales.

Graphique 1.1

La structure des sociétés ternaires : Europe-Inde, 1660-1880

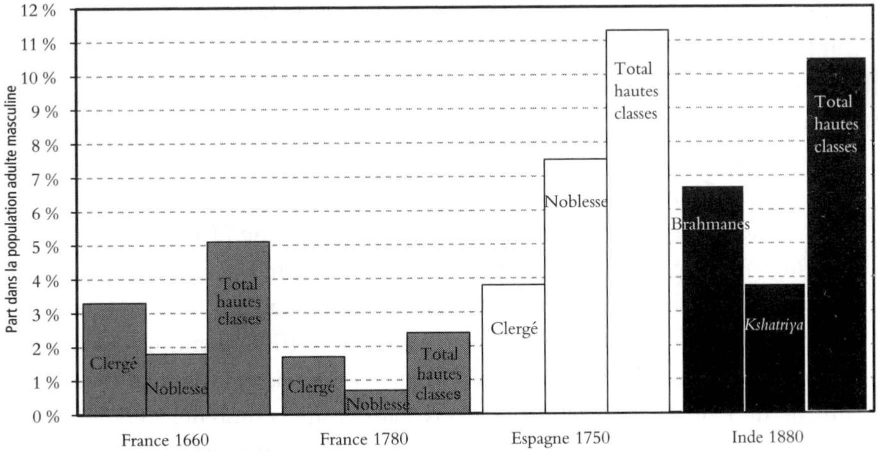

Lecture : en 1660, le clergé regroupait environ 3,3 % de la population adulte masculine en France, et la noblesse 1,8 %, soit au total 5,1 % pour les deux classes dominantes de la société trifonctionnelle. En 1880, les brahmanes (ancienne classe des prêtres, tels que mesurés par les recensements coloniaux britanniques) regroupaient environ 6,7 % de la population adulte masculine en Inde, et les *kshatriya* (ancienne classe des guerriers) environ 3,8 %, soit au total 10,5 % pour les deux classes dominantes.

Sources et séries : voir piketty.pse.ens.fr/ideologie.

Nous aurons également amplement l'occasion de voir que les estimations des effectifs de ces différents groupes, telles que celles que nous venons d'évoquer, sont elles-mêmes le produit d'une construction sociale et politique complexe. Elles sont souvent issues de diverses tentatives de puissances étatiques en formation (monarchies absolues ou empires coloniaux) d'organiser des enquêtes sur le clergé et la noblesse ou des recensements de la population colonisée et des différents groupes en son sein. Ces dispositifs inséparablement politiques et cognitifs s'inscrivent généralement dans un projet de domination sociale autant que de production de connaissances et de représentations. Les catégories utilisées et les informations produites nous informent au moins autant sur les intentions et le projet politique de leurs auteurs que sur la structure de la société en question. Ce qui ne veut pas dire que l'on ne puisse rien apprendre d'utile de ces matériaux, bien au contraire. Pour peu que l'on prenne le temps de les contextualiser et de les analyser, ils constituent des sources précieuses permettant de mieux saisir les conflits, les évolutions et les ruptures traversant des sociétés que l'on aurait bien tort d'imaginer statiques et sédimentées, et d'opposer entre elles plus que de raison.

Par ailleurs, si les sociétés ternaires s'accompagnent souvent de diverses théories ethniques concernant les origines réelles ou supposées des groupes dominants et dominés (la noblesse est par exemple réputée franque, normande ou aryenne en France, en Angleterre ou en Inde, alors que le peuple est supposé gallo-romain, anglo-saxon ou dravidien), théories qui ont été alternativement utilisées pour légitimer ou au contraire délégitimer le système de domination en place (y compris bien sûr par les puissances coloniales, qui n'aimaient rien tant que de repousser les sociétés colonisées dans une différenciation radicale, de les assigner à une identité supposément sans rapport avec la modernité européenne, réputée dynamique et mobile), tous les éléments historiques disponibles aujourd'hui suggèrent que les mélanges entre classes étaient en réalité suffisamment importants pour que ces supposées différences ethniques disparaissent presque entièrement au bout de quelques générations. Sans doute la mobilité au sein des sociétés ternaires était-elle en règle générale quantitativement plus faible que dans les sociétés contemporaines ; encore qu'il soit difficile de faire des comparaisons précises, et qu'il existe nombre d'exemples contraires, fondés sur la promotion de nouvelles élites et de nouvelles noblesses, en Inde comme en Europe, que l'idéologie ternaire ne fait que légitimer après coup, ce qui témoigne au passage de sa flexibilité. Mais, en tout état de cause, il s'agit d'une différence de degré et non de principe, qui doit être étudiée comme telle. Dans toutes les sociétés trifonctionnelles, y compris dans celles où la classe religieuse est en principe héréditaire, on observe des clercs issus des deux autres classes, des roturiers anoblis à la suite de leurs exploits au combat ou de leurs autres mérites et qualités, des religieux prenant les armes, et ainsi de suite. Sans être la norme, la fluidité sociale n'est jamais entièrement absente. Les identités sociales et les lignes de démarcation entre classes se négocient et se disputent, dans les sociétés ternaires comme dans les autres.

De la justification de l'inégalité dans les sociétés ternaires

Plus généralement, on aurait bien tort de voir dans les sociétés ternaires l'incarnation d'un ordre intrinsèquement injuste, despotique et arbitraire, en opposition radicale avec l'ordre méritocratique moderne, réputé juste et harmonieux. Le besoin de sécurité et celui de sens ont toujours été deux besoins sociaux essentiels. Cela vaut notamment, mais pas seulement, dans des sociétés peu développées, caractérisées par le morcellement territorial et la faiblesse des communications, et marquées par l'instabilité chronique et la précarité de l'existence, dont les fondements mêmes peuvent être menacés en permanence par des pillards, des raids meurtriers ou des épidémies. Dès lors que des groupes religieux et militaires sont en mesure d'apporter des réponses crédibles à ces besoins de sens et de stabilité, dans le cadre d'institutions et d'idéologies adaptées aux territoires et aux époques en question, les premiers en proposant un grand récit des origines et du devenir de la communauté, et des signes concrets permettant d'exprimer son appartenance et d'assurer sa perpétuation, les seconds en offrant une organisation permettant de réguler le champ de la violence légitime, et d'assurer la sécurité des personnes et des biens, il n'est guère étonnant que l'ordre trifonctionnel puisse apparaître comme légitime aux yeux des populations concernées. Pourquoi faudrait-il risquer de tout perdre en s'en prenant à un pouvoir apportant la sécurité matérielle et spirituelle, sans savoir qui lui succédera ? Les mystères de la politique et de l'organisation sociale idéale sont tellement épais, les incertitudes sur les moyens pratiques d'y parvenir sont si extrêmes, qu'il est naturel qu'un pouvoir proposant un modèle éprouvé de stabilité, fondé sur une répartition simple et intelligible des grandes fonctions sociales, rencontre un certain succès.

Cela n'implique évidemment pas l'existence d'un consensus sur la répartition exacte du pouvoir et des ressources entre les trois groupes. Le schéma trifonctionnel n'est pas un discours idéaliste et raisonné proposant une norme de justice précisément définie et ouverte à la délibération. Il est un discours autoritaire, hiérarchique et violemment inégalitaire, permettant à des élites religieuses et militaires d'asseoir leur domination, souvent de façon éhontée, brutale et excessive. Il arrive d'ailleurs fréquemment dans les sociétés ternaires que le clergé et la noblesse tentent de pousser trop loin leur avantage ou surestiment leur pouvoir de coercition, ce qui peut conduire à des révoltes, à leur transformation ou leur disparition. J'insiste simplement sur le fait que le système trifonctionnel de justification de l'inégalité qui se trouve au cœur des sociétés ternaires, à savoir l'idée que chacun des trois groupes occupe une fonction spécifique (une fonction religieuse, une fonction militaire, une fonction laborieuse), et que cette tripartition bénéficie potentiellement à l'ensemble de la communauté, doit toujours avoir un minimum de plausibilité pour que le système puisse perdurer. Dans les sociétés ternaires, comme toutes les sociétés, un régime inégalitaire ne peut être durable que s'il repose sur un mélange complexe de contrainte et de consentement. La contrainte pure et dure ne suffit pas : le modèle d'organisation sociale défendu par les groupes dominants doit également susciter un minimum d'adhésion dans la population, ou tout du moins au sein d'une partie significative de celle-ci. Le leadership politique doit toujours s'appuyer sur une forme minimale de leadership moral et intellectuel, c'est-à-dire sur une théorie crédible du bien public et de l'intérêt général[1]. Tel est sans doute le point commun le plus important entre les sociétés trifonctionnelles et les sociétés ultérieures.

La particularité des sociétés ternaires est simplement leur mode spécifique de justification de l'inégalité : chaque groupe social remplit une fonction indispensable aux autres groupes, rend à chacun des services vitaux, de la même façon que les différentes parties d'un même corps humain. La métaphore corporelle est d'ailleurs fréquemment utilisée dans les différents textes théorisant l'organisation trifonctionnelle de ces sociétés, en Inde depuis l'Antiquité (en particulier dans le cadre du Manusmriti,

---

1. La même remarque a souvent été faite au sujet des systèmes de domination mondiale : la puissance dominante, qu'elle soit européenne au XIXᵉ siècle ou étatsunienne au XXᵉ siècle, a toujours besoin de s'appuyer sur un récit crédible expliquant pourquoi la *pax britannica* ou la *pax americana* servent l'intérêt général. Cette perspective ne signifie pas que le récit en question soit toujours pleinement convaincant, mais elle permet de mieux comprendre les conditions de son dépassement et de son remplacement. Voir en particulier I. WALLERSTEIN, *The Modern World System*, Academic Press, 1974-1988 ; G. ARRIGHI, *The Long Twentieth Century : Money, Power and the Origins of our Time*, Verso, 1994.

traité juridico-politique rédigé au IIe siècle avant l'ère commune [AEC] en Inde du Nord, plus d'un millénaire avant les premiers textes chrétiens formalisant le schéma ternaire, et sur lequel nous reviendrons) comme en Europe médiévale. Cela permet de donner aux groupes dominés une place dans un tout cohérent, le plus souvent avec le rôle des pieds ou des jambes (alors que les groupes dominants s'incarnent généralement dans la tête et les bras), ce qui n'est certes pas très gratifiant, mais correspond au moins à une fonction utile incontestable au service de l'ensemble de la communauté.

Ce mode de justification mérite donc d'être étudié en tant que tel, en particulier les conditions de sa transformation et de sa disparition, et d'être comparé aux régimes modernes de justification de l'inégalité, qui ne sont pas toujours totalement dissemblables, même si les fonctions ont évidemment beaucoup évolué, et que l'égalité d'accès aux différentes occupations est désormais proclamée comme principe cardinal (sans que l'on se soucie toujours beaucoup de savoir si l'égalité d'accès est réelle ou théorique). Les régimes politiques qui ont succédé aux sociétés ternaires se sont chargés de les dénigrer, et c'est bien naturel. On pense par exemple au discours de la bourgeoise française du XIXe siècle face à la noblesse d'Ancien Régime, ou bien encore au discours du colonisateur britannique face aux brahmanes indiens. Mais ces discours visaient eux-mêmes à justifier d'autres systèmes d'inégalité et de domination, qui n'étaient pas toujours plus tendres avec les groupes dominés, et il importe de les étudier en tant que tels.

Multiplicité des élites, unité du peuple ?

Enfin et surtout, il nous faut débuter notre enquête par l'étude des sociétés ternaires et l'analyse de quelques-unes de leurs multiples variantes et transformations, car quelle que soit l'ampleur de ce qui les oppose aux sociétés modernes, le fait central est que les différentes trajectoires et transitions historiques qui ont conduit à la disparition des sociétés ternaires ont laissé une empreinte durable sur le monde actuel. Nous allons voir en particulier que les principales variations entre sociétés ternaires s'expliquent par la nature de l'idéologie politico-religieuse dominante, et notamment par sa position sur deux questions clés : celle de la multiplicité plus ou moins assumée des élites ; et celle de l'unité réelle ou supposée du peuple.

Il s'agit tout d'abord de la question de la hiérarchie et de la complémentarité entre les deux groupes dominants (clergé et noblesse). Dans la plupart des sociétés d'ordres européennes, et en particulier sous l'Ancien Régime français, le premier ordre est officiellement le clergé, et la noblesse doit se contenter de la seconde place protocolaire dans les processions. Mais qui détient véritablement le pouvoir suprême au sein des sociétés ternaires, et comment organiser la cohabitation entre le pouvoir spirituel des clercs et le pouvoir temporel des nobles ? La question est tout sauf anodine, et elle a reçu des réponses variables dans le temps et l'espace.

Cette première question est elle-même étroitement liée à celle du célibat des prêtres et de leur reproduction comme groupe social véritablement distinct des deux autres. Ainsi le groupe clérical peut-il se reproduire et former une véritable classe héréditaire dans l'hindouisme (sous la forme des brahmanes, véritable classe cléricale et intellectuelle, qui en pratique a souvent occupé une position politique et économique dominante face à la noblesse guerrière des *kshatriya*, ce qu'il nous faudra comprendre), l'islam chiite et sunnite (avec là aussi un véritable clergé héréditaire dans le cas du chiisme, organisé et puissant, souvent à la tête de quasi-États locaux, quand ce n'est pas de l'État centralisé lui-même), le judaïsme et la plupart des religions, à l'exception notable du christianisme (tout du moins dans sa variante romaine et catholique moderne), où le clergé doit en permanence être alimenté par les deux autres groupes (en fait par la noblesse pour le haut clergé, et par le tiers état pour le bas clergé). Cela rend d'emblée le cas européen très spécifique au sein de l'histoire longue des sociétés ternaires, et des régimes inégalitaires en général, ce qui peut d'ailleurs contribuer à expliquer certains aspects de la trajectoire européenne ultérieure, en particulier du point de vue de son idéologie économico-financière et de son organisation juridique. Nous verrons aussi dans la quatrième partie de cet ouvrage que cette concurrence entre différents types d'élites (cléricales ou guerrières) et de légitimité n'est pas sans rapport avec les oppositions entre élites intellectuelles et marchandes qui caractérisent parfois le conflit politique et électoral moderne, même si les conditions de la compétition ont évidemment bien changé depuis l'âge trifonctionnel.

Il s'agit en second lieu de la question de l'unification plus ou moins complète des statuts au sein de la classe des travailleurs, ou à l'inverse du maintien plus ou moins tardif de différentes formes de travail servile (servage, esclavage), et de l'importance donnée aux identités et corporations professionnelles, en lien avec la formation de l'État centralisé moderne et l'idéologie religieuse traditionnelle. En théorie, la société ternaire repose sur l'idée de l'unification de l'ensemble des travailleurs en une seule classe, un seul statut, une seule dignité. En pratique, les choses peuvent être beaucoup plus complexes, comme l'illustrent par exemple dans le monde indien les inégalités persistantes entre les groupes issus des plus basses castes (les dalits ou intouchables, ancienne main-d'œuvre intouchable et discriminée) et ceux issus des castes basses et moyennes (les ex-*shudra*, ancienne main-d'œuvre prolétaire ou servile suivant les cas, mais en tout état de cause moins discriminée que les dalits), opposition qui joue toujours un rôle central dans la structuration du conflit sociopolitique dans l'Inde du début du XXIᵉ siècle. Dans le monde européen, le processus d'unification des statuts du travail et d'extinction graduelle du servage s'est étalé sur quasiment un millénaire, débutant autour de l'an mil et se poursuivant jusqu'à la fin du XIXᵉ siècle à l'est du continent, ce qui a laissé des traces et des discriminations visibles jusqu'au temps présent (comme l'illustre le cas des Roms). Surtout, la modernité propriétariste euro-américaine s'est accompagnée d'un développement sans précédent de systèmes esclavagistes et coloniaux, qui ont conduit à des inégalités persistantes entre populations blanches et noires aux États-Unis, et entre populations d'origine autochtone et postcoloniale en Europe, suivant des modalités différentes et néanmoins comparables.

Pour résumer : les inégalités liées à différentes origines statutaires ou ethno-religieuses (ou perçues comme telles) continuent de jouer un rôle central dans l'inégalité moderne, qui ne se réduit pas au conte de fées méritocratique parfois évoqué dans certains discours, tant s'en faut. Or, pour bien comprendre cette dimension centrale des inégalités modernes, il importe de commencer par étudier les sociétés ternaires traditionnelles et leurs variantes, et la façon dont elles se sont progressivement transformées depuis le XVIIIᵉ siècle en un mélange complexe de sociétés de propriétaires (où les différences statutaires et ethno-religieuses sont en principe gommées, mais où les inégalités monétaires et patrimoniales peuvent prendre des proportions insoupçonnées) et de sociétés esclavagistes, coloniales et postcoloniales (où les différences statutaires et ethno-religieuses jouent au contraire un rôle central, éventuellement en conjonction avec des inégalités monétaires et patrimoniales considérables). Plus généralement, l'étude des trajectoires post-ternaires et de leur diversité fournit l'une des clés essentielles pour l'analyse du rôle des institutions et idéologies religieuses dans la structuration des sociétés modernes, en particulier au travers de leur implication dans le système éducatif, et plus globalement dans la régulation et la représentation des inégalités sociales.

Les sociétés ternaires et la formation de l'État : Europe, Inde, Chine, Iran

Précisons enfin qu'il n'est pas question de proposer ici une histoire générale des sociétés ternaires, d'une part parce que cela exigerait de nombreux volumes et dépasserait de beaucoup le cadre de cet ouvrage, et d'autre part parce que les matériaux primaires nécessaires pour écrire une telle histoire ne sont pas disponibles à ce jour, et dans une certaine mesure ne le seront jamais complètement, du fait précisément du caractère extrêmement décentralisé des sociétés ternaires et des traces limitées qu'elles nous ont laissées. Plus modestement, l'objet de ce chapitre et des suivants est de poser quelques jalons pour une telle histoire comparative et globale, en se concentrant sur les éléments les plus importants pour l'analyse des développements ultérieurs et des régimes inégalitaires modernes.

Dans la suite de cette première partie, je vais examiner plus en détail le cas de la France et celui des autres pays européens. Le cas français est emblématique, car la Révolution de 1789 marque une rupture particulièrement nette entre l'Ancien Régime, qui peut être considéré comme un exemple paradigmatique de société ternaire, et la société bourgeoise qui s'épanouit en France au XIXe siècle, qui apparaît comme l'archétype de la société de propriétaires, forme historique majeure qui succède dans de nombreux pays aux sociétés ternaires. L'expression « tiers état » vient de la langue française et exprime aussi clairement qu'il est possible l'idée d'une société divisée en trois classes. L'étude du cas français et la comparaison avec les autres trajectoires européennes et extraeuropéennes permettent en outre de s'interroger sur le rôle respectif des processus révolutionnaires et des tendances longues (liées notamment à la formation de l'État et aux évolutions de la structure socio-économique) dans la transformation des sociétés ternaires. Les cas britannique et suédois offrent un contrepoint particulièrement utile : ces deux pays sont encore aujourd'hui des monarchies, et le processus de transformation des sociétés ternaires s'y est déroulé de façon beaucoup plus graduelle qu'en France. Nous verrons cependant que les moments de rupture jouent également un rôle essentiel, et que ces trajectoires illustrent elles aussi la multiplicité et la diversité des bifurcations possibles au sein de cette évolution générale.

J'analyserai ensuite dans la seconde partie plusieurs variantes de sociétés ternaires (et parfois quaternaires) observées en dehors de l'Europe. Je m'intéresserai en particulier à la façon dont leur évolution a été affectée par les systèmes de dominations esclavagistes puis colonialistes mis en place par les puissances européennes. Je me focaliserai notamment sur le cas de l'Inde, où les stigmates des divisions ternaires anciennes restent exceptionnellement forts, en dépit de la volonté des gouvernements indiens d'y mettre fin depuis l'indépendance du pays en 1947. L'Inde offre en outre un point d'observation unique, lié à la rencontre violente entre une civilisation ternaire ancienne (la plus vieille du monde) et la puissance coloniale britannique, rencontre qui a totalement transformé les conditions de la formation de l'État et de la transformation sociale. La comparaison avec les trajectoires observées en Chine ou au Japon permettra là aussi d'ouvrir plusieurs hypothèses sur les différentes trajectoires post-ternaires. J'évoquerai enfin le cas de l'Iran, qui offre l'exemple frappant d'une constitutionnalisation tardive et toujours en vigueur du pouvoir clérical, avec la mise en place de la République islamique en 1979. Armés de ces différentes leçons, nous pourrons passer à la troisième partie de ce livre et à l'analyse de la chute des sociétés de propriétaires sous les coups des crises du XXe siècle, et de leur possible régénération et redéfinition dans le monde néopropriétariste et postcolonial de la fin du XXe siècle et du début du XXIe siècle.

Chapitre 2

LES SOCIÉTÉS D'ORDRES EUROPÉENNES : POUVOIR ET PROPRIÉTÉ

Nous allons commencer notre étude des sociétés ternaires et de leur transformation en examinant dans ce chapitre le cas des sociétés d'ordres européennes, et en particulier celui de la France. Il s'agit notamment de mieux comprendre les formes particulières que prennent les relations de pouvoir et de propriété entre les trois classes au sein de ces sociétés. Nous allons tout d'abord analyser le schéma général de justification de l'ordre trifonctionnel à l'époque médiévale. Nous verrons que le discours inégalitaire ternaire tente d'exprimer à sa façon l'idée d'un certain équilibre politique et social entre deux formes *a priori* plausibles de légitimité à gouverner : celle des élites intellectuelles et religieuses, et celle des élites guerrières et militaires, toutes deux pensées comme indispensables pour la perpétuation de l'ordre social et de la société dans son ensemble.

Nous étudierons ensuite l'évolution des effectifs et des ressources des classes nobiliaires et ecclésiastiques dans les sociétés d'Ancien Régime, et la façon dont l'idéologie trifonctionnelle s'est incarnée dans des modes sophistiqués de relations de propriété et de régulation économique. Nous évoquerons en particulier le rôle joué par l'Église chrétienne comme organisation propriétaire et comme pourvoyeuse de normes à la fois économiques et financières, familiales et éducatives. Ces leçons seront essentielles pour mieux comprendre dans les chapitres suivants les conditions de la transformation des sociétés ternaires en sociétés de propriétaires.

Les sociétés d'ordres : une forme d'équilibre des pouvoirs ?

De nombreux textes du Moyen Âge européen, dont les plus anciens remontent autour de l'an mil, décrivent et théorisent la division de la société médiévale en trois ordres. À la fin du Xᵉ siècle et au début du XIᵉ siècle, les textes de l'archevêque Wulfstan de York (dans le nord de l'Angleterre) comme ceux de l'évêque Adalbéron de Laon (dans le nord de la France) expliquent ainsi que la société chrétienne doit s'organiser en trois groupes : les *oratores* (ceux qui prient : le clergé), les *bellatores* (ceux qui font la guerre : la noblesse), et les *laboratores* (ceux qui travaillent, et le plus souvent labourent : le tiers état, donc).

Pour bien comprendre les discours alternatifs auxquels ces auteurs s'opposent, il faut bien sûr prendre en compte le besoin de stabilité des sociétés chrétiennes de l'époque, et en particulier la peur des révoltes. Il s'agit avant tout de justifier les hiérarchies sociales et de faire en sorte que les *laboratores* acceptent leur sort et comprennent que leur existence de bon chrétien exige le respect de l'ordre ternaire ici-bas, et donc l'autorité du clergé et de la noblesse. De multiples textes évoquent la dureté de la vie des laboureurs, dureté jugée nécessaire pour la survie des deux autres ordres et de la société dans son ensemble, et évoquent des châtiments corporels dissuasifs pour ceux qui se rebellent. Voici par exemple le récit que fait le moine Guillaume de Jumièges, au milieu du XIᵉ siècle, d'une révolte survenue en Normandie : « Sans attendre les ordres, le comte Raoul s'empara aussitôt de tous les paysans, leur fit trancher mains et pieds, et les rendit, impotents, à leurs proches. Ceux-ci s'abstinrent désormais de tels actes et la crainte de subir un sort pire encore les rendit plus prudents [...]. Les paysans, instruits par l'expérience, oubliant leurs assemblées, retournèrent en hâte à leurs charrues[1]. »

Mais le discours ternaire s'adresse aussi aux élites. Pour l'évêque Adalbéron de Laon, il s'agit de convaincre les rois et les nobles de gouverner avec sagesse et retenue, et de suivre pour cela les conseils des clercs (c'est-à-dire les membres du clergé séculier et régulier, qui outre leurs fonctions proprement religieuses remplissent souvent de multiples autres tâches indispensables auprès des princes : lettrés, scribes, envoyés, comptables, médecins, etc.)[2]. Dans l'un de ses textes, Adalbéron décrit ainsi une étrange procession où

1. Texte traduit et cité par M. ARNOUX, *Le Temps des laboureurs. Travail, ordre social et croissance en Europe (XIᵉ-XIVᵉ siècle)*, Albin Michel, 2012, p. 116.
2. Le clergé séculier regroupe les clercs assurant les fonctions de prêtres, curés, chanoines, vicaires, etc., c'est-à-dire les clercs qui vivent « dans le siècle », au milieu des laïcs, dont ils assurent les sacrements (ou assistent ceux qui les assurent). Le clergé régulier regroupe les clercs qui vivent « selon une règle » au sein d'une communauté religieuse ou d'un ordre monastique (monastère, abbaye, couvent, prieuré, etc.). Par ailleurs, les membres du clergé régulier peuvent être ou non ordonnés prêtres (condition pour prononcer les sacrements).

le monde fonctionnerait à l'envers, où les paysans porteraient la couronne et seraient suivis du roi, des guerriers, des moines et des évêques, marchant nus derrière la charrue. Il s'agit d'illustrer ce qui risquerait d'arriver si le roi laissait se développer les débordements des guerriers et décidait d'en finir avec la logique d'équilibre entre les trois ordres, qui seule permet d'apporter la stabilité nécessaire à la société[1].

Il est intéressant de noter qu'Adalbéron s'adresse également et explicitement aux membres de son propre ordre, le clergé, et en particulier aux moines clunisiens, qui sont tentés au début du XIᵉ siècle de prendre les armes et d'affirmer leur pouvoir militaire face aux guerriers laïcs. Empêcher les membres du clergé de porter les armes apparaît d'ailleurs comme un souci récurrent dans les textes médiévaux (les membres des ordres monastiques étant souvent les plus indociles). Autrement dit, l'enjeu du discours ternaire est plus complexe et plus subtil qu'il n'y paraît : il s'agit de pacifier les élites autant que d'unifier le peuple. L'objectif n'est pas simplement que les classes dominées acceptent leur sort : il faut également que les élites acceptent de se séparer en deux groupes distincts, la classe cléricale et intellectuelle d'un côté, la classe guerrière et noble de l'autre, et que chaque groupe s'en tienne strictement à son rôle. Les guerriers doivent se comporter en bons chrétiens et écouter les sages conseils des clercs, qui de leur côté ne doivent pas se prendre pour des guerriers. Il s'agit d'une forme d'équilibre des pouvoirs et d'autolimitation des prérogatives de chaque groupe, ce qui manifestement n'a rien d'évident dans la pratique de l'époque.

L'historiographie récente a également insisté sur l'importance de l'idéologie trifonctionnelle dans le lent processus d'unification des statuts au sein de la classe des travailleurs. Car théoriser une société en trois ordres ne consiste pas simplement à justifier l'autorité des deux premiers sur le troisième. Il s'agit également d'affirmer l'égale dignité de tous les travailleurs au sein du troisième ordre et donc, dans une certaine mesure, de s'opposer à l'esclavage et au servage. Pour Mathieu Arnoux, c'est précisément l'affirmation du schéma trifonctionnel qui permet la fin du travail forcé et l'unification du monde du travail en un seul ordre, et qui rend

---

Sauf précision contraire, j'utilise dans ce livre les termes « clergé » et « clercs » dans leur sens le plus large (en incluant séculiers et réguliers).

1. Voir G. DUBY, *Les Trois Ordres ou l'Imaginaire du féodalisme*, Gallimard, 1978 ; J. LE GOFF, « Les trois fonctions indo-européennes, l'historien et l'Europe féodale », *Annales. Histoire, Sciences sociales*, vol. 34 (6), 1979, p. 1199.

possible l'imposant essor démographique médiéval (1000-1350), grâce à un accroissement de l'intensité et de la productivité du travail des laboureurs et des défricheurs, enfin célébrés et valorisés en tant que travailleurs libres, et non plus traités comme une main-d'œuvre divisée et en partie servile[1]. Autour de l'an mil, tous les textes littéraires et ecclésiastiques montrent que l'esclavage est encore très présent en Europe occidentale. À la fin du XIe siècle, les esclaves et les serfs représentent encore une part significative de la population en Angleterre et en France[2]. Vers 1350, en revanche, l'esclavage n'apparaît plus qu'à l'état résiduel sur les territoires ouest-européens, et le servage lui-même semble avoir quasiment disparu, tout du moins sous ses formes les plus dures[3]. Une reconnaissance plus forte de la personnalité juridique des laboureurs, de leurs droits civils et personnels comme de leurs droits de propriété et de mobilité, se met progressivement en place entre 1000 et 1350, au fur et à mesure que les discours célébrant les trois ordres se généralisent.

Pour Arnoux, le processus de promotion du travail libre apparaît donc déjà bien engagé avant même la Grande Peste de 1347-1352 et la stagnation démographique des années 1350-1450. Ce point chronologique a son importance, dans la mesure où la rareté relative du travail consécutive à la Grande Peste a souvent été citée pour expliquer la fin du servage en Europe occidentale (et parfois aussi pour expliquer son apparent durcissement à l'est du continent, ce qui n'est pas très cohérent)[4]. À l'inverse, Arnoux

---

1. Voir M. Arnoux, *Le Temps des laboureurs*, *op. cit.*

2. Par exemple, la population servile (esclaves et serfs confondus) représente entre 10 % et 25 % de la population suivant les comtés en Angleterre en 1086 d'après le *Domesday Book*, inventaire des terres du royaume établi à la fin du règne de Guillaume le Conquérant. Voir *ibid.*, p. 67-68. Voir également S. Victor, *Les Fils de Canaan. L'esclavage au Moyen Âge*, Vendémiaire, 2019.

3. Il existe en pratique un continuum entre les différentes formes d'esclavage, de servage et de travail libre, si bien qu'il est impossible d'être parfaitement précis sur ce point. Je reviendrai plus loin sur ces questions de définitions, notamment dans le chapitre 6 consacré aux sociétés esclavagistes.

4. Voir par exemple R. Brenner, « Agrarian Class Structure and Economic Development in Pre-Industrial Europe », *Past and Present*, n° 70, 1976, p. 30-75 ; T. Aston, C. Philpin, *The Brenner Debate*, Cambridge University Press, 1985. L'historien polonais Marian Malowist avait proposé en 1959 d'expliquer l'apparent durcissement du servage à l'Est (en particulier dans les pays Baltes) après la Grande Peste par l'intensification des exportations céréalières vers l'Ouest. Pour une synthèse des débats, voir M. Cerman, *Villagers and Lords in Eastern Europe 1300-1800*, Palgrave, 2012. Voir aussi T. Raster, « Serfs and the Market : Second Serfdom and the East-West Goods Exchange, 1579-1859 », PSE, 2019. Des travaux récents ont également mis en évidence des cas de durcissement du servage en Europe de l'Ouest au

met l'accent sur les facteurs politico-idéologiques, et en particulier sur l'importance du schéma trifonctionnel. Il insiste également sur les institutions concrètes permettant le développement de fructueuses coopérations productives (jachères, dîmes, marchés, moulins), coopérations rendues possibles par des alliances nouvelles entre les différentes classes de la société ternaire, impliquant à la fois les laboureurs (véritables artisans silencieux de cette révolution laborieuse), les organisations ecclésiastiques (la dîme payée au clergé permettant ainsi de financer le grenier communal, les premières écoles et l'assistance aux nécessiteux) et la classe seigneuriale (impliquée notamment dans le développement et la régulation des moulins à eau et l'extension des cultures). C'est ce processus vertueux qui aurait permis, au-delà des crises, un accroissement considérable de la production agricole et de la population ouest-européenne entre 1000 et 1500, progression qui a laissé une trace profonde dans les paysages et l'évolution des forêts et des défrichements, et qui a été de pair avec la fin graduelle du travail servile[1].

L'ordre trifonctionnel, la promotion du travail libre, et le destin de l'Europe

D'autres historiens médiévistes avaient déjà souligné le rôle historique de l'idéologie trifonctionnelle dans l'unification des statuts du travail. Par exemple, pour Jacques Le Goff, si le schéma trifonctionnel a fini par s'épuiser au XVIIIᵉ siècle, c'est précisément parce qu'il a été victime de son succès. La théorie des trois ordres aurait permis entre l'an mil et la Révolution de 1789 d'assurer la promotion du travail comme valeur. Une fois cette tâche historique accomplie, l'idéologie ternaire pouvait

---

XIVᵉ siècle, par exemple sur les terres de l'abbaye de Saint-Claude (grande seigneurie ecclésiastique située dans le Jura). Voir V. CARRIOL, *Les Serfs de Saint-Claude. Étude sur la condition servile au Moyen Âge*, Presses universitaires de Rennes, 2009.

1. D'après les estimations disponibles, la population ouest-européenne aurait fait plus que doubler entre 1000 et 1500 : elle serait passée d'environ 20 millions autour de l'an 1000 à près de 50 millions vers 1500 (la population vivant sur le territoire de la France actuelle serait passée de 6 à 15 millions ; au Royaume-Uni de 2 à 4,5 millions, en Allemagne de 4 à 12 millions, et en Italie de 5 à 11 millions). La rupture avec les siècles précédents apparaît massive, puisque la population ouest-européenne semble avoir connu une stagnation quasi complète entre l'an 0 et l'an 1000, autour de 20 millions d'habitants. L'essentiel de la progression de la période 1000-1500 semble avoir eu lieu entre 1000 et 1350 : la Grande Peste de 1347-1352 aurait conduit à une chute de la population d'environ un tiers, et il aurait fallu près d'un siècle (1350-1450) pour effacer cette perte et reprendre une trajectoire nettement croissante à partir de 1450-1500. Voir annexe technique.

disparaître et laisser place à des idéologies égalitaires plus ambitieuses[1]. Arnoux pousse l'analyse plus loin. Il voit dans l'idéologie trifonctionnelle et dans le processus européen d'unification du travail l'un des principaux facteurs expliquant comment la chrétienté latine, qui, autour de l'an mil, apparaissait assaillie de toutes parts (Vikings, Sarrasins, Hongrois) et affaiblie face aux autres ensembles politico-religieux (Empire byzantin et monde arabo-musulman, notamment), s'apprêtait au contraire vers 1450-1500 à conquérir le monde, à la tête d'une population nombreuse, jeune et dynamique, et d'une agriculture assez productive pour nourrir les débuts de l'urbanisation comme les expéditions guerrières et maritimes à venir[2].

La fragilité des données disponibles empêche malheureusement toute preuve définitive en la matière, et il n'est pas interdit de penser que certaines de ces hypothèses reposent sur une vision un peu trop idyllique de la société ternaire médiévale européenne et des coopérations mutuellement profitables qui s'y nouent. Nous verrons plus loin qu'il existe bien d'autres facteurs contribuant à expliquer les spécificités de la trajectoire européenne. Il reste que ces travaux ont l'immense mérite d'insister sur la complexité des enjeux politico-idéologiques autour du schéma trifonctionnel, et de permettre de mieux rendre compte des positionnements politiques et intellectuels des uns et des autres au cours de cette longue histoire.

On pense par exemple à l'abbé Sieyès, membre du clergé, mais élu comme représentant du tiers état aux états généraux, et bien connu pour sa brochure publiée en janvier 1789 et débutant par la formule fameuse : « Qu'est-ce que le tiers état ? Tout. Qu'a-t-il été jusqu'à présent dans l'ordre politique ? Rien. Que demande-t-il ? À devenir quelque chose. » Après avoir dénoncé dès les premières pages les travers de la noblesse française, comparable selon lui « aux castes des Grandes Indes et de l'ancienne Égypte » (Sieyès ne s'étend pas sur la portée de la comparaison, mais ce n'est visiblement pas un compliment), il pose sa revendication principale : que les trois ordres que le roi Louis XVI vient de convoquer et qui doivent se réunir à Versailles en avril 1789 puissent siéger ensemble, avec autant de voix pour le tiers état que pour les deux autres ordres réunis (soit 50 % des voix pour le tiers état). La demande est révolutionnaire, puisqu'il était prévu que les trois ordres se réunissent et votent séparément, ce qui garantissait aux ordres privilégiés deux voix sur trois en cas de désaccord entre

---

1. J. LE GOFF, « Les trois fonctions indo-européennes, l'historien et l'Europe féodale », art. cité.

2. Voir M. ARNOUX, *Le Temps des laboureurs, op. cit.*, p. 9-13.

les ordres. Cette majorité automatique offerte aux privilégiés était jugée inacceptable par Sieyès, dès lors que le tiers état représentait d'après ses propres estimations entre 98 % et 99 % de la population totale du royaume. On notera cependant qu'il était prêt à se contenter de 50 % des voix, au moins pour un temps. Finalement, dans le feu des événements, c'est sur son initiative que les représentants du tiers état proposèrent en juin 1789 aux deux autres ordres de les rejoindre et de former ainsi une « Assemblée nationale ». Quelques représentants du clergé et de la noblesse acceptèrent la proposition, et c'est cette assemblée, principalement composée des représentants du tiers état, qui prit le pouvoir et le contrôle de la Révolution, et qui vota lors de la nuit du 4 août 1789 l'abolition des « privilèges » des deux premiers ordres.

Mais quelques mois plus tard, Sieyès exprima son profond désaccord avec les modalités concrètes d'application de ce vote historique, en particulier concernant la nationalisation des biens du clergé et l'abolition de la dîme ecclésiastique. Sous l'Ancien Régime français, celle-ci était un impôt pesant sur le produit du sol et des animaux, avec un taux variant suivant les cultures et les coutumes locales, et qui était généralement compris entre 8 % et 10 % de la valeur de la récolte, le plus souvent payé en nature. La dîme pesait sur toutes les terres, y compris en principe celles de la noblesse (contrairement à la taille, impôt royal dont les nobles étaient exemptés), et ses recettes étaient versées directement aux organisations ecclésiastiques, avec des règles de partage complexes entre paroisses, évêchés et monastères. La dîme avait des origines très anciennes, puisqu'elle s'était progressivement substituée aux versements volontaires des fidèles à l'Église dès le haut Moyen Âge, avec l'appui du pouvoir royal et nobiliaire carolingien, qui au VIIIe siècle lui donna force légale et la transforma en paiement obligatoire. Cet appui sera confirmé par toutes les dynasties suivantes, scellant ainsi l'union de l'Église et de la Couronne, et l'alliance indéfectible entre le clergé et la noblesse[1]. Il s'agissait, avec les revenus des biens de l'Église, de la principale ressource permettant aux institutions ecclésiastiques de rétribuer le clergé et

---

1. Le concile de Mâcon en 585 déclara « voleurs et larrons du bien de Dieu » ceux qui refusaient de verser volontairement à l'Église une portion des fruits de la terre. Ce paiement volontaire était recommandé depuis les premiers temps de l'Église, mais n'était pas toujours suivi. Il fallut attendre les capitulaires de Pépin le Bref et Charlemagne en 765 et 779 pour que le pouvoir royal sanctionne les décisions des conciles et donne force de loi à la dîme ecclésiastique. Pour une histoire classique de la dîme, voir M. MARION, *La Dîme ecclésiastique en France au XVIIIe siècle et sa suppression*, Imprimerie de l'Université et des Facultés, 1912.

de financer ses activités. C'est cette institution politico-fiscale centrale qui transformait *de facto* l'Église en quasi-État disposant de moyens considérables pour réguler la société et pour remplir ses fonctions d'encadrement tout à la fois spirituel, social, éducatif et moral.

Pour Sieyès (et Arnoux tend à lui donner raison sur ce point), l'abolition de la dîme ecclésiastique revenait non seulement à empêcher l'Église de jouer ce rôle, mais aussi à transférer des dizaines de millions de livres tournois au bénéfice des riches propriétaires fonciers privés (bourgeois ou nobles), tout cela au détriment des laboureurs les plus pauvres, qui selon lui étaient souvent les premiers bénéficiaires des greniers collectifs, des dispensaires, des écoles et autres aides sociales et biens publics financés par l'Église[1]. On pourrait faire remarquer que les résultats éducatifs et sociaux obtenus par les institutions ecclésiastiques catholiques françaises du XVIIIe siècle paraissent somme toute relativement modestes par comparaison à ceux obtenus par les structures étatiques et communales des époques ultérieures. On pourrait également noter que le produit de la dîme finançait aussi le train de vie d'évêques, de curés et de moines dont le premier souci n'était peut-être pas toujours le bien des plus pauvres ; et qu'à l'inverse la dîme grevait souvent les conditions de vie des plus modestes, et pas seulement celles des propriétaires aisés (d'ailleurs rien dans son fonctionnement ne permettait de mettre davantage à contribution les plus riches : la dîme était un impôt proportionnel et non progressif, et à aucun moment les membres du clergé ne proposèrent qu'il en aille autrement)[2]. Mais l'objet ici n'est pas de trancher ce débat ou de rejouer la controverse entre l'abbé Sieyès (qui aurait préféré que l'on ménage le clergé et que l'on mette davantage à contribution la noblesse) et l'anticlérical marquis de Mirabeau (qui s'illustra dans des discours réclamant la fin de la dîme et la nationalisation des biens de l'Église, et qui était nettement moins offensif quand il s'agissait d'exproprier la classe nobiliaire).

Il s'agit simplement d'illustrer la complexité des relations tout à la fois d'échange et de domination qui se nouent entre groupes sociaux au sein des sociétés ternaires, complexité qui permet de donner prise à des discours contradictoires et néanmoins plausibles. Pour Sieyès, il aurait manifestement été possible et souhaitable de mettre fin aux privilèges les

---

1. Voir M. ARNOUX, *Le Temps des laboureurs, op. cit.*, p. 227-247.

2. Les « guerres de religion » aux XVIe et XVIIe siècles avaient d'ailleurs une forte dimension socialo-fiscale liée au refus de payer la dîme aux institutions catholiques. Le pouvoir royal en profita pour s'affermir, face à une opinion lassée des troubles.

plus indus des deux ordres dominants, tout en maintenant un rôle social important (et donc des ressources fiscales et patrimoniales appropriées) pour l'Église catholique, notamment en matière éducative. Ces débats sur le rôle des cultes religieux, la diversité des modèles éducatifs et leur financement jouent toujours un rôle essentiel dans de nombreuses sociétés modernes (aussi bien d'ailleurs dans les sociétés qui ont adopté un régime supposément républicain et laïc, comme la France, que dans celles qui ont conservé le principe monarchique ou une forme de reconnaissance officielle des cultes, comme au Royaume-Uni ou en Allemagne), et nous y reviendrons en temps utile. À ce stade, notons simplement que ces débats ont des origines anciennes, qui remontent à la structuration trifonctionnelle de l'inégalité sociale.

Effectifs et ressources du clergé et de la noblesse : le cas de la France

De façon générale, on connaît malheureusement peu de choses sur l'évolution longue des effectifs et des ressources du clergé, de la noblesse et des différents groupes sociaux dans l'histoire des sociétés ternaires. Il existe des raisons profondes à cela : les sociétés ternaires reposent à leur origine sur une logique d'imbrication des pouvoirs et des légitimités politiques et économiques au niveau le plus local, logique qui est directement antinomique avec celle de l'État centralisé moderne, avec les collectes d'informations et la recherche d'uniformité qui le caractérisent. Les sociétés ternaires ne définissent pas les catégories sociales, politiques et économiques de façon tranchée, absolue et homogène sur de vastes territoires. Elles n'organisent pas d'enquêtes administratives ou de recensements systématiques. Ou, plus précisément, lorsqu'elles se mettent à le faire et que les catégories et les frontières entre les groupes commencent à se durcir, cela signifie généralement que la formation de l'État centralisé est déjà bien avancée, et que la fin des sociétés ternaires est proche, ou tout du moins qu'elles sont sur le point de connaître des transformations fondamentales ou une reformulation radicale. Les sociétés ternaires traditionnelles vivent dans l'ombre ; lorsque des projecteurs se dressent, c'est qu'elles ne sont déjà plus tout à fait elles-mêmes.

Le cas de la monarchie française est de ce point de vue particulièrement intéressant, car les trois ordres avaient une existence politique officielle relativement ancienne au niveau centralisé. Les « états généraux » du royaume, regroupant des représentants du clergé, de la noblesse et du tiers état, ont en effet été convoqués plus ou moins régulièrement depuis 1302 pour trancher des questions particulièrement graves engageant l'ensemble du pays, généralement de nature fiscale, judiciaire ou religieuse. Cette institution représente en elle-même l'incarnation emblématique de l'idéologie trifonctionnelle, ou peut-être plutôt une tentative provisoire et finalement infructueuse de donner des fondements trifonctionnels formels à l'État monarchique centralisé en formation (car la société ternaire au niveau local avait elle-même fonctionné pendant des siècles sans que les états généraux jouent le moindre rôle). En réalité, il s'agissait d'une institution fragile, faiblement formalisée, et dont les réunions étaient très irrégulières. En 1789, la convocation des États généraux apparaissait véritablement comme la solution de dernier recours permettant de remettre à plat le système fiscal et de faire face à la crise financière et morale qui sera finalement fatale à l'Ancien Régime. Avant cette ultime convocation, la dernière réunion datait de 1614.

Surtout, il n'existait dans le cadre des états généraux aucune liste électorale centralisée, aucune procédure homogène pour désigner les représentants des différents ordres : tout était laissé au soin des coutumes et des jurisprudences locales. En pratique, ce sont surtout les bourgeois des villes et les classes roturières les plus aisées qui participaient au choix des représentants du tiers état. Il existait également lors de ces désignations des conflits récurrents sur les frontières de la noblesse, en particulier entre la vieille noblesse d'épée (l'ancienne classe guerrière, les « gentilshommes d'épée ») et la nouvelle noblesse de robe (les « robins », c'est-à-dire les juristes et les magistrats des parlements, les « gentilshommes de plume et d'encre »), les premiers tentant toujours de refouler les seconds dans le tiers état, le plus souvent avec succès, seule une petite minorité de « hauts robins » étant généralement reconnue comme pleinement membre du groupe nobiliaire[1].

1. Les parlements provinciaux français d'Ancien Régime avaient notamment pour fonction d'homologuer et d'enregistrer les ordonnances royales et de s'assurer de leur compatibilité par les jurisprudences et coutumes locales, ce qui au-delà des aspects strictement techniques et juridiques permettait de poser des conditions, d'exiger des amendements, et ainsi d'équilibrer politiquement les pouvoirs du Conseil du roi (et des grands féodaux qui y siégeaient) ; étant entendu que le roi pouvait choisir de se réapproprier ce pouvoir tout à la fois juridictionnel et législatif et de forcer la main des parlements en décidant de faire un « lit de justice » pour imposer l'enregistrement de telle ou telle ordonnance ; cette possibilité théorique ne pouvait toutefois pas être utilisée trop souvent sans prendre le risque de fragiliser l'ensemble de l'équi-

Lors des états généraux de 1614, des élections séparées avaient d'ailleurs été organisées au sein du tiers état pour désigner d'une part les représentants des gens de robe, et d'autre part les représentants du reste du tiers état (bourgeois, marchands, etc.), si bien que l'on peut considérer qu'il existait d'une certaine façon quatre ordres et non plus trois. Le juriste Loyseau, auteur en 1610 d'un influent *Traité sur les ordres et les seigneuries*, n'était d'ailleurs pas loin de proposer que cette noblesse de plume et d'encre, véritable colonne vertébrale administrative et juridique de l'État monarchique en formation, devienne l'authentique premier ordre du royaume, en lieu et place du clergé (ne rappelait-il pas que les druides gaulois étaient aussi les premiers magistrats ?), sans toutefois oser franchir le pas, car cela aurait exigé une redéfinition radicale de l'ensemble de l'ordre politique et religieux. Les critiques de Loyseau n'en étaient pas moins vives à l'égard de la noblesse d'épée, qu'il accusait d'avoir abusé de la faiblesse des monarques des siècles précédents, en transformant les droits issus de leurs services militaires passés, droits qui selon lui auraient dû rester temporaires et limités dans leur ampleur, en droits permanents, exorbitants et cessibles. Ce faisant, un juriste comme Loyseau se montre un avocat inflexible de l'État centralisé, sape les fondements mêmes de l'ordre trifonctionnel et prépare les esprits pour 1789. Le conflit était également vif entre les gentilshommes d'épée et les titulaires de charges et d'offices, accusés quant à eux d'avoir profité de l'impécuniosité de la Couronne pour s'approprier des parcelles de prérogatives et de revenus publics, et parfois même de titres de noblesse, en s'appuyant sur leurs disponibilités financières, issues le plus souvent d'activités marchandes jugées indignes[1].

---

libre politico-juridique. Les parlements jouaient aussi le rôle dans de nombreuses provinces de cours d'appel pour les cours seigneuriales locales, avec toutefois de grandes variations suivant les régions, à la fois sur le plan juridictionnel et fiscal. Pour une étude classique, voir R. MOUSNIER, *Les Institutions de la France sous la monarchie absolue*, PUF, 1974. Sur la justice d'Ancien Régime, voir également J.-P. ROYER, *Histoire de la justice en France*, PUF, 1995.

1. Les charges et offices concernaient souvent des fonctions administratives et régaliennes (receveurs des impôts, intendants des finances, enregistrement d'actes et de documents officiels, certifications diverses liées au développement des marchés et à la circulation de biens, etc.) nouvellement créées ou anciennement occupées par la noblesse, et qui avaient été progressivement mises en vente par la monarchie à partir du XVIᵉ et du XVIIᵉ siècle, en grande partie pour remédier à la faiblesse des recettes fiscales. Sur ces conflits, voir R. BLAUFARB, *The Great Demarcation : The French Revolution and the Invention of Modern Property*, Oxford University Press, 2016, p. 22-23 (livre sur lequel je reviendrai dans le prochain chapitre). Voir aussi J. LE GOFF, « Les trois fonctions indo-européennes, l'historien et l'Europe féodale », art. cité.

Toujours est-il qu'il est tout à fait impossible d'utiliser de quelconques listes électorales centralisées des états généraux pour connaître les effectifs globaux des différentes classes : toutes les opérations de désignation des représentants des trois ordres se déroulaient au niveau local, avec des variations infinies dans les procédures et selon les territoires, et n'ont laissé que des traces disparates et des catégories flexibles et variables suivant les lieux et les moments. Plus généralement, il faut rappeler qu'aucun véritable recensement n'a été organisé en France avant le XIXe siècle. Il paraît évident aujourd'hui que les recensements constituent un outil indispensable pour la production de connaissances sociales et démographiques élémentaires, comme d'ailleurs pour le fonctionnement de l'État (par exemple pour déterminer les dotations aux communes ou pour attribuer les sièges et les circonscriptions lors des découpages électoraux). Mais la construction de tels dispositifs exige une capacité d'organisation, des moyens de transport adaptés et aussi un désir de connaître, de mesurer et d'administrer, autant de conditions qui ne vont pas de soi et qui découlent de processus politico-idéologiques spécifiques.

Sous l'Ancien Régime, on comptait parfois le nombre de feux (c'est-à-dire de groupes familiaux partageant le même toit), mais jamais les personnes, et uniquement dans certaines provinces, et en tout état de cause sans information homogène sur les ordres, les professions, les statuts ou les classes correspondant à ces différents feux. Les premiers recensements véritablement nationaux ne sont organisés en France qu'à partir de 1801, et encore ne s'agit-il que de simples comptages relativement rudimentaires de la population totale. Il faut attendre le recensement de 1851 pour voir apparaître les bulletins individuels et les premières listes nominatives permettant d'établir des tabulations par âge, sexe et profession. Ces statistiques et classifications socioprofessionnelles seront par la suite sans cesse transformées dans le cadre des recensements modernes[1].

Sous l'Ancien Régime, tout le monde débattait de la population des différents ordres, notamment au XVIIIe siècle, mais il n'existait aucune estimation officielle, si bien que chacun devait faire preuve d'ingéniosité pour proposer ses propres extrapolations nationales à partir des quelques éléments sur les nombres de paroisses, de nobles et de feux parfois disponibles au

---

1. Les recensements menés depuis les années 1850 permettent de mesurer les effectifs du clergé (en tant que titulaires d'une profession, et non comme membres d'un ordre), ainsi que nous le verrons plus loin. Sur l'histoire des recensements en France, voir A. DESROSIÈRES, « Éléments pour l'histoire des nomenclatures socioprofessionnelles », in *Pour une histoire de la statistique*, INSEE-Économica, 1987.

niveau de tel ou tel territoire particulier. Comme le notait Sieyès lui-même dans sa célèbre brochure : « À l'égard de la population, on sait quelle immense supériorité le troisième ordre a sur les deux premiers. J'ignore comme tout le monde quel en est le véritable rapport ; mais, comme tout le monde, je me permettrai de faire mon calcul. » S'ensuit une estimation relativement basse des effectifs de la noblesse, construite à partir d'un calcul très approximatif sur le nombre de familles nobles bretonnes, multiplié par une taille moyenne par famille exagérément faible, calcul qui trahit la volonté de l'auteur d'insister sur la faible taille de la noblesse comparée à son scandaleux poids politique.

De façon générale, s'il existe un relatif accord entre les sources pour estimer le nombre de familles nobles (au sens des lignages), les choses deviennent beaucoup plus complexes et mouvantes lorsque l'on tente de passer à la population totale concernée. Il existe en effet une première incertitude sur la taille moyenne des feux (ce qui implique de faire des hypothèses sur les nombres d'enfants, de conjoints survivants et de cohabitations intergénérationnelles), et une seconde difficulté plus redoutable encore sur le nombre de feux et de noyaux familiaux distincts à prendre en considération pour chaque lignage noble (incertitude d'autant plus forte qu'il n'est pas toujours évident de décider à l'avance si telle ou telle branche cadette va se maintenir ou non dans la noblesse).

À partir du milieu du XVII⁰ siècle, on peut s'appuyer sur les grandes enquêtes sur la noblesse et sur le clergé lancées dans les années 1660-1670 sous Louis XIV et son ministre Colbert, et surtout sur les données issues de la capitation, impôt créé en 1695 et frappant les nobles (contrairement à la taille). Le maréchal Vauban, bien connu pour ses célèbres fortifications bâties aux quatre coins du royaume, et aussi pour ses tentatives d'estimation de la richesse foncière du pays et ses projets de réforme fiscale, avait préparé en 1710 un plan d'action pour les futurs recensements, mais il ne fut jamais appliqué. Pour les XIV⁰, XV⁰ et XVI⁰ siècles, plusieurs auteurs ont également utilisé les listes du ban et de l'arrière-ban, listes établies au niveau local permettant de savoir combien de nobles pouvaient être appelés pour porter les armes en cas de besoin. Toutes ces données comportent des limites importantes, mais elles permettent d'estimer des tendances et des ordres de grandeur, en particulier pour la période allant du milieu du XVII⁰ siècle à la fin du XVIII⁰ siècle.

Plus on remonte dans le temps, plus l'état de noblesse est avant tout une affaire de reconnaissance par ses pairs au niveau local, et plus l'idée même d'une estimation nationale manque de sens. À l'époque médiévale, est considéré comme noble « celui qui vit noblement », c'est-à-dire l'épée à la main, sans avoir à se livrer à des activités dégradantes (c'est-à-dire commerciales) pour maintenir son statut. En principe, un marchand rachetant un fief ne pouvait être considéré comme noble et être rayé des rôles de taille (c'est-à-dire des listes de contribuables soumis à la taille) qu'au bout de plusieurs générations, si son fils ou plutôt son petit-fils parvenait à montrer qu'il vivait noblement, l'épée au côté, « sans faire métier en marchandise ». En pratique, tout était essentiellement une question de reconnaissance par les autres familles nobles du voisinage, notamment concernant les alliances matrimoniales et l'acceptation des anciens lignages nobiliaires locaux de marier leurs enfants avec les nouveaux venus (question centrale sur laquelle nous reviendrons lorsque nous étudierons les hautes castes indiennes).

Des effectifs nobles et cléricaux en diminution à la fin de l'Ancien Régime

Malgré ces nombreuses incertitudes, il est utile d'examiner les éléments dont nous disposons concernant l'évolution des effectifs nobles et cléricaux en France sous l'Ancien Régime. Les estimations que nous allons analyser ont été établies en combinant différents travaux réalisés à partir de l'exploitation des données de la capitation, des listes du ban et de l'arrière-ban, ainsi que les résultats issus des grandes enquêtes sur la noblesse et le clergé réalisées dans les années 1660-1670. Ces estimations valent surtout pour les ordres de grandeur, mais permettent néanmoins de réaliser un certain nombre de comparaisons temporelles et spatiales.

Deux faits paraissent solidement établis. D'une part, les effectifs du clergé et de la noblesse étaient relativement faibles en France au cours des derniers siècles de la monarchie. D'après les meilleures estimations disponibles, les deux ordres privilégiés représentaient entre 3 % et 4 % de la population totale entre la fin du XIVe siècle et celle du XVIIe siècle : environ 1,5 % pour le clergé et 2 % pour la noblesse[1].

---

1. Il est possible que ces effectifs aient été plus élevés pour des périodes antérieures, en particulier pour la noblesse à l'époque carolingienne (VIIIe-Xe siècle) ou des croisades (XIe-XIIIe siècle), qui regroupait peut-être jusqu'à 5 %-10 % de la population (si l'on en juge par l'exemple d'autres pays européens ; voir chapitre 5, p. 199). Aucune source ne permet cependant de le quantifier précisément.

D'autre part, on constate une baisse significative à partir du dernier tiers du XVIIe siècle, sous le règne de Louis XIV, et tout au long du XVIIIe siècle, sous Louis XV puis Louis XVI. Au total, les effectifs des deux premiers ordres, exprimés en part de la population totale, semblent avoir été divisés par plus de deux entre 1660 et 1780. À la veille de la Révolution française, ils se situaient autour de 1,5 % de la population : environ 0,7 % pour le clergé et 0,8 % pour la noblesse (voir graphique 2.1).

Graphique 2.1

**Les effectifs de la société ternaire en France, 1380-1780
(en % de la population totale)**

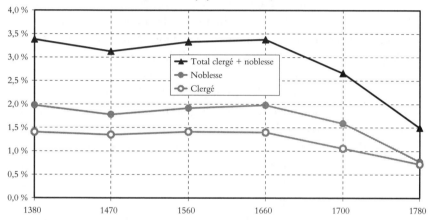

Lecture : en 1780, la noblesse et le clergé regroupaient respectivement environ 0,8 % et 0,7 % de la population française totale, soit 1,5 % pour les deux premiers ordres (et 98,5 % pour le tiers état) ; en 1660, la noblesse et le clergé regroupaient respectivement environ 2,0 % et 1,4 % de la population totale, soit 3,4 % pour les deux premiers ordres (et 96,6 % pour le tiers état). On constate une relative stabilité de ces proportions entre 1380 et 1660, et une baisse marquée de 1660 à 1780.
Sources et séries : voir piketty.pse.ens.fr/ideologie.

Plusieurs points méritent d'être précisés. Tout d'abord, s'il existe des incertitudes importantes concernant les niveaux, les tendances paraissent en revanche relativement claires. Autrement dit, il est tout à fait impossible d'affirmer avec certitude que les nobles représentaient exactement 0,8 % de la population française à la veille de la Révolution : suivant le détail des sources et des méthodes utilisées, on peut obtenir des estimations sensiblement plus faibles ou plus élevées[1]. Par contre, pour une même source

1. En l'occurrence, j'ai retenu ici une estimation relativement moyenne pour les effectifs de la noblesse dans les années 1780 : environ 0,8 % de la population totale, alors que les estimations les plus basses se situent autour de 0,4 %, et les plus hautes autour de 1,2 %.

et une même méthode d'estimation, on constate systématiquement une baisse très nette des effectifs des deux premiers ordres, et en particulier de la noblesse, au cours du dernier siècle de l'Ancien Régime[1]. À l'inverse, aucune tendance claire ne semble se manifester au cours des siècles antérieurs[2].

Comment interpréter cette relative faiblesse des effectifs des deux premiers ordres sous la monarchie française, et surtout cette baisse au cours du siècle précédant la Révolution ? Afin de bien préciser le contexte général dans lequel se déroulent ces évolutions, il n'est pas inutile de rappeler que la population du royaume de France a considérablement progressé au cours de cette période, passant d'après les estimations disponibles d'à peine plus de 11 millions d'habitants vers 1380 à près de 22 millions autour de 1700, et environ 28 millions d'habitants dans les années 1780. Par comparaison, l'Angleterre comptait moins de 8 millions d'âmes autour de 1780, le Royaume-Uni de Grande-Bretagne et d'Irlande environ 13 millions, et les États-Unis d'Amérique, nouvellement indépendants, à peine 3 millions d'habitants (esclaves compris). Là encore, la précision de ces chiffres ne doit pas faire illusion, mais les ordres de grandeur sont relativement clairs. Aux XVIIe et XVIIIe siècles, le royaume de France est de loin le pays le plus peuplé d'Occident, ce qui contribue sans doute à expliquer le rôle international de la langue française à l'époque des Lumières, et aussi le retentissement considérable qu'aura la Révolution sur les pays voisins et sur l'histoire européenne. Si la monarchie la plus puissante s'effondre, n'est-ce pas le signe que l'ancien monde et l'ordre trifonctionnel dans son ensemble sont sur le point de sombrer ? Par ailleurs, ce dynamisme démographique français n'est sans doute pas sans relation avec le déclenchement de la Révolution elle-même : tout laisse à penser que la forte croissance de la population a contribué à la stagnation des salaires agricoles et à l'envol de la rente foncière dans les décennies menant à la déflagration de 1789.

1. Les tendances indiquées ici ont été estimées en utilisant notamment les travaux de M. Nassiet et P. Contamine, qui s'appuient eux-mêmes sur les données issues de la capitation (pour la fin du XVIIe et le XVIIIe siècle) et des listes du ban et de l'arrière-ban (pour les XIVe, XVe et XVIe siècles). Les éléments bibliographiques et méthodologiques détaillés sont présentés dans l'annexe technique en ligne.

2. La stabilité quasi absolue indiquée sur le graphique 2.1 pour les proportions de nobles et de clercs dans la population française entre le XIVe et le XVIIe siècle ne doit toutefois pas faire illusion : elle témoigne du fait que les sources disponibles ne permettent pas d'établir d'évolution robuste au cours de cette longue période (ni à la hausse ni à la baisse) ; mais il est tout à fait possible que des sources plus précises permettraient d'établir des variations significatives au cours de ces trois siècles.

Sans en faire la cause unique de la Révolution, il paraît évident que cet accroissement des inégalités n'a pu qu'accroître l'impopularité de la classe nobiliaire et du régime politique en place[1].

La forte progression de la population implique aussi que la relative stabilité de la part du clergé et de la noblesse entre le XIVe et le XVIIe siècle masque en réalité une forte progression du nombre de clercs et de nobles, qui en termes absolus n'ont jamais été aussi nombreux que dans les années 1660. À partir de cette date, les effectifs des deux premiers ordres se mettent à diminuer légèrement en nombres absolus, puis de plus en plus nettement entre 1700 et 1780, en particulier la noblesse, dont le nombre semble diminuer de plus de 30 % au XVIIIe siècle. Dans un contexte de forte croissance démographique, la part de la noblesse se retrouve divisée par plus de deux en moins d'un siècle (voir tableau 2.1).

Tableau 2.1
Le clergé et la noblesse en France, 1380-1780
(en % de la population totale)

	1380	1470	1560	1660	1700	1780
Clergé	1,4 %	1,3 %	1,4 %	1,4 %	1,1 %	0,7 %
Noblesse	2,0 %	1,8 %	1,9 %	2,0 %	1,6 %	0,8 %
Total clergé + noblesse	3,4 %	3,1 %	3,3 %	3,4 %	2,7 %	1,5 %
Tiers état	96,6 %	96,9 %	96,7 %	96,6 %	97,3 %	98,5 %
Population totale (millions)	11	14	17	19	22	28
dont clergé (milliers)	160	190	240	260	230	200
dont noblesse (milliers)	220	250	320	360	340	210

Lecture : en 1780, le clergé et la noblesse regroupaient respectivement environ 0,7 % et 0,8 % de la population totale, soit autour de 1,5 % pour les deux premiers ordres (environ 410 000 personnes sur 28 millions).
Sources et séries : voir piketty.pse.ens.fr/ideologie.

Quant au clergé, il peut être intéressant d'exprimer sa part en pourcentage de la population adulte masculine. Dans le cadre de l'Église catholique, les prêtres ne peuvent pas avoir de famille (ni conjoint ni enfants),

---

1. Sur ce décrochage des salaires agricoles (relativement aux prix et à la rente), voir l'étude classique d'E. LABROUSSE, *Esquisse du mouvement des prix et des revenus en France au XVIIIe siècle*, Dalloz, 1933.

ce qui abaisse mécaniquement la taille du clergé relativement aux pays et religions où les prêtres ont des familles de taille équivalente (ou parfois même légèrement supérieure) à celles des autres classes, comme les prêtres protestants et orthodoxes, le clergé chiite en Iran ou encore les brahmanes en Inde, que nous examinerons dans les prochains chapitres. Pour effectuer des comparaisons entre ces différentes aires civilisationnelles, il est donc peut-être plus justifié de mesurer les parts des différents groupes au sein de la population adulte masculine (encore que les deux points de vue peuvent se justifier et offrent chacun des perspectives complémentaires sur les différentes structures sociales en présence).

En l'occurrence, à la suite des enquêtes lancées en France dans les années 1660-1670, il avait été conclu que le clergé comptait environ 260 000 membres, dont 100 000 pour le clergé séculier (évêques, curés, chanoines, diacres et vicaires : uniquement des hommes, donc) et 160 000 pour le clergé régulier (membres des ordres religieux suivant des règles monastiques). D'après l'enquête, ce dernier groupe se partageait en deux moitiés approximativement équivalentes, constituées d'environ 80 000 moines et 80 000 religieuses. Les hommes représentaient donc environ 70 % des effectifs totaux du clergé (180 000 sur 260 000). Si l'on retient cette estimation, il apparaît que le clergé masculin regroupait au XVIIe siècle environ 3,3 % de la population adulte masculine, soit un homme adulte sur trente, ce qui est considérable. Au cours du XVIIIe siècle, cette proportion s'est abaissée un peu au-dessous de 2 %, ce qui représente encore près d'un homme adulte sur cinquante (voir tableau 2.2). Par comparaison, moins d'un homme adulte sur mille était membre du clergé en France à la fin du XXe siècle et au début du XXIe (toutes religions confondues). En trois siècles, la classe religieuse a bel et bien disparu[1]. La classe intellectuelle est certes toujours bien présente, en France comme dans toutes les sociétés occidentales (où le nombre de titulaires de doctorat atteint parfois près de 2 % de l'électorat, un électeur sur cinquante, contre moins de un pour mille il y a un siècle), et joue même un rôle considérable dans la structuration du conflit politique

---

1. En incluant tous les membres du clergé catholique (régulier et séculier), ainsi que l'ensemble des personnes répertoriées comme exerçant des fonctions religieuses (tous cultes confondus) dans les recensements français de 1990, 1999 et 2014, on dénombre à chaque fois moins de 20 000 personnes (sur une population totale de 65 millions en 2014 : à peine 0,03 %), contre 260 000 pour le seul clergé catholique en 1660 (sur une population totale de 19 millions : près de 1,5 %). Le poids de la classe religieuse est donc plus de cinquante fois plus faible au début du XXIe siècle qu'à la fin du XVIIe siècle.

et électoral et du régime inégalitaire dans son ensemble, mais suivant des modalités fort différentes de celles observées à l'âge trifonctionnel[1].

Tableau 2.2

**Le clergé et la noblesse en France, 1380-1780
(en % de la population adulte masculine)**

	1380	1470	1560	1660	1700	1780
Clergé	3,3 %	3,2 %	3,3 %	3,3 %	2,5 %	1,7 %
Noblesse	1,8 %	1,6 %	1,8 %	1,8 %	1,5 %	0,7 %
Total clergé + noblesse	5,1 %	4,8 %	5,1 %	5,1 %	4,0 %	2,4 %
Tiers état	94,9 %	95,2 %	94,9 %	94,9 %	96,0 %	97,6 %
Population adulte masculine (millions)	3,4	4,2	5,1	5,6	6,5	8,3
dont clergé (milliers)	110	130	160	180	160	140
dont noblesse (milliers)	60	60	90	100	90	60

Lecture : en 1780, le clergé et la noblesse regroupaient respectivement 1,7 % et 0,7 % de la population adulte masculine, soit au total 2,4 % de la population adulte masculine (environ 200 000 hommes adultes sur 8,3 millions).
Sources et séries : voir piketty.pse.ens.fr/ideologie.

Si l'on additionne les deux premiers ordres, on constate que le clergé et la noblesse représentaient entre le XIVe et le XVIIe siècle autour de 5 % de la population adulte masculine (au lieu de 3,5 % lorsque l'on raisonne en proportion de la population totale), et que cette part est tombée à un peu plus de 2 % à la veille de la Révolution (au lieu de 1,5 % en proportion de la population totale) (voir tableaux 2.1 et 2.2)[2].

1. Sur l'évolution des niveaux d'éducation dans les différents pays, et le rôle des clivages éducatifs dans la structuration du conflit politico-électoral moderne, voir les troisième et quatrième parties de ce livre.
2. Les deux méthodes donnent quasiment le même résultat pour la noblesse, car la taille moyenne des familles nobles est proche de celle des familles roturières (en première approximation). Pour le clergé, la part est un peu plus de deux fois plus forte lorsque l'on se place en pourcentage de la population adulte masculine (et non de la population totale). Voir annexe technique, graphique S2.1.

Comment expliquer la chute du nombre de nobles ?

Revenons à la question de la baisse des effectifs : comment expliquer que l'importance numérique du clergé, et plus encore de la noblesse, se réduise en France pendant le dernier siècle de l'Ancien Régime ? Disons-le d'emblée : les sources disponibles ne permettent pas de répondre à cette question de façon parfaitement précise et convaincante. Pour autant, les pistes d'explication ne manquent pas. On peut d'abord y voir la conséquence générale d'un processus de long terme lié à la formation de l'État centralisé et à la délégitimation graduelle des fonctions cléricales et nobiliaires. Des facteurs politico-idéologiques propres à chaque époque ont également joué un rôle dans cette évolution, que nous retrouverons dans ses grandes lignes pour d'autres pays européens, en particulier pour le Royaume-Uni et la Suède, mais avec des variations intéressantes dans les chronologies et les modalités. Dans le cas de la France, il est probable que la forte baisse observée à partir du milieu du XVIIe siècle est au moins pour partie la conséquence d'une politique délibérée menée par une monarchie absolue alors en plein essor et en pleine affirmation. D'ailleurs l'objectif des grandes enquêtes sur la noblesse et le clergé lancées dans les années 1660-1670, sous Louis XIV et Colbert, était précisément de permettre à l'État centralisé en formation de prendre la mesure des ordres privilégiés, et d'une certaine façon d'en prendre le contrôle. À partir du moment où l'on sait dénombrer et définir qui est qui, ou tout du moins que l'on fait des progrès dans cette direction, cela signifie aussi que l'on est capable d'influer sur les contours de ces catégories et de négocier les appartenances et les droits. De fait, la Couronne entreprend dans le même temps de durcir les règles d'appartenance à la noblesse, en exigeant par exemple dans le cadre de la déclaration royale de 1664 des « preuves authentiques » pour la noblesse qui se prétend antérieure à 1560, preuves dont elle tente non sans mal de définir les contours et les formes autorisées[1].

Plus généralement, à la fin du XVIIe et au début du XVIIIe siècle, la monarchie française multiplie les efforts pour restreindre les effectifs de la noblesse. Les motivations étaient à la fois politiques (il s'agissait de montrer que l'État centralisé en formation n'avait pas besoin d'une noblesse pléthorique et oisive) et budgétaires, puisqu'en réduisant le nombre de nobles

---

1. Voir en particulier R. MOUSNIER, *Les Institutions de la France sous la monarchie absolue*, *op. cit.* ; ID., *Les Hiérarchies sociales de 1450 à nos jours*, PUF, 1969, p. 61-69.

on diminuait d'autant les exemptions fiscales. La capitation créée en 1695 permettait certes de mettre enfin à contribution la noblesse, au moins en partie, mais la classe nobiliaire demeura exemptée de nombreux impôts royaux jusqu'en 1789, et notamment de la taille. Seule une restriction des conditions de reconnaissance comme noble pouvait donc augmenter les recettes de ce côté-là. Les efforts accomplis en ce sens resteront toujours inachevés, puisque la monarchie ne contrôlait que très imparfaitement les institutions et processus juridictionnels et administratifs locaux établissant les exemptions, et ne pouvait ou ne voulait prendre le risque de se couper du cœur de la noblesse, si bien que la question ne sera vraiment réglée qu'à la Révolution. Mais le fait est que le processus avait été enclenché longtemps auparavant, non sans difficulté.

La monarchie contribua aussi par petites touches à rapprocher les anciennes élites nobles et guerrières et les nouvelles élites marchandes et financières, d'une part en vendant des charges et offices (parfois accompagnés de titres de noblesse) à ceux qui avaient les disponibilités financières, et d'autre part en permettant aux nobles de diversifier leurs activités sans déchoir de leur titre, en décrétant par exemple en 1627 que le commerce maritime n'était plus déshonorant pour les gentilshommes, décision étendue aux banques et manufactures en 1767[1]. Ce processus graduel d'unification et de monétisation des élites, qui trouvera en quelque sorte son aboutissement avec les régimes censitaires en vigueur au XIXᵉ siècle (où l'ampleur des propriétés et des impôts acquittés deviendra le nouveau fondement du pouvoir politique), paraît déjà engagé aux XVIIᵉ et XVIIIᵉ siècles, en même temps que les effectifs du groupe nobiliaire traditionnel commencent à décliner.

Il semble cependant difficile d'attribuer la totalité de la baisse des effectifs de la noblesse à l'action délibérée de l'État centralisé et de ceux qui en avaient le contrôle. Compte tenu de la chute brutale constatée entre 1660 et 1780, il est probable que d'autres facteurs (à commencer par les stratégies des nobles eux-mêmes) aient joué un rôle important, sinon prépondérant. De nombreux travaux ont ainsi montré que la classe nobiliaire tend à adopter un comportement démographique de plus en plus « malthusien » au cours du XVIIIᵉ siècle, avec à la fois une baisse du nombre d'enfants par couple et une hausse du célibat parmi les fils cadets et les filles. Au même moment, on observe en France et dans d'autres pays européens

---

1. Voir J. LUKOWSKI, *The European Nobility in the Eighteenth Century*, Palgrave, 2003, p. 84-90.

une tendance à généraliser la primogéniture, c'est-à-dire à concentrer de plus en plus la transmission de la propriété sur le seul fils aîné, à la façon de la noblesse anglaise, alors que les pratiques successorales françaises (et ailleurs en Europe) avaient toujours été plus diversifiées et variables suivant les provinces[1]. Le célibat croissant des cadets et la concentration des transmissions en faveur des aînés semblent également s'accompagner d'un accaparement de plus en plus fort des fonctions au sein du haut clergé : plus de 95 % des évêques sont issus de la noblesse au XVIIIe siècle, alors que la proportion était de 63 % au début du XVIIe siècle et de 78 % à la fin du siècle[2].

On pourrait être tenté d'analyser ces évolutions comme un choix offensif (conscient ou non), voire une affirmation de puissance de la part des familles nobles et de leurs chefs, à l'anglaise. Dès lors que l'État centralisé garantit le respect du droit de propriété à une vaste échelle, sans qu'il soit nécessaire d'avoir de nombreux fils pour prendre les armes et défendre son fief et sa position, autant concentrer le pouvoir au sein d'une élite de plus en plus étroite et éviter les partages et les émiettements à répétition (une élite pléthorique n'est pas une élite). Mais ces stratégies familiales malthusiennes peuvent aussi se lire comme la conséquence défensive d'une peur du déclassement. Dans un contexte de forte croissance démographique, d'expansion économique et de diversification des élites (aux nobles et aux clercs sont venus s'ajouter les robins, les marchands, les financiers, et les bourgeois de toutes sortes), le fait de restreindre la taille de sa descendance et de concentrer les héritages peut apparaître comme la seule façon pour la noblesse de maintenir son rang relativement aux nouveaux groupes.

Les sources disponibles sont trop limitées pour qu'il soit possible de connaître avec précision le rôle joué par ces différents facteurs, perceptions et motivations. Il est toutefois frappant de constater que les querelles de protocole et les conflits sur les rangs et les préséances, loin de disparaître, semblent plutôt se durcir à la fin de l'Ancien Régime[3]. Dans un contexte de transformation d'un régime hiérarchique et inégalitaire, marqué par la centralisation croissante et la constitution de l'État moderne, et par de multiples remises en cause des positions individuelles, on aurait tort d'imaginer la communion des différentes élites, unies par la grâce de l'équivalent

1. *Ibid.*, p. 118-120.
2. Voir annexe technique.
3. Voir sur ces questions le livre éclairant de F. COSANDEY, *Le Rang. Préséances et hiérarchies dans la France d'Ancien Régime*, Gallimard, 2016.

monétaire universel, de la rationalité économique et de la maximisation de la concentration de la propriété. Lors de l'entrée royale à Paris de 1660, les querelles classiques entre gentilshommes d'épée et de robe se doublaient déjà de multiples conflits internes à la grande chancellerie (institution qui jouait à la fois le rôle de ministère de la Justice et d'administration centrale de la monarchie). Les gardes des rôles, en charge des multiples registres et listes administratives et fiscales, voulaient une tenue et un rang qui les rapprocheraient des maîtres des comptes et des grands audienciers, et les éloigneraient des huissiers, jugés moins dignes qu'eux.

On se mit alors à codifier non seulement l'ordre dans les processions, mais également la taille des manteaux et des chapeaux, celle des tabourets pendant les cérémonies, la teinte des souliers, et ainsi de suite. Ces conflits sur les tenues, les protocoles, les processions et les rangs concernaient aussi les relations entre les membres des différents métiers et corporations. Au XVIIIe siècle, il fallut régler la délicate question de la place des princesses et des princes de sang royal, ainsi que celle des enfants naturels (nouvellement reconnus, sur pression des monarques, ce qui n'allait pas sans heurts) et de leur position protocolaire vis-à-vis de la haute noblesse (ducs et pairs en particulier). Comme de juste, les mémorialistes se lamentaient régulièrement en constatant la disparition de l'ordre protocolaire ancien, celui du champ de bataille, ordre guerrier et féodal, symbolisé par le banquet fondateur de *La Chanson de Roland*, où les douze pairs entouraient le roi, et où personne n'ignorait ni ne contestait les règles hiérarchiques régissant l'ordre d'accès aux plats et aux viandes. Il reste que ces querelles sur le rang au sein de l'ordre curial (celui de la cour et de la monarchie absolue) rappellent un point central : que la société d'ordres était encore bien vivante à la fin de l'Ancien Régime, et que les complexes hiérarchies symboliques qui la caractérisaient étaient loin d'être dissoutes dans l'échelle unidimensionnelle de l'argent et de la propriété. Ce n'est qu'après la Révolution que les hiérarchies sociales seront radicalement transformées.

La noblesse : une classe propriétaire, entre Révolution et Restauration

Plus généralement, pour bien comprendre la relation de domination que le clergé et la noblesse entretenaient avec le reste de la société d'Ancien Régime, il est évidemment impossible de s'en tenir à la question des effectifs. Il faut aussi et surtout analyser les ressources inséparablement symboliques, patrimoniales et politiques dont disposaient les deux ordres privilégiés. Certes, le clergé et la noblesse ne représentaient que quelques pourcents de la population sous l'Ancien Régime, et cette part déclinait au cours du siècle précédant la Révolution. Mais cela ne doit pas occulter une réalité essentielle : quelle que soit l'ampleur des transformations en cours, les deux classes dominantes continuaient de concentrer une part considérable de la richesse matérielle et du pouvoir économique et politique à la veille de la Révolution de 1789.

Les sources disponibles sont là encore imparfaites, mais les ordres de grandeur sont relativement clairs, au moins pour ce qui concerne les propriétés terriennes. Autour de 1780, la noblesse et le clergé rassemblent environ 1,5 % de la population totale, mais détiennent près de la moitié des terres du royaume : autour de 40-45 % au total pour les deux ordres d'après les estimations disponibles, dont environ 25-30 % pour la noblesse et 15 % pour le clergé, avec de très fortes variations entre provinces (à peine 5 % pour le clergé dans certaines régions, et plus de 20 % dans d'autres). La part des deux ordres privilégiés dans la propriété terrienne atteint même 55-60 % si l'on inclut la capitalisation de la dîme ecclésiastique, qui certes ne correspond pas à une propriété au sens strict, mais qui procure des avantages tout aussi importants, puisqu'elle permet à l'Église de bénéficier de façon permanente d'une part importante du produit agricole de l'ensemble des propriétés du royaume. La part des ordres privilégiés serait encore plus élevée si l'on tentait de prendre en compte les avantages que procurent les pouvoirs juridictionnels et autres droits seigneuriaux et régaliens attachés à l'exercice des droits de propriété de la noblesse et du clergé sous l'Ancien Régime, ce que nous n'avons pas cherché à faire ici.

La Révolution va bouleverser radicalement cet équilibre, en particulier pour le clergé. Les propriétés ecclésiastiques ont été presque entièrement réduites à néant à la suite de la confiscation des biens de l'Église, et la dîme a été purement et simplement supprimée. Par comparaison, les propriétés terriennes de la noblesse ont été approximativement divisées par deux, et se sont en partie relevées par la suite, si bien que la rupture est moins nette. Dans le département du Nord, par exemple, la part des terres détenues par les deux ordres privilégiés est passée de 42 % en 1788 (22 % pour la noblesse, 20 % pour le clergé) à guère plus de 12 % en 1802 (11 % pour la noblesse, moins de 1 % pour le clergé). Les estimations disponibles pour d'autres départements confirment ces ordres de grandeur[1].

1. Voir annexe technique.

Au total, on peut considérer que la part de la noblesse dans le total des propriétés était comprise entre un quart et un tiers à la veille de la Révolution, et que cette part est comprise entre un dixième et un cinquième au début du XIXe siècle, ce qui reste extrêmement élevé. Encore faut-il préciser que ces proportions sous-estiment le poids véritable de la noblesse au sein des plus hauts patrimoines, qui était beaucoup plus élevé que sa part dans le total des patrimoines, et qui atteignit un niveau considérable à la fin de l'Ancien Régime, avant de retrouver des niveaux très importants à la suite de la Restauration.

Sur la base des archives successorales, on peut ainsi estimer que la part des nobles dans les 0,1 % des successions parisiennes les plus élevées était d'environ 50 % à la veille de la Révolution, avant de chuter à environ 25-30 % vers 1800-1810, puis de remonter jusqu'à 40-45 % dans les années 1830-1850, à l'issue de la période des monarchies censitaires, avant de se réduire graduellement durant la seconde moitié du XIXe siècle, pour atteindre environ 10 % autour de 1900-1910 (voir graphique 2.2).

Graphique 2.2

La noblesse dans les successions parisiennes, 1780-1910

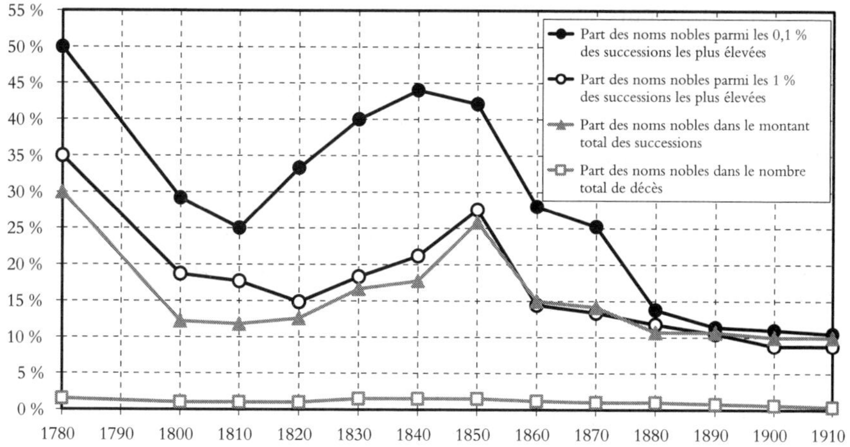

Lecture : la part des noms nobles parmi les 0,1 % des successions parisiennes les plus élevées est passée de 50 % à 25 % entre 1780 et 1810, avant de remonter autour de 35-45 % pendant la période des monarchies censitaires (1815-1848), puis de s'abaisser autour de 10 % à la fin du XIXe siècle et au début du XXe siècle. Par comparaison, les noms nobles ont toujours représenté moins de 2 % du nombre total des décès entre 1780 et 1910.
Sources et séries : voir piketty.pse.ens.fr/ideologie.

Plusieurs points méritent d'être soulignés au sujet de cette évolution. Tout d'abord, ces résultats montrent qu'un groupe de petite taille (les noms nobles représentaient à peine 1 %-2 % de la population parisienne tout au long de la période 1780-1910) peut concentrer une part considérable des plus hauts patrimoines, et par conséquent du pouvoir économique et financier. Il faut également préciser que ces estimations reposent sur la numérisation de plusieurs centaines de milliers d'actes successoraux dans les archives parisiennes, collecte que nous avons réalisée avec Gilles Postel-Vinay et Jean-Laurent Rosenthal. La source a ses limites : en particulier, nous avons classifié les morts comme nobles sur la base des noms de famille figurant dans les actes, méthode qui pose de multiples difficultés et qui, par construction, ne peut fournir que des résultats approximatifs[1]. Il n'en reste pas moins que les tendances observées sont extrêmement nettes, à la fois concernant la remontée de la période 1810-1850 et la baisse de la période 1850-1910. Soulignons également que ces données proviennent du système d'enregistrement des successions mis en place sous la Révolution, système qui était étonnamment universel pour l'époque, et sans équivalent dans les autres pays, puisqu'il concernait l'ensemble des propriétés, quels que soient leur nature (terres, biens immobiliers et professionnels, actifs financiers, etc.) et leur montant, et bien sûr quel que soit le statut du propriétaire (noble ou roturier). Ce système s'est appliqué tout au long du XIXe siècle et jusqu'à nos jours, avec des taux extrêmement réduits de la Révolution jusqu'à la Première Guerre mondiale (à peine 1 %-2 % pour les transmissions en ligne directe, c'est-à-dire entre parents et enfants). Cette source fournit un observatoire unique au monde pour analyser l'histoire longue de la propriété, et nous y reviendrons lorsque nous étudierons l'évolution de la concentration des patrimoines au sein de la société de propriétaires qui se développe en France au cours du XIXe siècle et du début du XXe siècle. À ce stade, notons simplement qu'elle permet également de quantifier l'importance de la noblesse dans les hauts patrimoines et son évolution[2].

1. Il est difficile de procéder autrement, dans la mesure où la noblesse perd toute définition légale officielle en France après l'abolition des « privilèges » de 1789 (si l'on excepte le mince groupe des pairs de France entre 1815 et 1848 et le cas de la noblesse d'Empire), et qu'en tout état de cause sa signification légale n'est que très imparfaitement définie avant 1789.

2. Ces données successorales, collectées dans les archives de l'Enregistrement, sont bien conservées à partir de 1800. L'estimation indiquée pour les années 1780 repose sur les informations disponibles sur la baisse globale de la part des propriétés nobles de 1789 à 1800. Nous avons également eu accès aux données successorales parisiennes jusqu'aux années 1950-1960, ce qui permet de constater que la baisse de la part des noms nobles se poursuit après 1900-1910 (avec moins de 5 % de noms nobles dans les 0,1 % des successions les plus élevées dans les années 1950-1960). Tous les détails techniques sur ces données successorales sont disponibles en ligne.

Enfin, les évolutions indiquées sur le graphique 2.2 montrent l'importance des facteurs proprement politiques et idéologiques (ainsi que des facteurs militaires et géopolitiques) dans la transformation des sociétés ternaires. Certes, la réduction de la taille de la noblesse était déjà en cours au XVIIIᵉ siècle, ce qui peut s'analyser comme la conséquence d'un lent processus socio-économique de renouvellement des élites et de formation de l'État (et des stratégies nobiliaires malthusiennes qui en découlent). De même, la baisse de la part de la noblesse dans les plus hautes fortunes entre 1850 et 1910 reflète pour partie des facteurs socio-économiques, en particulier la croissance des secteurs industriels et financiers, au sein desquels la vieille élite nobiliaire joue souvent les seconds rôles face aux nouvelles élites bourgeoises et marchandes. Il reste qu'une approche purement socio-économique aurait bien du mal à rendre compte de la chute abrupte de la part de la noblesse entre 1780 et 1800-1810, suivie d'une très forte remontée jusqu'en 1840-1850. La chute reflète l'impact des redistributions menées sous la Révolution (qui ne doit toutefois pas être exagérée, ainsi que nous le verrons dans le chapitre suivant quand nous étudierons le nouveau régime de propriété mis en place par les législateurs révolutionnaires) et surtout l'exil temporaire d'une partie de la noblesse. À l'inverse, la remontée s'explique avant tout par le retour de la classe nobiliaire sur le territoire national lors de la Restauration de 1814-1815 (elle-même largement due aux défaites des armées napoléoniennes face à la coalition des monarchies européennes), ainsi que par les faveurs dont la noblesse a bénéficié en France au cours de la période des monarchies censitaires (1815-1848).

On pense en particulier au fameux « milliard des émigrés », mesure emblématique débattue dès les premières années de la Restauration, finalement adoptée en 1825, et qui visait à transférer aux ex-nobles émigrés des sommes considérables (près de 15 % du revenu national de l'époque, financé entièrement par les contribuables et l'endettement public) pour les dédommager des terres et des loyers perdus sous la Révolution. Dans le même temps, les gouvernements des rois Louis XVIII puis Charles X (tous deux frères du défunt roi Louis XVI, guillotiné en 1793), dirigés par le comte de Villèle, imposèrent à Haïti une indemnité considérable de 150 millions de francs-or (plus de trois années de revenu haïtien de l'époque), afin d'indemniser les ex-propriétaires d'esclaves (dont une large part d'aristocrates) pour leur perte de propriété négrière suite à l'indépendance de l'île[1]. Plus généralement, tout indique que le système judiciaire comme l'appareil étatique dans son ensemble prennent une tournure très nettement pronobiliaire entre 1815 et 1848, en particulier dans le cadre de l'abondant contentieux juridictionnel engendré par les redistributions opérées pendant la Révolution. Cette chronologie politique montre que la transformation des sociétés trifonctionnelles anciennes en sociétés de propriétaires s'est faite à la suite de multiples rebondissements, en France comme d'ailleurs dans l'ensemble des sociétés européennes. La césure de 1789, aussi importante soit-elle, laissait encore ouvertes plusieurs trajectoires possibles.

L'Église chrétienne comme organisation propriétaire

Revenons à la question de la part de la classe cléricale et de ses organisations dans la propriété au sein des sociétés ternaires. Les sources disponibles indiquent que l'Église catholique détenait environ 15 % des propriétés terriennes en France dans les années 1780. En ajoutant une estimation de la valeur capitalisée de la dîme, on peut considérer que la part de l'Église était d'environ 25 %.

Les estimations disponibles pour les autres pays européens suggèrent des ordres de grandeur comparables. Les incertitudes pesant sur de telles quantifications sont certes nombreuses, d'abord parce que la notion même de droit de propriété prenait une signification spécifique dans les sociétés trifonctionnelles (et incluait des droits juridictionnels et régaliens non pris en compte ici), et ensuite du fait des limitations des sources disponibles. Mais nous disposons par exemple pour l'Espagne du célèbre Cadastre de la Ensenada, réalisé entre 1750 et 1760, et qui nous apprend que l'Église détenait alors 24 % des terres agricoles[2].

Il faudrait aussi ajouter l'équivalent espagnol de la dîme ecclésiastique française, mais ce n'est pas chose facile, car les relations entre la Couronne espagnole et l'Église catholique se caractérisaient depuis l'époque de la *Reconquista* par de multiples transferts, renégociés en permanence, et par

---

1. Je reviendrai plus loin sur l'ampleur de ces transferts de propriété, et en particulier sur l'indemnité haïtienne versée aux ex-propriétaires d'esclaves (voir deuxième partie, chapitre 6, p. 263-265).

2. Plus précisément, l'Église détenait 15 % des surfaces agricoles, mais compte tenu de leur plus grande qualité ces terres rapportaient 24 % des revenus agricoles (ce qui apparaît donc comme une meilleure estimation de la part de l'Église dans la valeur des terres). Voir annexe technique.

lesquels l'Église reversait à la Couronne une partie de ses revenus fonciers. Ces transferts étaient initialement justifiés par la nécessité de contribuer au financement de la guerre sainte menée contre les infidèles musulmans pour assurer la « reconquête » du pays de 718 à 1492. Ils furent renouvelés par la suite, suivant des modalités complexes et variables dans le temps[1]. Ces négociations entre pouvoirs monarchique et ecclésiastique montrent d'ailleurs à quel point les questions de propriété étaient inextricablement liées dans les sociétés trifonctionnelles à des enjeux politiques plus vastes, à commencer par la question centrale de la légitimité des différentes élites et de leurs apports guerriers ou religieux à la communauté.

On sait également peu de choses sur les propriétés autres que les terres agricoles. Ces dernières représentaient certes la majeure partie – entre la moitié et les deux tiers – du total des propriétés (c'est-à-dire de la valeur vénale totale de toutes les propriétés, terriennes, immobilières, professionnelles, financières, nette de dettes) en France, en Espagne ou au Royaume-Uni au XVIIIe siècle. Mais il ne faut pas pour autant négliger les autres biens, en particulier l'immobilier, les entrepôts et fabriques, et les actifs financiers. Or la part de l'Église dans ces autres propriétés non terriennes est très mal connue, et peut dissimuler des situations très variables. Des travaux récents ont par exemple montré que la part de l'Église espagnole dans le crédit hypothécaire (c'est-à-dire le crédit utilisant les biens terriens et immobiliers en garantie) était considérable, passant même de 45 % au XVIIe siècle à 70 % au milieu du XVIIIe siècle. En combinant les différentes sources, on peut considérer que l'Église détenait près de 30 % de la propriété totale en Espagne en 1750 (voire davantage)[2].

Quelles que soient ces incertitudes, le point essentiel sur lequel je voudrais insister ici est que les Églises détenaient une part extrêmement élevée de la propriété dans les sociétés ternaires européennes, typiquement autour de 25 %-35 % (soit entre un quart et un tiers). On retrouve ce type d'ordre de grandeur pour les organisations ecclésiastiques dans des contextes très différents : par exemple, l'Église éthiopienne détenait environ 30 % des

---

1. Cette part reversée à la Couronne était généralement comprise entre un dixième et un quart, mais atteignait parfois la moitié des revenus fonciers ecclésiastiques. Voir S. PERRONE, *Charles V and the Castillian Assembly of the Clergy. Negotiations for the Ecclesiastical Subsidy*, Brill, 2008.

2. Sur le crédit hypothécaire espagnol, voir C. MILHAUD, *Sacré Crédit ! The Rise and Fall of Ecclesiastical Credit in Early Modern Spain*, doctorat EHESS, 2018, p. 17-19. Il s'agit cependant d'un actif très spécifique, si bien qu'il est difficile de généraliser à des classes d'actifs plus larges.

terres en Éthiopie autour de 1700[1]. Il s'agit là d'un niveau très important : quand une organisation détient entre un quart et un tiers de tout ce qu'il y a à posséder dans un pays, cela lui donne un poids financier et humain considérable pour structurer et réguler cette société, en particulier en rétribuant un clergé nombreux et en développant de multiples services et activités, notamment en matière éducative et sanitaire.

Il ne s'agit certes pas d'un poids qui lui confère une importance hégémonique, contrairement par exemple aux États communistes de la période soviétique (point de comparaison extrême et néanmoins utile), qui, comme nous le verrons, possédaient la quasi-totalité de tout ce qu'il y avait à posséder, typiquement autour de 70 %-90 %. L'Église chrétienne est un acteur important au sein d'un système politique pluraliste, comme l'exprime d'ailleurs l'idéologie trifonctionnelle, et non pas un acteur hégémonique. Il n'en reste pas moins que ce poids faisait de l'Église le premier propriétaire des royaumes chrétiens (aucun propriétaire noble individuel ne possédait autant de biens que l'Église, pas même le roi) et lui donnait une capacité d'action qui était souvent bien supérieure à celle de l'État lui-même.

Afin de fixer les idées et les ordres de grandeur, il peut être utile de préciser que les institutions à but non lucratif détiennent en ce début de XXIᵉ siècle une part incomparablement plus faible du total des propriétés : 1 % en France, 3 % au Japon et environ 6 % aux États-Unis, pays où le secteur des fondations est pourtant particulièrement développé (voir graphique 2.3). Encore faut-il préciser que ces estimations, issues des comptes nationaux officiels, incluent la totalité des institutions à but non lucratif, c'est-à-dire non seulement les biens détenus par l'ensemble des organisations religieuses (toutes confessions confondues), mais également et surtout les actifs possédés par l'ensemble des fondations et institutions non lucratives et non religieuses, y compris les universités, musées, hôpitaux, et autres structures caritatives et à but non lucratif opérant dans toutes sortes de secteurs. Il peut également s'agir dans certains cas de fondations qui sont en théorie au service de l'intérêt général, mais qui en pratique sont principalement au service d'une famille particulière, qui y a placé une partie de ses biens pour diverses raisons, liées par exemple aux aléas de la fiscalité ou de la gouvernance des familles, et que les comptes nationaux modernes ne savent pas toujours très bien comment classer. En principe,

---

1. Voir N. GUEBREYESUS, *Les Transferts fonciers dans un domaine ecclésiastique à Gondär (Éthiopie) au XVIIIᵉ siècle*, doctorat EHESS, 2017, p. 264-265.

les actifs détenus par des *family trusts* et autres fondations au service d'individus privés doivent être attribués au secteur des ménages et non à celui des institutions à but non lucratif, mais la tâche n'a rien d'évident, de même qu'il n'est pas simple de savoir si les propriétés ecclésiastiques de l'Ancien Régime servaient avant tout les clercs ou la masse des fidèles. Les comptes nationaux, et en particulier les tentatives d'estimation du capital national et du revenu national, qui se développent à partir de la fin du XVIIᵉ siècle et du début XVIIIᵉ siècle, en particulier au Royaume-Uni et en France, et qui jouent un rôle considérable dans le débat contemporain, sont des constructions sociales et historiques qui reflètent les priorités d'une époque et de leurs concepteurs, et qui comportent souvent de nombreuses limites.

Graphique 2.3

L'Église comme organisation propriétaire, 1750-1780

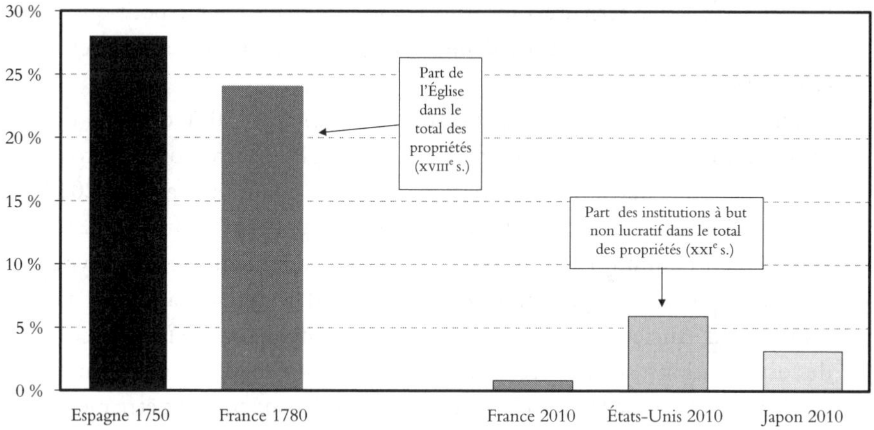

Lecture : vers 1750-1780, l'Église possède entre 25 % et 30 % du total des propriétés en Espagne et près de 25 % en France (propriétés terriennes, immobilières, financières, etc., en incluant la capitalisation des dîmes ecclésiastiques). Par comparaison, en 2010, l'ensemble des institutions à but non lucratif (organisations religieuses de toutes les confessions, universités, musées, fondations, etc.) détiennent en France moins de 1 % du total des propriétés, 6 % aux États-Unis, et 3 % au Japon.
Sources et séries : voir piketty.pse.ens.fr/ideologie.

En tout état de cause, le point important sur lequel je veux insister ici est que même en regroupant des entités aussi disparates, on aboutit à une détention totale qui est somme toute relativement limitée pour les institutions non lucratives du début du XXIᵉ siècle (entre 1 % et 6 % du total des propriétés). Cela permet *a contrario* de réaliser la puissance des Églises en tant qu'organisations propriétaires dans l'Europe de l'Ancien

Régime (entre 20 % et 35 %). Quelles que soient les incertitudes liées à ces mesures et au contexte de leur construction, les ordres de grandeur et les termes de la comparaison sont parfaitement clairs.

Plus généralement, cette structure particulière de la propriété, fondamentalement différente de celle rencontrée dans les autres catégories de sociétés que nous allons étudier, aide à mieux comprendre l'une des caractéristiques centrales des sociétés trifonctionnelles. Il s'agit de sociétés dans lesquelles deux classes dotées de légitimité, de fonction et d'organisation distinctes, la classe cléricale et la classe nobiliaire, contrôlent chacune une proportion considérable des ressources et des biens (approximativement entre un quart et un tiers des propriétés pour chacun des deux groupes, soit au total entre la moitié et les deux tiers pour les deux groupes réunis, et parfois davantage dans certains pays, comme nous le verrons quand nous étudierons le cas du Royaume-Uni), ce qui leur permet de jouer pleinement leur rôle social et politique dominant. Comme toutes les idéologies inégalitaires, l'idéologie ternaire s'incarne à la fois dans un régime politique et un régime de propriété, et par là même dans une réalité humaine, sociale et matérielle spécifique.

On peut également noter que cette part d'environ 30 % du total des propriétés détenues par les Églises d'Ancien Régime correspond approximativement à la part du capital national détenue à la fin des années 2010 par l'État chinois, structure étatique qui est en pratique contrôlée par le PCC (parti communiste chinois)[1]. Il s'agit évidemment de deux types d'organisations et de légitimités très différentes. Il n'en reste pas moins que les Églises d'Ancien Régime comme le PCC au début du XXIe siècle sont des organisations caractérisées par d'ambitieux projets de développement et d'encadrement de la société, et que de tels projets ne peuvent être menés à bien qu'à partir d'une base patrimoniale solide.

L'Église propriétaire face à la richesse et aux transmissions familiales

Il est intéressant de noter que cette dimension propriétaire des Églises chrétiennes s'est développée de façon très précoce dans l'histoire du christianisme. Cette évolution a été de pair avec la constitution d'une véritable doctrine chrétienne sur les questions de propriété, de transmissions

---

1. Voir troisième partie, chapitre 12, p. 706-708.

familiales et de droit économique, qui dans une large mesure a accompagné le développement de l'idéologie trifonctionnelle et l'unification des statuts du travail.

Au tout début de l'ère chrétienne, Jésus enseignait certes à ses disciples qu'il était « plus facile à un chameau de passer par le trou d'une aiguille qu'à un riche d'entrer dans le royaume des cieux ». Mais, à partir du moment où les familles de riches Romains épousèrent la nouvelle foi et commencèrent à s'emparer au sein de l'Église des positions dominantes en tant qu'évêques et écrivains chrétiens, à la fin du IVe siècle et au cours du Ve siècle, les doctrines chrétiennes se devaient de traiter de façon frontale la question de la propriété et de la richesse, et de faire preuve de pragmatisme. Dans une société devenue presque entièrement chrétienne, phénomène impensable peu de temps auparavant, et où l'Église se retrouvait à accumuler de vastes richesses, il devint vite indispensable de penser les conditions d'une propriété juste et d'une économie conforme à la nouvelle foi.

Pour simplifier, la richesse devint alors une composante positive de la société chrétienne, à la condition qu'une partie des biens accumulés par les fidèles soit transmise à l'Église (qui grâce à ses propriétés put ainsi assurer son rôle de structuration politique, religieuse et éducative de la société), et à la condition également qu'un certain nombre de règles économiques et financières soient respectées. Un nouveau partage des rôles et des légitimités entre richesse ecclésiastique et richesse proprement privée se mit ainsi en place. Les spécialistes de l'Antiquité tardive comme Peter Brown ont bien étudié cette transformation des doctrines chrétiennes de la richesse au cours des IVe et Ve siècles, et le développement concomitant des actes spectaculaires par lesquels de riches donateurs se dépouillaient d'une partie de leur fortune[1].

Certains anthropologues ont été jusqu'à défendre la thèse selon laquelle la seule véritable particularité européenne en matière de structures familiales dans le vaste espace eurasiatique provenait de cette attitude spécifique de l'Église chrétienne face à la richesse, et en particulier de sa ferme volonté d'accumuler et de détenir des biens. Selon Jack Goody, c'est ce qui conduisit les autorités ecclésiastiques à développer toute une série de normes familiales visant à maximiser les dons à l'Église (notamment en stigmatisant le remariage des veuves, ainsi que les adoptions, prenant ainsi à rebours toutes

---

1. Voir en particulier P. BROWN, *À travers un trou d'aiguille. La richesse, la chute de Rome et la formation du christianisme*, Les Belles Lettres, 2016.

les règles romaines, qui encourageaient au contraire les remariages comme les adoptions afin de favoriser la circulation des biens), et plus généralement à limiter la capacité des groupes familiaux à concentrer leur contrôle sur les propriétés (par exemple en interdisant les mariages entre cousins, avec un succès toutefois limité, tant il s'agit là d'une stratégie matrimoniale et patrimoniale commode pour des lignées fortunées, dans toutes les civilisations, ce qui montre au passage la radicalité du projet politique ecclésial chrétien), toujours dans le but de consolider la position de l'Église en tant qu'organisation propriétaire et politique rivale des familles.

Quel qu'ait été le rôle exact joué par ces nouvelles règles familiales, cette stratégie patrimoniale a de fait été couronnée d'un immense succès, puisque l'Église s'est retrouvée grâce aux dons de ses fidèles (et pas seulement des veuves, réputées généreuses) et à sa solide organisation juridique et économique à détenir, pendant plus d'un millénaire, des Ve-VIe siècles aux XVIIIe-XIXe siècles, une part considérable des biens et notamment des propriétés terriennes dans l'Occident chrétien, typiquement entre un quart et un tiers[1]. C'est cette base patrimoniale qui a permis pendant tous ces siècles de faire vivre une importante classe cléricale, et aussi (en principe, si ce n'est en pratique) de financer un certain nombre de services sociaux, notamment éducatifs et hospitaliers.

Des recherches récentes ont également insisté sur le fait que le développement de l'Église comme organisation propriétaire n'aurait pas été possible sans la constitution d'un véritable droit économique et financier médiéval, en particulier pour trancher des enjeux très concrets impliquant des questions juridico-économiques de gestion de domaines, de pratiques usurières plus ou moins déguisées, d'instruments de crédits innovants, ou encore de restitutions de biens ecclésiastiques indûment aliénés dans des contrats excessivement inventifs (où les clercs croyaient souvent voir la main des juifs et des infidèles, peu respectueux des biens chrétiens). En particulier, Giacomo Todeschini a étudié de façon très fine l'évolution de ces doctrines entre le XIe et le XVe siècle, à un moment où les échanges et les circulations de richesses se complexifient et s'intensifient, à mesure que les défrichements repoussent les limites des royaumes chrétiens, que la population s'accroît et que les villes se développent. Il analyse dans ce nouveau contexte le rôle central joué par les auteurs chrétiens pour

---

1. Selon certaines sources, le processus se serait déroulé relativement rapidement. Ainsi, en Gaule, l'Église aurait acquis environ un tiers des terres cultivables entre le Ve et le VIIIe siècle. Voir J. GOODY, *The European Family*, Blackwell, 2000, p. 36.

développer des catégories juridiques, économiques et financières qui sont, selon lui, à l'origine des notions capitalistes modernes[1]. Cela concerne notamment la protection juridique des biens d'Église face aux pouvoirs souverains temporels aussi bien que face aux contractants privés, et le développement d'institutions juridictionnelles permettant d'apporter des garanties adéquates. Cela touche aussi le développement de techniques comptables et financières permettant de contourner en tant que de besoin la supposée interdiction de l'usure.

La propriété ecclésiastique, à l'origine du droit économique et du capitalisme ?

De fait, dans la doctrine chrétienne médiévale, contrairement à ce que l'on imagine parfois, le problème n'est évidemment pas que le capital produise un revenu sans travailler : cette réalité incontournable est le fondement même de la propriété ecclésiastique (c'est précisément ce qui permet aux prêtres de prier et de veiller sur la société sans avoir à se préoccuper de labourer), et d'ailleurs de la propriété dans son ensemble. Le problème, abordé de façon de plus en plus pragmatique, est plutôt de réguler les formes d'investissement et de détention admissibles, de s'assurer que le capital ira à son meilleur usage, et surtout de mettre en place un contrôle social et politique adéquat de la richesse et de sa diffusion, conformément aux objectifs sociaux et politiques fixés par la doctrine chrétienne. Concrètement, le fait que les terres produisent un loyer pour leur propriétaire (ou donnent lieu au paiement d'une dîme ecclésiastique dans les cas où l'Église n'est pas directement propriétaire) n'a jamais posé de véritable difficulté morale ou conceptuelle. L'enjeu était plutôt de savoir jusqu'où étendre le champ des placements autorisés en dehors de la sphère foncière, notamment en matière commerciale et financière, et de déterminer les formes de rémunérations admissibles.

Cette souplesse doctrinale s'exprime par exemple dans un texte du pape canoniste Innocent IV qui, au cœur du XIIIe siècle, explique que le problème n'est certes pas l'usure en tant que telle, mais le risque qu'une rémunération usuraire trop élevée et trop certaine conduise les riches à choisir « par appât du gain ou pour garantir la sécurité de leur argent » de

---

1. Voir G. TODESCHINI, *Les Marchands et le Temple. La société chrétienne et le cercle vertueux de la richesse du Moyen Âge à l'Époque moderne*, Albin Michel, 2017.

placer leur argent « dans l'usure plutôt que dans des activités moins sûres ». Le pontife poursuit en citant comme exemple d'activités « moins sûres » le fait d'investir ses capitaux « dans les bêtes et les outils de culture », biens que « les pauvres ne possèdent pas », et qui sont indispensables pour accroître les véritables richesses. Il en conclut que le taux de l'usure ne peut dépasser un certain seuil[1]. Un banquier central soucieux de relancer l'investissement dans l'économie réelle ne s'y prendrait pas autrement pour justifier au début du XXIe siècle sa décision de réduire le taux d'escompte à un niveau proche de zéro (avec un succès parfois limité, mais c'est une autre question).

On voit aussi se développer dans le même temps de nouvelles techniques financières qui sont autant d'exceptions aux règles antérieures, avec par exemple la généralisation de la vente de rentes et de nombreuses formes de ventes à crédit, qui ne sont désormais plus considérées comme usuraires, pourvu que la doctrine chrétienne les identifie comme aptes à favoriser la circulation des biens vers les meilleurs usages. Todeschini souligne également l'emprise croissante des discours visant à justifier l'expropriation des juifs et des autres infidèles, discours soulignant notamment leur « incapacité à comprendre la signification de la richesse et son bon usage » (et la menace qu'ils font peser sur les propriétés ecclésiastiques), au fur et à mesure que se développent les nouvelles techniques de crédit légitimement ouvertes aux chrétiens (avec en particulier le développement de nouvelles formes de dette publique à la fin du XVe siècle et au cours du XVIe). D'autres auteurs ont noté que le « trust » anglo-saxon, structure de propriété permettant de séparer l'identité du bénéficiaire et du gestionnaire (le *trustee*), et ainsi de mieux protéger les actifs, avait des origines remontant à des modes de détention développés dès le XIIIe siècle par les moines franciscains, qui eux non plus ne pouvaient ou ne voulaient pas apparaître directement comme propriétaires individuels de premier degré[2].

Au final, la thèse sous-jacente est que le droit de propriété moderne (dans ses dimensions émancipatrices comme d'ailleurs dans ses dimensions inégalitaires et excluantes) n'est pas né en 1688, quand le propriétaire anglais (noble ou bourgeois) a voulu se protéger face à son souverain, ni même en 1789, quand le révolutionnaire français a voulu opérer la « grande démarcation » entre appropriations légitimes des droits sur les biens et

---

1. Voir *ibid.*, p. 96.
2. Voir K. PISTOR, *The Code of Capital. How the Law Creates Wealth and Inequality*, Princeton University Press, 2019, p. 49-50.

illégitimes des droits sur les personnes : ce sont les doctrines chrétiennes qui l'ont élaboré au fil des siècles pour assurer la pérennité de l'Église en tant qu'organisation à la fois religieuse et possédante.

On peut aussi considérer que cet effort d'abstraction, de conceptualisation et de formalisation juridique des notions économiques et financières a été rendu d'autant plus nécessaire dans le cas des sociétés ternaires chrétiennes que la classe cléricale n'existait pas en tant que classe héréditaire, mais simplement en tant qu'organisation abstraite et perpétuelle (un peu à la façon des grandes fondations modernes et des entreprises et compagnies capitalistes, ainsi que des administrations étatiques). Dans l'hindouisme ou dans l'islam, les temples et les fondations pieuses n'étaient certes pas absents, mais ils allaient de pair avec de puissantes classes cléricales héréditaires, si bien que le pouvoir sur les biens pouvait davantage s'appuyer sur des réseaux personnels et familiaux, avec pour conséquence que le besoin de codifier et de formaliser les relations économiques et financières était moins fort. Certains auteurs ont également fait remarquer que le durcissement des règles du célibat à la suite des réformes grégoriennes du XIᵉ siècle (le concubinage était encore fréquent et toléré dans le clergé catholique occidental jusqu'à cette date) pouvait être analysé comme une façon d'éviter de possibles dérives familialistes et héréditaires et de renforcer le poids de l'Église en tant qu'organisation possédante[1].

Il ne s'agit certes pas de conclure ici que le destin de l'Europe est tout entier inscrit dans le célibat des prêtres, la morale sexuelle chrétienne et la puissance de l'Église comme organisation propriétaire. De multiples autres processus et bifurcations ultérieures permettent de rendre compte des différentes spécificités de la trajectoire européenne, de façon sans doute bien plus décisive. En particulier, la concurrence entre États européens a contribué à des innovations militaires et financières qui ont eu un impact direct sur les dominations coloniales, le développement capitaliste et industriel, et la structure des inégalités modernes, à l'intérieur des pays comme entre pays. Nous y reviendrons largement par la suite.

Le point essentiel sur lequel je souhaite insister ici est simplement que les sociétés trifonctionnelles et leurs multiples variantes ont laissé elles aussi une empreinte essentielle sur le monde moderne et méritent toute notre attention. En particulier, elles reposaient sur des constructions politico-idéologiques sophistiquées visant à décrire les conditions d'une inégalité

1. Voir J. GOODY, *The European Family, op. cit.*, p. 39.

juste, conforme à une certaine vision de l'intérêt général, et les moyens institutionnels d'y parvenir. Dans toutes les sociétés, cela implique de régler toute une série de questions pratiques concernant l'organisation des rapports de propriété, des relations familiales et de l'accès à l'éducation. Les sociétés ternaires ne font pas exception et ont apporté des réponses variables et imaginatives à ces questions, construites autour du schéma général trifonctionnel. Ces réponses avaient leurs fragilités, et pour la plupart n'ont pas résisté à l'épreuve du temps. Il n'en reste pas moins que leur histoire est riche de leçons pour la suite.

Chapitre 3

L'INVENTION DES SOCIÉTÉS DE PROPRIÉTAIRES

Nous venons d'étudier quelques-unes des caractéristiques générales des sociétés ternaires (ou trifonctionnelles), en particulier dans le cadre des sociétés d'ordres européennes. Il s'agit maintenant d'analyser comment ces sociétés trifonctionnelles se sont progressivement transformées en sociétés de propriétaires au cours du XVIIIe et du XIXe siècle, selon des rythmes et des modalités différentes suivant les pays. Dans la deuxième partie, nous examinerons le cas des sociétés ternaires extraeuropéennes (en particulier en Inde et en Chine), et la façon dont leur rencontre avec les puissances propriétaristes et coloniales européennes a affecté les conditions de la formation de l'État et de la transformation des structures trifonctionnelles anciennes, menant ainsi à des trajectoires spécifiques. Mais avant d'en arriver là, il nous faut pousser plus loin l'analyse des trajectoires européennes.

Dans ce chapitre, je vais revenir de façon plus détaillée sur la Révolution de 1789, qui marque une rupture emblématique entre la société d'ordres d'Ancien Régime et la société bourgeoise et propriétariste qui s'épanouit en France au XIXe siècle. En quelques années, les législateurs révolutionnaires tentèrent de redéfinir entièrement les relations de pouvoir et de propriété, et l'analyse de ces épisodes permet de mieux saisir l'ampleur de la tâche et des contradictions auxquels ils se sont heurtés. Nous verrons également comment ces processus politico-juridiques complexes et incertains ont buté sur la question de l'inégalité et de la concentration de la propriété, si bien que la Révolution française a finalement conduit au développement d'une société propriétariste extrêmement inégalitaire entre 1800 et 1914, comme nous l'analyserons dans le chapitre suivant. La comparaison avec les autres trajectoires européennes, en particulier au Royaume-Uni et en Suède, nous permettra ensuite de nous interroger sur le rôle respectif des processus révolutionnaires et des tendances longues (liées notamment à la formation de l'État et à l'évolution des structures socio-économiques) dans la transformation des sociétés ternaires en sociétés de propriétaires, et d'insister sur la multiplicité des trajectoires et bifurcations possibles.

La « grande démarcation » de 1789 et l'invention de la propriété moderne

Commençons par examiner ce qui constitue sans doute le moment le plus décisif permettant de mieux comprendre la « grande démarcation » entre les sociétés trifonctionnelles et les sociétés de propriétaires qui leur ont succédé. Dans la nuit du 4 août 1789, l'Assemblée nationale française vota l'abolition des « privilèges » du clergé et de la noblesse. Toute la difficulté, dans les semaines, mois et années qui suivirent, fut de définir la liste exacte de ces « privilèges », et par là même d'établir la frontière entre les droits qui devaient être purement et simplement abolis, sans aucune compensation, et ceux qui étaient au contraire considérés comme légitimes et pouvaient être perpétués, ou bien faire l'objet d'une compensation ou d'un rachat, quitte à les reformuler dans la langue politico-juridique nouvelle.

La théorie du pouvoir et de la propriété portée par les législateurs révolutionnaires était en principe relativement claire : il s'agissait de distinguer nettement la question des pouvoirs régaliens (sécurité, justice, violence légitime), sur lesquels l'État centralisé devait désormais avoir le monopole ; et la question du droit de propriété, qui devait devenir l'apanage de l'individu privé, et qu'il fallait définir de façon pleine, entière et inviolable, sous la protection de l'État, qui devait en faire sa mission première, voire unique. En pratique, les choses furent beaucoup plus complexes à mettre en œuvre, tant les différents types de droits étaient inextricablement enchevêtrés dans le cadre des relations de pouvoir au niveau local, si bien qu'il fut extrêmement difficile de définir une norme de justice cohérente et acceptable par les différents acteurs, notamment concernant l'allocation des droits de propriété initiaux. On savait (ou plutôt on croyait savoir) comment procéder pour la suite, c'est-à-dire une fois cette allocation initiale fermement établie ; mais on eut bien du mal à décider lesquels des droits anciens méritaient d'être sédimentés en droits de propriété nouveaux, et lesquels devaient être simplement supprimés.

Des travaux récents, en particulier ceux de Rafe Blaufarb, ont montré qu'il était nécessaire pour bien comprendre ces débats de distinguer plusieurs périodes[1]. Dans un premier temps, en 1789-1790, le comité de l'Assemblée nationale en charge de ces questions délicates adopta une approche dite « historique ». L'idée était de remonter aux origines du droit en question afin de déterminer sa légitimité, et en particulier sa nature « contractuelle » (auquel cas il devait être maintenu) ou « non contractuelle » (auquel cas il devait être aboli). Par exemple, s'il s'agissait d'un droit lié à l'exercice d'un pouvoir seigneurial indu, de type « féodal », ou bien une appropriation illégitime d'une parcelle de la puissance publique, alors il fallait considérer ce droit comme « non contractuel », et il devait par conséquent être aboli sans compensation. L'exemple le plus évident était celui des privilèges fiscaux (le droit de la noblesse et du clergé de ne pas payer certains impôts) et du pouvoir juridictionnel. Le droit de rendre la justice sur un territoire déterminé (aussi appelé « seigneurie publique ») fut ainsi retiré aux seigneurs, sans compensation, et transféré à l'État centralisé. Cela aboutit dans l'immédiat à une désorganisation de l'appareil de justice de première instance (qui reposait pour une large part sur les cours seigneuriales), mais l'idée d'un monopole étatique sur la justice s'imposa définitivement.

La dîme ecclésiastique fut elle aussi abolie, et les biens de l'Église nationalisés, là encore sans compensation, ce qui provoqua de vifs débats, compte tenu du démantèlement des services religieux, éducatifs et hospitaliers que certains craignaient (à l'image de l'abbé Sieyès, qui s'opposa à ces décisions, ainsi que nous l'avons évoqué dans le chapitre précédent). Mais les partisans de l'abolition de la dîme et de la nationalisation des biens cléricaux insistèrent sur le fait que la souveraineté publique ne pouvait se diviser, et que l'on ne pouvait tolérer que l'Église bénéficie durablement d'une recette fiscale permanente garantie par la puissance publique et apparaisse ainsi comme un quasi-État. Pour faire bonne mesure, on inclut également les biens de la Couronne dans les biens nationaux, avec ceux de l'Église, et l'ensemble fut mis aux enchères. La philosophie générale était que l'État, un et indivisible, devait se financer par des contributions annuelles, librement consenties par les représentants des citoyens, et que la

---

1. Voir le livre éclairant de R. BLAUFARB, *The Great Demarcation, op. cit.*, fondé sur une exploitation novatrice des archives parlementaires, administratives et judiciaires de la période révolutionnaire (ainsi que de multiples traités juridico-politiques des XVIIe-XVIIIe siècles), auquel j'emprunte la notion de « grande démarcation ».

propriété perpétuelle et sa mise en valeur devaient désormais être l'affaire des individus privés[1].

Mais, en dehors de ces quelques cas relativement clairs (privilèges fiscaux, seigneuries publiques, dîme ecclésiastique, biens de l'Église), il fut bien difficile de se mettre d'accord sur les autres « privilèges » à supprimer sans compensation. En particulier, la plupart des droits seigneuriaux, c'est-à-dire les paiements en nature ou en argent dus par les paysans à la classe nobiliaire, furent en réalité maintenus, tout du moins dans un premier temps. Dans le cas paradigmatique d'un paysan exploitant une terre en échange d'un paiement au seigneur du lieu, le principe général était que ce droit devait *a priori* être considéré comme légitime. Cette relation avait en effet les apparences d'une relation « contractuelle », ou tout du moins d'une relation légitime entre un propriétaire et un locataire, au sens où l'entendaient les législateurs révolutionnaires, et le paiement devait donc continuer de s'appliquer, sous forme d'un loyer. Autrement dit, le seigneur pouvait continuer de percevoir des loyers sur ses terres (« seigneurie privée »), mais ne pouvait plus y rendre la justice (« seigneurie publique »). Toute l'opération législative consistait à décomposer les rapports seigneuriaux en ces deux composantes, et à séparer ainsi le bon grain de l'ivraie, le propriétarisme nouveau et le féodalisme ancien.

Corvées, banalités, loyers : du féodalisme au propriétarisme

Dès 1789-1790, une exception fut néanmoins prévue pour les « corvées » (c'est-à-dire le fait de devoir fournir au seigneur du lieu un certain nombre de journées de travail non rémunérées, par exemple un ou deux jours par semaine sur les terres du seigneur, ce qui était une situation classique, ou parfois davantage) et les « banalités » (c'est-à-dire les monopoles seigneuriaux sur divers services locaux, comme un moulin, un pont, une presse, un four, etc., souvent en lien avec les seigneuries juridictionnelles), qui, dans les deux cas, devaient en principe être abolies sans compensation. En particulier, les corvées trahissaient des origines trop nettement liées à l'ordre seigneurial ancien et au servage, système qui était réputé avoir

---

1. La rupture conceptuelle avec l'ordre ancien est d'autant plus claire que les budgets de la monarchie avaient au contraire longtemps considéré les revenus issus du domaine royal comme les recettes ordinaires et les produits des taxes comme les recettes extra-ordinaires.

disparu plusieurs siècles auparavant, mais dont les mots (si ce n'est la réalité) étaient toujours bien présents dans les campagnes françaises. Les maintenir ouvertement et sans aucune limite sur leur ampleur aurait été interprété comme une trahison trop évidente de l'esprit de la Révolution et de l'abolition des « privilèges » adoptée lors de la nuit du 4 août.

En pratique cependant, les comités et les tribunaux chargés d'appliquer ces directives jugèrent dans de nombreux cas que l'on pouvait trouver des origines contractuelles aux corvées, qui au fond s'apparentaient à une forme de loyer, dont elles ne différaient souvent que par les mots davantage que par le montant exigé. Elles devaient dès lors être maintenues, ou bien transformées explicitement en loyer, versé en argent ou en nature (une corvée d'une journée par semaine pouvant par exemple devenir un loyer équivalant à un cinquième ou un sixième du produit agricole), ou encore faire l'objet d'un rachat, ce qui pouvait apparaître à de nombreux législateurs comme une solution médiane. Une suppression pure et simple des corvées, sans rachat et sans compensation d'aucune sorte, effrayait une bonne partie des législateurs révolutionnaires, qui craignaient que cela aboutisse à une remise en cause des loyers eux-mêmes et de la propriété dans son ensemble.

Cette possibilité théorique de rachat des corvées et des autres droits seigneuriaux était toutefois largement inaccessible pour la plupart des paysans pauvres, d'autant plus que d'après les décrets de l'Assemblée et de son comité le rachat devait se faire au prix fort. La valeur des terres avait été fixée forfaitairement à l'équivalent de vingt années de loyer pour les paiements en argent, et vingt-cinq années pour les paiements en nature, sommes qui correspondaient à la moyenne des prix fonciers et des rendements locatifs de l'époque (entre 4 % et 5 % par an), mais qui n'en étaient pas moins tout à fait inatteignables pour le plus grand nombre. Dans le cas d'une corvée particulièrement lourde (plusieurs jours par semaine de travail non rémunéré), le rachat pouvait aboutir à placer le paysan dans une situation de dette perpétuelle proche du servage et de l'esclavage. Dans les faits, les rachats de droits seigneuriaux ou de biens nationaux furent le fait de la petite minorité roturière ou noble disposant des liquidités nécessaires, et la masse des paysans en était exclue.

Pour ce qui concerne les banalités, on considéra également qu'elles devaient dans certains cas être maintenues, en particulier dans les situations où les monopoles pouvaient se justifier par l'existence d'un service public local difficile à organiser autrement qu'au travers d'un monopole.

Cela pouvait concerner par exemple le cas d'un moulin particulièrement coûteux à construire, et pour lequel la concurrence entre plusieurs moulins aurait été collectivement néfaste, ce qui justifiait le monopole reconnu à celui qui en avait organisé la construction ou en avait le contrôle, et qui était le plus souvent un ancien seigneur, à moins qu'il n'ait cédé ce droit à un nouveau venu. Il s'agissait évidemment de questions fort difficiles à évaluer en pratique, ce qui illustre de nouveau l'enchevêtrement inextricable de droits propriétaristes et de quasi-services publics étatiques qui caractérisait la société trifonctionnelle, de la même façon que pour la dîme ecclésiastique, qui selon ses défenseurs était supposée financer écoles, dispensaires et greniers pour les pauvres. Le maintien des banalités fut moins systématique que celui des corvées, mais il n'en suscita pas moins de violentes oppositions de la part des paysans concernés.

De façon plus générale, l'approche « historique » prônée en 1789-1790 butait sur une difficulté majeure : comment pouvait-on établir l'origine « contractuelle » des droits en question ? Si l'on acceptait de remonter suffisamment loin en arrière, plusieurs siècles auparavant, il était bien évident pour tout le monde que la violence pure et dure, notamment sous la forme de la conquête et du servage, avait joué un rôle clé dans la plupart des appropriations seigneuriales initiales. Si l'on poussait cette logique jusqu'au bout, l'idée même d'une origine entièrement « contractuelle » de la propriété était une pure fiction. Plus modestement, l'objectif des législateurs révolutionnaires (qui pour la plupart étaient des bourgeois propriétaires, ou tout du moins des personnes beaucoup moins démunies que la masse de la population de l'époque) était de trouver des compromis qu'ils jugeaient raisonnables, c'est-à-dire des compromis permettant de refonder la société sur une base stable, tout en évitant de remettre en cause l'ensemble des relations de propriété, opération périlleuse dont ils craignaient qu'elle mène tout droit au chaos généralisé (et à la remise en cause de leurs propres droits de propriété).

Les députés commencèrent donc par suivre en 1789-1790 une approche « historique » qui était en réalité très conservatrice, et qui permettait surtout de ne rien changer en pratique à la plupart des droits seigneuriaux, dès lors que le poids des siècles leur avait donné les apparences de paisibles droits de propriété. La logique suivie était « historique », non pas tant car elle aurait cherché à connaître les véritables origines historiques du droit en question, mais dans la mesure où l'on considérait implicitement qu'une relation de propriété (ou plus généralement une relation qui en avait toutes les apparences) établie depuis suffisamment longtemps ne devrait plus être remise en cause.

Cette approche était d'ailleurs souvent résumée par le fameux adage « Nulle terre sans seigneur ». Autrement dit, en l'absence de preuve contraire incontestable, et en dehors de quelques cas limitativement répertoriés, on partait du principe que les paiements en nature ou en argent reçus par le seigneur du lieu avaient une origine contractuelle légitime, et devaient donc continuer à s'appliquer, quitte à les reformuler dans la langue nouvelle.

Dans certaines provinces, en particulier dans le sud de la France, la tradition juridique était cependant toute différente, puisqu'elle était généralement résumée par le principe « Nul seigneur sans titre » : sans preuve écrite, la propriété ne pouvait être établie, et aucun paiement ne se justifiait. Les directives de l'Assemblée furent donc très mal reçues dans les régions de tradition de droit écrit. En tout état de cause, la plupart des titres de propriété, quand ils existaient, étaient sujets à caution, puisqu'ils pouvaient avoir été établis par les seigneurs eux-mêmes, ou bien par des structures juridictionnelles qu'ils contrôlaient. Dans l'incertitude, de nombreuses révoltes paysannes s'en prirent aux seigneurs et aux châteaux, et commencèrent dès l'été 1789 à brûler les titres qui s'y trouvaient, ce qui ajouta encore à la confusion.

La situation devint alors d'autant plus incontrôlable que les tensions extérieures s'aggravaient et contribuaient elles aussi à durcir le cours de la Révolution. En 1789-1791, l'Assemblée nationale, devenue constituante, avait adopté une nouvelle Constitution pour le royaume, sous la forme d'une monarchie constitutionnelle et censitaire (seules les personnes payant des impôts suffisamment élevés avaient le droit de vote), qui commença brièvement à s'appliquer. Puis le climat politique se tendit progressivement, en particulier après la fuite du roi à Varennes (dans l'est de la France) en juin 1791. Non sans raison, Louis XVI fut accusé de vouloir rejoindre les nobles exilés et de comploter avec les monarchies européennes pour venir étouffer militairement la Révolution. Alors que les menaces de guerre grandissaient, l'insurrection d'août 1792 aboutit à l'arrestation du roi (guillotiné cinq mois plus tard, en janvier 1793) et à la mise en place en 1792-1795 d'une nouvelle assemblée, la Convention, chargée de rédiger une Constitution républicaine fondée sur le suffrage universel (Constitution qui fut adoptée mais n'eut jamais le temps d'être appliquée). La victoire décisive de Valmy en septembre 1792, dans l'est du pays, marqua alors le triomphe de l'idée républicaine et la défaite symbolique de l'ordre trifonctionnel. Bien que privées de leurs chefs naturels, partis à l'étranger, les armées françaises triomphèrent face aux armées monarchiques coalisées, menées par toutes les noblesses d'Europe. C'était bien la preuve vivante que le peuple en armes pouvait se passer de la vieille classe guerrière et nobiliaire. Goethe, qui depuis les collines assistait à la bataille, ne s'y est pas trompé : « De ce lieu et de ce jour date une nouvelle époque dans l'histoire du monde. »

Dans le même temps, l'application de la loi du 4 août 1789 sur l'abolition des « privilèges » prit une tournure plus radicale. À partir de 1792, on commença à inverser le sens de la preuve, et à demander de plus en plus souvent aux seigneurs de démontrer l'origine contractuelle de leurs droits. Le décret de la Convention de juillet 1793 passa à la vitesse supérieure en adoptant une approche dite « linguistique » : tous les droits seigneuriaux et rentes foncières devaient être abolis immédiatement, sans compensation, dès lors qu'une terminologie se rattachant directement à l'ordre féodal ancien était utilisée pour les désigner.

Cela concernait non seulement les corvées et les banalités, pour lesquelles plus aucune exception ne serait tolérée, mais également les « cens », les « lods » et de multiples autres obligations de ce type. Le cens était une forme de rente foncière due à un seigneur et était anciennement lié à la reconnaissance d'un lien de vassalité (c'est-à-dire de dépendance politique et militaire). Le cas des lods est sans doute le plus intéressant, d'une part parce qu'ils étaient extrêmement répandus, à tel point qu'ils étaient devenus dans de nombreuses provinces le mode de rémunération principal du propriétaire foncier, et d'autre part car il illustre parfaitement l'enchevêtrement extrême des anciens droits régaliens (illégitimes aux yeux des révolutionnaires) et des droits modernes de propriété (réputés légitimes).

Les lods et la superposition des droits perpétuels sous l'Ancien Régime

Sous l'Ancien Régime, les lods étaient une sorte de droit de mutation seigneurial : le paysan qui avait acquis dans le passé un droit d'usage perpétuel sur une terre (droit aussi appelé « seigneurie utile ») et qui souhaitait vendre ce droit à un autre exploitant devait acquitter un droit de mutation (les lods) au seigneur titulaire de la « seigneurie directe » sur cette même terre (« seigneurie directe » qui pouvait elle-même être décomposée en composante « privée » et « publique », la première comprenant les droits sur la terre et la seconde les droits juridictionnels correspondants). En pratique, les lods pouvaient représenter une somme considérable, et variable suivant les cas, typiquement entre un douzième et la moitié du montant de la vente (c'est-à-dire entre deux et dix années de loyer)[1]. L'origine de ce paiement était généralement liée au pouvoir juridictionnel exercé par le seigneur sur le territoire en question : ce dernier y rendait la justice, enregistrait les transactions, garantissait la sécurité des biens et des personnes, tranchait les litiges, et ces services avaient pour contrepartie le paiement des lods lors des transferts du droit d'usage de la terre.

Ces lods pouvaient s'accompagner ou non d'autres paiements, annuels ou à des occasions fixées à l'avance (le terme « lods » désignait souvent un ensemble d'obligations et de paiements et non un seul). Compte tenu de l'origine juridictionnelle de ce droit, on aurait pu s'attendre à ce que les lods soient abolis sans compensation, à la façon de la dîme ecclésiastique ou des seigneuries publiques. Mais c'était sans compter sur le fait que la pratique des lods s'était répandue très au-delà de son usage seigneurial initial, si bien que leur suppression sans compensation risquait aux yeux des législateurs révolutionnaires (ou tout du moins des plus conservateurs ou des moins téméraires d'entre eux) de remettre en cause l'ordre social propriétariste dans son ensemble et de mener le pays au chaos.

De façon générale, l'une des caractéristiques des relations de propriété sous l'Ancien Régime, et plus généralement dans de nombreuses sociétés ternaires anciennes, était en effet la superposition de différents niveaux de droits perpétuels sur une même terre (ou sur un même bien en général). Ainsi une personne pouvait disposer d'un droit d'usage perpétuel sur une terre (ce qui incluait le droit de vendre ce droit à d'autres exploitants), alors qu'une seconde détenait le droit de percevoir un paiement perpétuel sur une base régulière (par exemple sous forme d'une rente annuelle en argent ou en nature, dépendant ou non de la récolte produite par le bien), une troisième bénéficiait d'un droit perçu à l'occasion des transactions (des lods, donc), une quatrième détenait un monopole sur le four ou le moulin nécessaire pour l'exploitation du produit de la terre (une « banalité »), une cinquième bénéficiait du versement d'une partie de la récolte

---

1. Rappelons que la valeur des terres était généralement fixée autour de vingt années de loyer (autrement dit, la valeur locative annuelle était évaluée à environ 5 % de la valeur du bien).

à l'occasion de fêtes religieuses ou de commémorations particulières, et ainsi de suite.

Chacune de ces personnes pouvait aussi bien être un seigneur, un paysan, un évêché, un ordre religieux ou militaire, un monastère, une corporation, un bourgeois. La Révolution française mit fin à cette superposition de droits et décida que le seul titulaire d'un droit perpétuel était le propriétaire du bien : tous les autres droits ne pouvaient être que temporaires (par exemple sous forme de bail ou de contrat de location à durée fixe), à l'exception bien sûr du droit perpétuel de l'État à percevoir des impôts et à édicter de nouvelles règles[1]. Au lieu de la superposition de droits perpétuels de l'Ancien Régime, encadrée par les droits et devoirs des deux ordres privilégiés, la Révolution entreprit de restructurer la société à partir de deux acteurs essentiels : le propriétaire privé et l'État centralisé.

Dans le cas des lods, la solution mise en place par la Révolution fut la création d'un cadastre public, institution centrale et emblématique de la nouvelle société de propriétaires, qui signa là son acte fondateur, permettant à l'État centralisé et à ses incarnations au niveau départemental et communal (la carte des départements et des communes, des préfets et des sous-préfets, fut elle-même établie avec soin, en lieu et place des complexes enchevêtrements territoriaux et juridiques qui caractérisaient l'Ancien Régime) de tenir à jour dans un vaste registre la liste complète permettant de connaître les détenteurs légitimes des parcelles et des forêts, des maisons et des immeubles, des entrepôts et des fabriques, des biens et des propriétés de toute nature.

C'est ainsi que les assemblées révolutionnaires décidèrent fort naturellement de transférer les lods à l'État, dans le cadre du nouveau système fiscal mis en place dès 1790-1791. Les « droits de mutation » qui furent alors créés prirent notamment la forme d'une taxe proportionnelle et

---

1. La question de la longueur des baux provoqua des débats complexes : le législateur révolutionnaire refusa l'idée de baux perpétuels (car c'eût été recréer les superpositions de droits perpétuels de type féodal), mais certains députés (à l'image de Sieyès, toujours prompt à défendre le petit exploitant face aux seigneurs, qu'il accusait d'avoir eu la part belle face au clergé) firent remarquer que l'allongement des baux pouvait être la meilleure voie de promotion sociale pour des paysans ne disposant pas des liquidités nécessaires pour racheter le bien (un bail perpétuel s'apparentant à un emprunt perpétuel). Les réformes agraires expérimentées aux XIXe et XXe siècles dans plusieurs pays s'appuyèrent *de facto* sur un mélange d'allongement des baux et de modération des loyers, aboutissant dans certains cas à un transfert pur et simple de la propriété de la terre à son usager, pour un prix modique ou nul. Mais si le remboursement se fait au prix fort, alors il peut s'agir d'un piège perpétuel.

relativement lourde sur les transactions terriennes et immobilières, taxe qui permettait au nouveau propriétaire d'enregistrer sa propriété (et le cas échéant de faire respecter son droit), et dont le produit fut désormais versé à la puissance publique (si l'on excepte une petite composante additionnelle sous forme de frais versés au notaire chargé d'établir les actes). Ces droits de mutation existent toujours en France au début du XXIe siècle, quasiment sous la forme créée à l'époque, et représentent autour de deux années de loyer, ce qui n'est pas rien[1]. Lors des débats de 1789-1790, il n'y avait aucun doute sur le fait que les lods devaient devenir une taxe allant à l'État (et non plus un droit seigneurial), et que la tâche consistant à tenir le cadastre et à protéger la propriété devait devenir une responsabilité étatique : c'était le fondement même du nouveau régime politique propriétariste. En revanche, toute la difficulté était de savoir ce qu'il fallait faire des anciens lods. Devait-on les abolir sans verser de compensations aux anciens bénéficiaires, ou bien fallait-il les traiter comme un droit de propriété légitime, qui devait simplement être retranscrit sous une autre forme dans le vocabulaire juridique du droit nouveau, ou bien devaient-ils faire l'objet d'une compensation ?

En 1789-1790, l'Assemblée fit le choix de prévoir une compensation intégrale des lods. Un barème spécifique fut même fixé : les lods pouvaient être rachetés par le paysan (ou plus généralement par le titulaire du droit d'usage de la terre ou du bien immobilier, qui n'était pas toujours l'exploitant final de la terre, tant s'en faut) à une somme comprise entre un tiers et cinq sixièmes du montant de la dernière vente, en fonction du taux des lods à racheter, ce qui était considérable[2]. Si la somme ne pouvait être réunie, alors les lods pouvaient être remplacés par un loyer d'un montant équivalent, par exemple un demi-loyer si le rachat des lods était fixé à la moitié de la valeur du bien (tout cela en sus du nouveau droit de mutation étatique). C'est ainsi que l'Assemblée prévoyait qu'un authentique droit féodal ancien devienne un droit de propriété moderne, à la façon des anciennes corvées liées au servage et transformées en loyers.

---

1. En 2019, ces droits de mutation se situent autour de 5 %-6 % de la valeur des ventes (suivant les départements, et en incluant la part communale et la part étatique). En incluant les frais prélevés par les notaires, on atteint 7 %-8 % (autour de deux années de loyer, voire davantage).

2. La valeur des lods était généralement comprise entre un douzième et la moitié de la valeur du bien. Le barème fixé pour le rachat des lods prenait donc explicitement en compte que des droits de mutation plus élevés conduisaient à des mutations moins fréquentes. Voir R. BLAUFARB, *The Great Demarcation*, op. cit., p. 73.

En 1793, la Convention décida de rompre radicalement avec cette logique : les lods devaient être abolis sans compensation, si bien que les usagers de la terre en devenaient les propriétaires pleins et entiers, sans rien avoir à débourser, ni en capital ni en loyers. Cette mesure traduisit plus qu'aucune autre l'ambition de redistribution sociale de la Convention. Cette approche ne dura pourtant qu'un temps relativement court (1793-1794). Sous le Directoire (1795-1799), et plus encore sous le Consulat et l'Empire (1799-1814), les nouveaux dirigeants du pays en revinrent à des Constitutions censitaires et aux choix nettement plus conservateurs des débuts de la Révolution[1]. Ils eurent cependant le plus grand mal à annuler les transferts de propriété (sous forme d'abolitions pures et simples des lods) décidées en 1793-1794, car les paysans et autres bénéficiaires n'entendaient pas céder aisément leurs nouveaux droits. De façon générale, les multiples revirements de jurisprudence de la période révolutionnaire alimentèrent un lourd contentieux juridictionnel, qui allait occuper les tribunaux pendant une bonne partie du XIXe siècle, notamment au moment des héritages et des transmissions.

Peut-on refonder la propriété sans prendre en compte son ampleur ?

Parmi les difficultés auxquelles les conventionnels se trouvèrent confrontés en 1793-1794, la plus redoutable était que le terme « lods » était d'usage extrêmement fréquent dans les contrats fonciers utilisés sous l'Ancien Régime, à tel point que de nombreux contrats et ventes mettant en jeu des protagonistes sans aucune origine nobiliaire ou « féodale » utilisaient ce mot pour désigner le paiement prévu en échange de la mise à disposition du bien, y compris d'ailleurs lorsqu'il s'agissait d'un paiement qui s'apparentait à un quasi-loyer (payé à titre principal sur une base trimestrielle ou annuelle), et non pas à un paiement irrégulier lié aux mutations. Le mot « lods » était en effet devenu dans de nombreux cas un synonyme

1. Des débats particulièrement intéressants eurent lieu à la suite de la départementalisation des territoires italiens, hollandais et allemands en 1810-1814, et conduisirent à une application extrêmement conservatrice de la jurisprudence propriétariste révolutionnaire dans ces territoires où le pouvoir napoléonien n'avait nullement envie de créer de nouvelles classes de petits propriétaires, et préférait reprendre les anciens droits féodaux au nom de l'État impérial et les utiliser pour consolider les nouvelles élites de son choix. Voir *ibid.*, p. 111-117.

pour désigner une rente foncière ou un loyer en général, quelle que soit sa forme exacte.

Avec l'approche « linguistique », on pouvait donc se retrouver à exproprier purement et simplement un propriétaire roturier (pas nécessairement très riche) ayant simplement loué son bien acquis quelques années avant la Révolution (mais qui avait eu la mauvaise idée d'utiliser le mot « lods » ou « cens » dans le contrat), alors qu'un authentique aristocrate pouvait continuer de toucher en paix de très confortables droits seigneuriaux acquis de façon violente à l'époque féodale (pour peu que le vocabulaire utilisé dans ses relations avec les paysans fasse état de « rentes » ou de « loyers » et non de « lods » ou de « cens »). Face à des injustices aussi patentes, les comités et tribunaux durent souvent faire machine arrière, sans que personne ne sache plus bien quel nouveau principe adopter.

Rétrospectivement, on peut bien sûr penser que d'autres solutions auraient pu être adoptées, permettant de sortir des écueils rencontrés à la fois par les approches « historiques » et « linguistiques ». En particulier, était-il vraiment possible de chercher à définir les conditions d'une propriété juste sans prendre en compte l'inégalité de la propriété, c'est-à-dire sans prendre en compte le montant des biens et l'ampleur des détentions patrimoniales en question ? Autrement dit, pour refonder le régime de propriété sur des bases acceptables par le plus grand nombre, sans doute eût-il été préférable de traiter différemment la question des détentions de petite taille (par exemple, des parcelles permettant une exploitation familiale) et celle des très grands propriétaires (par exemple, des parcelles permettant des centaines ou des milliers d'exploitations familiales), indépendamment du vocabulaire utilisé pour désigner la rémunération des unes et des autres (lods, rentes, loyers, etc.), au moins jusqu'à un certain point. La quête des origines n'est pas toujours bonne conseillère en matière de justice patrimoniale, et même si elle est souvent inévitable, elle peut difficilement se dispenser d'une réflexion sur les niveaux des patrimoines en jeu et leur signification dans la vie sociale. La tâche n'est pas simple, mais peut-on procéder autrement ?

Les assemblées révolutionnaires furent certes le théâtre de nombreux débats sur diverses formes de prélèvement progressif sur les revenus et les patrimoines, en particulier dans le cadre de multiples projets de « droit national d'hérédité » dont le taux varierait en fonction du niveau de la succession. Par exemple, dans le projet diffusé à l'automne 1792 par le sieur Lacoste, administrateur de l'enregistrement et des domaines nationaux, le taux appliqué aux transmissions les plus modestes était inférieur à 5 %, alors que celui appliqué aux patrimoines les plus importants dépassait les 65 % (y compris en ligne directe, c'est-à-dire entre parents et enfants)[1]. Au cours des décennies précédant la Révolution, d'ambitieux projets d'impôt progressif avaient également été proposés, comme celui publié en 1767 par Louis Graslin, receveur des impôts et urbaniste nantais, qui envisageait un taux de prélèvement s'élevant graduellement de 5 % pour les revenus les plus bas à 75 % pour les plus élevés (voir tableau 3.1)[2]. Certes, les taux les plus élevés défendus dans ces projets s'appliquaient uniquement à des patrimoines et des revenus extrêmement importants (plus de mille fois la moyenne de l'époque). Il n'en reste pas moins que des disparités aussi extrêmes existaient dans la société française de la fin du XVIIIe siècle, et que l'application prolongée de ces barèmes, dans le cadre de l'État de droit et des procédures légales et parlementaires, aurait permis de transformer en profondeur cette réalité. Les barèmes proposés atteignaient en outre des niveaux déjà substantiels, avec des taux de l'ordre de 20 % ou 30 % (ce qui était déjà considérable, surtout s'agissant de l'imposition des successions), pour des niveaux de patrimoines et de revenus de l'ordre de dix ou vingt fois la moyenne, très en deçà des niveaux associés à la grande noblesse ou à la haute bourgeoisie de l'époque. Cela montre que ces auteurs avaient une vision relativement ambitieuse de la réforme fiscale et de la redistribution, qui pour atteindre une réelle ampleur ne pouvait se limiter à une minuscule minorité d'ultraprivilégiés.

1. Voir la brochure *Du droit national d'hérédité ou Moyen de supprimer la contribution foncière*, 1792, collection Portiez de l'Oise, pièce n° 22, Bibliothèque de l'Assemblée nationale. Dans ce projet, le prélèvement atteignait deux parts d'héritiers (soit 67 % en présence d'un seul héritier, 50 % avec deux héritiers, 40 % avec trois héritiers, etc.) pour des transmissions patrimoniales en ligne directe (de parents à enfants) dépassant 3 millions de livres tournois, soit environ mille cinq cents fois le patrimoine moyen par adulte de l'époque (autour de 2 000 livres). Il était d'une demi-part d'héritier (soit 33 % avec un seul héritier, 20 % avec deux héritiers, 14 % avec trois héritiers, etc.) pour une transmission en ligne directe de 50 000 livres tournois (soit environ vingt-cinq fois le patrimoine moyen de l'époque), et de deux dixièmes de part d'héritier (soit 17 % avec un héritier, 9 % avec deux, 6 % avec trois) pour une transmission inférieure à 2 000 livres (environ le patrimoine moyen). Les taux prévus pour les autres transmissions (en dehors de la ligne directe) étaient plus élevés encore. De multiples brochures de ce type ont été conservées et attestent de la vivacité des débats de l'époque.

2. Voir L. GRASLIN, *Essai analytique sur la richesse et l'impôt*, 1767, p. 292-293. Le taux effectif proposé par Graslin était de 5 % pour un revenu annuel de 150 livres tournois (soit approximativement la moitié du revenu moyen par adulte de l'époque), 15 % pour 6 000 livres (vingt fois le revenu moyen), 50 % pour 60 000 livres (deux cents fois), et 75 % pour un revenu de 400 000 livres (plus de mille trois cents fois le revenu moyen).

Tableau 3.1
Quelques propositions d'impôt progressif en France au xviiie siècle

Graslin : impôt progressif sur le revenu (*Essai analytique sur la richesse et l'impôt, 1767*)		Lacoste : impôt progressif sur l'héritage (*Du droit national d'hérédité, 1792*)	
Multiple du revenu moyen	Taux effectif d'imposition	Multiple du patrimoine moyen	Taux effectif d'imposition
0,5	5 %	0,3	6 %
20	15 %	8	14 %
200	50 %	500	40 %
1 300	75 %	1 500	67 %

Lecture : dans le projet d'impôt progressif sur le revenu présenté par Graslin en 1767, le taux effectif d'imposition passe graduellement de 5 % pour un revenu annuel de 150 livres tournois (environ la moitié du revenu moyen par adulte de l'époque) à 75 % pour un revenu de 400 000 livres (environ 1 300 fois le revenu moyen). On observe une progressivité comparable dans le projet d'impôt progressif sur l'héritage présenté par Lacoste en 1792.
Sources : voir piketty.pse.ens.fr/ideologie.

Pourtant rien de tangible en matière d'impôt progressif ne fut finalement adopté au cours de la période révolutionnaire. Quelques tentatives d'impositions progressives locales furent certes brièvement expérimentées en 1793-1794 par les missions de la Convention dépêchées dans quelques départements. Des mesures financières d'urgence à caractère progressif furent également mises en place afin de financer la guerre, en particulier dans le cadre de l'emprunt forcé de septembre 1793 (qui atteignait 25 % pour les revenus de 3 000 livres tournois, soit environ dix fois le revenu moyen de l'époque, et 70 % du revenu pour ceux supérieurs à 15 000 livres tournois, soit cinquante fois le revenu moyen, tout cela en exonérant les revenus inférieurs à trois fois le revenu moyen)[1]. Mais le fait central est que les différentes taxes et contributions composant le nouveau système fiscal mis en place sous la Révolution française à partir de 1790-1791 prirent

1. Sur les différentes expérimentations locales et mesures d'urgence mises en place en 1793-1794, voir J.-P. GROSS, « Progressive Taxation and Social Justice in Eighteenth-Century France », *Past and Present*, vol. 140 (1), 1993, p. 79-126. Pour une analyse plus détaillée des événements et des débats, voir ID., *Égalitarisme jacobin et droits de l'homme (1793-1794)*, Arcantères, 2000. Divers systèmes de « succession maximale » et de « succession nationale » (ouverte à tous) ont également été débattus en 1793-1794, sans application concrète. Voir à ce sujet F. BRUNEL, « La politique sociale de l'an II : un "collectivisme individualiste" ? », *in* S. ROZA, P. CRÉTOIS, *Le Républicanisme social : une exception française ?*, Éditions de la Sorbonne, 2014, p. 107-128.

pour l'essentiel la forme d'impôts strictement proportionnels, c'est-à-dire avec un même taux modéré d'imposition pour les différents niveaux de revenus ou de détentions patrimoniales, aussi minuscules ou gigantesques soient-ils. On remarquera également qu'aucun projet de réforme agraire comparable aux propositions fiscales de Lacoste ou Graslin ne fut formulé explicitement pour ce qui touche à la redistribution générale de la propriété, et en particulier des terres agricoles.

Nous verrons que ce système légal et fiscal très favorable aux accumulations patrimoniales importantes adopté sous la Révolution explique pour une large part la concentration croissante de la propriété dans la France du XIX⁰ siècle. Il fallut attendre les crises du début du XX⁰ siècle pour voir se développer de façon durable et permanente des barèmes d'imposition fortement progressifs sur les revenus et les patrimoines, en France comme d'ailleurs dans les autres pays. Il en va de même pour les expériences de réformes agraires à visée explicitement redistributrice, avec des transferts de propriétés dépendant explicitement de la taille des parcelles, mécanismes dont nous verrons qu'ils apparaissent dans des contextes très différents à partir de la fin du XIX⁰ siècle et du début du XX⁰ siècle. Ils ne furent cependant jamais utilisés en France pendant la période révolutionnaire.

Lors de la Révolution française, y compris au cours de la période la plus ambitieuse en termes de redistribution, c'est-à-dire en 1793-1794, les débats sur la propriété se sont concentrés sur les questions de corvées et de banalités, de lods et de rachats de droits. L'abolition des « privilèges » fut envisagée tour à tour suivant une approche « historique » puis « linguistique », ce qui donna lieu à des débats complexes et passionnants, mais sans que la question de l'inégalité de la propriété et de l'ampleur des détentions patrimoniales individuelles soit véritablement abordée de façon explicite et cohérente. Il aurait sans doute pu en aller différemment. Mais le fait est que ce n'est pas le cours qui a été suivi, pour des raisons qu'il est intéressant d'essayer de comprendre un peu mieux.

Savoir, pouvoir et émancipation :
la transformation des sociétés ternaires

Récapitulons. La Révolution française peut se voir comme une expérience de transformation accélérée d'une société ternaire ancienne. À son fondement se trouve un projet de « grande démarcation » entre les formes anciennes et nouvelles du pouvoir et de la propriété. Il s'agissait d'opérer une séparation stricte entre les fonctions régaliennes (monopole de l'État centralisé) et le droit de propriété (apanage de l'individu privé), alors que la société trifonctionnelle reposait au contraire sur l'enchevêtrement de ces relations. Cette « grande démarcation » fut d'une certaine façon un succès, dans le sens où elle a effectivement contribué à transformer durablement la société française, et dans une certaine mesure les sociétés européennes voisines. Il s'agissait en outre de la première tentative historique de créer un ordre social et politique fondé sur l'égalité des droits, indépendamment des origines sociales des uns et des autres, tout cela dans une communauté humaine de grande taille pour l'époque, qui avait été organisée pendant des siècles suivant des inégalités statutaires et géographiques fortes. Il reste que cet ambitieux projet de « grande démarcation » se heurta à de nombreuses difficultés : malgré toutes ses limitations et ses injustices, la société trifonctionnelle ancienne avait sa cohérence propre, et les solutions proposées par le nouveau régime propriétariste pour réorganiser la société étaient caractérisées par des contradictions multiples. On supprimait le rôle social de l'Église sans créer d'État social ; on durcissait les contours de la propriété privée sans en ouvrir l'accès ; et ainsi de suite.

En particulier, sur la question clé de l'inégalité de la propriété, l'échec de la Révolution française est patent. On observe certes un renouvellement des élites au cours du XIXᵉ siècle (processus déjà en cours pendant les siècles précédents, même si l'on manque d'outils pour comparer précisément son ampleur suivant les périodes), mais le fait est que la concentration des détentions patrimoniales resta à un niveau extrêmement élevé entre 1789 et 1914 (avec même une tendance marquée à la hausse au XIXᵉ siècle et au début du XXᵉ siècle, comme nous le verrons dans le prochain chapitre) et n'aura finalement été que peu affectée par les événements révolutionnaires. Cet échec relatif peut s'expliquer par la complexité et la nouveauté des enjeux, mais aussi par l'accélération du temps politique : certaines idées étaient prêtes, mais n'eurent pas le temps d'être expérimentées concrètement. Les événements dictèrent leur loi aux législateurs révolutionnaires et aux nouveaux pouvoirs, bien davantage que de paisibles savoirs accumulés dans le passé.

L'expérience de la Révolution française illustre d'ailleurs une leçon plus générale que nous retrouverons par la suite : le changement historique découle de l'interaction entre des logiques politico-événementielles de court terme et des logiques politico-idéologiques de plus long terme. Les évolutions des idées ne sont rien tant qu'elles n'ont pas conduit à des expérimentations institutionnelles et des démonstrations pratiques dans le feu des événements, des luttes sociales, des insurrections et des crises. Mais, à l'inverse, les événements et leurs acteurs n'ont souvent d'autre choix que de puiser dans le répertoire des idéologies politico-économiques élaborées dans le passé. Ils peuvent parfois inventer en direct de nouveaux outils, mais cela exige du temps et des capacités d'expérimentation qui font généralement défaut.

En l'occurrence, il est intéressant de voir que les débats autour des origines plus ou moins légitimes des propriétés nobiliaires et des droits seigneuriaux avaient dans une certaine mesure déjà eu lieu au cours des siècles précédents. Le problème est que ces débats en étaient souvent restés à des considérations historiques générales, et n'apportaient pas de solutions véritablement opérationnelles aux questions concrètes qui allaient se poser dans le feu de l'action. Des juristes tels que Charles Dumoulin, Jean Bodin et Charles Loyseau avaient ainsi stigmatisé, dès la fin du XVIe siècle et au début du XVIIe siècle, la façon dont les seigneurs, parfois issus des vagues d'invasion fort anciennes (Francs, Huns et Normands en particulier, entre le Ve et le XIe siècle), avaient abusé au fil des siècles de la faiblesse des princes pour acquérir des droits excessifs. À l'inverse, les défenseurs des thèses seigneuriales, tels Boulainvilliers et Montesquieu au XVIIIe siècle, insistaient sur le fait que les Francs avaient certes profité de leur position de force initiale, mais qu'ils avaient depuis lors acquis une légitimité nouvelle en protégeant les populations pendant de nombreux siècles, notamment face aux Normands et aux Hongrois. De telles considérations historico-militaires, aussi révélatrices soient-elles concernant la question de la légitimité guerrière de la classe nobiliaire et l'utilisation de ce type d'argumentation au cœur du XVIIIe siècle, ne permettaient pas de définir précisément les conditions d'une propriété juste et refondée.

Au fond, le cœur des débats des siècles précédents portait surtout sur la question du rôle respectif de l'État centralisé et des élites locales. Boulainvilliers comme Montesquieu défendaient le maintien des seigneuries publiques comme de la vénalité des charges et offices (qui furent eux aussi abolis à la Révolution, le plus souvent avec compensation financière) au nom de la séparation des pouvoirs et de la limitation du pouvoir royal. L'ouvrage de Montesquieu, *De l'esprit des lois*, publié en 1748, est devenu par la suite l'un des livres de référence sur la question de la séparation des pouvoirs. On oublie souvent de préciser que pour Montesquieu, qui avait lui-même hérité de la charge fort lucrative de président du parlement de Bordeaux, il ne suffisait pas de séparer l'exécutif, le législatif et le judiciaire. Il fallait également maintenir en place les cours seigneuriales locales, ainsi que la vénalité des charges et offices des parlements provinciaux, afin d'éviter que l'État central prenne trop de pouvoir, et que le monarque ne se transforme en despote, à l'image du sultan turc (on notera au passage que la référence négative à l'Orient est tout aussi naturelle pour Sieyès, contempteur des privilèges nobiliaires, que pour Montesquieu, son défenseur). La Révolution trancha la question dans l'autre sens : le pouvoir de rendre la justice fut transféré de l'ancienne classe seigneuriale à l'État centralisé, et il fut également mis fin à la vénalité des offices, dans les deux cas contre l'avis d'auteurs comme Boulainvilliers et Montesquieu[1].

Rétrospectivement, il est aisé de stigmatiser les positions conservatrices soutenues par les défenseurs des privilèges juridictionnels seigneuriaux et de la vénalité des fonctions judiciaires et administratives. Avec plus de deux siècles de recul, et peut-être même dès le XVIIIᵉ siècle pour les plus clairvoyants, il paraît évident que la justice peut être rendue de façon plus satisfaisante et impartiale dans le cadre d'un service public universel organisé par l'État centralisé que dans celui des cours seigneuriales ou dans un système fondé sur la vénalité des charges et offices. Plus généralement, il paraît relativement clair aujourd'hui qu'un État correctement organisé est à même de garantir les droits fondamentaux et les libertés individuelles d'une façon plus convaincante qu'un système trifonctionnel s'appuyant sur le pouvoir des élites locales et les privilèges statutaires des classes nobiliaires et cléricales. Le paysan français était sans doute plus libre aux XIXᵉ et XXᵉ siècles qu'il ne l'était au XVIIIᵉ siècle, ne serait-ce que parce qu'il n'était plus soumis à l'arbitraire seigneurial juridictionnel.

Il est important toutefois de souligner que la question de la confiance en l'État centralisé qui se trouve derrière ces débats fondamentaux est d'une grande complexité, et qu'elle n'a rien d'évident tant que les nouveaux pouvoirs étatiques n'ont pas été expérimentés concrètement. La confiance dans la capacité de l'État à rendre la justice de façon impartiale et équitable sur un vaste territoire, à garantir la sécurité, à prélever des impôts et à organiser des services publics régaliens, éducatifs et hospitaliers, tout

---

1. Voir R. BLAUFARB, *The Great Demarcation, op. cit.*, p. 36-40. Dans ses *Réflexions sur l'intérêt général de l'Europe, suivies de quelques considérations sur la noblesse* (1815), Louis de Bonald tentera lui aussi à sa façon d'asseoir une nouvelle légitimité de la noblesse comme classe magistrate autant que comme classe militaire. Voir B. KARSENTI, *D'une philosophie à l'autre. Les sciences sociales et la politique des modernes*, Gallimard, 2013, p. 82-87.

cela de façon plus juste et efficace que ne l'assuraient les anciens ordres privilégiés, n'est pas quelque chose qui peut se décréter du haut d'une chaire. Cela doit être démontré historiquement et pratiquement. Dans le fond, les craintes de Montesquieu face à l'État despotique et sa défense des cours seigneuriales locales ne sont pas très différentes d'autres attitudes de défiance que l'on observe en ce début de XXIᵉ siècle face à diverses formes de puissance étatique supranationale.

Par exemple, de nombreux défenseurs de la concurrence entre juridictions nationales, y compris lorsque certaines de ces juridictions se comportent comme des paradis fiscaux et réglementaires particulièrement opaques (et particulièrement avantageux pour ceux qui sont déjà les mieux dotés), justifient leur position en évoquant les risques sur les libertés individuelles qu'entraînerait une trop grande centralisation des informations et des juridictions au sein d'un même pouvoir étatique. Certes, de telles positions sont souvent utilisées pour dissimuler la défense d'intérêts individuels bien compris (comme d'ailleurs dans le cas de Montesquieu). Il n'en reste pas moins que la plausibilité (au moins partielle) de l'argument renforce son efficacité politique, et que seule une expérimentation historique réussie peut radicalement faire évoluer les rapports de force politico-idéologiques sur ce type de question.

La Révolution, l'État centralisé, et l'apprentissage de la justice

Pour résumer : la question centrale tranchée lors de la Révolution française fut celle des pouvoirs régaliens et de l'État centralisé, et non celle de la propriété juste. L'objectif premier était de transférer les pouvoirs régaliens des élites nobiliaires et cléricales locales à l'État central, et non pas d'organiser une vaste redistribution de la propriété. On se rendit cependant vite compte qu'il n'était pas facile de séparer aussi strictement les deux objectifs. En particulier, le mot d'ordre proclamé lors de la nuit du 4 août, l'abolition des « privilèges », ouvrait tout un ensemble d'interprétations et de bifurcations possibles.

De fait, il n'est pas difficile d'imaginer des trajectoires événementielles qui auraient conduit à ce que l'abolition des « privilèges » prenne un tour nettement plus égalitaire. Il serait trop facile de conclure que « les esprits n'étaient pas prêts » pour l'impôt progressif ou les réformes agraires redistributives à la fin du XVIIIᵉ siècle ou au début du XIXᵉ, et que de telles innovations institutionnelles devaient « nécessairement » attendre un siècle de plus, et en l'occurrence les crises du début du XXe siècle. Rétrospectivement, il est souvent tentant de favoriser des lectures déterministes des événements historiques, et en l'espèce de conclure que la Révolution française, bourgeoise de bout en bout, ne pouvait déboucher sur rien d'autre que l'émergence d'un régime propriétariste et d'une société de propriétaires, sans véritable tentative de réduction des inégalités. Or s'il est vrai que l'invention d'un nouveau droit de propriété, garanti par l'État centralisé, fut une affaire complexe, et que de nombreux législateurs révolutionnaires voyaient là l'objectif central et quasi unique de la Révolution, il serait néanmoins réducteur de ramener la complexité des débats révolutionnaires à cette seule approche. Si l'on examine le déroulement des événements et des propositions formulées par les uns et les autres, il apparaît clairement que l'idée même d'abolition des « privilèges » pouvait aboutir sur différents types d'interprétations et de législations, et aurait pu emprunter d'autres chemins que ceux déjà fort sinueux qui ont finalement été suivis, en particulier sous la forme des approches « historiques » et « linguistiques », au gré de circonstances plus ou moins contingentes.

Car au-delà des différences d'intérêt, qui ne doivent jamais être négligées, ce sont également et surtout des conflits intellectuels et cognitifs qui étaient en jeu. Personne ne disposait (et personne ne dispose aujourd'hui) de solutions toutes prêtes et parfaitement convaincantes permettant de définir les « privilèges », les modalités de leur suppression, et surtout les formes de régulation de la propriété dans la société nouvelle. Chacun avait des expériences et des idées à faire valoir, et l'ensemble de la communauté était impliqué dans un vaste processus d'apprentissage social et contradictoire. Tout le monde sentait par exemple que les corvées, les banalités ou les lods appartenaient au passé, et en même temps beaucoup craignaient qu'une suppression sans compensation aboutisse à une remise en cause généralisée des loyers et de l'inégalité de la propriété, sans que l'on sache très bien où un tel processus s'arrêterait, d'où la tentation de maintenir ces droits anciens sous une forme ou sous une autre. Cette position était compréhensible, tout en étant très conservatrice, et elle fut l'objet de conflits violents de la part de ceux qui ne la partageaient pas. La dimension irréductiblement conflictuelle et incertaine de ces événements peut difficilement être évacuée.

Des travaux récents ont également montré que des débats très vifs agitaient l'Europe des Lumières, y compris sur ces questions d'inégalité et de propriété, contrairement à ce qu'une vision consensuelle et reconstruite après coup pourrait laisser à penser. Pour Jonathan Israel, on peut ainsi distinguer plusieurs groupes d'auteurs et de positions, avec une opposition très nette entre les Lumières « radicales » (Diderot, Condorcet, Holbach, Paine) et « modérées » (Voltaire, Montesquieu, Turgot, Smith). Les « radicaux » soutenaient généralement l'idée d'une assemblée unique en lieu et place des Chambres séparées pour les différents ordres ; la fin des privilèges de la noblesse et du clergé et une certaine forme de redistribution des propriétés ; et plus généralement une plus grande égalité des classes, des sexes et des races. Les « modérés » (que l'on pourrait aussi qualifier de « conservateurs ») avaient tendance à se méfier des assemblées uniques et de l'abolition radicale des droits des propriétaires, fussent-ils seigneuriaux ou négriers, et à manifester une plus grande foi dans le progrès naturel et graduel. En dehors de France, l'un des représentants les plus célèbres du courant « modéré » était Adam Smith, adepte de la « main invisible » du marché, une institution dont le principal mérite selon cette école était précisément de permettre le progrès humain sans rupture violente, sans bouleverser les institutions politiques anciennes[1].

Si l'on examine plus précisément les positions défendues par les deux groupes sur les questions d'inégalité et de propriété, les différences ne sont pas toujours aussi nettes. Une bonne partie des « radicaux » avaient eux aussi tendance à se reposer sur les « forces naturelles ». En témoigne, par exemple, ce passage particulièrement optimiste et représentatif du « radical » Condorcet dans son *Esquisse d'un tableau historique des progrès de l'esprit humain* rédigée en 1794 : « Il est aisé de prouver que les fortunes tendent naturellement à l'égalité, et que leur excessive disproportion, ou ne peut exister, ou doit promptement cesser, si les lois civiles n'établissent pas des moyens factices de les perpétuer et de les réunir, et si la liberté du commerce et de l'industrie fait disparaître l'avantage que toute loi prohibitive, tout droit fiscal, donne à la richesse acquise[2]. » Autrement dit, il suffit de supprimer les privilèges et les charges, d'établir l'égalité d'accès aux différents métiers et au droit de propriété pour que les inégalités anciennes disparaissent promptement. Le fait qu'au début du XXe siècle, à la veille de la Première Guerre mondiale, plus d'un siècle après

---

1. Sur ces distinctions, voir J. ISRAEL, *A Revolution of the Mind : Radical Enlightment and the Intellectual Origins of Modern Democracy*, Princeton University Press, 2010.

2. Voir J.-A.-N. de CONDORCET, *Esquisse d'un tableau historique des progrès de l'esprit humain*, Agasse, 1794, p. 380.

l'abolition des « privilèges », la concentration des fortunes en France était encore plus élevée que ce qu'elle était à l'époque de la Révolution, signe malheureusement l'échec de cette vision optimiste. Condorcet avait certes proposé en 1792 la mise en place d'une forme de progressivité fiscale, mais il s'agissait d'une mesure relativement modeste (avec un taux maximal s'élevant à moins de 5 % pour les plus hauts revenus). En particulier, la proposition de Condorcet était beaucoup plus limitée que celles défendues par des auteurs moins célèbres comme Lacoste ou Graslin, dont il est intéressant de noter qu'ils étaient davantage des praticiens des impôts et de l'administration publique que des philosophes ou des scientifiques, ce qui ne les empêchait pas d'être audacieux et imaginatifs dans la formulation de leurs propositions, bien au contraire[1]. Les acteurs les plus subversifs ne sont pas toujours ceux que l'on croit.

Il n'en reste pas moins que des propositions précises existaient et avaient été formulées explicitement, y compris parmi les représentants les plus emblématiques des Lumières, et que le cours des événements révolutionnaires aurait fort bien pu tourner différemment, en particulier si les tensions militaires et politiques des années 1792-1795 avaient été moins extrêmes et avaient laissé un peu plus de temps aux législateurs révolutionnaires pour expérimenter en grandeur nature des mesures concrètes de redistribution et de réduction des inégalités de propriété. On pense également aux fameuses propositions de *Justice agraire*, rédigées en 1795 par le révolutionnaire anglo-américain Thomas Paine à l'intention des parlementaires français, qui consistaient à taxer les héritages à hauteur de 10 %, et devaient permettre de financer un ambitieux système de revenu universel, extrêmement précurseur pour l'époque[2]. Ce taux de 10 % était certes relativement modéré par comparaison aux barèmes fortement progressifs

---

1. Dans *Sur la fixation de l'impôt* (1789), Condorcet proposait que la toute nouvelle contribution personnelle-mobilière (ancêtre de l'actuelle taxe d'habitation) fonctionne suivant un système de taux progressif applicable à la valeur locative de l'habitation principale, avec un taux montant jusqu'à 50 %. Ces valeurs locatives diminuant avec le niveau de revenu (selon les estimations de l'époque, elles dépassaient 20 % des revenus des plus pauvres, contre moins de 10 % pour les plus riches, d'où un taux d'imposition équivalant à environ 5 % sur les plus hauts revenus), la proposition visait surtout à corriger la régressivité structurelle de cette contribution (la proposition ne fut malheureusement pas retenue). Sur les propositions fiscales de Condorcet, voir également J.-P. GROSS, « Progressive Taxation and Social Justice in Eighteenth-Century France », art. cité, p. 109-110.

2. Né au Royaume-Uni, Paine fut un fervent défenseur de l'indépendance des États-Unis, puis de la Révolution en France, où il était établi pendant les années 1790. Sur les oppositions entre Paine et Condorcet et le caractère plus novateur des propositions de Paine,

débattus puis appliqués au cours du XXe siècle (et Paine s'en tenait en outre à une imposition quasi proportionnelle, alors que de nombreuses propositions d'impôts fortement progressifs avaient été débattues au cours des années précédentes). Il était toutefois beaucoup plus substantiel que le modeste taux de 1 % qui fut finalement appliqué aux transmissions en ligne directe en France tout au long du XIXe siècle, dans le cadre du système fiscal introduit par la Révolution française[1].

Surtout, la rapidité des processus politiques et législatifs observée sur ces questions au début du XXe siècle, notamment à l'issue de la Première Guerre mondiale concernant l'évolution de la progressivité des impôts euro-américains sur le revenu et les successions, et plus encore la célérité de l'évolution des représentations majoritaires à ce sujet (un barème d'imposition jugé totalement inenvisageable peu auparavant devenant soudainement parfaitement acceptable par presque tous quelques années plus tard), suggère que les choses auraient pu également évoluer très vite si des mesures concrètes du type de celles prônées par Condorcet ou Paine dans les années 1790 avaient pu être expérimentées réellement et posément (autant qu'il est possible pour de telles institutions), dans le cadre de l'État de droit et de procédures parlementaires, ne serait-ce que quelques années. Il n'y avait rien d'inéluctable à ce que la réaction conservatrice puis napoléonienne s'impose aussi vite, dès 1795-1799, avec le retour du suffrage censitaire, et bientôt de l'esclavage et des émigrés, en passant par la création d'une nouvelle noblesse d'Empire. Il ne s'agit pas ici de refaire l'histoire, mais plutôt d'insister sur l'importance des logiques événementielles et des expérimentations historiques concrètes dans les ruptures politico-idéologiques autour de la question de la propriété et des inégalités. Plutôt que de favoriser des lectures déterministes, il est plus intéressant aujourd'hui de voir dans ces événements un carrefour d'idées et de bifurcations possibles[2].

---

voir Y. Bosc, « Républicanisme et protection sociale : l'opposition Paine-Condorcet », *in* S. Roza, P. Crétois, *Le Républicanisme social : une exception française ?, op. cit.*, p. 129-146.

1. On notera également que Paine avait proposé en 1792 dans *The Rights of Man* un barème d'imposition des plus hauts revenus atteignant 80 %-90 % aux environs de 20 000 livres sterling par an (environ mille fois le revenu moyen britannique de l'époque), soit un barème comparable à celui proposé par Graslin en 1767. Sur les propositions de Paine, voir aussi H. Phelps Brown, *Egalitarianism and the Generation of Inequality*, Oxford University Press, 1988, p. 139-142.

2. L'historiographie de la Révolution est malheureusement restée clivée pendant la guerre froide entre les approches marxiste (reposant sur le postulat que la révolution de 1917 était

L'idéologie propriétariste, entre émancipation et sacralisation

Plus généralement, la Révolution française illustre une tension que nous allons fréquemment retrouver par la suite : l'idéologie propriétariste a une dimension émancipatrice qui est réelle et ne doit jamais être oubliée, et en même temps elle porte en elle une tendance à la quasi-sacralisation des droits de propriété établis dans le passé – quelles que soient leur ampleur et leur origine – qui est tout aussi réelle, et dont les conséquences inégalitaires et autoritaires peuvent être considérables.

À son fondement, l'idéologie propriétariste repose sur une promesse de stabilité sociale et politique, mais aussi d'émancipation individuelle, au travers du droit de propriété, réputé ouvert à tous, ou tout du moins à tous les adultes de sexe masculin, car les sociétés propriétaristes du XIXᵉ et du début du XXᵉ siècle sont violemment patriarcales, avec toute la force et la systématicité que leur procure un système légal centralisé moderne[1]. En principe, ce droit a au moins le mérite de s'appliquer indépendamment des origines sociales et familiales des uns et des autres, et sous la protection équitable de l'État. Par comparaison aux sociétés trifonctionnelles, qui reposaient sur des disparités statutaires relativement rigides entre clergé, noblesse et tiers état, et sur une promesse de complémentarité fonction- nelle, d'équilibre et d'alliance entre les classes, les sociétés de propriétaires entendent s'appuyer sur l'égalité des droits. Il s'agit de sociétés où les « privilèges » du clergé et de la noblesse ont été abolis, ou tout du moins où leur portée a été considérablement amoindrie. Chacun a le droit de jouir de sa propriété en sécurité, à l'abri de l'arbitraire du roi, du seigneur ou de l'évêque, et de bénéficier d'un système légal et fiscal traitant chacun de la même façon, suivant des règles stables et prévisibles, dans le cadre de l'État de droit. Chacun sera ainsi incité à faire fructifier sa propriété au

---

le prolongement naturel de 1793-1794, ce qui est très discutable) et antimarxiste (partant du principe que tout projet ambitieux de redistribution sociale aboutit nécessairement à la Terreur et au soviétisme, ce qui est tout aussi discutable). Voir annexe technique pour les principales références (A. Soboul *versus* F. Furet). Cette instrumentalisation souvent caricaturale de la Révolution française au sein des combats du XXᵉ siècle contribue sans doute à expliquer pourquoi des approches politico-idéologiques plus fines comme celles de R. Blaufarb sur la redéfinition du régime de propriété ont tardé à se développer.

1. Le droit de propriété est en principe ouvert aux femmes dans les systèmes légaux pro- priétaristes du XIXᵉ siècle, mais le plus souvent sous le contrôle étroit de leur mari.

mieux, grâce aux connaissances et aux talents dont il dispose. Cette utilisation habile des capacités de chacun est supposée mener naturellement à la prospérité de tous et à l'harmonie sociale.

Cette promesse d'égalité et d'harmonie s'exprime sans détour dans les déclarations solennelles qui caractérisent les révolutions « atlantiques » de la fin du XVIIIe siècle. La Déclaration d'indépendance adoptée à Philadelphie le 4 juillet 1776 commence par une affirmation parfaitement claire : « We hold these truths to be self-evident, that all men are created equal, that they are endowed by their Creator with certain unalienable Rights, that among these are Life, Liberty and the pursuit of Happiness. » La réalité est cependant plus complexe, puisque le rédacteur de la déclaration, Thomas Jefferson, qui possédait quelque deux cents esclaves en Virginie, oublie de mentionner leur existence, et le fait qu'ils continueront de toute évidence d'être un peu moins égaux que leurs propriétaires. Il n'en reste pas moins que la Déclaration de 1776 représente pour le colon blanc état-sunien une affirmation d'égalité et de liberté face au pouvoir arbitraire du roi d'Angleterre et aux privilèges statutaires de la Chambre des lords et de la Chambre des communes. Ces assemblées de privilégiés étaient sommées de laisser les colons tranquilles et de cesser de leur imposer des impôts indus et d'interférer sans raison avec leur poursuite du bonheur et la conduite de leurs affaires, de leurs propriétés et de leurs inégalités.

On retrouve la même radicalité, et aussi des ambiguïtés comparables, dans un contexte inégalitaire différent, avec la Déclaration des droits de l'homme et du citoyen adoptée en août 1789 par l'Assemblée nationale peu après le vote de l'abolition des « privilèges ». L'article 1 commence par une promesse d'égalité absolue, qui marque une rupture claire par rapport à l'ancienne société d'ordres : « Les hommes naissent et demeurent libres et égaux en droits. » La suite de l'article introduit la possibilité d'une inégalité juste, mais en posant des conditions : « Les distinctions sociales ne peuvent être fondées que sur l'utilité commune. » L'article 2 précise les choses en accordant au droit de propriété le statut de droit naturel et imprescriptible : « Le but de toute association politique est la conservation des droits naturels et imprescriptibles de l'Homme. Ces droits sont la liberté, la propriété, la sûreté, et la résistance à l'oppression. » Au final, l'ensemble peut être interprété et utilisé de façon contradictoire, et il ne manqua pas de l'être. L'article 1 peut être interprété dans un sens relativement redistributif : les « distinctions sociales », c'est-à-dire les inégalités au sens large, ne sont acceptables que si elles sont au service de l'utilité commune et de l'intérêt général, ce qui peut vouloir dire qu'elles doivent être dans l'intérêt des plus pauvres. Cet article pourrait donc être mobilisé pour organiser une certaine forme de redistribution des propriétés et pour favoriser l'accès des plus pauvres à la richesse. L'article 2 peut cependant être lu suivant une interprétation beaucoup plus restrictive, puisqu'il laisse entendre que les droits de propriété acquis dans le passé constituent des droits « naturels et imprescriptibles », et par conséquent ne sauraient être remis en cause aisément. De fait, cet article a été utilisé dans les débats révolutionnaires pour justifier une grande prudence en matière de redistribution de la propriété. Plus généralement, les références au droit de propriété dans les déclarations de droits et les Constitutions ont souvent été utilisées au cours des XIXe-XXe siècles et jusqu'à nos jours pour limiter drastiquement toute possibilité d'une redéfinition légale et apaisée du régime de propriété.

De fait, une fois l'abolition des « privilèges » proclamée, il existe une multiplicité de chemins possibles au sein du schéma propriétariste, comme nous l'avons vu avec les hésitations et les ambiguïtés de la Révolution française. Par exemple, on peut considérer que la meilleure façon de favoriser l'égalité d'accès à la propriété est de mettre en place une fiscalité fortement progressive sur l'héritage et sur les revenus, et des propositions précises en ce sens furent formulées dès le XVIIIe siècle. Plus généralement, on peut utiliser les institutions de la propriété privée pour les dimensions émancipatrices qu'elles peuvent apporter (en particulier pour permettre à la diversité des aspirations individuelles de s'exprimer, ce que les sociétés communistes du XXe siècle ont tragiquement choisi d'oublier), tout en les encadrant et les instrumentalisant au sein de l'État social, d'institutions redistributrices, telles que la progressivité fiscale, et plus généralement de règles permettant de démocratiser et de partager l'accès au savoir, au pouvoir et à la richesse (comme ont tenté de le faire les sociétés sociales-démocrates au XXe siècle, même si l'on peut juger ces tentatives insuffisantes et inabouties ; nous y reviendrons). Ou bien on peut se reposer sur la protection absolue de la propriété privée pour résoudre presque tous les problèmes, ce qui peut aboutir dans certains cas à une quasi-sacralisation de la propriété et à une méfiance absolue contre toute tentative de remise en cause.

Le propriétarisme critique (disons pour simplifier de type social-démocrate, et qui repose en réalité sur des formes de propriété mixte : privée, publique et sociale) tente d'instrumentaliser la propriété privée au nom d'objectifs supérieurs ; le propriétarisme exacerbé la sacralise et la transforme en solution systématique. Au-delà de ces deux voies générales, il existe une infinie diversité de solutions et de trajectoires envisageables, et il existe surtout des voies nouvelles qui restent largement à inventer. Au cours du XIXe siècle, et jusqu'à la Première Guerre mondiale, c'est principalement le propriétarisme exacerbé et la quasi-sacralisation de la propriété privée qui se sont imposés, aussi bien en France que dans les autres pays européens. Sur la base des expériences historiques dont nous disposons aujourd'hui, il me semble que cette forme de propriétarisme doit être rejetée. Mais il importe de comprendre les raisons qui ont fait le succès de ce schéma idéologique, en particulier dans le cadre des sociétés de propriétaires européennes du XIXe siècle.

De la justification de l'inégalité dans les sociétés de propriétaires

Au fond, l'argument formulé par l'idéologie propriétariste, de façon implicite dans les déclarations de droits et les Constitutions, et de façon beaucoup plus explicite dans les débats politiques autour de la propriété qui eurent lieu au cours de la Révolution française et tout au long du XIXe siècle, peut se résumer de la façon suivante. Si l'on commence à remettre en cause les droits de propriété acquis dans le passé et leur inégalité, au nom d'une conception de la justice sociale certes respectable, mais qui inévitablement sera toujours imparfaitement définie et acceptée, et ne pourra jamais faire totalement consensus, ne risque-t-on pas de ne pas savoir où arrêter ce dangereux processus ? Ne risque-t-on pas d'aller tout droit vers l'instabilité politique et le chaos permanent, ce qui finira par se retourner contre les plus modestes ? La réponse propriétariste intransigeante est qu'il ne faut pas courir un tel risque, et que cette boîte de Pandore de la redistribution des propriétés ne doit jamais être ouverte. Ce type d'argumentation est présent en permanence lors de la Révolution française, et il explique nombre des ambiguïtés et des hésitations observées, en particulier entre les approches « historiques » et « linguistiques » des droits anciens et de leur retranscription en droits de propriétés nouveaux. Si l'on remet en cause les corvées et les lods, ne risque-t-on pas de remettre aussi en cause les loyers et l'ensemble des droits de propriété ? Nous retrouverons ces arguments dans les sociétés de propriétaires du XIXe siècle et du début du XXe siècle, et nous verrons qu'ils jouent toujours un rôle fondamental dans le débat politique contemporain, en particulier avec le retour en force d'un discours néopropriétariste depuis la fin du XXe siècle.

La sacralisation de la propriété privée est au fond une réponse naturelle à la peur du vide. À partir du moment où l'on abandonne le schéma trifonctionnel, qui proposait des solutions permettant d'équilibrer le pouvoir des guerriers et celui des clercs, et qui reposait dans une large mesure sur une transcendance religieuse (indispensable pour assurer la légitimité des clercs et de leurs sages conseils), il faut trouver des réponses nouvelles permettant de garantir la stabilité de la société. Le respect absolu des droits de propriété acquis dans le passé fournit une transcendance nouvelle permettant d'éviter le chaos généralisé et de remplir le vide laissé par la fin de l'idéologie trifonctionnelle. La sacralisation de la propriété est d'une certaine façon une réponse à la fin de la religion comme idéologie politique explicite.

Sur la base de l'expérience historique, et de la construction d'un savoir rationnel fondé sur ces expériences, il me semble qu'il est possible de dépasser cette réponse certes naturelle et compréhensible, et en même temps quelque peu nihiliste et paresseuse, et peu optimiste sur la nature humaine. Je vais essayer dans ce livre de convaincre le lecteur que l'on peut s'appuyer sur les leçons de l'histoire pour définir une norme de justice et d'égalité plus exigeante en matière de régulation et de répartition de la propriété que la simple sacralisation des droits issus du passé, une norme qui certes ne peut qu'être évolutive et ouverte à la délibération permanente, mais qui n'en est pas moins plus satisfaisante que l'option commode consistant à prendre comme données les positions acquises et à naturaliser les inégalités ensuite produites par le « marché ». C'est d'ailleurs sur cette base pragmatique, empirique et historique que se sont développées les sociétés sociales-démocrates au XXe siècle (qui, malgré toutes leurs insuffisances, ont démontré que l'inégalité patrimoniale extrême du XIXe siècle n'était aucunement indispensable pour assurer la stabilité et la prospérité, bien au contraire), et que peuvent se construire des idéologies et des mouvements politiques novateurs en ce début de XXIe siècle.

La grande faiblesse de l'idéologie propriétariste est que les droits de propriété issus du passé posent souvent de sérieux problèmes de légitimité. Nous venons de le voir avec la Révolution française, qui transforma sans coup férir des corvées en loyers, et nous retrouverons cette difficulté à de nombreuses reprises, en particulier avec la question de l'esclavage et de son abolition dans les colonies françaises et britanniques (où l'on décida qu'il était indispensable de dédommager les propriétaires, et non pas les esclaves), ou bien encore avec celle des privatisations postcommunistes et des pillages privés de ressources naturelles. Plus généralement, le problème est qu'indépendamment de la question des origines violentes ou illégitimes des appropriations initiales, des inégalités patrimoniales considérables, durables et largement arbitraires tendent à se reconstituer en permanence, dans les sociétés hypercapitalistes modernes comme d'ailleurs dans les sociétés anciennes.

Il n'en reste pas moins que la construction d'une norme de justice acceptable par le plus grand nombre pose des problèmes considérables, et nous ne pourrons véritablement traiter de cette question complexe qu'à l'issue de notre enquête, après l'examen des différentes expériences historiques disponibles, et en particulier des expériences cruciales du XXe siècle en matière de progressivité fiscale, et plus généralement de redistribution des propriétés, qui ont apporté la démonstration historique matérielle que l'inégalité extrême n'avait rien d'indispensable, ainsi que des connaissances concrètes et opérationnelles sur les niveaux d'égalité et d'inégalité qui pouvaient être envisagés *a minima*. En tout état de cause, l'argument propriétariste fondé sur le besoin de stabilité institutionnelle doit être pris au sérieux et être évalué précisément, au moins autant que l'argument méritocratique insistant davantage sur le mérite individuel, argument qui joue un rôle sans doute moins central dans l'idéologie propriétariste du XIXe siècle que dans la reformulation néopropriétariste en vigueur depuis la fin du XXe siècle. Nous aurons largement l'occasion de revenir sur ces différents développements politico-idéologiques.

De façon générale, l'idéologie propriétariste dure doit être analysée pour ce qu'elle est : un discours sophistiqué et potentiellement convaincant sur certains points (car la propriété privée, correctement redéfinie dans ses limites et dans ses droits, fait effectivement partie des dispositifs institutionnels permettant aux différentes aspirations et subjectivités individuelles de s'exprimer et d'interagir de façon constructive), et en même temps une idéologie inégalitaire qui, dans sa forme la plus extrême et la plus dure, vise simplement à justifier une forme particulière de domination sociale, souvent de façon excessive et caricaturale. De fait, il s'agit d'une idéologie bien pratique pour ceux qui se trouvent tout en haut de l'échelle, aussi bien en ce qui concerne l'inégalité entre individus que l'inégalité entre nations. Les individus les plus riches y trouvent des arguments pour justifier leur position vis-à-vis des plus pauvres, au nom de leur effort et de leur mérite, mais aussi au nom du besoin de stabilité dont bénéficiera la société tout entière. Les pays les plus riches peuvent également y trouver des raisons pour justifier leur domination sur les plus pauvres, au nom de la supériorité supposée de leurs règles et institutions. Le problème est que ces arguments et les éléments factuels présentés par les uns et les autres pour les étayer ne sont pas toujours très convaincants. Mais avant d'analyser ces développements et ces crises, il importe de commencer par étudier l'évolution des sociétés de propriétaires au XIXᵉ siècle, en France et dans les autres pays européens, à l'issue de ce moment fondateur et ambigu que fut la Révolution française.

Chapitre 4

LES SOCIÉTÉS DE PROPRIÉTAIRES : LE CAS DE LA FRANCE

Nous venons d'étudier le moment de rupture emblématique que constitue la Révolution française dans l'histoire des régimes inégalitaires. En quelques années, les législateurs révolutionnaires ont tenté de redéfinir les relations de pouvoir et de propriété héritées du schéma trifonctionnel, et d'opérer une séparation stricte entre les pouvoirs régaliens (désormais monopole étatique) et le droit de propriété (réputé ouvert à tous). Cela nous a permis de mieux saisir l'ampleur de la tâche et des contradictions auxquelles ils se sont heurtés, et en particulier la façon dont ces processus politico-juridiques et événementiels complexes ont buté sur la question de l'inégalité et de la redistribution de la propriété, et ont souvent conduit à pérenniser dans la langue propriétariste nouvelle des droits issus de dominations trifonctionnelles anciennes, comme les corvées et les lods.

Nous allons maintenant analyser l'évolution de la répartition de la propriété en France au XIXᵉ siècle. La Révolution française laissait entrevoir plusieurs trajectoires possibles, mais la voie qui fut finalement choisie a conduit au développement d'une société de propriétaires extrêmement inégalitaire entre 1800 et 1914. Nous allons voir que cette évolution a été grandement favorisée par le système fiscal mis en place sous la Révolution, et qui a très peu évolué jusqu'à la Première Guerre mondiale, pour des raisons qu'il nous faudra comprendre. La comparaison avec les autres trajectoires européennes, en particulier au Royaume-Uni et en Suède, nous permettra dans le chapitre suivant de mieux saisir la diversité des régimes propriétaristes européens au XIXᵉ siècle et au début du XXᵉ, et en même temps les éléments d'unité qui les lient.

La Révolution française et le développement d'une société de propriétaires

Voyons tout d'abord ce qu'il est possible de dire concernant l'évolution de la propriété et de sa concentration dans le siècle qui a suivi les événements révolutionnaires. Nous sommes ici aidés par l'abondance des sources. Car si la Révolution française de 1789 n'a pas réussi à mettre en place la justice sociale sur terre, elle nous a néanmoins légué un incomparable dispositif d'observation des propriétés, au travers des archives successorales, qui constituent un appareil d'enregistrement des biens de toute nature dont l'existence même est d'ailleurs intimement liée à l'idéologie propriétariste. Ces archives particulièrement riches et complètes nous ont permis, grâce à la numérisation de centaines de milliers d'actes successoraux, d'étudier de façon détaillée l'évolution de la répartition des patrimoines de toutes sortes (terres agricoles, actifs immobiliers, biens professionnels, actions, obligations, parts d'entreprises et placements financiers de toutes formes), depuis l'époque de la Révolution jusqu'au temps présent. Les résultats présentés ici sont issus d'une vaste recherche collective fondée sur des collectes exhaustives réalisées notamment dans les archives parisiennes. Ils s'appuient également sur les dépouillements nationaux réalisés à diverses périodes par l'administration fiscale, ainsi que sur des collectes organisées dans les départements depuis le début du XIXᵉ siècle[1].

La conclusion la plus frappante est la suivante : la concentration de la propriété privée, qui était déjà extrêmement forte en 1800-1810, à peine plus faible qu'à la veille de la Révolution, n'a cessé de croître tout au long du XIXᵉ siècle et jusqu'à la Première Guerre mondiale. Concrètement, si l'on considère la France dans son ensemble, on constate que la part détenue par le centile supérieur de la distribution (les 1 % les plus riches) dans le total des propriétés privées de toutes sortes était d'environ 45 % en 1800-1810, et avoisinait les 55 % en 1900-1910. Le cas de Paris est particulièrement spectaculaire : la part des 1 % les plus riches y était proche de 50 % en 1800-1810, et elle dépassait 65 % à la veille de 1914 (voir graphique 4.1).

---

1. Les collectes parisiennes ont été réalisées avec G. Postel-Vinay et J.-L. Rosenthal. Les collectes départementales (enquête TRA) ont notamment été organisées par J. Bourdieu, L. Kesztenbaum et A. Suwa-Eisenmann. Voir en particulier T. PIKETTY, G. POSTEL-VINAY, J.-L. ROSENTHAL, « Wealth Concentration in a Developing Economy : Paris and France, 1807-1994 », *American Economic Review*, 96, 2006, p. 236-256. Voir annexe technique pour les références bibliographiques complètes.

Graphique 4.1

**L'échec de la Révolution française :
la dérive inégalitaire propriétariste en France au XIXᵉ siècle**

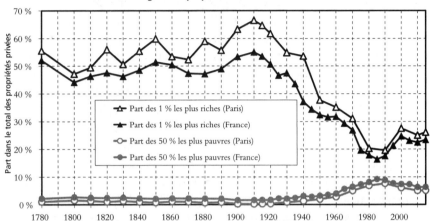

Lecture : à Paris, les 1 % les plus riches détenaient environ 67 % du total des propriétés privées en 1910, contre 49 % en 1810 et 55 % en 1780. Après une légère diminution pendant la Révolution française, la concentration de la propriété s'est accrue en France (et notamment à Paris) au cours du XIXᵉ siècle et jusque la Première Guerre mondiale. Sur longue période, la chute des inégalités a eu lieu à la suite des guerres mondiales (1914-1945), et non après la Révolution de 1789.
Sources et séries : voir piketty.pse.ens.fr/ideologie.

On constate même une accélération de la tendance à la hausse des inégalités patrimoniales à la fin du XIXᵉ siècle et au début du XXᵉ siècle, pendant la période dite de la « Belle Époque » (1880-1914). De fait, la concentration des fortunes semble progresser sans limites au cours des décennies précédant la Première Guerre mondiale. Au vu de ces courbes, il est naturel de se demander jusqu'où la concentration de la propriété privée aurait pu monter en l'absence des guerres et des violents chocs politiques des années 1914-1945. Il est également légitime de se demander dans quelle mesure ces chocs et les guerres elles-mêmes ne sont pas la conséquence des violentes tensions sociales provoquées par cette dérive inégalitaire, au moins en partie. Nous y reviendrons largement dans la troisième partie de cette enquête.

Plusieurs points méritent d'être soulignés. Tout d'abord, il est important d'avoir présent à l'esprit que la concentration des patrimoines n'a en réalité jamais cessé d'être extrêmement forte dans un pays comme la France, au XIXᵉ comme au XXᵉ siècle et au début du XXIᵉ siècle. En particulier, si la part détenue par le centile supérieur s'est abaissée considérablement au cours du XXᵉ siècle (environ 55 %-65 % du total des patrimoines en France et à Paris à la veille de 1914, autour de 20 %-30 % depuis les années 1980), le fait est que la part détenue par les 50 % les plus pauvres a toujours été extrêmement faible : environ 2 % du total des patrimoines au XIXe siècle, à peine plus de 5 % aujourd'hui (voir graphique 4.1). Ainsi ce vaste groupe social constitué par la moitié la plus pauvre de la population, qui par définition a toujours été numériquement cinquante fois plus nombreux que le centile supérieur, détenait une part dans le patrimoine total qui était environ trente fois plus faible que celle du centile supérieur au XIXe siècle (ce qui signifie aussi que le patrimoine moyen des membres du centile supérieur était environ mille cinq cents fois plus élevé que celui des 50 % les plus pauvres), et qui est environ cinq fois plus faible à la fin du XXe siècle et au début du XXIe (ce qui implique que le patrimoine moyen du centile supérieur est « seulement » deux cent cinquante fois plus élevé). Il faut également souligner que l'on retrouve dans les deux périodes cette même inégalité extrême à l'intérieur de chaque groupe d'âge, parmi les jeunes comme parmi les moins jeunes ou les personnes âgées[1]. Ces ordres de grandeur sont importants, car ils témoignent du fait qu'il ne faut pas surestimer l'ampleur de la diffusion de la propriété qui a eu lieu en deux siècles : la société patrimoniale égalitaire (ou, plus modestement, une société où la moitié la plus pauvre détiendrait des patrimoines autres que symboliques) reste à inventer.

La réduction des inégalités :
l'invention d'une « classe moyenne patrimoniale »

De fait, si l'on examine l'évolution de l'ensemble de la répartition de la propriété en France, il est frappant de constater que la part des « classes supérieures » (les 10 % les plus riches) était comprise entre 80 % et 90 % du total des patrimoines au XIXe siècle, et qu'elle est toujours comprise aujourd'hui entre 50 % et 60 % du total, ce qui reste considérable (voir graphique 4.2). Par comparaison, la concentration des revenus, qui comprennent à la fois les revenus du capital (qui sont tout autant concentrés que la propriété du capital elle-même, voire un peu plus) et les revenus du travail (qui sont nettement moins inégalement répartis), s'est toujours située à des niveaux moins extrêmes : la part des 10 % des revenus les plus élevés s'établissait au XIXe siècle aux alentours de 50 % du revenu total, et elle est aujourd'hui comprise entre 30 % et 35 % (voir graphique 4.3).

---

1. Voir B. GARBINTI, J. GOUPILLE-LEBRET, T. PIKETTY, « Accounting for Wealth Inequality Dynamics : Methods and Estimates for France (1800-2014) », WID.world, Working Paper Series n° 2017/5. Je reviendrai dans la troisième partie sur la structure actuelle des inégalités de patrimoines. Voir en particulier chapitre 11, graphique 11.17, p. 647.

Graphique 4.2

La répartition de la propriété en France, 1780-2015

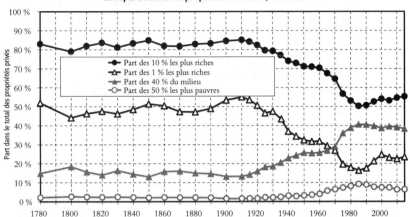

Lecture : la part des 10 % les plus riches dans le total des propriétés privées (actifs immobiliers, professionnels et financiers, nets de dettes) était comprise entre 80 % et 90 % en France entre les années 1780 et 1910. La déconcentration des patrimoines commence à la suite de la Première Guerre mondiale et s'interrompt au début des années 1980. Elle s'est faite principalement au bénéfice des « classes moyennes patrimoniales » (les 40 % du milieu, ici définies comme les groupes intermédiaires entre les « classes populaires » (les 50 % les plus pauvres) et les « classes supérieures » (les 10 % les plus riches).
Sources et séries : voir piketty.pse.ens.fr/ideologie.

Graphique 4.3

La répartition des revenus en France, 1780-2015

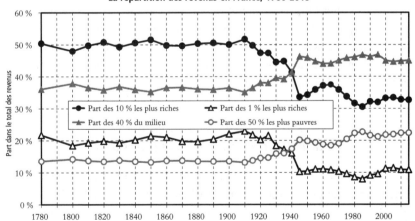

Lecture : la part des 10 % les plus élevés dans le total des revenus (revenus du capital – loyers, dividendes, intérêts, profits – et du travail – salaires, revenus d'activité non salariée, retraites, allocations-chômage) était d'environ 50 % en France entre les années 1780 et 1910. La déconcentration des revenus commence à la suite de la Première Guerre mondiale et s'est faite au bénéfice des « classes populaires » (les 50 % des revenus les plus bas) et des « classes moyennes » (les 40 % du milieu), et au détriment des « classes supérieures » (les 10 % les plus élevés).
Sources et séries : voir piketty.pse.ens.fr/ideologie.

Il n'en reste pas moins que la réduction des inégalités patrimoniales sur longue période est une réalité. Simplement, cette transformation profonde s'est faite au bénéfice non pas des « classes populaires » (les 50 % les plus pauvres), dont la part dans le patrimoine total est restée extrêmement limitée, mais presque exclusivement à l'avantage de ce que l'on peut appeler les « classes moyennes patrimoniales » (les 40 % du milieu, c'est-à-dire les personnes comprises entre les 50 % les plus pauvres et les 10 % les plus riches), dont la part dans le patrimoine total était inférieure à 15 % au XIXᵉ siècle, et se situe aujourd'hui autour de 40 % (voir graphique 4.2). L'émergence de cette « classe moyenne » de propriétaires, qui individuellement ne sont pas très riches, mais qui collectivement se sont retrouvés au cours du XXᵉ siècle à détenir une masse de patrimoines supérieure à celle possédée par le centile supérieur (compte tenu de l'effondrement concomitant de la part de ce dernier dans le patrimoine total), constitue une transformation sociale, économique et politique fondamentale, dont nous verrons d'ailleurs qu'elle explique l'essentiel de la réduction de l'inégalité de la répartition des revenus sur longue période, en France comme dans la plupart des pays européens. Nous reviendrons également sur le fait que cette déconcentration de la propriété ne semble pas avoir nui à l'innovation et à la croissance économique, bien au contraire : l'émergence de cette « classe moyenne » a été de pair avec une plus forte mobilité sociale, et la croissance a été plus forte depuis le milieu du XXᵉ siècle que ce qu'elle n'a jamais été, et en particulier plus forte que ce qu'elle était avant 1914. À ce stade, le point marquant sur lequel je veux insister est que cette déconcentration des patrimoines ne débute qu'après la Première Guerre mondiale : jusqu'en 1914, les inégalités de propriétés semblent croître sans limites, en France et tout particulièrement à Paris.

Paris, capitale de l'inégalité : de la littérature aux archives successorales

L'évolution observée à Paris de 1800 à 1914 est particulièrement emblématique, car la capitale est véritablement le lieu qui rassemble à la fois les plus grandes richesses et les inégalités les plus extrêmes, une réalité qui apparaît dans la littérature, en particulier dans le roman classique du XIXᵉ siècle, tout aussi clairement que dans les archives successorales (voir graphique 4.1).

À la fin du XIXᵉ siècle, Paris regroupe autour de 5 % de la population française (un peu plus de 2 millions d'habitants pour une population totale d'environ 40 millions), mais ses habitants détiennent à eux seuls plus de 25 % du total des patrimoines privés du pays. Pour le dire autrement, le patrimoine moyen à Paris était plus de cinq fois plus élevé que le patrimoine moyen pour l'ensemble du pays. Dans le même temps, Paris était aussi l'endroit où les écarts entre les plus pauvres et les plus riches étaient les plus considérables. Au XIXᵉ siècle, la moitié de la population en France environ décède sans aucun bien à transmettre. À Paris, cette proportion de défunts sans aucun patrimoine oscille entre 69 % et 74 % de 1800 à 1914, avec une légère tendance à la hausse. En pratique, il peut s'agir de personnes dont les effets personnels (meubles, linge, vaisselle) ont une valeur marchande tellement réduite que l'administration renonce à les enregistrer. L'absence de déclaration peut également concerner des décès pour lesquels les maigres biens sont entièrement absorbés par les frais d'inhumation, ou bien par les dettes, auquel cas les héritiers peuvent choisir de renoncer à l'héritage. Il est toutefois frappant de constater que nous observons, parmi les héritages enregistrés dans les archives, des patrimoines absolument minuscules, comme d'ailleurs la loi en fait l'obligation à l'administration et aux héritiers, faute de quoi leur droit de propriété risque de ne pas être reconnu, ce qui peut avoir des conséquences sérieuses (en particulier celle de ne pouvoir faire appel à la force de police en cas de chapardage de ses biens). Pour ce qui est d'un bien immobilier, professionnel ou financier, il est tout à fait impossible d'en hériter sans qu'une déclaration successorale soit établie.

Ce vaste groupe social de défunts sans patrimoine – environ 70 % de la population parisienne au XIXᵉ siècle – comprend par exemple le père Goriot, qui, si l'on en croit Balzac, meurt en 1821, abandonné par Delphine et Anastasie, dans la pauvreté la plus absolue. Sa logeuse, Mme Vauquer, réclame le reliquat de pension à Rastignac, qui doit aussi payer le coût de l'enterrement, coût qui à lui seul dépasse la valeur des effets personnels du vieil homme. Goriot avait pourtant fait fortune dans la fabrication et le commerce de pâtes et de grains pendant les guerres révolutionnaires et napoléoniennes, avant de tout donner pour marier ses deux filles dans la bonne société parisienne de son temps. Ce groupe de défunts sans patrimoine inclut aussi et surtout des personnes qui n'ont jamais rien possédé de tangible, et qui meurent aussi pauvres qu'elles ont vécu. Le résultat le plus frappant est que cette proportion de décès parisiens sans aucun patrimoine à léguer est toujours aussi importante un siècle plus tard, en 1914, à la veille de la guerre, en dépit de l'enrichissement considérable et du développement industriel que le pays dans son ensemble a connu depuis l'époque de Balzac et du père Goriot[1].

À l'autre bout de l'échelle, la capitale est également au XIXe siècle et à la Belle Époque le lieu où se concentrent les plus grandes fortunes : les 1 % des décès des plus riches rassemblent à eux seuls la moitié de la valeur des transmissions en 1810-1820, et cette proportion avoisine les deux tiers autour de 1910[2]. Si l'on examine les 10 % les plus riches, on constate que leur part était comprise entre 80 % et 90 % du patrimoine total en France de 1800 à 1914, et qu'elle dépassait les 90 % à Paris, dans les deux cas avec une tendance à la hausse.

Pour résumer : la quasi-totalité de la propriété était concentrée au sein du décile supérieur, et la plus grande part au sein du centile supérieur, alors que l'immense majorité de la population ne possédait presque rien. Pour se faire une idée un peu plus concrète de l'inégalité des situations individuelles et des patrimoines dans la société parisienne de l'époque, on peut aussi rappeler que le cadastre ne prévoyait pas la possibilité de détention d'appartements individuels pour la plupart des immeubles parisiens avant la Première Guerre mondiale. Autrement dit, le cas le plus courant était de posséder un immeuble en entier (ou plusieurs immeubles), ou bien de ne rien posséder du tout et de payer un loyer à son propriétaire.

C'est cette hyperconcentration de la propriété qui conduit le sinistre Vautrin à expliquer au jeune Rastignac qu'il ne faut surtout pas compter sur ses études de droit pour réussir sa vie. La seule façon d'atteindre la vraie aisance est de mettre la main par tous les moyens sur un patrimoine. Ce

---

1. Entre 1800 et 1914, le patrimoine moyen au décès a été multiplié par plus de six à Paris (passant de 20 000 francs à 130 000 francs environ, en comptant les défunts sans patrimoine), et par près de cinq en France (passant de 5 000 à 25 000 francs). Il s'agit d'une progression à la fois nominale et réelle, car le pouvoir d'achat du franc-or a peu varié au cours de cette période. Voir T. PIKETTY, G. POSTEL-VINAY, J.-L. ROSENTHAL, « Wealth Concentration in a Developing Economy : Paris and France, 1807-1994 », art. cité. Voir aussi J. BOURDIEU, G. POSTEL-VINAY, A. SUWA-EISENMANN, « Pourquoi la richesse ne s'est-elle pas diffusée avec la croissance ? Le degré zéro de l'inégalité et son évolution en France 1800-1940 », *Histoire et Mesure*, vol. 23 (1-2), p. 147-198.

2. Les données indiquées sur les graphiques 4.1 et 4.2 concernent l'inégalité des patrimoines au sein de l'ensemble de la population adulte vivante à chaque date indiquée : nous sommes partis des patrimoines au décès, avant de repondérer chaque observation en fonction du nombre de personnes vivantes au sein de chaque classe d'âge, en tenant compte des différentiels de mortalité par niveau de richesse. En pratique, cela ne fait pas beaucoup de différence : la concentration patrimoniale parmi les vivants est plus forte d'à peine quelques points de pourcentage que l'inégalité des fortunes au décès, et toutes les évolutions temporelles sont sensiblement les mêmes. Voir annexe technique.

discours, étayé par des références multiples aux niveaux de vie des avocats, des juges et des propriétaires de l'époque, ne traduit pas simplement les obsessions de Balzac pour l'argent et la fortune (lui-même lourdement endetté à la suite de malheureux investissements, et écrivant sans cesse pour se refaire). Tous les éléments collectés dans les archives indiquent qu'il s'agit d'un tableau assez juste de la répartition des revenus et des propriétés en vigueur en 1820, et plus généralement entre 1800 et 1914. Le discours de Vautrin est l'expression parfaite des sociétés de propriétaires, c'est-à-dire de sociétés où l'accès à l'aisance, les formes de sociabilité, les représentations sociales et l'ordre politique sont presque entièrement déterminés par l'ampleur de la propriété[1].

La diversification des portefeuilles et des formes de propriété

Il est important d'insister sur le fait que cette concentration extrême de la propriété, qui est de surcroît de plus en plus forte au cours du XIXe et au début du XXe siècle, prend place dans un contexte de modernisation et de transformation profonde des formes mêmes de la détention patrimoniale, et d'un renouvellement considérable des structures économiques et financières, doublé d'une internationalisation sans précédent de la structure des actifs. Les données successorales extrêmement détaillées dont nous disposons permettent en particulier de constater que la composition des patrimoines parisiens devient de plus en plus diversifiée à la fin de la période. En 1912, les propriétés détenues par les résidents de la capitale sont ainsi constituées pour 35 % de biens immobiliers (dont 24 % d'immobilier parisien et 11 % d'immobilier provincial, y compris des terres agricoles), pour 62 % d'actifs financiers, et pour à peine 3 % de meubles, objets précieux et autres effets personnels (voir tableau 4.1). La prépondérance des actifs financiers témoigne de l'essor industriel et de l'importance de la détention d'entreprises et des marchés boursiers, aussi bien d'ailleurs dans le secteur manufacturier (où le textile est sur le point d'être dépassé par la sidérurgie et le charbon à la fin du XIXe siècle, puis par la chimie et l'automobile au début du XXe siècle) que dans l'agroalimentaire, les chemins de fer ou le secteur bancaire, particulièrement florissant.

1. Sur le discours de Vautrin, voir T. PIKETTY, *Le Capital au XXIe siècle, op. cit.*, p. 377-380.

Tableau 4.1
La composition des patrimoines parisiens en 1872-1912

	Actifs immobiliers (immeubles, maisons, terres agricoles, etc.)	dont : immobilier Paris	dont : immobilier province	Actifs financiers (actions, obligations, etc.)	dont : actions françaises	dont : actions étrangères	dont : obligations privées françaises	dont : obligations privées étrangères	dont : obligations publiques françaises	dont : obligations publiques étrangères	dont : autres actifs financiers (dépôts, espèces)	Total des actifs financiers étrangers	Meubles, objets précieux, etc.
Composition du patrimoine total													
1872	41 %	28 %	13 %	56 %	14 %	1 %	17 %	2 %	10 %	3 %	9 %	6 %	3 %
1912	35 %	24 %	11 %	62 %	13 %	7 %	14 %	5 %	5 %	9 %	9 %	21 %	3 %
Composition des 1 % des patrimoines les plus élevés													
1872	43 %	30 %	13 %	55 %	15 %	1 %	14 %	2 %	9 %	4 %	10 %	7 %	2 %
1912	32 %	22 %	10 %	66 %	15 %	10 %	14 %	5 %	4 %	10 %	8 %	25 %	2 %
Composition des 9 % suivants													
1872	42 %	27 %	15 %	56 %	13 %	1 %	21 %	2 %	10 %	2 %	7 %	5 %	2 %
1912	42 %	30 %	12 %	55 %	11 %	2 %	14 %	4 %	7 %	8 %	9 %	14 %	3 %
Composition des 40 % suivants													
1872	27 %	1 %	26 %	62 %	12 %	1 %	23 %	1 %	14 %	2 %	9 %	4 %	11 %
1912	31 %	7 %	24 %	59 %	12 %	1 %	20 %	2 %	10 %	4 %	10 %	7 %	10 %

Lecture : en 1912, les actifs immobiliers représentent 35 % du patrimoine total parisien, les actifs financiers 62 % (dont 21 % pour les actifs financiers étrangers), et les meubles et objets précieux 3 %. Parmi les 1 % des patrimoines les plus élevés, la part des actifs financiers monte à 66 % (dont 25 % pour les actifs financiers étrangers).
Sources : voir piketty.pse.ens.fr/ideologie.

Ces 62 % d'actifs financiers sont d'ailleurs eux-mêmes extrêmement variés, puisqu'on compte 20 % d'actions et autres parts d'entreprises, cotées ou non cotées, elles-mêmes décomposées en actions françaises (13 %) et étrangères (7 %) ; 19 % d'obligations privées (c'est-à-dire d'obligations, bons et autres titres de dettes émis par des entreprises), elles-mêmes françaises (14 %) et étrangères (5 %) ; 14 % d'obligations publiques (c'est-à-dire de titres de dette émis par des gouvernements), également françaises (5 %) et étrangères (9 %) ; et 9 % d'autres actifs financiers (c'est-à-dire de dépôts, espèces, parts diverses, etc.). On croirait voir un portefeuille parfaitement diversifié, au sens des manuels modernes d'économie et de finance, sauf qu'il s'agit là de la réalité, telle qu'elle a été enregistrée dans les registres successoraux parisiens de la fin du XIXe siècle et du début du XXe. On observe également pour chaque défunt le détail des titres, des entreprises et des secteurs.

Deux résultats supplémentaires méritent d'être notés. D'une part, les patrimoines les plus élevés sont encore plus fortement financiarisés que les autres. En 1912, la part des actifs financiers atteint 66 % des patrimoines des 1 % les plus riches, contre 55 % pour les 9 % suivants. Pour les 1 % des Parisiens les plus riches, qui à eux seuls possèdent plus des deux tiers du patrimoine total en 1912, l'immobilier détenu dans la capitale représente à peine 22 % des actifs, et l'immobilier provincial tout juste 10 %, alors que les actions s'élèvent à elles seules à 25 %, les obligations privées à 19 % et les obligations publiques et autres actifs financiers à 22 %[1]. Cette prépondérance des actions, obligations, dépôts et autres actifs monétaires sur les placements immobiliers exprime une réalité profonde : l'élite propriétaire de la Belle Époque est avant tout une élite financière, capitaliste et industrielle.

D'autre part, on constate que les placements financiers à l'étranger ont énormément progressé entre 1872 et 1912 : leur part dans le patrimoine parisien total est passée de 6 % à 21 %. L'évolution est particulièrement

---

1. On notera que la part de l'immobilier parisien est maximale au niveau des 9 % suivants, avant de s'effondrer pour les 40 % suivants (c'est-à-dire les personnes comprises entre les 50 % les plus pauvres, qui ne possèdent rien, et les 10 % les plus riches, qui possèdent à cette époque la quasi-totalité du patrimoine parisien : plus de 90 %). Cela tient au fait que ce groupe des 40 % suivants est constitué de personnes beaucoup trop pauvres pour posséder un immeuble dans la capitale, si bien que leurs actifs immobiliers prennent principalement la forme d'immobilier provincial (en particulier rural). Précisons que je n'ai pas inclus les dettes sur le tableau 4.1 (soit en moyenne à peine 2 % des actifs bruts en 1872, et 5 % en 1912). Voir annexe technique pour les résultats complets.

marquée pour les 1 % les plus riches, qui détiennent l'essentiel des actifs internationaux : la part des placements étrangers dans leurs actifs est passée de 7 % en 1872 à 25 % en 1912, contre tout juste 14 % pour les 9 % suivants et à peine 7 % pour les 40 % suivants (voir tableau 4.1). Autrement dit, seuls les plus hauts portefeuilles s'investissent massivement à l'étranger, alors que les patrimoines moins élevés restent beaucoup plus nationaux.

Ce développement spectaculaire des actifs internationaux, dont la part a fait plus que tripler en quarante ans, concerne tous les types de placements étrangers, comme les obligations publiques étrangères, dont la part dans les patrimoines des 1 % les plus riches passe de 4 % à 10 % entre 1872 et 1912. On observe notamment les fameux emprunts russes, en plein développement après la conclusion d'une alliance militaire et économique entre la République française et l'Empire tsariste en 1892. Mais cela comprend également les obligations émises par de très nombreux autres États étrangers (en particulier des États européens, mais également l'Argentine, l'Empire ottoman, l'Empire chinois, le Maroc, etc., parfois dans le cadre de stratégies d'appropriations coloniales), dans lesquels les propriétaires français vont trouver de solides rendements, souvent sous la protection de leur gouvernement (que l'on imaginait inébranlable jusqu'aux chocs de la Première Guerre mondiale et de la révolution russe). La part des actions et obligations privées étrangères progresse encore plus rapidement, passant de 3 % à 15 % du total des actifs au sein des portefeuilles des 1 % les plus riches entre 1872 et 1912. On peut citer les placements dans le canal de Suez ou de Panamá, les chemins de fer russes, argentins ou américains, le caoutchouc indochinois, et dans de multiples autres compagnies privées de par le monde.

La Belle Époque (1880-1914) : une modernité propriétariste et inégalitaire

Ces résultats sont essentiels, car ils montrent la « modernité » de ce phénomène de hausse tendancielle de la concentration de la propriété en France et à Paris au cours du XIXᵉ et au début du XXᵉ siècle, en particulier à la Belle Époque.

En contemplant cette période d'un peu loin, et en utilisant les lunettes déformantes en vigueur en ce début de XXIᵉ siècle, âge de l'économie digitale, des start-up et de l'innovation sans limites, certains pourraient être tentés de voir dans la société hyperinégalitaire d'avant 1914 le résultat d'un monde ancien, révolu, statique, un monde dominé par de paisibles domaines terriens et des biens immobiliers, un monde sans rapport avec celui d'aujourd'hui, réputé beaucoup plus dynamique et méritocratique. Rien ne serait plus faux : en réalité, les patrimoines de la Belle Époque n'ont rien à voir avec ceux de l'Ancien Régime, ni même avec ceux du père Goriot, de César Birotteau ou des banquiers parisiens des années 1820-1830 décrits par Balzac, qui par ailleurs n'avaient eux-mêmes rien de statique.

En réalité, le capital n'est jamais paisible, pas même au XVIIIᵉ siècle, où la société connaît un fort développement démographique, agricole et commercial et un renouvellement important des élites. Le monde de Balzac n'est pas plus calme, bien au contraire. Si Goriot parvient à faire fortune dans les pâtes et les grains, c'est parce qu'il n'a pas son pareil pour dénicher les meilleures farines, perfectionner les techniques de production, organiser les réseaux de distribution et les entrepôts, de façon que les bons produits soient livrés au bon endroit au bon moment. En 1821, sur son lit de mort, il imagine encore de juteuses stratégies d'investissement à Odessa, sur les bords de la mer Noire. Que la propriété prenne la forme des fabriques et des entrepôts de 1800 ou de la grande industrie et de la haute finance de 1900, le fait central est qu'elle est toujours en perpétuel renouvellement, et en même temps qu'elle tend toujours à se concentrer sans limites.

César Birotteau, autre personnage balzacien emblématique de la société propriétariste de l'époque, est quant à lui l'inventeur génial de parfums et de produits de beauté, qui d'après Balzac font fureur à Paris en 1818. Le romancier ne pouvait pas se douter que, près d'un siècle plus tard, en 1907, également à Paris, le chimiste Eugène Schueller allait mettre au point de fort utiles teintures pour cheveux (initialement dénommées « L'Auréale », du nom d'une coiffure féminine à la mode à l'époque rappelant une auréole), des produits qui font furieusement penser à ceux de Birotteau, et qui pour le coup conduisirent à la création de la société L'Oréal, compagnie qui en 2019 est toujours le leader mondial des cosmétiques. Birotteau prit une autre route. Sa femme voulut le convaincre de réinvestir les profits de la parfumerie dans de paisibles terres agricoles et de solides rentes d'État, comme le fit Goriot en quittant les affaires pour marier ses filles. Mais rien n'y fit : César entreprit de tripler la mise en se lançant dans une audacieuse opération de promotion immobilière dans le quartier de la Madeleine, en plein essor autour de 1820. Il finira ruiné, ce qui au passage vient nous rappeler que les investissements dans la pierre n'ont rien de particulièrement tranquille. D'autres audacieux promoteurs eurent plus de succès, à l'image de Donald Trump qui, après avoir mis son nom sur des tours de verre à New York et à Chicago à la fin du XXe siècle et au début du XXIe siècle, partit occuper la Maison-Blanche en 2016.

Quant au monde des années 1880-1914, il s'agit véritablement d'un univers en changement perpétuel, où l'on invente en quelques décennies l'automobile, l'électricité, le transatlantique, le télégraphe, la radio. Il s'agit là d'innovations dont la portée économique et sociale est largement aussi importante que l'invention de Facebook, d'Amazon ou d'Uber. Ce point est capital, car il montre que l'on ne peut pas renvoyer la société hyper-inégalitaire d'avant 1914 à un monde ancien et révolu, sans rapport avec le monde actuel. En réalité, la Belle Époque ressemble par bien des aspects au monde du début du XXIe siècle, même s'il nous faudra préciser certaines différences essentielles. Il s'agit également d'un monde qui se caractérise par la « modernité » de ses infrastructures financières et de ses modes de détention. Il faut par exemple attendre l'extrême fin du XXe siècle et le début du XXIe pour retrouver les niveaux de capitalisation boursière observés à Paris et Londres à la veille de 1914 (relativement à la production ou au revenu national), et nous verrons que l'ampleur des placements financiers internationaux alors détenus par les propriétaires français et britanniques n'a à ce jour jamais été égalée (toujours relativement à une année de production ou de revenu, ce qui est la façon la moins absurde de faire ce type de comparaison historique). La Belle Époque, tout particulièrement à Paris, incarne la modernité de la première grande période de mondialisation financière et commerciale que le monde a connue, avant celle qui a commencé dans les dernières décennies du XXe siècle.

Il s'agit pourtant, dans le même temps, d'un monde violemment iné-galitaire, où 70 % de la population meurt sans aucun bien, et où 1 % des défunts détient près de 70 % de tout ce qu'il y a à posséder. La concentration de la propriété est sensiblement plus forte à Paris en 1900-1914 que ce qu'elle était à l'époque du père Goriot et de Birotteau, autour de 1810-1820, et elle apparaît plus extrême encore que ce qu'elle était dans les années 1780, à la veille de la Révolution. Il convient ici de rappeler qu'il est difficile d'estimer précisément la répartition des patrimoines avant 1789, d'une part car nous ne disposons pas des mêmes sources successorales, et d'autre part et plus généralement car la notion même de propriété a changé (les privilèges juridictionnels ont disparu, et plus généralement la distinction entre droit de propriété et pouvoir régalien s'est durcie). En utilisant les estimations disponibles sur les redistributions opérées sous la Révolution, on peut toutefois considérer que la part des propriétés de toute nature détenues par le centile supérieur à la veille de la Révolution était à peine plus élevée qu'en 1800-1810, et sensiblement plus faible qu'à la Belle Époque (voir graphique 4.1). En tout état de cause, compte tenu des niveaux extrêmes de concentration observés en 1900-1914, avec plus de 90 % des biens détenus par le décile supérieur à Paris, dont près de 70 % par le centile supérieur, il est matériellement difficile d'imaginer un niveau plus élevé sous l'Ancien Régime, quelles que soient les limites des sources.

Le fait que la concentration de la propriété puisse atteindre un niveau aussi élevé et suivre une progression aussi forte en 1880-1914, un siècle après l'abolition des « privilèges » de 1789, est un résultat qui interroge, et en particulier qui pose des questions pour l'avenir et l'analyse des évolutions en cours à la fin du XXᵉ siècle et au début du XXIᵉ siècle. Il s'agit d'une découverte qui m'a beaucoup marqué, comme chercheur et comme citoyen, et à laquelle nous ne nous attendions pas (ou tout du moins pas dans de telles proportions) quand nous nous sommes lancés dans cette recherche dans les archives successorales, d'autant plus que ce n'est pas ainsi qu'une bonne partie des contemporains décrivaient la société française de la Belle Époque. En particulier, les élites politiques et économiques de la IIIᵉ République aimaient décrire la France comme un pays de « petits propriétaires », un pays rendu à tout jamais profondément égalitaire par la Révolution française. De fait, les privilèges fiscaux et juridictionnels de la noblesse et du clergé ont bien été abolis par la Révolution et ne réapparaîtront pas par la suite (pas même lors de la Restauration de 1815, qui continua d'appliquer le système fiscal légué par la Révolution, avec les mêmes règles pour tous). Mais cela n'empêche pas la concentration de la propriété et du pouvoir économique et financier de s'établir au début du XXᵉ siècle à un niveau encore plus élevé que sous l'Ancien Régime, ce qui n'est pas du tout ce à quoi un certain optimisme des Lumières avait préparé les esprits. On repense par exemple aux propos de Condorcet, quand il affirmait en 1794 que « les fortunes tendent naturellement à l'égalité », dès lors que l'on supprime « les moyens factices de les perpétuer », et que l'on établit « la liberté du commerce et de l'industrie ». Entre 1880 et 1914, même si la réalité montre de multiples signes suggérant que cette marche en avant vers l'égalité n'est plus d'actualité depuis longtemps, une bonne partie des élites républicaines continuent de tenir un discours peu différent.

Le système fiscal en France de 1800 à 1914 : l'accumulation en paix

Comment expliquer la dérive inégalitaire de la période 1800-1914, puis la réduction des inégalités qui a eu lieu au cours du XXᵉ siècle ? Une nouvelle dérive inégalitaire d'une nature comparable est-elle en route depuis les années 1980-1990, et comment faire pour s'en prévenir, en s'appuyant sur les leçons de l'histoire ? Nous aurons amplement l'occasion de revenir sur ces questions, en particulier quand nous examinerons la crise des sociétés de propriétaires, à la suite notamment des chocs des années 1914-1945 et des défis communistes et sociaux-démocrates.

Pour le moment, je voudrais simplement insister sur le fait que la dérive inégalitaire de la période 1800-1914 a été grandement facilitée par le système fiscal mis en place sous la Révolution française, et qui dans ses grandes lignes a continué de s'appliquer sans discontinuité majeure jusqu'en 1901, et dans une large mesure jusqu'à la Première Guerre mondiale. Le système adopté dans les années 1790 comportait deux composantes principales : d'une part un système de droits de mutation, et d'autre part un ensemble de quatre contributions directes, qui du fait de leur exceptionnelle longévité devaient finir par être appelées les « quatre vieilles ».

Les droits de mutation, qui faisaient partie de la catégorie plus large de droits d'enregistrement, avaient pour fonction d'enregistrer les mutations de propriété, c'est-à-dire les changements d'identité des propriétaires. Ils furent définitivement mis en place par une loi de l'an VII (1799). Les législateurs révolutionnaires prirent soin de distinguer les « mutations à titre onéreux » (c'est-à-dire les transferts de propriété effectués en échange d'argent ou d'autres titres de propriété : les ventes, donc) et les « mutations à titre gratuit », c'est-à-dire les transferts de propriété effectués sans contrepartie, catégorie qui comprenait les successions (dites « mutations par décès ») et les donations entre vivants. Les droits de mutation à titre onéreux prirent la suite des lods seigneuriaux d'Ancien Régime, ainsi que nous l'avons déjà évoqué, et continuent de peser aujourd'hui sur les transactions immobilières.

S'agissant des transmissions successorales en ligne directe, c'est-à-dire entre parents et enfants, le taux fut fixé en 1799 à un niveau extrêmement modéré : 1 %. Il s'agissait en outre d'un impôt totalement proportionnel : chaque succession était taxée au même taux de 1 %, dès le premier franc, quel que soit son montant, aussi élevé soit-il. Le taux proportionnel appliqué variait avec le degré de parenté (le taux applicable aux héritiers en ligne collatérale – frères et sœurs, cousins, etc. – et entre non-parents était légèrement plus élevé qu'en ligne directe), mais jamais avec le montant de la succession. De nombreux débats eurent lieu, en particulier à la suite de la révolution de 1848, puis de nouveau dans les années 1870 après l'avènement de la IIIe République, au sujet de la possible mise en place d'un barème progressif, ou d'un relèvement du taux applicable en ligne directe, sans résultat[1].

En 1872, une tentative fut ainsi faite de porter à 1,5 % le taux applicable aux plus fortes transmissions patrimoniales entre parents et enfants. La réforme était modeste, mais la commission parlementaire et l'Assemblée refusèrent en des termes sans équivoque, en invoquant le droit naturel des descendants directs : « Quand un fils succède à son père, ce n'est pas à proprement parler une transmission de biens qui a lieu ; ce n'est qu'une jouissance continuée, disaient les auteurs du Code civil. Cette doctrine serait, si elle était entendue dans un sens absolu, exclusive de tout impôt sur les successions en ligne directe ; elle commande du moins une extrême modération dans la fixation du droit[2]. » En l'occurrence, l'opinion majoritaire des députés de 1872 était qu'un taux de 1 % satisfaisait à l'exigence « d'extrême modération », mais qu'un taux de 1,5 % violait ce principe. Pour nombre de députés, cela risquait d'enclencher une dangereuse escalade dans la course-poursuite à la redistribution, qui si on n'y prenait garde risquait de conduire à la remise en cause de la propriété privée et de sa transmission naturelle.

Rétrospectivement, il est aisé de se moquer de ce conservatisme : les taux appliqués aux successions les plus importantes atteignirent des niveaux beaucoup plus importants dans la plupart des pays occidentaux au XXe siècle (au moins 30 %-40 %, voire parfois 70 %-80 %, pendant des décennies), sans que cela mène ni à une dislocation de la société et du droit de propriété, ni à une baisse du dynamisme économique et de la croissance, bien au contraire. Il n'en reste pas moins que ces attitudes politiques exprimaient non seulement des intérêts, mais également une idéologie propriétariste

1. Sur l'évolution de la législation de l'impôt successoral au XIXe siècle et au début du XXe, voir T. PIKETTY, *Les Hauts Revenus en France au XXe siècle, op. cit.*, p. 243-246 et 766-771.

2. Voir *Impressions parlementaires*, t. IV, n° 482. Sur ces débats, voir également A. DAUMARD, *Les Fortunes françaises au XIXe siècle. Enquête sur la répartition et la composition des capitaux privés d'après l'enregistrement des déclarations de successions*, Mouton, 1973, p. 15-23.

plausible, ou tout du moins qui avait des apparences suffisamment fortes de plausibilité. Le point qui ressort très clairement de ces débats est cette idée du risque de l'escalade. L'objectif des droits de succession, aux yeux de la majorité des députés de l'époque, était d'enregistrer les biens et de protéger le droit de propriété, et en aucune façon de redistribuer les patrimoines ou de réduire les inégalités. Dès lors que l'on sortait de ce cadre et que l'on commençait à imposer les plus fortes successions en ligne directe à des taux substantiels, il existait un risque que cette boîte de Pandore de l'impôt progressif ne soit jamais refermée, et que cette progressivité excessive et le chaos politique accompagnant ce mouvement finissent par nuire aux plus modestes et à la société dans son ensemble. Telle était du moins l'une des thèses permettant de justifier le conservatisme fiscal.

Il faut aussi insister sur le fait que la mise en place des droits de mutation à partir des années 1790 est allée de pair avec le développement d'un impressionnant système de cadastre, de registres et de structures administratives permettant de garder la trace de tous les biens et de tous les changements de propriétaires. L'ampleur de la tâche était immense, d'autant plus que le nouveau droit de la propriété devait s'appliquer à tous, indépendamment des origines sociales, tout cela dans un pays de près de 30 millions d'habitants (de loin le plus peuplé d'Europe) et sur un vaste territoire, compte tenu des moyens de transport limités de l'époque. Cet ambitieux projet politique reposait sur une théorie du pouvoir et de la propriété qui l'était tout autant : la protection du droit de propriété par l'État centralisé devait permettre la prospérité économique, l'harmonie sociale et l'égalité de tous ; il ne fallait pas prendre le risque de tout gâcher par des lubies égalitaires, alors que le pays n'avait jamais été aussi prospère et que sa puissance rayonnait de par le monde.

D'autres acteurs politiques, de plus en plus nombreux, défendaient cependant d'autres options, et en particulier la nécessité de mettre en place une politique volontariste de limitation des écarts de fortunes et d'accès au patrimoine pour le plus grand nombre. Dès la fin du XVIIIᵉ siècle, des propositions fiscales précises et ambitieuses avaient été formulées par Graslin, Lacoste ou Paine. Au cours du XIXᵉ siècle, les nouvelles inégalités industrielles, de plus en plus visibles à partir des années 1830-1840, contribuèrent à légitimer encore davantage le besoin de redistribution. La constitution d'une coalition majoritaire sur ces questions de redistribution et de progressivité fiscale ne fut cependant pas chose facile, d'une part car les premières décennies de la IIIᵉ République et de l'application du suffrage universel en France furent sérieusement occupées par la question du régime républicain et de la place de l'Église, et d'autre part car les classes rurales et paysannes (y compris lorsqu'elles n'étaient pas très riches) se méfiaient des éventuelles velléités des socialistes et du prolétariat urbain de vouloir s'en prendre à la propriété privée dans son ensemble (craintes qui étaient d'ailleurs loin d'être totalement infondées, et que les plus riches ne manquaient pas d'attiser pour effrayer les plus modestes). La question de la progressivité fiscale n'a jamais eu et n'aura jamais l'évidence qu'on lui prête parfois : il ne suffit pas que le suffrage universel jaillisse pour qu'un consensus majoritaire en découle, comme par enchantement. Compte tenu de la multidimensionnalité du conflit politique et de la complexité des arguments en présence, les coalitions doivent être bâties et non présumées, et elles dépendent notamment des expériences historiques partagées et des dispositifs cognitifs mobilisés par les uns et les autres.

Toujours est-il qu'il fallut attendre 1901 pour que le sacro-saint principe de la proportionnalité de l'impôt soit finalement mis à mal. L'impôt progressif sur les successions, établi par la loi du 25 février 1901, fut ainsi le premier grand impôt progressif voté en France, avant même la création de l'impôt progressif sur le revenu par la loi du 15 juillet 1914. De même que pour l'impôt sur le revenu, la création de l'impôt progressif sur les successions a donné lieu à de longs débats parlementaires, et c'est le Sénat – plus conservateur car surreprésentant les campagnes et les notables – qui en retarda l'adoption (la progressivité de l'impôt successoral avait été votée par la Chambre des députés dès 1895). On notera au passage que ce n'est que depuis l'avènement de la IVe République en 1946 que le Sénat a perdu son droit de veto et que le dernier mot revient aux députés élus au suffrage universel direct, ce qui a permis de débloquer nombre de législations sociales et fiscales.

Encore faut-il préciser que les taux prévus par la loi de 1901 étaient extrêmement modestes : le taux applicable en ligne directe était de 1 % pour la majorité des transmissions, comme dans le régime d'impôt proportionnel, et il montait au maximum jusqu'à 2,5 %, pour les parts successorales supérieures à 1 million de francs par héritier (moins de 0,1 % des héritages). Le taux le plus élevé fut porté à 5 % en 1902, puis à 6,5 % en 1910, afin de contribuer au financement de la loi sur les « retraites ouvrières et paysannes » adoptée la même année. Même si ce n'est qu'après la Première Guerre mondiale que les taux applicables aux plus grandes fortunes atteignirent des niveaux plus substantiels (plusieurs dizaines de pourcents) et que la progressivité fiscale « moderne » se mit en place, on peut considérer qu'une étape décisive avait été franchie en 1901-1902, et peut-être davantage encore en 1910, car le fait de mettre explicitement en relation le renforcement de la progressivité successorale et le financement des retraites ouvrières exprimait une claire volonté de réduction globale des inégalités sociales.

Pour résumer : l'impôt sur les successions n'a affecté que marginalement le processus d'accumulation et de transmission de fortunes importantes entre 1800 et 1914. La loi de 1901 marque toutefois un changement essentiel dans la philosophie fiscale en matière successorale, avec l'introduction de la progressivité, qui fit pleinement sentir ses effets à partir de l'entre-deux-guerres.

Les « quatre vieilles », l'impôt sur le capital et l'impôt sur le revenu

S'agissant de l'introduction de l'impôt progressif sur le revenu en 1914, il faut tout d'abord rappeler que les quatre contributions directes créées en 1790-1791 par les législateurs révolutionnaires (les « quatre vieilles ») avaient pour caractéristique essentielle de ne jamais dépendre directement des revenus du contribuable[1]. Par rejet affiché pour les procédés inquisitoriaux associés à l'Ancien Régime, et sans doute aussi afin d'éviter à la bourgeoisie en plein essor d'avoir à payer des impôts trop importants, le législateur révolutionnaire avait en effet choisi d'instituer une fiscalité dite « indiciaire », dans le sens où chaque contribution était calculée à partir « d'indices » censés mesurer la capacité contributive du contribuable, et non pas à partir du revenu lui-même, qui n'avait jamais à être déclaré[2].

---

1. Sur les « quatre vieilles » et la transition vers le système d'impôt sur les revenus, voir *Les Hauts Revenus en France au XX*ᵉ *siècle, op. cit.*, p. 234-242. Voir également C. ALLIX, M. LECERCLÉ, *L'Impôt sur le revenu (impôts cédulaires et impôt général). Traité théorique et pratique*, Rousseau, 1926.

2. La monarchie avait tenté d'introduire des formes limitées de progressivité fiscale au cours du XVIIIᵉ siècle, en particulier dans le cadre de la « taille tarifée », qui distinguait plusieurs classes de contribuables en fonction du niveau approximatif de ressources, tout cela en maintenant des exemptions pour la noblesse et le clergé dans d'autres parties du système fiscal, ce qui n'était guère cohérent. D'une certaine façon, la Révolution simplifia l'affaire en imposant la proportionnalité pour tous sur une base indiciaire, et en supprimant toute référence directe au revenu. Sur la taille tarifée, voir M. TOUZERY, *L'Invention de l'impôt sur le revenu. La taille tarifée (1715-1789)*, Comité pour l'histoire économique et financière de la France, 1994.

La contribution sur les portes et fenêtres était par exemple établie en fonction du nombre de portes et fenêtres de l'habitation principale du contribuable, indicateur d'aisance qui avait le grand mérite pour le contribuable de permettre au fisc de déterminer l'impôt dû sans avoir à pénétrer dans sa maison, et encore moins dans ses livres de comptes. La contribution personnelle-mobilière (actuelle taxe d'habitation) était due par tous les contribuables en fonction de la valeur locative de leur habitation principale. Comme les autres contributions (sauf celle sur les portes et fenêtres, définitivement supprimée en 1925), elle devint un impôt local à la suite de la mise en place d'un système national d'impôt sur les revenus en 1914-1917, et continue en ce début du XXIᵉ siècle de financer les collectivités territoriales[1]. La contribution des patentes (actuelle taxe professionnelle) était due par les artisans, commerçants, industriels, suivant des barèmes fixés pour chaque profession, en fonction de la taille de l'entreprise et des équipements utilisés, mais sans liaison directe avec les bénéfices effectivement réalisés par les uns et les autres, qui n'avaient pas à être déclarés.

Enfin, la contribution foncière (actuelle taxe foncière) était due par les détenteurs de biens immobiliers, qu'il s'agisse de propriétés bâties (maisons, immeubles, etc.) ou non bâties (terrains, forêts, etc.), en proportion de la valeur locative des biens, quel que soit leur usage (personnel, locatif ou professionnel). Ces valeurs locatives, de même que celles utilisées pour le calcul de la contribution personnelle-mobilière, n'avaient là encore pas à être déclarées par le contribuable : elles étaient fixées lors de grandes enquêtes organisées tous les dix, quinze ans par l'administration fiscale pour recenser l'ensemble des propriétés bâties et non bâties du pays, en fonction notamment des nouvelles constructions, des dernières mutations et des divers ajouts apportés au cadastre. Dans un contexte monétaire marqué par une inflation quasi nulle et une très lente évolution des prix entre 1815 et 1914, on considérait que ce système d'ajustement périodique était suffisant, d'autant plus que cela évitait aux contribuables le tracas de la déclaration.

---

1. La contribution personnelle-mobilière était sans doute la plus complexe des « quatre vieilles », puisqu'elle comprenait à l'origine, outre la taxe assise sur les valeurs locatives de l'habitation principale, qui en constituait la composante principale, une taxe sur les domestiques, une taxe égale à la valeur de trois journées de travail, une taxe sur les chevaux, les mulets, etc. Il s'agit de la taxe que Condorcet avait proposé de réformer en 1792 en instituant un barème progressif sur les valeurs locatives, afin de contrer sa régressivité naturelle. La taxe d'habitation, son héritière directe, est en cours de suppression en 2017-2019, sans que l'on sache encore quel impôt local va la remplacer.

La contribution foncière était de loin la plus importante des « quatre vieilles », puisqu'elle rapportait à elle seule plus des deux tiers des recettes totales au début du XIXe siècle, et encore près de la moitié au début du XXe siècle. Il s'agissait de fait d'un impôt sur le capital, sauf que seul le capital immobilier et les biens « réels » étaient concernés. Les actions, obligations, parts de sociétés et autres actifs financiers étaient exclus, ou plus précisément ils n'étaient imposés qu'indirectement, dans la mesure où les sociétés en question possédaient de tels biens immobiliers, par exemple des immeubles utilisés comme bureaux ou entrepôts, auquel cas elles devaient acquitter la contribution foncière correspondante. Mais lorsqu'il s'agissait de sociétés industrielles ou financières dont les principaux actifs accumulés dans le passé étaient immatériels (brevets, savoir-faire, réseaux, réputation, capacité organisationnelle, etc.), ou bien s'il s'agissait d'actifs investis à l'étranger, ou bien encore d'actifs mal pris en compte par la contribution foncière et les autres contributions directes (par exemple des machines ou des équipements, en principe soumis à la patente, mais en pratique de façon souvent moins importante que leur profitabilité réelle), alors le capital en question était de fait exonéré ou peu taxé. Ces actifs apparaissaient sans doute négligeables à la fin du XVIIIe siècle par comparaison aux actifs réels (maisons, terrains, immeubles, fabriques et entrepôts), mais le fait est qu'ils jouèrent un rôle de plus en plus central au cours du XIXe siècle et au début du XXe.

En tout état de cause, le point essentiel est que la contribution foncière, de même que les droits de succession jusqu'en 1901, était un impôt strictement proportionnel sur le capital. L'objectif n'était en aucune façon de redistribuer les propriétés ou de réduire les inégalités, mais bien plutôt d'asseoir un prélèvement aussi léger et indolore sur la propriété. Le taux de prélèvement annuel se situait tout au long du XIXe siècle et jusqu'en 1914 autour de 3 %-4 % de la valeur locative des biens, c'est-à-dire moins de 0,2 % de la valeur des propriétés (compte tenu du fait que les rendements locatifs se situaient généralement autour de 4 %-5 % par an)[1].

Il est important d'insister sur le fait qu'un impôt sur le capital, lorsqu'il est strictement proportionnel et prélevé à un taux aussi bas, peut être une excellente affaire pour les détenteurs du capital, et de fait était considéré,

---

1. Autrement dit, le propriétaire d'un bien d'une valeur de 1 000 francs produisait un loyer de l'ordre de 50 francs par an (5 % de 1 000 francs), qui devait acquitter un impôt d'à peine 2 francs (4 % de 50 francs), soit un prélèvement d'environ 0,2 % sur le capital de 1 000 francs. Voir T. PIKETTY, *Les Hauts Revenus en France au XXe siècle, op. cit.*, p. 238-239.

sous la Révolution française et tout au long de la période 1800-1914, comme le système fiscal idéal par les propriétaires. En acquittant un paiement annuel d'à peine 0,2 % de la valeur de son capital, et un prélèvement supplémentaire de 1 % au moment où « le fils succède à son père », chaque propriétaire obtenait le droit de s'enrichir et d'accumuler en paix, de faire fructifier ses propriétés au maximum de ses possibilités, sans même avoir à déclarer les revenus et bénéfices produits par le capital, et avec la garantie que les impôts payés ne dépendaient pas des profits réalisés et du rendement obtenu. Parce qu'il est peu intrusif et donne les pleins pouvoirs aux propriétaires, l'impôt sur le capital proportionnel et à faible taux a souvent eu les préférences des détenteurs de patrimoines. On retrouve cette attitude politique non seulement à l'époque de la Révolution française et au XIXe siècle, mais également tout au long du XXe siècle et jusqu'au début du XXIe siècle[1]. En revanche, quand l'impôt sur le capital prend la forme d'un véritable prélèvement progressif sur la propriété, il devient alors le plus effrayant des impôts pour les propriétaires, comme nous aurons l'occasion de le voir quand nous étudierons les évolutions et les débats du XXe siècle.

L'impôt sur le capital à faible taux qu'était la contribution foncière constituait également l'outil institutionnel utilisé pour conférer le pouvoir politique aux propriétaires en France à l'époque des monarchies censitaires (1815-1848). Sous la première Restauration, le droit de vote en France était par exemple réservé aux hommes âgés de plus de 30 ans et acquittant au moins 300 francs au titre des contributions directes (soit autour de 100 000 personnes, environ 1 % des hommes adultes). En pratique, comme la contribution foncière représentait la plus grande partie des recettes des « quatre vieilles », cela signifie que le suffrage concernait *grosso modo* les 1 % des propriétaires fonciers et immobiliers les plus riches du pays. Autrement dit, les règles fiscales favorisaient l'accumulation en paix, et permettaient dans le même temps de formuler des règles politiques pour s'assurer qu'il en irait toujours ainsi. Jamais le régime inégalitaire propriétariste ne se mit en scène aussi clairement : la société de propriétaires qui s'épanouit en France de 1815 à 1848 reposait de façon parfaitement explicite et transparente sur un régime de propriété tout autant que sur un régime politique qui en garantissait la pérennité. Nous verrons dans le

---

1. C'est par exemple dans cet esprit et au nom de l'efficacité économique que Maurice Allais proposa dans les années 1970 la suppression de l'impôt sur le revenu et son remplacement par un impôt sur le capital réel et à faible taux, très proche dans son principe de la contribution foncière. Voir M. ALLAIS, *L'Impôt sur le capital et la réforme monétaire*, Hermann, 1977.

prochain chapitre que des mécanismes similaires s'appliquaient également dans les autres pays européens (par exemple au Royaume-Uni et en Suède).

Le suffrage universel, les nouveaux savoirs, la guerre

À la suite de la révolution de 1848 et de la brève application du suffrage universel lors de la IIe République, puis de nouveau avec la mise en place de la IIIe République et le retour du suffrage universel en 1871, les débats sur la progressivité fiscale et l'imposition des revenus reprirent de plus belle[1]. Dans un contexte de forte expansion industrielle et financière, où la prospérité des profits manufacturiers et bancaires était visible par tous, tout autant que la stagnation des salaires ouvriers et la misère du nouveau prolétariat urbain, il apparaissait de plus en plus invraisemblable que les nouvelles sources de richesses ne soient pas mises davantage à contribution. Même si la question de la progressivité continuait d'effrayer, il fallait bien faire quelque chose. C'est dans ce contexte que fut adoptée la loi du 28 juin 1872 instituant l'impôt sur le revenu des valeurs mobilières (IRVM).

Cet impôt venait en quelque sorte compléter les « quatre vieilles », puisqu'il frappait des formes de revenus jusqu'ici largement oubliées par le système de contributions directes mis en place en 1790-1791. De fait, l'IRVM incarnait pour l'époque une certaine modernité fiscale, d'autant plus qu'il était doté d'une assiette très large : étaient concernés non seulement les dividendes versés aux actionnaires et les intérêts reçus par les porteurs d'obligations, mais également les « revenus de toute nature » que le détenteur de valeurs mobilières pouvait être amené à recevoir en sus du remboursement du capital engagé, quel que soit l'intitulé juridique exact de ces paiements (distributions de réserves, primes de remboursement, plus-values liées à la dissolution de la société, etc.). Les données issues de l'IRVM ont d'ailleurs souvent été utilisées pour mesurer pour la première fois la forte croissance de ces revenus entre 1872 et 1914. Cet impôt était en outre prélevé à la source, c'est-à-dire qu'il était acquitté directement par l'entité émettrice des valeurs mobilières en question (banques, sociétés de capitaux, compagnies d'assurances, etc.).

---

1. La IIe République (1848-1851) prit fin avec la proclamation du Second Empire par Louis Napoléon Bonaparte, élu président au suffrage universel en décembre 1848, dont l'oncle avait mis fin à la Ire République (1792-1804), en décidant lui aussi de se faire couronner empereur.

Du point de vue du taux d'imposition, l'IRVM se situait cependant dans la droite ligne du régime fiscal en place : le nouvel impôt était strictement proportionnel et pesait à un taux unique de 3 % sur tous les revenus mobiliers, qu'il s'agisse de minuscules intérêts touchés par un petit porteur d'obligations pour sa retraite ou d'énormes dividendes représentant plusieurs centaines d'années de revenu moyen reçus par un grand actionnaire au portefeuille diversifié. Le taux fut porté à 4 % en 1890, et c'est ce niveau d'imposition qui s'appliqua jusqu'à la Première Guerre mondiale. Il aurait été techniquement facile de porter ces taux à des niveaux plus substantiels et de mettre en place un barème progressif. Mais le fait est qu'aucun gouvernement ne prit une telle responsabilité, si bien que la création et l'application de l'IRVM entre 1872 et 1914 n'eurent finalement qu'une importance quasiment négligeable du point de vue de l'accumulation et de la perpétuation de fortunes importantes.

Les débats se poursuivirent, et après de multiples péripéties la Chambre des députés adopta une première fois en 1909 le projet de création d'un impôt général sur le revenu (IGR). Il s'agissait d'un impôt progressif pesant sur le revenu global des contribuables (c'est-à-dire la somme des revenus des différentes catégories : salaires, bénéfices, loyers, dividendes, intérêts, etc.). Conformément au projet déposé en 1907 par le ministre radical des Finances Joseph Caillaux, le système comprenait également un ensemble d'impôts dits « cédulaires » (c'est-à-dire pesant séparément sur chaque catégorie ou « cédule » de revenu) destinés à imposer un plus grand nombre de contribuables que l'IGR, qui pour sa part était conçu pour toucher uniquement une minorité de contribuables aisés, suivant un barème progressif, de façon à assurer une certaine redistribution des revenus.

Le projet Caillaux était toutefois relativement modeste, dans le sens où le taux applicable aux revenus les plus élevés dans le cadre de l'IGR était de seulement 5 %. Mais les opposants dénoncèrent cette « machine infernale », qui une fois lancée ne pourrait jamais s'arrêter, de la même façon que pour l'impôt successoral, voire avec davantage de fougue, car l'obligation de déclaration des revenus était vécue comme intrusive et insupportable. Le Sénat, aussi hostile à l'impôt progressif sur le revenu qu'il l'avait été à l'impôt progressif sur les successions, refusa de voter le texte et bloqua l'application du nouveau système jusqu'en 1914. Caillaux et les partisans de l'impôt sur le revenu avaient pourtant utilisé tous les arguments à leur disposition. En particulier, ils firent valoir à ceux de leurs adversaires qui prédisaient que les taux supérieurs atteindraient rapidement des niveaux astronomiques que les taux de l'impôt progressif sur les successions n'avaient en réalité que relativement peu changé depuis 1901-1902[1].

Parmi les facteurs qui jouèrent un rôle important dans l'évolution des représentations, il est particulièrement intéressant de noter que la publication des statistiques issues des déclarations de successions, qui suivit de peu la création d'un impôt progressif sur les successions par la loi du 25 février 1901, contribua à remettre en cause la vision d'une France « égalitaire » qui était souvent évoquée par les adversaires de la progressivité. Lors des débats parlementaires de 1907-1908, les partisans de l'impôt sur le revenu firent fréquemment allusion à ces nouvelles connaissances afin de montrer que la France n'était pas ce pays de « petits propriétaires » que leurs adversaires aimaient décrire. Joseph Caillaux lui-même fit lecture aux députés de ces statistiques et, après avoir constaté que le nombre et le montant des très grosses successions déclarées chaque année en France atteignaient des niveaux proprement astronomiques, conclut : « Nous avons été conduits à croire, à dire que la France était le pays des petites fortunes, du capital émietté et dispersé jusqu'à l'infini. Les statistiques que le nouveau régime successoral nous fournit nous obligent à en singulièrement rabattre. [...] Messieurs, je ne puis dissimuler que ces chiffres ont pu dans mon esprit modifier quelques-unes de ces idées préconçues auxquelles je faisais allusion tout à l'heure, qu'ils m'ont conduit à certaines réflexions. Le fait est qu'un nombre fort restreint de personnes détiennent la plus grande partie de la fortune du pays[2]. »

On voit ici comment une innovation institutionnelle majeure – l'introduction d'un impôt progressif sur les successions – peut conduire, au-delà de ses effets directs sur les inégalités, à la production de connaissances et de catégories nouvelles permettant d'influer sur les évolutions politico-idéologiques en cours. En l'occurrence, Caillaux n'allait pas jusqu'à calculer la part des différents déciles et centiles dans l'annuité successorale de l'époque, mais les chiffres bruts étaient suffisamment parlants pour que chacun réalise que la France ne ressemblait guère au « pays de petits

---

1. Lors de la séance du 20 janvier 1908 à la Chambre des députés, Caillaux exprime très clairement cet argument : « Puisque, depuis six ans, nous avons dans notre législation un impôt à caractère progressif dont le taux n'a pas changé, ne venez pas nous dire que le système de la progressivité aura pour conséquence nécessaire, dans un délai rapproché, des augmentations de tarif. » Voir J. CAILLAUX, L'Impôt sur le revenu, Berger-Levrault, 1910, p. 115.

2. Ibid., p. 530-532.

propriétaires » décrit par les adversaires de la progressivité. Ces arguments eurent un impact certain à la Chambre, et sur la décision de renforcer la progressivité de l'impôt successoral en 1910, mais ils s'avérèrent cependant insuffisants pour convaincre le Sénat d'accepter la création d'un impôt progressif sur le revenu.

Il est difficile de dire combien de temps aurait pu durer la résistance sénatoriale en l'absence de la Première Guerre mondiale, mais il est certain que les tensions internationales de 1913-1914, et notamment les nouvelles charges financières créées par la loi sur le service militaire de trois ans et les « impératifs de la défense nationale », contribuèrent de façon décisive à débloquer la situation, sans doute davantage que les bons résultats des radicaux et des socialistes aux élections de mai 1914. De nombreux rebondissements marquèrent ces débats, dont le plus spectaculaire fut sans doute l'affaire Calmette[1]. Toujours est-il que c'est finalement dans le cadre de la loi de finances adoptée en urgence le 15 juillet 1914, deux semaines après l'attentat de Sarajevo, et à peine plus de deux semaines avant la déclaration de guerre, que le Sénat accepta d'inclure au dernier moment les articles concernant l'IGR adoptés par la Chambre en 1909, non sans avoir obtenu que la progressivité soit réduite encore un peu plus (le taux applicable aux revenus les plus élevés fut abaissé de 5 % à 2 %)[2]. C'est ce système d'impôt progressif sur le revenu qui s'appliqua pour la première fois en France au titre de l'imposition des revenus de 1915, en pleine guerre, et qui s'est appliqué chaque année jusqu'à nos jours, après moult réformes et péripéties. De même que pour l'impôt successoral, il fallut toutefois attendre la fin de la guerre et surtout l'entre-deux-guerres pour que les taux les plus élevés atteignent des niveaux modernes (plusieurs dizaines de pourcents)[3].

---

1. Du nom du directeur du journal *Le Figaro* assassiné dans son bureau le 16 mars 1914 par la propre femme de Joseph Caillaux, à la suite de la violente campagne menée contre son mari, dont le point culminant fut la publication par *Le Figaro* du 13 mars 1914 de la lettre signée « Ton Jo » adressée par Joseph Caillaux à sa maîtresse en 1901 après l'échec du premier projet Caillaux, dans laquelle ce dernier écrivait avoir « écrasé l'impôt sur le revenu en ayant l'air de le défendre ». Cette lettre était supposée démontrer que les promoteurs de l'impôt sur le revenu n'étaient que des opportunistes utilisant ce projet néfaste dans le seul but d'assurer leur ascension politique.

2. La loi du 15 juillet 1914 instituant l'IGR fut complétée par la loi du 31 juillet 1917 créant les impôts cédulaires prévus dans la réforme Caillaux. Pour un récit détaillé de la mise en place mouvementée de l'impôt sur le revenu en France, voir T. PIKETTY, *Les Hauts Revenus en France au XXᵉ siècle*, *op. cit.*, p. 246-262.

3. Voir chapitre 10, graphiques 10.11-10.12, p. 525.

Pour résumer : de la Révolution française jusqu'à la Première Guerre mondiale, le système fiscal en vigueur en France offrait des conditions idéales pour l'accumulation et la concentration des fortunes, avec des taux d'impositions applicables aux revenus et patrimoines les plus élevés qui ne dépassèrent jamais quelques pourcents, c'est-à-dire des niveaux symboliques, sans impact véritable sur les conditions de l'accumulation et de la transmission. Des coalitions nouvelles et des transformations politico-idéologiques profondes avaient commencé à se mettre en place avant la guerre, en particulier à la suite de la création de l'impôt progressif sur les successions en 1901, mais elles ne firent pleinement sentir leurs effets qu'à partir de l'entre-deux-guerres, et plus encore dans le cadre du nouveau pacte social, fiscal et politique adopté en 1945, à l'issue de la Seconde Guerre mondiale.

La Révolution, la France et l'égalité

Depuis la Révolution de 1789, la France aime se présenter au monde comme le pays de la liberté, de l'égalité et de la fraternité. La promesse d'égalité qui se trouve au cœur de ce grand récit national repose certes sur des éléments tangibles, à commencer par l'abolition des « privilèges » fiscaux de la noblesse et du clergé lors de la nuit du 4 août 1789, ainsi que la tentative de mettre en place en 1792-1794 un régime républicain fondé sur le suffrage universel, ce qui n'était pas banal pour l'époque, tout cela dans un pays beaucoup plus peuplé que les autres monarchies occidentales. Plus généralement, la constitution d'une puissance publique centralisée permettant de mettre fin aux privilèges juridictionnels seigneuriaux, et susceptible de réaliser un jour l'objectif d'égalité, était tout sauf une réalisation mineure du nouveau régime.

Il reste qu'en termes d'égalité réelle, la grande promesse de la Révolution ne fut guère suivie d'effets. Le fait que la concentration de la propriété n'a cessé de s'accroître au cours du XIXe siècle et jusqu'au début du XXe, et était encore plus forte à la veille de la Première Guerre mondiale que dans les années 1780, montre l'ampleur de l'écart entre les promesses révolutionnaires et la réalité. Et quand l'impôt progressif sur le revenu fut finalement adopté par les parlementaires, lors du vote du 15 juillet 1914, ce n'était pas pour financer les écoles ou les services publics : c'était pour financer la guerre contre l'Allemagne.

Il est particulièrement frappant de constater que la France, pays autoproclamé de l'égalité, fut en réalité l'un des tout derniers pays occidentaux à adopter l'impôt progressif sur le revenu, qui était déjà en place depuis 1870 au Danemark, 1887 au Japon, 1891 en Prusse, 1903 en Suède, 1909 au Royaume-Uni et 1913 aux États-Unis[1]. Il fallut certes attendre quelques années seulement avant la guerre pour que cette réforme fiscale emblématique soit mise en place dans ces deux derniers pays, et ce fut dans les deux cas au prix de batailles politiques épiques et de réformes constitutionnelles majeures. Mais au moins s'agissait-il de réformes acquises par temps de paix, dans le but de financer des dépenses civiles et de favoriser une certaine réduction des inégalités, et non pas comme en France sous la pression de l'urgence guerrière, militaire et nationaliste. Sans doute l'impôt sur le revenu aurait-il finalement été adopté en l'absence de guerre, sur la base de l'expérience réussie des autres pays, ou bien à la suite d'autres crises, financières ou militaires ; mais le fait est que c'est ainsi qu'il fut adopté en France, après tous les autres pays.

Il est également important de noter que ce retard égalitaire et cette hypocrisie française s'expliquent pour une large part par une forme de nationalisme intellectuel et d'autosatisfaction historique. De 1871 à 1914, les élites politiques et économiques de la IIIe République usent et abusent de l'argument selon lequel la France serait déjà devenue égalitaire par la grâce de la Révolution, et n'aurait donc nullement besoin d'un impôt spoliateur et inquisitorial, contrairement d'ailleurs aux voisins aristocratiques et autoritaires entourant le pays (à commencer par le Royaume-Uni et l'Allemagne, qui seraient bien avisés de créer derechef des impôts progressifs, afin d'avoir une chance de s'approcher de l'idéal égalitaire hexagonal). Le problème est que cet argument de l'exceptionnalité égalitaire française était dépourvu de toute base factuelle solide. Les archives successorales nous ont montré que la France du XIXe siècle et du début du XXe était prodigieusement inégalitaire, et que la concentration de la propriété y a progressé continûment jusqu'à la guerre. Caillaux fit d'ailleurs appel à ces mêmes statistiques successorales lors des débats parlementaires de 1907-1908, mais les préjugés et les intérêts étaient trop forts pour emporter l'adhésion du Sénat, tout du moins dans le contexte politico-idéologique et événementiel du moment.

---

1. Au Royaume-Uni, un système d'impôts pesant proportionnellement et séparément sur les différentes catégories de revenus (intérêts, loyers, profits, salaires, etc.) fut mis en place dès 1842, mais il fallut attendre 1909 pour voir la création d'un impôt progressif sur le revenu global (c'est-à-dire pesant sur la somme de toutes les catégories de revenus, avec des taux s'élevant en fonction du revenu total).

Les élites de la IIIe République se fondaient certes sur quelques comparaisons potentiellement pertinentes, en particulier le fait que la propriété terrienne était nettement plus morcelée en France qu'au Royaume-Uni (notamment en raison des redistributions relativement limitées opérées sous la Révolution française, mais surtout parce que la concentration terrienne était exceptionnellement forte outre-Manche), et aussi sur le fait que le Code civil avait institué en 1804 le principe du partage égalitaire des successions à l'intérieur des fratries. Cette égalité des partages successoraux, qui en pratique concernait surtout les frères (car les sœurs, une fois mariées, perdaient presque tous leurs droits au profit de leurs époux, dans le cadre du régime propriétariste hautement patriarcal en vigueur au XIXe siècle), fut stigmatisée tout au long du XIXe siècle par la pensée contre-révolutionnaire et anti-égalitaire, qui y voyait les origines d'un émiettement néfaste des parcelles, et surtout de la perte d'autorité des pères sur les fils, qu'il n'était plus possible de déshériter[1]. En vérité, le régime légal, fiscal et monétaire en vigueur au XIXe siècle et jusqu'en 1914 était dans son ensemble hautement favorable à la concentration extrême de la propriété, et ces facteurs jouèrent un rôle autrement plus important que le partage égalitaire entre frères institué par la Révolution.

Quand on relit ces épisodes en ce début de XXIe siècle, avec le recul dont nous disposons aujourd'hui sur la Belle Époque, on ne peut qu'être frappé par l'hypocrisie d'une part importante des élites françaises, ainsi que de nombre d'économistes, qui n'hésitaient pas à nier contre toute évidence que les inégalités puissent poser le moindre problème en France, quitte à faire parfois preuve d'une certaine mauvaise foi[2]. On peut certes

---

1. Dans le cadre du système de « quotité disponible » institué en 1804, et toujours en place, les parents peuvent disposer librement de la moitié de leurs biens s'ils ont un enfant (l'autre moitié revenant automatiquement à ce dernier, y compris en cas de rupture de toute relation), d'un tiers s'ils ont deux enfants (avec répartition égalitaire des deux autres tiers), d'un quart s'ils ont trois enfants ou plus (avec répartition égalitaire des trois autres quarts). La dénonciation des supposés effets néfastes de ce système fait partie des grands thèmes conservateurs et contre-révolutionnaires au XIXe siècle, notamment dans les œuvres de Frédéric Le Play. Cette critique a largement disparu au XXe siècle.

2. On pense par exemple à Paul Leroy-Beaulieu, l'un des économistes libéraux les plus influents de l'époque, par ailleurs porte-parole enthousiaste de la colonisation, et à son fameux *Essai sur la répartition des richesses et sur la tendance à une moindre inégalité des conditions*, publié en 1881 et constamment réédité jusqu'au début des années 1910. Alors que toutes les sources statistiques disponibles suggèrent le contraire, il défend l'idée que la tendance est à la baisse des inégalités, quitte à inventer des raisonnements improbables. Il note par exemple avec satisfaction que le nombre d'indigents secourus n'a progressé que de 40 % en France

voir dans ces positions l'expression d'une peur panique face à la menace d'une escalade redistributrice néfaste qui viendrait mettre à mal la prospérité du pays, à une époque où aucune expérience historique directe de la progressivité fiscale à grande échelle n'avait encore eu lieu. Il n'en reste pas moins que la relecture de ce type d'épisodes doit nous mettre en garde face à la répétition de ce type de dérive pour l'avenir.

Nous verrons que ce type de grand récit national à courte vue est malheureusement fort répandu dans l'histoire des régimes inégalitaires. En France, le mythe de l'exceptionnalité égalitaire et de la supériorité morale du pays a souvent été utilisé pour servir de paravent aux égoïsmes et aux insuffisances nationales, qu'il s'agisse des systèmes de dominations coloniales ou patriarcales appliqués au XIXe siècle et une bonne partie du XXe siècle, ou des inégalités béantes qui caractérisent encore aujourd'hui le système éducatif français. Nous retrouverons également des formes voisines de nationalisme intellectuel aux États-Unis, où l'idéologie de l'exceptionnalisme américain a souvent permis de refermer le couvercle des inégalités et de la dérive ploutocratique du pays, pourtant de plus en plus évidente au cours de la période 1990-2020. Il est également plausible qu'une forme similaire d'autosatisfaction historique se développe un jour prochain en Chine, à moins que ce ne soit déjà le cas. Mais avant d'en arriver là, il nous faut poursuivre l'étude de la transformation des sociétés d'ordres européennes en sociétés de propriétaires, afin de mieux comprendre la multiplicité des trajectoires et des bifurcations en jeu.

Le capitalisme : un propriétarisme de l'âge industriel

Avant d'aller plus loin, je voudrais également clarifier les liens entre les notions de propriétarisme et de capitalisme, telles que je les envisage dans cette enquête. Dans le cadre de ce livre, je préfère insister sur la notion de propriétarisme et de sociétés de propriétaires, et je propose de concevoir le capitalisme comme la forme particulière que prend le propriétarisme à l'âge de la grande industrie et des investissements financiers internationaux, c'est-à-dire principalement à partir de la seconde moitié du XIXe siècle et

---

entre 1837 et 1860, alors même que le nombre de bureaux de bienfaisance a presque doublé. Outre qu'il faut être bien optimiste pour déduire de ces chiffres que le nombre réel d'indigents a diminué (ce qu'il fait sans hésitation), une éventuelle baisse du nombre absolu de pauvres, dans un contexte de croissance, ne nous dirait évidemment rien sur les écarts de richesse et leur évolution. Voir T. PIKETTY, *Les Hauts Revenus en France au XXe siècle, op. cit.*, p. 522-531.

du début du XXᵉ siècle. De façon générale, qu'il s'agisse du capitalisme de la première mondialisation industrielle et financière (la Belle Époque) ou de l'hypercapitalisme mondialisé et digital des années 1990-2020, phase toujours en cours, le capitalisme peut se voir comme un mouvement historique consistant à repousser sans cesse davantage les limites de la propriété privée et de l'accumulation d'actifs, au-delà des formes traditionnelles de détention et des frontières étatiques anciennes. Ce mouvement passe par le développement de moyens de transport et de communication, permettant ainsi l'accroissement des échanges, de la production et de l'accumulation à l'échelle mondiale, et de façon plus fondamentale encore par le développement d'un système légal de plus en plus sophistiqué et globalisé permettant de « coder » les différentes formes de détentions matérielles et immatérielles et d'en garantir autant que possible la pérennité pour les propriétaires, à l'insu de tous ceux qui pourraient vouloir s'en prendre à leurs biens (à commencer par tous ceux qui ne possèdent rien), et à l'insu parfois aussi des États et des systèmes légaux nationaux[1].

En ce sens, le capitalisme est intimement lié au propriétarisme, que je définis dans cette enquête comme une idéologie politique plaçant au cœur de son projet la protection absolue du droit de propriété privée (conçu en principe comme un droit universel, c'est-à-dire indépendant des inégalités statutaires anciennes). Le capitalisme classique de la Belle Époque est l'extension du propriétarisme à l'âge de la grande industrie et de la finance internationale, de même que l'hypercapitalisme de la fin du XXᵉ siècle et du début du XXIᵉ en est le prolongement à l'âge de la révolution digitale et des paradis fiscaux. Dans les deux cas, de nouvelles formes de détention et de protection de la propriété se mettent en place de façon à garantir la pérennité de l'accumulation patrimoniale. Les notions de propriétarisme et de capitalisme gagnent cependant à être distinguées, car le propriétarisme comme idéologie s'est développé au cours du XVIIIᵉ siècle, donc beaucoup plus tôt que la grande industrie et la finance internationale. Il émerge dans des sociétés qui sont encore pour une large part préindustrielles, comme une forme de dépassement de la logique trifonctionnelle, dans le cadre des possibilités offertes par la formation de l'État centralisé et sa capacité nouvelle à prendre en charge les fonctions régaliennes et la protection générale du droit de propriété.

1. Voir K. PISTOR, *The Code of Capital. How the Law Creates Wealth and Inequality*, *op. cit.*

En tant qu'idéologie, le propriétarisme pourrait en théorie s'appliquer dans le cadre de communautés principalement rurales et de formes de détentions relativement étroites et traditionnelles, afin de les préserver. En pratique, la logique de l'accumulation tend à pousser le propriétarisme à étendre autant qu'il est possible les frontières et les formes de la propriété, sauf bien sûr si d'autres idéologies et institutions viennent lui mettre des limites. En l'occurrence, le capitalisme de la fin du XIXe siècle et du début du XXe correspond à un durcissement du propriétarisme à l'âge de la grande industrie, avec des rapports de propriété de plus en plus tendus entre les actionnaires et le nouveau prolétariat urbain, concentré au sein de vastes unités de production, uni face au capital.

Ce durcissement se retrouve d'ailleurs dans la façon dont le roman du XIXe siècle met en scène l'évolution des relations de propriété. La société de propriétaires des années 1810-1830 évoquée par Balzac nous montre un monde où la propriété est devenue un équivalent universel permettant de produire des revenus annuels sûrs et d'organiser l'ordre social, mais où la confrontation directe avec ceux qui travaillent pour payer ces revenus est largement absente. L'univers balzacien est profondément propriétariste, comme celui d'Austen, dont les intrigues se déroulent dans le Royaume-Uni des années 1790-1810, mais nous sommes dans les deux cas très éloignés du monde de la grande industrie.

À l'inverse, quand Zola publie *Germinal* en 1885, la tension est à son zénith dans les bassins miniers et industriels du nord de la France. Alors que les ouvriers ont épuisé leur maigre caisse commune, dans la grève très dure qui les oppose à la Compagnie des Mines, l'épicier Maigrat refuse de leur faire crédit. Il finira émasculé par les femmes, exténuées et ivres de sang après des semaines de lutte, écœurées des faveurs sexuelles que ce vil agent du capital avait si longtemps exigées d'elles et de leurs filles. Ce qui reste de son corps sera exposé publiquement et traîné dans la rue. On est assez loin des salons parisiens de Balzac et des bals de Jane Austen. Le propriétarisme est devenu capitalisme ; la fin est proche.

Chapitre 5

LES SOCIÉTÉS DE PROPRIÉTAIRES : TRAJECTOIRES EUROPÉENNES

Nous venons d'étudier l'évolution inégalitaire au sein de la société de propriétaires qui s'épanouit en France dans le siècle qui suit la Révolution de 1789 et jusqu'à la Première Guerre mondiale. Aussi révélateur et intéressant soit-il, et quelle que soit l'importance de son influence sur les pays voisins, le cas français n'en reste pas moins relativement spécifique au sein de l'histoire européenne et mondiale. Si l'on prend un peu de recul et que l'on examine la multiplicité des trajectoires nationales au sein de l'espace européen, on constate une grande diversité de processus menant à la transformation des sociétés trifonctionnelles en sociétés de propriétaires, qu'il nous faut maintenant analyser.

Je vais commencer par présenter des éléments généraux de comparaison européenne, avant d'examiner de façon plus détaillée deux cas particulièrement significatifs : le Royaume-Uni et la Suède. Le cas du Royaume-Uni se caractérise par une transition extrêmement graduelle entre logiques ternaires et propriétaristes, qui par certains côtés peut sembler à l'exact opposé de la trajectoire française. Nous verrons cependant que les ruptures y jouent également un rôle essentiel, ce qui illustre de nouveau l'importance des moments de crise et de bifurcations dans le processus de transformation sociale, ainsi que l'imbrication profonde entre régime de propriété et régime politique dans l'histoire des régimes inégalitaires. La Suède offre quant à elle l'exemple étonnant d'une constitutionnalisation précoce de la société en quatre ordres suivie d'une transition propriétariste exacerbée, avec des droits de vote proportionnels à la fortune. Le cas suédois illustre à la perfection l'importance des mobilisations collectives et des processus sociopolitiques dans la transformation des régimes inégalitaires, puisque, après avoir été la plus censitaire des sociétés de propriétaires, la Suède est devenue sans coup férir la plus égalitaire des sociétés sociales-démocrates. Plus généralement, la confrontation de ces expériences est d'autant plus intéressante que ces différents pays (France, Royaume-Uni, Suède) ont joué un rôle clé dans l'histoire globale des régimes inégalitaires, d'abord à l'âge ternaire et propriétariste, puis à l'âge colonial et social-démocrate.

Les effectifs du clergé et de la noblesse : la diversité de l'Europe

Une première façon de procéder pour analyser la variété des trajectoires européennes consiste à comparer les effectifs et les ressources des classes cléricales et nobiliaires et leur évolution dans les différents pays. L'approche a ses limites, d'autant plus que les matériaux disponibles sont imparfaitement comparables. Elle permet néanmoins de repérer des régularités et des différences majeures au sein des sociétés européennes.

Commençons par les effectifs du clergé. En première approximation, on constate des évolutions de long terme relativement proches dans les différents pays européens. Si l'on examine par exemple le cas de l'Espagne, de la France et du Royaume-Uni (voir graphique 5.1), on observe, dans ces trois pays, que la part du clergé atteignait des niveaux très élevés aux XVIe et XVIIe siècles, de l'ordre de 3 %-3,5 % de la population adulte masculine, soit un homme adulte sur trente (voire près de 5 % en Espagne autour de 1700, soit un homme adulte sur vingt). La part du clergé s'est ensuite abaissée durablement dans les trois pays, et se situait aux alentours de 0,5 % (à peine un homme adulte sur deux cents) au XIXe siècle et au début du XXe siècle. Les estimations disponibles sont loin d'être parfaites, mais les ordres de grandeur sont extrêmement clairs. En ce début de XXIe siècle, la classe cléricale représente moins de 0,1 % de la population (moins d'une personne sur mille) dans tous ces pays, en incluant toutes les religions. Nous verrons également dans la suite de ce livre que la chute de la pratique religieuse et la progression de la population se décrivant « sans religion » ont pris des proportions considérables (entre un tiers et la moitié) dans les différents pays européens à la fin du XXe et au début du XXIe siècle[1].

---

1. Voir quatrième partie, chapitres 14 et 15, p. 898-899 et 979-980.

Graphique 5.1

Le poids du clergé en Europe, 1530-1930

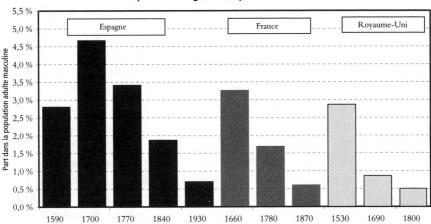

Lecture : le clergé représentait plus de 4,5 % de la population adulte masculine en Espagne en 1700, moins de 3,5 % en 1770, et moins de 2 % en 1840. On constate une tendance générale à la baisse, mais avec des périodisations différentes suivant les pays : plus tardif en Espagne, plus précoce au Royaume-Uni, et intermédiaire en France.

Sources et séries : voir piketty.pse.ens.fr/ideologie.

Si les évolutions de très long terme sont relativement proches, avec une quasi-disparition de la classe religieuse et un effondrement des pratiques, les chronologies précises diffèrent toutefois fortement suivant les pays, ce qui permet de dessiner autant d'histoires singulières et spécifiques, reflétant notamment l'évolution au sein de chaque société des rapports de pouvoir et des affrontements politico-idéologiques entre institutions étatiques et religieuses, monarchiques et ecclésiastiques. Dans le cas de la France, nous avons vu dans le chapitre précédent que les effectifs de la classe cléricale déclinaient déjà fortement à partir du dernier tiers au XVIIᵉ siècle et au cours du XVIIIᵉ siècle, avant d'être durement affectés par les expropriations de la Révolution française, et de poursuivre leur baisse au XIXᵉ siècle.

Au Royaume-Uni, le processus démarre nettement plus tôt. Une chute massive de la part des clercs dans la population se produisit en effet dès le XVIᵉ siècle, conséquence notamment de la dissolution des monastères décidée et mise en place par Henri VIII dans les années 1530. Cette rupture majeure avait notamment des motivations politico-théologiques, dans le cadre du conflit entre la monarchie britannique et la papauté romaine, conflit qui devait finalement donner naissance à l'anglicanisme. Le refus papal du divorce et du remariage du roi Henri VIII n'était certes qu'un des éléments d'un lourd contentieux entre les deux pouvoirs, mais il n'en était pas moins significatif. Il s'agissait de savoir, au sein de l'ordre trifonctionnel en vigueur dans les sociétés chrétiennes européennes, jusqu'à quel point l'institution monarchique et la classe nobiliaire devaient se soumettre aux normes inséparablement morales et familiales, spirituelles et politiques, édictées par l'institution papale et la classe cléricale. Les motivations de la rupture étaient également et indissociablement financières, dans un contexte budgétaire difficile pour la Couronne : la dissolution-expropriation des monastères, suivie de la mise aux enchères graduelle des domaines correspondants, apporta des ressources significatives et durables à la monarchie, tout en minant l'autonomie patrimoniale et politique de la classe cléricale[1].

Toujours est-il que la dissolution des monastères, décidée à un moment où les moines anglais représentaient à eux seuls autour de 2 % de la population masculine, conduisit à un affaiblissement massif et précoce de la classe ecclésiastique britannique, à la fois du point de vue de ses effectifs et de ses propriétés, et à un renforcement de la Couronne et de la classe nobiliaire, qui racheta une bonne partie de ces propriétés et put ainsi renforcer son emprise sur le capital terrien du Royaume. D'après les estimations disponibles, la part du clergé était ainsi tombée à moins de 1 % de la population adulte masculine britannique à la fin du XVIIe siècle, à un moment où cette proportion était encore supérieure à 3 % en France (voir graphique 5.1). Ce déclin ecclésiastique précoce au Royaume-Uni alla de pair avec le développement d'un propriétarisme original et exacerbé.

À l'inverse, en Espagne, le déclin clérical fut beaucoup plus tardif qu'au Royaume-Uni et en France. L'institution ecclésiastique, sur laquelle s'étaient appuyées la monarchie et la classe nobiliaire pendant les siècles de la *Reconquista*, vit même ses effectifs progresser entre 1590 et 1700. Ils étaient encore supérieurs à 3 % de la population adulte masculine au moment de la Révolution française, et il faut attendre le XIXe siècle et le début du XXe pour que le poids du clergé et de ses propriétés s'effondre. Tout au long du XIXe siècle, les multiples lois sur la *desamortización* ont progressivement dépossédé l'Église d'une partie de ses biens, aussi bien financiers que terriens, avec des ventes forcées au profit de l'État de maisons et de domaines ecclésiastiques, dans un contexte où l'État espagnol tentait de se moderniser et de renforcer les institutions civiles et publiques du pays. Le processus se poursuivit au début du XXe siècle, non sans susciter de violentes oppositions

1. Voir G. W. BERNARD, « The Dissolution of the Monasteries », *History*, vol. 96 (324), 2011, p. 390-409.

et de fortes tensions sociales et politiques. En 1911, puis de nouveau en 1932, les exemptions fiscales dont bénéficiaient les donations privées aux institutions religieuses furent remises en cause[1]. En 1931, la IIe République espagnole eut le plus grand mal à mettre la main sur les actifs des Jésuites (dont l'ordre venait d'être dissous en Espagne), qui étaient souvent enregistrés au nom de soutiens de l'Église et non des institutions religieuses elles-mêmes, afin d'échapper aux expropriations antérieures.

Rappelons également que l'ambitieuse réforme agraire lancée en 1932-1933 joua un rôle crucial dans le déroulé des événements qui devait mener à la guerre civile espagnole. La réforme avait pourtant été conçue dans un cadre légal qui se voulait apaisé, et avec une optique redistributrice relativement modérée. Les détentions maximales autorisées atteignaient plusieurs centaines d'hectares par propriétaire et par commune, avec des seuils dépendant des types de culture. Des compensations importantes étaient prévues, avec un barème qui dépendait à la fois de la taille des parcelles et des revenus du détenteur, à l'exception toutefois de la haute noblesse des *Grandes de Espana*, qui au-delà d'un certain seuil de détention devaient être expropriés sans compensation, compte tenu des privilèges étatiques particuliers dont ils avaient bénéficié dans le passé. La réforme agraire servit cependant de point de ralliement contre les gouvernements républicains, à la fois du fait de la menace objective qu'elle faisait planer sur le reliquat de grandes propriétés ecclésiastiques et surtout nobiliaires qui n'avaient pas encore été redistribuées, et par les craintes qu'elle suscitait parmi les propriétaires moins importants, effrayés par les occupations sauvages de parcelles de 1932-1933 et l'anticipation de leur possible recrudescence avec le retour au pouvoir des partis de gauche en février 1936[2]. Les mesures prises par les républicains en faveur des écoles laïques et à l'encontre des écoles religieuses jouèrent également un rôle important dans la mobilisation du camp catholique. Le coup d'État d'août 1936, la guerre civile et les quarante années de dictature franquiste qui s'ensuivirent attestent de la violence des trajectoires de transformation des sociétés trifonctionnelles

---

1. Voir annexe technique pour les données successorales espagnoles rassemblées par M. Artola. Voir également les travaux de C. Milhaud sur la propriété ecclésiastique et ceux de M. Artola, L. Baulusz et C. Martinez-Toledano sur l'évolution de la structure de la propriété en Espagne depuis le XIXe siècle.

2. Pour une étude classique de cette séquence historique dramatique, voir E. MALEFAKIS, *Agrarian Reform and Peasant Revolution in Spain : Origins of the Civil War*, Yale University Press, 1970.

en sociétés propriétaristes puis sociales-démocrates, et des traces durables que ces processus conflictuels ont laissées.

Noblesses guerrières, noblesses propriétaires

Si l'on examine maintenant le cas des effectifs de la noblesse dans les différents pays européens, on constate là aussi une grande diversité de situations, encore plus marquée que pour les effectifs du clergé. Comme nous l'avons vu dans les chapitres précédents avec le cas de la France, ces comparaisons spatiales et temporelles doivent être conduites avec prudence, car l'état de noblesse était le plus souvent défini au niveau local, et prenait des formes extrêmement variées suivant les régions et les contextes. En particulier, les sources ne permettant pas de comparer de façon fine les chronologies et les trajectoires suivies par les différents pays.

Les matériaux disponibles sont toutefois assez précis pour distinguer nettement deux types de configurations polaires au sein du continent européen : d'une part, des pays où les effectifs de la noblesse aux XVIIe et XVIIIe siècles étaient relativement faibles (généralement entre 1 % et 2 % de la population, voire moins de 1 %) ; et d'autre part, des pays avec des effectifs qui se situaient à la même époque à des niveaux significativement plus élevés (typiquement entre 5 % et 8 % de la population). Il existait sans nul doute de multiples situations intermédiaires entre ces deux groupes, mais il est difficile de les distinguer précisément en l'état des sources.

Le premier groupe, caractérisé par de faibles effectifs nobiliaires, comprend notamment la France, le Royaume-Uni et la Suède (voir graphique 5.2). Au sein de ces pays, les effectifs réduits de la noblesse étaient de surcroît en diminution entre le XVIIe et le XVIIIe siècle. Dans le cas du Royaume-Uni, les effectifs que nous avons indiqués (soit 1,4 % de la population en 1690 et 1,1 % autour de 1800) correspondent en outre à une définition relativement large de la noblesse, incluant l'ensemble de la gentry. Si l'on s'en tenait à la petite fraction de la noblesse disposant de privilèges politiques, leur part dans la population serait beaucoup plus faible encore (moins de 0,1 %). Dans le cas de la Suède, les effectifs indiqués (soit 0,5 % de la population en 1750 et 0,3 % en 1850) sont issus quant à eux des recensements organisés très officiellement par le royaume pour comptabiliser les différents ordres et organiser ses assemblées politiques. Ils expriment donc une réalité bien définie au niveau centralisé. Je reviendrai plus loin sur ces deux cas. À ce stade, notons simplement que ce premier groupe correspond à des pays où le processus de formation de l'État centralisé était déjà extrêmement avancé aux XVIIᵉ et XVIIIᵉ siècles.

Graphique 5.2

Le poids de la noblesse en Europe, 1660-1880

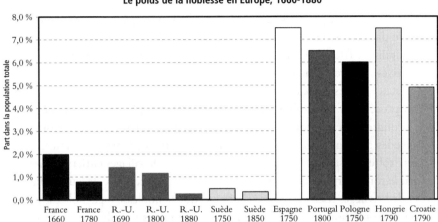

Lecture : la noblesse représente moins de 2 % de la population en France, au Royaume-Uni et en Suède aux XVIIᵉ-XIXᵉ siècles (avec une tendance à la baisse), et entre 5 % et 8 % de la population en Espagne, au Portugal, en Pologne, en Hongrie et en Croatie.
Sources et séries : voir piketty.pse.ens.fr/ideologie.

Le second groupe, caractérisé par des effectifs nobiliaires élevés (entre 5 % et 8 % de la population), comprend notamment des pays comme l'Espagne, le Portugal, la Pologne, la Hongrie et la Croatie (voir graphique 5.2). Pour ces deux derniers pays, les effectifs sont relativement bien connus, grâce aux recensements par ordres organisés à la fin du XVIIIᵉ siècle dans le cadre de l'Empire austro-hongrois. Les estimations indiquées pour les autres pays sont moins précises. Pour autant les ordres de grandeur peuvent être considérés comme significatifs. En particulier, les écarts avec les effectifs estimés pour les pays du premier groupe sont parfaitement clairs.

Comment faut-il interpréter le fait que la classe nobiliaire puisse être de cinq à dix fois plus nombreuse dans certains pays par comparaison à d'autres ? Il est bien évident tout d'abord que de tels écarts reflètent des réalités humaines, économiques et politiques fort différentes quant à l'état de noblesse. Une classe nobiliaire très large implique mécaniquement qu'une part importante des nobles ne possède pas de grand domaine et qu'elle ne détient, dans les faits, souvent pas grand-chose en dehors de son titre, du prestige lié à ses anciens faits d'armes, plus ou moins reconnu suivant les époques et les sociétés considérées, et éventuellement de quelques avantages statutaires. À l'inverse, une fine classe aristocratique, comme au Royaume-Uni, en Suède ou en France, correspond à une situation où la noblesse est parvenue à constituer une mince élite de propriétaires, disposant de positions de pouvoir importantes, à la fois sur le plan patrimonial, économique et politique.

L'explication pour ces écarts considérables entre pays doit être recherchée dans l'histoire inséparablement territoriale, politique, idéologique, militaire et fiscale propre à chaque construction étatique européenne, et dans les compromis noués aux différentes époques par les groupes sociaux en présence. En Espagne et au Portugal, au cours des siècles de la *Reconquista*, les procédures d'ennoblissement étaient par exemple étroitement liées à l'évolution du territoire contrôlé par les rois chrétiens et de la frontière avec les royaumes musulmans. En pratique, l'incorporation de nouveaux territoires passait souvent par l'ennoblissement de villages entiers, décrété par le roi et parfois par les villageois eux-mêmes, en échange de leur loyauté et de privilèges fiscaux futurs. C'est ainsi que la noblesse espagnole est vite devenue pléthorique, avec en son sein d'immenses inégalités entre l'élite des *Grandes*, à la tête de vastes domaines, et la masse des hidalgos, assez pauvres pour la plupart. La monarchie espagnole rencontrera les pires difficultés pour leur faire payer des impôts au cours des siècles suivants, et se retrouvera le plus souvent à devoir leur verser de maigres rentes, dont la masse grèvera le budget de la monarchie espagnole et ne facilitera pas sa modernisation.

On retrouve des processus comparables et des inégalités similaires au sein des noblesses polonaise, hongroise et croate, en particulier dans le cadre de l'expansion territoriale et de la réincorporation de fiefs au sein de la monarchie polono-lituanienne aux XVe et XVIe siècles[1]. Au Portugal, dès les XIIIe-XIVe siècles, alors que la *Reconquista* est toujours en cours, les *Livros de linhagens* se multiplient, permettant à la petite noblesse de compter ses nombreux lignages et de conter ses exploits militaires et ses actes de bravoure, pour que les générations et les monarques futurs ne les oublient pas[2]. Ce type de document est particulièrement intéressant, car il rappelle à quel point les destins des différentes noblesses dépendent non seulement des stratégies étatiques et monarchiques, mais également des dispositifs

---

1. Voir par exemple M. Lukowski, *The European Noblity in the Eighteenth Century*, *op. cit.*, p. 12-19.

2. Voir A. Doggan, *Nobles and Nobility in Medieval Europe*, Boydell & Brewer, 2000, p. 223-235.

cognitifs et politiques développés par les nobles – petits et grands – pour se compter et pour défendre leurs droits et leurs statuts.

Une étude satisfaisante de ces multiples trajectoires, de la constitution à la disparition de ces différentes formes de noblesse, exigerait de nombreux volumes, et dépasserait de beaucoup le cadre de ce livre comme de mes compétences. Plus modestement, je vais maintenant apporter des précisions supplémentaires sur le cas du Royaume-Uni et de la Suède, qui sont à la fois bien documentés et particulièrement pertinents pour la suite de notre enquête.

Le Royaume-Uni et le gradualisme ternaire-propriétaire

Le cas du Royaume-Uni présente un intérêt évident, d'une part car la monarchie britannique a été à la tête du premier empire colonial et industriel mondial au XIXe siècle et jusqu'au milieu du XXe siècle, et d'autre part car il s'agit en quelque sorte du cas opposé à celui de la France. Alors que la trajectoire française est marquée par la césure de la Révolution de 1789, et par de multiples ruptures politiques et restaurations monarchiques, impériales, autoritaires et républicaines aux XIXe et XXe siècles, la trajectoire britannique semble caractérisée par le gradualisme absolu.

Il serait cependant erroné de s'imaginer que c'est uniquement par petites touches que l'organisation sociale et politique du Royaume-Uni est passée du schéma trifonctionnel à une logique propriétariste, puis aux logiques travaillistes et néopropriétaristes ultérieures. Les moments de rupture ont une importance essentielle qui doit être soulignée, car ils illustrent de nouveau la multiplicité des bifurcations et des trajectoires possibles, et l'importance des crises et des logiques événementielles dans l'histoire des régimes inégalitaires. Deux points méritent particulièrement d'être signalés : d'une part le rôle central joué par le combat pour la progressivité fiscale dans la chute de la Chambre des lords, tout particulièrement lors de la crise fatidique de 1909-1911 ; et d'autre part l'importance de la question irlandaise dans la remise en cause générale de l'ordre dominant et du régime inégalitaire britannique entre 1880 et 1920, à la fois dans ses dimensions trifonctionnelles, propriétaristes et quasi coloniales.

Commençons par rappeler le contexte général. Le Parlement britannique a des origines anciennes, que l'on fait généralement remonter aux XIe-XIIIe siècles. Le Conseil du roi, formé de représentants de la haute noblesse et du haut clergé, s'étoffe progressivement et inclut parfois des représentants des villes et des comtés. La séparation du Parlement en deux chambres, la Chambre des lords et la Chambre des communes, se met en place à partir du XIV⁰ siècle. Ces institutions reflètent la structuration trifonctionnelle de la société de l'époque. En particulier, la Chambre des lords se composait de membres des deux classes dominantes, qui initialement avaient un poids équivalent au sein de l'assemblée : d'une part les lords spirituels, c'est-à-dire les évêques, archevêques, abbés et autres représentants de la classe cléricale et religieuse ; et d'autre part les lords temporels, c'est-à-dire les ducs, marquis, comtes et autres représentants de la classe nobiliaire et guerrière. Dans les textes médiévaux anglais théorisant l'organisation sociale en trois ordres, comme ceux de l'archevêque Wulfstan de York, on retrouve le même souci d'équilibre que nous avons noté dans les textes français[1]. Les nobles doivent écouter les conseils de sagesse et de modération que leur prodiguent les clercs, qui en retour ne doivent pas se prendre pour des guerriers et abuser de leur pouvoir, faute de quoi c'est l'ensemble de la légitimité du système trifonctionnel qui pourrait être menacée.

Cet équilibre connaît une première rupture décisive dès le XVI⁰ siècle. À la suite des conflits avec la papauté et de la dissolution des monastères décidée par Henri VIII dans les années 1530, les lords spirituels sont sanctionnés et voient leur rôle politique diminuer. Ils deviennent alors nettement minoritaires au sein de la Chambre des lords, qui sera désormais presque entièrement contrôlée par les lords temporels. Aux XVIII⁰ et XIX⁰ siècles, le nombre de lords spirituels est ainsi limité à 26 évêques, alors que les lords temporels disposent de 460 sièges. La haute noblesse est en outre parvenue à imposer, à partir du XV⁰ siècle, le principe que la quasi-totalité des sièges de lords temporels soit occupée par des pairs héréditaires, c'est-à-dire des ducs, marquis, comtes (*earls*), vicomtes et barons, se transmettant leur pairie de père en fils, généralement suivant la règle de la primogéniture.

Ce système confère à ce mince groupe une pérennité et une prééminence considérables, à l'abri à la fois du pouvoir royal comme du jeu électoral et des enjeux de pouvoir et de rivalité à l'intérieur de la classe nobiliaire (la basse et moyenne noblesse ne jouant aucun rôle dans la nomination et la perpétuation des pairs). Certes, le roi a toujours conservé la possibilité théorique de nommer de nouveaux lords, en principe sans aucune limite,

---

1. Voir chapitre 2, p. 89-92.

ce qui en cas de crise grave peut lui permettre de reprendre entièrement la main sur les affaires du royaume. Mais, en pratique, ce droit a généralement été exercé avec la plus extrême prudence, et le plus souvent dans des circonstances très particulières, sous le contrôle du Parlement, par exemple à la suite des actes d'unions avec l'Écosse (1707) et l'Irlande (1800), qui conduisirent à la nomination de nouveaux lords (par exemple 28 pairs et 4 évêques dans le cas irlandais, ainsi qu'une centaine de sièges à la Chambre des communes), sans que cela bouleverse l'équilibre des pouvoirs.

De multiples travaux ont montré l'extrême concentration du pouvoir et de la propriété terrienne caractérisant la haute aristocratie anglaise au sein des noblesses européennes. On estime qu'à la fin du XIXe siècle, autour de 1880, près de 80 % des terres du Royaume-Uni étaient toujours détenues par 7 000 familles nobles (moins de 0,1 % de la population), dont plus de la moitié par seulement 250 familles (moins de 0,01 % de la population), mince groupe qui correspondait pour une large part aux pairs héréditaires composant la Chambre des lords[1]. Par comparaison, la noblesse française détenait à la veille de la Révolution de 1789 environ 25 %-30 % des propriétés terriennes du royaume, dans un contexte, il est vrai, où la classe ecclésiastique n'avait pas encore été expropriée.

Rappelons également que la Chambre des lords a joué un rôle nettement dominant dans le bicaméralisme britannique jusqu'au dernier tiers du XIXe siècle. Tout au long du XVIIIe puis du XIXe siècle, qu'ils soient membres du parti tory (conservateur) ou du parti whig (officiellement rebaptisé parti libéral à partir de 1859), la majorité des Premiers ministres et des membres du gouvernement était issue de la Chambre des lords. Il fallut attendre la fin du long mandat de lord Salisbury, troisième marquis du nom, et Premier ministre tory en 1885-1892 et de nouveau en 1895-1902, pour que cette tradition se perde et que les chefs de gouvernement soient désormais issus de la Chambre des communes[2].

---

1. Voir D. CANNADINE, *The Decline and Fall of the British Aristocracy*, Yale University Press, 1990, p. 9, tableau 1.1.

2. Alec Douglas-Home, Premier ministre tory en 1963-1964, était comme Salisbury membre de la Chambre des lords, mais il en démissionna à sa nomination comme chef de gouvernement : les temps avaient changé et il paraissait incongru que le pays soit dirigé par un lord. Churchill, Premier ministre tory en 1940-1945 et 1951-1955, était issu d'une famille aristocratique qui avait compté plusieurs membres de la Chambre des lords, mais il avait lui-même été élu aux Communes. Il avait même fait un passage chez les libéraux en 1905, avant de retourner chez les tories en 1924, preuve selon ses adversaires de son opportunisme et de son manque de fidélité aux valeurs aristocratiques traditionnelles.

Il faut surtout insister sur le fait que la Chambre des communes était elle-même composée très majoritairement de membres de la noblesse au XVIIIe siècle et pendant la majeure partie du XIXe siècle, jusqu'en 1860-1870. Adoptée à la suite de la *Glorious Revolution* de 1688 et de la destitution du roi James II, le *Bill of Rights* avait certes confirmé et sanctuarisé les droits du Parlement, en particulier pour l'adoption des impôts et des budgets. Mais ce texte fondateur n'avait rien changé à la structure du Parlement et à son mode d'élection : il a au contraire abouti à consolider un régime parlementaire qui était fondamentalement aristocratique et oligarchique. En particulier, l'ensemble des lois devaient toujours être adoptées dans les mêmes termes par les deux Chambres, ce qui conférait un droit de veto à la Chambre des lords (et donc à quelques centaines de pairs héréditaires) sur la totalité de la législation du royaume, notamment en matière fiscale et budgétaire, et pour tout ce qui concernait le droit de la propriété. Par ailleurs, les membres de la Chambre des communes étaient toujours élus par une minorité de propriétaires. Les règles définissant le cens électoral, c'est-à-dire le montant des impôts qu'il fallait acquitter ou des propriétés qu'il fallait détenir pour avoir le droit de voter, étaient complexes et variables suivant les circonscriptions, et contrôlées par les élites locales au pouvoir. Elles favorisaient en pratique les propriétaires terriens, dont l'influence était en outre renforcée par un découpage électoral accordant plus de sièges aux zones rurales.

Au début des années 1860, environ 75 % des sièges de la Chambre des communes étaient ainsi toujours occupés par des membres de l'aristocratie, alors même que cette dernière représentait moins de 0,5 % de la population britannique de l'époque[1]. On trouvait sur les bancs des Communes des représentants des trois principales composantes traditionnellement distinguées au sein de la classe nobiliaire du Royaume-Uni : la pairie, la noblesse titrée (hors pairie) et la gentry (noblesse non titrée). La paierie était bien représentée, en particulier sous la forme de fils cadets de pairs héréditaires, qui, sauf exception, n'avaient aucune chance d'avoir accès à la Chambres des lords et faisaient souvent le choix d'une carrière parlementaire et politique aux Communes, généralement en se faisant élire dans une circonscription où le lignage familial détenait de vastes domaines terriens. On comptait également aux Communes des fils aînés de pairs héréditaires, dans l'attente de leur place à la Chambre des lords. Salisbury

---

1. Voir D. CANNADINE, *The Decline and Fall of the British Aristocracy, op. cit.*, p. 11-16.

fut ainsi membre de la Chambre des communes à partir de 1853, avant de prendre son siège à la Chambre des lords à la mort de son père en 1868, puis de devenir Premier ministre en 1885.

On trouvait aussi parmi les députés élus aux Communes un grand nombre de membres de la noblesse titrée, et en particulier des baronets et des chevaliers (*knights*). Cette composante de la noblesse ne jouait aucun rôle politique direct au Royaume-Uni et ne bénéficiait d'aucun privilège légal ou fiscal particulier, mais leur titre était néanmoins protégé par l'État britannique, et ses membres occupaient une place protocolaire de choix dans les processions et cérémonies officielles, juste derrière les pairs héréditaires. Il s'agissait d'un groupe extrêmement prestigieux, à peine plus nombreux que la paierie, et auquel le monarque pouvait choisir de donner accès par lettres patentes, suivant une procédure similaire à celle utilisée pour les nominations parmi les lords. Le monarque pouvait en principe procéder à des nominations sans limitation de nombre, mais dans un cas comme dans l'autre il procédait toujours avec modération. Au début des années 1880, le royaume comprenait ainsi quelque 856 baronets, qui se plaçaient immédiatement au-dessous des 460 pairs héréditaires de la Chambre des lords, suivis de quelques centaines de *knights*. Le titre de baronet pouvait également servir de voie d'accès à la paierie, par exemple au cas où des lignées de pairs disparaissaient sans descendance. Il fait l'objet encore aujourd'hui d'une liste officielle, l'*Official Roll of the Baronetage* tenu par le ministère britannique de la Justice[1].

Enfin, la Chambre des communes comptait également un grand nombre de membres de la gentry, c'est-à-dire de la noblesse non titrée, qui formait le groupe numériquement le plus important au sein de l'aristocratie britannique aux XVIIIe et XIXe siècles, mais qui n'avait aucune existence officielle d'aucune sorte, pas même un titre reconnu par l'État ou une place dans les processions et cérémonies.

L'aristocratie britannique, une noblesse propriétariste

Cette structure de l'aristocratie britannique en trois groupes (pairs siégeant à la Chambre des lords, noblesse titrée hors paierie, gentry sans statut officiel) explique d'ailleurs pourquoi il est si difficile d'estimer de façon

---

1. Cette liste comprend en 2019 quelque 962 baronets, dont le titre créé pour Denis Thatcher (époux de Margaret) en 1990, transmis à son fils Mark en 2003.

parfaitement précise l'évolution de la taille de la noblesse au Royaume-Uni. Les difficultés sont d'une nature légèrement différente de celles rencontrées dans le cas de la France. Au XVIIIe siècle, la noblesse française dans son ensemble avait une existence légale, puisque tous ses membres disposaient de privilèges politiques (comme le fait de choisir les représentants de l'ordre nobiliaire aux états généraux), fiscaux (comme l'exonération de certains impôts telle la taille) et juridictionnels (avec les cours de justice seigneuriales). Mais l'état de noblesse était d'abord défini au niveau local, dans des conditions et suivant des modalités qui ont laissé des traces disparates et difficiles à comparer suivant les provinces, si bien qu'il existe des incertitudes importantes sur la taille totale du groupe[1]. À la même époque, la noblesse britannique regroupait d'une part une mince noblesse titrée (moins de 0,1 % de la population), qui comprenait notamment la paierie héréditaire, dotée de privilèges politiques considérables, à commencer par le droit de veto dont disposa la Chambre des lords sur l'ensemble de la législation du royaume jusqu'en 1911, et d'immenses domaines terriens ; et d'autre part la noblesse non titrée (gentry), qui était de loin la plus nombreuse, puisque l'on estime généralement que la taille totale de la classe nobiliaire était autour de 1 % de la population au XVIIIe siècle et de moins de 0,5 % à la fin du XIXe siècle (voir graphique 5.2), mais qui n'avait pas d'existence légale officielle[2].

La gentry formait une classe de propriétaires prospères, plus large certes que la minuscule noblesse titrée britannique, mais autrement plus fine que les classes pléthoriques de petits nobles espagnols, portugais ou polonais. Même si elle ne disposait pas de privilèges politiques et fiscaux explicites, il est bien évident que la gentry bénéficiait grandement du régime politique en vigueur au Royaume-Uni. La gentry se composait notamment

1. Voir chapitre 2, p. 97-101.
2. Les estimations disponibles font état d'environ 15 000-25 000 hommes adultes membres de la gentry aux XVIIIe et XIXe siècles. Leur nombre absolu semble avoir peu changé (avec toutefois une légère hausse au XVIIIe siècle et une légère baisse au XIXe siècle), tout en représentant une proportion rapidement déclinante de la population, compte tenu de la forte hausse de cette dernière (à peine 2 millions de chefs de famille à la fin du XVIIIe siècle en Angleterre et au pays de Galles, contre 6 millions dans les années 1880, si bien que la gentry serait passée de 1,1 % à moins de 0,3 % de la population entre 1800 et 1880). Il s'agit en tout état de cause d'un nombre beaucoup plus élevé que les effectifs de la noblesse titrée (autour de 1 000-1 500 titres en regroupant les lords, les baronets et les *knights*). La gentry était elle-même parfois décomposée entre les *esquires* (entre 3 000 et 5 000) et les *gentlemen*, qui étaient de loin les plus nombreux (entre 15 000 et 20 000). Voir annexe technique.

des descendants des branches cadettes des lignages titrés (pairs, baronets et chevaliers), et plus généralement de groupes issus des anciennes classes guerrières et féodales anglo-saxonnes, élargies à de nouveaux groupes de possédants, en fonction des stratégies d'alliance et de reconnaissance. Les règles déterminant le droit de vote pour les élections aux Communes, définies au niveau local, favorisaient généralement les propriétés terriennes et avantageaient donc indirectement les membres de la gentry qui avaient su conserver un important domaine terrien par rapport à des membres des nouvelles classes bourgeoises et marchandes dont la fortune aurait été exclusivement manufacturière, urbaine ou financière.

Mais le point central est que les frontières entre ces différents groupes de propriétaires étaient relativement poreuses : personne ne savait de façon certaine où commençait et où s'arrêtait la gentry, qui était uniquement définie par le fait que des membres étaient reconnus comme tels par les autres membres du groupe au niveau local. En pratique, de multiples fortunes terriennes et aristocratiques s'étaient progressivement réinvesties dans des activités marchandes, coloniales ou industrielles au cours du XVIIIe et du XIXe siècle, si bien que de nombreux membres de la gentry avaient des patrimoines diversifiés. À l'inverse, nombre de bourgeois authentiques et d'anciens marchands, sans origine féodale ou guerrière d'aucune sorte, avaient eu le bon goût d'acquérir un solide domaine terrien, d'adopter le mode de vie adéquat et de se marier convenablement, de façon à faire leur entrée incontestée dans la gentry[1]. Une alliance avec d'authentiques descendants des anciennes lignées guerrières et féodales, ou bien avec des enfants de la noblesse titrée plus récente, facilitait la reconnaissance comme membre de la gentry, mais ce n'était pas là une condition indispensable. Le régime social et politique en vigueur au Royaume-Uni au XVIIIe siècle et pendant la majeure partie du XIXe siècle reflète dans une large mesure une forme de fusion graduelle des logiques aristocratiques et propriétaristes.

Les conditions de l'exercice du droit de vote étaient elles aussi définies par les élites au niveau local. Il fallut attendre 1832 pour qu'une première

---

1. Voir D. Cannadine, *The Decline and Fall of the British Aristocracy*, op. cit. La promotion politique des nouvelles élites bourgeoises et marchandes, menant dans le meilleur des cas à leur intégration dans la gentry, avait commencé depuis l'époque médiévale dans les circonscriptions urbaines et les territoires royaux, où le droit de vote leur était plus ouvert que sur les terres nobles et ecclésiastiques. Voir par exemple C. Angelucci, S. Meraglia, N. Voigtlaender, « How Merchant Towns Shaped Parliaments : From the Norman Conquest of England to the Great Reform Act », NBER, Working Paper n° 23606, 2018.

véritable tentative de réforme électorale et de législation nationale vît le jour. La contestation sociale et les mobilisations en faveur de l'extension de la « franchise » électorale conduisirent à ce qu'une loi soit votée pour la première fois par le Parlement, non sans résistance. Une partie des députés des Communes voyait là une possibilité d'accroître leur légitimité face aux Lords. Le nombre d'électeurs, qui représentait autour de 5 % des hommes adultes en 1820, soit un groupe nettement minoritaire mais sensiblement plus large que la seule gentry, augmenta significativement à la suite de la loi de 1832, tout en restant relativement faible, et nettement minoritaire. Il était d'environ 14 % de la population adulte masculine en 1840, avec des variations régionales considérables, car les circonscriptions conservèrent le privilège de définir les règles exactes encadrant le droit de vote, en fonction notamment des stratégies des élites locales, et en particulier de la gentry. Ces règles ne furent plus modifiées jusqu'aux réformes électorales véritablement décisives de 1867 et 1884. Soulignons également que le secret des urnes ne fut introduit qu'en 1872. Auparavant chaque vote individuel était annoncé publiquement et conservé dans des registres (que l'on peut toujours consulter aujourd'hui, ce qui constitue d'ailleurs une source précieuse pour les chercheurs). Avant cette date, il n'était pas toujours simple pour les électeurs d'afficher des choix politiques contraires à ceux des propriétaires ou des employeurs les plus puissants du comté. En pratique, une grande partie des sièges étaient non contestés : le député local était réélu d'élection en élection, et souvent de génération en génération. Au début des années 1860, la Chambre des communes avait encore une nature profondément aristocratique et oligarchique.

Les sociétés de propriétaires dans le roman classique

La porosité de ces frontières entre nobles et propriétaires apparaît particulièrement clairement dans la littérature de l'époque, à commencer par les romans de Jane Austen, dont les personnages illustrent à la perfection la diversité de la gentry britannique des années 1790-1810, tout autant que leur inscription dans une logique propriétariste commune. Les uns et les autres détiennent des domaines terriens et de belles demeures, comme il se doit, et l'action se déroule souvent au rythme des bals et des visites que se rendent les différentes familles de propriétaires du comté. Mais à y regarder de plus près, les fortunes comprennent également des placements diversifiés et des actifs lointains, à commencer par de nombreux titres de la dette publique, massivement émis par l'État britannique de l'époque pour financer ses expéditions militaires coloniales et européennes. Les investissements directs dans les outre-mer, notamment négriers et sucriers, ne sont pas absents non plus. Dans *Mansfield Park*, l'oncle de Fanny, sir Thomas, doit ainsi partir plus d'un an aux Antilles avec son fils aîné pour mettre de l'ordre dans ses affaires et ses plantations. La romancière ne s'étend pas sur les difficultés rencontrées par nos deux propriétaires avec leurs possessions esclavagistes, alors à leur zénith dans les îles Britanniques et françaises. Mais on perçoit entre les lignes qu'il n'est pas simple à cette époque d'administrer de tels placements à des milliers de miles de distance. Cela n'empêche toutefois pas sir Thomas d'être également baronet et membre de la Chambre des communes.

Plus ruraux et plus sages en apparence que les personnages de Balzac, qui rêvent quant à eux de fabriques de pâtes et de parfums ou d'audacieux montages financiers et immobiliers dans le Paris des années 1820-1830 (quand ils ne songent pas eux aussi à de confortables rentes négrières investies dans le sud des États-Unis, comme Vautrin dans son fameux discours à Rastignac)[1], les héros de Jane Austen témoignent bien d'un monde où les différentes formes de détention patrimoniale sont entrées en communion. En pratique, le montant des biens semble compter bien davantage que leur composition ou que l'origine de la propriété. Ce qui détermine les possibilités de rencontre et d'alliance auxquelles font face les différents personnages, c'est avant tout le niveau du revenu produit par le capital qu'ils possèdent. Dispose-t-on d'une rente de 100 livres sterling par an (à peine plus de trois fois le revenu moyen de l'époque), ou bien de 1 000 livres (trente fois le revenu moyen), ou encore de 4 000 livres (plus de cent fois) ? Voici bien la question centrale. Dans le premier cas, on est dans la situation peu enviable des trois sœurs Elinor, Marianne et Margaret dans *Le Cœur et la Raison* (*Sense and Sensibility*), et il paraît alors presque impossible de se marier. Dans le dernier cas, on est plus proche de la grande aisance de leur demi-frère John Dashwood, qui, dès les premières pages du roman, scelle leur sort et leur existence future, en refusant tout véritable partage des biens, dans un terrible dialogue avec sa femme Fanny. Entre ces deux extrêmes, on observe toute une graduation de modes de vie et de sociabilités envisageables, de rencontres et de destins possibles, de groupes sociaux subtilement différents, dont Austen comme

---

1. Voir T. PIKETTY, *Le Capital au XXIᵉ siècle*, op. cit., p. 377-383.

Balzac cisèlent les frontières secrètes et déroulent les implications avec une puissance sans pareille. L'un comme l'autre décrivent des sociétés de propriétaires caractérisées par des hiérarchies très fortes, et où il paraît bien difficile de vivre avec un minimum de dignité et d'élégance si l'on ne dispose pas d'au moins vingt ou trente fois le revenu moyen de l'époque[1].

La question de la nature des propriétés produisant ces revenus – terriennes ou financières, manufacturières ou coloniales, immobilières ou négrières – importe finalement assez peu, car tous ces groupes sociaux et toutes ces catégories de détention patrimoniale sont désormais unis par la grâce de l'équivalent monétaire universel, et surtout par le fait que de multiples développements institutionnels, économiques et politiques (à commencer par le régime monétaire, légal et fiscal, les infrastructures de transport, et plus généralement l'unification du marché national et international au travers de la construction de l'État centralisé) permettent de plus en plus cette mise en équivalence pratique. Le roman classique européen du début du XIXe siècle constitue l'un des témoignages les plus éclairants sur cet âge d'or des sociétés de propriétaires, notamment dans ses variantes britannique et française.

Ce n'est pas seulement qu'Austen comme Balzac ont une connaissance intime de la hiérarchie des fortunes et des modes de vie de l'époque, ou qu'ils maîtrisent à la perfection les différentes formes de possession et de rapports de pouvoir et de domination qui caractérisent la société de leur temps. Le plus frappant est peut-être leur capacité à ne pas héroïser leurs personnages : ils ne les condamnent ni ne les glorifient, ce qui leur permet de les restituer dans leur complexité et leur humanité.

De façon générale, les sociétés de propriétaires suivent des logiques plus complexes et subtiles que les sociétés trifonctionnelles. Dans l'ordre trifonctionnel, le partage des rôles et des tempéraments est parfaitement clair. Le grand récit est celui de l'alliance des trois classes : les classes religieuses, guerrières et laborieuses jouent des rôles distincts mais complémentaires pour structurer la société et permettre sa perpétuation et sa stabilité, pour le plus grand bien de l'ensemble de la communauté. Les créations littéraires correspondantes, de *La Chanson de Roland* à *Robin des Bois*, débordent

---

1. Les indications données ici sur les revenus des différents personnages prennent comme référence le revenu national moyen par adulte de l'époque. Il est intéressant de noter que les montants évoqués par Balzac pour caractériser la véritable aisance sont quasi identiques à ceux imaginés par Austen (au taux de change près : rappelons que de 1800 à 1914 la livre sterling vaut environ 25 francs-or). Voir *ibid.*, p. 653-662.

naturellement d'héroïsme : la noblesse des attitudes, le sacrifice, la charité chrétienne, occupent toute leur place. Le schéma trifonctionnel offre des rôles et des fonctions tellement bien délimités qu'il a souvent été repris au cinéma et dans la science-fiction[1]. Nulle trace de ce type d'héroïsme dans les sociétés de propriétaires : dans les romans d'Austen et de Balzac, il n'existe aucune relation claire entre l'ampleur des détentions patrimoniales et les capacités et aptitudes fonctionnelles des uns et des autres. Certains possèdent des propriétés considérables, d'autres des rentes moyennes, et d'autres enfin sont domestiques. Ces derniers sont à dire vrai peu évoqués, tant leur existence est terne. Mais à aucun moment le romancier ne suggère qu'ils sont en quoi que ce soit moins méritants ou moins utiles pour la société que ceux qui les emploient. Chacun joue le rôle qui lui est assigné par son capital, au sein d'échelles qui paraissent éternelles et intangibles. Chacun occupe une place dans la société de propriétaires, qui, grâce à l'équivalent monétaire universel, permet de mettre en contact de vastes communautés et des investissements lointains, tout cela en garantissant la stabilité sociale. Austen comme Balzac n'ont même pas besoin d'expliquer à leurs lecteurs que la rente annuelle apportée par un capital est égale à environ 5 % de la valeur de ce capital, ou bien encore que la valeur d'un capital correspond à environ vingt années de rente annuelle. Chacun sait bien qu'il faut un capital de l'ordre de 200 000 livres pour produire une rente annuelle de 10 000 livres, indépendamment ou presque de la nature des biens en question. Pour les romanciers du XIXe siècle comme pour leurs lecteurs, l'équivalence entre patrimoine et revenu annuel va de soi, et l'on passe en permanence d'une échelle à l'autre, sans autre forme de procès, comme si l'on utilisait des registres de synonymes parfaits, ou deux langues parallèles connues de tous. Le capital ne répond plus à une logique d'utilité fonctionnelle, comme dans les sociétés ternaires, mais à sa seule logique de mise en équivalence de différentes formes de détention, et aux possibilités d'échange et d'accumulation ainsi ouvertes.

Dans le roman classique du début du XIXe siècle, l'inégalité propriétariste est implicitement justifiée par sa capacité de mise en contact de

---

1. Dans *La Planète des singes*, les gorilles jouent le rôle des guerriers, les orangs-outangs sont les prêtres, et les chimpanzés forment les rangs du tiers état (structure ternaire bien connue, qui sera toutefois compliquée par l'intégration des humains, anciennement esclavagistes et bientôt esclaves eux-mêmes). Dans *Star Wars*, les Jedi sont à la fois les plus sages et les plus grands guerriers. La « force » qui les caractérise incarne à sa façon la fusion des deux élites des sociétés trifonctionnelles.

mondes lointains, ou bien peut-être plutôt par le besoin de stabilité sociale (ce n'est pas le rôle du romancier d'imaginer une autre organisation économique et politique, semblent nous dire Austen comme Balzac, mais bien plutôt de montrer les sentiments et les espaces de liberté, de détachement et d'ironie que se préservent les individus face aux déterminismes capitalistiques et au cynisme de l'argent), mais en aucune façon par des logiques et discours méritocratiques (qui ne prendront toute leur ampleur que dans le capitalisme industriel et financier de la Belle Époque, et surtout dans l'hypercapitalisme des années 1980-2020, qui repose sur des modes de célébration des gagnants et de dénigrement des perdants encore plus marqués que tous les régimes antérieurs, et sur lesquels nous reviendrons).

Par moments, on sent également poindre dans le roman du XIXe siècle une autre justification possible de l'inégalité patrimoniale, au nom du fait qu'elle seule permet l'existence d'un mince groupe social ayant les moyens de se préoccuper d'autres choses que de sa propre subsistance. Autrement dit, l'inégalité apparaît parfois comme une condition de la civilisation dans une société pauvre. Austen en particulier évoque avec minutie le fonctionnement de la vie à cette époque : les ressources qu'il faut dépenser pour se nourrir, se meubler, s'habiller, se déplacer. Le lecteur se retrouve à constater que si l'on souhaite de surcroît pouvoir s'offrir des livres ou des instruments de musique, mieux vaut disposer d'au moins vingt ou trente fois le revenu moyen de l'époque, ce que seule permet une concentration extrême des propriétés et des revenus qui en sont issus. Mais l'ironie n'est là encore jamais très loin, et Austen comme Balzac n'oublient pas de se moquer des prétentions de leurs personnages et de leurs prétendus besoins incompressibles[1].

L'almanach de Burke, des baronets aux pétro-milliardaires

Mentionnons également un autre document particulièrement intéressant (bien que nettement moins subtil que les romans d'Austen et de Balzac) permettant d'illustrer la perméabilité des logiques aristocratiques et propriétaristes au sein de la gentry britannique de l'époque : l'almanach de Burke, de son vrai nom *Burke's Peerage, Baronetage and Landed Gentry of the United Kingdom*.

---

1. Voir T. PIKETTY, *Le Capital au XXIe siècle, op. cit.*, p. 653-662.

Généalogiste de son état, John Burke s'est rendu célèbre au début du XIXe siècle pour ses fameux annuaires de la noblesse britannique, à tel point que ses listes de noms et de lignages sont rapidement devenues la source de référence pour étudier l'aristocratie de cette époque au Royaume-Uni. De tels annuaires faisaient autorité et remplissaient un besoin d'autant plus fort qu'il n'existait aucune définition ou liste officielle des membres de la gentry, groupe qui formait pourtant la plus grande partie des effectifs de la noblesse. Le premier almanach de Burke, publié en 1826, fut un succès sans cesse réédité et révisé tout au long du siècle. Tout ce que le royaume comptait de membres plus ou moins avérés de la gentry voulait y figurer, et se délectait des savantes analyses de Burke sur les lignages et les fortunes, les alliances et les propriétés, les glorieuses ascendances lointaines et les hauts faits du présent. Certaines éditions se concentraient sur les pairs et la noblesse titrée, et notamment sur ces baronets si illustres que Burke regrettait ouvertement qu'ils ne jouent pas un rôle politique officiel au service du royaume. D'autres volumes compilés par Burke se focalisaient sur les nobles sans titre officiel. L'édition de 1883 ne comptait pas moins de 4 250 familles issues de la noblesse titrée comme de la gentry. Tout au long du XIXe siècle, les annuaires de Burke étaient respectés par les membres de la noblesse et leurs alliés, tout en étant moqués par ceux qui étaient surtout frappés par le ton infiniment révérencieux utilisé par le célèbre généalogiste et ses successeurs pour évoquer toutes ces familles remarquables qui avaient tant donné au pays[1].

On retrouve ce même type d'annuaires de la noblesse, almanachs royaux et autres bottins mondains dans de nombreux pays, depuis les *Livros de linhagens* compilés au Portugal à partir des XIIIe et XIVe siècles jusqu'aux annuaires des XIXe et XXe siècles. Ces publications permettent aux nobles et à leurs alliés de se compter, de vanter leurs mérites, d'exprimer leurs revendications. Ces annuaires continuent parfois d'exister longtemps après la disparition officielle de la noblesse. Par exemple, si l'on en croit la 28e édition de l'*Annuaire de la noblesse de France*, publiée en 1872, ce ne sont pas moins de 225 députés nobles authentiques (un tiers des sièges) qui sont élus à l'Assemblée nationale lors des législatives de 1871, élections qui rétrospectivement apparaissent comme les premières de la IIIe République, mais qui sont menées à un moment où l'on ne savait pas encore si le nouveau régime, issu de la défaite militaire face aux armées prussiennes, allait pencher

---

1. Voir D. CANNADINE, *The Decline and Fall of the British Aristocracy*, *op. cit.*, p. 15-16.

pour une forme républicaine ou une nouvelle restauration monarchique. Le collaborateur de l'*Annuaire* s'enthousiasme face à ce qu'il perçoit comme « le cri du cœur de la nation, son élan spontané » : « Dans quels bras pouvait-elle se jeter avec plus d'assurance et de sympathie que dans ceux de la noblesse, dont les rejetons, dignes héritiers de la bravoure et des vertus de leurs ancêtres, avaient si généreusement versé le sang à Reichschoffen et à Sedan ? Aussi, quoique tous les hauts personnages ralliés à l'Empire se fussent retirés de la lutte, jamais depuis plus de quarante ans avait-on vu la Chambre élective offrir une si brillante réunion de noms illustres de l'aristocratie[1]. » La proportion de députés nobles allait pourtant chuter à moins de 10 % des sièges en 1914, et moins de 5 % dans l'entre-deux-guerres[2]. L'*Annuaire* lui-même paraît pour la dernière fois en 1938.

Ce qui est particulièrement frappant, dans le cas de l'almanach de Burke, est qu'il existe encore de nos jours : après avoir compté les pairs et les baronets depuis le début du XIXe siècle, les nouvelles versions du *Burke's Peerage*, tout au long du XXe siècle et jusqu'au début du XXIe, se sont mises à lister « les grandes familles d'Europe, d'Amérique, d'Afrique et du Moyen-Orient ». Dans les dernières éditions, on voit ainsi apparaître de nouvelles catégories de milliardaires, issues du pétrole et des affaires, un étrange mélange de têtes couronnées et de grands propriétaires de ressources naturelles et de portefeuilles financiers, toujours égrenées avec le même ton révérencieux et admiratif. L'esprit n'est à vrai dire pas très éloigné des multiples classements de fortunes publiés par les magazines du monde entier depuis les années 1980-1990, notamment par *Forbes* au niveau mondial depuis 1987, ou bien par le mensuel *Challenges* en France depuis 1998. Souvent détenues par d'illustres multimillionnaires eux-mêmes, ces publications sont généralement emplies d'un discours stéréotypé de glorification de la fortune méritée et de l'inégalité utile[3].

---

1. L'*Annuaire* va même jusqu'à recenser parmi les députés nobles pas moins de 9 princes ou ducs, 31 marquis, 49 comtes, 19 vicomtes, 19 barons, et 80 élus « pourvus simplement de la particule », tout en précisant : « Nous ne saurions garantir complètement l'exactitude de cette classification, bien qu'elle ait été dressée le plus possible sur les documents authentiques. Quelques députés négligent ou refusent de prendre leur titre, d'autres au contraire en prennent qui ne sont pas même de courtoisie et auxquels ils n'ont aucun droit » (*Annuaire de la noblesse de France*, 1872, p. 419-424).

2. Voir J. Bécarud, « Noblesse et représentation parlementaire : les députés nobles de 1871 à 1968 », *Revue française de science politique*, vol. 23 (5), 1973, p. 972-993.

3. Ces classements répondent aussi, dans une certaine mesure, à une légitime demande d'information sur le sommet de la hiérarchie sociale, largement ignorée par la statistique

L'almanach de Burke et ses transformations illustrent deux points essentiels. D'une part, la noblesse britannique du XIXᵉ siècle était indissociablement aristocratique et propriétariste. D'autre part, au-delà du cas du Royaume-Uni, et par-delà les transformations des régimes inégalitaires, il existe des continuités profondes entre les logiques trifonctionnelles, propriétaristes et néopropriétaristes de justification de l'inégalité. La question de l'inégalité met toujours en jeu une forte dimension idéologique et conflictuelle. Plusieurs discours s'affrontent, plus ou moins subtils et contradictoires, et s'incarnent dans différents types de dispositifs cognitifs, des romans aux almanachs, en passant par les programmes politiques et les journaux, les tracts et les magazines, afin de définir et compter les effectifs des groupes sociaux en présence, tout autant que leurs ressources et leurs mérites respectifs.

Les Lords, garants de l'ordre propriétariste

Venons-en maintenant au moment fatidique de la chute de la Chambre des lords et du propriétarisme britannique. Les deux événements sont d'ailleurs indissociables. Tout au long du XVIIIᵉ siècle et pendant la majeure partie du XIXᵉ siècle, la Chambre des lords gouverne le pays et joue un rôle central dans le durcissement, la protection et la sacralisation de plus en plus féroce du droit de propriété. On pense classiquement aux *Enclosures Acts*, ces lois adoptées et durcies à plusieurs reprises par le Parlement, sous la conduite des Lords, notamment en 1773 et 1801, et qui visaient à hérisser des haies autour des parcelles et à mettre fin au droit d'usage des paysans pauvres sur les terrains communaux et les pâtures.

Il faut aussi mentionner le fameux *Black Act* de 1723, qui prévoyait la peine capitale pour les chapardeurs de bois et les chasseurs de petits gibiers, petites gens qui avaient pris l'habitude de s'aventurer la nuit, le visage noirci pour ne pas être reconnu, sur des terres qui n'étaient pas les leurs, et que les propriétaires de la Chambre des lords et leurs alliés aux Communes voulaient pouvoir conserver pour leur usage exclusif. Étaient visés ceux qui s'attaquaient aux cerfs, abattaient les arbres, braconnaient des viviers à poissons, arrachaient des taillis, ainsi que ceux qui participaient ou incitaient à de tels actes par malveillance. Un présumé coupable pouvait

---

publique. Voir T. Piketty, *Le Capital au XXIᵉ siècle, op. cit.*, p. 688-714. Je reviendrai sur ces classements de milliardaires dans le chapitre 13, p. 798-800.

être condamné à la pendaison sans autre forme de procès. Initialement prévue pour trois ans, cette loi sera reconduite et durcie pendant plus d'un siècle, le temps que ces rébellions se taisent et rentrent dans l'ordre propriétariste[1].

Plutôt que de voir la Chambre des lords comme une survivance trifonctionnelle au sein d'un monde propriétariste en formation aux XVIIIe et XIXe siècles, il paraît d'ailleurs plus pertinent de voir cette institution politique comme le garant du nouvel ordre propriétariste et de l'hyper-concentration patrimoniale. Lors de la Révolution française, c'est bien au nom d'une logique propriétariste (et non pas d'une logique trifonctionnelle fondée sur l'équilibre entre classe nobiliaire et classe cléricale, ce qui aurait été d'autant plus incongru que cette dernière avait été déclassée depuis longtemps) que les élites britanniques s'insurgèrent contre les événements parisiens.

Arthur Young, qui achève ses passionnants récits de voyages en France alors qu'éclate la Révolution, est ainsi persuadé que le pays court à sa perte en acceptant en 1789-1790 de faire siéger les nobles et les communs (le tiers état) dans une même Assemblée. Pour notre agronome voyageur, il ne fait aucun doute que seul un système politique à l'anglaise, avec un droit de veto pour la haute noblesse, permet un développement harmonieux et paisible, mené par des gens responsables, soucieux de l'avenir, c'est-à-dire des grands propriétaires. Aux yeux des élites britanniques de l'époque, le fait que les représentants du tiers état soient élus suivant un suffrage censitaire n'est pas une garantie suffisante, sans doute car ils sentent que ce droit de vote pourrait un jour être étendu à des classes plus larges et moins responsables. C'est le vote séparé par ordres et le droit de veto donné à la grande noblesse au travers de la Chambre des lords qui assurent qu'aucune politique inconsidérée de redistribution ne sera mise en place, et que le pays ne plongera pas dans le chaos et la remise en cause généralisée du droit de propriété, et par là même de sa prospérité et de sa puissance.

---

1. Voir le livre classique d'E. THOMSON, *Whigs and Hunters : The Origin of the Black Act*, Pantheon Books, 1975. On observe des durcissements similaires du droit de propriété ailleurs en Europe, par exemple en Prusse en 1821, ce qui marqua le jeune Karl Marx. Une scène de chapardeurs de bois violentés par une milice propriétariste ouvre d'ailleurs le film *Le Jeune Karl Marx* réalisé à son sujet par Raoul Peck en 2017. La Révolution française décréta, quant à elle, que les terres et bois privés seraient ouverts à la chasse pour le tout-venant, mesure toujours en place aujourd'hui, et notamment défendue par les communistes français.

La bataille pour la progressivité fiscale
et la chute de la Chambre des lords

De fait, c'est bien l'extension du droit de vote pour les élections à la Chambre des communes, doublée de la question de la progressivité fiscale, qui vont finir par provoquer la chute de la Chambre des lords, puis de la société de propriétaires dans son ensemble. Le mouvement en faveur de l'extension de suffrage redouble de vigueur à partir du milieu du XIXe siècle, alors que le suffrage universel masculin a été expérimenté en France en 1848-1852, et de nouveau à partir de 1871. Au Royaume-Uni, il faut attendre les réformes électorales de 1867 et 1884 pour que les règles soient unifiées sur tout le territoire et que le nombre d'électeurs atteigne respectivement 30 % puis 60 % de la population adulte masculine. Le suffrage universel masculin fut institué en 1918, avant d'être finalement étendu aux femmes en 1928, et cette dernière phase des réformes accompagna les premiers succès décisifs du parti travailliste[1]. Mais avant cela ce sont bien les réformes de 1867 et 1884, doublées de l'abolition du scrutin public en 1872, qui ont totalement transformé les rapports de force entre les Communes et les Lords. À partir du milieu des années 1880, ce sont plus de 60 % des hommes adultes qui sont amenés à choisir leurs députés, à bulletin secret, alors qu'ils étaient à peine plus de 10 % jusqu'au début des années 1860, sous le contrôle des élus et des élites locales. L'extension du suffrage masculin a certes été plus graduelle qu'en France, où l'on est passé directement d'un suffrage censitaire hyper-restreint au suffrage universel masculin (voir graphique 5.3). Mais elle n'en a pas moins totalement bouleversé les conditions de la compétition politique en quelques décennies[2].

1. Voir N. JOHNSTON, « The History of the Parliamentary Franchise », House of Commons Research Paper, 2013. Il est intéressant de noter qu'avant la loi de 1832 (qui était la première législation nationale sur le droit de vote) aucune règle formelle ne réservait ce droit aux hommes : cela relevait de la coutume, et il pouvait exister des cas de femmes propriétaires exerçant le droit de vote. Par ailleurs, il avait été partiellement étendu aux femmes de plus de 30 ans en 1918.

2. Ces réformes se sont en outre accompagnées de mesures ambitieuses (et très innovantes pour l'époque) visant à réguler les dépenses des candidats : le *Corrupt Practices Prevention Act* de 1854, qui oblige les candidats à déclarer leurs dépenses ; puis le *Corrupt and Illegal Practice Act* de 1883, qui limite drastiquement les dépenses totales. Voir J. CAGÉ, E. DEWITTE, « It Takes Money to Make MPs : New Evidence from 150 Years of British Campaign Spending », Sciences Po, 2019.

Graphique 5.3

L'évolution du suffrage masculin en Europe, 1820-1920

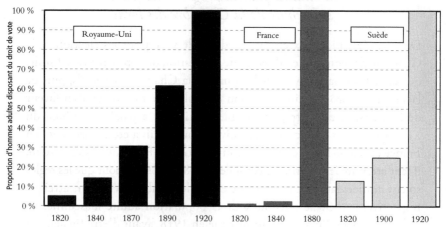

Lecture : le pourcentage d'hommes adultes disposant du droit de vote (compte tenu du cens électoral, c'est-à-dire du montant des impôts à acquitter et/ou des propriétés à détenir pour avoir le droit de voter) est passé au Royaume-Uni de 5 % en 1820 à 30 % en 1870 et 100 % en 1920, et en France de 1 % en 1820 à 100 % en 1880. Sources et séries : voir piketty.pse.ens.fr/ideologie.

En particulier, le premier effet de ces réformes a été de conduire l'ancien parti whig, rebaptisé parti libéral en 1859, à épouser la cause des nouveaux électeurs, et par là même à adopter une plate-forme et une idéologie nettement plus favorables aux classes moyennes et populaires. La réforme électorale de 1867 contribua fortement au triomphe des libéraux aux élections de 1880, ce qui permit la réforme de 1884. Celle-ci entraîna la perte immédiate de dizaines de circonscriptions rurales détenues par des familles nobles, parfois sans interruption depuis plusieurs siècles[1]. À partir des années 1880-1890, les libéraux n'auront de cesse de pousser le parti conservateur et la Chambre des lords (où les tories régnaient en maître) dans leurs derniers retranchements, et de faire valoir leur légitimité nouvelle pour gouverner le pays. En particulier, après s'être illustrés dans le combat pour l'abolition des *Corn Laws* en 1846 et la réduction des tarifs douaniers et autres taxes indirectes pesant sur le pouvoir d'achat des ouvriers et des salariés du royaume, ce qui leur permit de marquer des points face aux tories (suspectés non sans raison de vouloir garder des prix agricoles élevés pour assurer la profitabilité de leurs domaines terriens), les libéraux commencèrent à formuler dans les années 1880-1890 des propositions

1. Voir D. CANNADINE, *The Decline and Fall of the British Aristocracy, op. cit.*, p. 142-143.

de plus en plus audacieuses en matière de politiques sociales et d'impôts progressifs sur les revenus et les successions[1].

Dans les années 1880, Salisbury, leader des tories, avança imprudemment la théorie du « référendum » : sur le plan moral et politique, les Lords avaient selon lui le droit et le devoir de s'opposer à une législation adoptée par les Communes, à partir du moment où la majorité aux Communes n'avait pas été élue explicitement sur la base de cette législation précise, clairement exposée au pays avant les élections. Dans un premier temps, les tories crurent avoir trouvé la parade : les Lords opposèrent en 1894 leur veto aux projets de Gladstone (leader des libéraux) de nouvelle législation sur l'Irlande, au nom du fait que cette réforme modérément populaire en Angleterre n'avait pas été explicitement annoncée aux électeurs. C'est ce qui permit aux conservateurs de remporter les élections de 1895 et de revenir au pouvoir.

Mais l'imprudence de la stratégie de Salisbury, trop confiant dans la capacité supérieure des Lords et des tories à interpréter la volonté profonde du pays, apparut rapidement au grand jour. Revenus au pouvoir sous la conduite de Lloyd George, les libéraux firent adopter en 1909 par la Chambre des communes leur fameux *People's Budget*, avec à son cœur un cocktail détonnant : la création d'un impôt progressif sur le revenu global (la *supertax*, qui venait s'ajouter aux impôts quasi proportionnels qui pesaient séparément sur les différentes catégories de revenus depuis 1842) ; le relèvement des droits de succession sur les héritages les plus importants (les *death duties*) ; et pour couronner le tout un relèvement de l'impôt foncier (la *land tax*) pesant particulièrement sur les grands domaines terriens. L'ensemble permettait de financer une nouvelle série de mesures sociales, en particulier concernant les retraites ouvrières, dans un contexte électoral où les libéraux craignaient d'être graduellement remplacés par les

---

1. Les *Corn Laws*, qui limitaient les importations de céréales et produits agricoles et protégeaient les productions domestiques, furent abolies en 1846 sous le gouvernement tory dirigé par Peel, mais le vote divisa le parti, à tel point que les supporters de Peel (dont Gladstone) finirent par quitter les tories et rejoindre les whigs, ce qui mena finalement à la constitution du parti libéral en 1859. Cette mobilisation des libéraux pour le pouvoir d'achat ouvrier et contre l'aristocratie foncière protectionniste eut un impact durable sur les perceptions politiques du libre-échange et de la concurrence au Royaume-Uni, en particulier par comparaison à la France, où l'aristocratie foncière avait largement disparu et où la question de la défense du petit producteur paysan indépendant face à la concurrence internationale joua un rôle structurant jusqu'à nos jours. Voir à ce sujet D. SPECTOR, *La Gauche, la droite et le marché. Histoire d'une idée controversée (XIXᵉ-XXIᵉ siècle)*, Odile Jacob, 2017, p. 43-52.

travaillistes (ce qui allait finir par arriver) et où il leur fallait donner des gages aux catégories populaires. Le tout avait été parfaitement calibré pour obtenir l'assentiment majoritaire des Communes, et surtout de l'opinion du pays et des nouveaux électeurs, tout en constituant une provocation inacceptable pour les Lords, d'autant plus que Lloyd George ne ratait pas une occasion de se moquer publiquement de l'oisiveté et de l'inutilité de la classe aristocratique. Les Lords tombèrent dans le panneau et opposèrent leur veto au « budget du peuple ». Ils avaient pourtant accepté de voter en 1906-1907 les nouvelles législations du travail accordant davantage de droits aux ouvriers et aux syndicats. Mais en mettant leur veto sur des mesures fiscales les ponctionnant directement, ils prirent un risque fatal : celui d'exposer au grand jour leur égoïsme de classe.

Lloyd George choisit alors de doubler la mise en faisant adopter une nouvelle loi par les Communes, cette fois-ci de nature constitutionnelle, selon laquelle les Lords ne pourraient désormais plus amender les lois de finances (qui dès lors relèveraient uniquement des Communes), et stipulant que leur pouvoir de blocage sur les autres lois ne pourrait plus excéder une année. Les Lords opposèrent sans surprise leur veto à ce suicide programmé, et de nouvelles élections furent convoquées, qui aboutirent à une nouvelle victoire des libéraux. En vertu de la doctrine Salisbury, les Lords auraient alors dû se démettre volontairement et accepter de voter les législations litigieuses, qui étaient maintenant à la fois fiscales et constitutionnelles. Mais compte tenu de l'ampleur historique de l'enjeu, de nombreux lords étaient prêts à revenir sur cet engagement de leur chef, qui n'était au fond qu'informel. D'après les témoignages les plus qualifiés, il semblerait que la menace du roi de créer jusqu'à 500 nouveaux sièges de lords (suite à une promesse secrète qu'il aurait faite à Lloyd George avant les élections) ait joué un rôle décisif. Il est cependant très difficile de dire ce qui serait réellement arrivé si les Lords ne s'étaient finalement résolus à adopter en mai 1911 la nouvelle Loi constitutionnelle[1]. Toujours est-il que c'est à ce moment précis que la Chambre des lords a perdu tout pouvoir législatif véritable. Depuis 1911, c'est la volonté majoritaire exprimée dans les urnes et à la Chambre

---

1. Il faut noter que la royale menace de création de nouveaux lords pour renverser la majorité avait déjà joué un rôle important lors de l'adoption de la réforme électorale de 1832. Mais là encore il est très difficile de dire si le roi aurait été au bout de sa menace si un compromis (moins ambitieux que la réforme initialement envisagée) n'avait pas été trouvé avec les lords. Voir D. CANNADINE, *Victorious Century : The United Kingdom 1800-1906*, Viking, 2017, p. 159.

des communes qui a force de loi au Royaume-Uni, et les Lords n'ont plus qu'un rôle purement consultatif et largement protocolaire. L'institution politique qui avait gouverné le Royaume-Uni pendant des siècles, et qui avait présidé à la formation et aux destinées du premier empire colonial et industriel mondial tout au long du XVIIIᵉ et du XIXᵉ siècle, avait de fait cessé d'exister comme instance décisionnaire.

D'autres réformes constitutionnelles de moindre portée eurent lieu par la suite : la possibilité de nommer des membres à vie (et non plus sur une base héréditaire) fut introduite en 1959, et surtout leur nombre fut fortement augmenté en 1999, à tel point que la Chambre des lords est devenue au début du XXIᵉ siècle composée majoritairement de membres nommés sur la base de leurs compétences ou de leurs actions au service du royaume, mais qui ne peuvent transmettre héréditairement leur siège[1]. Pourtant c'est bien lors de la crise de 1909-1911, au sujet de la question de la progressivité fiscale et de la réduction des inégalités sociales, qu'eut lieu le moment fatidique où les Lords perdirent leur pouvoir. À peine plus de trente années plus tard, en 1945, le Royaume-Uni était gouverné pour la première fois par une majorité absolue de députés travaillistes, issus d'un mouvement politique dont la raison d'être était de représenter les classes populaires et prolétaires du pays, et qui mettrait en place le National Health Service et un ensemble de politiques sociales et fiscales qui allaient contribuer à transformer radicalement la structure des inégalités britanniques, comme nous le verrons plus loin.

L'Irlande, entre idéologie trifonctionnelle, propriétariste et colonialiste

Même si c'est la question de la progressivité fiscale et de la réduction des inégalités sociales qui joue le rôle central lors de la chute de la Chambre des lords en 1909-1911, il faut aussi souligner l'importance de la question irlandaise

---

1. En 2019, la Chambre des lords compte 792 membres, dont 26 lords spirituels (toujours des évêques anglicans), 92 lords temporels héréditaires et 674 lords temporels nommés à vie (*life peers*). Une réforme visant à introduire 80 % de membres élus a été débattue en 2010-2012, puis abandonnée (on ne savait pas bien comment définir une légitimité électorale distincte de celle des Communes et néanmoins justifiée). Le *Parliament Act* de 1949 a abaissé à un an le délai pendant lequel les Lords peuvent bloquer l'adoption d'une loi non budgétaire (délai qui avait finalement été fixé à deux ans en 1911). Cela n'empêche pas les Lords de se rappeler parfois au bon souvenir des Communes, par exemple lors des débats sur le Brexit en 2018-2019, mais sans conséquence durable sur les décisions.

dans la remise en cause générale du régime inégalitaire du Royaume-Uni entre 1880 et 1920, à la fois dans ses dimensions trifonctionnelles, propriétaristes et quasi coloniales.

Le cas de l'Irlande illustre une situation d'inégalité extrême conjuguant en effet des éléments issus de différentes origines politiques et idéologiques. Aux XVIIIe et XIXe siècles, l'Irlande est beaucoup plus pauvre que l'Angleterre : la production agricole et manufacturière par habitant y est deux fois plus faible. L'écart de niveau de vie est aggravé par le fait que l'essentiel des terres agricoles irlandaises est détenu par de grands propriétaires terriens qui résident en Angleterre et, pour une part, sont des membres de la Chambre des lords. Il s'agit dans le fond de la même situation de concentration extrême de la propriété terrienne que celle qui prévaut sur l'île de Grande-Bretagne, sauf que le thème des *absentee landlords*, ces propriétaires absents qui perçoivent des rentes foncières depuis leur manoir anglais, donne à la situation irlandaise une résonance particulière. Il faut ajouter que les catholiques, qui forment 80 % de la population de l'Irlande, ont des droits civiques et politiques fortement restreints. Ils sont tenus de payer la dîme à l'Église anglicane irlandaise, bien qu'ils n'en soient pas membres, et ils n'ont pas le droit d'élire de représentants au Parlement irlandais, qui, en tout état de cause, est soumis au Parlement de Westminster depuis 1494 et ne peut rien décider sans son approbation. Il s'agit donc bien d'une situation de type colonial.

Cependant, inquiétés par le mauvais exemple de la guerre d'indépendance américaine (1775-1783), et plus encore par les risques récurrents d'invasion française en 1796-1798, la monarchie britannique et son Parlement adoptent en 1800 l'acte d'union avec l'Irlande, qui en réalité s'apparente à une reprise en main de l'île, ou plutôt à un marché de dupes. Les catholiques irlandais les plus aisés obtiennent certes le droit de vote, sur une base censitaire, et l'Irlande peut désormais élire 100 représentants aux Communes. Le rapport démographique est cependant très déséquilibré : alors que le recensement de 1801 dénombre plus de 5 millions d'Irlandais et à peine 9 millions d'Anglais, ces derniers ont droit à plus de 500 sièges. Cette représentation aux Communes de Londres s'accompagne en outre de la suppression du Parlement irlandais, clairement dans le but d'éviter que puisse exister une enceinte à majorité catholique. Par ailleurs, les catholiques continuent de devoir acquitter la dîme à l'Église anglicane, ce qui deviendra un motif de conflit de plus en plus violent.

La situation va se tendre bien plus encore à la suite de la Grande Famine irlandaise de 1845-1848, d'une ampleur unique en Europe au XIXe siècle : on compte 1 million de morts, et 1,5 million d'émigrés dans les années qui vont suivre, pour une population initiale d'environ 8 millions d'habitants[1]. Les preuves abondent pour montrer que les élites britanniques étaient au courant des événements et ont refusé de prendre les mesures nécessaires pour éviter le drame, avec dans certains cas l'objectif quasi explicite de régulation malthusienne d'une population pauvre et rebelle de surcroît. La comparaison a souvent été faite avec la famine du Bengale de 1943-1944 (environ 4 millions de morts pour une population de 50 millions). Elle n'est pas totalement injustifiée, dans le sens où les stocks de nourriture étaient suffisants dans les deux cas, mais que l'on se refusa de planifier leur transfert immédiat vers les zones en détresse, en partie au motif qu'il fallait laisser l'augmentation des prix jouer son rôle de signal et inciter ainsi les détenteurs de réserves de grains à répondre à cette demande par le biais des forces de marché[2].

Ces événements vont alimenter une rancœur décuplée des Irlandais face aux propriétaires absents, qui, non contents de toucher leurs rentes à distance, ont laissé le drame se dérouler de l'autre côté de la mer. De façon plus générale, on voit se développer en Irlande, mais aussi en Écosse et au pays de Galles, un mouvement multiforme de protestation contre les propriétaires terriens à partir des années 1860-1870 : on assiste à des refus d'acquitter les loyers, et de plus en plus souvent à des occupations de parcelles, qui dégénèrent parfois en affrontements violents avec les forces de l'ordre et les milices des propriétaires. La première revendication de la population rurale, en particulier en Irlande, est d'abord de pouvoir travailler sur sa propre terre, donc d'accéder à la propriété.

Le gouvernement Gladstone fit alors voter une première loi en 1870 (le *Irish Land Act*) limitant les possibilités d'éviction des exploitants locataires, ouvrant des prêts gouvernementaux pour que les paysans puissent racheter les terres et prévoyant des compensations pour les paysans au cas où ils seraient expulsés des terres après y avoir apporté des améliorations (par exemple sous forme de drainage ou d'irrigation, cas de figure typique qui a toujours nourri des revendications puissantes de la part des exploitants non propriétaires dans tous les systèmes agraires du monde).

1. Voir D. Cannadine, *Victorious Century*, *op. cit.*, p. 211-212.
2. Voir A. Sen, *Poverty and Famines : An Essay on Entitlement and Deprivation*, Oxford University Press, 1981.

Mais, dans le cadre du système légal de l'époque, extrêmement favorable aux propriétaires, ces mesures n'eurent quasiment aucun effet. Il suffisait en effet que les *landlords* augmentent suffisamment le niveau des loyers pour pousser au départ les paysans qui posaient problème. Aucun tribunal, aucun gouvernement, n'aurait songé à cette époque à intervenir dans cette liberté contractuelle. Si l'on allait plus loin, ne risquait-on pas de remettre en cause l'ensemble des relations entre propriétaires terriens et paysans sans terre, non seulement en Irlande mais également en Angleterre ? Tout cela ne conduirait-il pas inévitablement à des revendications similaires dans d'autres secteurs que le monde rural, et à une fragilisation générale du droit de propriété, y compris par extension dans l'immobilier urbain et dans l'industrie ? Si chaque occupant d'un bien, chaque utilisateur d'un capital quelconque, pouvait dorénavant demander à en devenir propriétaire au motif qu'il aurait travaillé suffisamment longtemps en utilisant ce capital, alors c'est la société dans son ensemble qui risquait de s'effondrer. On retrouve dans ces débats sur les terres irlandaises les mêmes arguments entendus au sujet des corvées et des lods pendant la Révolution française : toute remise en cause de la légitimité des droits de propriété établis dans le passé risque d'ouvrir une boîte de Pandore dont la société ne sortira pas indemne, car personne ne saura où s'arrêter.

La situation devint cependant de plus en plus violente en Irlande, avec une généralisation des occupations de terres et des refus d'acquitter les loyers. C'est à ce moment, dans les années 1880-1890, alors que le droit de vote aux Communes venait d'être considérablement étendu, que la peur allait changer de camp et que les propriétaires commencèrent à réaliser le caractère intenable de la situation. Quand ils étaient au pouvoir à Londres, les tories continuèrent certes d'afficher une approche sécuritaire sans pitié vis-à-vis des agitateurs, par exemple avec le *Crime Act* de 1891, qui durcit les pouvoirs de police déjà renforcés en 1881 pour procéder aux arrestations des « terroristes » et aux emprisonnements jugés nécessaires. Mais, dans le même temps, les uns et les autres, tories et libéraux, et surtout les *landlords* eux-mêmes, commencèrent à réaliser que si l'on ne procédait pas rapidement à une redistribution des terres irlandaises au bénéfice des petits paysans catholiques, dans un cadre aussi légal et apaisé que possible, alors la dégradation de la situation allait rapidement mener à une expropriation complète des *absentee landlords*, à travers l'indépendance du pays.

C'est finalement ce qui se produisit, avec la création d'un État libre irlandais en 1921 puis de la république d'Irlande en 1937, après de violents

affrontements dont les traces sont encore bien présentes aujourd'hui. Mais il est intéressant de noter que cette menace indépendantiste bien réelle conduisit le système politique britannique à mettre en place entre 1880 et 1920 des formes de plus en plus volontaristes de réforme agraire et de redistribution des propriétés terriennes irlandaises, qui étaient autant de coups de canif dans l'idéologie propriétariste dominante. Concrètement, le gouvernement décida graduellement de consacrer des sommes de plus en plus importantes pour aider les Irlandais à racheter les terres. Au final, il s'agit bien d'une redistribution des terres organisée par le gouvernement, mais avec une large compensation des propriétaires financée sur argent public. Une loi fut votée en ce sens en 1891, beaucoup plus volontariste et mieux financée que celle de 1870. Elle fut suivie d'un nouveau *Land Act* en 1903, qui permit aux anciens locataires d'acheter leurs terres et de rembourser l'achat pendant soixante-dix ans à un taux d'intérêt nominal de 3 % (à un moment où l'on ne pouvait pas se douter des épisodes inflationnistes qui suivraient, et qui allaient en pratique réduire ces remboursements à peu de chose), avec en outre des subventions gouvernementales à hauteur de 12 % de la valeur des parcelles. L'ensemble fut complété par une loi de 1923, contraignant cette fois-ci les propriétaires restants à vendre leurs terres au nouveau gouvernement irlandais, qui les céda à bas prix aux locataires. D'après certaines estimations, ce sont près des trois quarts des terres qui avaient déjà changé de main avant la guerre, à la faveur des lois successives de 1870, 1891 et 1903, et surtout de la mobilisation des paysans irlandais[1].

Cette expérience irlandaise est révélatrice à plus d'un titre. D'abord, cette situation d'inégalité quasi coloniale contribua à une remise en cause plus générale de la légitimité du système de propriété privée et des inégalités persistantes qu'il entraînait. Pour couper court aux accusations d'hyperconcentration de la propriété terrienne, notamment en Irlande, les Lords acceptèrent par exemple de lancer de grandes enquêtes dans l'ensemble du Royaume-Uni au cours des années 1870, *land surveys* qui, en l'occurrence, aboutirent à la conclusion que la propriété était encore plus concentrée que dans les estimations les plus pessimistes. Ces enquêtes jouèrent un rôle important dans l'évolution générale des représentations de l'inégalité et de la redistribution, car elles montrèrent que le pays était certes à la pointe de la modernité industrielle, mais se trouvait en même

---

1. Voir D. CANNADINE, *The Decline and Fall of the British Aristocracy, op. cit.*, p. 104-105. Il faut cependant noter que, sans les épisodes inflationnistes ultérieurs et sans l'indépendance irlandaise, les remboursements auraient longtemps grevé les budgets des paysans irlandais.

temps à la pointe d'un certain archaïsme inégalitaire, et que les deux réalités n'étaient pas contradictoires, bien au contraire (un peu comme dans la France de la Belle Époque). Le cas irlandais est d'autant plus intéressant que nous retrouverons des problématiques voisines de redistribution de la propriété et de réformes agraires dans d'autres contextes postcoloniaux, par exemple en Afrique du Sud dans les années 1990 et jusqu'à nos jours. Plus généralement, cette expérience irlandaise illustre les liens étroits entre la question des frontières et celle de la redistribution, entre la question du régime politique et celle du régime de propriété. Ces interactions entre systèmes de frontière et structures des inégalités, en lien avec les dimensions à la fois politiques, patrimoniales et parfois migratoires, jouent toujours un rôle clé en ce début du XXIe siècle, dans les îles Britanniques, en Europe et dans le monde.

La Suède et la constitutionnalisation de la société en quatre ordres

Examinons maintenant la Suède, qui offre l'exemple étonnant et relativement méconnu d'une constitutionnalisation précoce de la société en quatre ordres, suivie d'une transition propriétariste originale, au cours de laquelle le royaume de Suède poussa plus loin encore que la France et le Royaume-Uni les logiques propriétaristes, en mettant en place à la fin du XIXe siècle un audacieux système de droits de vote proportionnels aux propriétés détenues et aux impôts acquittés par les uns et les autres.

Le cas suédois est d'autant plus intéressant qu'il s'agit du pays qui est devenu au XXe siècle le symbole emblématique d'une « société sociale-démocrate ». De fait, les sociaux-démocrates suédois du SAP ont conduit le gouvernement du pays dès le début des années 1920, lorsque le dirigeant historique du parti Hjalmar Branting devint Premier ministre, puis de façon quasi permanente de 1932 à 2006, ce qui leur a permis de mettre en place un système social et fiscal extrêmement sophistiqué, et d'atteindre ainsi l'un des niveaux d'inégalité les plus faibles observés dans l'histoire, à tel point que l'on s'imagine souvent que la Suède a toujours été un pays intrinsèquement et éternellement égalitaire[1]. En réalité, il n'en est rien : la Suède était

---

1. Pour une analyse éclairante du mythe de l'exceptionnalité égalitaire suédoise et de sa construction historique au cours du XXe siècle, voir E. BENGTSSON, « The Swedish *Sonderweg* in Question : Democratization and Inequality in Comparative Perspective, c. 1750-1920 », *Past and Present*, 2019.

jusqu'au XIXᵉ siècle et au début du XXᵉ un pays profondément inégalitaire, et par certains côtés encore plus inégalitaire que les autres pays européens, ou plus précisément plus sophistiqué dans l'organisation de son inégalité, plus systématique dans l'expression de son idéologie propriétariste et de son incarnation institutionnelle. Ce sont uniquement des mobilisations populaires particulièrement efficaces, des stratégies politiques spécifiques, et des institutions sociales et fiscales bien précises, qui ont permis que la Suède change de trajectoire.

Certains s'imaginent parfois qu'il existe des essences civilisationnelles ou culturelles qui seraient, par nature, égalitaires ou inégalitaires : la Suède et ses sociaux-démocrates seraient égalitaires depuis toujours, peut-être du fait d'une passion ancienne venant des Vikings, alors que l'Inde et ses castes seraient éternellement inégalitaires, sans doute pour des raisons quasi mystiques venues des Aryens. En vérité, tout dépend des institutions et des règles que chaque communauté humaine se donne, et tout peut changer très vite, en fonction des rapports de force politico-idéologiques entre les différents groupes sociaux en présence et aussi de logiques événementielles et de trajectoires instables qui méritent d'être étudiées de près. L'examen de la Suède est un parfait antidote aux crispations identitaires et conservatrices qui caractérisent trop souvent le débat sur l'inégalité et l'égalité. Il rappelle également que l'égalité est toujours une construction sociopolitique fragile, et que rien ne doit être considéré comme acquis : ce qui a été transformé par les institutions et par la mobilisation politico-idéologique peut l'être encore par les mêmes moyens, pour le meilleur et pour le pire.

Revenons en arrière et indiquons les principaux éléments. De 1527 à 1865, la monarchie suédoise s'appuyait sur un Parlement, le *Riksdag*, qui comprenait des représentants des quatre ordres ou états composant alors le royaume : la noblesse, le clergé, la bourgeoisie urbaine et la paysannerie propriétaire. Par comparaison à la logique trifonctionnelle habituelle, il s'agissait donc d'une organisation explicitement quaternaire et non ternaire. Chacun des quatre ordres désignait ses représentants en fonction de règles qui lui étaient propres, et en pratique, parmi les membres de la bourgeoisie et de la paysannerie, seuls les plus aisés et acquittant les impôts les plus importants avaient le droit de vote. Les votes formels au sein du *Riksdag* se faisaient séparément par ordre, à la façon des états généraux sous l'Ancien Régime français. Les règles établies dans le cadre du *Riksdagsordning* de 1617 précisaient que le roi pouvait trancher de façon décisive en cas d'égalité 2-2 entre les quatre ordres.

Dans le *Riksdagsordning* de 1810, les quatre ordres devaient en principe continuer de voter et de débattre pour qu'une majorité 3-1 ou 4-0 apparaisse. En pratique cependant, la noblesse exerçait un rôle nettement dominant dans ce système théoriquement quaternaire. Elle était numériquement plus fortement représentée que les autres états au *Riksdag*, ce qui lui permettait d'occuper plus de places dans les comités où se préparaient les décisions[1]. Surtout, les membres du gouvernement étaient choisis par le roi, qui disposait lui-même de prérogatives importantes en matière budgétaire et législative, et dans les faits les principaux ministres étaient généralement des nobles. Il faut attendre 1883 pour qu'un premier chef de gouvernement non noble apparaisse. Si l'on considère l'ensemble des gouvernements suédois de la période 1844-1905, on constate que 56 % des ministres étaient membres de la noblesse, alors que ce groupe représentait moins de 0,5 % de la population[2].

Par comparaison au Royaume-Uni et à la France, une différence importante vient du fait que la monarchie suédoise organisa des recensements systématiques de sa population de façon extrêmement précoce. Relativement sophistiqués, ils furent ainsi menés régulièrement à partir de 1750. C'est dans ce cadre que l'État monarchique suédois donnait une signification administrative précise et une délimitation officielle à la noblesse, en fonction de généalogies certifiées remontant à l'ancienne classe guerrière et féodale et des lettres d'ennoblissement décidées par le monarque. Cette définition officielle de la noblesse n'existe ni au Royaume-Uni ni en France (sauf pour les pairs du royaume et la fine noblesse titrée britannique). Ces recensements font état d'une noblesse suédoise qui était déjà relativement étroite dès le milieu du XVIIIe siècle, et dont le nombre absolu progresse par la suite moins vite que la population totale du royaume : la classe nobiliaire regroupait environ 0,5 % de la population en 1750, autour de 0,4 % en 1800, et à peine 0,3 % lors des recensements de 1850 et 1900. Ces niveaux ne sont pas très différents de ceux estimés pour le Royaume-Uni ou la France (voir graphique 5.2), sauf qu'il s'agit en Suède d'une catégorie administrative et politique officielle. On voit ainsi s'y développer une symbiose inhabituellement forte entre la formation de l'État centralisé et la redéfinition du schéma trifonctionnel (en l'occurrence dans une variante quaternaire).

1. Le *Riksdag* de 1809 comptait par exemple 700 représentants de la noblesse, 42 pour le clergé, 72 pour la bourgeoisie, et 144 pour la paysannerie.
2. Voir E. BENGTSSON, « The Swedish *Sonderweg* in Question », art. cité, p. 20.

Le régime du *Riksdag* quaternaire fut remplacé en 1865-1866 par un système parlementaire censitaire composé de deux Chambres : une Chambre haute élue par une petite minorité de grands propriétaires (à peine 9 000 électeurs, soit moins de 1 % de la population adulte masculine) et une Chambre basse également censitaire mais sensiblement plus ouverte, puisque environ 20 % des hommes adultes disposaient du droit de vote pour en désigner les membres.

Par comparaison aux réformes électorales mises en place à la même époque dans les autres pays européens, il s'agissait toutefois d'un système extrêmement restrictif : le suffrage universel masculin fut définitivement rétabli en France en 1871, et les réformes britanniques de 1867 et 1883 portèrent à 30 % puis 60 % le pourcentage d'hommes adultes disposant du droit de vote. Il faut attendre les réformes de 1909-1911 pour que le suffrage soit étendu en Suède, et 1919 pour que les conditions de propriété soient totalement supprimées pour les hommes, puis que le suffrage universel soit étendu aux femmes en 1921. Autour de 1900, avec à peine plus de 20 % des hommes adultes disposant du droit de vote, la Suède fait partie des pays européens les moins avancés, en particulier par comparaison à la France et au Royaume-Uni (voir graphique 5.3), mais aussi aux autres pays d'Europe du Nord[1].

Un homme, cent voix : la démocratie hypercensitaire en Suède (1865-1911)

Surtout, la grande particularité du système censitaire appliqué en Suède entre 1865 et 1911 est que les électeurs disposaient d'un nombre de voix prenant en compte le montant de leurs impôts, de leurs biens et de leurs revenus. Au sein des 20 % des hommes suffisamment riches pour pouvoir voter lors des élections à la Chambre basse, les électeurs étaient ainsi répartis en une quarantaine de groupes, et chaque groupe était associé à un poids électoral différent. Concrètement, les membres du groupe le moins riche avaient chacun 1 voix, alors que ceux du groupe le plus riche avaient jusqu'à 54 voix chacun. Le barème exact déterminant le poids électoral (*fyrkar*) de chaque électeur était fixé par une formule

---

1. Les données indiquées sur le graphique 5.3 prennent en compte uniquement les restrictions au suffrage liées au cens électoral. On aboutit à la même conclusion si l'on considère le fait que toutes les personnes qui en ont le droit ne sont pas inscrites sur les listes électorales, et si l'on compare la Suède aux autres pays nordiques. Voir annexe technique.

qui dépendait à la fois de l'ampleur de ses impôts, de ses propriétés et de ses revenus[1].

Un système similaire s'appliquait pour les élections municipales menées en Suède de 1862 à 1909, avec pour particularité supplémentaire que les sociétés anonymes avaient également le droit de participer à ces élections locales, elles aussi avec un nombre de voix dépendant du montant de leurs impôts et de l'ampleur de leurs biens et bénéfices. Pour les municipalités urbaines, un même électeur, personne privée ou entreprise, ne pouvait toutefois pas disposer de plus de 100 voix. Pour les municipalités rurales, il n'existait en revanche aucun plafonnement de ce type, à tel point que, lors des élections municipales de 1871, on comptait 54 communes en Suède où un seul électeur détenait plus de 50 % des voix. Parmi ces dictateurs à l'impeccable légitimité démocratique figurait par exemple le Premier ministre lui-même : le comte Arvid Posse, qui, dans les années 1880, disposait à lui seul de la majorité des voix dans sa commune de résidence, où sa famille possédait un vaste domaine terrien. On comptait également 414 communes où un seul électeur accaparait plus de 25 % des voix[2].

Cette étonnante expérience hypercensitaire suédoise, qui prit fin avec les réformes électorales de 1911, et plus encore avec l'avènement du suffrage universel en 1919-1921, est riche en enseignements. Elle montre tout d'abord à quel point il n'existe pas d'essence civilisationnelle inégalitaire ou égalitaire : la Suède est passée en quelques années du système propriétariste hyperinégalitaire le plus exacerbé, en place jusqu'en 1909-1911, à la quintessence de la société sociale-démocrate égalitaire, avec l'arrivée au pouvoir du SAP. On peut d'ailleurs considérer que la seconde phase est une réponse aux excès de la première, au moins en partie : les classes populaires et moyennes suédoises, qui étaient exceptionnellement éduquées pour l'époque, ont été exposées à une forme extrême de propriétarisme, et cela a pu nourrir le sentiment qu'il était temps de se débarrasser de cette idéologie hypocrite et de passer à autre chose, en l'occurrence en adoptant une idéologie radicalement différente. Nous retrouverons fréquemment ce type de grand écart au sein des trajectoires politico-idéologiques nationales, par exemple concernant l'évolution passablement chaotique de la progressivité fiscale et des représentations de l'inégalité juste aux États-Unis et au Royaume-Uni au cours du XXᵉ siècle.

---

1. Voir E. BENGTSSON, « The Swedish *Sonderweg* in Question », art. cité, p. 18-19.
2. Voir notamment E. BENGTSSON, T. BERGER, « Democracy, Inequality, and Redistribution : Evidence from Swedish Municipalities, 1871-1904 », Lund University, 2017.

On peut également penser que la construction de l'État centralisé moderne, particulièrement précoce en Suède, ouvre naturellement sur plusieurs trajectoires possibles. Autrement dit, une même organisation étatique fortement structurée peut être mise au service de différents types de projets politiques. Les recensements suédois des ordres et des classes, des impôts et des biens, menés dès le XVIIIe siècle, peuvent permettre d'imaginer des registres répertoriant des électeurs à une voix et d'autres à cent voix au XIXe siècle. Après des transformations idéologiques considérables et une prise de contrôle de l'appareil d'État par les sociaux-démocrates, cette capacité étatique peut également mener au développement des registres de l'État social aux XXe et XXIe siècles. En tout état de cause, cette très rapide transformation suédoise montre l'importance des mobilisations populaires, des partis politiques et des plates-formes programmatiques dans la dynamique des régimes inégalitaires. Si les conditions sont réunies, ces processus peuvent conduire à la transformation prompte et radicale d'un régime inégalitaire, en l'occurrence dans les conditions de l'État de droit, et d'une délibération politique et parlementaire relativement apaisée.

Sociétés par actions, suffrage censitaire : quelle limite au pouvoir monétaire ?

Cette expérience suédoise montre également que l'idéologie propriétariste n'est pas monolithique et a toujours besoin de remplir une certaine forme de vide ou d'indétermination politique, ce qui peut parfois l'amener très loin dans la voie de la contrainte et de la domination sociale de certains groupes sur d'autres. L'idéologie propriétariste repose sur une idée simple : l'ordre social et politique doit se fonder avant tout sur la protection du droit de propriété privée, à la fois pour des raisons d'émancipation individuelle et de stabilité sociale. Mais cette prémisse laisse largement ouverte la question du régime politique : elle implique certes qu'il peut être préférable d'accorder plus de pouvoir politique aux propriétaires, mieux à même d'avoir une vision de long terme et de ne pas ruiner l'avenir du pays dans la satisfaction de passions immédiates. Mais elle ne permet pas de déterminer jusqu'où il convient d'aller dans cette direction et suivant quelles modalités.

Dans le système censitaire britannique, et dans la plupart des pays européens et des sociétés de propriétaires, les choses étaient relativement simples. Les citoyens étaient rangés en deux catégories : ceux qui étaient suffisamment riches étaient considérés comme citoyens actifs et disposaient d'une voix pour choisir les députés aux Communes ; ceux qui ne remplissaient pas cette condition devaient se contenter d'être citoyens passifs, sans aucune voix ni représentation aux Communes. L'absence du secret des urnes jusqu'en 1872 permettait aux plus grands propriétaires et aux électeurs les plus puissants d'influencer d'autres voix, mais cela se faisait indirectement, et non pas explicitement, au travers des votes multiples à la suédoise et d'une graduation des droits au sein des citoyens actifs.

Le régime censitaire appliqué en France de 1815 à 1848 était très proche de celui en vigueur à la même époque au Royaume-Uni, où avait d'ailleurs séjourné une bonne partie de la grande noblesse française de 1789 à 1815. Le système parlementaire comptait une Chambre des pairs (composée principalement de pairs héréditaires, nommés par le roi au sein de la haute noblesse, à la façon de la Chambre des lords) et une Chambre des députés, élue suivant un suffrage censitaire encore plus restreint que celui appliqué pour la Chambre des communes. Les juristes de la monarchie française introduisirent toutefois une innovation, puisqu'il existait deux catégories de citoyens actifs. Lors de la première Restauration, de 1815 à 1830, étaient électeurs les hommes de plus de 30 ans acquittant au moins 300 francs d'impôts directs au titre des « quatre vieilles » (soit environ 100 000 personnes, à peine plus de 1 % des hommes adultes) ; mais pour être éligibles comme député, il fallait être âgé de plus de 40 ans et acquitter plus de 1 000 francs d'impôts directs (environ 16 000 personnes, soit moins 0,2 % des hommes adultes). La loi du « double vote » promulguée en 1820 introduisit également la possibilité pour le quart des électeurs censitaires les plus fortunés (c'est-à-dire approximativement les éligibles) de voter une seconde fois pour désigner une partie des députés. À la suite de la révolution de 1830, le suffrage fut légèrement élargi : le nombre d'électeurs sous la monarchie de Juillet (1830-1848) passa à un peu plus de 2 % des hommes adultes, et le nombre d'éligibles fut porté à environ 0,4 % des hommes adultes. Mais l'on conserva le principe des deux catégories de citoyens actifs, sans chercher à pousser plus loin cette logique[1]. Le royaume de Prusse, qui fut la principale composante de l'Empire allemand de 1871 à 1918, appliqua pour sa part de 1848 à 1918 un système original

---

1. Au Royaume-Uni, la Chambre des communes comptait également depuis le début du XVIIe siècle et jusqu'en 1950 des *university seats* permettant *de facto* aux diplômés d'Oxford et Cambridge de voter deux fois aux élections législatives (une fois au titre de la circonscription de leur résidence, et une fois au titre de leur appartenance aux anciens élèves de leur université). Ce système fut étendu aux autres universités en 1918 avant d'être définitivement supprimé en 1950.

comportant trois classes d'électeurs définis par le montant de leurs impôts et le fait que chaque classe acquittait un tiers de l'impôt total[1].

L'expérience suédoise de la période 1865-1911 peut se voir comme une généralisation de ce type d'approche : les plus riches avaient jusqu'à 100 droits de vote dans les municipalités urbaines, voire une infinité de droits de vote s'ils étaient infiniment riches dans les municipalités rurales. Cela revient à organiser les assemblées politiques de la même façon que les assemblées d'actionnaires dans les sociétés par actions. Il est d'ailleurs intéressant de noter que les deux débats étaient explicitement et étroitement reliés dans le cadre des sociétés de propriétaires du XIXᵉ siècle. Par exemple, au XVIIIᵉ siècle et au début du XIXᵉ, les compagnies par actions au Royaume-Uni introduisirent graduellement des systèmes avec plusieurs classes de droits de vote, de façon que les plus importants apporteurs de capitaux aient davantage de voix, sans pour autant aller jusqu'à une proportionnalité pure et simple, car l'on craignait que cela conduise à une trop forte concentration du pouvoir au sein d'un tout petit nombre d'actionnaires et nuise à la qualité de la délibération et des relations entre associés. Typiquement, tous les actionnaires disposant d'un nombre d'actions supérieur à un certain seuil avaient droit au même nombre de votes, si bien que le nombre maximal de droits de vote était *de facto* plafonné. On retrouve ce même type de systèmes aux États-Unis au début du XIXᵉ siècle : de nombreuses compagnies utilisaient des droits de vote fixes, parfois avec plusieurs tranches, afin de limiter le pouvoir des plus gros actionnaires[2]. Ce n'est qu'au cours de la seconde moitié du XIXᵉ siècle que le modèle « une action, une voix » se généralisa et s'imposa comme norme principale, sous la pression des actionnaires les plus importants. Au Royaume-Uni, il fallut attendre la *Company Law* de 1906 pour que ce principe de proportionnalité entre nombre d'actions et droits de vote devienne dans la loi le mode de gouvernance par défaut des sociétés britanniques par actions[3].

---

1. Plus précisément, les électeurs prussiens étaient rangés en trois classes d'impôt croissant, définies de façon telle que chacune acquitte un tiers de l'impôt total, puis chaque classe élisait un tiers des grands électeurs, qui eux-mêmes élisaient des députés. Les pays nordiques (Danemark, Norvège, Finlande) ont utilisé des systèmes censitaires relativement classiques avec deux classes au XIXᵉ siècle et ne semblent pas avoir été tentés de copier l'expérience suédoise. Voir annexe technique.

2. Voir E. HILT, « Shareholder Voting Rights in Early American Corporations », *Business History*, vol. 55 (4), 2013, p. 620-635.

3. L'étape décisive fut en réalité franchie en 1876, quand la *Court of Appeal* décida que les statuts des compagnies pouvaient choisir de supprimer tout plafonnement sur les

Il est intéressant de noter que ces débats sur les systèmes électoraux dans les assemblées d'actionnaires (notamment les compagnies coloniales, comme les diverses Compagnies des Indes ou la Compagnie de Virginie) et les assemblées politiques, territoriales et parlementaires avaient eux-mêmes été précédés par des débats complexes et anciens sur les règles de vote dans les assemblées ecclésiastiques[1].

Ces expériences historiques ont une importance considérable pour un grand nombre de débats contemporains au sujet des limites à apporter au pouvoir de l'argent et de la propriété. Certes personne ne semble proposer en ce début de XXIe siècle que les droits de vote dépendent de nouveau explicitement de la fortune des différents contribuables. Il n'en reste pas moins qu'un certain nombre de doctrines et d'idéologies développées au cours des dernières décennies aux États-Unis, en particulier par la Cour suprême, visent par exemple à justifier la suppression de tout plafonnement au montant des financements privés aux campagnes politiques, ce qui revient à accorder une influence électorale potentiellement sans limites aux plus fortunés. La question des limites à apporter ou non au pouvoir conféré par la fortune se pose également pour les inégalités juridictionnelles (le développement des arbitrages privés permettant par exemple aux plus aisés de contourner la justice publique commune), les admissions dans l'enseignement supérieur (de nombreuses universités étatsuniennes et internationales admettant par exemple que les dons parentaux suffisamment importants puissent justifier l'admission de leurs enfants, sans aller toutefois jusqu'à l'explicitation publique complète de ces règles, ce qui est en soi intéressant), et ainsi de suite. Nous verrons également que la question des systèmes de droits de vote et de la répartition du pouvoir dans les sociétés par actions a fait l'objet d'innovations majeures au milieu du XXe siècle. De nombreux pays, à commencer par la Suède et l'Allemagne, ont fortement réduit les droits de vote des actionnaires et augmenté d'autant ceux des salariés et de leurs représentants (entre un tiers et la moitié des droits de vote dans les conseils d'administration). Ces questions font actuellement l'objet de nombreux débats dans plusieurs pays qui n'avaient pas initialement suivi le mouvement (en particulier

droits de vote et d'appliquer la proportionnalité absolue. Sur ces débats passionnants, voir E. McGaughey, *Participation in Corporate Governance*, PhD Dissertation, Law Department, LSE, 2014, p. 105-115.

1. Voir O. Christin, *Vox Populi. Une histoire du vote avant le suffrage universel*, Seuil, 2014.

en France, au Royaume-Uni et aux États-Unis) et pourraient fort bien conduire à d'autres innovations à l'avenir[1].

Plus généralement, je veux de nouveau insister sur la diversité et la complexité des trajectoires politico-idéologiques et institutionnelles menant des sociétés trifonctionnelles anciennes au triomphe des sociétés de propriétaires au cours du XVIIIe et du XIXe siècle, puis aux sociétés sociales-démocrates, communistes et néopropriétaristes au XXe et au début du XXIe siècle. Une fois posé le primat du droit de propriété privée, réputé ouvert à tous, et le monopole de l'État centralisé sur les pouvoirs régaliens (justice, police, violence légitime), il restait de nombreux points à préciser, à commencer par les modalités d'organisation du pouvoir étatique.

Dans certains cas, les sociétés d'Ancien Régime avaient été très loin dans la monétisation des rapports de pouvoir et des fonctions publiques, par exemple en France, où la vénalité des charges et offices s'était généralisée au cours des XVIIe et XVIIIe siècles : on mit en vente un nombre croissant de fonctions et charges publiques, notamment dans le domaine fiscal et juridictionnel. Cela était dû à la fois aux besoins financiers de la monarchie absolue (et à son incapacité à développer des recettes fiscales suffisantes) et à une forme de logique propriétariste et incitative. Une personne prête à mettre sur la table un capital important pour pouvoir occuper une fonction publique ne pouvait pas être tout à fait mauvaise ; à tout le moins, elle ferait les frais de ses erreurs et de sa mauvaise gestion, et elle aurait donc tout intérêt à se comporter au mieux, pour le plus grand bien de la collectivité. On retrouve d'ailleurs encore aujourd'hui des traces de cette logique. Certains emplois publics, par exemple des emplois de policiers dans plusieurs pays comme l'Indonésie, ou bien des fonctions fiscales importantes, comme les trésoriers-payeurs généraux en France, font l'objet d'un « cautionnement », dans le sens où les titulaires de ces fonctions doivent consigner une somme d'argent importante avant de pouvoir occuper le poste, somme qui ne sera jamais restituée en cas de faute grave[2]. En l'occurrence, la Révolution française fit le choix de mettre fin à la plupart des charges et offices, tout en prévoyant une compensation

---

1. Voir en particulier troisième partie, chapitre 11, p. 568-598.
2. On retrouve également des reliquats de vénalité des charges et offices avec le cas des licences de taxis parisiens, mais cela reflète sans doute davantage des logiques financières qu'incitatives : les licences ont rapporté des recettes importantes à la puissance publique lors de leur mise en vente, et les racheter aujourd'hui aurait un coût immédiat significatif, ce qui bloque en grande partie la réforme d'un système pourtant très décrié, non sans raison.

pour les détenteurs : la souveraineté publique ne pouvait être vendue à la découpe, mais il ne fallait pas pour autant brimer ceux qui avaient placé leur argent dans cette forme d'investissement[1].

Ces débats montrent qu'il n'existe pas de forme unique à l'idéologie propriétariste, et ils ont là encore une résonance actuelle très forte. Car même si personne ne songe aujourd'hui à généraliser la vénalité des charges et offices (encore que la distribution de postes diplomatiques étatsuniens aux principaux donateurs politiques s'y apparente), la remontée de la dette publique à des niveaux historiquement élevés dans les pays riches, dans certains cas à un niveau supérieur à la valeur cumulée de tous les actifs publics, est une évolution qui n'est pas tout à fait sans rapport, puisqu'elle revient à placer la maîtrise des deniers publics et des fonctions étatiques sous contrôle des créditeurs privés, et à étendre le champ de ce qu'il est possible de posséder (suivant des modalités différentes des charges et offices, mais avec le même effet concernant l'ampleur des détentions patrimoniales privées possibles, voire des effets plus massifs encore, compte tenu de la sophistication du système financier et légal actuel). Au XXIe siècle comme au XIXe siècle, les rapports de propriété ne sont jamais définis de façon unique : ils dépendent avant tout du système légal, fiscal et social que l'on se donne. C'est pourquoi il est impossible d'étudier le néopropriétarisme du XXIe siècle sans commencer par analyser les différentes formes du propriétarisme du XIXe siècle.

La dérive inégalitaire des sociétés de propriétaires au XIXe siècle

Voyons maintenant ce qu'il est possible de dire de l'évolution de la concentration de la propriété au Royaume-Uni et en Suède au cours du XIXe siècle et au début du XXe siècle, et de la façon dont ces trajectoires se comparent à celle observée en France. Précisons que si les sources successorales britanniques et suédoises ne sont pas aussi riches et systématiques que celles léguées en France par la Révolution, elles sont néanmoins largement suffisantes pour établir les principaux ordres de grandeur.

Le résultat le plus frappant est que, malgré tout ce qui différencie ces trajectoires nationales, on constate dans tous ces pays un très haut niveau de

---

1. On notera que les hauts emplois militaires s'accompagnaient d'une forme de cautionnement au Royaume-Uni au XIXe siècle, et qu'il y fut mis fin en 1871 afin d'ouvrir socialement les fonctions en question, avec un succès mesuré semble-t-il. Voir D. CANNADINE, *Victorious Century*, *op. cit.*, p. 350.

concentration dans la propriété tout au long du xixᵉ siècle et jusqu'au début du xxᵉ. Le point central est que les inégalités sont orientées à la hausse au cours de la Belle Époque, et que ce n'est qu'à partir de la Première Guerre mondiale et à la suite des violents chocs politiques des années 1914-1945 que l'on constate une forte baisse de la concentration patrimoniale. Cette conclusion vaut aussi bien pour le Royaume-Uni (voir graphique 5.4) et la Suède (voir graphique 5.5) que pour la France[1], ainsi que pour tous les autres pays pour lesquels nous disposons de sources historiques adéquates[2].

Graphique 5.4

La répartition de la propriété au Royaume-Uni, 1780-2015

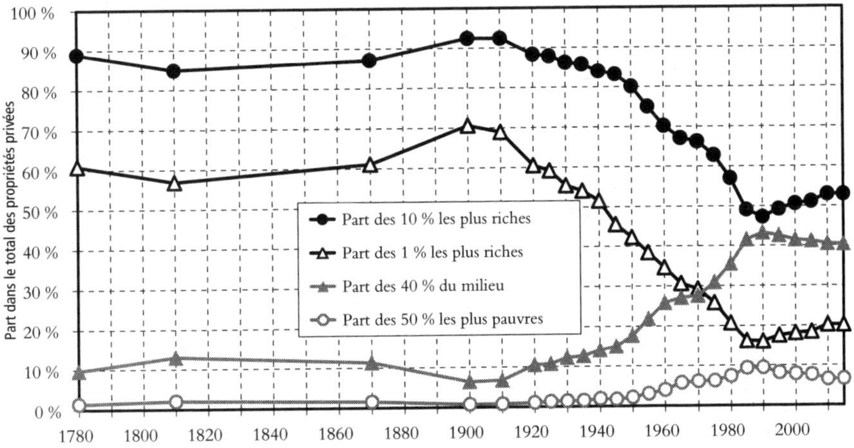

Lecture : la part des 10 % les plus riches dans le total des propriétés privées (actifs immobiliers, professionnels et financiers, nets de dettes) était autour de 85 %-92 % au Royaume-Uni entre les années 1780 et 1910. La déconcentration des patrimoines commence à la suite de la Première Guerre mondiale et s'interrompt au cours des années 1980. Elle s'est faite principalement au bénéfice des « classes moyennes patrimoniales » (les 40 % du milieu), ici définies comme les groupes intermédiaires entre les « classes populaires » (les 50 % les plus pauvres) et les « classes supérieures » (les 10 % les plus riches).
Sources et séries : voir piketty.pse.ens.fr/ideologie.

1. Voir chapitre 4, graphiques 4.1 et 4.2, p. 161, 163.
2. Les séries britanniques présentées ici reposent sur les travaux d'Anthony Atkinson, Allan Harrison et Peter Lindert, ainsi que sur ceux plus récents de Facundo Alvaredo et Salvatore Morelli. Les séries suédoises reposent sur les travaux de Henry Ohlsson, Jesper Roine et Daniel Waldenström, ainsi que sur ceux plus récents de Erik Bengtsson. De nombreux autres pays ont des sources fiscales qui ne débutent malheureusement qu'aux alentours de la Première Guerre mondiale, si bien qu'il est souvent difficile de mettre les chocs entraînés par la guerre dans une perspective plus longue. Mais, à chaque fois que les sources le permettent, on constate qu'aucune tendance nette à la réduction des inégalités ne débute véritablement avant la guerre : cela vaut pour l'Allemagne, le Danemark, la Hollande, les États-Unis et le Japon. Voir annexe technique.

Graphique 5.5

La répartition de la propriété en Suède, 1780-2015

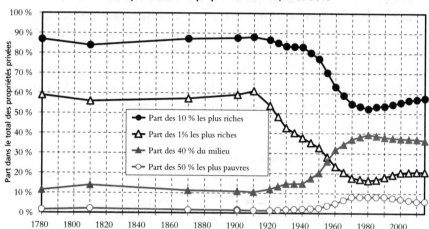

Lecture : la part des 10 % les plus riches dans le total des propriétés privées (actifs immobiliers, professionnels et financiers, nets de dettes) était autour de 84 %-88 % en Suède entre les années 1780 et 1910. La déconcentration de la propriété commence à la suite de la Première guerre mondiale et s'interrompt au cours des années 1980. Elle s'est faite principalement au bénéfice des « classes moyennes patrimoniales » (les 40 % du milieu), ici définies comme les groupes intermédiaires entre les « classes populaires » (les 50 % les plus pauvres) et les « classes supérieures » (les 10 % les plus riches).
Sources et séries : voir piketty.pse.ens.fr/ideologie.

Plusieurs points méritent d'être précisés. Tout d'abord, le fait que la compression des inégalités patrimoniales ne débute véritablement qu'à partir de la Première Guerre mondiale ne signifie évidemment pas que le mouvement de réduction des inégalités n'aurait pas eu lieu en l'absence de la guerre. La dérive inégalitaire des sociétés de propriétaires au XIXᵉ siècle, aux antipodes des promesses émancipatrices qui avaient suivi la fin des sociétés ternaires anciennes, reposait sur un système légal et fiscal spécifique, et ces évolutions ont fortement alimenté le développement des mouvements socialistes, communistes, sociaux-démocrates et travaillistes de diverses tendances au cours de la seconde moitié du XIXᵉ siècle. Comme nous l'avons vu, les mouvements en faveur du suffrage universel et de l'impôt progressif ont commencé à conduire à de premières réformes tangibles à partir de la fin du XIXᵉ et au début du XXᵉ siècle. Il est vrai que ce n'est qu'après 1914 que ces évolutions firent sentir tous leurs effets, et en particulier que la progressivité fiscale atteint ses niveaux modernes, avec des taux d'imposition de plusieurs dizaines de pourcents sur les plus hauts revenus et patrimoines hérités, aussi bien en France qu'au Royaume-Uni, en Suède et dans l'ensemble des pays occidentaux. Mais outre qu'il est tout à fait possible de penser que les fortes tensions sociales et politiques liées à la dérive inégalitaire ont contribué à alimenter la marche en avant vers le nationalisme et la guerre elle-même, on peut fort bien imaginer des trajectoires événementielles au sein desquelles d'autres crises – militaires, financières, sociales ou politiques – auraient joué le rôle déclencheur. Nous reviendrons sur ce point lorsque nous examinerons la chute des sociétés de propriétaires au XXᵉ siècle[1].

Il convient également de noter qu'il existe des différences significatives entre les trois pays : la concentration de la propriété privée était exceptionnellement élevée au Royaume-Uni, un peu moins en Suède, et encore un peu moins en France. Par exemple, la part des 10 % des patrimoines les plus élevés dans le total des patrimoines privés dépassait 92 % au Royaume-Uni à la veille de la Première Guerre mondiale, contre « seulement » 88 % en Suède et 85 % en France. De façon plus significative, la part des 1 % des patrimoines les plus élevés atteignait 70 % au Royaume-Uni, contre environ 60 % en Suède et 55 % en France (mais plus de 65 % à Paris)[2]. La plus forte concentration patrimoniale britannique s'explique en particulier par une concentration exceptionnellement forte des propriétés terriennes. Mais le fait est que, au début du XXᵉ siècle, les terres agricoles ne représentaient plus qu'une petite fraction du total des patrimoines privés (à peine 5 % au Royaume-Uni, entre 10 % et 15 % en Suède et en France)[3]. L'immense majorité des biens prenait la forme d'actifs immobiliers urbains, d'actifs industriels et financiers et de placements internationaux, et le système légal et fiscal permettant ce type d'accumulation était en première approximation tout aussi favorable aux propriétaires dans la France républicaine qu'au Royaume-Uni et dans le royaume de Suède, quoi qu'aient pu en dire les élites de la IIIᵉ République.

Il ne s'agit pas de gommer ici les différences institutionnelles et politiques entre les différents pays, qui étaient réelles. Il reste que, si l'on se place dans une perspective comparative et de longue durée, il existe des points communs extrêmement forts entre les différentes sociétés de propriétaires qui s'épanouissent en Europe au XIXᵉ siècle et au début du XXᵉ siècle. Pour résumer, si l'on fait la moyenne sur la période dite

---

1. Voir troisième partie, chapitre 10, p. 541-548.

2. Voir chapitre 4, graphique 4.1, p. 161.

3. Voir annexe technique et T. PIKETTY, *Le Capital au XXIᵉ siècle, op. cit.*, chapitre 3, graphiques 3.1 et 3.2, p. 188-189.

de la Belle Époque, on peut dire que les sociétés de propriétaires européennes se caractérisaient par une inégalité patrimoniale extrême, avec
environ 85 %-90 % des propriétés détenues par les 10 % les plus riches,
à peine 1 %-2 % par les 50 % les plus pauvres, et environ 10 %-15 % par
les 40 % du milieu (voir graphique 5.6). Si l'on examine maintenant la
répartition des revenus, qui regroupent à la fois les revenus du capital
(tout aussi inégalement répartis que les patrimoines eux-mêmes, voire
un peu plus) et les revenus du travail (nettement moins inégalitaires),
alors on constate que les sociétés de propriétaires européennes de la
Belle Époque se caractérisent par une inégalité des revenus très forte,
mais sensiblement moins extrême que leur inégalité patrimoniale, avec
environ 50 %-55 % des revenus allant aux 10 % des revenus les plus élevés,
10 %-15 % aux 50 % des revenus les plus faibles, et environ 35 % pour
les 40 % du milieu (voir graphique 5.7). Cela nous fournit des points de
repère et des ordres de grandeur utiles auxquels nous pourrons comparer
les autres catégories de régimes inégalitaires que nous allons rencontrer
dans la suite de ce livre.

Graphique 5.6

L'inégalité patrimoniale extrême :
les sociétés de propriétaires européennes à la Belle Époque, 1880-1914

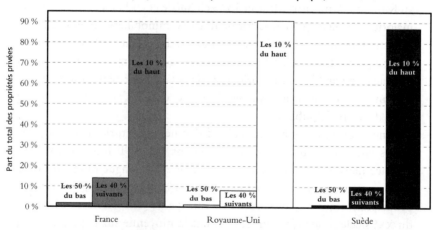

Lecture : la part des 10 % des patrimoines les plus élevés dans le total des propriétés privées (actifs
immobiliers, professionnels et financiers, nets de dettes) était en moyenne de 84 % en France entre 1880
et 1914 (contre 14 % pour les 40 % suivants et 2 % pour les 50 % les plus pauvres), 91 % au
Royaume-Uni (contre 8 % et 1 %) et 88 % en Suède (contre 11 % et 1 %).
Sources et séries : voir piketty.pse.ens.fr/ideologie.

Graphique 5.7

L'inégalité des revenus dans les sociétés de propriétaires européennes à la Belle Époque, 1880-1914

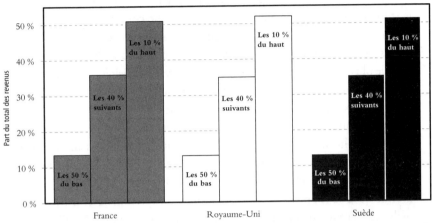

Lecture : la part des 10 % des revenus les plus élevés dans le total des revenus (revenus du travail et revenus du capital : loyers, dividendes, intérêts, profits, etc.) était en moyenne de 51 % en France entre 1880 et 1914 (contre 36 % pour les 40 % suivants et 13 % pour les 50 % les plus pauvres), 55 % au Royaume-Uni (contre 33 % et 12 %) et 53 % en Suède (contre 34 % et 13 %).
Sources et séries : voir piketty.pse.ens.fr/ideologie.

Les trois défis des sociétés de propriétaires

Récapitulons ce que nous avons appris sur les sociétés de propriétaires, et voyons où nous en sommes dans notre enquête. Par comparaison aux sociétés trifonctionnelles, qui reposaient sur des disparités statutaires relativement rigides entre clergé, noblesse et tiers état, et sur une promesse de complémentarité fonctionnelle, d'équilibre et d'alliance entre les trois classes, les sociétés de propriétaires se sont appuyées sur une promesse de stabilité sociale mais aussi d'émancipation individuelle au travers du droit de propriété, réputé ouvert à tous, indépendamment des origines sociales et familiales des uns et des autres. En pratique cependant, au cours de la première phase de son développement historique comme idéologie dominante, c'est-à-dire au XIXᵉ siècle et au début du XXᵉ siècle, l'idéologie propriétariste s'est heurtée à trois difficultés majeures.

D'abord, un défi inégalitaire interne aux sociétés en question : la concentration des richesses était démesurément élevée dans toutes les sociétés propriétaristes européennes du XIXᵉ siècle, égale ou même souvent supérieure aux niveaux observés dans les sociétés d'ordres des siècles précédents, et en tout état de cause beaucoup plus élevée que ce qui pouvait être aisément

241

justifié au nom de l'intérêt général ; tout cela alors même que le développement économique et industriel avait surtout besoin d'égalité éducative, et non pas d'une sacralisation du droit de propriété, qui finissait par menacer la stabilité elle-même (stabilité qui est certes une condition essentielle du développement, mais qui passe aussi par un minimum d'égalité, ou tout du moins par la construction d'une norme d'inégalité raisonnable et acceptable pour le plus grand nombre). Ce défi inégalitaire conduisit à l'émergence des contre-discours puis des contre-régimes communiste et social-démocrate à la fin du XIXe et au cours de la première moitié du XXe siècle.

Ensuite, un défi inégalitaire externe et colonial : la prospérité européenne, de plus en plus manifeste relativement aux autres continents au cours des XVIIIe et XIXe siècles, était liée bien davantage à sa capacité extractive et à sa domination militaire, esclavagiste et coloniale sur les autres parties du monde qu'à sa supposée supériorité morale, propriétariste et institutionnelle. Cet argument moral et institutionnel a longtemps été utilisé pour justifier la mission civilisatrice occidentale, mais sa fragilité apparut de plus en plus clairement aux yeux d'une partie des populations colonisatrices, et surtout aux yeux des populations colonisées, qui développèrent des mobilisations puissantes pour s'en défaire. Les contre-discours et contre-régimes communiste et social-démocrate contribuèrent également à dénoncer cette dimension coloniale (et à un degré moindre la dimension patriarcale) de l'ordre propriétariste.

Enfin, un défi nationaliste et identitaire : les États-nations européens chargés de la protection des droits de propriété et de la promotion du développement économique et industriel sur de vastes territoires sont eux-mêmes entrés dans une phase de concurrence exacerbée et de durcissement des identités nationales et du système de frontières au cours du XIXe siècle, puis une phase autodestructrice entre 1914 et 1945. Ce processus était lui-même lié aux deux premiers, dans la mesure où les tensions sociales internes comme les concurrences coloniales externes contribuèrent fortement à la montée des nationalismes et à la marche vers la guerre qui devait emporter l'ordre propriétariste du XIXe siècle.

L'un des principaux objectifs de cet ouvrage est d'analyser comment ces trois fragilités se sont conjuguées pour conduire à une crise extrêmement violente des sociétés de propriétaires au cours du XXe siècle, sous les coups notamment des guerres mondiales, du défi communiste et social-démocrate, et des indépendances. Notre monde du XXIe siècle est directement issu de ces crises, même s'il tend parfois à en oublier les leçons, surtout depuis la renaissance d'une idéologie néopropriétariste à la fin du XXe siècle et au début du XXIe siècle, à la suite notamment des désastres communistes. Mais, avant d'en arriver là, il est temps de sortir de l'étude des trajectoires européennes, et d'aborder l'analyse des sociétés esclavagistes et coloniales, et plus généralement la façon dont la transformation des sociétés trifonctionnelles extraeuropéennes a été affectée par l'intervention des puissances propriétaristes et coloniales dans leur processus de développement.

Les sociétés esclavagistes et coloniales

Chapitre 6

LES SOCIÉTÉS ESCLAVAGISTES : L'INÉGALITÉ EXTRÊME

Nous avons analysé dans la première partie de ce livre la transformation des sociétés ternaires en sociétés de propriétaires, en nous concentrant sur l'étude des trajectoires européennes. Ce faisant, nous avons omis non seulement le cas des sociétés trifonctionnelles extraeuropéennes, mais également le fait que les sociétés européennes ont mis en place de 1500 à 1960 environ des systèmes de domination coloniale dans le reste du monde qui ont profondément affecté leur développement comme celui de l'ensemble de la planète. Nous allons maintenant étudier dans cette deuxième partie le cas des sociétés esclavagistes et coloniales, et la façon dont la transformation des sociétés trifonctionnelles extraeuropéennes (en particulier en Inde, où les divisions statutaires anciennes demeurent inhabituellement visibles jusqu'à nos jours) a été altérée par leur rencontre avec les puissances coloniales et propriétaristes européennes. Ces processus et trajectoires ont une importance décisive pour comprendre la structure actuelle des inégalités mondiales, aussi bien entre pays qu'à l'intérieur des pays.

Nous allons commencer par examiner dans ce chapitre ce qui constitue sans nul doute la forme la plus extrême de régime inégalitaire : les sociétés esclavagistes. Ces dernières ont une existence bien plus ancienne que le colonialisme européen, et l'étude des conditions de leur expansion, de leur schéma de justification et de leur disparition pose des questions fondamentales pour l'histoire générale des régimes inégalitaires. En particulier, nous verrons que les modalités de l'abolition de l'esclavage à l'âge moderne, décidée au Royaume-Uni en 1833, en France en 1848, aux États-Unis en 1865 et au Brésil en 1888, et les différentes formes de compensation financière versées aux propriétaires (et non pas aux esclaves) qui ont été mises en place à cette occasion nous apportent un témoignage précieux sur le régime de quasi-sacralisation de la propriété privée qui dominait au XIXe siècle, et qui a donné naissance au monde moderne. Dans le cas état-sunien, la question des inégalités raciales et de l'esclavage a en outre eu un impact durable sur la structure des inégalités comme sur la formation du système des partis politiques. Nous étudierons ensuite dans les prochains chapitres le cas des sociétés coloniales postesclavagistes, dans le cadre de ce que l'on peut appeler le « second âge colonial » (1850-1960), en nous penchant en particulier sur le cas de l'Afrique, puis sur celui de l'Inde et d'autres sociétés (notamment en Chine, au Japon et en Iran), et sur la façon dont leur trajectoire inégalitaire a été altérée par le phénomène colonial.

Sociétés avec esclaves, sociétés esclavagistes

L'esclavage est présent dans les sociétés les plus anciennes qui nous aient laissé des traces écrites, en particulier dans le Proche-Orient du IIe et Ier millénaire avant l'ère commune (AEC), de l'Égypte pharaonique à la Mésopotamie. Le code babylonien d'Hammurabi, rédigé vers 1750 AEC, détaille les droits des propriétaires. Le vol d'esclave est puni de mort, et le barbier qui raserait la mèche de cheveu permettant à l'époque d'identifier les esclaves aurait sa main coupée. Dans l'Ancien Testament, rédigé à la fin du Ier millénaire avant notre ère, des peuples vaincus sont régulièrement mis en esclavage par les vainqueurs, et des parents vendent leurs enfants comme esclaves, notamment quand ils ne peuvent plus payer leurs dettes. L'esclavage a laissé des traces bien avant l'émergence explicite du schéma trifonctionnel visant à organiser la société autour des trois classes cléricale, guerrière et laborieuse (avec une classe laborieuse unifiée et libre, tout du moins en théorie), schéma qui se formalise autour de l'an mil en Europe et du IIe siècle AEC en Inde. En pratique, les logiques esclavagistes et tri-fonctionnelles ont longtemps coexisté au sein des mêmes sociétés, car le processus d'unification de la classe des travailleurs en un même statut, qui en théorie implique non seulement la fin de l'esclavage mais également du servage et des différentes formes de travail forcé, est un processus complexe qui s'est étalé sur de nombreux siècles, en Europe comme en Inde et dans les autres civilisations[1].

Il est utile de commencer par rappeler la distinction établie par Moses Finley entre d'une part les « sociétés avec esclaves », dans lesquelles il

---

1. Voir chapitre 2 sur le cas de l'Europe, et chapitre 8 sur celui de l'Inde.

existe des esclaves mais où ces derniers jouent un rôle relativement faible et ne représentent qu'une part réduite de la population (le plus souvent à peine quelques pourcents), et les « sociétés esclavagistes », où les esclaves occupent au contraire une place centrale dans la structure de la production et les rapports de pouvoir et de propriété, et rassemblent une part significative de la population (plusieurs dizaines de pourcents). On trouve des esclaves dans quasiment toutes les sociétés humaines jusqu'au XIXe siècle, qui sont donc des « sociétés avec esclaves » au sens de Finley, mais il s'agit généralement de très petits effectifs. Pour Finley, il n'existerait dans l'histoire qu'un très petit nombre de véritables sociétés esclavagistes : Athènes et Rome dans l'Antiquité, puis le Brésil, le sud des États-Unis et les Antilles aux XVIIIe et XIXe siècles. Dans ces différents cas, les esclaves auraient représenté entre 30 % et 50 % de la population totale (voire davantage dans le cas des Antilles)[1].

Les recherches ultérieures ont montré que les sociétés esclavagistes, tout en restant relativement rares, étaient nettement plus répandues que ne l'avait envisagé Finley. Dans l'Antiquité, on trouve des concentrations importantes d'esclaves dans toute la Méditerranée et le Proche-Orient, à Carthage et en Israël autant que dans les cités grecques et romaines, avec des variations importantes suivant les contextes politico-idéologiques, économiques, monétaires et commerciaux[2]. Entre le XVe et le XIXe siècle, on observe également de nombreux exemples de sociétés esclavagistes en dehors du cadre occidental, notamment au royaume du Kongo (entre l'Angola, le Gabon et l'actuel Congo), au califat de Sokoto (dans le nord de l'actuel Nigeria) et au royaume d'Aceh (sur l'île de Sumatra, aujourd'hui en Indonésie), où les esclaves auraient représenté suivant les cas entre 20 % et 50 % de la population. Le cas du califat de Sokoto, considéré comme le plus grand État africain à la fin du XIXe siècle (avec plus de 6 millions d'habitants, dont environ 2 millions d'esclaves), est particulièrement important, puisque l'esclavage et différentes formes de travail forcé s'y poursuivirent jusqu'à son intégration dans l'empire colonial britannique au début du XXe siècle[3].

1. Voir M. FINLEY, *Ancient Slavery and Modern Ideology*, Penguin, 1980.
2. Voir D. M. LEWIS, *Greek Slave Systems in their Eastern Mediterranean Context, c. 800-146 BC*, Oxford University Press, 2018. Voir également J. ZURBACH, « La formation des cités grecques. Statuts, classes et systèmes fonciers », *Annales. Histoire, Sciences sociales*, vol. 68 (4), 2013, p. 957-998.
3. Voir P. LOVEJOY, J. HOGENDORN, *Slow Death for Slavery : The Course of Abolition in Northern Nigeria, 1897-1936*, Cambridge University Press, 1993 ; P. LOVEJOY, *Jihad in West Africa During the Age of Revolutions*, Ohio University Press, 2016.

Il est probable qu'il existe bien d'autres exemples de sociétés esclavagistes qui restent à découvrir, et davantage encore qui n'ont pas laissé de traces suffisantes pour pouvoir être étudiées précisément[1]. Pour ce qui concerne les traites africaines, on estime qu'elles ont concerné au total autour de 20 millions d'esclaves entre 1500 et 1900 (dont les deux tiers au titre de la traite atlantique, en direction des Antilles et des Amériques, et un tiers pour la traite transsaharienne et en direction de la mer Rouge et de l'océan Indien, organisée à la fois par les États et les marchands européens, arabes et africains), ce qui constitue une ponction démographique considérable sur l'Afrique subsaharienne, compte tenu de la population limitée du continent au cours de cette période[2].

L'autre limitation de la classification introduite par Finley est précisément qu'il existe en réalité de multiples formes d'esclavage et de travail forcé. On observe dans la réalité historique un continuum de statuts du travail entre la servitude absolue et la « liberté » complète, une infinie diversité de situations en fonction des droits dont disposent réellement les uns et les autres, qui sont toujours l'objet d'une construction socio-historique spécifique. Dans les formes les plus extrêmes et les plus « industrielles » de l'esclavage, telles que celles que l'on observe avec la traite atlantique, les esclaves n'ont quasiment aucun droit. Ils s'apparentent à une pure force de travail et sont traités comme un bien mobilier (*chattel slavery*). Les esclaves n'ont alors pas d'identité personnelle (pas de nom reconnu comme tel), n'ont pas de droit à la vie privée, à la vie familiale ou au mariage, pas de droit de propriété, et bien sûr pas de droit de mobilité. Ils subissent une mortalité extrêmement élevée (environ un cinquième pendant la traversée océanique, et presque autant dans l'année qui suit) et sont continuellement remplacés par de nouveaux esclaves venant d'Afrique. Dans le Code noir de 1685 édicté sous Louis XIV pour fixer les droits en vigueur dans les îles esclavagistes des Antilles françaises, et en partie pour limiter les abus, les esclaves ne peuvent rien détenir, et leurs maigres effets personnels appartiennent à leurs propriétaires.

---

1. Il existe également de nombreux cas intermédiaires, où les esclaves représentent une fraction de la population qui n'est ni infime ni dominante, par exemple entre 10 % et 15 % de la population au Portugal ou au Maroc à la fin du XVe siècle et au XVIe siècle. Voir annexe technique.

2. La population de l'Afrique subsaharienne est estimée à 40 millions d'habitants en 1500 et 60 millions en 1820. De nombreuses recherches ont mesuré des effets à long terme extrêmement négatifs sur les régions les plus lourdement ponctionnées. Voir annexe technique.

À l'inverse, dans le cadre du servage, les serfs n'ont certes pas de droit de mobilité, puisqu'ils sont tenus de travailler sur les terres de leur seigneur et ne peuvent partir travailler ailleurs. Mais ils ont une identité personnelle : ils signent parfois les registres paroissiaux, et ils ont généralement le droit de se marier (ce qui peut toutefois nécessiter l'approbation du seigneur) et en principe de détenir des biens et des propriétés, généralement de faible valeur (là encore avec l'autorisation de leur maître). En pratique cependant, ces frontières entre esclavage et servage sont souvent brouillées et peuvent varier considérablement suivant les contextes et les propriétaires[1]. En particulier, de façon graduelle au cours des dernières décennies du XVIIIe siècle, et de façon de plus en plus nette après l'abolition de la traite atlantique en 1807, qui mettra elle-même plusieurs décennies avant d'être s'appliquée complètement, les plantations des Antilles, des États-Unis et du Brésil commencent à reposer sur l'autoreproduction de la population négrière. Dans le cas étatsunien, cette seconde phase de l'esclavage s'avérera la plus prospère et la plus profitable, puisque le nombre d'esclaves passera de moins de 1 million en 1800 à 4 millions en 1860. La crainte des révoltes conduira dans certains cas à un durcissement de la condition esclavagiste au cours de cette période, comme avec les lois adoptées en Virginie, en Caroline et en Louisiane dans les années 1820-1840 punissant de lourdes peines tous ceux qui apprendraient à lire à des esclaves. Il reste que le simple fait que se développent des formes de vie privée et de sociabilité familiale rend la situation des esclaves étatsuniens, antillais et brésiliens du XIXe siècle nettement différente de celle en vigueur à l'époque de la traite et du remplacement continu de la force de travail par les nouveaux arrivants. Il n'est pas certain que la condition des serfs européens du Moyen Âge ait toujours été très supérieure.

Dans l'état actuel des recherches disponibles, les 4 millions d'esclaves exploités dans le sud des États-Unis en 1860, à la veille de la guerre civile (1861-1865), constituent la plus forte concentration d'esclaves observée dans l'histoire. Il faut là encore souligner les limites de nos connaissances sur les sociétés esclavagistes anciennes, et plus généralement les limites des sources disponibles en dehors des systèmes esclavagistes euro-américains et atlantiques des XVIIIe et XIXe siècles. Les estimations les plus répandues sur

---

1. Les termes utilisés pour désigner les différentes formes de travail forcé ont eux-mêmes des origines ambiguës : les mots *esclaves* et *slaves* viennent des razzias de populations slaves pratiquées aux Ve-VIIIe siècles, et les exploitations qui en résultèrent furent ensuite décrites avec les termes du *servage*.

l'esclavage antique font état d'environ 1 million d'esclaves (pour environ 1 million de personnes libres) à Rome et dans sa région au Ier siècle, et entre 150 000 et 200 000 esclaves à Athènes et dans sa région au Ve siècle AEC (pour environ 200 000 personnes libres). Ces évaluations ne couvrent pas toutefois pas toute l'Italie romaine ou toute la Grèce antique, et ne peuvent être considérées que comme des ordres de grandeur[1].

Surtout, la signification du statut servile varie tellement suivant les contextes que ces comparaisons purement quantitatives ont un sens limité. Dans le cas du califat de Sokoto au XIXe siècle, une partie des esclaves pouvait occuper des fonctions élevées dans l'administration ou dans l'armée[2]. En Égypte du XIIIe au XVIe siècle, les Mamelouks sont d'anciens esclaves affranchis ayant occupé de hautes fonctions militaires avant de finalement prendre le contrôle de l'État. L'esclavage masculin militaire joue un rôle important dans l'Empire ottoman jusqu'aux XVIIIe et XIXe siècles, de même que l'esclavage féminin domestique et sexuel[3]. Dans la Grèce antique, certains esclaves, très minoritaires il est vrai, remplissent des fonctions d'esclaves publics et de hauts fonctionnaires, en particulier pour des fonctions hautement qualifiées, comme la certification et l'archivage de textes juridiques, la vérification de la pesée des monnaies ou l'inventaire des biens des sanctuaires, expertises que l'on juge préférable de sortir du jeu politique et d'attribuer à des personnes qui ne disposent pas de droits civiques et ne peuvent donc prétendre occuper les fonctions suprêmes[4]. On ne trouve nulle trace de ce type de subtilité dans l'esclavage atlantique. Les esclaves sont assignés au travail dans les plantations, et la séparation quasi absolue entre population noire servile et population blanche libre

---

1. Voir par exemple D. M. LEWIS, *Greek Slave Systems in their Eastern Mediterranean Context*, *op. cit.*, ainsi que W. SCHEIDEL, « Human Mobility in Roman Italy : the Slave Population », *Journal of Roman Studies*, vol. 95, 2005, p. 64-79.

2. Voir P. LOVEJOY, *Jihad in West Africa During the Age of Revolutions*, *op. cit.* Lovejoy insiste également sur le fait que la forte croissance des concentrations d'esclaves à Sokoto au cours du XIXe siècle (entre 1,5 et 2 millions d'esclaves à la fin du siècle, et près de 4 millions si l'on inclut l'Afrique de l'Ouest) doit être mise en parallèle avec la forte progression étatsunienne : dans les deux cas, cette évolution se nourrit de la fin de la traite atlantique, pour laquelle les chefs musulmans de Sokoto ont fortement fait pression sur les Britanniques à la fin du XVIIIe siècle et au début du XIXe siècle.

3. Voir M. ZILFI, *Women and Slavery in the Late Ottoman Empire*, Cambridge University Press, 2010.

4. Voir P. ISNARD, *La Démocratie contre les experts. L'esclavage public en Grèce ancienne*, Seuil, 2015. Ces esclaves publics représentaient toutefois à peine 2 000 esclaves sur un total de près de 200 000.

prend une forme extrêmement tranchée et peu commune dans l'histoire des sociétés esclavagistes.

Royaume-Uni : l'abolition-compensation de 1833-1843

Nous allons maintenant passer en revue les différentes abolitions de l'esclavage atlantique et euro-américain au cours du XIXe siècle, car ces séquences historiques permettent de mieux comprendre les arguments avancés par les uns et les autres pour justifier ou condamner l'esclavage, ainsi que la multiplicité des trajectoires postesclavagistes possibles. Le cas du Royaume-Uni est particulièrement intéressant pour notre enquête, car il illustre de nouveau une situation de gradualisme extrême, que nous avons déjà rencontrée dans le cas de la transition britannique entre logiques trifonctionnelles et propriétaristes, et que nous retrouvons pour la transition entre logiques esclavagistes et propriétaristes.

La loi d'abolition adoptée par le Parlement britannique en 1833, et qui fut mise en place progressivement entre 1833 et 1843, comportait en effet une indemnisation intégrale des propriétaires d'esclaves. Rien n'était prévu pour indemniser les esclaves des dommages subis par eux ou leurs ancêtres, qu'il s'agisse des lourds dommages physiques ou du simple fait d'avoir travaillé pendant des siècles sans rémunération, ni dans cette abolition ni d'ailleurs dans aucune autre abolition. Bien au contraire : comme nous allons le voir, les ex-esclaves eurent l'obligation une fois émancipés de produire des contrats de travail de long terme relativement rigides et peu avantageux, si bien qu'ils connurent en réalité dans la quasi-totalité des cas un long régime de travail presque forcé après leur libération officielle, avec des variations suivant les abolitions considérées. En revanche, les propriétaires d'esclaves eurent droit dans le cas britannique à une compensation complète pour le dommage subi en tant que propriétaire, à savoir la privation de leur droit de propriété.

Concrètement, l'État britannique prit à sa charge le paiement aux propriétaires d'une indemnité qui était approximativement égale à la valeur de marché de leur stock d'esclaves. Des barèmes relativement sophistiqués furent établis en fonction de l'âge, du sexe et de la productivité des esclaves, afin que la compensation soit la plus juste et la plus exacte possible. Ce sont ainsi quelque 20 millions de livres sterling, soit environ 5 % du revenu national du Royaume-Uni de l'époque, qui ont été versés à 4 000 propriétaires d'esclaves. Si un gouvernement décidait aujourd'hui de consacrer à une telle politique une même proportion du revenu national britannique de 2018, alors il faudrait verser quelque 120 milliards d'euros, soit environ 30 millions d'euros en moyenne pour chacun des 4 000 propriétaires. On parle donc ici de très gros propriétaires, détenant souvent plusieurs centaines d'esclaves, parfois plusieurs milliers. Tout cela a été financé par une hausse correspondante de la dette publique, qui était elle-même payée par l'ensemble des contribuables britanniques, et en pratique principalement par les ménages modestes et moyens, compte tenu de la forte régressivité du système fiscal britannique de l'époque (à base principalement de taxes indirectes pesant sur la consommation et les échanges, comme la plupart des systèmes fiscaux jusqu'au XXᵉ siècle). Pour fixer les ordres de grandeur, on peut aussi noter que la totalité des budgets publics consacrés aux écoles et à l'enseignement en général (tous niveaux confondus) ne dépassait pas 0,5 % du revenu national par an au Royaume-Uni au XIXᵉ siècle. C'est donc l'équivalent de plus de dix années d'investissement éducatif qui a été distribué en argent public pour indemniser les propriétaires d'esclaves[1]. La comparaison est d'autant plus frappante que le sous-investissement éducatif du pays est généralement considéré comme l'une des causes majeures du déclin britannique au XXᵉ siècle[2].

Les archives parlementaires décrivant ces opérations, qui à l'époque paraissaient parfaitement raisonnables et justifiées (tout au moins aux yeux de la minorité de citoyens-propriétaires qui disposait du pouvoir politique), ont récemment fait l'objet d'une exploitation systématique, de la publication de plusieurs livres en 2010 et 2014, et de la mise en ligne de la base de données nominative complète[3]. Il est ainsi apparu que parmi les descendants des propriétaires généreusement indemnisés dans les

1. Voir annexe technique pour une analyse des montants en jeu. Rapportée au revenu de 2018, la compensation de 120 milliards d'euros correspond à une indemnisation moyenne d'environ 150 000 euros pour chacun des 800 000 esclaves, soit un versement d'environ 30 millions d'euros pour un propriétaire moyen possédant 200 esclaves. Voir plus loin la discussion au sujet du prix des esclaves (en comparaison du revenu moyen de l'époque considérée) dans le contexte des États-Unis.

2. Voir chapitre 11, p. 604-609.

3. Voir N. DRAPER, *The Price of Emancipation : Slave-Ownership, Compensation and British Society at the End of Slavery*, Cambridge University Press, 2010 ; C. HALL, N. DRAPER, K. MCCLELLAND, K. DONINGTON, R. LANG, *Legacies of British Slave-Ownership : Colonial Slavery and the Formation of Victorian Britain*, Cambridge University Press, 2014. La base de données LBS (Legacies of British Slave-Ownership) est disponible ici : http://www.ucl.ac.uk/lbs/.

années 1830 figurait un cousin du Premier ministre conservateur alors en place (David Cameron). Des demandes furent exprimées pour organiser une restitution au Trésor public des sommes en question, qui étaient à l'origine de la fortune familiale et du portefeuille financier et immobilier toujours détenu au début du XXIe siècle, de même d'ailleurs que pour de nombreuses familles fortunées britanniques, mais rien ne se produisit, et les choses en sont restées là jusqu'à aujourd'hui.

En l'occurrence, les esclaves de l'Empire britannique qui furent émancipés par la loi de 1833 étaient au nombre d'environ 800 000, la plupart issus des Antilles britanniques (Jamaïque, Trinité-et-Tobago, Barbade, Bahamas, Guyane britannique : 700 000 au total dans les *British West Indies*, comme on les appelle en langue anglaise), et pour une moindre part de la colonie britannique du Cap en Afrique du Sud et de l'île Maurice dans l'océan Indien. Ces territoires étaient composés principalement d'esclaves, mais relativement à la population du Royaume-Uni des années 1830-1840 (environ 24 millions de personnes), le nombre d'esclaves émancipés ne représentait finalement que l'équivalent d'environ 3 % de la population métropolitaine totale. C'est ce qui permit à cette politique d'indemnisation intégrale des propriétaires d'esclaves d'avoir un coût élevé, mais néanmoins supportable par le corps social et le contribuable britannique. Nous verrons que les choses se présentèrent très différemment dans le cas étatsunien : l'ampleur des compensations en jeu rendait quasiment inenvisageable une solution financière.

De la justification propriétariste
de la compensation aux négriers

Il est important d'insister sur le fait que cette politique d'indemnisation des propriétaires apparaissait évidente aux yeux des élites britanniques de l'époque. Si l'on spoliait sans compensation les propriétaires d'esclaves, alors pourquoi ne pas spolier également ceux qui avaient détenu des esclaves dans le passé, et qui avaient ensuite échangé leurs esclaves pour d'autres placements ? De proche en proche, ne risquait-on pas de finir par remettre en cause l'ensemble des droits de propriété acquis autrefois ? On retrouve là les mêmes arguments propriétaristes que ceux déjà rencontrés dans d'autres contextes, par exemple au sujet des corvées sous la Révolution française ou des *absentee landlords* en Irlande à la fin du XIXe et au début du XXe siècle[1].

1. Voir chapitres 3-5.

Souvenons-nous également des romans de Jane Austen évoqués dans le chapitre précédent. Dans *Mansfield Park*, il se trouve que sir Thomas détient des plantations à Antigua et que Henry Crawford n'en possède pas, mais cela n'entraîne aucune connotation morale particulière, tant les différentes formes d'actifs et de détentions patrimoniales (terres, titres de dette publique, immeubles, placements financiers, plantations, etc.) apparaissent interchangeables, pourvu qu'ils produisent le revenu annuel attendu. Au nom de quoi un Parlement aurait-il le droit de ruiner l'un sans ruiner l'autre ? De fait la solution « idéale » n'était pas si simple à déterminer, tant que l'on se refusait à remettre en cause la logique propriétariste. Sans doute aurait-il été justifié de mettre à contribution davantage ceux qui s'étaient enrichis en possédant des esclaves, non seulement en les privant de leur « propriété », mais également en indemnisant les esclaves, par exemple en leur transférant la propriété des parcelles sur lesquelles ils avaient travaillé si longtemps sans rémunération. Mais pour financer la compensation, il aurait été justifié de faire également contribuer l'ensemble des propriétaires, avec un barème d'autant plus lourd que leur fortune était importante, quelle que soit sa composition, afin de prendre en compte le fait que de nombreuses personnes avaient détenu des esclaves dans le passé, et plus généralement que tous les propriétaires s'étaient enrichis en conduisant des transactions avec les esclavagistes et leurs productions cotonnières et sucrières, qui jouaient un rôle central dans l'ensemble du système économique de l'époque. Or c'est précisément cette remise en cause générale de la propriété, qui serait devenue presque inévitable dès lors que l'on posait la question de l'indemnisation des esclaves (ou simplement si l'on admettait l'absence d'indemnisation des propriétaires), que les élites du XIXe siècle voulaient éviter.

La nécessité de la compensation versée aux propriétaires allait de soi non seulement pour les élites politiques et économiques de l'époque, mais également pour une bonne partie des penseurs et intellectuels. On retrouve la distinction entre les Lumières « radicales » et « modérées » rencontrée au moment de la Révolution française[1]. Si certains « radicaux » comme Condorcet défendaient l'idée d'une abolition sans compensation[2], la plupart des élites « libérales » et « modérées » considéraient la compensation des propriétaires comme un préalable évident et indiscutable. On pense

---

1. Voir chapitre 3, p. 148-150.
2. Dans ses *Réflexions sur l'esclavage des nègres* (1781), Condorcet proposait même que les maîtres d'esclaves versent une compensation sous forme de pension aux anciens esclaves.

notamment à Tocqueville, qui s'illustra dans les débats français sur l'abolition au cours des années 1830-1840 par des propositions d'indemnisation qu'il voulait ingénieuses (et qui étaient surtout très généreuses pour les propriétaires, comme nous le verrons plus loin). Les arguments moraux sur l'égale dignité humaine jouèrent certes un rôle dans les débats abolitionnistes. Mais tant qu'ils ne s'accompagnaient pas d'une vision d'ensemble de l'organisation économique et sociale et d'un plan précis décrivant comment l'abolition allait s'insérer dans l'ordre propriétariste, ces arguments avaient du mal à emporter l'adhésion.

Aux XVIIIe et XIXe siècles, de nombreux abolitionnistes chrétiens tentèrent d'expliquer que la doctrine chrétienne elle-même commandait de mettre fin immédiatement à l'esclavage, et que c'était d'ailleurs l'avènement du christianisme qui avait permis de mettre un terme à l'esclavage antique. Malheureusement l'argument était faux. On observe de nombreux évêchés possédant des esclaves dans l'Europe chrétienne au moins jusqu'aux VIe-VIIe siècles, ce qui a d'ailleurs accéléré les conversions et la pénétration de l'islam en Espagne au VIIIe siècle[1]. Il fallut attendre l'an mil pour voir la fin de l'esclavage européen, et plusieurs siècles supplémentaires pour que le servage disparaisse, voire la fin du XIXe siècle dans le cas de la Russie orthodoxe. Lors de ces débats, de nombreux historiens et antiquisants, notamment au sein de l'école allemande, s'opposèrent aux arguments des abolitionnistes chrétiens en insistant sur le fait que c'est l'esclavage, en laissant d'autres classes se consacrer à des activités artistiques et politiques supérieures, qui avait permis la grandeur de l'Antiquité en général, et des civilisations gréco-romaines en particulier. S'opposer à l'esclavage revenait donc à s'opposer à la civilisation et à s'en remettre à un égalitarisme médiocre. Certains tentèrent même de démontrer ce lien entre esclavage et civilisation en défendant l'idée que la population humaine n'avait jamais été aussi élevée que dans l'Antiquité, ce qui était tout aussi faux que les affirmations des abolitionnistes chrétiens, mais avait quelque apparence de plausibilité, en raison du climat intellectuel de l'époque : de la Renaissance jusqu'au XIXe siècle, le « Moyen Âge » était volontiers regardé comme l'âge des ténèbres[2].

---

1. Cette expérience négative contribua à inciter les royaumes chrétiens repliés dans le nord de l'Espagne à réduire l'usage de l'esclavage à partir du VIIIe et du IXe siècle. Voir R. BLACKBURN, *The Making of New World Slavery : From the Baroque to the Modern*, Verso, 1997, p. 39-40.

2. Voir M. FINLEY, *Ancient Slavery and Modern Ideology, op. cit.*, chapitre 1.

Il est également intéressant de noter que les débats sur l'abolition, particulièrement vifs au Royaume-Uni et en France de 1750 à 1850, utilisaient un grand nombre d'arguments chiffrés et statistiques sur les mérites comparés du travail servile et du travail libre[1]. Les abolitionnistes, en particulier sous la plume de Du Pont en 1771, puis dans les calculs plus sophistiqués de Laffon de Ladébat en 1788, estimaient que le travailleur libre était tellement plus productif que l'esclave que les planteurs pourraient gagner encore plus d'argent en émancipant leurs esclaves et en transportant aux Antilles une partie de l'abondante main-d'œuvre bon marché disponible dans les campagnes françaises et européennes. Les propriétaires d'esclaves se montrèrent peu convaincus par ces savants calculs (à dire vrai peu crédibles), et estimaient au contraire que la productivité du travail libre et servile était équivalente, ou peut-être même plus élevée dans le cas du travail servile, compte tenu de la dureté des tâches et de la nécessité des châtiments corporels. Les esclavagistes des différents pays insistaient également sur le fait que les coûts salariaux plus importants associés au travail libre (pour une même productivité) ruineraient immédiatement leur compétitivité commerciale vis-à-vis des concurrents des autres puissances coloniales. Plus personne ne voudrait de leur sucre, de leur coton et de leur tabac, et ce serait la faillite immédiate de la production nationale et de la grandeur du pays, si par malheur l'on se mettait à suivre les lubies antiéconomiques et antipatriotiques des abolitionnistes.

Au final, rien n'indique que la fin de la traite atlantique en 1807 ait nui à la profitabilité des plantations. Les personnes vivant de la traite ont certes dû changer de métier, mais les planteurs se rendirent vite compte qu'il pouvait être moins coûteux de s'appuyer sur la reproduction de la population esclavagiste. La décision fut d'ailleurs prise par le Royaume-Uni, reprise en 1808-1810 par les États-Unis et la France, puis généralisée aux autres puissances européennes lors du congrès de Vienne en 1815, à un moment où cette pratique reproductive était déjà largement répandue et avait prouvé son efficacité. De même, il est probable que si les élites propriétaires et industrielles du Royaume-Uni acceptèrent de se lancer dans l'abolition de 1833, c'est en partie parce qu'elles estimaient à ce moment-là que le travail salarié permettait un développement économique tout aussi profitable que le travail servile (sans compter qu'il était tentant de se venger

---

1. Sur ces débats, voir le livre passionnant de C. OUDIN-BASTIDE et P. STEINER, *Calcul et Morale. Coûts de l'esclavage et valeur de l'émancipation (XVIIIᵉ-XIXᵉ siècle)*, Albin Michel, 2015.

des Étatsuniens, de leur indépendantisme comme de leur archaïsme économique). À la condition toutefois que les propriétaires d'esclaves reçoivent une compensation intégrale pour leur perte de propriété, comme cela fut fait dans le cas de l'abolition britannique, car il est très peu probable que la plus grande efficacité du travail libre aurait pu suffire à indemniser les propriétaires, quoi qu'aient pu prétendre certains abolitionnistes. L'abolition de l'esclavage avait un coût pour les propriétaires, et le choix politique du Royaume-Uni consista à faire payer ce coût par les contribuables britanniques, ce qui montre à la fois la puissance politique des propriétaires et de l'idéologie propriétariste dans la société de l'époque.

France : la double abolition de 1794-1848

L'abolition de l'esclavage dans les colonies françaises a ceci de particulier qu'elle se déroula en deux étapes. Une première abolition fut décidée par la Convention en 1794, à la suite de la révolte des esclaves de Saint-Domingue (Haïti), avant que l'esclavage soit rétabli en 1802 sous Napoléon. Finalement l'abolition définitive fut adoptée en 1848, à la suite de la chute de la monarchie et de l'avènement de la IIe République. Le cas français vient en outre rappeler ce qui est sans doute le premier facteur historique qui a mené à l'abolition de l'esclavage : non pas la grandeur d'âme des abolitionnistes euro-américains ou les petits calculs des propriétaires, mais les révoltes organisées par les esclaves eux-mêmes, et la peur de nouvelles révoltes. Leur rôle crucial est évident dans le cas de l'abolition de 1794, qui est la première grande abolition de l'histoire moderne, et qui est la conséquence directe du fait que les esclaves haïtiens avaient déjà obtenu par les armes leur propre libération et s'apprêtaient à déclarer l'indépendance du pays.

Il est également parfaitement clair dans le cas de la loi britannique de 1833, qui eut lieu moins de deux ans après la grande révolte des esclaves en Jamaïque de Noël 1831, révolte dont les échos sanglants dans la presse anglaise firent forte impression sur l'opinion britannique et contribuèrent à remettre en selle les abolitionnistes lors des débats de 1832-1833 et à convaincre les propriétaires qu'il était plus sage d'accepter une généreuse compensation financière plutôt que de prendre le risque que leurs plantations de Jamaïque ou de la Barbade connaissent un jour le sort de celles de Saint-Domingue. La révolte jamaïcaine de 1831, qui se termina par des exécutions de masse, faisait elle-même suite à celle qui eut lieu en Guyane britannique en 1815 et à la grande révolte de la Guadeloupe en 1802, qui se termina par l'exécution et la déportation d'environ 10 000 esclaves, soit 10 % de la population, ce qui conduira les autorités françaises à reprendre temporairement la traite dans les années 1810-1820 pour repeupler l'île et redémarrer les plantations sucrières[1].

Il est important de rappeler ici que les îles esclavagistes françaises rassemblaient, à la veille de la Révolution de 1789, la plus importante concentration d'esclaves au sein du monde euro-américain. Vers 1780-1790, les plantations françaises des Antilles et de l'océan Indien regroupaient autour de 700 000 esclaves (soit l'équivalent de près de 3 % de la population française hexagonale de l'époque, qui était autour de 28 millions d'habitants), contre environ 600 000 dans les possessions britanniques et 500 000 dans les plantations du sud des États-Unis (nouvellement indépendants). Dans les Antilles françaises, les principales concentrations d'esclaves se trouvaient à la Martinique, en Guadeloupe, et surtout à Saint-Domingue qui comptait à elle seule plus de 450 000 esclaves. Renommée Haïti lors de la proclamation d'indépendance de 1804, reprenant ainsi un ancien nom amérindien, Saint-Domingue était à la fin du XVIIIe siècle le joyau des colonies françaises, la plus prospère et la plus profitable d'entre toutes, notamment grâce à ses productions de sucre, de café et de coton. Saint-Domingue était une colonie française depuis 1626 et occupait la partie occidentale de la grande île d'Hispaniola, où avait accosté Colomb en 1492, alors que la partie orientale était une colonie espagnole (avant de devenir la République dominicaine), de même que la grande île voisine de Cuba (où l'esclavage se prolongea jusqu'en 1886).

Dans l'océan Indien, les deux îles esclavagistes françaises étaient l'île de France (la plus importante au XVIIIe siècle, mais qui fut occupée par les soldats anglais en 1810 et devint une possession britannique sous le nom d'île Maurice à la défaite de Napoléon en 1814) et l'île Bourbon, qui resta française en 1815 et fut renommée île de la Réunion pendant la Révolution. Au total, les plantations de ces deux îles regroupaient près de 100 000 esclaves vers 1780-1790, contre 600 000 dans les Antilles françaises.

Il faut également insister sur le fait qu'il s'agissait véritablement d'îles aux esclaves, dans le sens où la proportion d'esclaves atteignait 90 % de la population totale de Saint-Domingue à la fin des années 1780 (ou même

---

1. Sur l'étrange période de vraie-fausse abolition en Guadeloupe avant le rétablissement officiel de l'esclavage en 1802, voir F. RÉGENT, *Esclavage, métissage et liberté. La Révolution française en Guadeloupe 1789-1802*, Grasset, 2004. Sur le contexte de l'abolition britannique de 1833, voir notamment les livres de N. Draper et C. Hall (projet LBS) cités plus haut.

95 % si l'on inclut les métis, mulâtres et hommes libres de couleur). On trouve des niveaux comparables dans le reste des Antilles britanniques et françaises au cours de la période 1780-1830 : 84 % à la Jamaïque, 80 % à la Barbade, 85 % à la Martinique, 86 % en Guadeloupe. Il s'agit là des niveaux les plus extrêmes jamais observés dans l'histoire des sociétés esclavagistes atlantiques, et plus généralement dans l'histoire mondiale des sociétés esclavagistes (voir graphique 6.1). Par comparaison, les esclaves représentaient entre 30 % et 50 % de la population du sud des États-Unis ou du Brésil à la même époque, et les sources disponibles suggèrent des proportions comparables à Athènes ou Rome dans l'Antiquité. Les îles des Antilles britanniques et françaises représentent au XVIIIe siècle et au début du XIXe siècle l'exemple historique le mieux documenté de sociétés où les esclaves constituent la quasi-totalité de la population.

Graphique 6.1

Les sociétés esclavagistes atlantiques, XVIIIe-XIXe siècles

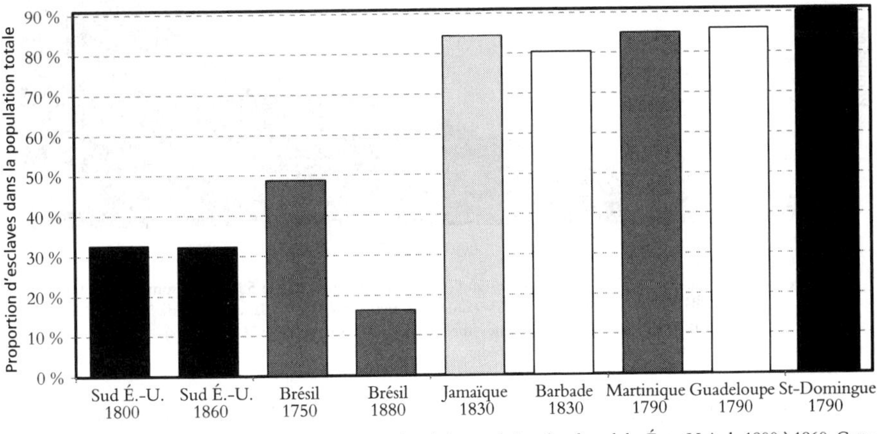

Lecture : les esclaves représentaient environ un tiers de la population dans le sud des États-Unis de 1800 à 1860. Cette proportion est passée de près de 50 % à moins de 20 % au Brésil entre 1750 et 1880. Elle dépassait les 80 % dans les îles esclavagistes des Antilles britanniques et françaises en 1780-1830, et atteignait même 90 % à Saint-Domingue (Haïti) en 1790.
Sources et séries : voir piketty.pse.ens.fr/ideologie.

Quand la proportion d'esclaves atteint 80 % ou 90 %, il est bien évident que les risques de révoltes deviennent très élevés, quelle que soit la férocité de l'appareil répressif en place. Le cas d'Haïti était particulièrement extrême, dans la mesure où la croissance du nombre d'esclaves avait eu lieu à un rythme très rapide, et où le nombre d'esclaves avait atteint un niveau nettement supérieur à celui des autres îles. Vers 1700, sa population totale est d'environ 30 000 habitants, dont à peine plus de la moitié d'esclaves. Au début des années 1750, Haïti comptait environ 120 000 esclaves (77 % de la population totale), 25 000 Blancs (19 %), et 5 000 métis et hommes libres de couleur (4 %). À la fin des années 1780, la colonie comprenait plus de 470 000 esclaves (soit 90 % de la population totale), 28 000 Blancs (5 %) et 25 000 métis, mulâtres et hommes libres de couleur (5 %) (voir graphique 6.2).

Graphique 6.2

Une île esclavagiste en expansion : Saint-Domingue, 1700-1790

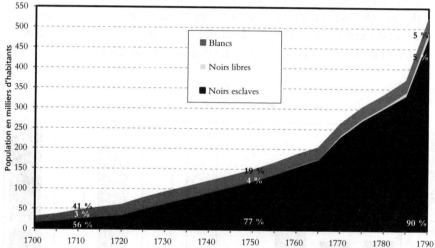

Lecture : la population totale de Saint-Domingue (Haïti) est passée d'à peine 50 000 personnes en 1700-1710 (dont 56 % d'esclaves, 3 % d'hommes libres de couleur et métis, et 41 % de Blancs) à plus de 500 000 personnes en 1790 (dont 90 % d'esclaves, 5 % d'hommes libres de couleur et métis, et 5 % de Blancs).
Sources et séries : voir piketty.pse.ens.fr/ideologie.

À la veille de 1789, ce sont environ 40 000 Africains qui arrivaient chaque année à Port-au-Prince et au Cap-Français pour remplacer les esclaves décédés et pour augmenter le stock d'esclaves, qui s'accroissait alors à un rythme extrêmement rapide. Le système était en phase d'expansion accélérée quand éclata la Révolution française. Les Noirs libres commencèrent par réclamer le droit de vote et de participation aux assemblées dès le début de la Révolution, en 1789-1790. Cela paraissait logique compte tenu des grandes proclamations sur l'égalité des droits faites à Paris, mais ce droit leur fut refusé. Le grand soulèvement des esclaves débuta en août 1791, après le rassemblement de Bois-Caïman, dans la plaine du Nord, avec la participation de milliers d'esclaves « marrons » (c'est-à-dire en fuite) qui s'étaient réfugiés depuis des décennies dans les montagnes de l'île. Malgré les renforts militaires envoyés de France, les insurgés gagnèrent rapidement du terrain et prirent le contrôle des plantations, pendant que les planteurs fuyaient le pays. Les nouveaux commissaires envoyés par Paris n'eurent d'autre choix que de décréter l'émancipation des esclaves en août 1793, décision étendue à l'ensemble des colonies par la Convention en février 1794, qui, par cet acte d'abolition généralisée de l'esclavage, marquait sa différence avec les régimes précédents (même si cette décision lui fut en réalité imposée par les révoltés). Cette décision n'eut guère le temps de s'appliquer. Les propriétaires obtinrent de Napoléon le rétablissement de l'esclavage dès 1802 sur l'ensemble des îles esclavagistes, à l'exception d'Haïti qui déclara son indépendance en 1804. Il fallut attendre 1825 pour que Charles X reconnaisse l'indépendance d'Haïti, et 1848 pour que l'abolition s'applique sur les autres territoires, en particulier à la Martinique, en Guadeloupe et à la Réunion.

Haïti : quand une propriété esclavagiste devient une dette publique

Le cas d'Haïti est emblématique, non seulement car il s'agit de la première abolition de l'époque moderne, à la suite d'une révolte d'esclaves victorieuse, et de la première indépendance obtenue par une population noire face à une puissance européenne, mais aussi car cet épisode se termina par une gigantesque dette publique, qui contribua fortement à miner le développement d'Haïti au cours des deux siècles suivants. Car si la France accepta finalement de reconnaître l'indépendance du pays en 1825 et de mettre fin à ses menaces d'invasion de l'île par les troupes françaises, c'est uniquement parce que Charles X avait obtenu du gouvernement haïtien que ce dernier accepte de payer à la France une dette de 150 millions de francs-or, afin de dédommager les propriétaires d'esclaves pour leur perte de propriété. Le gouvernement de Port-au-Prince n'eut pas véritablement le choix, du fait de la supériorité militaire évidente de la France, de l'embargo imposé par la flotte française dans l'attente d'un règlement et du risque réel d'occupation de l'île.

Il est important de se rendre compte de ce que représente cette somme de 150 millions de francs-or fixée en 1825. Elle a été calculée par référence à la profitabilité des plantations et à la valeur des esclaves d'avant la Révolution, au terme de longues négociations. Cette somme représente environ 2 % du revenu national français de l'époque, soit l'équivalent de plus de 40 milliards d'euros aujourd'hui si l'on considère une même proportion du revenu national de 2018[1]. La somme n'est donc pas incomparable au montant des compensations versées aux propriétaires britanniques à la suite de la loi de 1833, dans la mesure où les esclaves « émancipés » à Haïti étaient moitié moins nombreux que la totalité des esclaves britanniques de 1833. Mais le plus important est surtout de comparer cette somme aux ressources dont disposait l'île à l'époque. Or des recherches récentes ont démontré que ces 150 millions de francs-or représentaient plus de 300 % du revenu national d'Haïti en 1825, autrement dit plus de trois années de production. Le traité prévoyait en outre un versement rapide de l'intégralité de la somme en cinq ans à la Caisse des dépôts et consignations (institution bancaire publique créée à la Révolution et toujours existante aujourd'hui), à charge pour cette dernière de reverser les sommes aux propriétaires d'esclaves spoliés (ce qu'elle fit), et à charge pour le gouvernement haïtien de se refinancer auprès de banques privées françaises afin d'étaler le remboursement (ce qu'il fit également). Il est essentiel de bien réaliser l'importance des montants en jeu. Avec un refinancement à un taux d'intérêt annuel de 5 %, typique de l'époque, et sans même prendre en compte les juteuses commissions que les banquiers ne manquèrent pas d'ajouter au fur et à mesure des multiples péripéties et renégociations qui allaient marquer les décennies suivantes, cela signifiait que Haïti aurait dû payer chaque année l'équivalent de 15 % de sa production indéfiniment, simplement pour acquitter les intérêts de sa dette, tout cela sans même commencer à rembourser le principal.

Certes les propriétaires français avaient beau jeu de faire remarquer que l'île rapportait bien davantage à l'époque de l'esclavage. De fait, les estimations qu'il est possible de faire aujourd'hui indiquent qu'environ 70 % de la production de Saint-Domingue entre 1750 et 1780 était réalisée au bénéfice des planteurs et des propriétaires français (soit à peine plus de 5 % de la population de l'île), ce qui constitue un exemple particulièrement

---

1. Le fait de considérer des proportions équivalentes du produit intérieur brut ou du revenu national des différentes époques me semble être la meilleure façon de comparer les sommes au fil de l'histoire. Cela revient à indexer la somme sur la croissance nominale de l'économie, ce qui conduit à des résultats intermédiaires entre une indexation sur le seul niveau des prix et une indexation sur le rendement nominal moyen d'un capital investi (qui est nettement supérieur à la croissance nominale sur longue période).

extrême et bien documenté d'extraction coloniale caractérisée[1]. Il reste qu'il était difficile de demander à un pays théoriquement souverain de continuer de verser indéfiniment 15 % de sa production à ses anciens propriétaires, tout cela parce qu'il avait voulu cesser d'être esclave. Le tout se déroulait en outre dans un contexte où l'économie de l'île avait beaucoup souffert des affrontements révolutionnaires, des mesures d'embargo et du fait qu'une bonne partie de sa production sucrière s'était relocalisée à Cuba, qui continuait d'être esclavagiste, et où une partie des planteurs s'étaient réfugiés, parfois en emmenant avec eux certains de leurs esclaves au moment de l'insurrection. L'insertion économique régionale d'Haïti était par ailleurs compliquée par le fait que les États-Unis, inquiets du précédent haïtien et peu enclins à la sympathie pour les révoltes d'esclaves, refusèrent de reconnaître le pays et de traiter avec lui jusqu'en 1864.

La dette haïtienne fit l'objet de multiples et chaotiques renégociations, mais elle fut pour une large part payée. En particulier, Haïti a réalisé en moyenne des excédents commerciaux très significatifs tout au long du XIXᵉ siècle et jusqu'au début du XXᵉ siècle. À la suite du tremblement de terre de 1842 et de l'incendie de Port-au-Prince qui s'ensuivit, la France consentit certes à un moratoire sur les intérêts de 1843 à 1849. Mais les paiements reprirent leur cours normal sitôt après, et les recherches récentes indiquent que les créditeurs français sont parvenus à extraire du pays l'équivalent de 5 % du revenu national haïtien par an en moyenne de 1849 à 1915, avec de fortes variations suivant les périodes et l'état politique du pays : l'excédent commercial de l'île atteignit souvent 10 % du revenu national, et tomba parfois à des niveaux proches de zéro, voire légèrement négatifs, avec une moyenne d'environ 5 % sur cette période. Il s'agit là d'un paiement moyen considérable sur une durée aussi longue. Il était néanmoins inférieur à ce qui était impliqué par l'accord de 1825, ce qui conduisit les banques françaises à se plaindre régulièrement de ce mauvais payeur. Avec l'appui du gouvernement français, elles décidèrent finalement de céder le reste de leurs créances aux États-Unis, qui occupèrent Haïti de 1915 à 1934 pour y rétablir l'ordre et sauvegarder leurs propres intérêts financiers. La dette de 1825 fut officiellement éteinte et

---

1. Voir annexe technique et les estimations réalisées par S. HENOCHSBERG, *Public Debt and Slavery : the Case of Haïti (1760-1815)*, PSE, 2016. L'équivalent d'environ 55 % de la production domestique (ou plus précisément de la valeur ajoutée économique de l'île) était exporté au bénéfice des propriétaires et 15 % étaient consommés ou accumulés sur place par les planteurs.

définitivement remboursée au début des années 1950. Pendant plus d'un siècle, de 1825 à 1950, le prix que la France voulut faire payer à Haïti pour sa liberté eut surtout pour conséquence que le développement économique et politique de l'île fut surdéterminé par la question de l'indemnité, tantôt violemment dénoncée, tantôt acceptée avec résignation, au gré de cycles politico-idéologiques interminables[1].

Cet épisode est fondamental, car il illustre la continuité entre les logiques esclavagistes, coloniales et propriétaristes, ainsi que les ambiguïtés profondes de la Révolution française face aux questions d'inégalité et de propriété. Au fond, les esclaves haïtiens sont ceux qui avaient pris le plus au sérieux le message d'émancipation révolutionnaire, et ils en ont payé le prix fort. Cet épisode rappelle également le lien étroit et persistant entre esclavage et dette. Dans l'Antiquité, l'esclavage pour dette était une pratique répandue, et on trouve trace dans la Bible comme dans les stèles mésopotamiennes et égyptiennes d'interminables cycles d'accumulations de dettes et de mises en esclavage, ponctuées parfois de phases d'annulation de créances et de libération des esclaves afin de rétablir la paix sociale[2]. Dans la langue anglaise, l'importance du lien historique entre esclavage et dette est illustrée par le terme *bondage*, qui renvoie aux relations de dépendance caractéristiques de la condition servile ou esclavagiste. Le *bond* désigne ainsi à partir du XIIIe siècle à la fois les liens légaux et de nature financière entre un créditeur et un débiteur, et les liens de dépendance entre un propriétaire et un paysan. Les systèmes légaux qui se mettent en place au XIXe siècle finissent par abolir l'esclavage en même temps qu'ils mettent fin à la prison pour dettes et surtout à la transmission intergénérationnelle de la dette. Il existe toutefois une forme de dette qui peut toujours se transmettre à travers les générations et qui permet ainsi de faire porter une charge financière potentiellement sans limites sur les descendances futures : il s'agit de la dette publique, comme le montre la dette postesclavagiste imposée à Haïti de

---

1. Ces cycles dévastateurs commencèrent dès 1804 avec la prise du pouvoir par Jean-Jacques Dessalines, qui mit en place un régime hyperautoritaire, monarchique, anti-Blanc et isolationniste, à la suite de la capitulation en 1803 du corps expéditionnaire français (corps qui avait pour projet d'exterminer tous les insurgés) et à l'arrestation en 1802 de Toussaint Louverture (qui défendait contre vents et marées le maintien d'une présence blanche et la possibilité d'une association pacifique avec la métropole et d'une intégration économique internationale d'Haïti). L'histoire ultérieure de l'île est marquée par des cycles semblables de dénonciation et de résignation.

2. Voir par exemple D. GRAEBER, *Debt : The First 5000 Years*, 2011, Melville House, p. 81-84. Voir également A. TESTART, *L'Esclave, la Dette et le Pouvoir*, Éditions Errances, 2001.

1825 à 1950, et ainsi que nous le verrons avec de nombreuses dettes coloniales aux XIXe et XXe siècles comme avec les dettes du début du XXIe siècle[1].

L'abolition de 1848 : compensation, ateliers de discipline et « engagés »

Venons-en maintenant à l'abolition de 1848. À la suite de la loi d'abolition britannique votée en 1833, et mise en application de 1833 à 1843, le débat sur l'abolition devient omniprésent en France. Il reste encore plus de 250 000 esclaves dans les colonies françaises, en particulier en Martinique, à la Guadeloupe et à la Réunion, alors que ceux de Jamaïque et de Maurice sont libres, et on craint que cela n'inspire de nouvelles révoltes. Pourtant le débat achoppe encore et toujours sur la question de la compensation. Pour les propriétaires et leurs soutiens, il est inenvisageable que l'on puisse les priver de leur droit de propriété sans une juste indemnité. Mais l'idée d'une prise en charge intégrale par le contribuable et le Trésor public, qui a déjà dû financer le « milliard des émigrés » en 1825, ne paraît pas totalement juste[2]. Ne faudrait-il pas mettre également à contribution les esclaves, qui seront après tout les premiers bénéficiaires de la mesure ? Alexandre Moreau de Jonnès, bien connu pour les multiples matériaux statistiques sur les esclaves et leurs maîtres qu'il avait entrepris de compiler dans les diverses colonies à partir des recensements et enquêtes administratives depuis le début du XVIIe siècle, et abolitionniste convaincu, propose en 1842 que les esclaves remboursent la totalité de l'indemnité, en effectuant des « travaux spéciaux » non rémunérés pour la durée nécessaire. Il insiste sur le fait que cela permettra en outre d'apprendre aux esclaves le sens du travail[3]. Certains font remarquer que ce remboursement et cette période

---

1. On pense aux dettes de la Grèce et de l'Europe du Sud vis-à-vis de l'Allemagne, de la France et de l'Europe du Nord aussi bien qu'aux dettes naissantes de nombreux pays d'Afrique et d'Asie vis-à-vis de la Chine, ou encore de l'Argentine vis-à-vis d'un consortium de créditeurs internationaux. Nous reviendrons sur les différences et similitudes entre ces cas, ainsi que sur celui de la dette imposée par la France à l'Allemagne lors du traité de Versailles. Voir en particulier chapitre 10, p. 513-521 et 555-558.

2. Voir chapitre 2, p. 115-116. Le « milliard des émigrés », visant à compenser la noblesse pour les loyers et propriétés perdus de 1789 à 1815, concernait un beaucoup plus grand nombre de propriétaires nobles, et représentait environ 15 % du PIB annuel de 1825 ; les 300 millions de francs envisagés pour l'abolition représentent dans les années 1840 environ 2 % du PIB annuel de l'époque.

3. « L'affranchissement doit être progressif et partiel, et non simultané et en masse, car autrement il deviendrait une révolution subversive comme celle d'Haïti. Il doit être compensé, à

transitoire risquent de durer longtemps, et qu'une telle mesure revient à ne pas émanciper les esclaves : on se contente de transformer la condition servile en dette perpétuelle, de la même façon que les anciennes corvées furent transformées en loyers lors de la Révolution.

Tocqueville croit avoir trouvé la combinaison parfaite quand il propose en 1843 que la moitié de l'indemnité soit versée aux propriétaires sous forme de rentes sur l'État (donc en accroissant la dette publique, payée par la masse des contribuables), et la seconde moitié par les esclaves eux-mêmes, qui pendant dix ans seront employés par l'État à bas prix, afin de reverser la différence aux propriétaires. Ainsi la solution sera-t-elle « équilibrée entre toutes les parties prenantes », puisque les propriétaires eux-mêmes devront au bout de dix ans payer « l'élévation du prix de la main-d'œuvre » liée à l'émancipation[1]. Les contribuables, les esclaves et les propriétaires seront donc mis à contribution de façon juste. La commission parlementaire présidée par de Broglie parviendra à une solution peu différente. Personne dans ces débats, qui il est vrai se déroulent pour l'essentiel dans des enceintes propriétaristes (à peine plus de 2 % des hommes adultes ont le droit de vote à la Chambre des députés entre 1830 et 1848, et ils doivent choisir leurs représentants parmi les 0,3 % les plus fortunés), ne semble sérieusement envisager que ce soient les esclaves qui soient indemnisés pour les siècles de travail non rémunéré. Cela aurait par exemple pu leur permettre de devenir propriétaire d'une partie de la terre sur laquelle ils étaient esclaves, afin qu'ils puissent dorénavant travailler pour eux-mêmes, comme cela finira par se produire avec les paysans irlandais et les réformes agraires mises en place à la fin du XIXe et au début du XXe siècle (avec certes de généreuses compensations publiques versées aux lords, tout du moins jusqu'à l'indépendance)[2].

En tout état de cause, les débats restent bloqués au milieu des années 1840, car les propriétaires refusent l'émancipation et menacent de s'y opposer,

---

l'égard des maîtres des esclaves, par une indemnité, qui représente autant que possible la valeur des propriétés dont ils sont déchus. Cette indemnité ne peut être supportée par la Métropole, car elle forme un capital de 300 millions de francs ; somme dont le seul intérêt surchargerait grièvement la dette publique de la France. [...] Il est évident que puisque des sacrifices doivent être faits dans cet objet, les esclaves, qui en obtiendront d'immenses avantages, sont appelés naturellement et nécessairement à les faire. Au moment de les admettre dans la classe des citoyens, il est utile de leur enseigner, par une pratique salutaire, qu'une loi commune veut que chaque homme améliore sa position par un travail laborieux et intelligent » (A. MOREAU DE JONNÈS, *Recherches statistiques sur l'esclavage colonial et sur les moyens de le supprimer*, 1842, p. 252-253).

1. Voir C. OUDIN-BASTIDE, P. STEINER, *Calcul et Morale*, *op. cit.*, p. 122-123.
2. Voir chapitre 5, p. 221-225.

avec leurs milices s'il le faut. Ce n'est qu'après la chute de la monarchie et la proclamation de la IIe République en 1848 que la commission Schoelcher aboutira à la loi d'abolition, avec au passage une compensation des propriétaires certes un peu moins généreuse que la loi britannique de 1833, mais un partage des coûts qui est finalement comparable à celui envisagé par Tocqueville. Les propriétaires reçoivent une indemnité calculée sur la base de la moitié environ de la valeur envisagée auparavant (ce qui est déjà très substantiel)[1]. Outre l'indemnisation des propriétaires, les décrets d'abolition promulgués le 27 avril 1848 incluent de surcroît des articles « réprimant le vagabondage et la mendicité et prévoyant l'ouverture d'ateliers de discipline dans les colonies » qui visent à garantir aux planteurs une main-d'œuvre bon marché. Autrement dit, non seulement aucune indemnisation des esclaves et aucun accès à la propriété aux terres ne sont envisagés, mais l'émancipation Schoelcher s'accompagne d'un paiement aux propriétaires et d'un régime de travail quasi forcé permettant de garder les ex-esclaves sous le contrôle des planteurs et des autorités de l'État, alliées en pratique aux planteurs. À la Réunion, le préfet précise immédiatement les modalités d'application : les anciens esclaves doivent présenter un contrat de travail de long terme, soit comme ouvrier dans les plantations soit comme employé domestique, faute de quoi ils seront arrêtés pour vagabondage, et envoyés aux ateliers de discipline prévus par les textes de lois édictés à Paris[2].

Pour bien comprendre le contexte de l'époque, il est important de préciser que ce type de législation, où l'État se mettait *de facto* au service des employeurs et des propriétaires pour imposer une forte discipline au travail et maintenir les salaires au strict minimum, était alors courante et prit simplement un nouvel essor dans les colonies après l'abolition de l'esclavage. En particulier, pour remplacer les esclaves émancipés, dont

---

1. Les débats des années 1840 tablaient sur une indemnité moyenne de 1 300 francs par esclave (c'est ainsi que les 300 millions de francs avaient été estimés), alors que l'abolition de 1848 utilisa une valeur de référence de 600 francs (soit entre quatre et six années de salaire pour une main-d'œuvre libre équivalente).

2. En 1843, Tocqueville avait proposé que les anciens esclaves soient privés du droit de propriété pour une durée longue, de l'ordre de dix ou vingt ans, afin qu'ils aient le temps d'apprendre le goût du travail et de l'effort, apprentissage qu'une découverte trop rapide (et peu « naturelle ») des conforts de la propriété risquerait de gâcher. Cette proposition ne fut finalement pas retenue en 1848. Voir C. OUDIN-BASTIDE, P. STEINER, *Calcul et Morale, op. cit.*, p. 202-203. Sur la préparation et l'application des décrets de 1848, voir aussi N. SCHMIDT, *La France a-t-elle aboli l'esclavage ? Guadeloupe, Martinique, Guyane 1830-1935*, Perrin, 2009.

beaucoup refusèrent de continuer de travailler pour leurs anciens maîtres, les autorités britanniques et françaises développèrent de nouveaux systèmes permettant de faire venir de la main-d'œuvre plus lointaine, en particulier en provenance d'Inde dans le cas de la Réunion et de Maurice, sous forme de contrats établis avec les « engagés » dans le cas français, ou les *intentured workers* dans le cas anglais. « L'engagement » consistait pour des travailleurs indiens à rembourser sur une longue période, par exemple pendant dix années, le prix de la traversée aux employeurs qui l'avaient prise en charge, en leur reversant une forte part du salaire obtenu. En cas de performance insuffisante au travail, ou pire encore d'indiscipline, l'obligation de reversement pouvait être prolongée pour dix années supplémentaires ou davantage. Certaines archives judiciaires, conservées, en particulier à Maurice et à la Réunion, montrent clairement que, dans un contexte où le système juridictionnel était fortement biaisé en faveur des employeurs, un tel régime a conduit à des formes d'exploitation et d'arbitraire qui sont certes différentes de l'esclavage pur et dur, mais qui n'en sont pas infiniment éloignées. Les sources disponibles montrent également comment les employeurs et les tribunaux négocient en quelque sorte la transformation du régime de discipline au travail. Les propriétaires acceptent progressivement de réduire l'usage des châtiments corporels qui avaient cours sous l'esclavage, mais à la condition que les autorités légales les aident à imposer des sanctions financières produisant les mêmes effets[1].

Il faut aussi insister sur le fait que ce type de régime légal très défavorable aux travailleurs (et aux pauvres en général) était également très répandu au sein des marchés du travail européens. En 1885, la Suède avait encore une loi contraignant à une obligation de travail forcé ceux qui n'avaient pas d'emploi et n'avaient pas de propriété suffisante pour prétendre en vivre, et punissant d'arrestation les contrevenants[2]. Ce type de législation se retrouve dans toute l'Europe du XIXᵉ siècle, notamment au Royaume-Uni et en France, mais elle est particulièrement dure et s'applique exceptionnellement

---

1. Voir notamment A. STANZIANI, « Beyond Colonialism : Servants, Wage Earners and Indentured Migrants in Rural France and on Reunion Island (1750-1900) », *Labor History*, vol. 54, 2013, p. 64-87 ; ID., *Sailors, Slaves, and Immigrants. Bondage in the Indian Ocean World 1750-1914*, Palgrave, 2014 ; ID., *Labor on the Fringes of Empire. Voice, Exit and the Law*, Palgrave, 2018. Voir aussi R. ALLEN, « Slaves, Convicts, Abolitionism and the Global Origins of the Post-Emancipation Indentured Labor System », *Slavery and Abolition*, vol. 35 (2), 2014, p. 328-348.

2. Voir E. BENGTSSON, « The Swedish *Sonderweg* in Question », art. cité, p. 10.

longtemps dans le cas suédois, ce qui est cohérent avec ce que nous avons vu au sujet du propriétarisme exacerbé en vigueur dans le royaume de Suède à la fin du XIXᵉ siècle[1]. En l'occurrence, ce régime légal s'apprêtait à être radicalement transformé dans de nombreux pays européens, et particulièrement en Suède, à la fin du XIXᵉ siècle et au début du XXᵉ siècle, avec la mise en place du droit syndical, du droit de grève, des négociations collectives et ainsi de suite. Dans le cas des colonies, et pas seulement des anciennes îles esclavagistes, la transition prit plus longtemps : nous verrons dans le prochain chapitre que des formes parfaitement légales de corvée et de travail forcé étaient toujours en vigueur au XXᵉ siècle dans l'empire colonial français, en particulier pendant l'entre-deux-guerres, et quasiment jusqu'aux décolonisations.

Le travail forcé, la sacralisation propriétariste et la question des réparations

Plusieurs leçons se dégagent de ces épisodes. Tout d'abord, il existe de multiples formes intermédiaires de travail plus ou moins forcé ou libre, et il est important de regarder de près les « détails » des règles et du système légal en vigueur (qui précisément ne sont pas des détails). Cela vaut pour les travailleurs immigrés et les droits souvent très faibles qui sont les leurs en ce début de XXIᵉ siècle pour négocier leurs salaires et leurs conditions de travail, dans les monarchies pétrolières du golfe Persique comme d'ailleurs en Europe (en particulier pour les travailleurs sans papiers) et dans le reste du monde ; et cela vaut pour le droit du travail en général. Ensuite, ces débats attestent de la force du régime de quasi-sacralisation de la propriété privée qui prévalait au XIXᵉ siècle. D'autres luttes et trajectoires événementielles auraient sans doute pu conduire à d'autres décisions. Mais celles qui ont été prises démontrent la puissance du schéma propriétariste.

Schoelcher, qui est resté dans l'histoire comme un grand abolitionniste, se disait gêné par les compensations, tout en insistant sur le fait qu'il était

---

1. Au Royaume-Uni, la *Master and Servant Law* s'applique jusqu'en 1875. Voir S. NAIDU, N. YUCHTMAN, « Coercive Contract Enforcement : Law and the Labor Market in Nineteenth Century Industrial Britain », *American Economic Review*, vol. 103 (1), 2013, p. 107-144. En France, le livret ouvrier, durci en 1854 et aboli en 1890, permet aux propriétaires de mettre en garde les futurs employeurs et de nuire gravement aux ouvriers jugés rebelles. Voir R. CASTEL, *Les Métamorphoses de la question sociale. Une chronique du salariat*, Gallimard, « Folio », 1995, p. 414-415.

impossible de procéder autrement, à partir du moment où l'esclavage avait pris place dans un cadre légal. Le poète romantique Lamartine, également abolitionniste, exprima le même argument avec force à la tribune de la Chambre des députés : il fallait absolument accorder « une indemnité aux colons pour la part de propriété légale qu'on leur enlèverait dans leurs esclaves : nous ne l'entendrons jamais autrement. Il n'y a que les révolutions qui dépossèdent sans compensation. Les législateurs n'agissent pas ainsi : ils changent, ils transforment, ils ne ruinent jamais ; quelle qu'en soit l'origine, ils tiennent comptent des droits acquis[1] ». On ne peut pas dire les choses plus nettement : c'est le refus de devoir trier entre différents types de droits de propriété acquis dans le passé qui fondent la conviction que les propriétaires (et non les esclaves) doivent être indemnisés. Ces épisodes sont fondamentaux, non seulement car ils permettent de remettre en perspective certaines formes de quasi-sacralisation de la propriété qui réapparaissent en ce début du XXIe siècle (en particulier concernant le paiement intégral de dettes publiques, quels qu'en soient le montant ou la durée, ou la légitimité parfois considérée comme absolue et inattaquable de la fortune des milliardaires privés, quelles que soient leur ampleur ou leur origine), mais aussi car ils éclairent d'un jour nouveau la question de la persistance des inégalités ethno-raciales dans le monde moderne, ainsi que la question complexe mais incontournable des réparations.

En 1904, lors des commémorations du centenaire de l'indépendance de l'île, les autorités de la IIIe République refusèrent d'envoyer une délégation officielle à Haïti. Le gouvernement français était en effet fort insatisfait du rythme de paiement de la dette de 1825, qu'il jugeait insuffisant, et il était hors de question de se montrer clément avec un tel mauvais payeur, surtout dans un contexte où l'empire colonial, alors en pleine expansion, s'appuyait fréquemment sur des stratégies de coercition par la dette. En 2004, lors des cérémonies du bicentenaire d'Haïti, dans un contexte politique très différent, les autorités françaises de la Ve République en arrivèrent à la même conclusion, mais pour d'autres raisons. Le président français refusa de venir assister aux commémorations, car l'on craignait (non sans raison) que le président haïtien Aristide se saisisse de l'occasion pour réclamer publiquement le remboursement par la France de la dette odieuse acquittée pendant plus d'un siècle par la petite république antillaise (et qu'Aristide

---

1. Voir la séance de la Chambre des députés du 22 avril 1835, ainsi que celle du 25 mai 1836.

venait d'évaluer à l'équivalent de 20 milliards de dollars de 2003), ce dont le gouvernement français ne voulait entendre parler sous aucun prétexte. En 2015, le président français, en visite à Haïti à la suite du tremblement de terre de 2010 et des longues opérations de reconstruction, réitéra cette position. La France avait certes une forme de dette « morale » vis-à-vis d'Haïti, mais il était hors de question d'accepter toute discussion sur une forme quelconque de dette financière ou de réparation monétaire à verser par l'État français.

Il ne m'appartient pas de trancher ici cette question complexe et de dire la forme exacte que devrait prendre la compensation de la France à Haïti (d'autant plus qu'il n'est pas interdit d'imaginer également des formes de justice transnationale plus ambitieuses que des réparations intergénérationnelles ; nous y reviendrons)[1]. Il faut toutefois pointer l'extrême faiblesse des arguments évoqués par ceux qui refusent de rouvrir le dossier haïtien, tout en défendant d'autres catégories de réparations. En particulier, l'argument selon lequel tout cela serait trop ancien ne tient pas. Haïti a remboursé cette dette à ses créditeurs français et états-suniens de 1825 à 1950, c'est-à-dire jusqu'au milieu du XXᵉ siècle. Or il existe de nombreux processus de dédommagement qui continuent d'avoir lieu aujourd'hui pour des expropriations et des injustices qui se sont déroulées au cours de la première moitié du XXᵉ siècle. On pense notamment aux spoliations de biens juifs perpétués pendant la Seconde Guerre mondiale par les autorités nazies et les régimes alliés (à commencer par le régime de Vichy en France), pour lesquelles de légitimes et bien tardives procédures de restitutions sont toujours en cours. On peut aussi citer les réparations versées encore actuellement pour des expropriations qui ont eu lieu sous divers régimes communistes en Europe de l'Est au lendemain de la Seconde Guerre mondiale, ou encore à la loi étatsunienne de 1988 accordant 20 000 dollars aux Japonais-Américains internés pendant la Seconde Guerre mondiale[2]. En refusant toute discussion au sujet d'une dette qu'Haïti a dû payer à la France pour avoir voulu cesser d'être esclave, alors que les paiements effectués de 1825 à 1950 sont bien documentés et ne sont contestés par personne, on court

---

1. C'est-à-dire des formes de justice transnationale basées sur l'égalité des droits, indépendamment du lieu de naissance comme des origines plus lointaines. Voir chapitre 17, p. 1180-1186.

2. L'indemnisation était réservée aux personnes encore en vie en 1988 (soit environ 60 000 personnes sur 120 000 Japonais-Américains internés de 1942 à 1946), pour un coût de 1,2 milliard de dollars.

inévitablement le risque de donner l'impression que certains crimes valent plus que d'autres.

Depuis le début des années 2000, plusieurs associations se mobilisent en France, en particulier pour obtenir un exercice national de transparence vis-à-vis des compensations données aux ex-propriétaires d'esclaves versées *via* la Caisse des dépôts à la suite de l'indemnité haïtienne de 1825, ainsi que des compensations versées dans le cadre de la loi de 1848[1]. Ni les unes ni les autres n'ont fait l'objet d'un examen approfondi, contrairement à ce qui a été fait par exemple avec les compensations britanniques, très récemment il est vrai. Il est possible que les archives françaises en question aient été moins bien conservées que les archives parlementaires du Royaume-Uni. Cela n'interdit pas d'essayer de faire toute la lumière sur ces questions, et en tout état de cause cela n'empêche pas que l'État français prenne à sa charge une réparation financière importante à l'égard d'Haïti, et par ailleurs envisage enfin le financement d'actions éducatives et muséographiques adaptées (il n'existe aucun musée de l'esclavage digne de ce nom en France, pas même à Bordeaux ou Nantes, ports qui lui doivent pourtant leur prospérité), financement qui serait dérisoire sur le plan monétaire par comparaison à la réparation à verser à Haïti, mais qui n'en serait pas moins important sur le plan pédagogique.

Le 10 mai 2001, une loi « tendant à la reconnaissance de la traite et de l'esclavage en tant que crime contre l'humanité » fut adoptée par l'Assemblée nationale française, à l'initiative de Christiane Taubira (élue de Guyane). Mais le gouvernement et la majorité de l'époque prirent soin de supprimer l'article 5, qui posait le principe de la réparation et surtout établissait une commission visant à faire la lumière sur ces questions (qui ne vit donc jamais le jour)[2]. Outre la question de la réparation financière envers Haïti, il existe une autre compensation de grande ampleur qu'il paraît difficile d'éviter, et qui est également portée par Taubira : la question de la réforme agraire à la Réunion, à la Martinique, en Guadeloupe

---

1. Voir en particulier L. G. TIN, *Esclavage et Réparations. Comment faire face aux crimes de l'histoire...*, Stock, 2013. L'auteur est aussi président du CRAN (Conseil représentatif des associations noires).

2. L'article 5 disposait : « Il est instauré un comité de personnalités qualifiées chargées de déterminer le préjudice subi et d'examiner les conditions de réparation due au titre de ce crime. Les compétences et les missions de ce comité seront fixées par décret en Conseil d'État. »

et en Guyane, afin de permettre enfin aux personnes issues de l'esclavage d'avoir accès à des parcelles de terre, dans un contexte où les propriétés terriennes et financières demeurent largement l'apanage de la population blanche, parfois issue des familles de planteurs qui ont bénéficié des indemnisations de 1848. En 2015, la même Taubira, devenue ministre de la Justice, tenta de rappeler au président français l'importance de la question de la dette à Haïti et de la réforme agraire dans les départements d'outre-mer, sans succès.

Si l'on en juge par le cas de l'indemnisation des Japonais-Américains, que les dirigeants étatsuniens avaient jugé inenvisageable pendant des décennies, ou celui de la spoliation des biens juifs en France, pour laquelle il a fallu attendre le début des années 2000 pour qu'une commission voie le jour, il est cependant tout à fait possible que ces débats aboutissent à l'avenir à des mobilisations réussies et des formes de réparations imprévues. Le cas des Japonais-Américains, qui finirent par obtenir gain de cause alors que les anciens esclaves africains-américains n'ont jamais rien obtenu, pas plus d'ailleurs que les Mexicains-Américains expulsés lors de véritables pogroms anti-étrangers qui se déroulèrent lors de la crise des années 1930 (notamment en Californie), rappelle toutefois que les biais raciaux et culturels des indemnisateurs peuvent parfois jouer un certain rôle, tout autant d'ailleurs que les ressources juridiques, financières et politiques des indemnisés et de leurs soutiens[1].

États-Unis : l'abolition par la guerre (1861-1865)

Venons-en maintenant au cas étatsunien, qui est particulièrement important pour notre enquête, compte tenu notamment du rôle éminent joué dans le système interétatique mondial par les États-Unis, leader auto-proclamé du monde « libre » depuis 1945. Il s'agit en outre d'un cas unique d'abolition qui se déroule à la suite d'une violente guerre civile, tout cela dans le cadre d'un pays où les discriminations raciales légales se sont poursuivies jusqu'aux années 1960, et où les inégalités ethno-raciales

---

1. Les estimations se situent généralement entre 1 et 1,5 million de Mexicains-Américains (dont environ 60 % avaient la nationalité étatsunienne du fait de leur naissance) expulsés de 1929 à 1936 lors d'expéditions de déportations, organisées souvent avec le soutien des autorités publiques locales et fédérales. Certaines estimations récentes vont jusqu'à 1,8 million de déportés (la plupart sans retour). Voir A. WAGNER, « America's Forgotten History of Illegal Deportations », *The Atlantic*, 6 mars 2017.

(ou perçues et représentées comme telles) continuent de jouer un rôle structurant au début du XXIe siècle, aussi bien d'ailleurs sur le plan économique et social que sur le plan politique et électoral. Les pays européens, qui pendant longtemps ont regardé avec étonnement et distance cet héritage singulier, continuent d'ailleurs de se demander comment le parti démocrate, qui était celui de l'esclavage au moment de la guerre civile de 1861-1865, a pu devenir le parti du New Deal dans les années 1930, puis celui des *Civil Rights* dans les années 1960, et finalement celui de Barack Obama dans les années 2010, tout cela par petites touches et sans discontinuité majeure. Ils seraient pourtant bien inspirés de s'intéresser de près à cette trajectoire, car elle n'est pas totalement sans rapport avec la structure des inégalités et du conflit électoral et migratoire qui s'est développée au cours des années 1990-2020 dans les sociétés postcoloniales européennes, et dont l'évolution à long terme suscite de nombreuses interrogations[1].

Commençons par rappeler la très grande prospérité du système négrier étatsunien lors de l'âge du second esclavage, entre 1800 et 1860. Le nombre d'esclaves connut une expansion décisive, passant d'environ 1 million en 1800 à 4 millions en 1860, soit cinq fois plus que les concentrations d'esclaves observées dans les îles esclavagistes françaises et britanniques à leur zénith. Même si la traite se poursuit de façon clandestine jusqu'en 1810-1820, et parfois un peu plus tard, le fait est que cette progression vertigineuse du nombre d'esclaves a été obtenue pour l'essentiel par autoreproduction, grâce à une certaine amélioration des conditions d'hygiène, et *via* le développement de formes de vie privée et de sociabilité familiale inconnues au XVIIIe siècle, et dans certains cas de formes d'éducation religieuse et d'alphabétisation, processus lent et souterrain qui, malgré l'opposition des lois sudistes visant à réprimer ces pratiques, allait contribuer à donner des armes et des capacités de mobilisation aux abolitionnistes noirs. Dans l'immédiat, rien cependant ne permettait de prévoir la fin du système. Les États du Sud comptaient environ 2,6 millions d'habitants en 1800 : 1,7 million de Blancs (66 %), 0,9 million de Noirs (34 %). Ils étaient près de cinq fois plus nombreux en 1860, avec une population totale de plus de 12 millions d'habitants : 8 millions de Blancs (67 %), 4 millions de Noirs esclaves (33 %) (voir tableau 6.1). Le système était en expansion rapide et relativement équilibré, et rien ne laissait présager sa chute prochaine.

---

1. Voir en particulier chapitre 16, p. 1017-1019.

Tableau 6.1

La structure de la population esclave et libre aux États-Unis, 1800-1860

	Total (milliers)	Noirs esclaves	Noirs libres	Blancs	Total (%)	Noirs esclaves	Noirs libres	Blancs
Total États-Unis 1800	**5 210**	**880**	**110**	**4 220**	**100 %**	**17 %**	**2 %**	**81 %**
États du Nord	2 630	40	80	2 510	100 %	2 %	3 %	95 %
États du Sud	2 580	840	30	1 710	100 %	33 %	1 %	66 %
Total États-Unis 1860	**31 180**	**3 950**	**490**	**26 740**	**100 %**	**13 %**	**2 %**	**85 %**
États du Nord	18 940	0	340	18 600	100 %	0 %	2 %	98 %
États du Sud	12 240	3 950	150	8 140	100 %	32 %	1 %	67 %

Lecture : le nombre d'esclaves est multiplié par plus de quatre aux États-Unis entre 1800 et 1860 (de 880 000 à près de 3,950 millions), tout en représentant une proportion relativement stable de la population des États du Sud (environ un tiers), et une proportion déclinante de la population totale (compte tenu de la progression encore plus rapide de la population des États du Nord).
Note : ont été classés comme sudistes tous les États esclavagistes en 1860 : Alabama, Arkansas, Caroline du Nord et du Sud, Delaware, Floride, Géorgie, Kentucky, Louisiane, Maryland, Mississippi, Missouri, Tennessee, Texas, Virginie.
Sources et séries : voir piketty.pse.ens.fr/ideologie.

Certains États comptaient certes jusqu'à 50 %-60 % d'esclaves, mais on n'observe nulle part des proportions atteignant les niveaux des Antilles (avec 80 %-90 % d'esclaves). Entre 1790-1800 et 1850-1860, le territoire étatsunien tend toutefois à se spécialiser de plus en plus. Si la proportion d'esclaves se maintient autour de 40 % en Virginie tout au long de cette période, elle passe graduellement de 42 % en 1800 à 57 %-58 % en 1850-1860 en Caroline du Sud, et augmente également fortement en Géorgie et en Caroline du Nord. Au Mississippi et en Alabama, nouvellement admis dans l'Union en 1817-1819, la proportion d'esclaves augmente fortement entre les recensements de 1820 et de 1860, atteignant même 55 % au Mississippi en 1860, presque autant qu'en Caroline du Sud. Pendant ce temps, les États limitrophes du Nord voient leur proportion d'esclaves stagner, comme au Kentucky (autour de 20 %), ou décliner nettement, comme au Delaware, qui comptait près de 15 % d'esclaves en 1790, et en compte moins de 5 % en 1860. Au New Jersey et dans l'État de New York, qui comptaient plus de 5 % d'esclaves lors du recensement de 1790, l'esclavage est graduellement aboli à partir de 1804, et on ne compte officiellement plus aucun esclave à compter de 1830 (voir graphique 6.3).

Graphique 6.3
La proportion d'esclaves aux États-Unis, 1790-1860

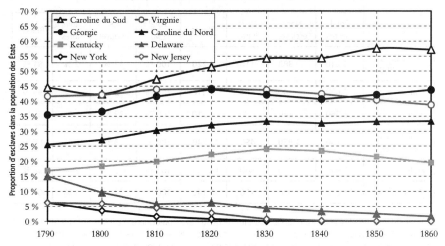

Lecture : la proportion d'esclaves dans la population progresse ou se maintient à un niveau élevé dans les principaux États esclavagistes du Sud entre 1790 et 1860 (entre 35 % et 55 % en 1850-1860, et jusqu'à 57 %-58 % en Caroline du Sud), alors que l'esclavage diminue ou disparaît dans les États du Nord. Sources et séries : voir piketty.pse.ens.fr/ideologie.

Il faut souligner que ces effectifs sont très bien connus dans le cas des États-Unis, car population libre et esclaves ont fait l'objet de recensements décennaux systématiques à partir de 1790. L'exercice était d'autant plus important que le nombre d'esclaves jouait un rôle central pour déterminer le nombre de sièges à la Chambre des représentants comme celui des grands électeurs pour le choix du président, dans le cadre de la fameuse règle des « trois cinquièmes » obtenue par les propriétaires sudistes après de longues négociations : les esclaves comptaient pour trois cinquièmes du poids de la population libre. Plus généralement, il faut rappeler le poids central de la propriété esclavagiste dans la naissance de la république étatsunienne. La Virginie était de loin l'État le plus peuplé (avec une population totale, esclaves compris, atteignant 750 000 habitants lors du premier recensement de 1790, soit l'équivalent de la population cumulée des deux États nordistes les plus peuplés, la Pennsylvanie et le Massachusetts), et elle fournit au pays quatre de ses cinq premiers présidents (Washington, Jefferson, Madison, Monroe, tous propriétaires d'esclaves), la seule exception étant John Adams (Massachusetts). Sur les quinze présidents qui se sont succédé jusqu'à l'élection du républicain Lincoln en 1860, pas moins de onze étaient des propriétaires d'esclaves.

Le système esclavagiste du sud des États-Unis avait également une importance déterminante pour la production de coton indispensable pour le développement de l'industrie textile dans les États du Nord, ainsi que pour le développement industriel britannique et européen. Il est essentiel de rappeler ici l'ampleur inédite que prend le système esclavagiste euro-américain au cours de la période 1750-1860 (voir graphique 6.4), qui est véritablement la période cruciale où s'affirme la domination industrielle européenne. Jusqu'aux années 1780-1790, ce sont les Antilles et parti-culièrement Saint-Domingue qui jouent le rôle de principal producteur de coton. Après l'effondrement des plantations esclavagistes de Saint-Domingue dans les années 1790, ce sont les États du sud des États-Unis qui reprennent le flambeau et qui poussent l'accumulation du nombre d'esclaves et de la capacité de production cotonnière à des niveaux inédits entre 1800 et 1860, avec un quadruplement du nombre d'esclaves et une multiplication par plus de dix de la quantité de coton produite, en raison de l'amélioration des techniques et de l'intensification de la production. Dans les années 1850, à la veille de la guerre civile américaine, 75 % du

Graphique 6.4

Essor et déclin de l'esclavage euro-américain, 1700-1890

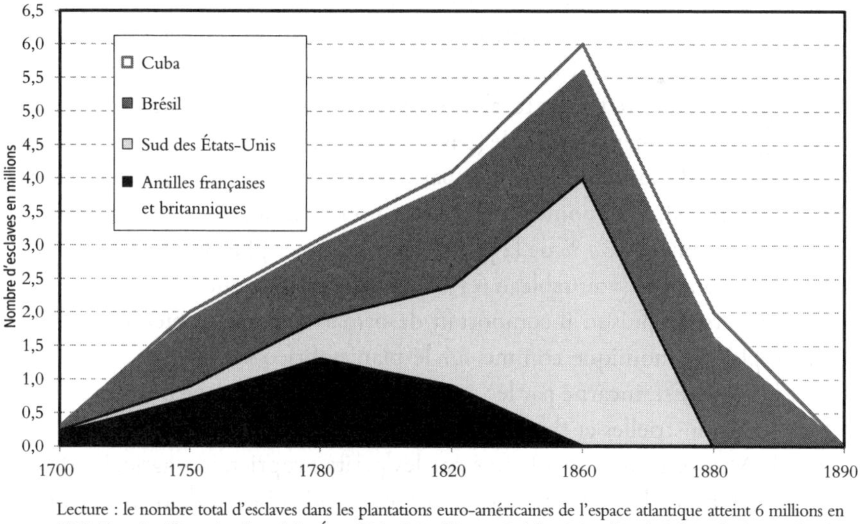

Lecture : le nombre total d'esclaves dans les plantations euro-américaines de l'espace atlantique atteint 6 millions en 1860 (dont 4 millions dans le sud des États-Unis, 1,6 million au Brésil et 0,4 million à Cuba). L'esclavage dans les Antilles françaises et britanniques (auxquelles nous avons rattaché Maurice, la Réunion et le Cap) atteint son zénith vers 1780-1790 (1,3 million), puis décline à la suite de la révolte de Saint-Domingue (Haïti) et des abolitions de 1833 et 1848.
Sources et séries : voir piketty.pse.ens.fr/ideologie.

coton importé dans les usines textiles européennes venait du sud des États-Unis. Comme l'a récemment analysé Sven Beckert, c'est cet « empire du coton », intimement lié aux plantations esclavagistes, qui est au cœur de la révolution industrielle, et plus généralement de la domination économique euro-étatsunienne sur la planète. Alors que les Britanniques et les Français ne savaient que vendre au reste du monde au XVIIIᵉ siècle et au début du XIXᵉ, à tel point qu'ils étaient encore prêts à se lancer dans des guerres de l'opium en 1839-1842 et 1856-1860 pour pouvoir se faire trafiquants de drogue en Chine, cette organisation transcontinentale leur permit d'asseoir leur contrôle sur la production textile mondiale, de changer radicalement l'échelle de la production, et finalement d'inonder les marchés textiles de toute la planète au cours de la seconde moitié du XIXᵉ siècle[1].

Ce faisant, l'équilibre politico-idéologique interne aux États-Unis connut une évolution elle aussi radicale entre 1800 et 1860. En 1800, les États-Unis comptaient environ 5,2 millions d'habitants, qui se répartissaient en deux moitiés presque exactement égales : 2,6 millions pour les États esclavagistes du Sud (esclaves compris), qui formaient un bloc compact et dominant au sein de la nouvelle république, et 2,6 millions pour les États non esclavagistes du Nord (dont beaucoup venaient tout juste d'abolir l'esclavage, à l'image du Massachusetts en 1783, un État qui pratiqua jusqu'à la guerre civile une forte discrimination raciale, en particulier dans les écoles, à l'image des États du Sud jusqu'aux années 1960). En 1860, l'équilibre s'était totalement transformé : la population du Sud avait certes quasiment quintuplé (passant de 2,6 à plus de 12 millions), mais celle du Nord avait été multipliée par plus de sept (passant de 2,5 à près de 19 millions), à tel point que les États non esclavagistes représentaient maintenant plus de 60 % de la population totale, et plus des deux tiers de la population libre (voir tableau 6.1). Ce bloc s'était en outre considérablement diversifié, puisqu'il comportait désormais deux pôles bien distincts sur le plan économique comme sur le plan politico-idéologique : d'une part le Nord-Est, incarné par les métropoles de New York et Boston et les fortunes industrielles et financières de la Nouvelle-Angleterre ; et d'autre part le Midwest, incarné à la fois par les petits propriétaires agricoles des nouveaux États de la frontière ouest et les grands réseaux de distribution

---

1. Voir S. BECKERT, *Empire of Cotton : A Global History*, Knopf, 2014. Je reviendrai dans le chapitre 9 sur le rôle des dominations esclavagistes et coloniales dans la révolution industrielle (voir en particulier p. 444-449).

de viande et de céréales en plein développement autour de Chicago, d'où était précisément issu Lincoln. Autrement dit, le Sud cotonnier et esclavagiste était en forte croissance, mais il s'inscrivait dans un espace politique dont la taille s'accroissait encore plus vite, et qui reposait sur des modèles économiques et politico-idéologiques fondés sur le travail libre. L'Ouest et les territoires de la frontière se construisaient aussi dans la mémoire de la tutelle « coloniale » du gouvernement fédéral et des vieux États, quand ils n'étaient pas encore incorporés eux-mêmes comme États et que les terres durement acquises étaient souvent confisquées par le pouvoir central au bénéfice des plus puissants.

Il faut toutefois rappeler que le Nord n'avait initialement aucunement l'intention d'exiger du Sud l'abolition immédiate de l'esclavage (et encore moins l'égalité raciale). L'enjeu central concernait le statut des nouveaux territoires de l'Ouest. Lincoln et les républicains les voulaient libres, car il s'agissait du modèle de développement qu'ils connaissaient et dont ils pouvaient voir toutes les potentialités, grâce à l'intégration dans un espace économique continental et mondial. « La grande région de l'intérieur [...] a déjà plus de dix millions d'habitants, et en aura plus de cinquante millions dans les cinquante ans, à moins d'une folie ou d'une erreur politique », déclarait Lincoln au Congrès en 1862, avant d'ajouter que cette prospérité exigeait l'unité du pays, car cette grande région de l'intérieur « n'a pas de côtes, ne touche aucun océan ». « Intégré à la nation, son peuple trouve, peut-être pour toujours, la voie de l'Europe par New York, de l'Amérique du Sud et de l'Afrique par la Nouvelle-Orléans, et de l'Asie par San Francisco. Mais séparez notre pays commun en deux nations, comme cherche à le faire l'actuelle rébellion, et chaque homme de cette grande région de l'intérieur se retrouve coupé d'un ou plusieurs de ses débouchés – non pas, peut-être, par une barrière physique, mais par d'obstructives et coûteuses régulations commerciales »[1]. À l'inverse, les Sudistes craignaient que, en laissant des États libres se développer à l'Ouest, les esclavagistes finissent par devenir tellement minoritaires au sein de l'Union qu'ils ne pourraient plus défendre leur spécificité très longtemps (calcul qui n'était sans doute pas complètement faux). Les fuites d'esclaves se multipliaient, et même si le *Fugitive Slave Act* adopté par le Congrès en 1850 avait considérablement durci les lois précédentes, contraignant désormais les autorités des États

---

1. Texte cité par N. Barreyre, *L'Or et la Liberté. Une histoire spatiale des États-Unis après la guerre de Sécession*, Éditions de l'EHESS, 2014, p. 27.

libres à se mettre sans délai au service des chasseurs d'esclaves pour mettre la main sur leur propriété présumée, et punissant de lourdes peines de prison toutes les personnes venant en aide aux fugitifs, les États du Sud sentaient bien qu'ils avaient besoin d'une solide coalition politique pour défendre durablement leur modèle économique[1].

Lincoln fut élu en novembre 1860 sur un programme de refus de l'extension de l'esclavage aux nouveaux États de l'Ouest. À la fin de l'année 1860 et au début de 1861, il n'aura de cesse de rappeler qu'il ne réclamait rien de plus que l'acceptation sans équivoque du fait que les nouveaux États seraient libres, et le début d'un processus d'émancipation extrêmement graduelle dans les États du Sud, avec compensation des propriétaires, processus qui, s'il avait été accepté, aurait pu prolonger l'esclavage jusqu'en 1880 ou 1900, voire davantage. Mais les Sudistes, à l'image des minorités blanches en Afrique du Sud ou en Algérie au XXe siècle, refusèrent de devoir plier face à une majorité qu'ils jugeaient lointaine et extérieure à leur monde, et préférèrent tenter la carte de la sécession. La Caroline du Sud vota la sécession dès décembre 1860, et en février 1861 elle était déjà rejointe par six autres États au sein de la Confédération esclavagiste. Lincoln voulait laisser une chance au dialogue, mais la prise de Fort Sumter par les confédérés en avril 1861, dans le port de Charleston en Caroline du Sud, et la reddition des troupes fédérales qui s'y trouvaient, peu après l'entrée en fonction du niveau président, ne laissèrent plus d'autre choix que la guerre, ou l'acceptation de la partition du pays.

Quatre années plus tard, et après plus de 600 000 morts (c'est-à-dire autant que le total cumulé de tous les autres conflits auxquels les États-Unis ont pris part depuis leur création, y compris les deux guerres mondiales, la Corée, le Vietnam et l'Irak), la guerre était terminée, avec la reddition des armées confédérées en mai 1865. Compte tenu des dégâts causés par les Sudistes, il était devenu impensable de verser une compensation aux ex-propriétaires d'esclaves. Afin de mobiliser les Noirs en faveur des armées de l'Union, Lincoln avait fait adopter par le Congrès en avril 1864 le 13e amendement émancipant les esclaves (sans compensation aucune, ni

---

1. Cette loi conduisit à une hausse de 15 % à 30 % du prix de vente des esclaves dans les États limitrophes des États libres par comparaison aux États situés plus au sud, ce qui suggère que le risque de fuite était jugé sérieux par les marchands. Voir C. LENNON, « Slave Escape, Prices and the Fugitive Act of 1850 », *Journal of Law and Economics*, vol. 59 (3), 2016, p. 669-695. Les cas de kidnapping de Noirs libres dans les États du Nord étaient nombreux, et ont inspiré le film *Twelve Years a Slave* de Steve McQueen (2013).

dans un sens ni dans l'autre), amendement qui fut ratifié par l'ensemble des États en décembre 1865, y compris par les États du Sud, alors occupés par les armées nordistes, qui prirent soin de rappeler à cette occasion que cet amendement n'avait aucune implication concernant les droits politiques, sociaux ou économiques des Noirs. Au début de l'année 1865, les autorités militaires nordistes avaient certes laissé entendre aux esclaves émancipés qu'ils obtiendraient après la victoire « une mule et 40 acres de terres » (environ 16 hectares), programme qui s'il avait été adopté à l'échelle du pays aurait représenté une redistribution agraire de grande ampleur. Mais sitôt les combats terminés la promesse fut oubliée : aucun texte de compensation à l'égard des esclaves ne fut adopté par le Congrès, et les 40 acres et la mule devinrent le symbole de la tromperie et de l'hypocrisie des Nordistes[1].

De l'impossibilité d'une abolition-compensation graduelle aux États-Unis

Une abolition graduelle, avec compensation versée aux propriétaires, telle que celle que proposait Lincoln au Sud en 1860-1861, aurait-elle pu fonctionner aux États-Unis ? On peut en douter, en raison des sommes en jeu, sauf à envisager un transfert financier extrêmement important (et très improbable) des États du Nord vers les propriétaires du Sud, ou bien une transition très longue, s'étalant jusqu'à la toute fin du XIXe siècle, voire jusqu'aux premières décennies du XXe siècle. Le plus probable est que, sans la guerre ou des révoltes d'esclaves victorieuses, elles-mêmes difficilement envisageables car la population servile était numériquement moins dominante qu'aux Antilles[2], le système esclavagiste aurait continué. Compte tenu des intérêts en présence et de la prospérité du régime négrier en place, en pleine expansion en 1860, le Sud n'était sans doute pas prêt à accepter une fin paisible.

Pour bien comprendre les sommes en jeu, rappelons que la compensation britannique de 1833 coûta aux contribuables du Royaume-Uni l'équivalent d'environ 5 % du produit intérieur brut, ce qui est considérable,

---

1. À tel point que le réalisateur Spike Lee en fit ironiquement le nom de sa société de production : 40 Acres and a Mule.

2. La proportion d'esclaves atteignait toutefois 75 % dans certains comtés, par exemple dans le comté de Nottoway en Virginie, non loin du comté de Southampton, où s'était déroulée la révolte menée par Nat Turner en 1831, récemment mise en scène dans *The Birth of a Nation* de Nate Parker (2016).

alors même que le nombre d'esclaves était beaucoup plus limité (l'équivalent d'environ 3 % de la population britannique de l'époque), et que le produit intérieur brut britannique par habitant était extrêmement élevé pour l'époque. Les esclaves constituaient alors un actif très profitable, et leur prix de vente se situait généralement entre dix et douze années de salaire d'une main-d'œuvre libre équivalente. Prenons un exemple avec des sommes d'aujourd'hui. Si un esclave fournissait un travail dont le salaire pour un travail libre équivalent était de 30 000 euros par an (2 500 euros par mois, approximativement le salaire moyen en France et en Europe de l'Ouest actuellement), et qui *a priori* en rapportait au moins autant à son propriétaire-employeur, alors le prix de vente de cet esclave était entre 300 000 et 360 000 euros. On voit aisément comment, dans une société où les esclaves représenteraient la quasi-totalité de la main-d'œuvre, la valeur marchande des esclaves pourrait atteindre des niveaux astronomiques, potentiellement jusqu'à sept ou huit années de production annuelle (700 %-800 % du revenu national)[1]. C'est ainsi que la France a imposé en 1825 une dette de plus de trois années de revenu national à Haïti, tout en étant convaincue de faire des sacrifices par comparaison à ce que lui rapportaient les esclaves de Saint-Domingue.

Dans le cas du sud des États-Unis, où les esclaves représentaient environ un tiers de la population, il existe de multiples sources permettant de savoir comment le prix des esclaves variait en fonction de l'âge, du genre et de la productivité. Des recherches récentes ont montré qu'en 1860, la valeur marchande des esclaves dépassait 250 % du revenu national sud-étatsunien, et avoisinait 100 % du revenu national total des États-Unis dans leur ensemble[2]. Si une telle compensation avait été adoptée, alors il aurait fallu augmenter d'autant la dette publique, et faire payer les intérêts comme le capital par les contribuables au cours des décennies suivantes.

Pour résumer, pour que les esclaves deviennent libres, sans spolier leurs propriétaires, il aurait fallu transférer la charge financière sur le reste du

---

1. En supposant une part des salaires de l'ordre de 60 %-70 % dans le PIB, qui dépend elle-même de multiples facteurs, en particulier du régime légal définissant le travail « libre ». Avec un rendement du capital moyen de l'ordre de 5 %, le prix des esclaves pourrait en principe s'approcher de vingt années de salaire, mais la prise en compte du risque et du coût des esclaves (nourriture, vêtements) suffit amplement à expliquer pourquoi le rendement apparent avoisinait 8 %-10 %. Voir annexe technique.

2. Dans le sud des États-Unis, la valeur marchande des esclaves dépassait celle de l'ensemble des autres propriétés privées (terres agricoles, biens immobiliers et professionnels). Voir T. PIKETTY, *Le Capital au XXIe siècle*, *op. cit.*, graphique 4.10, p. 252.

pays. Les ex-propriétaires seraient devenus titulaires d'une créance considérable sur les contribuables étatsuniens (ex-esclaves compris). C'est exactement ce qui se passa au Royaume-Uni et en France (avec la spécificité haïtienne), sauf que dans le cas des États-Unis les sommes en jeu étaient autrement plus élevées, en raison de l'ampleur prise par le système esclavagiste. Rappelons que les dépenses publiques annuelles d'éducation, tous niveaux de gouvernement confondus, ne dépassaient 1 % du revenu national dans aucun pays au XIXᵉ siècle. Une dette fédérale de 100 % du revenu national aurait donc représenté plus d'un siècle d'investissement éducatif, sans compter que le simple paiement d'intérêts (autour de 5 % du revenu national) aurait mobilisé cinq fois plus de recettes fiscales que l'ensemble des écoles, lycées et universités du pays. On peut aussi noter que la dette issue de la guerre civile, qui constitua la première grande dette fédérale de l'histoire des États-Unis, occasionnée par la mobilisation, le ravitaillement et l'armement de plus de 2 millions de soldats nordistes pendant cinq ans, s'élevait en 1865 à 2,3 milliards de dollars, soit l'équivalent d'environ 30 % du revenu national annuel des États-Unis, somme qui paraissait gigantesque à l'époque, et dont le paiement fut d'ailleurs à l'origine de conflits politiques complexes au cours des décennies suivantes. Pour résumer, il aurait fallu envisager un coût trois ou quatre fois plus élevé que celui de la guerre elle-même pour financer une compensation des propriétaires d'esclaves au prix de marché. On peut raisonnablement penser que les acteurs n'étaient pas dupes : quand Lincoln proposa une abolition-compensation aux propriétaires d'esclaves en 1860-1861, chacun savait bien qu'aucune véritable compensation ne pourrait avoir lieu, ou bien alors à un niveau inacceptable pour l'une ou l'autre des parties. La véritable question était plutôt de savoir si l'on décidait de repousser ces difficultés à plus tard, et si l'on acceptait dans l'immédiat de geler l'extension de l'esclavage aux nouveaux États de l'Ouest. C'est ce que refusèrent les propriétaires du Sud.

Il est d'ailleurs intéressant de noter que des estimations portant sur l'ampleur des compensations avaient été réalisées dès les années 1810-1820 par Jefferson et Madison, et tous deux avaient abouti à des sommes gigantesques (de l'ordre d'une année de revenu national des États-Unis de l'époque). Ils avaient également formulé des propositions pour parvenir à rassembler cette somme. Il suffisait, selon eux, de vendre entre un tiers et la moitié des terres du domaine public, en particulier des nouvelles terres de l'Ouest[1]. Cela aurait impliqué la constitution d'immenses domaines terriens au sein des nouveaux territoires et au bénéfice des anciens planteurs, en lieu et place des parcelles familiales des petits colons qui étaient en train de peupler ces territoires, ce qui aurait entraîné des tensions sociales et politiques considérables. Ce type de proposition fut évoqué de temps à autre de 1820 à 1860, mais il est difficile de voir dans quelles circonstances une coalition politique majoritaire au niveau fédéral aurait pu se risquer à l'adopter, sauf à changer radicalement de système politique.

De la justification propriétariste et sociale de l'esclavage

L'abolition de l'esclavage posait des problèmes idéologiques redoutables aux sociétés de propriétaires du XIXe siècle, qui craignaient qu'une abolition sans indemnisation des esclavagistes finisse par remettre en cause l'ensemble de l'ordre propriétariste et du système de propriété privée. Dans le cas des États-Unis, cette complication était en outre aggravée par l'ampleur des compensations requises, qui si elles étaient mises en œuvre risquaient de provoquer d'autres types de tensions, si bien que l'on ne savait plus trop quelle issue donner au problème.

Il faut également ajouter que, au-delà de ces enjeux propriétaristes, le conflit autour de l'esclavage avait des soubassements politico-idéologiques extrêmement profonds aux États-Unis, renvoyant à des modèles de développement et des visions de l'avenir bien distincts. La vision rurale et esclavagiste sudiste fut notamment exprimée avec force par John Calhoun, vice-président étatsunien de 1825 à 1832, plusieurs fois ministre de la Guerre et des Affaires étrangères, et sénateur démocrate de Caroline du Sud jusqu'à sa mort en 1850. Chef de file des esclavagistes au Sénat, Calhoun présentait sans relâche « l'esclavage comme un bien positif » (*slavery as a positive good*), et non pas comme le « mal nécessaire » (*necessary evil*) trop souvent décrit par les défenseurs du système, qu'il jugeait timorés. Le principal argument de Calhoun avait trait aux valeurs de paternalisme et de solidarité entourant selon lui le système esclavagiste. D'après le sénateur démocrate, les personnes malades et les vieillards étaient par exemple beaucoup mieux traités au sein des plantations du Sud que dans

---

1. Voir W. Shade, *Democratizing the Old Dominion : Virginia and the Second Party System 1824-1861*, University Press of Virginia, 1996, p. 191-193. Sur les montants en jeu, voir annexe technique.

les centres urbains et industriels du Nord, du Royaume-Uni et d'Europe, où les ouvriers qui n'étaient plus en état de travailler étaient abandonnés dans la rue ou dans des hospices inhumains.

Selon Calhoun, cela n'aurait jamais pu survenir dans une plantation, où les vieux et les infirmes continuaient de faire partie de la communauté et d'être traités avec respect et dignité jusqu'à leurs derniers jours[1]. Pour Calhoun, les propriétaires de plantations comme lui-même incarnaient un idéal de républicanisme agraire et de communauté locale. À l'inverse, les industriels et les financiers du Nord n'étaient que des hypocrites qui prétendaient se soucier du sort des esclaves, mais dont le seul objectif était d'en faire des prolétaires et de pouvoir les exploiter comme les autres, avant de les jeter quand ils ne rapporteraient plus rien. Sans doute les discours de Calhoun avaient-ils du mal à atteindre les abolitionnistes convaincus, familiers des témoignages sur les châtiments corporels et autres mutilations subies par les esclaves dans les plantations, ou des récits de fugitifs comme Frederick Douglass. Mais pour beaucoup d'autres Étatsuniens de l'époque, l'idée selon laquelle certains planteurs du Sud s'intéressaient au moins autant au sort de leurs esclaves que les capitalistes du Nord à celui de leurs ouvriers apparaissait plausible (et de fait il existait sans doute des cas où l'affirmation n'était pas totalement fausse).

L'idéal de républicanisme rural selon Calhoun se rapprochait de l'idéal jeffersonien d'une démocratie de propriétaires terriens, avec toutefois une différence essentielle : Jefferson voyait dans l'esclavage un mal dont il ne savait pas comment se défaire. « I tremble for my country when I reflect that God is just, and that his justice cannot sleep forever », s'inquiétait le rédacteur de la Déclaration d'indépendance, qui cependant ne parvenait pas à concevoir la possibilité d'une émancipation pacifique. « We have a wolf by the ears, and we can neither hold him, nor safely let him go. Justice is in one scale, and self-preservation in the other. » Pour Jefferson, qui s'exprimait alors à l'occasion des débats de 1820 au Congrès autour de l'extension de l'esclavage au Missouri (qu'il soutenait, de même qu'il

---

1. « I may say with truth, that in few countries so much is left to the share of the laborer, and so little exacted from him, or where there is more kind attention paid to him in sickness or infirmities of age. Compare his condition with the tenants of the poor houses in the more civilized portions of Europe – look at the sick, and the old and infirm slave, on one hand, in the midst of his family and friends, under the kind superintending care of his master and mistress, and compare it with the forlorn and wretched condition of the pauper in the poor-house » (Discours tenu par J. Calhoun le 6 février 1837 au Sénat).

soutenait le droit des colons missouriens de refuser l'existence de Noirs libres dans leur nouvel État), l'émancipation n'était envisageable que si elle s'accompagnait non seulement d'une juste compensation des propriétaires, mais également d'une expatriation complète et immédiate des anciens esclaves[1].

Cette crainte d'une vengeance inévitable des esclaves libérés, ou simplement d'une cohabitation impossible, était très répandue parmi les propriétaires. C'est ce qui explique la création en 1816 de l'American Colonisation Society (ACS), dont le projet, ardemment soutenu par Jefferson, Madison, Monroe et un grand nombre d'esclavagistes, consistait précisément à déporter les esclaves émancipés en Afrique. Il s'agissait en quelque sorte d'une forme exacerbée de la séparation entre Blancs et Noirs mise en place au Sud entre 1865 et 1965. Quitte à mettre une certaine distance entre les deux groupes, pourquoi ne pas les séparer d'un océan ? Ce projet fut un échec retentissant. Entre 1816 et 1867, à peine 13 000 Africains-Américains émancipés ont été relocalisés par l'ACS au Liberia, soit moins de 0,5 % du nombre total d'esclaves (ce qui suffit cependant à perturber sérieusement le développement ultérieur du Liberia, divisé entre *Americos* et autochtones quasiment jusqu'à nos jours)[2]. N'en déplaise à Jefferson, l'émancipation ne pouvait se faire que sur le sol étatsunien, et il fallait surtout s'atteler à faire en sorte que les relations entre les deux groupes deviennent aussi bonnes que possible après l'émancipation, par exemple en ouvrant l'accès aux écoles et aux droits politiques aux anciens esclaves et à leurs enfants. Ce n'est malheureusement pas la voie qui a été suivie, sans doute car les anciens propriétaires s'étaient

1. « The cessation of that kind of property, for so it is misnamed, is a bagatelle which would not cost me a second thought, if, in that way, a general emancipation and *expatriation* could be effected ; and, gradually, and with due sacrifices, I think it might be. But as it is, we have a wolf by the ears, and we can neither hold him, nor safely let him go. Justice is in one scale, and self-preservation in the other » (Thomas JEFFERSON à John Holmes de Monticello, 22 avril 1820, *The Writings of Thomas Jefferson*, vol. 15, 1903, p. 248-250). Voir également B. SHAW, « A Wolf by the Ears : M. Finley's Ancient Slavery and Modern Ideology in Historical Context », *in* M. FINLEY, *Ancient Slavery and Modern Ideology*, nouvelle éd., Markus Wiener, 1998.

2. Il faut également noter que de nombreux propriétaires soutenaient l'ACS dans l'idée de déporter les Noirs libres (dont on s'inquiétait de la progression et de la propension à fomenter des révoltes), tout en maintenant l'esclavage. Voir W. SHADE, *Democratizing the Old Dominion, op. cit.*, p. 194-195. La Constitution libérienne de 1847, adoptée sous la tutelle de l'ACS, réservait le pouvoir politique et le droit de vote aux *Americos*, qui occupèrent tous les sièges de président jusqu'en 1980.

convaincus qu'il était impossible d'envisager une cohabitation pacifique avec les anciens esclaves.

La « reconstruction » et la naissance du social-nativisme aux États-Unis

Ces débats autour des justifications de l'esclavage doivent être pris au sérieux, car ils eurent une influence fondamentale sur les évolutions ultérieures, non seulement pour ce qui est de la persistance des inégalités raciales et des discriminations aux États-Unis, mais plus généralement concernant la structure particulière du conflit politico-idéologique et électoral état-sunien et sa transformation depuis le XIXᵉ siècle. L'observateur étranger, et parfois aussi l'autochtone, s'étonne souvent que le parti démocrate, qui en 1860 défendait l'esclavage face au parti républicain de Lincoln, souvent en utilisant des arguments proches de ceux de Calhoun ou de Jefferson (tous deux éminents démocrates), soit ensuite devenu en 1932 le parti de Roosevelt et du New Deal, puis en 1960 celui de Kennedy, de Johnson, des *Civil Rights* et de la *War on Poverty*, et enfin dans les années 1990-2020 celui de Clinton et Obama. Nous aurons largement l'occasion de revenir sur ces questions, en particulier dans la quatrième partie de ce livre, quand nous examinerons et comparerons l'évolution de la structure socio-économique des clivages politiques et électoraux aux États-Unis et en Europe au XXᵉ siècle et au début du XXIᵉ siècle, ainsi que dans d'autres grandes démocraties électorales comme l'Inde ou le Brésil. Nous verrons alors que cette étrange trajectoire politico-idéologique est en réalité riche de leçons et d'implications pour l'ensemble de la planète.

À ce stade, soulignons simplement que c'est par petits ajustements et sans discontinuité majeure que le parti démocrate a cessé d'être jeffersonien et calhounien pour devenir rooseveltien puis johnsonien (et finalement clintonien et obamaien). En particulier, c'est en dénonçant ce qu'ils percevaient comme l'hypocrisie et l'égoïsme social des élites industrielles et financières républicaines du Nord-Est, un peu à la façon de Calhoun dans les années 1830, que les démocrates sont parvenus à reconquérir le pouvoir fédéral dès les années 1870-1880, et à former les bases de la coalition qui allait faire leur succès à l'époque du New Deal. De 1820 à 1860, le conflit électoral opposait le plus souvent les démocrates, particulièrement bien ancrés dans les États du Sud (comme d'ailleurs tout au long de la période 1790-1960), et les whigs, qui avaient remplacé les fédéralistes dans les années 1830, avant d'être eux-mêmes remplacés par les républicains dans les années 1850, et qui réalisaient traditionnellement leurs meilleurs scores dans le Nord-Est. Jusqu'à l'adoption en 1860 d'une plate-forme républicaine lincolnienne axée sur l'extension du « travail libre » à l'Ouest (et une abolition très graduelle au Sud), les deux camps évitaient soigneusement de s'affronter sur la question esclavagiste, qui avait été temporairement refermée en 1820 avec le « compromis du Missouri » (nouvel État esclavagiste entré dans l'Union, en même temps que le Maine libre), même si les tensions étaient incessantes, en particulier au sujet des fugitifs. Dans les États du Sud, les candidats des deux partis rivalisaient d'ardeur pour défendre l'esclavage, et accusaient l'autre camp de tolérer en son sein la présence d'abolitionnistes au Nord. En pratique, à l'intérieur de chaque État, par exemple en Virginie, le vote démocrate attirait surtout les électeurs blancs des comtés ruraux reposant sur les plantations (ceux qui avaient le plus de mal à imaginer un avenir en dehors du système esclavagiste), alors que les whigs séduisaient les comtés plus urbains et éduqués[1].

Pendant la période de la « reconstruction », de 1865 à 1880 environ, les démocrates se montrèrent très efficaces pour dénoncer les élites financières et industrielles du Nord-Est, qui selon eux tiraient les ficelles du parti républicain dans le seul but de défendre leurs intérêts et d'accroître

---

1. Voir W. SHADE, *Democratizing the Old Dominion, op. cit.* Voir également R. McCORMICK, *The Second Party System : Party Formation in the Jacksonian Era*, Norton, 1966. Le « premier système de partis » opposait démocrates-républicains (rebaptisés démocrates en 1828) et fédéralistes. Après la présidentielle de 1797, remportée par John Adams (fédéraliste bostonien), les fédéralistes subirent des défaites de plus en plus lourdes, et furent remplacés dans les années 1830 par les whigs (nom choisi par référence aux libéraux britanniques), donnant ainsi naissance au « second système de partis » opposant démocrates et whigs. Le troisième système débute en 1860 avec les républicains de Lincoln et oppose démocrates et républicains. Le principal point fixe de la période 1790-1960 est que les démocrates (et leurs prédécesseurs démocrates-républicains) réalisent toujours leurs meilleurs scores au Sud, alors que les fédéralistes-whigs-républicains réalisent leurs meilleurs scores dans le Nord-Est. Une source pratique permettant de cartographier l'ensemble des élections présidentielles de 1792 à 2016 est fournie par l'American Presidency Project (UCSB). Une analyse répandue parmi les politistes étatsuniens est que le « troisième système de partis » s'est transformé en un « quatrième système » vers 1896-1900 avec l'arrivée du mouvement « populiste » et de la demande de redistribution, puis en un « cinquième système » en 1932 avec l'arrivée de la coalition rooseveltienne, en un « sixième système » depuis les années 1960 et le mouvement des droits civiques (voire selon certains en un « septième système » depuis l'élection de Donald Trump). Voir par exemple S. MAISEL, M. BREWER, *Parties and Elections in America*, Rowman, 2011. Sur l'évolution du système de partis étatsunien depuis 1945, voir chapitres 14 et 15.

leurs profits[1]. Ces accusations se concentrèrent notamment sur la question du paiement des dettes de guerre, du régime monétaire et du bimétallisme or-argent. Pour résumer, les démocrates accusèrent les banquiers bostoniens et new-yorkais de se préoccuper avant tout des confortables intérêts qu'ils voulaient toucher sur les sommes prêtées pour financer la guerre, alors que le pays avait surtout besoin de souplesse monétaire pour pouvoir faire crédit à ses fermiers et à ses petits producteurs et financer des pensions aux modestes vétérans, quitte à tolérer un peu d'inflation et à privilégier le papier-monnaie (les *greenbacks*) et le dollar-argent plutôt que le retour immédiat au dollar-or exigé par les banquiers. L'autre grande question était celle du tarif douanier : de même que les fédéralistes et les whigs avant eux, les républicains voulaient imposer des droits de douane élevés aux impor-tations textiles et manufacturières venant du Royaume-Uni et d'Europe, afin de protéger les productions industrielles du Nord-Est et de fournir des recettes à l'État fédéral (en partie pour payer la dette, et en partie pour financer les infrastructures qui leur paraissaient utiles pour le développe-ment industriel)[2]. Les démocrates, traditionnellement sourcilleux sur les droits des États et méfiants face à l'expansion du gouvernement central, eurent beau jeu de dénoncer l'égoïsme des élites de la Nouvelle-Angleterre, toujours prêtes à grever le pouvoir d'achat du reste du pays pour défendre leurs intérêts, alors même que l'ouest et le sud des États-Unis avaient surtout besoin de libre-échange pour exporter leurs productions agricoles.

Les démocrates prirent également la défense des nouveaux immigrés européens, irlandais et italiens notamment, dont les élites républicaines anglo-protestantes se méfiaient, et qu'elles cherchaient à écarter du droit de vote, en retardant l'acquisition de la nationalité américaine, puis en leur imposant des conditions d'éducation pour l'exercice du suffrage. C'est d'ailleurs en partie pour cette raison que les Nordistes laissèrent les Sudistes

---

1. Sur la structure du conflit politique de la « reconstruction », voir le livre passionnant de N. Barreyre, *L'Or et la Liberté*, *op. cit.*

2. Sur les représentations et les stratégies des élites financières bostoniennes (les « Brahmins » dans le vocabulaire politique de l'époque) après la guerre civile, voir le livre éclairant de N. Maggor, *Brahmin Capitalism : Frontiers of Wealth and Populism in America's First Gilded Age*, Harvard University Press, 2017. Certains Bostoniens tentèrent d'investir dans les plantations du Sud, mais se rendirent vite compte que les *darkies* n'avaient plus l'intention de travailler pour rien (et avaient l'espoir « chimérique » de détenir leurs propres terres). Ils préférèrent souvent redéployer vers l'Ouest (où ils se confrontèrent aux pionniers désireux eux aussi de se protéger, en inscrivant par exemple la régulation publique de l'eau et du rail dans leurs constitutions) les capitaux accumulés dans le textile du Nord-Est.

blancs reprendre le contrôle des États du Sud et exclure les ex-esclaves de l'exercice du droit de vote. Au fond, de nombreux républicains pensaient que les Noirs n'étaient pas prêts pour la citoyenneté, et n'avaient aucune intention de se battre pour cela, d'autant plus qu'ils voulaient pouvoir continuer de mettre des conditions aux nouveaux arrivants dans le Nord-Est (alors que les démocrates de New York et de Boston se faisaient fort de naturaliser à tour de bras les Irlandais et les Italiens). Le 14ᵉ amendement, adopté en 1868 pour remplacer la règle des « trois cinquièmes », prévoyait certes que les sièges à la Chambre des représentants seraient dorénavant répartis en prenant en compte le nombre d'hommes adultes effectivement inscrits sur les listes électorales, ce qui aurait pu constituer un mécanisme précis et efficace permettant de mettre la pression sur les États du Sud. Mais il ne fut jamais appliqué, car les États du Nord-Est se rendirent compte qu'ils avaient beaucoup à y perdre, compte tenu de leurs propres restrictions sur le droit de vote[1]. Il s'agit clairement d'un moment de bifurcation important.

Finalement, le 15ᵉ amendement adopté en 1870 décréta l'interdiction théorique de toute discrimination raciale sur le droit de vote, mais son application fut entièrement laissée aux États. Les démocrates ségrégationnistes étaient justement en train de reprendre la main dans les États du Sud, dans un climat marqué par une extrême violence et de nombreux lynchages et expéditions punitives contre les ex-esclaves qui prétendaient faire valoir leurs nouveaux droits et déambuler publiquement. La situation était parfois proche de l'insurrection, comme en Louisiane en 1873, où s'opposaient deux gouverneurs concurrents (l'un démocrate, et le second républicain, élu avec des voix des Noirs). Face à la détermination et à l'organisation des ségrégationnistes, qui avaient détenu le pouvoir depuis toujours dans les États du Sud, il aurait fallu une volonté extrêmement forte des Nordistes pour imposer l'égalité raciale, qui n'existait pas. L'opinion nordiste la plus courante était qu'une petite minorité de grands planteurs extrémistes était responsable de la guerre, et qu'il était plus que temps de laisser le reste des Sudistes gérer leurs affaires et leurs inégalités. Une fois leur contrôle rétabli sur les appareils d'État, les administrations et les policiers, les Constitutions et les Cours suprêmes, et une fois surtout le départ des dernières troupes fédérales en 1877 (rupture symbolique marquant la fin officielle de la période de la « reconstruction »), les démocrates du Sud purent mettre

---

1. Voir N. Barreyre, *L'Or et la Liberté*, *op. cit.*, p. 175-176.

en place le régime ségrégationniste qui, pendant près d'un siècle, permit d'exclure les Noirs du droit de vote et de l'accès aux écoles et aux lieux publics fréquentés par les Blancs[1]. Un régime légal et un droit du travail spécifique permettant de comprimer les salaires dans les plantations furent également mis en place[2], et un nombre croissant de Noirs, qui avaient un moment nourri l'espoir d'accéder à une liberté pleine et entière et de pouvoir travailler un jour sur leurs propres terres, commença à envisager la possibilité de la « grande migration » vers le Nord[3].

C'est sur la base de cette plate-forme complexe (défense intransigeante de la ségrégation au Sud ; souplesse monétaire et report de la dette de guerre ; opposition aux tarifs manufacturiers ; soutien à la nouvelle immigration blanche au Nord), et plus généralement en s'opposant à ce qu'ils décrivaient comme l'aristocratie financière et industrielle du Nord-Est, qui n'avait fait la guerre et libéré les esclaves que pour accroître ses profits et défendre ses intérêts, que les démocrates obtinrent dès 1874 une majorité au Congrès, et remportèrent l'élection présidentielle de 1884, après avoir déjà remporté en termes de voix celle de 1876, à peine plus de dix ans après la guerre civile. L'alternance est chose normale dans une démocratie électorale, et ces succès démocrates étaient pour partie la conséquence d'une lassitude naturelle face aux républicains, qui avaient en outre été frappés par divers scandales financiers, ce qui arrive souvent quand on est au pouvoir. Pour autant, il est intéressant de comprendre la forme de la coalition d'idées et d'aspirations qui a permis de sédimenter une alternance aussi rapide, car cela conditionne les évolutions futures.

Pour résumer, l'idéologie politique du parti démocrate qui se mit en place au cours de la période de la « reconstruction » relève de ce que l'on peut appeler de façon générale le « social-nativisme », ou peut-être

1. Dans les années 1870-1880, de nombreux électeurs noirs disposaient du droit de vote (et votaient massivement républicain) dans les États du Sud, certaines assemblées comptant même jusqu'à 40 % de Noirs (par exemple en Louisiane et en Caroline du Sud). Puis les législations ségrégationnistes et les faux tests éducatifs prirent le dessus, à tel point que la participation électorale parmi les Noirs des États du Sud passa de 61 % à 2 % entre 1885 et 1908. Voir S. LEVITSKY, D. ZIBLATT, *How Democracies Die*, Penguin, 2018, p. 89-91.

2. Il était par exemple interdit de débaucher la main-d'œuvre des plantations en proposant des salaires plus élevés, sous peine de lourdes amendes. Voir S. NAIDU, « Recruitment Restrictions and Labor Markets : Evidence from Post-Bellum U.S. South », *Journal of Labor Economics*, vol. 28 (2), 2010, p 413-445.

3. Ce processus fut très graduel, puisque la proportion d'Africains-Américains vivant au Sud passa lentement de 92 % en 1860 à 85 % en 1920, avant de baisser rapidement à 68 % en 1950 et 53 % en 1970, puis de se stabiliser à ce niveau (avec une légère remontée depuis 2000).

plutôt en l'occurrence le « social-racialisme », car les Noirs étaient tout aussi natifs des États-Unis que les Blancs (et davantage que les Irlandais et les Italiens), même si les esclavagistes les auraient volontiers déportés en Afrique. On pourrait aussi parler de « social-différentialisme » pour désigner les idéologies politiques promouvant une certaine égalité sociale, mais uniquement au sein d'un segment de la population, par exemple les Blancs ou les personnes considérées comme les véritables « natifs » du territoire en question (étant entendu que ce qui est en jeu relève davantage de la légitimité supposée des différents groupes à occuper les lieux que de leur nativité véritable), par opposition aux Noirs ou aux personnes considérées comme extérieures à la communauté (par exemple les immigrés extraeuropéens dans l'Europe actuelle). En l'occurrence, la dimension « sociale » du social-nativisme du parti démocrate était tout aussi réelle que son « nativisme » : les démocrates réussirent à apparaître aux électeurs blancs issus de catégories sociales modestes et moyennes comme plus à même que les républicains de défendre leurs intérêts et de leur offrir des perspectives.

Nous verrons dans les prochaines parties de ce livre comment cette coalition politique social-nativiste démocrate de la période de la « reconstruction » contribua de fait au développement d'un ambitieux programme de réduction des inégalités aux États-Unis, en particulier avec la création d'impôts fédéraux sur les revenus et les successions dans les années 1910 et le New Deal dans les années 1930, avant de finalement se défaire de son « nativisme » dans les années 1960, en faisant le choix du tournant des *Civil Rights*. Nous étudierons également les points communs, mais aussi et surtout les profondes différences, entre la trajectoire suivie par le parti démocrate étatsunien au cours de la période 1860-1960 et les formes de social-nativisme en cours de développement en ce début de XXIᵉ siècle, en particulier en Europe et aux États-Unis (cette fois-ci sous les traits du parti républicain)[1].

Brésil : l'abolition impériale et métissée (1888)

Venons-en au cas du Brésil. Bien que moins étudiée que les abolitions britannique, française et étatsunienne, l'abolition de l'esclavage mise en place au Brésil en 1888 est également riche en enseignements. Contrairement au sud des États-Unis, où le nombre d'esclaves avait bondi de

---

1. Voir troisième partie, chapitres 10-11, et quatrième partie, chapitres 15-16.

1 million à 4 millions entre 1800 et 1860, le Brésil ne connut pas de progression spectaculaire de sa population servile au XIXe siècle. Le pays comptait déjà autour de 1,5 million d'esclaves en 1800, et ce nombre ne progressa guère jusqu'à l'abolition de 1888 (voir graphique 6.4). En dépit des remontrances britanniques de plus en plus pressantes, les négriers brésiliens continuèrent certes de pratiquer la traite pendant une bonne partie du XIXe siècle, au moins jusqu'en 1850-1860, mais à une échelle de plus en plus réduite. Surtout, la traite ne permettait pas une progression aussi rapide que l'accroissement naturel pratiqué aux États-Unis. Les processus de métissage et d'émancipation graduelle étaient en outre beaucoup plus répandus au Brésil, ce qui contribua à limiter l'accroissement de la population esclave. Lors du recensement mené au Brésil en 2010, 48 % de la population s'est déclarée comme « blanche », 43 % comme « métisse », 8 % comme « noire », et 1 % comme « asiatique » ou « indigène ». En réalité, au-delà de la façon dont les personnes choisissent de se décrire elles-mêmes, les recherches disponibles sur la question suggèrent que ce sont plus de 90 % des Brésiliens de la fin du XXe siècle et du début du XXIe siècle qui ont des origines métissées, européennes et africaines et/ou amérindiennes, y compris au sein des personnes se décrivant comme « blanches ». Tout indique que le métissage était déjà extrêmement avancé à la fin du XIXe siècle, alors qu'il reste extrêmement marginal jusqu'à nos jours aux États-Unis[1]. Le métissage n'empêche cependant pas la distance sociale, la discrimination et les inégalités, qui demeurent encore aujourd'hui exceptionnellement fortes au Brésil.

La relative stabilité du nombre d'esclaves entre 1750 et 1880 (autour de 1-1,5 million), dans un contexte de très forte progression de la population brésilienne, se traduisit par une baisse de la proportion d'esclaves : environ 50 % en 1750, et entre 15 % et 20 % en 1880, ce qui reste considérable (voir graphique 6.1). Il faut en outre souligner que cette proportion restait supérieure à 30 % dans certaines régions. Historiquement les premières concentrations d'esclaves s'étaient situées dans les plantations sucrières du Nordeste, en particulier autour de Bahia. Dans le courant du XVIIIe siècle, une partie des esclaves avaient été déplacés plus au sud, en particulier vers le Minas Gerais, à la suite du développement des mines d'or et de diamant, vite taries, puis surtout avec le développement du café dans les régions de Rio et de São Paulo au XIXe siècle. En 1850, la ville de Rio comptait

1. Voir annexe technique.

250 000 habitants, dont 110 000 esclaves (44 %), soit davantage qu'à Salvador de Bahia (33 %).

En 1807-1808, quand la cour de Lisbonne abandonna la capitale portugaise, menacée par les troupes napoléoniennes, pour s'installer à Rio de Janeiro, le Brésil comptait autour de 3 millions d'habitants (dont environ la moitié d'esclaves), soit approximativement autant que le Portugal. Fait unique dans l'histoire des colonisations européennes, c'est l'héritier de la couronne portugaise qui devint, sous le nom de Pedro Ier, empereur du Brésil, le premier chef du nouvel État indépendant en 1822, après avoir renoncé à exercer ses prérogatives royales au Portugal, au grand dam de sa cour. Les décennies suivantes furent marquées par de nombreuses révoltes d'esclaves, dans un pays qui avait déjà connu de multiples communautés autonomes d'esclaves fugitifs, depuis la *quilombo* de Palmares au XVIIe siècle, qui avait constitué une véritable république noire pendant plus d'un siècle, dans une zone montagneuse, avant de succomber face aux troupes envoyées pour mettre fin à cette expérience subversive[1]. Une première loi décrétant l'affranchissement des esclaves sexagénaires fut adoptée en 1865, après de longs débats. En 1867, lors du discours du trône, l'empereur Pedro II fit longuement référence au problème posé par l'esclavage, ce qui provoqua un tollé à la Chambre et au Sénat, qui étaient alors des enceintes étroitement propriétaristes, élues par moins de 1 % de la population, et notamment par les propriétaires d'esclaves.

Mais face à la recrudescence des révoltes, et aux menaces de dissolution, le Parlement accepta finalement d'adopter en 1871 la loi dite du « ventre libre », qui visait à affranchir les enfants à naître des mères esclaves, ce qui permettait d'envisager une abolition très graduelle. Les propriétaires des mères des bénéficiaires, appelés « ingénus », devaient les élever jusqu'à l'âge de 6 ans pour recevoir de l'État une indemnité, payée en rentes (*juros*) annuelles à 6 %, ou bien conserver les jeunes Noirs jusqu'à l'âge de 21 ans, en les faisant travailler contre rémunération, moyennant une indemnisation inférieure. Pendant ce temps, les débats sur l'abolition pure et simple se poursuivaient. À partir de 1880, la tension dans le pays devint de plus en plus palpable, à tel point que de nombreux voyageurs traversant les provinces de Rio et de São Paulo en 1883-1884 pouvaient croire à l'imminence d'une révolution sociale. L'armée annonça en 1887 qu'elle ne pourrait plus faire face aux révoltes et arrêter les esclaves fugitifs. C'est

---

1. Voir par exemple B. BENNASSAR, R. MARIN, *Histoire du Brésil*, Pluriel, 2014, p. 102-108.

dans ce contexte que le Parlement adopta en mai 1888 la loi d'abolition générale, peu avant la chute du régime impérial en 1889, lâché par les barons et l'aristocratie foncière dont il n'avait pas su défendre les intérêts. La chute du régime conduisit à l'adoption de la première Constitution républicaine du pays en 1891[1].

L'esclavage était terminé, mais le Brésil n'en avait pas fini avec les inégalités extrêmes qui en étaient issues. La Constitution de 1891 supprima les conditions de fortune, mais elle prit soin d'exclure les personnes non alphabétisées de l'exercice du droit de vote, règle reprise par les Constitutions de 1934 et 1946. Ceci eut pour conséquence d'éliminer d'entrée de jeu environ 70 % de la population adulte du processus électoral dans les années 1890, et toujours plus de 50 % en 1950 et environ 20 % en 1980. En pratique, ce sont non seulement les anciens esclaves mais plus généralement les pauvres qui ont ainsi été exclus du jeu politique pendant un siècle, des années 1890 aux années 1980. Par comparaison, un pays comme l'Inde n'a pas hésité à instituer un suffrage véritablement universel dès 1947, en dépit des immenses clivages sociaux et statutaires issus du passé, et de la pauvreté du pays. On peut noter que les pays européens qui ont généralisé le suffrage aux hommes à la fin du XIXᵉ siècle et au début du XXᵉ siècle auraient éliminé une proportion substantielle des électeurs (en particulier dans les circonscriptions rurales et parmi les générations les plus âgées) s'ils avaient choisi d'imposer une condition d'alphabétisation. Il faut également souligner que l'application pratique de ce type de condition revient souvent à accorder un pouvoir démesuré à ceux qui contrôlent les administrations locales en charge de l'établissement des listes électorales. C'est d'ailleurs au nom de conditions de cette nature que les Noirs furent exclus du droit de vote dans le sud des États-Unis jusqu'aux années 1960.

Au-delà de la question de l'esclavage et de l'accès au suffrage et à l'éducation, ce sont plus généralement les relations de travail qui sont restées extrêmement dures au Brésil tout au long du XXᵉ siècle, en particulier entre les propriétaires terriens, les ouvriers agricoles et les paysans sans terre. Les témoignages abondent pour décrire l'extrême violence des relations sociales dans les régions sucrières du Nordeste, avec des propriétaires utilisant la police et l'appareil d'État pour réprimer les grèves, comprimer les salaires et exploiter sans limites les journaliers agricoles, particulièrement après le coup

1. *Ibid.*, p. 369-370.

d'État militaire de 1964[1]. Il fallut attendre la fin de la dictature militaire (1964-1985) et la Constitution de 1988 pour que le droit de vote soit finalement étendu à tous, sans condition d'éducation. La première élection au suffrage véritablement universel se déroula en 1989. Nous reviendrons dans la quatrième partie sur l'évolution de la structure du conflit politique au cours de ces premières décennies de suffrage universel au Brésil[2]. À ce stade, insistons surtout sur une conclusion que nous avons déjà rencontrée : il est impossible de comprendre la structure des inégalités modernes sans commencer par prendre en compte le lourd héritage inégalitaire issu de l'esclavage et du colonialisme.

Russie : l'abolition du servage avec un État faible (1861)

Évoquons enfin le cas de l'abolition du servage en Russie, décidée en 1861 par le tsar Alexandre II. Outre que cette rupture majeure de l'histoire russe et européenne est exactement contemporaine de la guerre civile étatsunienne, il est intéressant de constater qu'elle mit en jeu des débats qui n'étaient pas sans rapport avec les questions de compensations liées à l'abolition de l'esclavage, avec toutefois des spécificités entraînées par la faiblesse de l'État impérial russe. Précisons également que la forme de servage pratiquée en Russie aux XVIIIe et XIXe siècles est généralement considérée comme extrêmement dure. En particulier, les serfs n'avaient pas le droit de quitter leur domaine ou d'accéder aux tribunaux. Jusqu'en 1848, la propriété des terres et des biens immobiliers leur était en principe interdite. Il faut toutefois signaler la très grande diversité des situations qui prévalaient au sein de l'immense espace russe. À la veille de l'abolition, on estime que la Russie européenne comptait plus de 22 millions de serfs, soit près de 40 % de la population russe à l'ouest de l'Oural, répartis sur un très vaste territoire. Beaucoup appartenaient à d'immenses domaines

1. Cela vaut notamment pour les régions du Nordeste comme celle de Pernambouc, dont le gouverneur démocratiquement élu, qui tentait de développer les coopératives et d'ambitieux programmes d'alphabétisation, et de faire respecter un minimum de règles dans les relations de travail, fut violemment démis par les putschistes à la suite du coup d'État. Voir les témoignages de F. JULIAO, *Cambao (le joug). La face cachée du Brésil*, Maspero, 1968 ; R. LINHART, *Le Sucre et la Faim. Enquête dans les régions sucrières du nord-est brésilien*, Éditions de Minuit, 1981.

2. Voir chapitre 16, p. 1095-1100.

comprenant parfois plusieurs milliers de serfs. Suivant les régions et les propriétaires, on pouvait trouver toute une graduation de droits et de conditions de vie. On observe même dans certains cas des serfs qui étaient parvenus à occuper des fonctions dans l'administration de ces propriétés et à accumuler des biens[1].

L'émancipation des serfs de 1861, qui fut en partie déclenchée par la défaite russe lors de la guerre de Crimée (1853-1856), mit en jeu de multiples processus qu'il est impossible d'analyser complètement ici. En particulier, l'abolition du servage fut suivie d'une réforme agraire qui aboutit à la mise en place de diverses formes de propriété communale, dont les effets sur la croissance agricole ont généralement été jugés beaucoup moins positifs que ceux de l'émancipation elle-même[2]. Un aspect important de l'acte d'émancipation russe de 1861 est qu'il comprenait un dispositif complexe visant à indemniser les propriétaires de serfs pour leur perte de propriété, de façon comparable aux compensations versées aux propriétaires d'esclaves décidées lors des abolitions britannique (1833), française (1848) et brésilienne (1888). Le principe général était que les anciens serfs, pour pouvoir accéder aux terres communales, devaient acquitter des remboursements à l'État et aux anciens propriétaires pendant quarante-neuf ans. En principe, ces remboursements auraient donc dû s'étaler jusqu'en 1910. L'ensemble fit toutefois l'objet de multiples renégociations, et la plupart des paiements prirent fin dans les années 1880.

De façon générale, il faut insister sur le fait que le processus fut relativement chaotique et mal contrôlé par l'État central, compte tenu de la faiblesse administrative et juridictionnelle de ce dernier. En particulier, il n'existait pas de cadastre impérial, si bien qu'il était difficile d'allouer et de garantir de nouveaux droits d'accès aux terres. La collecte des impôts et la levée des conscrits, tout comme l'organisation des tribunaux de première instance, étaient dans une large mesure déléguées à la noblesse et aux différentes élites au niveau local, comme souvent dans les sociétés trifonctionnelles où la formation de l'État centralisé était peu avancée, si bien que la capacité du pouvoir impérial à imposer une transformation

---

1. Voir en particulier T. DENNISON, « Contract Enforcement in Russian Serf Society, 1750-1860 », *Economic History Review*, vol. 66 (3), 2013, p. 715-732.

2. Voir A. MARKEVICH, E. ZHURAVSKAYA, « The Economic Effects of the Abolition of Serfdom : Evidence from the Russian Empire », *American Economic Review*, vol. 108 (4-5), 2018, p. 1074-1117.

des relations de pouvoir au sein de la société rurale russe était relativement limitée. Des limitations à la mobilité des paysans continuèrent de s'appliquer, officiellement certes sous le contrôle de la commune, mais en pratique tout indique que les anciens propriétaires continuèrent de jouer un rôle prépondérant.

Selon certains chercheurs, les actes d'émancipation de 1861 aboutirent même dans un grand nombre de cas à un renforcement de l'emprise des propriétaires sur les paysans, car rien ne fut véritablement fait pour développer un système juridictionnel indépendant et une fonction publique impériale professionnelle, ce qui aurait exigé d'améliorer considérablement le faible rendement du système fiscal[1]. La fragile organisation fiscale et financière de l'État central russe explique également en partie pourquoi le pouvoir impérial a imposé aux anciens serfs des paiements de quarante-neuf ans aux propriétaires pour assurer leur rédemption, au lieu d'envisager une indemnité monétaire financée par la dette publique et donc par l'ensemble des contribuables, comme au Royaume-Uni et en France lors de l'abolition de l'esclavage. Une nouvelle vague de réformes agraires fut entreprise en Russie en 1906, avec des effets limités. L'État impérial finit par adopter en avril 1916, en pleine guerre, une réforme fiscale beaucoup plus ambitieuse que celles envisagées auparavant, avec la création d'un véritable système d'impôt progressif sur le revenu global, assez proche dans son fonctionnement de celui adopté en France en juillet 1914[2].

De toute évidence, il était trop tard. La révolution bolchevique débuta en 1917, avant même que cette réforme peut-être décisive ait pu commencer à s'appliquer, et sans que personne puisse savoir si l'État impérial russe aurait réussi à la mener à bien. L'expérience ratée de l'abolition du servage en Russie nous rappelle une réalité essentielle : la transformation des sociétés trifonctionnelles et esclavagistes en sociétés de propriétaires nécessite la formation d'un État centralisé capable de garantir les droits de propriété des uns et des autres, le monopole sur la

---

1. Voir T. DENNISON, « The Institutional Framework of Serfdom in Russia : the View from 1861 », *in* S. CAVACIOOCCHI, *Serfdom and Slavery in the European Economy, 11th-19th Centuries*, Firenze University Press, 2014. Voir également N. MOON, *The Abolition of Serfdom in Russia, 1762-1907*, Routledge, 2001.

2. Voir N. PLATONOVA, « L'introduction de l'impôt sur le revenu en Russie impériale : la genèse et l'élaboration d'une réforme inachevée », *Revue historique de droit français et étranger*, vol. 93 (2), 2015, p. 245-266.

violence légitime et une relative autonomie du système juridictionnel, légal et fiscal, faute de quoi les élites locales gardent le contrôle des relations de pouvoir et de dépendance. Dans le cas de la Russie, la transition se fit directement vers un nouveau type de société : la société communiste de type soviétique.

Chapitre 7

LES SOCIÉTÉS COLONIALES : DIVERSITÉ ET DOMINATION

Nous venons d'étudier les sociétés esclavagistes et les conditions de leur disparition, en particulier dans l'espace atlantique et euro-américain. Cela nous a permis d'observer certaines facettes étonnantes du régime de quasi-sacralisation de la propriété privée en vigueur au XIXᵉ siècle. C'est ainsi qu'il fallut indemniser les esclavagistes, et non les esclaves, lors des abolitions, et que des esclaves libérés durent payer un lourd tribut à leurs anciens propriétaires pour prix de leur liberté, à l'image du paiement d'Haïti à la France, qui s'est poursuivi jusqu'au milieu du XXᵉ siècle. Nous avons également analysé comment la guerre civile et la fin de l'esclavage avaient conduit aux États-Unis au développement d'un système spécifique de partis politiques et de clivages idéologiques, avec des conséquences considérables sur les évolutions ultérieures et la structure actuelle des inégalités et du conflit électoral, aux États-Unis comme en Europe et d'autres parties du monde.

Nous allons maintenant nous pencher sur des formes de domination et d'inégalité moins extrêmes que l'esclavage, mais qui ont concerné de beaucoup plus vastes parties de la planète, dans le cadre des empires coloniaux européens, et qui se sont prolongés jusqu'aux années 1960, avec des conséquences profondes sur le monde actuel. Des recherches récentes permettent d'apporter quelques éléments de comparaison concernant l'ampleur des inégalités socio-économiques dans les sociétés coloniales et dans les sociétés contemporaines, et nous allons commencer par là. Nous passerons ensuite en revue les différents facteurs expliquant les très fortes inégalités coloniales. Les colonies étaient très largement organisées pour le seul bénéfice des colons, notamment en termes d'investissement social et éducatif. Les inégalités de statut juridique étaient très marquées et mettaient en jeu diverses formes de travail forcé. Tout cela était structuré par une idéologie qui se fondait sur la vision d'une domination intellectuelle et civilisatrice, et non plus simplement guerrière et extractive, contrairement au cas des sociétés esclavagistes. Nous verrons également que la sortie du colonialisme mit en jeu des débats sur des formes de fédéralisme démocratique régional et transcontinental, qui, avec le recul dont nous disposons aujourd'hui, apparaissent riches de leçons pour l'avenir, même s'ils n'aboutirent pas dans l'immédiat.

Les deux âges du colonialisme européen

Il n'est évidemment pas question de proposer ici une histoire générale des différentes formes de sociétés coloniales, ce qui dépasserait de très loin le projet de ce livre. Plus modestement, mon objectif est de replacer le cas des sociétés coloniales dans l'histoire des régimes inégalitaires, et d'insister sur les éléments les plus importants pour l'analyse des évolutions ultérieures.

De façon générale, on distingue souvent deux âges de la colonisation européenne : un premier âge qui débute autour de 1500 avec la « découverte » de l'Amérique et des voies maritimes de l'Europe vers l'Inde et la Chine, et qui se termine vers 1800-1850, en particulier avec la fin graduelle de la traite atlantique et de l'esclavage ; et un second âge qui débute autour de 1800-1850, qui prend son ampleur maximale entre 1900 et 1940, et qui s'achève avec les indépendances des années 1960, voire dans les années 1990 si l'on inclut dans ce schéma colonial le cas spécifique de l'Afrique du Sud et de la fin de l'apartheid.

Pour simplifier, le premier âge de la colonisation européenne, entre 1500 et 1800-1850, correspond à une logique qui est aujourd'hui largement reconnue comme guerrière et extractive, s'appuyant sur une domination militaire violente et le déplacement forcé ou l'extermination de populations, que ce soit dans le cadre du commerce triangulaire et du développement de sociétés esclavagistes dans les Antilles françaises et britanniques, dans l'océan Indien, au Brésil ou en Amérique du Nord, ou dans celui de la conquête espagnole de l'Amérique centrale et méridionale.

Le second âge colonial, entre 1800-1850 et 1960, est souvent présenté sous un angle plus doux et bienveillant, en particulier au sein des pays ex-colonisateurs, qui insistent souvent sur les dimensions intellectuelle et civilisatrice de la domination coloniale au cours de cette seconde phase. Si les différences entre les deux phases sont bien réelles, il n'en reste pas moins que la violence ne fut guère absente de la seconde, et que les éléments de continuité entre les deux âges sont évidents. En particulier, nous venons de voir dans le chapitre précédent que l'abolition de l'esclavage s'est étalée sur quasiment tout le XIXe siècle, et surtout que l'esclavage a laissé place à diverses formes de travail forcé, dont nous allons retrouver des traces bien vivantes jusqu'au milieu du XXe siècle, notamment dans les colonies françaises. Nous allons également voir que les sociétés esclavagistes et les sociétés coloniales postesclavagistes figurent toutes deux parmi les sociétés les plus inégalitaires de l'histoire en termes de concentration des ressources économiques, même s'il existe effectivement une différence de degré.

Il est également habituel de distinguer les colonies comprenant un peuplement significatif d'origine européenne, et les colonies où ce peuplement est extrêmement faible. Dans le cas des sociétés esclavagistes du premier âge colonial (1500-1850), nous avons vu que c'était dans les Antilles françaises et britanniques que la proportion d'esclaves avait atteint son zénith, avec plus de 80 % d'esclaves dans les différentes îles concernées, et un sommet de 90 % d'esclaves à Saint-Domingue (Haïti) dans les années 1780, où se trouvait la plus forte concentration d'esclaves de l'époque, et qui conduisit à la première révolte victorieuse en 1791-1793. Il reste que la proportion d'Européens avoisinait ou dépassait les 10 % dans les îles des Antilles aux XVIIIe et XIXe siècles, ce qui est considérable si l'on compare à l'ensemble des sociétés coloniales. La domination esclavagiste reposait sur une soumission totale et complète, et elle exigeait de fait une proportion significative de colons. Dans les autres sociétés esclavagistes étudiées dans le chapitre précédent, et qui d'ailleurs furent plus durables, la proportion d'Européens était encore plus forte. Elle était en moyenne de l'ordre de deux tiers (pour environ un tiers d'esclaves) dans le sud des États-Unis, avec un minimum d'un peu plus de 40 % de Blancs (pour près de 60 % d'esclaves) en Caroline du Sud et au Mississippi dans les années 1850. Au Brésil, la population esclave avoisinait les 50 % au XVIIIe siècle, et s'abaissa autour de 20 %-30 % dans la seconde moitié du XIXe siècle[1].

Dans le cas de l'Amérique du Nord comme de l'Amérique « latine », il faut toutefois souligner que la question du peuplement européen engage également celle de la chute brutale du peuplement autochtone, ainsi que la question des métissages[2]. Au Mexique, on estime par exemple que la

1. Voir chapitre 6, graphiques 6.1-6.4, p. 261-279.
2. La question de la mise au travail forcé des populations indiennes par les Européens joue également un rôle central (et longtemps négligé) dans l'histoire du continent, aussi bien dans les territoires du Chili et du Pérou actuels que dans les territoires mayas et en Amérique du

population autochtone était comprise entre 15 et 20 millions d'habitants en 1520, et que, à la suite de la conquête militaire, du chaos politique et des maladies apportées par les Espagnols, cette population s'est abaissée à moins de 2 millions autour de 1600. On constate au passage une progression rapide du métissage entre la population autochtone et les populations d'origine européenne et africaine, qui aurait atteint un quart de la population vers 1650, entre un tiers et la moitié en 1820 et près des deux tiers en 1920. Sur les territoires actuellement occupés par les États-Unis et le Canada, on estime que les populations amérindiennes étaient comprises entre 5 et 10 millions à l'arrivée des Européens, avant de chuter à moins d'un demi-million autour de 1900, à un moment où les populations d'origine européenne dépassaient les 70 millions d'habitants, si bien que ces dernières devinrent ultradominantes, sans métissage significatif, ni avec les populations autochtones ni avec celles d'origine africaine[1].

Si l'on examine maintenant le cas des empires du second âge colonial (1850-1960), le peuplement européen était généralement très faible, voire minuscule, mais là encore avec une grande diversité de situations. Il faut tout d'abord souligner que les empires coloniaux européens ont atteint au cours de la période 1850-1960 des dimensions transcontinentales beaucoup plus importantes que lors du premier âge colonial, et sans équivalent dans l'histoire de l'humanité. À son apogée, en 1938, l'empire colonial britannique regroupait une population totale de plus de 450 millions d'habitants, dont plus de 300 millions en Inde (qui est un véritable continent en soi, et sur lequel nous reviendrons en détail dans le prochain chapitre), à un moment où la population métropolitaine du Royaume-Uni dépassait à peine 45 millions d'habitants. Également à son zénith, l'empire colonial français comprenait dans les années 1930 autour de 95 millions d'habitants (dont environ 22 millions en Afrique du Nord, 35 millions en Indochine, 34 millions en Afrique-Occidentale et Afrique-Équatoriale française, et 5 millions à Madagascar), alors que la métropole ne comptait guère plus de 40 millions d'habitants. L'empire colonial néerlandais regroupait quant

---

Nord. Voir A. RESÉNDEZ, *The Other Slavery : The Uncovered Story of Indian Enslavement in America*, Harcourt, 2016.

1. Concernant les principales estimations disponibles sur les populations autochtones à l'arrivée des Européens, voir annexe technique. Le recensement mexicain de 1921 faisait état d'environ 60 % de métis (*mestizos*), 30 % d'indigènes et 10 % de « Blancs ». L'identité pluriculturelle du pays a été intégrée dans la Constitution, et ces questions ne sont plus posées dans les recensements actuels.

à lui à la même époque environ 70 millions d'habitants, pour l'essentiel en Indonésie, à un moment où la population de Hollande était d'à peine 8 millions. Il faut souligner la grande diversité des liens politiques, juridiques et militaires définissant les frontières de ces différents empires, sans compter que les conditions de l'organisation de recensements variaient considérablement suivant les territoires, si bien que ces décomptes ne peuvent être qu'approximatifs et valent surtout pour les ordres de grandeur[1].

Colonies de peuplement, colonies sans peuplement

Dans la plupart des cas, le peuplement européen au sein de ces vastes empires était extrêmement limité. Au cours de l'entre-deux-guerres, la population européenne (essentiellement britannique) dans l'immense empire des Indes ne dépassait pas 200 000 personnes (dont environ 100 000 soldats britanniques), soit moins de 0,1 % de la population totale de l'Inde (plus de 300 millions). Ces chiffres disent assez clairement à quel point le type de rapport de domination n'avait pas grand-chose à voir avec celui de Saint-Domingue. Il s'agit ici d'une domination qui s'appuyait certes sur une supériorité militaire démontrée de façon incontestable lors des confrontations décisives, mais également et surtout sur une organisation politique, administrative, policière et idéologique extrêmement sophistiquée, ainsi que sur de nombreuses élites locales et de multiples structures de pouvoir décentralisées, le tout permettant de conduire à une certaine forme de consentement et d'acceptation. C'est cette domination organisationnelle et idéologique qui permit, avec une population minuscule de colons, de briser les capacités de résistance et d'organisation de la population colonisée, tout du moins jusqu'à un certain point. Cet ordre de grandeur, c'est-à-dire environ 0,1 %-0,5 % de population d'origine européenne, est de fait relativement représentatif d'un grand nombre de territoires lors du second âge colonial (voir graphique 7.1). On retrouve par exemple un pourcentage d'Européens d'à peine 0,1 % dans l'Indochine française de l'entre-deux-guerres et jusqu'à la guerre de décolonisation au début des années 1950. Aux Indes néerlandaises (actuelle Indonésie), la population européenne atteignait 0,3 % de la population totale dans l'entre-deux-guerres, niveau que

---

1. Voir annexe technique. Les éléments démographiques indiqués ici sur les Empires français, britanniques et néerlandais se fondent notamment sur les travaux de D. Cogneau et de B. Etemad.

l'on retrouve également à la même époque dans les colonies britanniques en Afrique, comme au Kenya ou au Ghana. Au sein de l'Afrique-Occidentale française (AOF) et de l'Afrique-Équatoriale française (AÉF), la population européenne se situait en moyenne autour de 0,4 % de la population totale dans les années 1950. À Madagascar, la population européenne atteignait 1,2 % en 1945 et paraît imposante, à la veille des violents combats qui allaient mener à l'indépendance.

Graphique 7.1

Le poids des Européens dans les sociétés coloniales

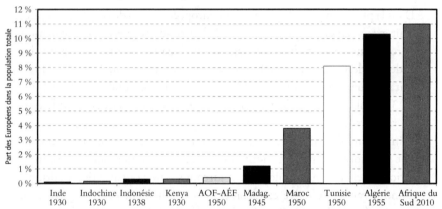

Lecture : le poids des populations d'origine européenne dans les sociétés coloniales entre 1930 et 1955 se situe autour de 0,1 %-0,3 % en Inde, Indochine et Indonésie, 0,3 %-0,4 % au Kenya ou en AOF (Afrique-Occidentale française) et AÉF (Afrique-Équatoriale française), 1,2 % à Madagascar, près de 4 % au Maroc, 8 % en Tunisie, 10 % en Algérie en 1955 (13 % en 1906, 14 % en 1931). Le poids des Blancs était de 11 % en Afrique du Sud en 2010 (il était compris entre 15 % et 20 % de 1910 à 1990).
Sources et séries : voir piketty.pse.ens.fr/ideologie.

Parmi les rares exemples de véritables colonies de peuplement, il faut mentionner le cas de l'Afrique du Nord française, qui est avec l'Afrique du Sud boer et britannique l'un des rares cas dans l'histoire coloniale impliquant la confrontation entre une population européenne minoritaire mais significative (autour de 10 % de la population totale) et une population autochtone largement majoritaire (environ 90 %), le tout avec des rapports de domination extrêmement violents entre les deux groupes et un métissage quasiment inexistant. Ce cas de figure se distingue à la fois des colonies de peuplement anglo-saxonnes (États-Unis, Canada, Australie, Nouvelle-Zélande), marquées par un effondrement numérique des populations autochtones après l'arrivée des Européens (et un métissage tout aussi nul), ainsi que des colonies d'Amérique latine, marquées par un très fort métissage entre populations autochtones et européennes, en particulier au Mexique et au Brésil.

Dans les années 1950, la population d'origine européenne, c'est-à-dire essentiellement française, mais avec des minorités italienne et espagnole, représentait près de 4 % de la population totale au Maroc, atteignait 8 % en Tunisie et surtout dépassait les 10 % en Algérie. Dans ce dernier cas, on comptait à la veille de la guerre d'indépendance environ 1 million de colons, sur une population totale d'à peine 10 millions d'habitants. Il s'agissait en outre d'une population européenne relativement ancienne, puisque la colonisation française en Algérie avait commencé en 1830, avec une progression particulièrement rapide de la population de colons à partir des années 1870-1880. Lors du recensement de 1906, la part des Européens dépassait même 13 % de la population en Algérie, avant d'atteindre 14 % en 1936, puis de s'abaisser sensiblement autour de 10 %-11 % dans les années 1950, du fait d'un accroissement encore plus rapide de la population autochtone et musulmane. La population française était particulièrement importante dans les villes. Lors du recensement de 1954, sur une population totale de 570 000 habitants à Alger, on dénombrait 280 000 Européens, pour 290 000 musulmans (ainsi que l'administration française désignait les autochtones). La seconde ville du pays, Oran, comptait 310 000 habitants, dont 180 000 Européens et 130 000 musulmans. Cette population de colons français, sûre de son bon droit, refusa l'indépendance d'un pays qu'elle considérait comme le sien.

La classe politique française répétait contre toute évidence que la France conserverait cette colonie (« L'Algérie, c'est la France »), mais les colons se méfiaient du gouvernement de Paris, qu'ils suspectaient non sans raison d'être prêt à abandonner le pays aux forces indépendantistes. La tentative de putsch militaire menée par des généraux français à Alger en 1958 aurait pu conduire à une tentative d'autonomisation de la colonie algérienne sous le contrôle des colons, mais en pratique elle conduisit au retour au pouvoir du général de Gaulle à Paris, qui n'eut rapidement d'autre choix que de mettre fin à une guerre atroce et d'accepter l'indépendance de l'Algérie en 1962. Il est naturel de faire le parallèle avec la trajectoire observée en Afrique du Sud, où la minorité blanche réussit à la fin de la colonisation britannique à se prolonger au pouvoir de 1946 à 1994 dans le cadre du régime d'apartheid, sur lequel nous reviendrons plus loin. Cette minorité blanche représentait alors entre 15 % et 20 % de la population sud-africaine, proportion qui s'est abaissée à 11 % en 2010 (voir graphique 7.1), en raison des départs et de l'accroissement plus rapide de la population noire. Il s'agit donc de niveaux très proches de ceux qui caractérisaient l'Algérie française, et il est intéressant de comparer l'ampleur des inégalités observées dans les deux cas, compte tenu des multiples différences et points communs entre ces deux systèmes coloniaux.

Les sociétés esclavagistes et coloniales : l'inégalité extrême

Voyons justement ce qu'il est possible de dire au sujet de l'ampleur de l'inégalité socio-économique qui caractérisait les sociétés esclavagistes et coloniales, et des comparaisons que l'on peut faire avec l'inégalité moderne. De façon prévisible, ces sociétés figurent parmi les plus inégalitaires que l'on puisse observer dans l'histoire. Les ordres de grandeur et leurs variations dans le temps et l'espace sont toutefois intéressants en tant que tels et méritent d'être examinés de près.

Le cas le plus extrême d'inégalité qu'il nous est donné d'observer est celui des îles esclavagistes françaises et britanniques de la fin du XVIIIe siècle, à commencer par Saint-Domingue dans les années 1780, où la proportion d'esclaves atteignait 90 % de la population. Des recherches récentes permettent d'estimer que les 10 % les plus riches de l'île, c'est-à-dire les propriétaires d'esclaves (en incluant ceux résidant partiellement ou totalement en France), les colons blancs et une petite minorité de métis, s'appropriaient de l'ordre de 80 % des richesses produites chaque année à Saint-Domingue, alors que les 90 % les plus pauvres, c'est-à-dire les esclaves, se voyaient alloués sous forme de nourriture et de vêtements l'équivalent en valeur monétaire d'à peine 20 % de la production annuelle, ce qui correspondait peu ou prou au niveau de subsistance. Il convient d'insister sur le fait que cette estimation a été réalisée de façon à minimiser l'inégalité. Il est possible que la part allant au décile supérieur était en réalité supérieure à 80 % des richesses produites, peut-être jusqu'à 85-90 % du total[1]. Elle ne pourrait toutefois pas être beaucoup plus élevée, compte tenu de la contrainte de

---

1. Voir annexe technique. Les données disponibles permettent d'estimer que les colons et planteurs français (environ 5 % de la population) bénéficiaient de l'équivalent d'environ 70 % de la production domestique de l'île ; la part allant aux métis (également 5 % de la population) ou aux esclaves les moins mal traités peut être estimée à 10 %-15 %, suivant les hypothèses. Dans tous les cas, la part du décile supérieur atteint ou dépasse 80 %, un niveau plus élevé que partout ailleurs.

subsistance. Dans les autres sociétés esclavagistes des Antilles et de l'océan Indien, où les esclaves représentaient généralement entre 80 % et 90 % de la population, tous les éléments disponibles suggèrent que la répartition des richesses produites n'était guère différente. Dans les sociétés esclavagistes où la proportion d'esclaves était moins importante, comme au Brésil ou au sud des États-Unis (entre 30 % et 50 %, voire près de 60 % dans certains États), l'inégalité était moins extrême, avec une part du décile supérieur dans l'ensemble des revenus produits que l'on peut estimer autour de 60 %-70 %, suivant l'ampleur des inégalités au sein de la population blanche et libre.

D'autres recherches réalisées récemment permettent de donner des éléments de comparaison avec les sociétés coloniales non esclavagistes. Les données disponibles sont limitées, en particulier car le système fiscal appliqué dans les colonies reposait principalement sur des taxes indirectes. Il existe toutefois un certain nombre de territoires coloniaux, dans l'Empire britannique et dans une moindre mesure dans l'Empire français, où les autorités compétentes (gouverneurs et administrateurs, sous le contrôle du ministère des Colonies et du gouvernement métropolitain, mais avec en pratique une certaine autonomie et une grande diversité de situations) appliquèrent au cours de la première moitié du XXᵉ siècle des systèmes d'impôts directs et progressifs sur les revenus, voisins de ceux alors mis en place dans les métropoles. Ces impôts ont laissé des traces, en particulier pour l'entre-deux-guerres et la période précédant les indépendances. Les matériaux correspondants ont été rassemblés et exploités avec Facundo Alvaredo et Denis Cogneau dans le cas des archives coloniales françaises, et par Anthony Atkinson dans celui des archives coloniales britanniques et sud-africaines[1].

Concernant l'Algérie, les données disponibles permettent d'estimer que la part du décile supérieur avoisinait les 70 % du revenu total en 1930, soit un niveau d'inégalité plus faible que Saint-Domingue en 1780, mais sensiblement plus fort que le niveau observé en France métropolitaine en 1910 (voir graphique 7.2). Cela ne signifie certes pas que la situation des

---

1. Les sources et hypothèses retenues sont présentées dans l'annexe technique. Pour des analyses plus détaillées, voir F. ALVAREDO, D. COGNEAU, T. PIKETTY, « Income Inequality under Colonial Rule : Evidence from French Algeria, Cameroon, Indochina and Tunisia, 1920-1960 », WID.world, 2019 ; A. ATKINSON, « The Distribution of Top Incomes in Former British Africa », WID.world, 2015 ; F. ALVAREDO, A. ATKINSON, « Colonial Rule, Apartheid and Natural Ressources : Top Incomes in South Africa, 1903-2007 », CEPR Discussion Paper n° DP815, 2010.

90 % les plus pauvres dans l'Algérie coloniale (c'est-à-dire essentiellement la population musulmane) soit proche ou comparable à celle des esclaves de Saint-Domingue. Il existe des dimensions essentielles de l'inégalité sociale, à commencer par le droit de mobilité, le droit à une vie privée et familiale, le droit de propriété, qui distinguent radicalement ces deux régimes inégalitaires. Il reste que, du point de vue de la répartition des ressources matérielles, l'Algérie coloniale de 1930 est effectivement dans une situation intermédiaire entre la France propriétariste de 1910 et l'île de Saint-Domingue de 1780, et peut-être même un peu plus proche de la seconde que de la première (encore que l'imprécision des données disponibles ne permette pas d'être certain sur ce point).

Graphique 7.2

L'inégalité dans les sociétés coloniales et esclavagistes

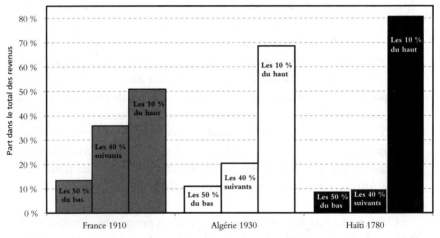

Lecture : la part des 10 % des revenus les plus élevés dans le total des revenus dépassait 80 % à Saint-Domingue (Haïti) en 1780 (composé à environ 90 % d'esclaves et moins de 10 % de colons européens), contre près de 70 % en Algérie coloniale en 1930 (composée à environ 90 % d'autochtones et 10 % de colons européens), et autour de 50 % en France métropolitaine en 1910.
Sources et séries : voir piketty.pse.ens.fr/ideologie.

Si l'on se place maintenant dans une perspective spatiale et temporelle plus large, et que l'on compare la part des richesses produites au cours d'une année que s'approprient les 10 % les plus riches, on constate que les sociétés esclavagistes telles que Saint-Domingue en 1780, suivies de sociétés coloniales telles que l'Afrique du Sud en 1950 ou l'Algérie en 1930, constituent les sociétés les plus inégalitaires de l'histoire. La Suède sociale-démocrate autour de 1980 constitue l'une des sociétés les plus égalitaires jamais observées en termes de répartition des revenus, et permet de prendre la mesure de la diversité des situations possibles. La part du décile supérieur y était inférieure à 25 % du revenu total, contre 35 % pour l'Europe occidentale en 2018, autour de 50 % pour les États-Unis de 2018 comme pour l'Europe propriétariste de la Belle Époque, autour de 55 % pour le Brésil de 2018 et de 65 % pour le Moyen-Orient de 2018, environ 70 % pour l'Algérie coloniale de 1930 ou l'Afrique du Sud de 1950, et 80 % pour Saint-Domingue en 1780 (voir graphique 7.3).

Graphique 7.3

L'inégalité extrême des revenus en perspective historique

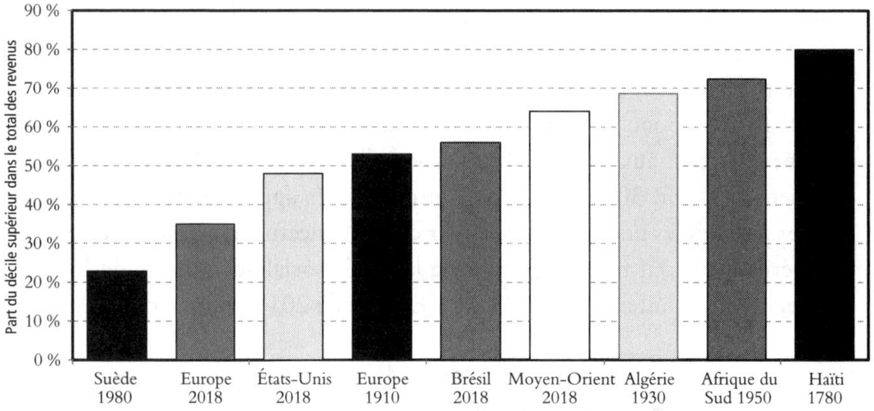

Lecture : sur l'ensemble des sociétés observées, la part du revenu total dont bénéficient les 10 % des revenus les plus élevés varie de 23 % en Suède en 1980 à 81 % à Saint-Domingue (Haïti) en 1780 (qui comprenait 90 % d'esclaves). Les sociétés coloniales telles que l'Algérie et l'Afrique du Sud se situent en 1930-1950 parmi les plus hauts niveaux d'inégalité observés dans l'histoire, avec environ 70 % du revenu total pour le décile supérieur, qui regroupe la population européenne.
Sources et séries : voir piketty.pse.ens.fr/ideologie.

Si l'on examine maintenant la part du centile supérieur (les 1 % les plus riches), ce qui permet en outre d'inclure dans la comparaison un plus grand nombre de sociétés coloniales (en particulier celles avec un peuplement européen limité, pour lesquelles les sources disponibles ne permettent généralement pas d'estimer les revenus de l'ensemble du décile supérieur), alors les termes de la comparaison sont légèrement différents (voir graphique 7.4). On constate que certaines sociétés coloniales se caractérisent par un niveau exceptionnellement élevé d'inégalité au sommet de la répartition. Cela concerne notamment l'Afrique australe : la part du centile supérieur se situe entre 30 % et 35 % en Afrique du Sud et au Zimbabwe dans les années 1950, et dépasse 35 % en Zambie. Cela correspond à des situations où de minces élites blanches exploitaient d'immenses domaines terriens ou bénéficiaient de profits considérables, par exemple dans le secteur minier. Ces pays se caractérisent en particulier par des parts du millime supérieur ou du dix-millime supérieur exceptionnellement élevées. On retrouve cette situation, à un degré légèrement moindre, dans l'Indochine française. La part du centile supérieur s'approche de 30 %, ce qui témoigne de rémunérations particulièrement importantes accordées à l'élite administrative coloniale sur ce territoire, ainsi que de revenus commerciaux et de profits très élevés dans des secteurs comme le caoutchouc (sans que les données disponibles permettent malheureusement une décomposition précise). Dans d'autres sociétés coloniales, en revanche, on constate que la part du centile supérieur, tout en étant très élevée, par exemple plus de 25 % du revenu total en Algérie, au Cameroun ou en Tanzanie dans la période 1930-1950, n'était finalement pas très différente des niveaux observés dans l'Europe de la Belle Époque ou dans les États-Unis actuels, et était même sensiblement inférieure aux niveaux observés actuellement au Brésil ou au Moyen-Orient (environ 30 %). Ces différentes sociétés apparaissent finalement assez proches les unes des autres pour ce qui concerne le niveau du centile supérieur, surtout par comparaison à la Suède sociale-démocrate de 1980 (avec une part inférieure à 5 %) ou l'Europe de 2018 (autour de 10 %).

Graphique 7.4

Le centile supérieur en perspective historique et coloniale

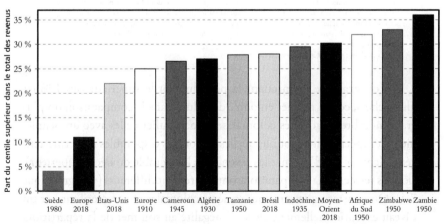

Lecture : sur l'ensemble des sociétés observées (à l'exception des sociétés esclavagistes), la part du centile supérieur (les 1 % des revenus les plus élevés) dans le revenu total varie de 4 % en Suède en 1980 à 36 % en Zambie en 1950. Les sociétés coloniales figurent parmi les sociétés les plus inégalitaires observées dans l'histoire.
Sources et séries : voir piketty.pse.ens.fr/ideologie.

Autrement dit, le sommet de la hiérarchie des revenus (les 1 % les plus riches et au-delà) n'était pas toujours démesurément élevé dans le cadre des sociétés coloniales, tout du moins par comparaison à d'autres sociétés très inégalitaires du monde moderne. Si l'on prend par exemple le cas de l'Algérie coloniale, la position du centile supérieur vis-à-vis du revenu algérien moyen de l'époque n'était pas plus élevée que ne l'était le centile supérieur de la France métropolitaine vis-à-vis du revenu moyen métropolitain à la Belle Époque. En termes de niveau de vie absolu, le centile supérieur algérien était même nettement inférieur au centile supérieur métropolitain. En revanche, si l'on considère le décile supérieur dans son ensemble, alors la distance avec le reste de la société était sensiblement plus forte dans l'Algérie coloniale que dans la France de 1910 (voir graphiques 7.2 et 7.3). De fait, il existe des sociétés où une mince élite propriétaire (autour de 1 % de la population) se détache par ses richesses et son mode de vie du reste de la société, et d'autres où une large élite coloniale (environ 10 % de la population) se différencie de la masse de la population autochtone. Ces deux situations correspondent à des régimes inégalitaires et des relations de pouvoir et de domination bien distincts, et à des modes de résolution des conflits spécifiques.

Plus généralement, ce n'est pas toujours l'ampleur de l'inégalité monétaire qui différencie l'inégalité coloniale des autres régimes inégalitaires, mais bien plutôt l'identité des vainqueurs, autrement dit le fait que le haut de la hiérarchie est avant tout constitué de colons. Les archives fiscales coloniales ne permettent pas toujours d'étudier précisément la part des colons et des autochtones dans les différentes tranches de revenus. Mais à chaque fois que les sources le permettent, que ce soit en Afrique du Nord, au Cameroun, en Indochine ou en Afrique du Sud, les résultats sont sans appel. Bien qu'elle constitue une petite minorité de la population totale, la population européenne forme toujours l'immense majorité des plus hauts revenus. En Afrique du Sud, où toutes les tabulations fiscales de la période de l'apartheid ont été établies séparément par race, on constate que les Blancs représentaient toujours plus de 98 % des contribuables du centile supérieur. Encore faut-il préciser que les 2 % manquants sont constitués d'Asiatiques (essentiellement des Indiens), et non de Noirs, qui représentent moins de 0,1 % des plus hauts revenus. En Algérie et en Tunisie, les données ne sont pas parfaitement comparables, mais les éléments disponibles indiquent que les Européens représentaient généralement entre 80 % et 95 % des plus hauts revenus[1]. Il s'agit là d'un pourcentage qui

---

1. Les éléments disponibles indiquent que les autochtones représentaient 5 % des revenus les plus élevés (environ le centile supérieur) en Algérie et jusqu'à 20 % en Tunisie. Les deux estimations ne

est certes plus réduit qu'en Afrique du Sud, mais qui n'en traduit pas moins une position de domination économique quasi absolue de la part des colons.

Concernant la comparaison entre l'Algérie et l'Afrique du Sud, il est intéressant de constater que la première est moins inégalitaire que la seconde en termes de répartition des revenus, mais que l'écart est relativement faible, en particulier si l'on se place du point de vue de la part du décile supérieur (voir graphiques 7.3 et 7.4). L'hyper-élite blanche (le centile ou le millime supérieur) était certes moins prospère en Algérie qu'en Afrique du Sud, mais du point de vue du décile supérieur les deux situations n'étaient sans doute pas si éloignées. Il existait dans les deux cas une distance considérable entre les colons blancs et le reste de la population. La concentration des revenus semble certes avoir diminué en Algérie entre 1930 et 1950, ainsi qu'en Afrique du Sud entre 1950 et 1990, mais est restée dans les deux cas à des niveaux extrêmement importants (voir graphique 7.5).

Graphique 7.5

L'inégalité extrême : trajectoires coloniales et postcoloniales

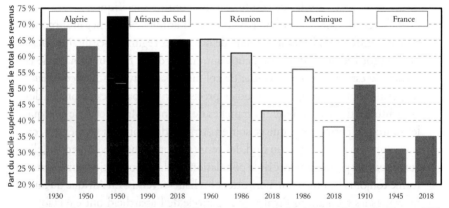

Lecture : la part du décile supérieur (les 10 % des revenus les plus élevés) a baissé en Algérie coloniale entre 1930 et 1950, et en Afrique du Sud entre 1950 et 2018, tout en demeurant à des niveaux figurant parmi les plus élevés de l'histoire. Dans les départements d'outre-mer français comme la Réunion et la Martinique, les inégalités de revenus ont baissé plus fortement, tout en restant plus élevées qu'en France métropolitaine.
Sources et séries : voir piketty.pse.ens.fr/ideologie.

---

sont toutefois pas comparables, car les populations juives sont intégrées aux « Européens » en Algérie (où le décret Crémieux a accordé en 1870 la nationalité française aux « israélites indigènes », dont certains résident en Afrique du Nord depuis les expulsions d'Espagne et la fin de la *Reconquista*), par opposition aux « musulmans ». À l'inverse, en Tunisie, les populations juives sont comptées parmi les « non-Européens », avec les populations musulmanes, et elles formaient sans doute une large part (peut-être plus de la moitié) des hauts revenus autochtones. Voir annexe technique.

Il est par ailleurs frappant de constater que la part du décile supérieur a progressé en Afrique du Sud depuis la fin de l'apartheid (nous reviendrons plus loin sur ce point). On notera également que les anciennes îles esclavagistes françaises de la Réunion, de la Martinique et de la Guadeloupe, qui sont devenues des départements français en 1946, un siècle après l'abolition de l'esclavage en 1848, sont pendant longtemps restées extrêmement inégales en termes de répartition de revenus. S'agissant par exemple de la Réunion, les archives fiscales montrent que la part du décile supérieur dans le revenu total dépassait 65 % en 1960, et était encore supérieure à 60 % en 1986, soit des niveaux voisins de ceux observés en Algérie coloniale et en Afrique du Sud, avant de se réduire à 43 % en 2018, ce qui demeure beaucoup plus élevé qu'en France métropolitaine. La persistance d'une très forte inégalité des revenus s'explique pour partie par l'insuffisance des investissements et par l'existence de salaires publics très élevés, tout du moins par comparaison aux salaires locaux, et qui concernent souvent des fonctionnaires venus de métropole[1].

Inégalité maximale de la propriété, inégalité maximale du revenu

Avant d'analyser de façon plus détaillée la question des origines et de la persistance des inégalités coloniales, il est utile de clarifier le point suivant. Lorsqu'on évoque la question des inégalités « extrêmes », il faut distinguer la question de la répartition de la propriété de celle de la répartition des revenus. S'agissant de l'inégalité de la propriété, c'est-à-dire la répartition des biens et actifs de toute nature qu'il est possible de posséder dans le cadre du régime légal en vigueur, il est relativement courant d'observer une concentration extrêmement forte, avec la quasi-totalité des patrimoines détenus par les 10 % les plus riches, voire par les 1 % les plus riches, et une absence quasi totale de toute propriété parmi les 50 % ou même les 90 % les plus pauvres. En particulier, nous avons vu dans la première partie de ce livre que les sociétés de propriétaires qui prospéraient en Europe au XIXᵉ siècle et au début du XXᵉ siècle se caractérisaient par une concentration extrême de la propriété. En France comme au Royaume-Uni ou en Suède, les 10 % les plus riches détenaient à la Belle Époque (1880-1914) entre 80 % et 90 % de tout ce qu'il y avait à détenir (terres, biens immobiliers,

---

1. Voir Y. GOVIND, « Post-Colonial Inequality Trends : From the "Four Old Colonies" to the French Overseas Departments », WID.world, 2019.

actifs professionnels et financiers, nets de dette), et les 1 % les plus riches possédaient à eux seuls entre 60 % et 70 % de tout ce qu'il y avait à détenir[1]. Une inégalité extrême de la propriété peut certes poser des problèmes politiques ou idéologiques, mais ne pose aucune difficulté d'un point de vue strictement matériel. Dans l'absolu on pourrait tout à fait imaginer des sociétés où les 10 % ou les 1 % les plus riches détiennent 100 % des patrimoines. Cela peut même aller encore plus loin, en particulier dans les sociétés esclavagistes, car le patrimoine peut être négatif pour de larges classes de la population, quand les dettes l'emportent sur les actifs (par exemple dans le cas extrême des esclaves, qui doivent la totalité de leur temps de travail à leur propriétaire), auquel cas les classes propriétaires peuvent se retrouver à détenir plus de 100 % du total des biens, puisqu'elles possèdent à la fois les biens et les hommes. L'inégalité de la propriété est avant tout une inégalité de pouvoir dans la société, et elle ne connaît potentiellement aucune limite, pour peu que l'appareil de répression ou de persuasion (suivant les cas) mis en place par les propriétaires parvienne à faire tenir l'ensemble et à perpétuer cet équilibre.

Il en va différemment pour l'inégalité du revenu, c'est-à-dire la répartition du flux de richesses produites au cours d'une année : on ne peut faire autrement que de respecter une contrainte de subsistance pour les plus pauvres, sauf à accepter qu'une partie importante de la population disparaisse à brève échéance. Il est possible de vivre sans posséder, mais non sans se nourrir. Concrètement, dans une société très pauvre, où le niveau de production par habitant correspondrait tout juste au niveau de subsistance, aucune inégalité durable de revenus ne serait possible. Chacun devrait recevoir le même revenu, si bien que la part du décile supérieur dans le revenu total serait égale à 10 % (et la part du centile supérieur à 1 %). À l'inverse, plus la société est riche, plus il devient matériellement possible de soutenir une très forte inégalité des revenus. Par exemple, si la production par habitant est de l'ordre de cent fois le niveau de subsistance, alors il serait en théorie possible que le centile supérieur s'approprie 99 % des richesses produites, et que le reste de la population se contente du niveau de subsistance. Plus généralement, il est aisé de montrer que l'inégalité maximale qu'il est matériellement possible d'atteindre croît avec le niveau de vie moyen d'une société (voir graphique 7.6)[2].

1. Voir en particulier chapitre 4, graphiques 4.1 et 4.2, p. 161-163, et chapitre 5, graphiques 5.4-5.6, p. 237-240.
2. Cette notion d'inégalité maximale est très proche de celle de « frontière inégalitaire » utilisée par B. MILANOVIC, P. LINDERT et J. WILLIAMSON (« Preindustrial Inequality », *The*

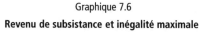

Graphique 7.6

Revenu de subsistance et inégalité maximale

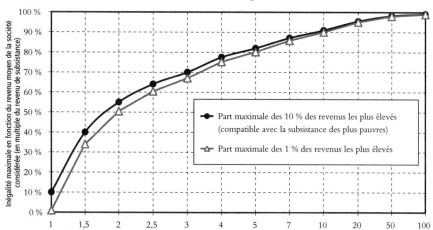

Lecture : dans une société où le revenu moyen est trois fois plus élevé que le revenu de subsistance, la part maximale des 10 % des revenus les plus élevés (compatible avec un revenu de subsistance pour les 90 % les plus pauvres) est égale à 70 % du revenu total, et la part maximale des 1 % des revenus les plus élevés (compatible avec un revenu de subsistance pour les 99 % les plus pauvres) est égale à 67 % du revenu total. Plus la société est riche, plus il est possible d'atteindre une inégalité élevée.

Sources et séries : voir piketty.pse.ens.fr/ideologie.

Cette notion d'inégalité maximale est utile, car elle permet de comprendre pourquoi l'inégalité du revenu ne pourra jamais être aussi extrême que celle de la propriété. En pratique, la part du revenu total reçu par les 50 % les plus pauvres est toujours d'au moins 5 %-10 % (et généralement de l'ordre de 10 %-20 %), alors que la part de la propriété détenue par les 50 % les plus pauvres peut être quasi nulle (souvent à peine 1 %-2 %, voire négative). De même, la part du revenu total reçu par les 10 % les plus riches ne dépasse généralement pas 50 %-60 % dans les sociétés les plus inégalitaires (à l'exception de quelques sociétés esclavagistes et coloniales observées aux XVIIIᵉ, XIXᵉ et XXᵉ siècles, où cette part peut monter jusqu'à 70 %-80 %), alors que la part de la propriété détenue par les 10 % les plus riches atteint régulièrement 80 %-90 %, en particulier dans les

---

Economic Journal, vol. 121 [551], 2011, p. 255-272), sauf que j'utilise les parts du décile et du centile supérieurs (au lieu du coefficient de Gini). Précisons par ailleurs que le revenu peut être momentanément négatif (par exemple en cas de perte d'exploitation d'un indépendant), mais que la consommation ne peut pas l'être ; en pratique le revenu moyen et la consommation moyenne des 50 % les plus pauvres coïncident presque parfaitement (on n'observe en moyenne ni épargne ni désépargne significatives, ce qui traduit le fait que le patrimoine moyen de ce groupe tend à être stable à un niveau quasi nul ou négatif).

sociétés propriétaristes du XIXe siècle et du début du XXe siècle, et pourrait rapidement retrouver de tels niveaux dans les sociétés néopropriétaristes en plein essor en ce début de XXIe siècle.

Il ne faut toutefois pas exagérer l'importance des déterminants « matériels » de l'inégalité. Dans la réalité historique, c'est avant tout la capacité idéologique, politique et institutionnelle des sociétés à justifier et à structurer l'inégalité qui détermine le niveau de cette dernière, et non pas le degré de richesse ou de développement en tant que tel. La notion de « revenu de subsistance » est elle-même plus complexe qu'une simple réalité biologique. Elle dépend des représentations forgées par chaque société, et il s'agit toujours d'une notion multidimensionnelle (nourriture, vêtements, logement, hygiène, etc.), qui ne pourra jamais être correctement appréhendée avec un indicateur monétaire unique. À la fin des années 2010, on situe souvent le seuil de subsistance entre 1 et 2 euros par jour, et on définit par exemple la pauvreté extrême au niveau mondial comme le nombre de personnes vivant avec moins de 1 euro par jour. Les estimations disponibles montrent que le revenu national moyen par habitant était inférieur à 100 euros par mois au niveau mondial au XVIIIe siècle et au début du XIXe (contre environ 1 000 euros par mois en 2020, les deux montants étant exprimés en euros de 2020). Cela implique qu'une bonne partie de la population n'était à l'époque guère éloignée du seuil de subsistance, ce qui est d'ailleurs confirmé par la très forte mortalité à tous les âges et la faible espérance de vie, mais aussi qu'il existait des marges de manœuvre pour plusieurs régimes inégalitaires possibles[1]. En l'occurrence, à Saint-Domingue, prospère île sucrière et cotonnière, la valeur marchande de la production par habitant était de l'ordre de deux à trois fois plus élevée que la moyenne mondiale de l'époque, si bien qu'il était aisé d'un strict point de vue matériel d'aboutir à une extraction maximale. On notera d'ailleurs qu'il suffit que le niveau de vie moyen d'une société dépasse environ quatre-cinq fois le niveau de subsistance pour que l'inégalité maximale puisse en toute logique atteindre

---

1. Voir Introduction, graphiques 0.1 et 0.2, p. 32-33. Autrement dit, nous serions passés d'un revenu moyen mondial environ trois fois plus élevé que le revenu de subsistance à un revenu moyen environ trente fois plus élevé. Ces ordres de grandeur sont suggestifs, mais je mets en garde contre des interprétations trop mécaniques : les indices de prix utilisés pour comparer les pouvoirs d'achat sur longue période sont incapables de rendre compte de l'ampleur des transformations en jeu et de la diversité et de la multidimensionnalité des situations individuelles. En langage statistique, un même indice de prix moyen peut dissimuler des prix relatifs très différents pour les principaux biens fondamentaux, qui doivent être examinés un à un si l'on souhaite appréhender correctement l'évolution des situations de pauvreté.

des niveaux extrêmes de type 80 %-90 % du revenu total pour le décile supérieur ou le centile supérieur (voir graphique 7.6).

Autrement dit, s'il est effectivement difficile pour une société extrêmement pauvre de développer un régime inégalitaire fortement hiérarchisé, une société n'a pas besoin d'être très riche pour pouvoir atteindre une inégalité très élevée. Concrètement, de très nombreuses sociétés depuis l'Antiquité, sans doute même la plupart, auraient pu choisir d'un strict point de vue matériel d'avoir une inégalité extrême, comparable à celle de Saint-Domingue, et les sociétés riches actuelles pourraient aller encore plus loin (et peut-être certaines le feront-elles à l'avenir)[1]. L'inégalité est avant tout déterminée par des considérations idéologiques et politiques, et non par l'effet d'une contrainte économique ou technologique. Si les sociétés esclavagistes et coloniales ont atteint des niveaux d'inégalité exceptionnellement élevés, c'est parce qu'elles ont été construites autour d'un projet politique et idéologique particulier, s'appuyant sur des rapports de force et un système légal et institutionnel spécifiques. Il en va de même pour les sociétés de propriétaires, les sociétés trifonctionnelles, les sociétés sociales-démocrates ou communistes, et l'ensemble des sociétés humaines.

On notera également que s'il existe dans l'histoire un certain nombre de sociétés s'approchant de l'inégalité maximale du revenu en termes de part du décile supérieur (avec des niveaux autour de 70 %-80 % du revenu total dans les sociétés esclavagistes et coloniales les plus inégalitaires, et autour de 60 %-70 % dans les sociétés actuelles les plus inégalitaires, en particulier au Moyen-Orient et en Afrique du Sud), il en va différemment pour la part du centile supérieur. Les niveaux les plus élevés se situent autour de 20 %-35 % du revenu total (voir graphique 7.4), ce qui est certes considérable, mais ce qui reste beaucoup plus faible que les 70 %-80 % des richesses annuelles produites que le centile supérieur pourrait en théorie s'approprier, dès lors que le niveau de vie moyen dépasse trois-quatre fois le niveau de subsistance (voir graphique 7.6). Sans doute l'explication tient-elle au fait qu'il n'est pas si simple de bâtir une idéologie et des institutions permettant à un groupe aussi étroit qu'un centile de convaincre le reste de la société de

---

1. D'après les estimations disponibles, et dans la mesure où ces comparaisons ont un sens, le revenu moyen mondial dans l'Antiquité était à peine plus faible qu'au XVIIIᵉ siècle (donc de l'ordre de trois fois le niveau de subsistance). Dans les sociétés européennes, asiatiques, africaines ou mésoaméricaines les plus riches, il était sensiblement plus élevé que la moyenne mondiale, et donc largement suffisant pour autoriser une inégalité maximale considérable.

lui céder le contrôle de la quasi-totalité des ressources. Peut-être que des groupes de techno-milliardaires particulièrement imaginatifs y parviendront dans l'avenir ; mais aucune élite à ce jour n'y est parvenue. Dans le cas de Saint-Domingue, incarnation dans notre enquête de l'inégalité absolue, on peut estimer que la part du centile supérieur atteignait au minimum 55 % des richesses produites, ce qui s'approche sérieusement du maximum théorique (voir graphique 7.7). Il faut cependant souligner que ce calcul est en partie artificiel, car il repose sur l'inclusion dans les 1 % les plus riches des propriétaires résidant principalement en France, et qui s'enrichissent grâce aux productions exportées de l'île[1]. Sans doute une telle stratégie de mise à distance est-elle en règle générale une bonne façon de rendre l'inégalité plus aisément soutenable que la cohabitation dans une même société ; en l'occurrence, on notera toutefois que cela n'a pas permis d'éviter la révolte et l'expropriation.

Graphique 7.7

Le centile supérieur en perspective historique (avec Haïti)

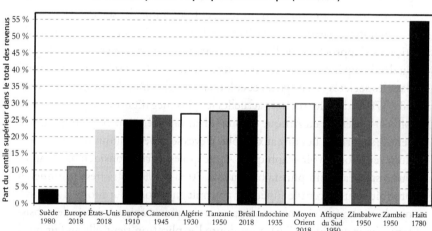

Lecture : si l'on inclut les sociétés esclavagistes telles que Saint-Domingue (Haïti) en 1780, alors la part des richesses produites allant aux 1 % des revenus les plus élevés peut atteindre environ 50 %-60 % du revenu total.
Sources et séries : voir piketty.pse.ens.fr/ideologie.

1. Je suppose ici que les propriétaires bénéficiant de France des richesses exportées de l'île (environ 55 % de la valeur ajoutée économique en moyenne entre 1760 et 1790) représentaient un mince groupe, quelques milliers de personnes tout au plus, donc moins de 1 % de la population de Saint-Domingue (plus de 500 000 personnes en 1790). Les archives issues des compensations versées par Haïti aux propriétaires après 1825 (*via* la Caisse des dépôts) n'ayant pas encore été ouvertes et exploitées de façon systématique, il est difficile d'aller plus loin. Voir annexe technique.

Une colonisation pour les colons : les budgets coloniaux

Venons-en maintenant à la question des origines et de la persistance des inégalités coloniales. Parmi les justifications des inégalités esclavagistes, nous avons vu dans le chapitre précédent que figuraient notamment la compétition économique et commerciale entre puissances étatiques rivales, ainsi que la dénonciation des hypocrisies de l'inégalité industrielle. Pour ce qui est de la domination coloniale postesclavagiste, ces arguments jouent également leur rôle, mais la justification principale a surtout consisté pour les colons à insister sur leur mission civilisatrice. Du point de vue des colons, cette mission s'appuyait d'une part sur le maintien de l'ordre et la promotion d'un modèle de développement propriétariste à vocation potentiellement universelle, et d'autre part sur une domination qui se voulait aussi intellectuelle et fondée sur la diffusion de la science et des connaissances[1]. Il est donc intéressant d'étudier comment fonctionnait concrètement l'organisation des colonies, en particulier du point de vue de ses budgets, de ses impôts, de son système légal et social, et plus généralement du modèle de développement mis en place par le colonisateur. Les recherches disponibles sur ces questions sont malheureusement limitées, mais permettent néanmoins d'établir un certain nombre de résultats.

De façon générale, de multiples éléments démontrent que les colonies étaient organisées avant toute chose pour le bénéfice des colons et de la métropole, et que les investissements réalisés en matière sociale et éducative au bénéfice de la population autochtone étaient extrêmement faibles, voire insignifiants. Cette faiblesse des investissements a également longtemps concerné les territoires d'outre-mer qui sont restés rattachés à la France, en particulier aux Antilles et dans l'océan Indien, et peut contribuer à expliquer la persistance de très fortes inégalités au sein de ces territoires, ainsi qu'avec la métropole. Dans les années 1920 et 1930, des rapports parlementaires français notaient par exemple les taux de scolarisation extrêmement faibles observés à la Martinique et en Guadeloupe, et plus généralement l'état « lamentable » du service général de l'enseignement[2].

---

1. Cette double mission civilisatrice (militaire et intellectuelle, fondée à la fois sur le maintien de l'ordre et l'encadrement spirituel) n'est pas sans rappeler le schéma trifonctionnel et ses élites guerrières et cléricales : la logique ternaire est simplement étendue à l'échelon international et interétatique.

2. Voir N. SCHMIDT, *La France a-t-elle aboli l'esclavage ?*, *op. cit.*, p. 340.

La situation s'est progressivement améliorée dans ces territoires après la départementalisation de 1946, et à un degré moindre dans l'ensemble des colonies françaises dans les années 1950, quand la métropole espérait encore conserver des morceaux d'empire. Mais le retard accumulé était considérable, et dans le cas des départements d'outre-mer il fallut attendre un demi-siècle pour que les inégalités s'approchent des niveaux métropolitains (voir graphique 7.5).

Des travaux récents, menés notamment par Denis Cogneau, Yannick Dupraz, Élise Huillery et Sandrine Mesplé-Somps, ont permis de mieux comprendre la structure des budgets coloniaux appliqués lors de la colonisation française, aussi bien en Afrique du Nord qu'en Indochine et en Afrique-Occidentale et -Équatoriale, et leur évolution depuis la fin du XIXᵉ siècle et au cours de la première moitié du XXᵉ siècle[1]. Le principe général lors de la colonisation française, tout du moins lors du second empire colonial, c'est-à-dire entre 1850 et 1960 environ, était que les colonies devaient être autosuffisantes sur le plan budgétaire. Autrement dit, les impôts acquittés sur les territoires coloniaux devaient permettre de financer les dépenses mises en place sur ces mêmes territoires, ni plus ni moins. Aucun transfert ne devait avoir lieu des colonies vers la France, ni de la France vers les colonies. De fait, d'un point de vue formel, les comptes budgétaires coloniaux sont équilibrés pendant toute la durée de la colonisation. Les impôts équilibrent les dépenses, en particulier à la Belle Époque et au cours de l'entre-deux-guerres, et plus généralement tout au long de la période 1850-1945. La seule exception concerne la période précédant immédiatement les indépendances, qui correspond pour une large part à la IVᵉ République (1946-1958), et au cours de laquelle on constate un léger transfert fiscal du budget français vers les colonies.

Il faut bien comprendre toutefois ce que signifie cet « équilibre » des budgets coloniaux des années 1850-1945. En pratique, il s'agissait d'un équilibre au sein d'un budget pesant principalement sur les colonisés, et bénéficiant presque exclusivement aux colons. Du côté des prélèvements, on constate en effet qu'il s'agissait principalement d'impôts régressifs, c'est-à-dire de taxes imposant de fait les revenus faibles à un taux plus élevé que les revenus importants : taxes sur la consommation, droits indirects,

---

1. Voir en particulier D. Cogneau, Y. Dupraz, S. Mesplé-Somps, « Fiscal Capacity and Dualism in Colonial States : The French Empire 1830-1962 », EHESS et École d'économie de Paris, 2018. Voir également É. Huillery, « The Black Man's Burden : the Costs of Colonization of French West Africa », *Journal of Economic History*, 74 (1), 2013, p. 1-38.

et surtout « capitation », qui désignait un impôt d'un même montant pour chaque habitant, riche ou pauvre, sans aucune tentative de prise en compte des facultés contributives du contribuable, ce qui constitue la forme la moins sophistiquée possible d'imposition, que l'Ancien Régime français avait en grande partie déjà dépassée au XVIIIe siècle, avant même la Révolution. Il faut en outre préciser que ces comptes budgétaires ne prennent pas en compte les corvées, qui étaient des journées de travail forcé dues par les populations colonisées à l'administration coloniale, et sur lesquelles nous reviendrons plus loin.

Par ailleurs, il faut souligner que le niveau d'extraction fiscale était relativement élevé, compte tenu de la pauvreté des sociétés en question. En utilisant les sources disponibles sur les niveaux de production (y compris l'autoproduction alimentaire), on peut par exemple estimer que les impôts prélevés représentaient en 1925 près de 10 % du produit intérieur brut en Afrique du Nord et à Madagascar, et plus de 12 % en Indochine, c'est-à-dire presque autant qu'en métropole au même moment (à peine 16 % du produit intérieur brut), et davantage qu'en France au XIXe siècle et jusqu'en 1914 (moins de 10 %), et dans nombre de pays pauvres en ce début de XXIe siècle.

Enfin et peut-être surtout, du côté des dépenses, on constate que les budgets coloniaux étaient conçus presque exclusivement pour le bénéfice de la population française et européenne, et notamment pour payer les salaires très confortables du gouverneur, de la haute administration de la colonie et des forces de police. Pour résumer : les populations colonisées acquittaient de lourds impôts afin de financer le train de vie de ceux qui étaient venus les dominer politiquement et militairement. Il existait également quelques investissements dans les infrastructures, ainsi que de maigres dépenses d'éducation et de santé, mais elles étaient principalement destinées aux colons. De façon générale, le nombre de fonctionnaires, et en particulier d'enseignants et de médecins, était extrêmement faible dans les colonies, mais cela était compensé par le fait qu'ils étaient exceptionnellement bien payés, relativement au niveau de vie des sociétés considérées. En rassemblant l'ensemble des budgets coloniaux de 1925, on constate par exemple que les colonies françaises comptaient en moyenne à peine 2 fonctionnaires pour 1 000 habitants, mais que chacun de ces fonctionnaires était rémunéré environ dix fois le niveau de revenu national moyen par adulte en vigueur dans les colonies ; à l'inverse, en métropole, à la même date, on dénombrait environ 10 fonctionnaires pour 1 000 habitants, et chacun gagnait en moyenne de l'ordre de deux fois le revenu national par habitant[1].

Dans certains cas, les budgets coloniaux permettent également de faire apparaître séparément les salaires versés aux fonctionnaires venus de métropole et à ceux recrutés parmi les autochtones. En Indochine et à Madagascar, on constate par exemple que les Européens représentaient environ 10 % des effectifs de fonctionnaires, mais recevaient plus de 60 % de la masse salariale. Il arrive également que l'on puisse distinguer les dépenses consacrées aux différentes populations, en particulier pour ce qui concerne l'éducation, car les systèmes d'enseignement ouverts aux enfants des colons et des autochtones étaient le plus souvent strictement séparés. Au Maroc, les écoles et les lycées réservés aux Européens recevaient ainsi 79 % de la dépense éducative totale en 1925 (bien qu'ils n'aient formé que 4 % de la population). À la même époque, le taux de scolarisation primaire parmi les enfants autochtones était inférieur à 5 % en Afrique du Nord et en Indochine, et inférieur à 2 % en Afrique-Occidentale française. Il est particulièrement frappant de constater que cette forte inégalité des dépenses ne semble pas s'améliorer à la fin de la colonisation, en dépit du fait que la métropole commence à investir davantage de ressources dans les colonies. En Algérie, les budgets font ainsi apparaître que les établissements scolaires réservés aux colons recevaient 78 % du total des dépenses d'éducation en 1925, et que cette proportion s'établit à 82 % en 1955, alors que les combats pour l'indépendance ont déjà commencé. Le système colonial était tellement inégalitaire dans son fonctionnement qu'il semble dans une large mesure irréformable.

Il faut certes prendre en compte le fait que tous les systèmes éducatifs de l'époque étaient extrêmement élitistes, y compris bien sûr en métropole. Nous aurons d'ailleurs l'occasion de revenir sur les dépenses éducatives qui demeurent encore aujourd'hui très inégalement réparties au sein de la population, en fonction des origines sociales des enfants comme de leur réussite scolaire initiale (deux critères qui se recoupent partiellement, mais pas complètement). Le manque de transparence et d'ambition réformatrice à ce sujet fait d'ailleurs partie des principaux défis inégalitaires qui se posent pour l'avenir, et aucun pays n'est vraiment en situation de donner des leçons sur ce sujet. Il n'en reste pas moins que l'ampleur de

---

1. Voir D. Cogneau, Y. Dupraz, S. Mesplé-Somps, « Fiscal Capacity and Dualism in Colonial States », art. cité, p. 35.

l'inégalité caractérisant les systèmes éducatifs coloniaux apparaît exceptionnellement élevée, et sans commune mesure avec les autres situations. Si l'on considère par exemple le cas de l'Algérie au début des années 1950, on peut estimer que les 10 % des élèves, lycéens et étudiants bénéficiant de la dépense éducative la plus élevée au sein de leur classe d'âge (c'est-à-dire en pratique les enfants des colons) recevaient plus de 80 % de la dépense éducative totale (voir graphique 7.8). Si l'on fait le même calcul pour la France de 1910, qui était extrêmement stratifiée sur le plan éducatif, dans la mesure où les classes populaires allaient rarement au-delà du certificat d'études primaires, on constate que les 10 % d'une classe d'âge bénéficiant de l'investissement éducatif le plus important recevaient 38 % de la dépense totale, contre seulement 26 % pour les 50 % d'une classe d'âge les moins formés. Il s'agit d'une inégalité considérable, dans la mesure où le second groupe est par construction cinq fois plus nombreux que le premier. En d'autres termes, les 10 % des enfants les plus favorisés bénéficiaient d'un investissement éducatif individuel près de huit fois plus élevé que les 50 % les moins favorisés. L'inégalité de la dépense éducative a sensiblement baissé en France entre 1910 et 2018, même si le système en place continue encore de nos jours d'investir près de trois fois

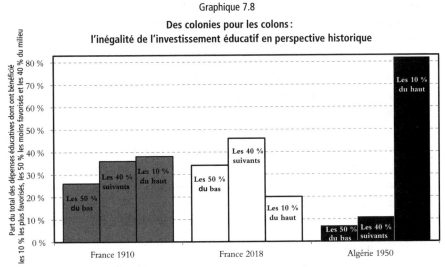

Graphique 7.8

**Des colonies pour les colons :
l'inégalité de l'investissement éducatif en perspective historique**

Lecture : en Algérie en 1950, les 10 % les plus favorisés (les colons) bénéficient de 82 % de la dépense éducative totale. Par comparaison, la part de la dépense éducative totale des 10 % de la population qui ont bénéficié de l'investissement éducatif le plus important (c'est-à-dire qui ont fait les études les plus longues et les plus coûteuses) était de 38 % en France en 1910 et de 20 % en 2018.
Sources et séries : voir piketty.pse.ens.fr/ideologie.

plus d'argent public par enfant pour les 10 % les plus favorisés que pour les 50 % les moins favorisés, ce qui est relativement étonnant pour un système qui est supposé réduire la reproduction sociale (nous y reviendrons quand nous étudierons les conditions d'une éducation juste)[1]. À ce stade, notons simplement que les inégalités scolaires au sein des sociétés coloniales telles que l'Algérie française étaient d'une ampleur incomparablement plus élevée : le rapport de dépense entre les enfants des colonisés et ceux des colons allait de 1 à 40.

Au cours de la dernière phase de la colonisation, entre 1945 et 1960, l'État français tenta d'investir pour la première fois des montants significatifs dans les colonies. L'État colonialiste finissant voulut se faire développementaliste, dans l'espoir de convaincre les populations concernées de rester dans l'empire, lui-même redéfini en une Union française qui se voulait sociale et démocratique. Outre que la répartition des dépenses reproduisait les structures inégalitaires précédentes, il ne faut cependant pas surestimer l'ampleur de cette soudaine générosité métropolitaine. Au cours des années 1950, les transferts de la France aux budgets coloniaux ne dépassèrent jamais 0,5 % du revenu national métropolitain par an. Ces sommes, qui suscitèrent très vite de multiples oppositions en métropole[2], ne sont pas totalement négligeables en soi. Elles sont approximativement du même ordre (en pourcentage du revenu national) que la contribution nette des pays les plus riches de l'Union européenne (dont la France et l'Allemagne) au budget européen dans les années 2010-2020, et nous reviendrons sur ce que signifient concrètement de tels montants quand nous examinerons les difficultés et les perspectives de l'intégration politique européenne[3]. En l'occurrence, s'agissant de l'empire colonial français, il faut toutefois insister sur le fait qu'il est difficile de parler de « transferts aux colonies » s'agissant de sommes destinées à financer pour l'essentiel des fonctionnaires français expatriés, largement rémunérés, et travaillant pour le bénéfice des colons. En tout état de cause, il n'est pas inutile de comparer ces 0,5 % de revenu national de transfert fiscal métropolitain aux budgets coloniaux civils dans les années 1950 avec les dépenses militaires

---

1. Voir chapitre 17, p. 1159-1168.
2. Précisons toutefois que le fameux slogan « La Corrèze plutôt que le Zambèze » fut déclamé par le député corrézien SFIO Jean Montalat à la tribune de l'Assemblée nationale en 1964, donc après les indépendances, dans le cadre des débats au sujet de l'aide au développement postcoloniale.
3. Voir en particulier chapitres 12, p. 745-749, et 16, p. 1026-1055.

autrement plus importantes (plus de 2 % du revenu national métropolitain) mises en œuvre pour maintenir l'ordre dans les colonies à la fin des années 1950. On notera également qu'en dehors de cette phase finale, les budgets militaires pris en charge par Paris au titre du maintien de l'ordre et de l'expansion de l'empire colonial n'ont jamais dépassé 0,5 % du revenu national métropolitain par an entre 1830 et 1910, ce qui d'une certaine façon n'est pas très cher payé, s'agissant d'un empire dont la population était à son zénith près de 2,5 fois plus élevée que celle de la métropole (95 millions contre 40 millions d'habitants)[1]. On voit là à quel point les écarts de niveau de développement et de capacité étatique et militaire ont pu créer une tentation coloniale de très grande ampleur à peu de frais.

L'extraction esclavagiste et coloniale en perspective historique

Concernant la question des « transferts » entre métropole et colonies, il faut également souligner à quel point il serait erroné de s'en tenir à l'examen du solde budgétaire public. Les impôts acquittés dans les colonies équilibraient les dépenses tout au long de la période 1830-1950, mais cela ne signifie évidemment pas l'absence de toute « extraction coloniale », c'est-à-dire de tout bénéfice retiré par la puissance colonisatrice. Le premier bénéfice était celui des gouverneurs et des fonctionnaires des colonies, dont nous venons de voir qu'ils étaient rémunérés par les taxes payées par les populations colonisées. Plus généralement, les populations de colons, qu'elles aient travaillé comme fonctionnaires ou dans le secteur privé, par exemple comme colons agricoles en Algérie ou exploitants de caoutchouc en Indochine, ont pu bénéficier d'un statut souvent très supérieur à celui qu'elles avaient ou auraient pu avoir en métropole. La vie n'était certes pas toujours simple, tous les colons étaient loin d'être riches, et les désillusions étaient fréquentes. On pense par exemple aux difficultés de la mère de Marguerite Duras et à son champ éternellement inondé face au Pacifique, et aux malheurs des « petits Blancs » face à la haute bourgeoisie coloniale, qu'elle soit capitaliste ou fonctionnaire, tatillonne et corrompue face aux petits planteurs. Il reste que les « petits Blancs » avaient un peu plus choisi

---

1. Dans l'entre-deux-guerres, ces mêmes dépenses militaires coloniales se situaient entre 0,5 % et 1 % du PIB. Voir D. COGNEAU, Y. DUPRAZ, S. MESPLÉ-SOMPS, « Fiscal Capacity and Dualism in Colonial States », art. cité, p. 46.

leur sort que les autochtones, et qu'ils disposaient de davantage de droits et d'opportunités, du fait de leur « race ».

Au-delà de la question des colons, il faut également prendre en compte les profits financiers privés extraits des colonies. Au cours du premier âge colonial (1500-1850), celui de l'esclavage et de la traite atlantique, l'extraction prenait une forme brute et sans détour, et les profits étaient sonnants et trébuchants. Les sommes en jeu sont bien documentées, et elles sont considérables. Dans le cas de Saint-Domingue, les profits extraits de l'île grâce aux exportations sucrières et cotonnières dépassaient à la fin des années 1780 les 150 millions de livres tournois par an. Si l'on inclut l'ensemble des colonies de l'époque, les estimations disponibles font état d'environ 350 millions de livres en 1790, à un moment où le revenu national de la France était évalué à moins de 5 milliards de livres. C'est donc plus de 7 % de revenu national supplémentaire (dont 3 % au titre d'Haïti) qui était ainsi apporté à la France, ce qui est considérable, compte tenu du fait que ces sommes bénéficiaient à une toute petite minorité. Il faut également ajouter qu'il s'agissait là d'une extraction pure, après prise en compte de tous les frais, en particulier après déduction de toutes les importations nécessaires pour réaliser ces productions, du coût d'achat et d'entretien des esclaves (on ignore au passage les marges réalisées lors de la traite par les négriers), et des consommations et investissements réalisés sur place par les planteurs. Pour le Royaume-Uni, les profits réalisés grâce aux îles esclavagistes étaient dans les années 1780-1790 de l'ordre de 4 %-5 % du revenu national[1].

Pendant le second âge colonial (1850-1960), celui des grands empires transcontinentaux, les profits financiers privés prenaient des formes plus complexes, mais au final tout aussi substantielles, à condition cependant de considérer les placements réalisés sur l'ensemble de la planète, et non pas simplement sur quelques îles esclavagistes. Nous avons déjà évoqué dans la première partie de ce livre l'importance des placements internationaux dans la structure des patrimoines parisiens de la Belle Époque. À la veille de la guerre, en 1912, les actifs étrangers représentaient ainsi plus de 20 % du total des patrimoines à Paris, et ils prenaient des formes extrêmement diversifiées : actions et investissements directs dans des compagnies étrangères, obligations privées émises par des entreprises pour financer leurs investissements internationaux, sans oublier les différentes obligations

---

1. Voir annexe technique pour le détail de ces estimations.

publiques et emprunts d'États, qui représentaient à eux seuls près de la moitié du total[1].

Si l'on se place maintenant à l'échelle des deux principales puissances coloniales de l'époque, le Royaume-Uni et la France, il faut insister sur l'ampleur considérable – et jamais égalée à ce jour – des placements détenus dans le reste du monde par les propriétaires de ces deux pays (voir graphique 7.9)[2]. En 1914, à la veille de la guerre, les actifs étrangers nets du Royaume-Uni, c'est-à-dire la différence entre les placements financiers détenus par les propriétaires britanniques dans le reste du monde et ceux détenus par les propriétaires du reste du monde au Royaume-Uni, s'élevaient à plus de 190 % du revenu national du pays, soit près de deux années de revenu. Les propriétaires français n'étaient pas en reste, avec des actifs

Graphique 7.9

**Les actifs étrangers en perspective historique :
le sommet colonial franco-britannique**

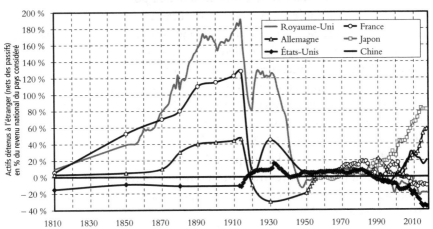

Lecture : les actifs étrangers nets, c'est-à-dire la différence entre les actifs détenus à l'étranger par les propriétaires résidant dans le pays considéré (y compris le gouvernement) et les actifs financiers détenus dans ce pays par les propriétaires du reste du monde, s'élevait en 1914 à 191 % du revenu national au Royaume-Uni et à 125 % en France. En 2018, les actifs nets atteignent 80 % du revenu national au Japon, 58 % en Allemagne et 20 % en Chine.
Sources et séries : voir piketty.pse.ens.fr/ideologie.

1. Voir chapitre 4, tableau 4.1, p. 168.

2. Les actifs étrangers inclus sur le graphique 7.9 prennent en compte l'ensemble des placements et possessions, qu'il s'agisse d'actifs financiers ou d'investissements directs ou de possessions terriennes, minières ou immobilières (qui, dans les comptes nationaux modernes, sont automatiquement traitées comme actifs financiers dès lors qu'elles prennent place à l'échelle internationale).

financiers nets dépassant 120 % en 1914 du revenu national de la France. Ces gigantesques détentions dans le reste du monde étaient beaucoup plus fortes que celles des autres puissances européennes, et en particulier celles de l'Allemagne, qui plafonnaient péniblement à guère plus de 40 % du revenu national, en dépit de l'essor industriel et démographique considérable du pays. Cela provenait en partie de l'absence d'un empire colonial allemand significatif, et plus généralement d'une place moins importante et moins ancienne dans les grands réseaux commerciaux et financiers mondiaux. Ces rivalités coloniales jouèrent un rôle central pour attiser des tensions croissantes entre puissances, par exemple lors de la crise d'Agadir en 1911. Guillaume II accepta finalement l'accord franco-britannique de 1904 au sujet du Maroc et de l'Égypte, mais il obtint une importante compensation territoriale au Cameroun, ce qui permit de repousser la guerre de quelques années.

Les actifs étrangers détenus par le Royaume-Uni et la France se sont accrus à un rythme accéléré au cours de la Belle Époque, et il est naturel de se demander jusqu'où cette trajectoire aurait pu monter en l'absence du premier conflit mondial (question sur laquelle nous reviendrons quand nous étudierons la chute des sociétés de propriétaires). Toujours est-il que ces détentions franco-britanniques s'effondrèrent brutalement à la suite de la Première Guerre mondiale, et définitivement dans le sillage de la Seconde Guerre mondiale, d'une part du fait d'un certain nombre d'expropriations (on pense notamment aux fameux emprunts russes, dont l'annulation à la suite de la révolution de 1917 fut particulièrement douloureuse pour les propriétaires français), et d'autre part et surtout car les propriétaires franco-britanniques durent vendre une part croissante de leurs actifs étrangers pour prêter à leur gouvernement et financer les guerres[1].

Afin de bien comprendre l'ampleur des détentions patrimoniales internationales accumulées par le Royaume-Uni et la France à la fin du XIXe siècle et au début du XXe siècle, on peut noter qu'aucun autre pays depuis lors n'a jamais détenu des actifs étrangers aussi importants dans le reste du monde. Par exemple, les actifs accumulés à l'étranger par le Japon, à la suite des importants excédents commerciaux réalisés par le pays

---

1. Précisons que la position négative de l'Allemagne indiquée sur le graphique 7.9 pour les années 1920 le serait bien davantage si nous avions inclus les dettes prévues par le traité de Versailles. Nous reviendrons dans le chapitre 10 (p. 504-510) sur cet effondrement des actifs étrangers entre 1914 et 1945.

depuis les années 1980, ou par l'Allemagne, qui accumule des excédents commerciaux inhabituellement élevés depuis le milieu des années 2000, se situent en 2018 autour de 60 %-80 % de leur revenu national. Il s'agit là de niveaux considérables, sans commune mesure avec les niveaux quasi nuls de détentions financières internationales des années 1950-1980, et sensiblement plus élevés que les actifs financiers chinois (à peine 20 % du revenu national en 2018), mais néanmoins beaucoup plus faibles que le sommet colonial franco-britannique atteint à la veille de la Première Guerre mondiale (voir graphique 7.9)[1].

On peut aussi rapprocher ces actifs étrangers franco-britanniques de 1914 (entre une et deux années du revenu national) de la valeur totale des patrimoines (financiers, immobiliers, professionnels, domestiques et étrangers, nets de dettes), détenus par les propriétaires français et britanniques à l'époque, qui était comprise entre six et sept années de revenu national dans les deux pays. Autrement dit, entre un cinquième et un quart de tout ce que possédaient les propriétaires était détenu à l'étranger. Les sociétés propriétaristes qui prospéraient en France et au Royaume-Uni à la Belle Époque reposaient donc pour une large part sur les actifs étrangers. Le point essentiel est que ces actifs rapportaient des sommes considérables : le rendement moyen obtenu sur ces placements avoisinait 4 % par an, si bien que les revenus du capital étranger rapportaient à la France autour de 5 % de revenu national additionnel, et au Royaume-Uni plus de 8 % de revenu national supplémentaire. Ces intérêts, dividendes, profits, loyers et autres royalties venus du reste du monde permettaient ainsi d'accroître substantiellement le niveau de vie des deux puissances coloniales, ou tout du moins de certains segments de la population en leur sein. Afin que chacun prenne bien conscience de l'énormité des sommes en jeu, on peut noter que les 5 % de revenu national additionnel obtenu par la France grâce à ses possessions extérieures en 1900-1914 étaient approximativement équivalents à la totalité de la production industrielle des départements du

---

1. Il est possible de trouver des pays pétroliers avec des accumulations supérieures, par exemple la Norvège, dont les actifs étrangers nets dépassent 200 % du revenu national, mais il s'agit de pays de faible taille relativement à l'économie mondiale. Par ailleurs l'ampleur modérée de l'accumulation chinoise tient en partie à la très forte croissance du pays : les accumulations vieilles d'une ou deux décennies comptent peu par rapport au PIB courant, d'autant plus que la Chine (comme nombre de pays pétroliers) s'est jusqu'ici contentée de rendements relativement faibles, en particulier sous forme de bons du Trésor étatsuniens. Nous reviendrons sur ces questions dans les chapitres 12 et 13.

nord et de l'est du pays (les plus industrialisés). Il s'agit donc d'un apport financier très significatif[1].

De l'appropriation coloniale brutale à l'illusion du « doux commerce »

Il est frappant de constater que les profits financiers apportés aux métropoles par les colonies françaises et britanniques étaient approximativement du même ordre en 1760-1790 et en 1890-1914 : entre 4 % et 7 % de revenu national additionnel dans le premier cas, entre 5 % et 8 % dans le second. Il existe évidemment des différences importantes entre les deux situations. Dans le premier âge colonial, l'appropriation est brutale et intensive, et se concentre sur de petits territoires : on transporte des esclaves sur des îles, on leur fait produire du sucre et du coton, et on extrait une énorme proportion des richesses produites (jusqu'à 70 % à Saint-Domingue) sous forme de profits et de revenus pour les colons. L'efficacité extractive est maximale, mais le risque de révolte est sérieux, et le système est difficilement généralisable à la planète entière. Dans le second âge colonial, les modes d'appropriation et d'exploitation sont plus subtils et sophistiqués : on détient des actions et des obligations dans de nombreux pays, ce qui permet d'extraire une part de la production de chaque territoire qui est certes plus faible que ne le permettrait un régime esclavagiste, mais qui est néanmoins loin d'être négligeable (par exemple autour de 5 % et 10 % de la production d'un pays, parfois davantage), et qui surtout peut s'appliquer à un beaucoup plus grand nombre de territoires, voire à la totalité de la planète. Au final, le second système s'appliqua de fait à une échelle mondiale beaucoup plus vaste que le premier, et il aurait pu prendre une ampleur encore plus élevée si son développement n'avait pas été interrompu par les chocs éminemment politiques des années 1914-1945. Le premier âge colonial fut détruit par les révoltes ; le second le fut par les guerres et les révolutions, elles-mêmes causées par la concurrence effrénée entre puissances coloniales et les violentes tensions sociales entraînées par les inégalités internes et externes engendrées par les sociétés de propriétaires globalisées (au moins pour partie ; nous y reviendrons).

On pourrait aussi être tenté de penser qu'une différence entre les deux situations est que la traite des esclaves et leur exploitation sur les îles avaient

1. Pour une analyse de ces montants, voir annexe technique.

eu lieu de façon « illégale » (ou à tout le moins « immorale ») lors du premier âge colonial, alors que les actifs financiers étrangers franco-britanniques du second âge avaient été accumulés de façon parfaitement « légale » (et certainement plus « morale »), suivant une logique vertueuse et mutuellement profitable relevant du « doux commerce ». De fait, le second âge colonial entendait s'appuyer sur une idéologie propriétariste à vocation potentiellement universelle (même si, dans les faits, elle s'appliquait de façon très asymétrique), et sur un modèle de développement et d'échanges proche par certains côtés du modèle néopropriétariste actuel, et dans lequel des fortes détentions financières entre pays peuvent, en théorie, être dans l'intérêt de tous. Suivant ce scénario vertueux et harmonieux, certains pays peuvent être amenés à réaliser d'importants excédents commerciaux, par exemple s'ils ont de bons produits à vendre au reste du monde, ou bien parfois parce qu'ils estiment nécessaire de faire des réserves pour l'avenir (en prévision d'un possible vieillissement ou de catastrophes futures), ce qui les conduit à accumuler des actifs vis-à-vis des autres pays, actifs qui, comme il se doit, rapportent ensuite une juste rémunération. Sinon, qui ferait l'effort de se constituer un patrimoine, et qui accepterait à l'avenir de faire preuve de patience et d'abstinence ? Le problème est que cette opposition entre les deux âges du colonialisme, entre une logique brutale et violemment extractrice et une logique vertueuse et mutuellement profitable, distinction certes recevable sur le plan théorique, est en réalité beaucoup trop stricte.

En pratique, une partie significative des actifs financiers franco-britanniques de 1880-1914 provenait par exemple de façon directe des compensations versées par Haïti pour le prix de sa liberté, ou par les contribuables des deux pays aux propriétaires d'esclaves pour les dédommager de leur perte de propriété négrière (qui, comme Schoelcher aimait le répéter, avait été acquise « dans un cadre légal », et par conséquent ne pouvait être purement et simplement supprimée sans une juste indemnisation). Plus généralement, une large part des actifs financiers étrangers prenait la forme de créances publiques et privées qui avaient été obtenues par la force, et dans un grand nombre de cas s'apparentaient à de véritables tributs militaires. C'est le cas par exemple des dettes publiques qui furent imposées à la Chine à la suite des guerres de l'opium en 1839-1842 et 1856-1860. Le Royaume-Uni et la France jugèrent que l'État chinois était responsable de l'affrontement militaire (n'aurait-il pas dû accepter plus tôt d'importer de l'opium ?), et par conséquent lui imposèrent une lourde dette à payer pour les dédommager des frais militaires qu'ils auraient bien aimé éviter et pour inciter la Chine à plus de docilité pour la suite[1].

C'est cette mécanique des « traités inégaux » qui permit aux puissances coloniales de prendre le contrôle de nombreux pays et actifs étrangers. On commençait par se saisir d'un prétexte plus ou moins convaincant (le refus d'ouvrir suffisamment les frontières, ou bien une émeute contre des ressortissants européens ou le besoin de maintenir l'ordre) pour monter une opération militaire, suite à quoi on exigeait des privilèges juridictionnels et un tribut financier, qui pour être payé conduisait à la prise de contrôle de l'administration des douanes, puis de l'ensemble du système fiscal, afin d'en améliorer le rendement au bénéfice des créditeurs coloniaux (tout cela avec des impôts lourdement régressifs, ce qui générait de fortes tensions sociales, et parfois de véritables révoltes fiscales contre l'occupant), et finalement à la mainmise du pays dans son ensemble.

Le cas du Maroc est de ce point de vue exemplaire. Pressé par son opinion de venir en aide aux voisins algériens et musulmans (conquis par la France en 1830), le sultan marocain avait fini par donner refuge au chef rebelle algérien Abd el-Kader. C'était l'occasion rêvée pour les Français de bombarder Tanger et d'imposer un premier traité en 1845. Puis l'Espagne prit prétexte d'une révolte berbère pour prendre Tétouan et imposer une lourde indemnité de guerre en 1860, qui sera par la suite refinancée auprès de banquiers londoniens et parisiens, et dont le paiement absorbera bientôt plus de la moitié des revenus douaniers. De proche en proche, la France obtiendra finalement le protectorat pur et simple du pays en 1911-1912, après en avoir envahi une bonne partie en 1907-1909, officiellement pour protéger ses intérêts financiers et ses ressortissants après des échauffourées à Marrakech et Casablanca[2]. Il est intéressant de noter que la conquête de l'Algérie avait elle-même été justifiée en 1830 par l'éradication des pirates barbaresques menaçant alors le commerce méditerranéen, pirates que le dey d'Alger était accusé de tolérer dans son port, d'où la mission civilisatrice française. Une autre motivation non moins sérieuse était que la France avait contracté une dette garantie par le dey lors du ravitaillement en blé de l'expédition égyptienne de 1798-1799, que Napoléon puis Louis XVIII

---

1. Je reviendrai sur ces épisodes dans le chapitre 9, p. 444-447.

2. Sur les cas de la Chine et du Maroc, voir annexe technique et les travaux récents de B. TRUONG-LOÏ, *La Dette chinoise à la fin de la dynastie Qing (1874-1913)*, Sciences Po, 2015, et A. BARBE, *Public Debt and European Expansionism in Morocco, 1856-1956*, PSE et EHESS, 2016.

refusèrent de rembourser, d'où des tensions incessantes sous la Restauration. Cela illustre de nouveau les limites de l'idéologie propriétariste pour réguler les relations sociales comme les relations interétatiques. Chacun l'utilise à sa façon pour justifier son désir d'accumulation et de puissance, et on bute vite sur des contradictions logiques pour définir une norme de justice acceptable par tous, d'où des solutions passant par les rapports de force et la violence guerrière pure et dure.

Il faut préciser que ces mœurs rugueuses entre puissances étatiques de l'époque, et cette confusion permanente entre tribut militaire des temps anciens et dette publique des temps modernes, étaient également présentes à l'intérieur même de l'Europe. À l'occasion de l'unification politique de la Prusse et des principautés allemandes, processus long et complexe en gestation depuis la constitution de la Confédération germanique en 1815 puis de la Confédération de l'Allemagne du Nord en 1866, le nouvel État impérial allemand saisit l'occasion de sa victoire militaire de 1870-1871 pour imposer à la France le paiement d'une lourde indemnité de 7,5 milliards de francs-or, soit l'équivalent de plus de 30 % du revenu national français de l'époque[1]. Il s'agissait d'un montant considérable, sans commune mesure avec les coûts militaires de l'expédition, mais qui fut payé rubis sur l'ongle par la France, sans conséquence notable sur les fortes accumulations financières du pays, signe de la grande prospérité des propriétaires et des épargnants français à la fin du XIXe siècle.

De fait, la différence est que si les puissances coloniales européennes s'imposaient parfois des tributs les unes aux autres, elles étaient le plus souvent alliées pour imposer une domination fort lucrative au reste du monde, tout du moins jusqu'à leur autodestruction guerrière ultime de 1914-1945. Même si les mécanismes de justification et les formes de pression ont évolué, on aurait tort de s'imaginer que ces mœurs rugueuses entre puissances étatiques ont totalement disparu, et que les rapports de force ne jouent plus aucun rôle dans l'évolution des positions financières des pays. On peut par exemple penser que la capacité inégalée des États-Unis à imposer des sanctions mirobolantes aux entreprises étrangères ou des embargos commerciaux et financiers dissuasifs aux gouvernements jugés insuffisamment coopératifs n'est pas sans rapport avec la domination militaire mondiale du pays.

---

1. Ces 7,5 milliards de francs-or comprenaient 5 milliards d'indemnité proprement dite et 2,5 milliards au titre des frais d'occupation.

De la difficulté d'être possédé par d'autres pays

S'agissant des actifs internationaux franco-britanniques de 1880-1914, une partie provenait également des excédents commerciaux réalisés par les deux puissances industrielles depuis le début du XIXᵉ siècle. Plusieurs points doivent toutefois être précisés. Tout d'abord, il n'est pas simple de dire ce qu'auraient pu être les flux commerciaux sans l'effet des rapports de force et de la violence militaire. Cela est évident pour les exportations d'opium imposées de force à la Chine à la suite des guerres de l'opium, et qui font partie de ces excédents commerciaux enregistrés pour les deux premiers tiers du XIXᵉ siècle. Mais cela l'est tout autant pour les autres exportations, en particulier textiles, qui se sont développées dans le cadre de rapports de force internationaux et interétatiques extrêmement violents, aussi bien concernant l'approvisionnement cotonnier à base de travail servile nécessaire à leur production que pour ce qui est du traitement punitif infligé aux productions indiennes et chinoises, sur lequel nous reviendrons plus loin.

Voir dans ces flux commerciaux du XIXᵉ siècle le simple effet de la « main invisible » et des « forces de marché » n'est pas très sérieux, et ne permet pas de comprendre la réalité de ces transformations éminemment politiques du système interétatique et commercial mondial. En tout état de cause, si l'on prend les flux de marchandises comme donnés, le fait est que les excédents commerciaux que l'on peut mesurer sur la base des sources disponibles pour la période 1800-1880 ne permettent d'expliquer qu'une partie minoritaire (entre le quart et la moitié) des énormes actifs financiers étrangers détenus par les deux pays autour de 1880. Ces derniers correspondent donc majoritairement à d'autres opérations, comme les quasi-tributs militaires évoqués plus haut, des appropriations diverses sans contrepartie, ou bien des plus-values particulièrement élevées sur certains placements.

Enfin, et peut-être surtout, quelle que soit la part licite ou illicite, morale ou immorale, des actifs financiers franco-britanniques de la période 1880-1914, ou d'ailleurs de ceux de l'avenir, il est important de comprendre que de telles détentions patrimoniales, une fois qu'elles ont atteint une certaine taille, suivent leur propre logique d'accumulation. Il faut insister ici sur un fait qui est peut-être insuffisamment connu, bien qu'il soit très bien attesté par les statistiques commerciales de l'époque, et parfaitement su des contemporains. Au cours de la période 1880-1914, le Royaume-Uni et la France reçoivent des revenus de leurs placements tellement élevés de la part du reste du monde (environ 5 % de revenu national additionnel pour la France, plus de 8 % pour le Royaume-Uni) qu'ils peuvent se permettre d'être en déficit commercial structurel et permanent (entre 1 % et 2 % du revenu national de déficit commercial en moyenne pour ces deux pays au cours de cette période), tout en continuant d'accumuler des créances sur le reste du monde à un rythme accéléré. Autrement dit, le reste du monde travaillait pour accroître la consommation et le niveau de vie des puissances coloniales, tout en devenant de plus en plus fortement endetté vis-à-vis de ces puissances. Cela correspondrait par exemple à la situation où un ouvrier consacrerait une large part de son salaire pour payer son loyer au propriétaire de son appartement, et où le propriétaire utiliserait ces loyers pour acheter le reste de l'immeuble, tout en menant grand train par comparaison aux ménages ouvriers qui n'ont que leur salaire pour vivre. Cela en choquera peut-être certains (ce qui me semblerait sain), mais il est important de réaliser que l'objectif de la propriété est précisément d'apporter une plus grande capacité de consommation et d'accumulation à l'avenir. De même, l'objectif d'accumuler des actifs étrangers, que ce soit au moyen d'excédents commerciaux ou d'appropriations coloniales, est de pouvoir ensuite avoir des déficits commerciaux. C'est le principe de toute accumulation patrimoniale, au niveau domestique comme au niveau international. Si l'on souhaite sortir de cette logique d'accumulation infinie, alors il faut se donner les moyens intellectuels et institutionnels d'un véritable dépassement de la notion de propriété privée, par exemple avec le concept de propriété temporaire et de redistribution permanente de la propriété.

En ce début de XXIe siècle, on s'imagine parfois que les excédents commerciaux sont une fin en soi et pourraient se perpétuer indéfiniment. Cette perception traduit une transformation politico-idéologique qui est extrêmement intéressante en tant que telle. Elle correspond à un monde où l'on se soucie de procurer des emplois à sa population dans les secteurs exportateurs, autant que d'accumuler des créances financières sur le reste du monde. Il reste que ces créances financières, aujourd'hui comme hier, n'ont pas simplement vocation à procurer des emplois, du prestige et du pouvoir au pays en question (même si ces objectifs ne doivent pas être négligés). Elles visent aussi à procurer des revenus financiers futurs, qui permettent certes d'acquérir de nouveaux actifs, mais également des biens et des services produits par les autres pays, sans avoir besoin de leur exporter quoi que ce soit.

Si l'on considère le cas des pays pétroliers, qui constituent l'exemple contemporain le plus évident d'une très forte accumulation d'actifs internationaux, il est bien évident que les exportations de pétrole et de gaz et les excédents commerciaux correspondants ne dureront pas éternellement. L'objectif poursuivi est précisément d'accumuler suffisamment de participations financières dans le reste du monde pour pouvoir ensuite vivre de ces réserves et des revenus apportés par ces placements, afin de pouvoir importer toutes sortes de biens et services du reste du monde, bien après l'épuisement complet des hydrocarbures. S'agissant du Japon, dont les très importants actifs financiers étrangers, qui sont actuellement les plus imposants de la planète (voir graphique 7.9), sont issus des excédents commerciaux industriels nippons des dernières décennies, il est possible que le pays soit sur le point d'entrer dans une phase de déficit commercial structurel (ou à tout le moins en ait fini avec la phase d'accumulation). Ce tournant finira probablement par arriver pour l'Allemagne, et aussi pour la Chine, quand les réserves auront atteint un certain niveau et que le vieillissement du pays sera plus avancé qu'aujourd'hui. Il n'y a évidemment rien de particulièrement « naturel » dans ces évolutions. Elles dépendent des transformations politico-idéologiques des pays concernés et de la façon dont les différents acteurs étatiques et économiques perçoivent et relatent ces enjeux.

Je reviendrai plus loin sur ces questions et ces sources possibles de conflits futurs. Le point important sur lequel je souhaite insister ici est simplement que les relations internationales de propriété ne sont jamais simples, surtout quand elles atteignent de telles proportions. À dire vrai, ce sont les rapports de propriété en général qui sont toujours plus complexes que les relations réputées spontanément harmonieuses et mutuellement avantageuses parfois évoquées dans le conte de fées des manuels d'économie. Il n'est jamais simple pour un salarié de consacrer une part importante du produit de son travail pour payer un profit ou un loyer à son propriétaire, ou pour les enfants de locataires de payer des loyers aux enfants de propriétaires. C'est pourquoi les relations de propriété font toujours l'objet de conflits, et donnent lieu au développement de multiples institutions visant à réguler la forme de ces relations et les conditions de leur perpétuation. Cela peut se faire au moyen de luttes syndicales et de mécanismes de partage du pouvoir au sein des entreprises, de législations sur la fixation des salaires et le contrôle des loyers, de limitation du pouvoir d'éviction des propriétaires, de la fixation de la durée des baux et des éventuelles conditions de rachats, d'impôts successoraux et de multiples autres dispositifs fiscaux et légaux visant à favoriser l'accès de nouveaux groupes sociaux à la propriété et à limiter la reproduction dans le temps des inégalités patrimoniales.

Mais quand il s'agit pour un pays de payer sur une base durable des profits, des loyers ou des dividendes à un autre pays, alors de telles relations peuvent devenir encore plus complexes et explosives. La construction par la délibération démocratique et les luttes sociales d'une norme de justice acceptable par le plus grand nombre, processus déjà fort complexe au sein d'une communauté politique donnée, devient pratiquement impossible quand les propriétaires sont extérieurs à cette communauté. Le cas le plus fréquent et le plus probable est que ces relations se retrouvent régulées par la violence et la contrainte militaire. À la Belle Époque, les puissances coloniales utilisaient abondamment la politique de la canonnière pour s'assurer que les paiements d'intérêts et dividendes se fassent en temps et en heure, et que personne ne songe à exproprier les créanciers. Cette dimension militaire et coercitive des relations financières internationales et des stratégies d'investissement des différents pays joue également un rôle essentiel en ce début de XXIᵉ siècle, au sein d'un système interétatique qui est toutefois devenu beaucoup plus complexe. En particulier, deux des principaux créditeurs internationaux actuels, le Japon et l'Allemagne, sont des pays sans armée, alors que les deux principales puissances militaires, les États-Unis et à un degré moindre la Chine, se soucient davantage d'investir sur leur territoire que d'accumuler des créances externes, ce qui peut s'expliquer par les dimensions continentales de ces deux pays, ainsi que par leur dynamisme démographique (facteur qui est en passe de changer dans le cas de la Chine, et changera peut-être un jour aux États-Unis).

Il reste que l'expérience des actifs étrangers franco-britanniques de la Belle Époque est riche d'enseignements pour l'avenir, et pour notre compréhension générale du régime inégalitaire propriétariste, en particulier dans sa dimension internationale et coloniale. À ce sujet, il faut noter que les mécanismes de contrainte financière et militaire développés par les puissances coloniales pour pérenniser l'accumulation s'appliquaient aussi bien aux territoires explicitement colonisés qu'à des pays qui ne l'étaient pas (ou pas encore), par exemple la Chine, la Turquie et l'Empire ottoman, l'Iran ou le Maroc. De façon générale, quand on examine les sources disponibles sur les portefeuilles internationaux de l'époque, on constate qu'ils s'étendaient très au-delà des colonies au sens strict.

Au sein des actifs financiers internationaux détenus par les Parisiens de 1912, la part qui peut être rattachée directement à l'empire colonial français est comprise entre un quart et un tiers, le reste se répartissant en une grande diversité d'autres territoires : Russie et Europe de l'Est, Levant et Perse, Amérique latine et Chine, etc.[1]. Les nouvelles composantes territoriales de l'empire colonial, en particulier en AÉF et AOF, n'étaient pas toujours les plus profitables en termes de revenus financiers : elles fonctionnaient surtout pour le bénéfice des administrateurs et des colons qui s'y trouvaient, et également au nom du prestige moral de la puissance civilisatrice, telle que se le représentait une partie des élites et de la population française de l'époque[2]. On retrouve la même diversité de situations dans le cas du Royaume-Uni : le portefeuille international des propriétaires britanniques rapportait dans son ensemble des revenus très confortables, permettant de financer un déficit commercial structurel vis-à-vis du reste du monde tout en poursuivant une accumulation de créances à un rythme accéléré, mais certaines composantes de l'empire étaient beaucoup moins profitables que d'autres, et relevaient d'une mission civilisatrice générale, ou d'une stratégie au bénéfice de groupes spécifiques de possédants ou de colons, davantage que d'une opération strictement financière[3]. Pour résumer : le régime inégalitaire international de la Belle Époque mêlait dans son schéma de justification à la fois des dimensions propriétaristes et civilisatrices, et chacune de ces dimensions a laissé des traces essentielles sur les évolutions ultérieures.

1. Cette estimation est cependant assez imprécise, car de nombreuses sociétés émettrices d'actions et d'obligations avaient des activités sur de multiples territoires.
2. Il faut toutefois éviter l'erreur (commise naguère par Jacques Marseille) consistant à interpréter le déficit commercial de certaines colonies africaines vis-à-vis de la métropole comme le signe que les populations colonisées vivaient aux crochets de la France : en réalité ces déficits étaient inférieurs aux dépenses militaires et civiles allant aux colons, et correspondaient au financement du maintien de l'ordre colonial et du train de vie des colons, et non de celui des populations colonisées. Voir D. COGNEAU, Y. DUPRAZ, S. MESPLÉ-SOMPS, « Fiscal Capacity and Dualism in Colonial States », art. cité ; É. HUILLERY, « The Black Man's Burden », art. cité.
3. Voir à ce sujet L. DAVIS, R. HUTTENBACK, *Mammon and the Pursuit of Empire : The Political Economy of British Imperialism, 1860-1912*, Cambridge University Press, 1986.

Légalité métropolitaine, légalité coloniale

Revenons-en maintenant à la question des origines et de la persistance des inégalités au sein des sociétés coloniales. Nous avons évoqué le rôle des budgets coloniaux dans la production et la persistance des inégalités coloniales. À partir du moment où les très lourds impôts acquittés par les populations colonisées étaient utilisés principalement au bénéfice des colons, en particulier en matière d'investissement éducatif, il n'est pas surprenant que les inégalités initiales se perpétuent. Au-delà des inégalités induites par le système fiscal et la structure des dépenses publiques, il faut toutefois ajouter qu'il existait bien d'autres éléments inégalitaires dans le régime colonial, à commencer par le système légal, qui était de fait beaucoup plus favorable aux colons. En particulier, en matière commerciale comme sur les questions civiles, le droit de la propriété ou le droit du travail, les populations européennes et autochtones n'avaient pas accès aux mêmes tribunaux, et ne jouaient pas à armes égales dans la compétition économique.

Cette brutalité spécifique de l'inégalité coloniale s'exprime par exemple dans la ruine de l'indigène Sanikem, héroïne du *Monde des hommes*, magnifique roman publié en 1980 par Pramoedya Ananta Toer. Vers 1875, près de Surabaya, dans l'est de Java, le père de Sanikem espère obtenir une promotion et se faire un petit pécule en la vendant à l'âge de 14 ans comme *nyae* (concubine) au propriétaire hollandais de la plantation, Herman Mellema. La jeune fille comprend qu'elle ne pourra plus compter que sur elle-même : « Ses bras à la peau rugueuse d'iguane étaient couverts de poils blonds gros comme mes cuisses. » Mais Herman a lui aussi ses fragilités : il a fui les Pays-Bas, son milieu et sa femme, qu'il accusait d'adultère, et avant de sombrer dans l'alcoolisme, il tente de se reconstruire en enseignant le néerlandais à Sanikem, qui peut ainsi lui lire les caisses de magazines venues de Hollande, et qui apprend vite à développer seule le domaine de Wonokromo, au prix de tous les sacrifices et de toutes les railleries. Sanikem voit avec bonheur sa fille Annelies se rapprocher d'un indigène, Minke, miraculeusement admis au Lycée néerlandais de Surabaya, alors que son fils Robert, humilié par son statut de métis, déchaîne sa violence contre les autochtones avec plus de hargne que les purs-blancs. Ce que Sanikem ignore, c'est que le fruit de son travail n'a aucune valeur légale. Arrivant furieux de Hollande, ivre de colère face à un père indigne qui a mêlé son sang à celui des indigènes, et que l'on retrouvera peu après mort au bordel chinois des environs, le fils légitime de Herman vient réclamer ses droits et finit par prendre le contrôle de la plantation, grâce au jugement du tribunal hollandais de Surabaya. Annelies est emmenée de force aux Pays-Bas et sombre dans la démence, alors que Sanikem et Minke restent à Java, anéantis. Nous sommes au début des années 1900, et ils n'ont plus qu'une chose à faire : se consacrer à la lutte pour la justice et pour l'indépendance, qui sera longue.

Pramoedya Ananta Toer en sait quelque chose : il a subi les geôles hollandaises, en 1947-1949, avant de connaître dans les années 1960 et 1970 celles de Sukarno puis de Suharto, suite à ses engagements communistes et à sa défense des minorités chinoises en Indonésie. Son texte dissèque aussi les inégalités monétaires, à une époque propriétariste où l'étalon-or et l'inflation nulle donnaient un sens social à l'argent et une solidité sans pareille à la propriété. Sanikem a été vendue par son père pour 25 florins, « de quoi faire vivre trente mois confortablement une famille de villageois ». Mais nous ne sommes pas dans le roman classique européen, et l'essentiel est ailleurs : le régime inégalitaire colonial se fonde avant tout sur des inégalités statutaires, identitaires et ethno-raciales. Les purs-blancs, les métis et les indigènes n'ont pas les mêmes droits, et ils se retrouvent tous embarqués dans des enchevêtrements de mépris et de rancœurs aux conséquences incontrôlées.

Des recherches récentes, en particulier celles d'Emmanuelle Saada, ont montré comment les puissances coloniales ont développé jusqu'au milieu du XXᵉ siècle des systèmes juridiques spécifiques dans leurs empires, leur permettant d'accorder des droits en fonction de catégories ethno-raciales qu'elles se mirent à codifier avec précision, alors même que ces catégories étaient supposées avoir été éliminées du droit métropolitain depuis l'abolition de l'esclavage (les informations sur la race avaient par exemple disparu des recensements menés à la Réunion ou dans les Antilles françaises depuis 1848). Le décret de 1928, « déterminant le statut des métis nés de parents légalement inconnus en Indochine », accordait ainsi la qualité de français à tout individu dont au moins l'un des parents était « présumé de race française », ce qui allait conduire les tribunaux à se pencher sur les caractéristiques physiques et raciales des plaignants.

Plusieurs écoles s'affrontaient alors. Certains administrateurs coloniaux doutaient des capacités d'adaptation sociale de ces métis, issus d'unions passagères avec des « femmes jaunes », et récusaient cette politique de naturalisation automatique. Mais de nombreux colons, qui souvent avaient eux-mêmes conclu une union mixte assumée, insistaient au contraire sur les dangers « de laisser vagabonder des hommes qui ont notre sang dans les veines », et à quel point il serait « impolitique de laisser se créer un parti antifrançais, de susciter le mépris des Annamites qui nous reprochent l'abandon où nous laissons ceux qui, pour eux, sont nos fils ». L'adoption de critères raciaux fut également motivée par le souci des autorités coloniales de lutter contre les reconnaissances frauduleuses, dont tout indique qu'elles étaient fort rares (de même que les métis en général), mais dont on craignait qu'elles conduisent à « une véritable industrie à l'usage d'Européens ingénieux tombés dans la misère et désireux d'assurer la sécurité de leurs vieux jours » (selon les termes d'un juriste de l'époque). À Madagascar, on s'inquiétait par ailleurs des difficultés d'application d'une telle législation, qui avait été pensée pour l'Indochine : comment fera le juge pour distinguer l'enfant d'un père réunionnais (citoyen français, à défaut d'être de « race française ») de celui d'un père malgache (sujet indigène) ? Cela n'empêcha pas le décret d'être appliqué en Indochine : des certificats médicaux permettront dans les années 1930 d'établir le métissage franco-indochinois des enfants et conduisirent après la Seconde Guerre mondiale au « rapatriement » forcé de milliers de mineurs métis[1].

Il faut également noter que si les mariages mixtes étaient en principe autorisés dans les colonies, comme en métropole, les autorités publiques tentaient en pratique de les dissuader, surtout quand il s'agissait d'une union entre une femme française et un homme indigène. En 1917, alors que des travailleurs coloniaux, particulièrement nombreux à venir d'Indochine, nouent des relations avec des femmes françaises, souvent des ouvrières affectées aux mêmes usines métropolitaines qu'eux, une circulaire du ministère de la Justice demande par exemple aux maires de tout tenter pour les faire échouer. Les maires se chargent de prévenir nos « compatriotes trop imprudentes ou trop crédules contre les dangers qu'elles ne soupçonnent pas » et qui ont trait à la polygamie attribuée aux indigènes mais aussi au niveau de vie, puisque « les salaires des indigènes sont insuffisants pour permettre à une femme européenne de vivre décemment »[2].

Au-delà de la question des métis, c'est véritablement tout un système légal parallèle qui se met en place dans les colonies, souvent en contradiction

---

1. Voir le livre passionnant d'E. SAADA, *Les Enfants de la colonie. Les métis de l'Empire français, entre sujétion et citoyenneté*, La Découverte, 2007, ici cité p. 47, 147-152, 210-226.

2. *Ibid.*, p. 45-46.

frontale avec les principes sur lesquels la légalité métropolitaine prétend se fonder. En 1910, la chambre de commerce de Haiphong explique au ministère des Colonies pourquoi les jeunes Français accusés de viol par des autochtones doivent être traités avec la plus grande bienveillance : « En France, le paysan, l'ouvrier qui ont mis à mal leur voisine, *réparent* ; et l'homme, qui, par sa position, a pu abuser une femme plus jeune ou plus pauvre, a contracté une dette irrécusable. Mais, sans parler de couleur ni de race inférieure, les rapports sociaux ne sont pas les mêmes entre le jeune Français qui débarque et les indigènes qui lui sont offertes, le plus souvent[1]. »

Dans le cas de l'Indonésie néerlandaise, Denys Lombard a bien montré le rôle néfaste joué par le statut colonial de 1854, qui décida de séparer strictement les « indigènes » et les « étrangers orientaux » (catégorie dans laquelle étaient rangées les diverses minorités chinoises, indiennes, arabes). Cette séparation contribua à figer durablement des identités et des antagonismes, alors même que le « carrefour javanais » et l'Insulinde se caractérisaient depuis plus d'un millénaire par un métissage unique des cultures hindouiste et confucianiste, bouddhiste et musulmane, peu conforme à l'image que se faisaient les Européens de la mondialisation, mais qui finalement a peut-être eu un impact plus durable sur les cultures régionales et la « Méditerranée orientale » (de Jakarta à Canton et de Phnom Penh à Manille) que l'ordre martial des Occidentaux[2].

1. « Dans le cas d'une union d'un Européen avec une femme annamite, on peut avancer que le cas de séduction est extrêmement rare. [...]. Les Annamites comme les Chinois ont une femme légitime et peuvent avoir une ou plusieurs concubines. Celles-ci sont répudiables et la femme qui vit avec un Européen est considérée chez les Annamites comme une concubine. [...]. La concubine est presque toujours prise par l'Européen avec l'assentiment de ses parents à qui il est généralement payé une somme d'argent, et qui considèrent l'établissement momentané de leur fille comme parfaitement honorable. Dans beaucoup d'autres cas, la femme est mise en rapport avec l'Européen par une procureuse (*sic*) auquel cas celle-ci l'a achetée à ses parents. Le viol n'existe pour ainsi dire pas, les concubines prises par les Européens étant très rarement vierges, sinon jamais ; il ne peut être question de séduction car la femme annamite ne se décide à vivre avec un Européen que dans un intérêt pécunier (*sic*). Au reste, le peu de fidélité des femmes annamites et leur trop fréquente immoralité constitueraient le plus grand danger, s'il leur était permis d'intenter une action contre leurs amants, l'union avec un Européen n'étant pour elles qu'une opération fructueuse qu'elles considèrent au reste comme honorable mais dans laquelle les questions de sentiment n'ont que bien peu de part » (*ibid.*, p. 45-46).

2. Voir l'ouvrage magistral de D. LOMBARD, *Le Carrefour javanais. Essai d'histoire globale* (vol. 1 : *Les Limites de l'occidentalisation* ; vol. 2 : *Les Réseaux asiatiques* ; vol. 3 : *L'Héritage des royaumes concentriques*), EHESS, 1990.

Le travail forcé légal
dans les colonies françaises (1912-1946)

Un cas particulièrement révélateur est celui du travail forcé pratiqué sous une forme légale (ou tout du moins sous une forme qui cherchait à se donner certaines apparences de légalité) dans les colonies françaises de 1912 à 1946. Ce cas illustre la continuité des sociétés esclavagistes aux sociétés coloniales, et l'importance d'un examen détaillé des systèmes légaux et fiscaux appliqués dans les différents régimes inégalitaires. Dans le cas de l'Afrique, tout indique que le travail forcé n'a jamais véritablement cessé entre la fin de la traite atlantique et le second âge colonial, et s'est en réalité poursuivi tout au long du XIXᵉ siècle. À la fin du siècle, quand les Européens commencent à s'enfoncer plus loin à l'intérieur des terres pour exploiter les richesses naturelles et minières, ils ont largement recours au travail obligatoire, dans des conditions souvent très brutales. Des controverses commencent à se développer en Europe en 1890-1891, puis de nouveau en 1903-1904, à mesure que se multiplient les témoignages sur les atrocités commises au Congo belge, qui est depuis 1885 la propriété personnelle du roi Léopold II, et où l'exploitation du caoutchouc repose sur des méthodes particulièrement violentes visant à mobiliser la main-d'œuvre locale et à discipliner le travail : incendies de villages, mutilations de mains pour économiser les cartouches[1]. Finalement, les Européens exigent le transfert du territoire à la Belgique en 1908, dans l'espoir que la tutelle d'un Parlement adoucira ce régime[2]. Des exactions commises dans les colonies françaises sont régulièrement dénoncées, et c'est dans ce contexte que le ministère des Colonies est amené à publier plusieurs textes permettant de définir un

---

1. On notera que les mains coupées, depuis les sociétés ternaires du XIᵉ siècle (voir chapitre 2, p. 90) jusqu'aux sociétés coloniales du XXᵉ siècle, sont régulièrement citées dans la panoplie des méthodes visant à discipliner le travail et asseoir la domination. Dans *L'Autre Moitié du soleil* (publié en 2006 par Chimamanda Ngozi Adichie), le militant anticolonialiste Richard écrit un livre intitulé *Le Panier de mains* au sujet de la colonisation britannique au Nigeria. Son amoureuse Kainene détruit son manuscrit, en partie pour se venger de son infidélité, et aussi pour lui signifier qu'il ferait mieux de laisser cette histoire aux Nigérians, et de retourner se battre pour le Biafra.

2. Voir V. JOLY, « 1908 : Fondation du Congo belge », *in* P. SINGARAVÉLOU, S. VENAYRE, *Histoire du monde au XIXᵉ siècle*, Fayard, 2017, p. 381-384. Dans *Il est à toi ce beau pays* (2018), Jennifer Richard relate les exactions congolaises et les difficultés du militant afro-américain Washington Williams à les faire connaître aux États-Unis, qui n'ont nullement l'intention à l'époque d'appliquer l'égalité raciale.

cadre légal pour les « prestations » (plus communément appelées « corvées ») exigées des habitants de l'Afrique française.

La logique se veut imparable : l'administration coloniale repose sur le paiement de l'impôt par tous ; or certains indigènes n'ont pas suffisamment de ressources monétaires pour acquitter ces impôts ; par conséquent, il leur sera également demandé un supplément d'impôt en nature, sous forme de journées de travail non rémunérées. En pratique, le problème n'est pas seulement que ces corvées viennent s'ajouter à de très lourds impôts en argent et en nature (sous forme de prélèvement sur les récoltes) déjà acquittés par les populations colonisées, mais aussi que cette possibilité de travail non rémunéré ouvre la voie à tous les abus et équivaut à les légaliser à l'avance. L'arrêté de 1912 « portant réglementation de la prestation des indigènes dans les colonies et territoires du gouvernement de l'Afrique-Occidentale française » fixe quelques garde-fous, mais ils sont relativement limités et mal contrôlés. Il est ainsi précisé que « les indigènes pourront être soumis à des prestations pour l'entretien des voies de communication : routes, ponts, puits, etc. », ainsi que pour d'autres infrastructures, comme « la pose des lignes télégraphiques » et les « travaux publics de toute nature », le tout sous le contrôle exclusif du lieutenant-gouverneur ou du commissaire de chaque colonie. Le texte indique que sont concernés « tous les individus de sexe masculin, valides et adultes, à l'exception des vieillards » (sans précision d'âge)[1]. Les « prestations » sont en principe limitées à « douze journées de travail » non rémunérées par personne et par an. Seules ces prestations légales ont été enregistrées dans les archives coloniales, et ces traces officielles sont suffisantes pour réviser substantiellement à la hausse les estimations de la pression fiscale coloniale, et pour en conclure que le travail forcé était un rouage essentiel du système colonial dans son ensemble[2].

---

1. Voir *Journal officiel de l'Afrique occidentale française*, 1913, p. 70. L'arrêté précise que « les prestations ne pourront être exigées, en principe, qu'en dehors des périodes de récolte et de cueillettes », et qu'elles « ne pourront s'effectuer à une distance supérieure à 5 kilomètres du village de l'intéressé, à moins que les prestataires ne reçoivent la ration, en espèces ou en nature ». Concrètement, les autorités peuvent déplacer à l'autre bout du pays qui elles veulent et quand elles le souhaitent, pour peu qu'une « ration » soit fournie aux « prestataires ».

2. Pour une analyse récente de ces archives et de ces débats, voir M. van Waijenburg, « Financing the African Colonial State : The Revenue Imperative and Forced Labor », *Journal of Economic History*, vol. 78 (1), 2018, p. 40-80. Voir également I. Merle, A. Muckle, *L'Indigénat. Genèses dans l'empire français, pratiques en Nouvelle-Calédonie*, CNRS Éditions, 2019.

De multiples témoignages de l'entre-deux-guerres indiquent que le nombre de journées de travail réellement exigées dans l'entre-deux-guerres était en réalité beaucoup plus élevé. Lorsque les besoins l'exigeaient, la norme était le plus souvent comprise entre trente et soixante jours dans les colonies françaises, comme dans les colonies belges, britanniques, espagnoles et portugaises. Dans le cas français, le travail forcé fit particulièrement scandale lors de la construction tragique du chemin de fer Congo-Océan entre 1921 et 1934. L'administration de l'AÉF s'était initialement engagée à fournir quelque 8 000 travailleurs locaux, qu'elle pensait pouvoir « recruter » sur une bande de territoire de 100 kilomètres le long de la voie. Mais la mortalité exceptionnellement élevée du chantier et sa dangerosité avérée firent fuir les recrues, et les autorités coloniales partirent rechercher des « adultes mâles » à l'autre bout du Moyen-Congo. À partir de 1925, elles durent organiser des razzias jusqu'au Cameroun et au Tchad. Les témoignages affluèrent sur cette « effroyable consommation de vies humaines », en particulier avec la publication du célèbre *Voyage au Congo* d'André Gide en 1927 et du livre de reportages *Terre d'ébène* publié par Albert Londres en 1929.

La pression internationale s'accrut alors sur la France, en particulier de la part de la toute nouvelle Organisation internationale du travail (OIT), qui avait été créée en 1919 en même temps que la Société des Nations, et dont la Constitution débutait par le préambule suivant : « Attendu qu'une paix universelle et durable ne peut être fondée que sur la base de la justice sociale. Attendu qu'il existe des conditions de travail impliquant pour un grand nombre de personnes l'injustice, la misère et les privations, ce qui engendre un tel mécontentement que la paix et l'harmonie universelles sont mises en danger, et attendu qu'il est urgent d'améliorer ces conditions. Attendu que la non-adoption par une nation quelconque d'un régime de travail réellement humain fait obstacle aux efforts des autres nations désireuses d'améliorer le sort des travailleurs dans leurs propres pays. » S'ensuivait une série de recommandations et de rapports sur la durée du travail et sa dangerosité, la fixation des salaires, les droits des salariés et de leurs représentants. L'OIT manquait toutefois singulièrement de moyens et de pouvoirs de sanctions pour faire appliquer ses recommandations.

Au cours des années 1920, l'OIT sommait régulièrement la France de cesser ses pratiques de travail non rémunéré et de déplacement forcé de la main-d'œuvre, qui s'apparentaient selon l'organisation internationale à une forme de travail servile. Mais les autorités françaises récusèrent ces accusations, en insistant sur le fait qu'elles venaient justement d'étendre les possibilités de rachat monétaire des prestations à l'ensemble des « indigènes » (et pas seulement aux « évolués », terminologie utilisée par l'administration coloniale pour désigner la petite minorité d'indigènes ayant adopté un mode de vie « européen », et qui jusqu'alors avaient seuls droit à ce rachat). L'un des arguments favoris de l'administration française était également que de nombreux cas incriminés, en particulier sur le chemin de fer Congo-Océan, relevaient non pas du régime des prestations mais de la conscription militaire, qui était l'un des rares cas de travail non rémunéré autorisé par l'OIT, à condition toutefois que ce système militaire ne soit pas contourné pour effectuer des tâches civiles (et en l'occurrence l'OIT soupçonnait la France de contourner le système). Outrées par une telle intrusion dans ce qu'elles considéraient comme leur « souveraineté nationale », les autorités françaises refusèrent pour cette raison de ratifier la convention de l'OIT en 1930. C'est ainsi que le travail forcé non rémunéré, sous la forme de prestations et de conscriptions, se poursuivit dans les colonies françaises jusqu'au lendemain de la Seconde Guerre mondiale, par exemple dans les exploitations de cacao de Côte d'Ivoire. Le décret de 1912 ne fut finalement aboli qu'en 1946, dans un contexte politique fort différent, où la France était soudainement prête à toutes les concessions pour éviter le démantèlement de son empire.

Un colonialisme tardif : l'apartheid en Afrique du Sud (1948-1994)

Le système d'apartheid appliqué en Afrique du Sud de 1948 à 1994 constitue sans aucun doute l'un des cas les plus extrêmes de régime légal visant à séparer les colons et les colonisés et à structurer une inégalité durable entre les deux groupes. Il ne s'agit pas d'écrire ici l'histoire de l'apartheid, mais simplement d'insister sur plusieurs points particulièrement importants du point de vue de l'histoire générale des régimes inégalitaires. À l'issue de la guerre des Boers (1899-1902), laborieusement remportée par les Britanniques face aux descendants des colons venus de Hollande, l'Union sud-africaine se mit en place et tenta d'unifier les différents territoires. Dans certains cas, en particulier dans le cadre de la colonie britannique du Cap, le régime politique était censitaire et non racial : les Noirs, les *Coloured* (métis) et les *Asians* (en pratique des populations d'origine indienne) suffisamment riches avaient le droit de vote, et formaient une petite minorité du corps électoral en 1910[1]. Mais les Boers ne voulaient pas entendre parler d'une extension de ce système dans le reste de l'Union, en particulier dans le Transvaal, le Natal et la colonie d'Orange. Les élites afrikaners entreprirent très vite de durcir le système de discrimination, avec l'adoption dès 1911 du *Native Labour Regulation Act*, qui permettait de contrôler la mobilité de la main-d'œuvre en astreignant tout travailleur noir à posséder un laissez-passer pour quitter sa zone d'emploi. Le *Natives Land Act* de 1913 instituait une carte des « réserves indigènes », dont la superficie totale correspondait à 7 % du territoire du pays (alors que les Noirs rassemblaient plus de 80 % de la population). Interdiction était faite aux Blancs d'exploiter des terres dans lesdites réserves, et interdiction était bien sûr faite aux Africains de posséder ou de louer des terres en « zone blanche »[2]. Ces mesures furent radicalisées avec la mise en place officielle de l'apartheid en 1948, et complétées en 1950-1953 par le *Population Registration Act*, le *Group Area Act* et le *Separation of Amenities Act*, avant la fin officielle de la tutelle britannique en 1961.

Le régime électoral était organisé lui aussi sur une base strictement raciale : tous les Blancs et seulement les Blancs avaient le droit de vote, sans critère de fortune. Face aux réprobations internationales qui prenaient de l'ampleur dans les années 1960 et 1970, en pleine vague indépendantiste et au milieu de la guerre froide, des débats eurent lieu en Afrique du Sud sur l'opportunité de réintroduire des droits électoraux pour une partie des Noirs, sur une base censitaire. Toute la difficulté était que si l'on utilisait le même seuil d'impôt ou de propriété pour les Blancs et les Noirs, alors seul un seuil extrêmement élevé aurait permis de préserver une majorité politique pour les Blancs, au prix d'une privation du droit de vote des classes populaires et moyennes blanches, qui n'avaient pas l'intention de renoncer à leurs nouveaux droits politiques au profit de riches Noirs. Mais si l'on abaissait excessivement ce seuil, alors les Noirs risquaient de devenir majoritaires et de prendre le pouvoir. C'est finalement ce qui arriva avec la fin de l'apartheid en 1990-1994 et l'élection de Nelson Mandela en 1994, mais cela a longtemps semblé impensable pour la population

---

1. Voir F.-X. FAUVELLE-AYMAR, *Histoire de l'Afrique du Sud*, Seuil, 2006, p. 382-395.

2. On observe des systèmes de réserves territoriales pour les indigènes dans d'autres contextes coloniaux, par exemple en Nouvelle-Calédonie française à la fin du XIXe siècle et pendant la première moitié du XXe siècle. Voir G. NOIRIEL, *Une histoire populaire de la France. De la guerre de Cent Ans à nos jours*, Agone, 2018, p. 431-435.

afrikaner, jusqu'à ce que la détermination des manifestants et des populations des townships, finalement épaulés par les sanctions internationales, les contraigne à accepter le changement de règles.

La fin de l'apartheid et des discriminations a permis la promotion d'une minorité de Noirs et leur inclusion dans l'élite politique et économique du pays. Par exemple, la part des Noirs au sein du centile supérieur de la répartition des revenus, qui était inférieure à 1 % en 1985, se situait à près de 15 % en 1995-2000, en particulier du fait de l'accès des Noirs à une partie des plus hauts emplois publics et du départ d'une partie de la population blanche. Cette proportion de Noirs au sein du centile supérieur a cependant légèrement régressé depuis cette date, et elle se situait dans les années 2010 autour de 13 %-14 %. Autrement dit, les Blancs continuent de représenter plus de 85 % des effectifs du centile supérieur (et près de 70 % du décile supérieur), alors qu'ils rassemblent à peine plus de 10 % de la population totale[1]. L'Afrique du Sud est passée d'une situation où les Noirs étaient totalement exclus des fonctions sociales les plus élevées à une situation où ils sont théoriquement admis, mais où les Blancs continuent d'occuper une position archidominante. Il est également frappant de constater que l'écart entre les 10 % des revenus les plus élevés et le reste de la population s'est accru en Afrique du Sud depuis la fin de l'apartheid (voir graphique 7.5, p. 316).

Cela peut s'expliquer en partie par les particularités de la configuration politique sud-africaine, où le parti issu de la lutte anti-apartheid, l'African National Congress (ANC), continue d'occuper une position quasi hégémonique, et n'a jamais conduit de véritable politique de redistribution des richesses. En particulier, aucune réforme agraire n'a été menée à la fin de l'apartheid, aucune réforme fiscale suffisamment ambitieuse n'a été adoptée, si bien que les inégalités abyssales héritées du fait que les Noirs ont été *de facto* parqués sur moins de 10 % du territoire pendant près d'un siècle (du *Natives Land Act* de 1913 jusqu'en 1990-1994) sont pour l'essentiel restées en place. De fait, l'ANC a généralement été dominé par des courants relativement conservateurs sur les questions de redistributions de propriété et de progressivité fiscale, même si la pression sociale et politique en ce sens est devenue plus forte depuis le début des années 2010[2].

---

1. Voir annexe technique et les travaux de F. Alvaredo, A. Atkinson et E. Morival.

2. En partie sous la pression du parti noir EFF (Economic Freedom Fighters, qui milite pour la redistribution des richesses), et aussi du fait qu'une partie de la bourgeoisie noire a basculé du côté de l'ancien parti blanc afrikaner (National Party, puis Democratic Alliance

Il faut également souligner que l'environnement idéologique mondial des années 1990-2010 n'était guère porteur. Si un gouvernement sud-africain s'était lancé dans une politique de redistribution des terres, cela aurait très probablement engendré une très forte contestation de la minorité blanche, et il n'est pas sûr que le soutien dont bénéficiait alors l'ANC auprès des pays occidentaux aurait continué très longtemps.

Il est d'ailleurs symptomatique de constater qu'en 2018-2019, alors que le gouvernement ANC évoquait la possibilité d'une réforme agraire, le président des États-Unis Donald Trump s'empressa d'exprimer son soutien de plus vif aux fermiers blancs et à leurs domaines terriens, et ordonna à son administration de suivre l'affaire de très près. À ses yeux, le fait que des générations de Noirs aient été violemment discriminées et cantonnées dans des réserves jusqu'aux années 1990 ne justifie visiblement aucune compensation : l'affaire est ancienne et doit être promptement oubliée ; aucune parcelle de terre ne saurait être enlevée aux Blancs et attribuée aux Noirs, car personne ne saurait où arrêter un tel processus. En pratique, on peut toutefois penser que personne ne pourrait véritablement s'opposer à un gouvernement sud-africain disposant d'un mandat démocratique et électoral fort pour s'engager dans une telle redistribution, de façon aussi apaisée que possible, par la voie de la réforme agraire et de l'impôt progressif, comme cela a pu se faire dans de nombreux pays au cours du XXe siècle.

L'Afrique du Sud démontre à sa façon la puissance des mécanismes inégalitaires propriétaristes : la concentration de la propriété a été bâtie sur l'inégalité raciale la plus absolue, mais elle perdure pour une large part après la mise en place de l'égalité formelle des droits, qui de toute évidence ne suffit pas. Dans la plupart des autres sociétés coloniales, la redistribution des terres et des biens s'est faite par le départ des communautés blanches et des nationalisations plus ou moins chaotiques. Mais à partir du moment où l'on tente d'organiser la cohabitation pacifique et durable entre les anciennes classes dominantes et dominées d'une société coloniale violente, comme en Afrique du Sud, alors il faut envisager d'autres mécanismes légaux et fiscaux permettant de redistribuer les richesses.

---

depuis 2000). Voir A. GETHIN, *Cleavage Structures and Distributive Politics*, PSE, 2018, et annexe technique.

La sortie du colonialisme
et la question du fédéralisme démocratique

Les sociétés esclavagistes et coloniales ont laissé des traces considérables dans la structure de l'inégalité moderne, aussi bien entre pays qu'à l'intérieur des pays. Mais je voudrais insister maintenant sur un autre héritage relativement méconnu de cette longue histoire : la sortie du colonialisme a conduit à des débats sur des formes de fédéralisme démocratique régional et transcontinental, qui, même s'ils n'ont pas abouti dans l'immédiat, sont également riches d'enseignements pour l'avenir.

Le cas de la sortie de l'empire colonial français est particulièrement intéressant, et a fait l'objet d'une étude récente de Frederick Cooper[1]. En 1945, après que les colonies ont aidé la métropole à se libérer de plus de quatre années d'occupation allemande, il est bien évident pour tout le monde que l'on ne va pas revenir à l'empire colonial d'avant guerre, quoique puissent en penser certains colons. Les autorités françaises veulent maintenir l'empire, mais elles savent qu'elles doivent pour cela redéfinir son fonctionnement, d'une part avec une politique plus volontariste d'investissement et de transfert fiscal de la métropole vers les colonies (dont nous avons vu plus haut qu'elle marqua une vraie rupture avec les périodes précédentes, même si elle perpétua une structure budgétaire fortement biaisée en faveur des colons), et d'autre part et surtout en tentant de transformer radicalement ses structures politiques. La particularité du cas français est que l'on assiste entre 1945 et 1960 à une tentative de redéfinition des institutions politiques à partir d'une Assemblée nationale rassemblant des représentants élus de la métropole et des colonies. Dans les faits, cette représentation ne se fit jamais sur la base de l'égalité numérique, car cela aurait menacé la suprématie métropolitaine : c'est ce qui mina toutes ces tentatives, faute d'une imagination institutionnelle suffisante. Sans doute aurait-il été plus adapté de commencer par structurer et consolider une construction fédérale ouest-africaine ou nord-africaine, avant d'envisager le développement d'une souveraineté parlementaire transcontinentale. Il n'en reste pas moins que cette tentative de transformation d'un empire autoritaire en une fédération démocratique était relativement originale

---

1. Voir le livre passionnant de F. COOPER, *Citizenship between Empire and Nation : Remaking France and French Africa 1945-1960*, Princeton University Press, 2014. Voir également ID., *Africa in the World : Capitalism, Empire, Nation-State*, Harvard University Press, 2014.

(jamais les colonies britanniques n'eurent de représentation au Parlement de Westminster, ni à la Chambre des lords ni aux Communes) et mérite d'être revisitée[1].

L'Assemblée nationale constituante élue en octobre 1945 pour donner une nouvelle Constitution à la France comptait 522 députés élus par la métropole et 64 députés élus par les différents territoires de l'empire. On était donc assez loin de l'égalité numérique, puisque la population métropolitaine était alors d'environ 40 millions d'habitants, alors que les colonies en rassemblaient autour de 60 millions (en excluant l'Indochine, qui était déjà entrée en guerre d'indépendance). Les 64 députés des colonies étaient en outre élus par des collèges séparés de colons et d'indigènes, sur une base fortement inégalitaire. L'Afrique-Occidentale française comptait par exemple 10 députés, dont 4 élus par les 21 000 colons et 6 par les quelque 15 millions d'indigènes. Il n'en reste pas moins que de nombreux leaders africains siégeront et joueront un rôle important à l'Assemblée nationale française de 1945 à 1960, à commencer par Léopold Senghor et Félix Houphouët-Boigny, qui furent plusieurs fois ministres de gouvernements français au cours de cette période, avant de devenir présidents du Sénégal et de la Côte d'Ivoire, de 1960 à 1980 pour le premier, et de 1960 à 1993 pour le second. C'est à l'initiative d'Houphouët-Boigny que l'Assemblée constituante adopta en 1946 une loi abolissant toutes les formes de travail forcé dans les territoires d'outre-mer (et en particulier le décret de 1912 sur les « prestations » dues par les indigènes, ce qui semblait bien le moins que l'on puisse demander à une puissance coloniale prétendant refonder les relations sur la base de l'égalité), et à celle d'Amadou Lamine Gueye (futur président de l'Assemblée du Sénégal de 1960 à 1968) qu'elle adopta la loi instituant l'Union française et conférant la qualité de citoyen à tout ressortissant de l'empire.

Le premier projet de Constitution préparé par l'Assemblée constituante fut rejeté par une courte majorité (53 % de non) lors du référendum de mai 1946. Une nouvelle Assemblée nationale constituante fut élue en juin et prépara une Constitution qui fut adoptée d'une courte tête (53 % de oui) lors du référendum d'octobre 1946, et devint la Constitution de la IVᵉ République, appliquée de 1946 à 1958. Parmi les reproches faits par les gaullistes et les partis du centre et de droite au premier projet de

---

1. L'Espagne tenta en 1809-1812 d'organiser un parlement fédéral avec ses colonies latino-américaines, mais le contexte était très différent, et le système n'eut pas le temps de s'appliquer.

Constitution, le principal était qu'il était excessivement monocaméral à leurs yeux : il donnait les pleins pouvoirs à l'Assemblée nationale, où l'on craignait que les députés socialistes et communistes disposent d'une majorité absolue. Le second projet tentait donc d'équilibrer l'Assemblée nationale par une seconde chambre, le Conseil de la République, qui, comme le Sénat sous la Ve République, était élu au suffrage indirect, et était structurellement plus conservateur (mais ne disposait plus de son droit de veto). Un second facteur, moins connu mais tout aussi essentiel, joua un rôle crucial dans les débats : le premier projet prévoyait que l'Assemblée nationale unique comporterait des députés issus de toute l'Union française (métropole et anciennes colonies), en laissant le soin à la loi d'en déterminer la composition exacte. Cela inquiétait les députés métropolitains les plus conservateurs (et aussi certains socialistes et communistes), qui craignaient que l'Assemblée se remplisse de « chefs nègres », et qui pointaient du doigt que les listes électorales n'étaient pas prêtes et les Africains, illettrés ; ce à quoi on leur répondait que les listes étaient parfaitement prêtes quand il s'agissait de faire payer l'impôt, et que les paysans français du début de la IIIe République étaient tout aussi illettrés. Il reste que la peur d'une Assemblée unique qui finirait par appliquer un principe de quasi-proportionnalité numérique aux populations de métropole et d'outre-mer, et ferait peu à peu perdre la prépondérance aux métropolitains, joua un rôle essentiel dans la courte défaite du référendum de mai 1946.

La seconde Constitution était également ambiguë, puisque l'Assemblée nationale comptait des députés métropolitains et d'outre-mer, dans des proportions laissées à l'appréciation de la loi. La différence est que l'Assemblée nationale était équilibrée par un Conseil de la République structurellement conservateur et dominé par la métropole, ainsi que par une Assemblée de l'Union française composée à 50-50 de représentants de la métropole (choisis par l'Assemblée nationale et le Conseil de la République) et de représentants des territoires d'outre-mer (choisis par leurs futures assemblées). La Constitution précisait également que l'ensemble des pouvoirs militaires de l'Union française était exercé par le gouvernement de la République française, sous le contrôle de l'Assemblée nationale et du Conseil de la République, et sans aucun rôle autre que consultatif pour l'Assemblée de l'Union française. Même si la répartition des sièges au sein de l'Assemblée nationale était laissée ouverte, l'ensemble de la construction ne laissait aucun doute sur le fait que les métropolitains avaient vocation à y conserver une large majorité, et à assurer les fonctions régaliennes au nom de l'Union française, qui restait malgré tout un empire à direction française. Il s'agissait clairement d'une fin de non-recevoir aux tenants d'un fédéralisme démocratique égalitaire[1].

De l'Union franco-africaine à la Fédération du Mali

De nombreux dirigeants africains continuaient cependant de croire dans l'option fédérale. Les électeurs noirs avaient massivement soutenu la première Constitution lors du référendum de mai 1946[2], en particulier au Sénégal et aux Antilles, alors que les Blancs s'y étaient opposés[3]. En particulier, Senghor était persuadé que de minuscules et artificiels États-nations en voie de constitution comme le Sénégal et la Côte d'Ivoire seraient incapables d'être pleinement souverains sur le plan économique, et que seule une inscription dans une construction fédérale de grande taille, reposant sur la libre circulation et la solidarité fiscale, et sur l'alliance des courants socialistes européens et des traditions solidaristes ou collectivistes africaines, permettrait d'organiser un développement économique et social harmonieux au sein du capitalisme mondial. Rétrospectivement, il est certes assez difficile d'imaginer comment une majorité de l'électorat français aurait pu accepter un fédéralisme franco-africain sur une base politique égalitaire. Au début des années 1950, des responsables français continuaient de mettre en garde : « Si l'on continue d'augmenter la présence coloniale à l'Assemblée nationale, on va se retrouver avec 200 hommes polygames légiférant sur les familles françaises[4]. » Pierre-Henri Teitgen, président du MRP (principal parti de centre droit), avait même fait son calcul : une représentation politique égalitaire conduirait à ce que la « métropole réduise son niveau de vie d'au moins 25 %-30 % ».

1. Le premier projet de Constitution prévoyait également un Conseil économique et un Conseil de l'Union française, mais purement consultatifs et entièrement à la main de l'Assemblée nationale, dont la composition pouvait en théorie s'approcher d'un équilibre métropole-outre-mer.

2. Sur ces débats, voir F. COOPER, *Citizenship between Empire and Nation, op. cit.*, ici cité en p. 42-61, 92-93, 148-151,187-189, 214-258.

3. Il est intéressant de noter que lors de la départementalisation de la Réunion, de la Guadeloupe et de la Martinique en 1945, processus soutenu par les communistes, une partie des planteurs blancs tentèrent de promouvoir un modèle indépendantiste et ségrégationniste à la sud-africaine. Rappelons également que Gaston Monnerville, petit-fils d'esclave et élu de Guyane, devint président du Conseil de la République puis du Sénat de 1947 à 1968, et aurait pu devenir à six mois près le premier président métis (intérimaire) de la République française après la démission de De Gaulle.

4. Voir F. COOPER, *Citizenship between Empire and Nation, op. cit.*

Une solution plus réaliste qu'un fédéralisme égalitaire franco-africain aurait pu consister à commencer par développer et consolider une union politique et économique ouest-africaine (qui, d'une certaine façon, verra le jour sous une forme monétaire avec le franc CFA, toujours en place aujourd'hui, mais sans souveraineté parlementaire et fiscale), quitte à envisager ensuite une forme d'Assemblée franco-africaine permettant d'organiser la libre circulation et des formes maîtrisées de solidarité fiscale. C'est ce que Senghor, constatant les impasses de l'Union française, finit par proposer à partir de 1955-1956 à Houphouët-Boigny et aux autres dirigeants d'Afrique de l'Ouest. Mais il était déjà trop tard. Chacun était déjà occupé par la consolidation de ses propres assemblées territoriales, et la Côte d'Ivoire refusa en 1957-1958 la création de véritables institutions fédérales ouest-africaines, ouvrant la voie aux indépendances pures et simples et au repli sur de petits territoires, et parfois au développement quelques décennies plus tard d'identités nationales exacerbées (comme l'ivoirité), en dépit du caractère largement arbitraire des frontières coloniales initiales. Pour ce qui concerne l'Afrique du Nord, le nombre de députés accordés aux « départements algériens » atteint 74 sièges (ce qui s'approchait enfin de leur quotité en termes de population) en 1958, et 106 sièges au total pour les territoires d'outre-mer encore concernés, sur un total de 579 députés à l'Assemblée nationale, à un moment où la Communauté française (qui venait de remplacer l'Union française) vivait déjà ses dernières heures et où la guerre menait l'Algérie vers l'indépendance[1]. Survivance de ce système, les départements d'outre-mer comptent 27 députés sur un total de 577 sièges dans l'Assemblée nationale élue en 2017. La représentation est devenue entièrement proportionnelle à la population, mais avec moins de risque pour les métropolitains, compte tenu de la petite taille des départements en question.

En 1958-1959, plusieurs dirigeants africains (dont Senghor) ne se résolvaient pas à ce que 20 millions d'Africains de l'Ouest ne parviennent pas à s'unir, alors même que des États européens beaucoup plus peuplés

---

1. Lors des négociations de 1946, la première Assemblée constituante avait accordé 35 sièges pour l'Algérie (14 pour les colons, 21 pour les musulmans) ; le dirigeant algérien Ferhat Abbas (qui deviendra en 1962 le premier chef d'État de l'Algérie indépendante) demandait 55 sièges (20 pour les colons et 35 pour les musulmans, alors que leur quotité numérique leur en aurait donné 106) ; la seconde Assemblée constituante leur en attribua 30 (15 pour les colons et 15 pour les musulmans). Pour beaucoup, la marche vers la guerre devenait alors inévitable. Voir F. COOPER, *Citizenship between Empire and Nation*, *op. cit.*, p. 135.

étaient en train de créer une union économique et politique. Ils lancèrent alors en 1959 la Fédération du Mali, qui regroupait le Sénégal, le Soudan (actuel Mali), la Haute-Volta (actuel Burkina Faso) et le Dahomey (actuel Bénin), regroupement qui prit fin dès 1960, à la fois du fait du manque de coopération de la Côte d'Ivoire et du Niger (restés à part) et de la France (qui continuait de croire dans son Union française), et à cause de tensions fiscales mal anticipées entre le Sénégal et le Soudan (moins riche mais plus peuplé : 4 millions d'habitants contre 2,5 millions au Sénégal), qui finalement restera seul dans la fédération et gardera le nom de Mali. La principale difficulté a résidé dans le fait que ces différents territoires avaient déjà commencé à se gouverner séparément depuis 1945, et que leurs dirigeants se croisaient principalement à l'Assemblée nationale, et n'avaient guère pris d'habitudes de cogouvernance entre 1945 et 1960[1]. Il aurait pu en aller autrement si les responsables politiques africains et français avaient misé dès 1945 sur la constitution d'un fédéralisme régional fort permettant une union plus équilibrée et plus réaliste avec ce qui allait cesser d'être la métropole. Finalement, la France décida en 1974 de mettre fin à la libre circulation des personnes nées dans les anciennes colonies avant 1960. C'en était fini de l'idée de transformation d'un empire autoritaire en une fédération démocratique ; une autre page s'ouvrait.

Quand on relit ces débats quelques décennies plus tard, il est particulièrement frappant de constater la multiplicité des moments de bifurcations et la diversité des trajectoires possibles. Personne ne savait très bien comment organiser au mieux une communauté politique fédérale de grande taille, pas plus d'ailleurs qu'aujourd'hui, mais de nombreux acteurs sentaient que le repli sur des territoires et des populations minuscules n'étaient pas forcément la meilleure solution. Relire ces débats aujourd'hui permet de constater la diversité des formes fédérales envisageables, et conduit naturellement à réexaminer celles qui existent actuellement, qui quoi qu'en pensent certains continueront d'évoluer à l'avenir. Il est peu probable par exemple que les institutions actuelles de l'Union européenne restent en l'état éternellement, et il n'y a guère que quelques nationalistes étatsuniens pour s'imaginer que celles des États-Unis ne puissent être améliorées. Plus généralement, la construction d'espaces de délibération et de décision politique à l'échelle régionale et continentale est un défi qui concerne également l'Afrique, l'Amérique latine, l'Asie et l'ensemble de la planète

1. Voir *ibid.*, p. 328-421.

au XXIe siècle. Des coopérations nouvelles entre l'Europe et l'Afrique sont plus que jamais nécessaires, en particulier sur les questions migratoires. La démocratie électorale telle qu'elle existe actuellement au niveau des États-nations n'est pas la fin de l'histoire. Les institutions politiques sont et seront toujours en perpétuelle transformation, particulièrement à l'échelon postnational, et l'examen des bifurcations du passé la meilleure façon de se préparer à celles de l'avenir. Nous y reviendrons par la suite, en particulier quand nous examinerons les conditions d'une frontière juste et d'une organisation démocratique des relations économiques internationales et des mobilités migratoires[1].

1. Voir chapitre 17, p. 1176-1190.

Chapitre 8

SOCIÉTÉS TERNAIRES ET COLONIALISME : LE CAS DE L'INDE

Nous allons maintenant étudier le cas de l'Inde, qui est particulièrement important pour notre enquête. Ce n'est pas seulement que la République indienne est, depuis le milieu du XXᵉ siècle, la « plus grande démocratie du monde » et s'apprête à devenir le pays le plus peuplé de la planète au XXIᵉ siècle. Si l'Inde joue un rôle central dans l'histoire des régimes inégalitaires, c'est aussi parce que le pays est étroitement associé à son système de castes, qui est généralement considéré comme une forme de régime inégalitaire particulièrement rigide et extrême, et dont il est essentiel pour notre enquête d'analyser les origines et les particularités.

Outre son importance historique, le fait central est que le système des castes a laissé des traces dans la société indienne contemporaine incomparablement plus fortes que les inégalités statutaires issues des sociétés d'ordres européennes (qui ont presque entièrement disparu, si l'on excepte des cas largement symboliques comme les lords héréditaires britanniques). Il nous faut donc tenter de comprendre dans quelle mesure ces évolutions distinctes s'expliquent par des différences structurelles anciennes entre les ordres européens et les castes indiennes, ou bien plutôt par des trajectoires sociopolitiques spécifiques et des bifurcations distinctes.

Nous allons voir que la trajectoire inégalitaire indienne ne peut être correctement analysée qu'en la replaçant dans le cadre plus général de la transformation des sociétés trifonctionnelles anciennes. Par comparaison aux trajectoires européennes, la particularité du cas indien tient notamment au fait que la construction de l'État a suivi une évolution spécifique au sein de cet immense territoire. En particulier, le processus de transformation sociale, de construction étatique et d'homogénéisation des statuts et des droits, extrêmement disparates en Inde, fut interrompu par la puissance coloniale britannique, qui entreprit à la fin du XIXᵉ siècle de prendre la mesure et le contrôle de la société de castes, notamment dans le cadre des recensements menés de 1871 à 1941, ce qui a contribué à rigidifier le système et à lui donner une existence administrative imprévue et durable.

Depuis 1947, l'Inde indépendante a tenté de corriger, avec les moyens de l'État de droit, l'héritage de discriminations anciennes, en particulier en matière d'accès à l'éducation, à l'emploi public et aux fonctions électives. Ces politiques sont loin d'être parfaites, mais elles sont riches d'enseignements, d'autant plus que ces réalités discriminatoires concernent tous les pays, et notamment les pays européens, qui commencent tout juste à découvrir certaines formes d'antagonismes identitaires et multiconfessionnelles que l'Inde connaît depuis des siècles. La trajectoire inégalitaire indienne a été profondément affectée par sa rencontre avec le monde extérieur, et notamment avec l'étranger lointain ; à son tour le reste de la planète a beaucoup à apprendre de l'expérience de l'Inde.

L'invention de l'Inde : premiers repères

D'aussi loin que l'on puisse remonter dans les sources démographiques, on constate que les territoires actuellement occupés par la République indienne et la république populaire de Chine ont toujours regroupé des populations plus importantes que celles qui peuplaient l'Europe et les autres régions du monde. En 1700, l'Inde comptait autour de 170 millions d'habitants, contre environ 140 millions en Chine et 100 millions en Europe, avant que la Chine ne prenne la première place au cours des XIXᵉ et XXᵉ siècles. En raison de la forte décroissance de la population chinoise en cours actuellement, due notamment à la politique de l'enfant unique mise en place en 1980, l'Inde devrait redevenir avant la fin des années 2020 le pays-continent le plus peuplé de la planète, et le rester pour la suite du XXIᵉ siècle, avec près de 1,7 milliard d'habitants autour de 2050, si l'on en croit les dernières projections réalisées par les Nations unies (voir graphique 8.1). Pour expliquer les exceptionnelles densités humaines chinoises et indiennes, de nombreux travaux, à l'image de ceux de Fernand Braudel dans *Civilisation matérielle, économie et capitalisme,* ont insisté sur la diversité des régimes alimentaires. C'est notamment le goût immodéré des Européens pour la viande qui expliquerait la plus forte densité asiatique, compte tenu du plus grand nombre d'hectares nécessaire pour produire des calories animales par comparaison aux calories végétales.

Graphique 8.1

La population en Inde, Chine et Europe, 1700-2050

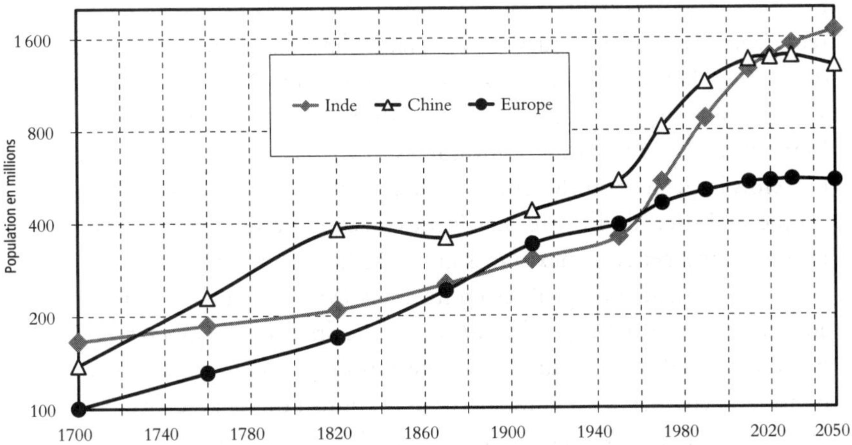

Lecture : autour de 1700, la population était d'environ 170 millions en Inde, 140 millions en Chine et 100 millions en Europe (environ 125 millions en incluant les territoires correspondant à la Russie, la Biélorussie et l'Ukraine actuelles). En 2050, d'après les prévisions des Nations unies, la population sera s'environ 1,7 milliard en Inde, 1,3 milliard en Chine, et 550 millions en Europe (UE) (720 millions en incluant la Russie, la Biélorussie et l'Ukraine).
Sources et séries : voir piketty.pse.ens.fr/ideologie.

Dans le cadre de cette enquête, où je mets l'accent sur l'histoire des régimes inégalitaires, et où nous avons vu l'importance cruciale de la construction de l'État centralisé pour l'évolution de la structure des inégalités, la première question qui se pose est de comprendre comment une population aussi considérable que celle de l'Inde (déjà plus de 200 millions d'habitants à la fin du XVIIIe siècle, à un moment où le pays européen le plus peuplé, la France, en comptait moins de 30 millions et rentrait en révolution) a réussi à s'organiser pour coexister pacifiquement au sein d'une même construction étatique. Le premier élément de réponse est que l'unité indienne est en réalité très récente. L'Inde en tant que communauté politique et humaine s'est construite graduellement, au fil d'une trajectoire sociopolitique complexe. De multiples structures étatiques y ont coexisté pendant des siècles. Certaines de ces constructions politiques se sont étendues sur d'immenses parties du sous-continent indien, comme l'Empire maurya au IIIe siècle avant l'ère commune (AEC) ou l'Empire moghol à son apogée aux XVIe et XVIIe siècles de notre ère, mais elles n'ont pas duré, et ne couvraient jamais la totalité de l'Inde actuelle.

Lorsque le British Raj, l'empire colonial britannique en Inde, cède la place à l'Inde indépendante en 1947, le pays comprend encore 562 États princiers et entités politiques diverses placées sous la tutelle du colonisateur. Certes, les Britanniques exercent leur administration directe sur plus de 75 % de la population du pays, et les recensements conduits de 1871 à 1941 sont organisés dans l'ensemble du territoire (y compris dans les États princiers et territoires autonomes). Cette administration s'appuie toutefois largement sur les élites locales, et elle s'apparente souvent à un simple maintien de l'ordre. Les infrastructures et services publics sont tout aussi indigents et inexistants que dans les colonies françaises[1]. C'est à l'Inde indépendante qu'il reviendra après 1947 de réaliser l'unification administrative et politique du pays, dans le cadre d'une démocratie parlementaire pluraliste et vivante. Il est permis de penser que cette pratique politique a elle-même été influencée par le contact direct avec l'expérience britannique et son modèle parlementaire. Il faut toutefois insister sur le fait que l'Inde a développé le parlementarisme à une échelle humaine et spatiale inconnue dans l'histoire, ce que l'Europe tente de faire à sa façon avec l'Union européenne et le Parlement européen (mais avec une population plus de deux fois plus faible que celle de l'Inde, et un degré d'intégration politique et fiscale beaucoup plus limité), et ce que le Royaume-Uni (qui s'est séparé de l'Irlande au début du XXe siècle, et peut-être de l'Écosse en ce début de XXIe siècle) a bien du mal à préserver au niveau des îles Britanniques.

Au XVIIIe siècle, alors que les Britanniques s'apprêtaient à pénétrer plus avant dans le pays, l'Inde était divisée en une multitude d'États, dirigés par des princes hindous ou musulmans. L'islam avait commencé à se diffuser dans le nord-ouest de l'Inde à partir des VIIIe-Xe siècles, avec la formation de premiers royaumes, suivie de la prise de Delhi par des dynasties turco-afghanes à la fin du XIIe siècle. Le sultanat de Delhi a ensuite connu de multiples extensions et transformations aux XIIIe et

---

1. Voir chapitre 7.

XIVe siècles, avant que de nouvelles vagues migratoires turco-mongoles conduisent au développement de l'Empire moghol, qui atteint son extension maximale dans le sous-continent indien entre 1526 et 1707. Dirigé depuis Agra puis Delhi par des souverains musulmans, l'État moghol était multiconfessionnel et multilinguistique. Outre les langues indiennes pratiquées par la grande majorité de la population et les élites hindoues, la cour moghole pratiquait à la fois le perse, l'urdu et l'arabe. Il s'agissait d'une construction étatique complexe et instable, en perte de vitesse à partir de 1707, et concurrencée en permanence par des royaumes hindous, comme l'Empire marathe, établi initialement dans l'actuel Maharashtra (autour de Mumbai), avant de s'étendre entre 1674 et 1818 dans le nord et l'ouest de l'Inde. C'est dans ce contexte de concurrence interétatique entre États musulmans, hindous et multiconfessionnels et d'effondrement progressif de l'Empire moghol que les Britanniques prirent graduellement le contrôle de l'ensemble de l'Inde, d'abord sous la conduite des actionnaires de l'East India Company (EIC) de 1757 à 1858, puis dans le cadre de l'empire des Indes de 1858 à 1947, rattaché directement à la Couronne et au Parlement britannique, après que la révolte des Cipayes en 1857 a montré aux yeux de Londres le besoin d'une administration directe. Les Britanniques en profitèrent pour déposer en 1858 le dernier empereur moghol, qui ne régnait plus que de façon nominale sur un petit territoire autour de Delhi, mais qui représentait toujours une autorité morale et le symbole d'une possible souveraineté autochtone pour les révoltés hindous et musulmans, qui tentèrent sans succès de se placer sous sa protection pour prendre la tête du combat contre le colonisateur européen.

De façon générale, la très longue histoire commune entre hindous et musulmans en Inde, du sultanat de Delhi à la fin du XIIe siècle jusqu'à la chute finale de l'Empire moghol au XIXe siècle, a conduit à un syncrétisme culturel et politique unique entre hindouisme et islam dans le sous-continent indien. Une partie minoritaire, mais significative, des élites militaires, intellectuelles et commerciales indiennes s'était graduellement convertie à l'islam et avait noué des alliances avec les conquérants turco-afghans et turco-mongols, qui étaient démographiquement très peu nombreux. Les sultanats musulmans, à mesure qu'ils s'étendaient vers le centre et le sud de l'Inde au XVIe siècle, aux dépens des royaumes hindous, et en particulier du royaume de Vijayanagara (dans l'actuel Karnataka), entretenaient des relations de proximité avec les élites hindoues et les lettrés que l'on retrouvait dans les différentes cours, avec des savants brahmanes travaillant parfois pour des sultans musulmans et des chroniqueurs persans fréquentant les différents palais. La proximité était beaucoup plus forte qu'avec les colonisateurs européens, en particulier les Portugais établis sur les côtes indiennes à partir de 1510, notamment à Goa et Calicut, qui cherchèrent à accabler les royaumes musulmans et à prendre parti pour les hindous et le royaume de Vijayanagara, tout en refusant l'échange matrimonial proposé par ce dernier[1]. Les moments d'antagonisme entre hindous et musulmans étaient également bien présents, d'autant plus qu'une grande partie des conversions vers l'islam venait des couches les plus défavorisées de la société hindoue, qui voyaient ainsi une façon de fuir un système de castes particulièrement hiérarchique et inégalitaire. Les musulmans sont encore aujourd'hui surreprésentés au sein des groupes les plus pauvres de la société indienne, et nous verrons dans la quatrième partie de ce livre que l'attitude des nationalistes hindous à leur égard constitue l'un des éléments les plus structurants des clivages politiques et électoraux indiens à la fin du XXe siècle et au début du XXIe, suivant des termes qui ne sont pas totalement incomparables à certaines évolutions observées en Europe (à la différence importante près qu'il existe des populations de confession musulmane depuis des siècles en Inde, et depuis seulement quelques décennies en Europe)[2].

À ce stade, précisons simplement que les recensements décennaux menés de 1871 à 1941 dans l'empire des Indes, puis de nouveau tous les dix ans de 1951 à 2011 dans l'Inde indépendante, permettent de prendre une première mesure de la diversité confessionnelle du pays et de son évolution (voir graphique 8.2). On constate que les musulmans représentaient environ 20 % des quelque 250 millions de personnes recensées lors des premiers recensements coloniaux de 1871 et 1881, et que cette proportion atteignait 24 % en 1931 et 1941, compte tenu d'une natalité légèrement plus importante. En 1951, lors du premier recensement organisé par l'Inde indépendante, la proportion de musulmans était tombée à 10 %, ce qui s'explique à la fois par la partition du pays (le Pakistan et

---

1. Le Portugal voulait bien recevoir une princesse hindoue, mais refusait d'envoyer une princesse portugaise. Sur ces relations de cours, voir le livre passionnant de S. Subrahmanyam, *L'Éléphant, le Canon et le Pinceau. Histoires connectées des cours d'Europe et d'Asie 1500-1750*, Alma, 2016.

2. Voir chapitres 14-16.

le Bangladesh, où les musulmans étaient les plus nombreux, ne font plus partie de l'Inde et ne sont donc plus couverts par le recensement) et par les transferts de population hindoue et musulmane consécutifs à la partition. La proportion de musulmans a par la suite légèrement progressé (du fait d'une natalité un peu supérieure à la moyenne), atteignant 14 % lors du recensement de 2011, au sein d'une population totale dépassant alors 1,2 milliard d'habitants.

Graphique 8.2

La structure religieuse de l'Inde, 1871-2011

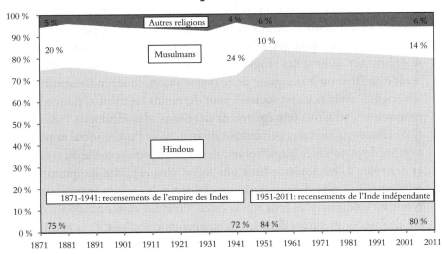

Lecture : lors du recensement de 2011, 80 % de la population de l'Inde était déclarée comme hindoue, 14 % comme musulmane et 6 % d'une autre religion (sikhs, chrétiens, bouddhistes, sans religion, etc.). Ces chiffres étaient de 75 %, 20 % et 5 % lors du recensement colonial de 1871 ; 72 %, 24 % et 4 % dans celui de 1941 ; puis 84 %, 10 % et 6 % lors du premier recensement de l'Inde indépendante en 1951 (compte tenu de la partition avec le Pakistan et le Bangladesh).
Sources et séries : voir piketty.pse.ens.fr/ideologie.

Les religions autres que l'hindouisme et l'islam ont toujours regroupé autour de 5 % de la population dans les recensements menés entre 1871 et 2011. En pratique, il s'agit principalement de populations sikhe, chrétienne et bouddhiste (toutes trois en proportions comparables), ainsi que des personnes se déclarant sans religion, qui sont très peu nombreuses (toujours moins de 1 %). Précisons toutefois que les recensements de l'époque coloniale, ainsi dans une moindre mesure que ceux de l'Inde indépendante, reposent sur un mélange complexe entre autodéclaration des identités individuelles et assignation identitaire par les agents recenseurs et les administrations compétentes. Dès lors qu'ils n'appartenaient pas clairement à une autre religion répertoriée (musulmans, sikhs, chrétiens, bouddhistes), la classification par défaut a généralement conduit à considérer ces individus comme « hindous » (72 %-75 % de la population à l'époque coloniale, 80 %-84 % sous l'Inde indépendante), y compris lorsque les personnes recensées appartenaient à des groupes parias et discriminés au sein de l'hindouisme, comme les basses castes, les anciens intouchables et les aborigènes.

Cette écrasante majorité « hindoue » est donc en partie artificielle et masque d'immenses disparités de statuts, d'identités et aussi de pratiques religieuses au sein du polythéisme hindou, d'autant plus que l'accès aux cérémonies et aux temples eux-mêmes n'est pas le même pour les différents groupes. L'islam, le christianisme ou le bouddhisme se présentent comme des religions égalitaires (chacun peut en principe accéder à Dieu ou à la sagesse de la même façon, indépendamment de ses origines et de sa classe sociale), tout du moins en théorie, puisqu'en pratique ces religions ont également développé des idéologies trifonctionnelles et patriarcales permettant de structurer l'ordre social et politique et de justifier les inégalités sociales et la division sexuelle du travail et des rôles. L'hindouisme lie d'une façon plus explicite les questions religieuses et celles d'organisation sociale et d'inégalités entre classes. Nous reviendrons plus loin sur la façon dont les castes hindoues ont été définies et mesurées dans les recensements coloniaux, et la manière dont l'Inde indépendante a développé les catégories de *scheduled castes* (SC) et *scheduled tribes* (ST), soit environ 25 % de la population, lors des derniers recensements (voir tableau 8.1), dans le but certes de corriger les discriminations anciennes, mais en prenant le risque de pérenniser ces catégories. Avant cela, il nous faut d'abord mieux comprendre les origines des castes.

Tableau 8.1

La structure de la population dans les recensements en Inde, 1871-2011

	1871	1881	1891	1901	1911	1921	1931	1941	1951	1961	1971	1981	1991	2001	2011
Hindous	75 %	76 %	76 %	74 %	73 %	72 %	71 %	72 %	84 %	83 %	83 %	82 %	81 %	81 %	80 %
Musulmans	20 %	20 %	20 %	21 %	21 %	22 %	22 %	24 %	10 %	11 %	11 %	12 %	13 %	13 %	14 %
Autres religions (sikhs, chrétiens, bouddhistes, etc.)	5 %	4 %	4 %	5 %	6 %	6 %	7 %	4 %	6 %	6 %	6 %	6 %	6 %	6 %	6 %
Total	100 %	100 %	100 %	100 %	100 %	100 %	100 %	100 %	100 %	100 %	100 %	100 %	100 %	100 %	100 %
Scheduled castes (SC)									15 %	15 %	15 %	16 %	17 %	16 %	17 %
Schedules tribes (ST)									6 %	7 %	7 %	8 %	8 %	8 %	9 %
Population indienne totale (en millions)	239	254	287	294	314	316	351	387	361	439	548	683	846	1 029	1 211

Lecture : les résultats indiqués ici sont issus des recensements menés dans l'empire des Indes de 1871 à 1941 puis dans l'Inde indépendante de 1951 à 2011. La proportion de musulmans chute de 24 % en 1941 à 10 % en 1951, compte tenu de la partition avec le Pakistan et le Bangladesh. À partir de 1951, les recensements enregistrent les *scheduled castes* (SC) et *scheduled tribes* (ST) (intouchables et aborigènes anciennement discriminés), qui peuvent relever des différentes religions (surtout hindous et autres religions).
Sources et séries : voir piketty.pse.ens.fr/ideologie.

L'Inde et l'ordre quaternaire brahmanes, kshatriya, vaishya, shudra

Lors de l'étude des sociétés d'ordres européennes, nous avons noté que les premiers textes formalisant l'organisation trifonctionnelle de la société, avec une classe religieuse (*oratores*), une classe guerrière (*bellatores*) et une classe laborieuse (*laboratores*), ont vu le jour sous la plume d'évêques en Angleterre et en France autour du Xe et du XIe siècle de notre ère[1]. Les origines trifonctionnelles de l'Inde sont beaucoup plus anciennes. Les *varnas*, qui désignent les grandes classes sociales fonctionnelles dans le système hindou, apparaissent déjà comme les quatre parties du dieu Purusa dans les textes religieux en sanskrit de l'époque védique, dont les plus anciens remontent au IIe millénaire AEC. Mais c'est surtout le Manusmriti, ou Code de lois de Manu, recueil de lois rédigé en sanskrit entre le IIe siècle AEC et le IIe siècle de notre ère, et sans cesse révisé et commenté depuis lors, qui constitue le texte fondamental. Précisons d'emblée qu'il s'agit d'un texte à vocation normative et politico-idéologique. Ses rédacteurs décrivent la façon dont ils considèrent que la société devrait s'organiser, et en l'occurrence la façon dont les classes dominées et laborieuses doivent se conformer aux règles fixées par les élites religieuses et guerrières. Il ne s'agit en aucune façon d'une description factuelle ou historique de la société indienne de cette époque ou des époques ultérieures, qui comprenait des milliers de microclasses sociales et de corporations professionnelles, et où l'ordre politique et social était remis en cause en permanence, du fait des révoltes des classes dominées et de l'émergence régulière de nouvelles classes guerrières sorties du rang, porteuses de nouvelles promesses d'harmonie, de justice et de stabilité, plus ou moins suivies d'effets, comme d'ailleurs en Europe chrétienne et dans les autres régions du monde.

Le cœur du Manusmriti consiste à décrire les droits et les devoirs des différents *varnas* ou classes sociales, dont le rôle est défini dès les premiers chapitres. Il s'agit des brahmanes, qui assurent les fonctions de prêtres, de savants et de lettrés ; des *kshatriya*, qui sont les guerriers chargés de garantir l'ordre et la sécurité de la communauté ; des *vaishya*, qui sont les agriculteurs, les éleveurs, les artisans et les commerçants ; et des *shudra*, qui forment la classe des travailleurs les moins élevés, dont la seule mission

---

1. Voir chapitre 2, p. 89-92.

est d'être au service des trois autres classes sociales[1]. Il s'agit donc d'un système explicitement quaternaire et non ternaire, contrairement à l'ordre trifonctionnel théorique de la chrétienté médiévale. En pratique, le système chrétien comprenait toutefois des serfs jusqu'à une date avancée, au moins jusqu'au XIVe siècle en Europe de l'Ouest, et quasiment jusqu'à la fin du XIXe siècle dans l'est du continent, si bien que la classe des travailleurs comprenait en réalité deux sous-groupes (les travailleurs libres et les travailleurs serviles), comme en Inde. Précisons également que le schéma du Manusmriti est théorique et que, dans les faits, les frontières entre *vaishya* et *shudra*, qui représentaient deux groupes de travailleurs de statut différent et de dignité inégale, pouvaient être brouillées dans la réalité sociale. Suivant les cas et les situations, on peut considérer qu'il s'agit approximativement d'une distinction entre agriculteurs propriétaires et travailleurs ruraux non propriétaires, ou bien entre paysans libres et serfs européens.

Après avoir défini les quatre grandes classes sociales, le Manusmriti décrit longuement les rituels et les règles que doivent suivre les brahmanes, ainsi que les conditions de l'exercice du pouvoir royal. Le roi est en principe issu des *kshatriya*, mais il doit s'entourer d'un groupe de conseillers composé de sept ou huit brahmanes, choisis parmi les plus sages et les plus savants. Il doit les consulter quotidiennement au sujet des affaires et des finances de l'État, et les décisions militaires les plus graves doivent en principe être prises avec l'approbation du brahmane le plus illustre[2]. Les *vaishya* et les *shudra* sont évoqués de façon plus rapide. Le Manusmriti contient également des descriptions détaillées de la façon dont les tribunaux et les procédures judiciaires devraient fonctionner au sein d'un royaume hindou bien organisé, ainsi qu'un grand nombre de règles civiles, pénales, fiscales et successorales, par exemple concernant les parts d'héritage revenant aux enfants issus des différentes unions « mixtes » entre les quatre *varnas* (qui sont déconseillées mais pas interdites). Le texte semble s'adresser principalement à un souverain qui établirait son royaume dans un nouveau territoire, mais il concerne aussi les royaumes hindous déjà existants. Les barbares lointains sont évoqués, notamment perses, grecs et chinois, et il est précisé qu'ils doivent être considérés et traités comme des *shudra*, y compris s'ils sont des *kshatriya* de naissance, car ils ne se sont pas conformés

---

1. Voir *The Law Code of Manu*, nouvelle traduction par P. Olivelle, Oxford Classics, 2004, p. 19.

2. *Ibid.*, p. 106-110.

à la loi des brahmanes. Autrement dit, un étranger noble est l'équivalent d'un *shudra* tant qu'il n'a pas été civilisé par un brahmane[1].

De nombreuses recherches ont tenté de déterminer le contexte dans lequel ce texte a été rédigé, diffusé et utilisé. Le Manusmriti serait l'œuvre collective d'un groupe de brahmanes (le nom « Manu » renvoie non pas à l'auteur historique du texte mais à un législateur mythique des siècles précédant l'écriture du Code), qui auraient élaboré et raffiné ce corpus théorique par étapes à partir du IIe siècle AEC. L'objectif était claire-ment de rétablir le pouvoir brahmanique, socle de l'harmonie sociale et politique de la société hindoue aux yeux des rédacteurs, dans le contexte politique particulièrement heurté qui fait suite à la chute de l'Empire maurya (322-185 AEC). Le pouvoir des brahmanes avait notamment été mis en cause au IIIe siècle AEC par la conversion au bouddhisme de l'em-pereur Asoka (268-232). Le premier bouddha, Siddhartha Gautama, qui aurait lui-même vécu à la fin du VIe siècle et au début du Ve siècle AEC, était suivant la tradition issu d'une famille de *kshatriya*, et son modèle de vie ascétique, méditatif et monacal constituait une forme de remise en cause de la classe cléricale brahmanique traditionnelle. La conversion au IIIe siècle de l'empereur Asoka, même si ce dernier semble s'être appuyé en pratique à la fois sur les prêtres brahmanes traditionnels et les ascètes bouddhistes, remettait notamment en cause une partie des rites et sacri-fices animaliers pratiqués par les brahmanes. C'est d'ailleurs en partie en réaction à la concurrence ascétique bouddhiste, et afin de rehausser leur prestige aux yeux des autres classes, que les brahmanes seraient devenus strictement végétariens.

Toujours est-il que le Manusmriti exprime clairement une volonté de mettre (ou de remettre) les lettrés brahmanes au cœur du système politique. Les auteurs du texte considèrent manifestement qu'il est temps qu'un vaste traité à la fois légal et politico-idéologique soit rédigé et diffusé afin d'assurer la pérennité de leur modèle de société. L'autre grief important que l'on voit poindre dans ce texte est lié au fait que les empereurs maurya auraient eux-mêmes eu pour origine des chefs militaires sortis du rang et issus de basses classes de *shudra*. Ce même reproche était adressé par les brahmanes à de nombreuses dynasties qui se sont succédé en Inde du Nord avant et après que l'expédition d'Alexandre le Grand eut atteint le nord-ouest du sous-continent indien en 320 AEC.

---

1. *Ibid.*, p. 183, 284.

Le Manusmriti propose une organisation et des règles visant à sortir du chaos permanent et à remettre de l'ordre dans le système politique et social hindou : les *shudra* doivent rester à leur place, les rois doivent être issus des *kshatriya*, sous le contrôle étroit des lettrés brahmanes[1]. En pratique, cette exigence des brahmanes que les rois soient issus des rangs des *kshatriya* authentiques – qu'il est possible de lire plus prosaïquement comme une demande de soumission des rois et des guerriers (d'où qu'ils viennent) aux lettrés religieux et à leur sagesse, et de ne pas voir le pouvoir politique et militaire changer de main en permanence – ne sera jamais entièrement satisfaite. De même que, en Europe et dans toutes les sociétés humaines, les élites guerrières des différentes régions de l'Inde passeront leur temps à se renouveler et à se renverser les unes les autres, l'éternelle tâche des intellectuels, en Inde et ailleurs, sera de les discipliner, ou plus modestement d'obtenir qu'elles leur témoignent un peu plus de respect pour leur vaste savoir.

Le discours porté par les brahmanes dans le Manusmriti doit bien sûr s'analyser comme la pièce centrale d'un dispositif de domination sociale et politique. De même que le schéma trifonctionnel formalisé par les évêques dans l'Europe médiévale, le premier objectif est de faire en sorte que les classes inférieures acceptent leur sort de travailleurs, sous le contrôle des prêtres et des guerriers. Dans le cas indien, une sophistication supplémentaire est la théorie de la réincarnation. Les membres du *varna* le plus bas, les *shudra*, ont la possibilité théorique de se réincarner comme membres de *varnas* plus élevés. À l'inverse, les membres des trois premiers *varnas*, c'est-à-dire les brahmanes, les *kshatriya* et les *vaishya*, sont les deux-fois-nés : leur cérémonie d'initiation est considérée comme une seconde naissance et leur vaut en principe de porter sur leur poitrine un cordon sacré (*yagyopavita* ou *sacred thread*). On est à l'opposé d'une logique méritocratique et d'une vision hypertrophiée des talents et des mérites individuels. Chacun occupe la place qui lui est assignée afin de garantir l'harmonie sociale, comme les différentes parties d'un même corps, mais il pourrait fort bien en occuper une autre dans une seconde existence. Il s'agit d'assurer l'harmonie terrestre et d'éviter le chaos, tout en s'appuyant certes sur les apprentissages et les transmissions familiales des savoirs et des compétences, processus qui peut demander des efforts personnels et de la

---

1. *Ibid.*, Introduction de P. Olivelle, p. xli-xlv. Voir également P. OLIVELLE, *Between the Empires : Society in India 300 BCE to 400 CE*, Oxford University Press, 2006 ; P. OLIVELLE, D. DAVIES, *Hindu Law : A New History of Dharmasastra*, Oxford University Press, 2018.

discipline, et comporte parfois des promotions individuelles, mais qui ne doit pas sombrer dans la compétition sociale exacerbée, car cela menacerait la stabilité de l'ensemble. L'idée selon laquelle l'assignement des positions sociales et des fonctions politiques permet d'éviter que l'hypertrophie des ego et l'*hubris* des hommes prennent le dessus se retrouve d'ailleurs dans toutes les civilisations pour défendre diverses formes de logique héréditaire, et en particulier la logique monarchique et dynastique[1].

Ordre brahmanique, régime végétarien et patriarcat

De même que dans le cadre du schéma trifonctionnel chrétien, l'ordre brahmanique exprime à sa façon un idéal d'équilibre entre différentes formes de légitimité à gouverner. Dans les deux cas, il s'agit au fond de faire en sorte que la force brute des rois et des guerriers ne néglige pas les sages conseils des clercs et des lettrés, et que le pouvoir politique s'appuie sur les connaissances et le pouvoir intellectuel. Il est intéressant de rappeler que Gandhi, qui reprochait aux Britanniques d'avoir rigidifié les frontières entre castes autrefois fluides, afin de mieux diviser et dominer l'Inde, avait dans le même temps une attitude relativement respectueuse et conservatrice face à l'idéal brahmanique. Certes Gandhi militait pour que la société hindoue devienne moins inégalitaire et plus inclusive vis-à-vis de ses classes les plus basses, en particulier vis-à-vis des *shudra* et des « intouchables », qui rassemblaient des catégories discriminées plus basses encore que les *shudra* au sein de l'ordre hindou, placées en marge de la société, parfois du fait d'occupations jugées impropres, liées notamment à l'abattage des animaux et au travail des peaux.

Mais Gandhi insistait dans le même temps sur le rôle essentiel joué par les brahmanes, ou tout du moins par ceux qui se comportaient comme tels à ses yeux, c'est-à-dire sans arrogance et sans âpreté, mais au contraire avec bienveillance et grandeur d'âme, en mettant leur sagesse et leurs connaissances de lettrés au service de la société dans son ensemble. Lui-même rattaché au groupe deux-fois-né des *vaishya*, Gandhi prit dans de nombreux

---

1. Dumézil, proche des courants monarchistes dans les années 1920, résume ainsi l'argument dans des entretiens donnés en 1986 : « Le principe non pas seulement monarchique, mais dynastique, qui met le plus haut poste de l'État à l'abri des caprices et des ambitions me paraissait et me paraît toujours préférable à l'élection généralisée dans laquelle nous vivons depuis Danton et Bonaparte. » Voir D. ERIBON, *Faut-il brûler Dumézil ? Mythologie, science et politique*, Flammarion, 1992, p. 67.

discours publics, en particulier à Tanjore en 1927, la défense de la logique de complémentarité fonctionnelle qui était selon lui à la base de la société hindoue traditionnelle. En reconnaissant le principe de l'hérédité dans la transmission des talents et des occupations, non pas comme règle absolue et rigide mais comme un principe général pouvant admettre des exceptions individuelles, le régime des castes permettait selon lui de donner une place à chacun, et d'éviter la compétition généralisée entre groupes sociaux, la guerre de tous contre tous, et en particulier la guerre des classes à l'occidentale[1]. Surtout, Gandhi se méfiait plus que tout de la dimension anti-intellectuelle des discours antibrahmaniques. Il considérait que la sobriété et la sagesse des lettrés, vertus auxquelles il se rattachait par sa pratique personnelle (bien que non-brahmane lui-même), étaient des qualités sociales indispensables pour l'harmonie générale. Il se méfiait aussi du matérialisme occidental et de son goût immodéré pour l'accumulation de richesses et de pouvoir.

De façon générale, la domination brahmanique a toujours cherché à s'appuyer sur une dimension intellectuelle et civilisatrice, notamment pour ce qui concerne les mœurs et le régime alimentaire. Le refus de l'abattage des animaux et le régime strictement végétarien permettaient par exemple (et permettent toujours) d'exprimer non seulement un idéal de pureté et d'ascétisme, mais également de mettre en avant une vision supposément plus responsable vis-à-vis de la nature et de l'avenir. Un bœuf abattu aujourd'hui permet certes de festoyer, mais prépare mal les labours et les récoltes futures, labours qui ont pourtant le mérite de nourrir durablement une plus grande communauté que l'alimentation animale. Les brahmanes s'interdisaient également toute consommation d'alcool. Ils s'identifiaient aussi à des mœurs et des règles familiales très strictes, surtout à l'encontre des femmes (interdiction du remariage des veuves, obligation de l'union des filles à l'âge prépubère, sous le contrôle parental), alors que les plus basses castes étaient régulièrement accusées de vivre dans la débauche.

Il est important d'insister de nouveau sur le fait que le Manusmriti, de même que les textes médiévaux des moines et évêques chrétiens décrivant le schéma trifonctionnel, correspond à des schémas théoriques et à des idéaux-types politico-idéologiques, et non pas à une organisation sociale réelle. On peut et on doit chercher, selon les auteurs de ces textes, à

---

1. Sur l'idéologie gandhienne, voir par exemple N. DIRKS, *Castes of Mind : Colonialism and the Making of Modern India*, Princeton University Press, 2001, p. 232-235, 298-299.

s'approcher de cette organisation idéale, mais la réalité est inévitablement toujours plus confuse, au sein de relations de pouvoir au niveau local. Au haut Moyen Âge européen, le schéma ternaire apparaît clairement comme une construction normative et idéelle imaginée par quelques clercs, davantage que comme une description opératoire de la réalité sociale, qui semble mettre en jeu des élites multiformes, au sein desquelles il est bien difficile de définir les contours d'une seule et même noblesse[1]. Ce n'est que dans les toutes dernières étapes de la transformation des sociétés trifonctionnelles, par exemple avec les recensements des ordres organisés en Suède à partir du milieu du XVIIIe siècle, ou plus généralement avec la redéfinition absolutiste, puis propriétariste et censitaire du schéma ternaire dans les différents pays européens aux XVIIIe et XIXe siècles, en particulier au Royaume-Uni et en France, que les catégories ternaires commencent à se durcir, en même temps qu'elles amorcent leur disparition, au terme d'une longue évolution plaçant en son cœur la construction de l'État centralisé moderne et l'unification des statuts juridiques[2].

De même, dans le contexte indien, la société était en pratique composée de milliers de catégories sociales et d'identités enchevêtrées, correspondant en partie à des corporations professionnelles et à des rôles militaires et religieux déterminés, mais aussi à des pratiques alimentaires et religieuses spécifiques, impliquant parfois l'accès à des temples et des lieux différents. Ces milliers de petits groupes distincts, que les Portugais nommèrent « castes » (*castas*) quand ils découvrirent l'Inde au début du XVIe siècle, n'avaient qu'une relation très lâche avec les quatre *varnas* du Manusmriti. Les Britanniques, qui avaient une connaissance principalement livresque et textuelle de la société hindoue, fondée notamment sur la lecture du Manusmriti, qui fut l'un des premiers textes sanskrits traduits en anglais à la fin du XVIIIe siècle, éprouvèrent les plus grandes difficultés pour faire rentrer ces identités professionnelles et culturelles complexes dans le cadre rigide des quatre *varnas*. C'est pourtant ce qu'ils firent, notamment pour les groupes les plus élevés et les plus bas, car cela leur semblait la meilleure façon d'appréhender et de contrôler la société indienne. C'est de cette rencontre et de ce projet à la fois de connaissance et de domination que sont issus plusieurs traits essentiels de l'Inde contemporaine.

---

1. Voir par exemple F. BOUGARD, G. BÜHRER-THIERRY, R. LE JAN, « Les élites du haut Moyen Âge : identités, stratégies, mobilités », *Annales. Histoire, Sciences sociales*, vol. 68 (4), 2013, p. 1079-1112.
2. Voir chapitres 2 et 5, p. 229-231.

La multitude pluriculturelle des jatis,
l'ordre quaternaire des varnas

Il existe d'ailleurs une confusion originelle majeure autour du mot « caste », qu'il est important de clarifier ici. Le mot « caste » est utilisé le plus souvent pour désigner le microgroupe professionnel ou culturel (les *jatis* en Inde), mais il est parfois évoqué pour désigner également les quatre grandes classes théoriques du Manusmriti (les *varnas*). Il s'agit pourtant de deux réalités très différentes. Les *jatis* constituent les unités sociales élémentaires auxquelles s'identifient les personnes concernées au niveau le plus local. Il existe des milliers de *jatis* au sein de l'immense sous-continent indien, qui correspondent à des corporations autant qu'à des territoires et régions spécifiques, et qui se mêlent souvent à des identités culturelles, linguistiques, religieuses ou culinaires particulières. Dans le contexte français et européen, il pourrait s'agir des maçons creusois, des menuisiers picards, des nourrices bretonnes, des ramoneurs gallois, des vendangeurs catalans ou des manœuvres polonais. L'une des particularités des *jatis* indiennes – et sans doute la principale spécificité du système social indien dans son ensemble – est la persistance jusqu'à nos jours d'un très haut degré d'endogamie matrimoniale à l'intérieur de la *jati*, même si nous verrons que les taux de mariages exogames ont fortement progressé en milieu urbain. Le point important sur lequel il convient d'insister ici est que les *jatis* ne correspondent généralement pas à des identités ordonnées de façon hiérarchique. Il s'agit d'identités professionnelles, régionales et culturelles, que l'on caractériserait en partie comme des identités nationales, régionales ou ethniques dans le contexte européen ou méditerranéen, et qui servent de soubassement à des solidarités horizontales et à des réseaux de sociabilité, et non pas à l'ordre vertical et politique des *varnas*.

La confusion entre *jatis* et *varnas* provient pour partie de l'histoire indienne elle-même : une part des élites indiennes a cherché pendant des siècles à organiser la société de façon hiérarchique autour des quatre *varnas*, parfois avec quelques succès, mais sans jamais y parvenir totalement et durablement. Elle s'explique également par la tentative du pouvoir colonial britannique de faire rentrer les *jatis* dans les *varnas*, et de donner à l'ensemble une existence bureaucratique et durable, dans le cadre de l'État colonial. Comme nous allons le voir, cette tentative a eu pour conséquence de rigidifier considérablement un certain nombre de catégories, à commencer par celle des brahmanes, qui comprenait elle aussi des centaines de *jatis* de prêtres et de lettrés à l'identité brahmanique souvent confuse, mais que les Britanniques tenaient à pouvoir identifier comme un bloc au sein de l'Inde tout entière, en partie pour asseoir leur pouvoir au niveau local, et plus généralement pour dominer par la connaissance une société qui leur paraissait infiniment complexe et indéchiffrable.

Féodalité hindoue, construction de l'État et transformations des castes

Avant d'en arriver aux recensements menés sous le British Raj, il est utile de commencer par résumer ce que l'on sait des structures sociales indiennes avant l'arrivée des Britanniques à la fin du XVIII siècle et au cours du XIX siècle, et donc avant l'invention des castes sous leur forme coloniale. Nos connaissances sont limitées, mais elles ont progressé au cours des dernières décennies. De façon générale, de nouveaux travaux ont permis de montrer que les relations sociales et politiques étaient en perpétuelles transformation et redéfinition en Inde entre le XV et le XVIII siècle, suivant des processus et des logiques qui n'étaient sans doute pas très différents de ceux observés en Europe à la même époque, quand le système féodal et trifonctionnel traditionnel et les processus de construction de structures étatiques centralisées nouvelles entraient en confrontation. Il ne s'agit pas de nier les spécificités du régime politico-idéologique et inégalitaire lié aux castes indiennes, qui mettent en jeu des notions singulières de pureté rituelle et alimentaire, une forte endogamie intra-*jati*, et des formes particulières de séparation et d'exclusion entre les classes élevées et les classes les plus basses (les intouchables). Mais pour bien comprendre la multiplicité des trajectoires et des bifurcations possibles, il est essentiel d'insister aussi sur les points communs entre les évolutions européennes et indiennes, en particulier du point de vue de l'organisation politique trifonctionnelle de la société et des conflits et transformations sociales qui agitaient l'ensemble de ces sociétés.

Dans le contexte de la domination coloniale, les Européens ont abondamment insisté sur l'étrangeté absolue des castes indiennes, réputées figées et sans histoires, ce qui leur permettait de justifier leur mission civilisatrice et d'asseoir leur contrôle. Incarnation vivante du despotisme oriental, opposées en tout point aux réalités et aux valeurs européennes, les castes indiennes constituent l'exemple paradigmatique de la construction intellectuelle visant à justifier l'œuvre coloniale. L'abbé Dubois, qui publie en 1816 l'un des premiers ouvrages sur « les mœurs, les institutions et les cérémonies des peuples de l'Inde », fondé sur quelques témoignages épars de missionnaires chrétiens de la fin du XVIIIe siècle, en tire une conclusion sans appel. D'une part, il est impossible de convertir les hindous, car ils sont sous l'emprise d'une religion « abominable » ; d'autre part, les castes constituent la seule façon de discipliner un peuple pareil. Tout est dit : les castes sont oppressives, mais il faut s'appuyer sur elles pour faire régner l'ordre. De nombreux savants britanniques, allemands et français du XIXe siècle ont abondé en ce sens, et ce mouvement s'est poursuivi jusqu'au milieu du XXe siècle, et parfois au-delà. Les travaux de Max Weber sur l'hindouisme, publiés en 1916, tout comme l'ouvrage de Louis Dumont publié en 1966, décrivent un système de castes qui est implicitement supposé inchangé dans ses grandes lignes depuis le Manusmriti, avec à son sommet des brahmanes éternels, dont la pureté et l'autorité n'auraient jamais été sérieusement contestées par les autres groupes sociaux[1]. Ces auteurs s'appuient principalement sur les textes hindous classiques et les traités légaux à visée normative et religieuse, à commencer par le Manusmriti, régulièrement cité. S'ils sont plus mesurés que l'abbé Dubois dans leur jugement sur l'hindouisme, leur approche reste relativement textuelle et anhistorique. Ils ne cherchent pas à étudier les sociétés indiennes comme des processus sociopolitiques conflictuels et évolutifs, ni à rassembler des sources permettant d'analyser leurs transformations, mais bien plutôt à évoquer une identité supposée par hypothèse éternelle et figée.

Depuis les années 1980-1990, de multiples travaux fondés sur des sources nouvelles ont permis de combler ces lacunes. De façon peu surprenante, les sociétés indiennes étaient des sociétés historiques complexes et évolutives, sans grand rapport avec les castes figées évoquées à l'époque coloniale ou avec les quatre *varnas* théoriques du Manusmriti. En confrontant les chroniques et les sources hindoues et musulmanes, Sanjay Subrahmanyam a par exemple étudié les transformations des relations de pouvoir et de cour entre les royaumes hindous et les sultanats et empires musulmans entre 1500 et 1750. La dimension pluriconfessionnelle apparaît centrale

---

1. Voir M. WEBER, *Hindouisme et Bouddhisme*, 1916 ; L. DUMONT, *Homo hierarchicus. Le système des castes et ses implications*, Gallimard, 1966. Pour Dumont, le recours au sacré et au religieux pour assigner les places permet de structurer la société indienne, et la négation de ce principe par des sociétés européennes prises de vertiges rationalistes et guerriers explique en partie les dérives du XXe siècle.

pour comprendre les dynamiques en jeu, alors que les travaux de l'époque coloniale avaient tendance à séparer de façon étanche les identités et les logiques sociales et politiques à l'œuvre dans les sociétés hindoues et musulmanes du sous-continent (ou bien, le plus souvent, à ignorer purement et simplement les secondes)[1]. Au sein des États musulmans, il faut aussi distinguer les sultanats chiites, comme celui de Bijapur, et les États sunnites, comme l'Empire moghol, entre lesquels transitent des élites et pratiques communes et des réflexions sur l'art de gouverner des communautés plurielles. Les méthodes de gouvernement étaient toutefois bien différentes de celles des colonisateurs britanniques, et aucun recensement de la population comparable aux recensements coloniaux ne fut organisé par ces États[2].

Les travaux de Susan Bayly et de Nicholas Dirks ont également permis de mettre en évidence les processus de renouvellement permanent des différentes élites militaires, politiques et économiques au sein des royaumes hindous, et le fait que les brahmanes étaient souvent dominés par les classes guerrières. De façon générale, les structures sociales en vigueur dans les États hindous comme dans les sultanats musulmans mettent en jeu des relations de propriété et de pouvoir qui rappellent celles observées en France et en Europe. On observe notamment des systèmes de rentes foncières cumulatives sur une même terre, versées par les paysans libres aux brahmanes et aux *kshatriya* locaux, pour prix de leurs fonctions religieuses et régaliennes, alors que certains groupes de travailleurs ruraux assimilés aux *shudra* ne peuvent posséder la terre et ont un statut s'approchant du servage. Les relations sont sociopolitiques et économiques autant que religieuses, et elles évoluent en fonction des rapports de force politico-idéologiques entre les groupes sociaux.

1. Voir S. SUBRAHMANYAM, *L'Éléphant, le Canon et le Pinceau, op. cit.* Ce même auteur a également insisté, avec d'autres, sur le fait que la conquête britannique de l'Inde fut le fruit d'un processus incertain, aux contingences multiples, qui aurait pu tourner différemment en fonction des stratégies changeantes des diverses structures étatiques impliquées (comme le retrait précipité de Delhi de l'empereur perse Nadir Shah en 1739, à rebours des conquérants précédents, laissant ainsi la voie libre aux Européens). Voir Q. DELUERMOZ, P. SINGARAVÉLOU, *Pour une histoire des possibles. Analyses contrefactuelles et futurs non advenus*, Seuil, 2016, p. 231-238.

2. Pour une analyse récente des transformations socio-économiques et politico-idéologiques des royaumes hindous et musulmans de Mysore et du Gujarat au contact de l'EIC, voir également K. YAZDANI, *India, Modernity and the Great Divergence : Mysore and Gujarat (17th to 19th C.)*, Brill, 2017.

Le cas du royaume hindou de Pudukkottai, dans le sud de l'Inde (Tamil Nadu actuel), est révélateur. C'est une énergique petite tribu locale, les *kallar*, considérés partout ailleurs comme une caste de basse extraction, et que les Britanniques classifieront plus tard comme « caste criminelle », ce qui facilitera leur mise au pas, qui parvint à prendre le pouvoir et à se constituer comme nouvelle noblesse guerrière et royale au cours des XVIIᵉ et XVIIIᵉ siècles. Ils finirent par contraindre les brahmanes locaux à leur prêter allégeance, moyennant l'octroi aux prêtres, temples et fondations brahmaniques de domaines terriens exemptés d'impôts. Ces relations de pouvoir n'apparaissent pas très éloignées de celles entretenues dans le contexte de la féodalité européenne entre les Églises et les monastères et les nouvelles classes nobles et royales, qu'elles soient issues de conquêtes ou sorties du rang, ce qui en Europe comme en Inde survient régulièrement. Il est intéressant de noter que c'est uniquement au moment où le colonisateur britannique renforce son emprise sur le royaume, au cours de la seconde moitié du XIXᵉ siècle, au détriment de la classe guerrière hindoue et des autres élites locales de Pudukkottai, que les brahmanes voient leur influence s'accroître et leur prééminence reconnue par les nouveaux maîtres, notamment pour imposer leurs normes religieuses, familiales et patriarcales[1].

Plus généralement, l'effondrement de l'État moghol autour de 1700 contribue à l'éclosion de multiples royaumes hindous à partir de nouvelles élites militaires et administratives. Ces groupes et leurs alliés brahmanes ont alors recours pour asseoir leur domination à l'idéologie ancienne des *varnas*, qui connaît une certaine renaissance à la fin du XVIIᵉ siècle et au cours du XVIIIᵉ siècle, d'autant plus que le développement de nouvelles formes étatiques permet d'appliquer les normes religieuses, familiales et alimentaires des hautes castes à une échelle plus vaste, et avec plus de systématicité. Le fondateur de l'Empire marathe, Shivaji Bhonsle, était initialement membre d'une classe de cultivateurs marathes, et remplissait des fonctions de collecteur d'impôts pour des sultanats musulmans alliés à l'Empire moghol. Il parvient à consolider un pouvoir étatique hindou indépendant dans l'ouest de l'Inde dans les années 1660 et 1670, avant de demander aux élites brahmanes locales de lui reconnaître un statut de *kshatriya* deux-fois-né. Les brahmanes hésitent, certains considérant même que les authentiques *kshatriya* et *vaishya* des temps anciens ont disparu

---

1. Voir N. DIRKS, *The Hollow Crown : Ethnohistory of an Indian Kingdom*, Cambridge University Press, 1987 ; ID., *Castes of Mind, op. cit.*, p. 65-80.

depuis l'arrivée de l'islam. Shivaji obtient finalement le précieux sésame, suivant un scénario désormais classique, que l'on retrouve d'ailleurs fréquemment en Inde comme en Europe : un compromis se noue entre une nouvelle élite militaire et les anciennes élites religieuses, afin d'apporter la stabilité sociale et politique tant désirée. Dans le contexte européen, on peut penser à Napoléon Bonaparte obtenant d'être sacré empereur par le pape, à l'image de Charlemagne mille ans avant lui, puis se mettant à distribuer des titres de noblesse à ses généraux, à sa famille et à ses fidèles.

Au Rajasthan, de nouveaux groupes de *kshatriya*, les *rajputs*, se développent dès le XIIIe et le XIVe siècle à partir de classes de propriétaires terriens et de guerriers locaux, sur lesquelles s'appuient parfois les souverains musulmans puis l'Empire moghol pour maintenir l'ordre social, et qui parviennent parfois à négocier une principauté autonome[1]. Le colonisateur britannique choisira lui aussi de s'appuyer sur tout ou partie de ses hautes classes, suivant son intérêt du moment. Dans le cas du royaume fondé par Shivaji, des ministres brahmanes, les *peshwa*, finissent par occuper le pouvoir politique de façon héréditaire à partir des années 1740. Ils gênent les Britanniques de l'EIC, qui décident de les déposer en 1818, en arguant qu'ils ont usurpé un rôle de *kshatriya* qui n'était pas le leur, ce qui leur assure un certain succès auprès de tous ceux qui avaient peu apprécié cette inhabituelle prise de contrôle du pouvoir politique par les lettrés[2].

De la particularité de la construction de l'État en Inde

La conclusion qui ressort clairement de ces travaux est que les *varnas* hindous aux XVIIe et XVIIIe siècles n'étaient pas plus figés que les classes et les élites européennes de l'époque médiévale, de la Renaissance ou de l'Ancien Régime. Il s'agissait de catégories flexibles permettant à des groupes guerriers et religieux de justifier leur domination et de décrire un ordre social aussi durable et harmonieux que possible mais qui, dans les faits, évoluait en

---

1. Plusieurs théories ont eu cours au sujet de l'origine des *rajputs*. L'une, très prisée à l'époque coloniale, les rattachait à une invasion étrangère à l'époque des Huns et des Scythes, après quoi ils auraient été incorporés aux *kshatriya* à la chute de l'empire Gupta. D'autres considéraient qu'il s'agissait de descendants directs des *kshatriya* de l'époque védique, ou bien d'anciens brahmanes devenus *kshatriya* à mesure qu'ils occupèrent le pouvoir politique. Voir A. HILTEBEITEL, *Rethinking India's Oral and Classical Epics : Draupadi among Rajputs, Muslims, and Dalits*, University of Chicago Press, 1999, p. 441-442.

2. Voir S. BAYLY, *Caste, Society and Politics in India from the Eighteenth Century to the Modern Age*, Cambridge University Press, 1999, p. 33-34, 56-63.

permanence en fonction des rapports de force entre groupes sociaux, tout cela dans un contexte de développement économique, démographique et territorial accéléré et l'émergence de nouvelles élites commerciales et financières. Les sociétés indiennes aux XVIIe et XVIIIe siècles apparaissent ainsi toutes aussi évolutives que les sociétés européennes. Il est certes impossible de dire comment se seraient transformées les diverses sociétés et constructions étatiques du sous-continent indien en l'absence de la colonisation britannique. Mais on peut penser que les inégalités statutaires issues des logiques trifonctionnelles anciennes se seraient graduellement estompées avec le processus de centralisation étatique, de la même façon que ce que l'on a observé non seulement en Europe, mais également en Chine ou au Japon (comme nous le verrons dans le prochain chapitre).

À l'intérieur de ce schéma général, il existe toutefois un large éventail de possibilités. Nous avons d'ailleurs déjà noté dans le cas européen la diversité des trajectoires et la multiplicité des points de bifurcations possibles. Les propriétaires suédois, et avec eux l'ancienne noblesse, imaginèrent par exemple entre 1865 et 1911 un système politique et social où le nombre de droits de vote était entièrement proportionnel à leur fortune[1]. Nul doute que les brahmanes et les *kshatriya*, livrés à eux-mêmes, auraient également pu faire preuve d'imagination (on peut penser à des votes proportionnés aux diplômes, au mode de vie ou aux habitudes alimentaires, ou plus trivialement aux propriétés), avant d'être eux aussi chassés par des mobilisations populaires. La diversité des trajectoires envisageables est d'autant plus forte qu'il existe des différences structurelles objectives entre les divers régimes inégalitaires trifonctionnels indiens et européens.

Si l'on se place dans une perspective de très longue durée, la principale spécificité du cas indien par comparaison à l'Europe tient sans doute au rôle des royaumes et empires musulmans. Dans de très larges parties du sous-continent indien, les pouvoirs régaliens ont été exercés par des souverains musulmans pendant des siècles, parfois dès les XIIe et XIIIe siècles jusqu'aux XVIIIe et XIXe siècles. Dans ces conditions, il est bien évident que le prestige et l'autorité de la classe guerrière hindoue s'en sont trouvés durement éprouvés. Pour de nombreux brahmanes, les *kshatriya* authentiques avaient tout simplement cessé d'exister dans de multiples régions et territoires, même si en pratique des classes militaires hindoues pouvaient jouer un rôle de supplétifs aux

---

1. Voir chapitre 5, p. 229-231.

princes musulmans, ou se replier dans des États et principautés hindous indépendants comme les *rajputs* au Rajasthan. Ce relatif effacement des *kshatriya* a aussi contribué dans les territoires en question à accroître le prestige et la prééminence des élites intellectuelles brahmanes, qui continuaient d'assurer leurs fonctions religieuses et éducatives, et sur lesquelles les souverains musulmans (et plus tard les autorités britanniques) s'appuyaient pour garantir l'ordre social, allant souvent jusqu'à valider et exécuter les sentences des brahmanes, portant par exemple sur le respect de règles alimentaires et familiales ou l'accès aux temples, aux puits et aux écoles, et pouvant conduire jusqu'à l'exclusion de la communauté. Par comparaison aux autres sociétés trifonctionnelles, en Europe mais aussi dans d'autres parties de l'Asie (Chine et Japon en particulier) et de la planète, cela a pu contribuer à conduire à une forme particulière de déséquilibre entre les élites religieuses et guerrières, et à une importance hypertrophiée donnée aux premières, voire dans certaines régions et configurations sociales à une quasi-sacralisation du pouvoir à la fois spirituel et temporel des brahmanes. On a vu cependant à quel point de tels équilibres pouvaient se transformer et se redéfinir très rapidement, avec le développement de structures étatiques hindoues s'appuyant sur de nouvelles élites militaires et politiques.

La seconde spécificité importante de la trajectoire indienne, par comparaison aux évolutions européennes, tient au fait que les brahmanes constituent une véritable classe sociale à part entière, avec ses familles et ses enfants, ses accumulations et ses transmissions patrimoniales, alors que le clergé catholique doit en permanence être alimenté par les autres classes, compte tenu du célibat des prêtres. Nous avons vu comment cette singularité avait conduit dans le cadre des sociétés d'ordres européennes au développement d'institutions ecclésiastiques et d'organisations religieuses (monastères, évêchés, etc.) accumulant et détenant des propriétés considérables au nom du clergé, ce qui a aussi entraîné le développement d'un droit économique et financier sophistiqué[1]. Cela a peut-être également contribué à rendre la classe cléricale européenne (qui n'en était pas vraiment une) plus vulnérable. L'expropriation des monastères au Royaume-Uni au XVIᵉ siècle ou la nationalisation des biens du clergé en France à la fin du XVIIIᵉ siècle n'étaient certes pas des décisions faciles, mais aucune classe héréditaire n'était touchée, bien au contraire : la noblesse et la bourgeoisie

1. Voir chapitre 2, p. 120-125.

en bénéficièrent largement. Dans le cas indien, l'expropriation des brahmanes et de leurs temples et fondations pieuses aurait nécessairement pris une forme plus graduelle, même si le développement de nouvelles classes dominantes non religieuses au sein des royaumes hindous aux XVIIIe et XIXe siècles montre là encore que cela n'avait rien d'impossible. En tout état de cause, nous allons voir qu'au moment où la colonisation britannique interrompit ce processus de construction autochtone de l'État, la classe brahmane, telle qu'appréhendée dans les recensements, concentrait une part très importante des ressources à la fois éducatives et patrimoniales, culturelles et professionnelles.

La découverte de l'Inde
et le contournement ibérique de l'islam

Avant d'analyser la façon dont les Britanniques ont entrepris de prendre la mesure des castes indiennes avec les recensements coloniaux du XIXe siècle, il est également utile de rappeler à quel point la découverte de l'Inde par les Européens s'est faite par étapes, à partir de connaissances initialement fort limitées, et avait elle-même pour origine une quête de nature singulière. De nombreux travaux, notamment ceux de Sanjay Subrahmanyam, fondés sur un croisement systématique des sources indiennes, arabes et portugaises, ont bien montré les nombreux malentendus sur lesquels reposait l'expédition de Vasco de Gama de 1497-1498.

Au cours de la seconde moitié du XVe siècle, le pouvoir portugais était très partagé sur la question de l'expansion outre-mer. Une partie de la noblesse terrienne était satisfaite par le succès de la *Reconquista*, et voulait s'en tenir là. Mais les ordres militaires, en particulier l'Ordre du Christ et celui de Santiago (dont était issue la famille de Gama), qui avaient joué un rôle central pour mobiliser la petite noblesse guerrière pendant les siècles de la « reconquête » du territoire ibérique sur les musulmans, souhaitaient poursuivre l'aventure sur les côtes marocaines, afin de repousser les Maures aussi loin que possible. Les plus audacieux projetaient de prolonger leur exploration le long des côtes africaines et envisageaient de contourner les musulmans par le sud et l'est de l'Afrique, en opérant la jonction avec le mythique « royaume du moine Jean ». Cet hypothétique royaume chrétien, inspiré par l'Éthiopie, jouait un rôle important dans les représentations confuses que se faisaient les Européens de la géographie mondiale, depuis l'époque des croisades (XIe-XIIIe siècle) jusqu'aux Grandes Découvertes, et donnait l'espoir d'une victoire enfin décisive contre l'islam. Cette ambitieuse stratégie d'encerclement de l'ennemi musulman ne faisait toutefois pas l'unanimité, et ces conflits idéologiques entre une vision terrienne et une vision impériale anti-islam expliquent les hésitations des rois portugais. Face à la pression des ordres, et afin de les maintenir dans l'orbite étatique, le roi se décida finalement à lancer en 1497 l'expédition de Gama, dont la mission était d'aller au-delà du cap de Bonne-Espérance, atteint par Dias en 1488.

L'exploitation des récits des matelots qui ont été conservés (certains redécouverts au XIXᵉ siècle) et la confrontation avec les sources arabes et indiennes permettent de reconstituer assez précisément les étapes du voyage[1]. Partis de Lisbonne en juillet 1497, les trois navires atteignirent les côtes sud-africaines en novembre, puis commencèrent à remonter lentement les côtes d'Afrique de l'Est, dans les ports musulmans du Mozambique, de Zanzibar et de Somalie, toujours à la recherche de chrétiens, que les Portugais ne parvinrent pas à localiser. Le commerce de l'océan Indien était alors animé par de multiples réseaux arabes, perses, gujaratis, kéraliens, malais et chinois, au sein d'un vaste espace plurilinguistique qui mettait en contact de grands États impériaux et agraires (Vijayanagara, Ming, Ottomans, Safavides, Moghols) et de petits États commerciaux et côtiers (Kilwa, Ormuz, Aden, Calicut, Malacca). Déçu par ces rencontres, qu'il n'anticipait pas, inquiet du mauvais accueil que lui réservaient les marchands musulmans, Gama poursuivit la navigation et se mit à explorer les côtes indiennes à partir de mai 1498. S'ensuivit une série de rencontres mouvementées et de quiproquos à répétition, en particulier à Calicut (dans l'actuel Kerala, au sud de l'Inde). Gama visite des temples hindous et est persuadé d'être dans les églises d'un royaume chrétien, au plus grand étonnement des brahmanes, qui se surprennent également de la petitesse des cadeaux apportés par celui qui prétend représenter le plus grand royaume d'Europe. Gama rentre finalement à Lisbonne, dans des conditions difficiles.

C'est en juillet 1499 que le roi portugais annonce fièrement aux autres rois chrétiens que la route des Indes est ouverte, et que son envoyé a fait la découverte sur les côtes indiennes de plusieurs royaumes chrétiens, dont l'un à Calicut, qui est « une ville plus grande que Lisbonne, et habitée par

---

1. Voir S. Subrahmanyam, *Vasco de Gama. Légende et tribulations du vice-roi des Indes*, Alma, 2012, p. 159-207 (*The Career and Legend of Vasco de Gama*, Cambridge University Press, 1997).

des chrétiens »[1]. Il fallut plusieurs années aux Portugais pour comprendre leur méprise et réaliser que les souverains de Calicut et de Cochin étaient des hindous qui commerçaient avec des musulmans, des Malais et des Chinois, et qui, par ailleurs, ne tardèrent pas à se faire la guerre au sujet des marchands chrétiens, avant que Gama revienne victorieux comme vice-roi des Indes à Cochin en 1523, pour conforter les comptoirs portugais déjà nombreux en Asie. Entre-temps, Cabral en 1500 avait découvert le Brésil (que Gama avait frôlé en 1497-1499) sur le chemin de retour des Indes, et Magellan avait fait le tour du monde en 1521.

Il faudra plus longtemps encore pour que le projet impérial portugais change de nature. Sa dimension proprement messianique, sous forme d'un projet mondial de promotion du christianisme face à l'islam, continuera de jouer un rôle central tout au long du XVIᵉ siècle, en particulier après la création de la Compagnie de Jésus en 1540 (les Jésuites). Cette dimension messianique exacerbée explique d'ailleurs comment un pays d'à peine 1,5 million d'habitants a pu ainsi partir à la conquête du monde et d'États beaucoup plus peuplés et par bien des aspects plus avancés. Elle ne sera jamais complètement éclipsée par la dimension mercantiliste. Cette dernière sera au contraire au fondement du projet colonial hollandais, avec la création en 1602 de la VOC (Compagnie néerlandaise des Indes orientales, l'une des premières grandes sociétés par actions de l'histoire), qui aboutira au cours du XVIIᵉ siècle à la perte d'une partie des comptoirs portugais d'Asie au profit des Hollandais[2]. Les Portugais avaient notamment occupé dès 1511 le port stratégique de Malacca, en mettant fin au sultanat musulman qui contrôlait ce détroit stratégique sur la route maritime reliant l'Inde et la Chine, entre l'actuelle Malaisie et l'île de Sumatra (Indonésie). Malacca fut prise aux Portugais par les Hollandais en 1641, avant de passer sous souveraineté britannique en 1810, comme Singapour.

Par comparaison à l'Empire portugais, l'Empire espagnol prit très vite une dimension territoriale beaucoup plus marquée, avec l'occupation de Mexico par Cortés dès 1519 et de Cuzco et du Pérou par Pizarro dès 1534. À partir des années 1560, les navigateurs espagnols acquirent la maîtrise des courants leur permettant de traverser le Pacifique dans les deux sens

---

1. Voir *ibid.*, p. 193-196. Ce ton irrévérencieux à l'encontre du grand héros national, venant de surcroît d'un facétieux lettré indien, a suscité de violentes réactions parmi les historiens conservateurs portugais lors de la sortie du livre de Subrahmanyam.

2. Voir S. SUBRAHMANYAM, *L'Empire portugais d'Asie, 1500-1700*, Seuil, « Points », 1999 (Longmans, 1993).

et d'assurer ainsi la jonction entre le Mexique, les Philippines et les parties asiatiques de l'empire. Autour de 1600-1610, le Mexique était véritablement le cœur multiculturel de l'Empire espagnol, là où se côtoyaient et se rencontraient parfois les « quatre parties du monde » évoquées par Serge Gruzinski, à une époque où la mainmise des États sur les frontières et les identités était plus limitée que ce qu'elle sera par la suite, et où les parcours métissés entre Indiens mexicains, Européens et mulâtres brésiliens, Philippins et Japonais pouvaient conduire les chroniqueurs des différentes langues et cultures à d'étonnantes mises en abyme. Le rival planétaire de la monarchie catholique espagnole, qui, à son zénith, avait absorbé le royaume du Portugal au sein d'une même Couronne (1580-1640), était de nouveau l'islam, en particulier aux Philippines et aux Moluques (Indonésie), où les musulmans avaient pris pied peu avant l'arrivée des Ibériques, et où les soldats espagnols ne s'attendaient pas à retrouver leur vieux rival européen, si loin de Grenade et de l'Andalousie, d'où ils venaient tout juste d'expulser les derniers infidèles en 1492, l'année même où Colomb débarquait à Hispaniola (Saint-Domingue), à la recherche des Indes[1].

Domination par les armes, domination par les connaissances

Quand ils arrivèrent en Inde et découvrirent que des sultanats et empires musulmans y jouaient un grand rôle, les Européens commencèrent naturellement par se ranger du côté des royaumes hindous. Mais les conflits religieux, commerciaux et militaires ne tardèrent pas. Après l'âge messianique vint l'âge mercantiliste, que la VOC hollandaise et l'EIC britannique incarnèrent à la perfection. Ces sociétés par actions, fondées autour de 1600, étaient bien plus que des compagnies de marchands bénéficiant de monopoles commerciaux. Il s'agissait *de facto* de véritables sociétés privées en charge de l'exploitation et du maintien de l'ordre au sein de territoires entiers, à une époque où la frontière entre la privatisation de

---

1. Voir S. GRUZINSKI, *Les Quatre Parties du monde. Histoire d'une mondialisation*, La Martinière, 2004. Dans ce livre éclairant, Gruzinski montre également comment la rapide victoire espagnole au Mexique s'explique non seulement par les nouvelles maladies apportées avec eux par les Ibériques, mais aussi par leur intrusion dans un régime inégalitaire spécifique et leur capacité à y susciter la révolte (les formes de travail forcé et de domination pratiquées par la noblesse aztèque faisaient l'objet de contestations anciennes, et l'arrivée des Espagnols fournit l'alternative précipitant l'effondrement).

parcelles de souveraineté publique (comme l'affermage d'impôts) et les activités économiques privées (par exemple à travers une licence commerciale) était extrêmement poreuse. À partir du milieu du XVIIIe siècle, en particulier après les victoires remportées dans les années 1740-1750 contre les armées bengalis, l'EIC prit *de facto* le contrôle d'immenses parties du sous-continent indien. L'EIC administrait de véritables armées privées composées principalement de soldats indiens rémunérés par ses soins, et étendait sa mainmise en profitant du vide laissé par la décomposition de l'Empire moghol et la concurrence entre les autres structures étatiques hindoues et musulmanes en présence.

Les multiples exactions commises par l'EIC sur le sol indien conduisirent cependant assez vite à des scandales retentissants. Des voix s'élevèrent au Parlement britannique à partir des années 1770-1780 pour durcir la tutelle de la Couronne sur l'EIC. Ces demandes étaient notamment portées par le philosophe conservateur Edmund Burke, bien connu pour ses très critiques *Reflections on the French Revolution* parues en 1790. Burke insistait sur la nécessité de mettre fin à la corruption et aux brutalités des agents de la Compagnie, et il parvint au terme d'un procès mouvementé à faire condamner Warren Hastings (ancien dirigeant de l'EIC et gouverneur général du Bengale) par la Chambre des communes en 1787. La Chambre des lords décida finalement d'acquitter Hastings en 1795, mais les élites britanniques étaient de plus en plus convaincues que le Parlement devait s'impliquer davantage dans la colonisation de l'Inde. Il apparaissait de plus en plus clairement que la mission civilisatrice britannique devait s'appuyer sur une administration rigoureuse et des connaissances solides, et qu'il n'était plus possible de déléguer la souveraineté et le maintien de l'ordre à une bande d'avides marchands et de mercenaires. Les administrateurs et les savants devaient entrer en scène.

Edward Said, dans son livre sur la naissance de « l'orientalisme », a montré l'importance de ce nouveau temps de la présence coloniale européenne en Asie, où la domination entendait s'appuyer davantage sur une supériorité cognitive, intellectuelle et civilisationnelle, et non plus sur la seule force brute et militaire[1]. Said insiste notamment sur la façon dont ce moment cognitif, qui vient après le temps messianique et le moment mercantiliste, s'incarne dans l'expédition de Bonaparte en Égypte (1798-1801). Les motivations politiques, militaires et commerciales n'étaient certes

---

1. Voir E. Said, *Orientalism*, Vintage Books, 1978 (édition 2003, avec une nouvelle préface de l'auteur).

pas absentes, mais les Français prirent soin d'insister sur la dimension scientifique de la campagne. Quelque 167 savants, historiens, ingénieurs, botanistes, dessinateurs et artistes accompagnaient les soldats, et leurs découvertes donnèrent lieu à la publication entre 1808 et 1828 de 28 volumes grand format de *Description de l'Égypte*. Les habitants du Caire, qui se révoltèrent dès la fin de l'année 1798 pour chasser les Français, n'étaient visiblement pas entièrement convaincus du caractère désintéressé de ces bienfaisants civilisateurs, pas plus que les soldats égyptiens et ottomans, qui parvinrent avec l'appui de la flotte anglaise à renvoyer l'expédition en France en 1801. Cet épisode n'en marqua pas moins un tournant historique : désormais la colonisation allait de plus en plus souvent se présenter comme une nécessité civilisatrice, un service rendu par l'Europe à des civilisations figées, incapables d'évoluer et de se connaître elles-mêmes, voire de préserver leur patrimoine ancien.

En 1802, dans le *Génie du christianisme*, puis en 1811 dans son *Itinéraire de Paris à Jérusalem*, Chateaubriand publia des pages très dures pour justifier le rôle civilisateur des croisades et condamner l'islam sans réserve[1]. En 1835, le poète Lamartine publie son fameux *Voyage en Orient*, où il théorise le droit européen à la souveraineté sur l'Orient, au moment même où la France mène une brutale guerre de conquête en Algérie. Sans doute ces violents discours civilisateurs peuvent-ils s'analyser comme une forme de réponse à un traumatisme européen majeur et enfoui. Pendant un millénaire, des premières incursions de l'islam en Espagne et en France au début du VIIIe siècle jusqu'au déclin de l'Empire ottoman aux XVIIIe-XIXe siècles, les royaumes chrétiens avaient peur de ne jamais venir à bout des États musulmans, qui avaient pris le contrôle de la péninsule Ibérique comme

---

1. « La liberté, ils l'ignorent ; les propriétés, ils n'en ont point ; la force est leur Dieu. Quand ils sont longtemps sans voir paraître ces conquérants exécuteurs des hautes justices du ciel, ils ont l'air de soldats sans chef, de citoyens sans législateurs, et d'une famille sans père. [...] Les Maures ont été plusieurs fois sur le point d'asservir la chrétienté. Et quoique ce peuple paraisse avoir eu dans ses mœurs plus d'élégance que les autres Barbares, il avait toutefois dans sa religion, qui admettait la polygamie et l'esclavage, dans son tempérament despotique et jaloux, il avait, disons-nous, un obstacle invincible aux lumières et au bonheur de l'humanité. Les ordres militaires d'Espagne, en combattant ces infidèles, ont donc [...] préservé de très grands malheurs. [...] On a blâmé les chevaliers d'avoir été chercher les infidèles jusque dans leurs foyers. Mais on n'observe pas que ce n'était, après tout, que de justes représailles contre des peuples qui avaient attaqué les premiers les peuples chrétiens : les Maures [...] justifient les croisades. Les disciples du Coran sont-ils demeurés tranquilles dans les déserts de l'Arabie, et n'ont-ils pas porté leur loi et leurs ravages jusqu'aux murailles de Delhi et jusqu'aux remparts de Vienne ? Il fallait peut-être attendre que le repaire de ces bêtes féroces se fût rempli de nouveau ! » Voir *ibid.*, p. 172.

de l'Empire byzantin, et occupaient de fait la majeure partie des côtes de la Méditerranée. Cette crainte existentielle ancienne et enfin dominée s'exprime nettement chez Chateaubriand, avec aussi une certaine soif de revanche multiséculaire et multigénérationnelle, alors que Lamartine insiste davantage sur la mission de conservation et de civilisation.

Pour Said, l'orientalisme a eu des conséquences sur les représentations occidentales bien au-delà de la période coloniale. Ce refus d'historiciser les sociétés « orientales », cette façon de les essentialiser et de les représenter comme figées, éternellement vicieuses et structurellement incapables de se gouverner, vision qui justifie par avance toutes les brutalités, continuent selon Said d'imprégner les perceptions euro-américaines de la fin du XXᵉ siècle et du début du XXIᵉ, par exemple lors de l'invasion de l'Irak en 2003. La particularité de l'orientalisme est qu'il a produit du savoir et de l'érudition, et en même temps des façons spécifiques d'appréhender les sociétés lointaines, des modes de connaissance qui ont longtemps été explicitement au service d'un projet politique de domination coloniale, et qui continuent souvent de manifester leurs biais initiaux au sein du monde universitaire postcolonial et de la société dans son ensemble. L'inégalité n'est pas seulement une affaire de disparités sociales internes aux pays ; elle oppose aussi parfois des identités collectives et des modèles de développement, dont les limites et mérites respectifs pourraient dans l'absolu faire l'objet de délibérations apaisées et constructives, mais qui en pratique sont souvent transformées en antagonismes identitaires violents par une partie des acteurs concernés. C'est le cas pour l'inégalité contemporaine comme pour celle des siècles passés, suivant des configurations qui ont beaucoup changé, mais dont il est essentiel de décrire la généalogie historique afin de mieux pouvoir analyser les enjeux du présent.

Les recensements coloniaux britanniques en Inde (1871-1941)

Venons-en maintenant aux matériaux que nous ont laissés les recensements organisés dans l'empire des Indes par le colonisateur britannique. La révolte réprimée de 1857-1858 avait effrayé la puissance coloniale, et l'avait convaincu de la nécessité d'une administration directe. Pour cela, il était nécessaire de mieux comprendre les systèmes fonciers en vigueur en Inde, notamment pour lever l'impôt. Il était également essentiel de mieux connaître les élites locales et les structures sociales, et tout particulièrement les castes, que l'on saisissait mal, et dont on craignait qu'elles puissent nourrir des solidarités et des révoltes futures. Des premiers recensements expérimentaux furent menés en Inde du Nord dès 1865 et 1869, dans les « provinces du Nord-Ouest » et dans l'Oudh, ce qui dans le découpage administratif du début du British Raj correspondait *grosso modo* à la vallée du Gange et à l'actuel Uttar Pradesh (204 millions d'habitants au recensement de 2011, et déjà plus de 40 millions à l'époque). Puis le recensement fut étendu à l'ensemble de la population de l'empire des Indes en 1871, soit quelque 239 millions d'habitants, dont 191 millions dans les territoires sous administration directe et 48 millions dans les États princiers sous tutelle britannique. Le recensement de 1871 fut ensuite reconduit en 1881, en 1891 et tous les dix ans jusqu'en 1941. Les centaines d'épais volumes publiés par les Britanniques après chaque recensement, présentant pour chaque province et district des milliers de tableaux croisant les castes avec les religions, les professions, les niveaux d'éducation et parfois l'ampleur des propriétés terriennes, en disent long sur l'immensité de cette entreprise éminemment politique que furent les recensements coloniaux, qui mobilisèrent des milliers d'agents recenseurs sur des territoires très étendus. Menées dans les différentes langues indiennes, puis traduites en anglais, les opérations des recensements aboutirent à la production de dizaines de milliers de pages. Ces documents et plus encore les multiples rapports et brochures décrivant parfois les hésitations et les doutes des administrateurs et savants coloniaux nous en disent long sur la nature du processus colonial, au moins autant que sur les réalités sociales de l'Inde de l'époque.

Les Britanniques abordèrent initialement l'exercice au travers du prisme des quatre *varnas* du Manusmriti, mais ils se rendirent vite compte que ces catégories n'étaient guère opératoires, et que les personnes recensées se reconnaissaient dans des identités de groupes qui étaient à la fois plus fines et plus fluides, les *jatis*. Le problème est que les agents coloniaux n'avaient aucune liste complète des *jatis* à leur disposition, et que les personnes en face d'eux avaient des opinions extrêmement diverses sur les *jatis* les plus pertinentes et les regroupements à opérer. Elles s'identifiaient souvent elles-mêmes à de multiples groupes. Beaucoup d'Indiens devaient aussi se demander pourquoi ces étranges seigneurs britanniques et leurs agents recenseurs s'intéressaient tant à leurs identités, leurs professions, leurs habitudes alimentaires, et leur demandaient avec tant d'instance de classer et d'ordonner tout cela. Lors du recensement de 1871, on dénombra 3 208 « castes » différentes (au sens des *jatis*) ; en 1881, le total monta à

19 044 groupes distincts en incluant toutes les sous-castes. La population moyenne par caste était de moins de 100 000 individus dans le premier cas, et de moins de 20 000 dans le second : il s'agissait donc le plus souvent de petits groupes socioprofessionnels locaux, représentés sur des segments limités du territoire indien. Il était bien difficile de mettre de l'ordre et de produire de la connaissance à l'échelle impériale avec une telle grille d'analyse. Pour se faire une idée de la tâche, on peut essayer d'imaginer comment auraient procédé des souverains indiens prenant le contrôle de l'Europe au XVIIIe ou au XIXe siècle au moment de recenser la population du continent, de la Bretagne à la Russie et du Portugal à l'Écosse, et de la ranger dans des catégories socioprofessionnelles, religieuses et alimentaires. Sans doute auraient-ils inventé des grilles d'analyse qui nous surprendraient aujourd'hui[1]. Mais le fait est qu'en produisant ces grilles et en les utilisant dans leur pratique administrative et leur système de gouvernement, les colonisateurs britanniques eurent un impact profond et durable sur les identités elles-mêmes et sur la structure de la société indienne.

Certains administrateurs coloniaux tentèrent aussi d'explorer la voie racialiste. Ils partaient du principe qu'une partie de la mythologie hindoue évoquait des origines raciales anciennes au système de *varnas*, liées à la conquête. Des Aryens venus du Nord et à la peau claire seraient arrivés dans la vallée du Gange puis en Inde du Sud, peut-être au début du IIe millénaire AEC, en provenance de l'Iran, et ils seraient devenus les brahmanes, les *kshatriya* et les *vaishya*, alors que les populations autochtones à la peau plus sombre, voire franchement noire pour les habitants des régions les plus méridionales du sous-continent, seraient devenues les *shudra* asservis[2]. Un grand nombre d'administrateurs et de savants se mit donc à mesurer la taille des crânes et celle des mâchoires, à examiner les nez et les textures des peaux, dans l'espoir de trouver le secret des castes indiennes. Herbert Risley, ethnographe qui devint commissaire du recensement de 1901, insistait sur l'importance stratégique du terrain indien pour permettre aux Britanniques

---

1. Il est encore plus difficile de dire ce qui serait arrivé aux maçons creusois, aux menuisiers picards ou aux vendangeurs catalans si un colonisateur indien les avait rangés dans des boîtes et leur avait distribué des droits et des devoirs pendant des décennies en fonction de ces assignations.

2. En sanskrit, le mot *varna* provient du mot « couleur ». Dans le *Râmâyana*, Rama ne parvient à triompher du démon Ravana et à libérer sa bien-aimée Sita qu'avec l'aide de Hanuman et de l'armée des singes ; c'est l'union du peuple de toute l'Inde, des plus noirs du Sud aux plus blancs du Nord, qui permet de rétablir l'ordre politique et l'harmonie terrestre (et accessoirement d'asservir le Sri Lanka).

de dominer les recherches sur les races et de distancer les Allemands et leurs savants, particulièrement actifs à l'époque sur ces questions[1]. En pratique, cette approche raciale ne conduisit à aucun résultat tangible, tant les différentes origines ethnico-raciales étaient mêlées et présentes dans la plupart des castes.

En 1885, John Nesfield, un administrateur qui avait été chargé de réfléchir à de nouvelles classifications mieux à même de décrire les réalités sociales indiennes, et qui considérait que les castes devaient avant tout être comprises comme des groupes socioprofessionnels, avait déjà fait remarquer le peu de pertinence de la théorie raciale. Il suffisait selon lui d'aller à Bénarès et d'observer les 400 jeunes brahmanes étudiant dans la plus prestigieuse des écoles de sanskrit pour constater qu'on y trouvait toute la palette des couleurs de peau présentes sur le sous-continent indien[2]. Risley avait lui-même sa propre théorie à ce sujet. D'une part, les brahmanes s'étaient beaucoup mélangés entre le temps des invasions aryennes, au début du IIe millénaire AEC, et l'époque où le Manusmriti leur avait recommandé une stricte endogamie (autour du IIe siècle AEC). D'autre part, la concurrence du bouddhisme, particulièrement vive du Ve siècle AEC jusqu'au Ve siècle de notre ère, aurait conduit les brahmanes à promouvoir dans leurs rangs de nombreux membres des basses castes. Enfin, de nombreux souverains et rajas hindous auraient eux-mêmes été amenés au fil des siècles à créer de nouvelles classes de brahmanes lettrés pour faire face à l'indiscipline des brahmanes disponibles.

De façon générale, le témoignage d'un administrateur comme Nesfield est beaucoup plus instructif que ceux des ethnographes racialistes comme Risley ou Edgar Thurston, car il rapporte des formes d'échanges intéressantes avec les populations recensées. Son analyse n'est certes pas exempte de ses propres préjugés et de ceux de ses interlocuteurs (qui sont surtout issus des castes élevées), mais le fait est que ces préjugés sont en soi significatifs. Nesfield explique par exemple que les aborigènes et les intouchables se sont placés eux-mêmes par leur comportement en dehors de la communauté hindoue. Ce sont notamment des groupes de chasseurs vivant dans les forêts ou en marge des villages, dans une saleté inimaginable, toujours à la limite de la rébellion ouverte et de la rapine. Ils sont exclus d'accès

---

1. Voir S. BAYLY, *Caste, Society and Politics in India, op. cit.*, p. 132.
2. Voir J. NESFIELD, *Brief View of the Caste System of the North-Western Provinces and Oudh, Together With an Examination of Names and Figures Shown in the Census Report 1882*, Allahabad, 1885, p. 75.

aux temples, d'autant plus que leurs mœurs sont déplorables : en cas de besoin ils n'hésitent pas à prostituer leurs propres filles. Cette partie du récit de Nesfield fait davantage penser par les descriptions topographiques aux tribus aborigènes isolées qu'aux intouchables proprement dits, même si dans son témoignage la différence entre les deux groupes n'apparaît pas toujours très claire, s'agissant notamment d'habitats proches des villages et relativement éloignés des zones boisées ou montagneuses généralement associées aux aborigènes. Il s'agit surtout de groupes dont le mode de vie s'éloigne radicalement de la norme[1].

Nesfield ajoute que ces groupes de parias comprennent également certaines petites castes agricoles dont les mœurs et les habitudes alimentaires les rattachent aux castes les plus basses. Il cite en particulier ceux qui se nourrissent encore de ragondins et autres petits rongeurs des champs (*field rats*), pratique lamentable pourtant proscrite il y a des siècles par le Manusmriti. Il s'agit aussi de professions spécifiques comme les *chammar* et les *scavengers* en charge du ramassage des déchets humains, des détritus et des carcasses, dont les mœurs familiales sont également très douteuses d'après les informations recueillies par Nesfield, qui note aussi leur trop fréquente tendance à l'ivresse et à une regrettable promiscuité. Nesfield est par ailleurs convaincu que les savoir-faire les moins élaborés, par exemple la fabrication de petits paniers, activité dont il note qu'elle est prisée des très basses castes indiennes comme des *Gypsies* et autres Roms en Europe, correspondent aux classes sociales les moins prestigieuses, et à l'inverse que l'élévation dans l'échelle sociale correspond à des compétences professionnelles plus sophistiquées, comme la poterie, le textile, et tout en haut de la hiérarchie artisanale la métallurgie, les verriers, les bijoutiers et les tailleurs de pierre. Il en va de même pour les autres activités : les chasseurs sont moins prestigieux que les pêcheurs, qui eux-mêmes le sont moins que les cultivateurs et les éleveurs.

Les *baniya* (commerçants) les plus importants adoptent quant à eux des mœurs leur permettant de s'approcher des brahmanes, en particulier

---

1. On retrouve des évocations comparables dans des textes de voyageurs chinois au Cambodge au XIIIe siècle ou dans des textes javanais du XVe siècle, décrivant des populations non intégrées à la société principale, entendant mal la langue des « civilisés », errant dans les bois ou à proximité des villages avec leur famille et vivant du produit de leur chasse, avec là aussi de forts préjugés négatifs des « civilisés », parfois teintés d'un espoir d'intégration. Voir D. LOMBARD, *Le Carrefour javanais. Essai d'histoire globale*, vol. 3 : *L'Héritage des royaumes concentriques, op. cit.*, p. 24-25.

en interdisant le remariage des veuves. Nesfield note également que les anciens guerriers *kshatriya*, que l'on retrouve sous forme de *rajputs* (terme qui désignait initialement des personnes de sang royal) et de *chattri* (dérivation de *kshatriya* et de *kshatra*, terme qui désignait le propriétaire d'un domaine terrien), ont beaucoup perdu de leur prestige sous la domination musulmane puis britannique. Certains ont trouvé à s'employer comme militaires ou policiers au service des colonisateurs, beaucoup vivent de leurs rentes foncières, d'autres encore végètent. Nesfield précise que les brahmanes ont depuis longtemps diversifié leurs activités de prêtres et s'emploient principalement comme enseignants, médecins, comptables, administrateurs, tout en empochant eux aussi de confortables rentes foncières de la part du reste des communautés rurales.

Tout en reconnaissant que leurs compétences administratives sont beaucoup plus utiles aux autorités coloniales et leurs talents nettement mieux adaptés aux temps modernes que ceux des anciens guerriers désœuvrés, Nesfield considère que ces brahmanes sont décidément beaucoup trop nombreux (jusqu'à 10 % de la population dans certaines régions en Inde du Nord) par rapport aux services qu'ils rendent. Au fond, Nesfield trouve que la hiérarchie sociale indienne a une assez belle allure, si l'on excepte toutefois le trop grand nombre de brahmanes, qui abusent vraiment de leur position dominante. La conclusion coule de source : il était temps que les administrateurs britanniques les remplacent à la tête du pays.

Les effectifs des sociétés trifonctionnelles indiennes et européennes

Voyons maintenant les résultats statistiques qu'il est possible de retenir de ces recensements. De façon générale, les administrateurs coloniaux ne savaient pas trop comment procéder pour regrouper les milliers de *jatis* en catégories intelligibles, et le mode de présentation des résultats a beaucoup varié d'un recensement à l'autre. Certains comme Nesfield suggéraient d'oublier presque entièrement les *varnas* et d'établir une classification socioprofessionnelle entièrement nouvelle, fondée sur la base des métiers et des savoir-faire, qu'il se proposait de déterminer derechef pour l'ensemble de l'empire. Le choix qui fut fait dans tous les recensements de 1871 à 1931 consista en réalité à donner une existence unifiée au groupe des brahmanes, et à y rattacher tous les groupes locaux qui s'y apparentaient aux yeux des Britanniques. Une enquête menée à Bénarès en 1834 avait déjà révélé l'existence de 107 groupes différents de brahmanes. Dans les communautés qu'il avait étudiées, Nesfield avait lui aussi distingué de nombreux sous-groupes : les *acharja* supervisant les cérémonies religieuses, les *pathak* spécialisés dans l'éducation des enfants, les *dikshit* en charge des cérémonies d'initiation des deux-fois-nés, les *gangaputra* assistant les prêtres, les *baidiya* officiant comme médecins, les *pande* chargés de l'éducation des castes moins élevées, et ainsi de suite, sans oublier les *khatak* et les *bhat*, qui étaient d'anciens brahmanes devenus chanteurs et artistes, ou encore les *mali*, caste agricole raffinée spécialisée dans la production des fleurs et des couronnes utilisées dans les processions, et qui étaient parfois rattachés aux brahmanes. Nesfield précise que seuls 4 % des brahmanes exercent des fonctions de prêtre à plein temps, mais que 60 % concourent d'une façon ou d'une autre aux fonctions religieuses, en complément de leur activité principale d'enseignant, de médecin, d'administrateur ou de propriétaire terrien. Il s'agit en quelque sorte d'une bourgeoisie de propriétaires lettrés participant au catéchisme.

Au niveau de toute l'Inde, les effectifs de brahmanes dûment répertoriés comme tels par les recensements britanniques sont significatifs. Lors du recensement de 1881, on dénombre près 13 millions de brahmanes (avec leur famille), soit 5,1 % de la population totale recensée (254 millions), et 6,6 % de la population hindoue (194 millions). Suivant les régions et les provinces, la proportion de brahmanes peut varier d'à peine 2 %-3 % de la population en Inde du Sud à environ 10 % dans la vallée du Gange et en Inde du Nord, avec le Bengale (Calcutta) et le Maharashtra (Mumbai) autour de la moyenne (5 %-6 %)[1]. Concernant les *kshatriya*, les rapports des recensements se refusent à donner un chiffre total, car ce terme n'est guère utilisé en tant que tel, et les colonisateurs ont renoncé à le ressusciter. En additionnant les effectifs recensés dans les diverses castes de *chattri*, et surtout les *rajputs*, qui forment l'essentiel du total, on aboutit à plus de 7 millions de *kshatriya* en 1881, soit 2,9 % de la population indienne et 3,7 % de la population hindoue, avec là encore des variations régionales, mais moins marquées que pour les brahmanes (l'Inde du Nord est un peu au-dessus de la moyenne, et l'Inde du Sud et les autres régions légèrement au-dessous). Au total, on constate que les deux plus hautes castes regroupent autour de 10 % de la population hindoue en 1881 (6 %-7 %

---

1. Les données détaillées saisies dans les rapports coloniaux issus des recensements, ainsi que les liens vers tous les documents originaux, sont disponibles dans l'annexe technique.

pour les brahmanes, 3 %-4 % pour les *kshatriya*). Un demi-siècle plus tard, lors du recensement de 1931, la proportion de brahmanes a légèrement baissé (de 6,6 % à 5,6 %) et celle de *kshatriya* un peu augmenté (de 3,7 % à 4,1 %), mais l'ensemble n'a guère bougé. D'après les recensements, les brahmanes et *kshatriya* représentaient 10,3 % de la population hindoue en 1881, 9,7 % en 1931 (voir graphique 8.3)[1].

Graphique 8.3

L'évolution des sociétés ternaires : Europe-Inde, 1530-1930

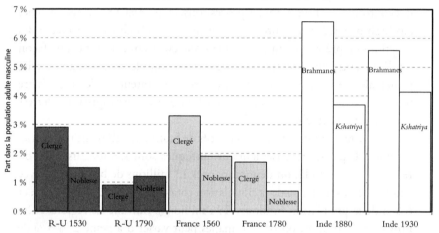

Lecture : au Royaume-Uni et en France, les deux classes dominantes de la société trifonctionnelle (clergé et noblesse) ont connu une réduction de leur importance numérique entre le xvie et le xviiie siècle. En Inde, le poids numérique des brahmanes et *kshatriya* (anciennes classes de prêtres et de guerriers), tel que mesuré par les recensements coloniaux britanniques, a légèrement baissé entre 1880 et 1930, tout en restant à des niveaux sensiblement plus élevés qu'en Europe aux xvie-xviiie siècles.
Sources et séries : voir piketty.pse.ens.fr/ideologie.

Si l'on compare ces effectifs avec ceux du clergé et de la noblesse entre le xvie et le xviiie siècle au Royaume-Uni ou en France, pays où la formation de l'État centralisé était déjà très avancée, on constate que les brahmanes et les *kshatriya* indiens de la fin du xixe siècle et du début du xxe siècle sont relativement nombreux. D'après les estimations disponibles, le clergé représentait environ 3 % de la population adulte masculine britannique et

---

1. La proportion de *kshatriya* augmente entre 1881 et 1891, ce qui peut s'expliquer par le fait que les Britanniques avaient surtout cherché lors des tout premiers recensements à identifier les brahmanes. Les deux groupes perdent en importance de 1891 à 1931, dans un contexte où la reconnaissance comme caste élevée perd de son intérêt et peut devenir un inconvénient. Voir tableau 8.2.

française au XVIe siècle, et la noblesse moins de 2 %, soit au total moins de 5 % pour les deux ordres privilégiés, contre environ 10 % pour les brahmanes et les *kshatriya* en Inde à la fin du XIXe siècle. Les ordres de grandeur ne sont toutefois pas incomparables. Il faut également rappeler que d'autres pays européens avaient au XVIIIe siècle des classes cléricales et guerrières pléthoriques par comparaison au Royaume-Uni et à la France. Dans le cas de l'Espagne, on peut estimer que le clergé représentait 4 % de la population adulte masculine en 1750, et la noblesse petite et grande plus de 7 %, soit au total environ 11 % pour les classes cléricales et guerrières, soit un niveau très proche de celui observé dans l'Inde de 1880[1]. Des pays comme le Portugal, la Pologne ou la Hongrie avaient une noblesse qui représentait à elle seule environ 6 %-7 % de la population autour de 1800[2]. Du point de vue des effectifs concernés, les différentes sociétés trifonctionnelles indiennes (avec leurs multiples variantes régionales) et européennes semblent donc relativement proches, avec des variations reflétant notamment les différents processus sociopolitiques de construction de l'État dans les multiples sous-régions des deux continents.

Propriétaires lettrés, administrateurs et contrôle social

Les rapports détaillés issus des recensements permettent de préciser plusieurs caractéristiques importantes des populations recensées. Dans la province de Madras, en 1871, les brahmanes représentent en moyenne 3,7 % de la population, avec des variations allant de 1,5 % à 13,1 % suivant les districts. On constate que les brahmanes occupent une position fortement dominante dans l'éducation (70 % des étudiants de Madras sont des brahmanes), dans les professions savantes (entre 60 % et 70 % des enseignants, médecins, juristes, comptables, astrologues de la province sont brahmanes), mais aussi dans la propriété rurale : 40 % des personnes classées comme propriétaires terriens sont des brahmanes (contre seulement 20 % pour les *kshatriya*), et cette part atteint 60 % dans certains districts. L'administrateur qui commente ces tableaux est encore plus explicite que Nesfield : d'après lui, la domination exercée par les brahmanes sur les autres classes est tellement oppressante que, si les Britanniques quittaient le pays, le chaos politique

---

1. Voir chapitre 1, graphique 1.1, p. 79.
2. Voir chapitre 5, graphique 5.2, p. 199.

et la révolte s'ensuivraient immédiatement[1]. La remarque est révélatrice : les colons britanniques s'appuient sur les élites locales brahmanes pour contrôler et administrer le pays, tout en dénonçant leur empreinte tyrannique sur l'Inde, afin de mieux justifier leur mission civilisatrice ; tout cela en oubliant au passage que la concentration de la propriété et du pouvoir politique est au moins aussi extrême au Royaume-Uni, où les *absentee landlords* viennent de laisser mourir de faim une partie de la population irlandaise, et où de grands bouleversements se préparent[2].

Les autres recensements confirment cette extrême concentration des ressources à la fois éducatives et patrimoniales aux mains de ceux que les recensements regroupent dans la catégorie des brahmanes (ou plutôt des hommes brahmanes, car tous les éléments disponibles indiquent une société hautement patriarcale). En 1891, le recensement conclut que seuls 10,4 % des hommes du British Raj sont alphabétisés (0,5 % des femmes). Parmi les brahmanes, ce taux atteint 72,2 % pour les hommes dans la province de Madras (3,8 % pour les femmes), et 65,8 % dans celle de Mumbai (3,3 % pour les femmes). La seule province où l'alphabétisation atteint un niveau significatif est la Birmanie, où plus de 95 % de la population est enregistrée comme bouddhiste (il s'agit de la seule région où le bouddhisme a détrôné l'hindouisme), et où le taux moyen d'alphabétisation atteint 44,3 % (mais seulement 3,8 % pour les femmes). Cette belle performance est attribuée par les administrateurs coloniaux aux moines bouddhistes et à leurs écoles. En réalité, personne ne sait très bien dans quelle mesure les agents recenseurs évaluaient véritablement les compétences des uns et des autres, ou se contentaient de retranscrire leurs propres préjugés ou ceux des chefs de famille auxquels ils s'adressaient. Ces chiffres sont néanmoins suggestifs. Lors du recensement de 1911, le taux d'alphabétisation des femmes atteint 11,3 % parmi les brahmanes du Bengale (contre 64,5 % pour les hommes brahmanes). C'est peu, mais en net progrès, et suffisant pour que les femmes brahmanes représentent plus de 60 % du total des femmes alphabétisées de la province, alors que les hommes brahmanes ne constituent que 30 % des hommes alphabétisés, ce qui est déjà considérable.

Dans la plupart des provinces, on constate que les brahmanes font au moins jeu égal avec les *rajputs* et les *chattri* en termes de propriété terrienne,

1. Voir *Report on the 1871 Census of the Madras Presidency*, Madras, 1874, p. 363.
2. Voir chapitre 5, p. 221-225.

et se situent généralement à un niveau plus élevé. En termes d'éducation, l'écart est abyssal : les brahmanes sont incomparablement plus avancés que les *kshatriya*, dont les ressources culturelles et intellectuelles apparaissent très faibles (entre 10 % et 15 % de taux d'alphabétisation chez les hommes *rajputs* dans la plupart des provinces, donc à peine plus que la moyenne du pays). Il faut toutefois souligner que l'avance éducative varie suivant les régions, et qu'elle est moins forte en Inde du Nord, où les brahmanes sont très nombreux, et où leur taux d'alphabétisation tombe parfois à 20 %-30 %, qu'en Inde du Sud, où les brahmanes constituent une élite beaucoup plus fine (2 %-3 % de la population et non 10 %), alphabétisée à plus de 60 %-70 %.

La seule caste dont le capital éducatif et intellectuel atteint et dépasse même parfois celui des brahmanes est le petit groupe des *kayasth*, qui regroupait environ 1 % de la population indienne (et plus de 2 % au Bengale) dans les recensements, et qui était particulièrement intrigant pour les administrateurs coloniaux. Les *kayasth* appartenaient clairement aux plus hautes castes, mais il paraissait impossible de les classer comme brahmane ou comme *kshatriya*, et ils étaient donc traités à part. Plusieurs récits largement invérifiables leur prêtaient diverses origines. Selon une légende ancienne, une reine *chattri* en difficulté aurait promis que ses fils deviendraient écrivains et comptables et non guerriers afin que l'ennemi leur laisse la vie sauve. Plus probablement, les *kayasth* auraient été issus d'anciennes lignées guerrières *kshatriya* ou *chattri* qui auraient voulu que certains de leurs fils occupent les fonctions de lettrés et d'administrateurs, afin de s'autonomiser de la tutelle des brahmanes et de disposer de leurs propres lettrés (ce qui est une tentation assez naturelle, qui a dû souvent survenir dans l'histoire des dynasties indiennes, et a très probablement contribué à nourrir et renouveler les rangs des brahmanes).

En l'occurrence, les *kayasth* s'autorisaient la consommation d'alcool, comme les *kshatriya* mais à l'inverse des brahmanes, ce qui d'après les administrateurs britanniques confirmait leurs origines complexes. En dehors de cela, ils ressemblaient en tout point aux brahmanes, qu'ils avaient même dépassés dans certains cas en termes de performance éducative et d'accès aux fonctions administratives élevées et aux professions savantes. Les *kayasth* étaient réputés avoir très vite acquis des compétences en langue urdue afin de se mettre au service des empereurs moghols et des sultans musulmans, et ils firent de même avec la langue anglaise pour accéder à l'administration coloniale britannique.

De façon générale, il faut souligner que les recensements des castes n'étaient pas là uniquement pour satisfaire la curiosité ou le goût pour l'exotisme et l'orientalisme des savants britanniques et européens. Ils jouaient également et surtout un rôle central dans le gouvernement de l'Inde coloniale. Ils permettaient tout d'abord aux Britanniques de connaître les groupes sur lesquels ils pouvaient s'appuyer pour remplir des hautes fonctions administratives ou militaires, ou pour faire payer l'impôt. L'enjeu de connaissance était d'autant plus crucial que la population d'origine britannique était extrêmement limitée dans l'empire des Indes (toujours moins de 0,1 % de la population totale).

Seule une excellente organisation pouvait permettre de faire tenir un tel édifice. Tout en bas de l'échelle sociale, les recensements des castes avaient également pour fonction d'identifier les classes susceptibles de poser des problèmes, et en particulier les « castes criminelles », qui étaient des groupes répertoriés en fonction de leur goût avéré pour les rapines et les comportements déviants. Le *Criminal Tribes and Castes Act*, qui permettait d'arrêter et d'emprisonner suivant des procédures accélérées les membres de ces groupes, a ainsi été régulièrement durci de 1871 à 1911[1]. Les Britanniques eurent largement recours au travail forcé en Inde, notamment pour la construction de routes, à la façon des corvées et des prestations utilisées en Afrique française[2], et les recensements de castes permettaient de mieux évaluer les groupes susceptibles d'être « recrutés ». De façon générale, on constate dans le contexte du British Raj une certaine sophistication dans l'utilisation des lois sur le vagabondage pour mobiliser le travail. Lorsque les propriétaires éprouvent des difficultés de recrutement dans les plantations de thé et de coton à la fin du XIXᵉ siècle, on observe par exemple un durcissement de ces lois, ce qui accélère les « embauches »[3].

Entre le cas des hautes castes d'administrateurs et celui des castes criminelles ou quasi serviles, il existe toute une série de classes intermédiaires, et en particulier de castes agricoles, qui ont également joué un rôle central dans le gouvernement de l'Inde coloniale. Au Pendjab, le *Land Alienation Act* de 1901 décida par exemple de réserver l'achat et la vente de terres à un groupe spécifique de castes agricoles, dont les contours étaient redéfinis

1. Voir N. Dirks, *Castes of Mind*, op. cit., p. 181-182.
2. Voir chapitre 7, p. 347-349.
3. Voir A. Stanziani, « Slavery in India », *The Cambridge World History of Slavery*, Cambridge University Press, 2017, p. 259.

par la même occasion. Il s'agissait officiellement de rassurer certaines classes de paysans lourdement endettés, dont les terres risquaient d'être accaparées par des créditeurs et prêteurs sur gages. Les émeutes rurales qui menaçaient de se développer inquiétaient d'autant plus les autorités britanniques que les castes agricoles en question formaient traditionnellement un canal important de recrutement militaire. La redéfinition des castes entraîna toutefois de multiples conflits lors des recensements suivants, car de nombreux groupes ruraux demandèrent et réussirent à changer de caste pour accéder aux terres[1].

Le point essentiel est que les catégories administratives créées par les Britanniques pour réguler le pays et distribuer les droits et les devoirs n'avaient souvent qu'un rapport lointain avec les identités sociales des uns et des autres, si bien que cette politique d'assignation identitaire bouleversa profondément les structures sociales, et aboutit dans de nombreux cas au durcissement des frontières entre groupes autrefois flexibles et au développement de tensions et d'antagonismes nouveaux.

Par rapport à leurs ambitions initiales consistant à répartir la population suivant les *varnas* du Manusmriti, les autorités coloniales avaient largement dû revenir en arrière. Les *kshatriya* n'existaient plus vraiment que sous l'appellation des *rajputs* (et aussi des *chattri*, mais de façon plus confidentielle). Quant aux *vaishya*, les artisans, commerçants et paysans libres du Manusmriti, ils étaient introuvables en tant que tels. Il existait certes une grande diversité de petits groupes professionnels locaux qui auraient pu être rattachés à cette vaste catégorie, mais cet ensemble ne comportait aucune unité à l'échelle du pays, sauf peut-être pour ce qui concerne les *baniya* (commerçants), que les autorités britanniques entreprirent de comptabiliser comme tels et de rattacher au groupe des deux-fois-nés des *vaishya*.

Lors des premiers recensements, l'administration coloniale se retrouva à devoir arbitrer de nombreux conflits de reconnaissance, qu'elle avait elle-même contribué à créer, et dont elle ne savait plus comment se sortir, en particulier lorsque ces conflits comprenaient des dimensions religieuses. Dans la province de Madras, la caste des *nadar* obtint par exemple des autorités coloniales d'être reconnue comme *kshatriya* lors du recensement de 1891. Sur cette base, un groupe de *nadar* pénétra en 1897 dans l'enceinte

---

1. Voir G. CASSAN, « Identity-Based Policies and Identity Manipulation : Evidence from Colonial Punjab », *American Economic Journal*, 2014, vol. 7 (4), p. 103-131.

du temple Minakshi de Kamudi, provoquant le scandale parmi les groupes de hautes castes en charge des lieux. Les tribunaux coloniaux décidèrent finalement de faire payer aux *nadar* le coût des rituels de purification rendus nécessaires par leur intrusion. De multiples conflits mettaient également en jeu l'usage de divers lieux publics pour les processions.

Les autorités britanniques étaient particulièrement perplexes face à un certain nombre de groupes de statut élevé au niveau d'une région particulière, comme les *kayasth* au Bengale, les *marathes* dans la région de Mumbai, les *vellalar* près de Madras, qui avaient toutes les apparences de hautes castes, mais qui ne s'inscrivaient dans aucun des *varnas*. Des travaux ont montré comment des groupes qui initialement n'avaient pas d'identité de haute caste clairement définie, comme les *baniya*, se mirent, à la fin du XIXe siècle, à reprendre des normes très strictes de pureté familiale ou alimentaire (par exemple en interdisant le remariage des veuves, en s'imposant des règles végétariennes très strictes et en bannissant les contacts avec les castes moins pures), leur permettant ainsi de se rattacher aux deux-fois-nés et de se rapprocher des brahmanes, dont l'existence unifiée était proclamée et sanctionnée par les recensements[1].

L'Inde coloniale et la rigidification des castes

De façon générale, même s'il est évidemment impossible de dire comment le pays aurait évolué en l'absence de la colonisation, l'un des effets des recensements coloniaux et de cette étonnante bureaucratisation des catégories sociales semble avoir été de rigidifier considérablement les frontières entre les castes. En donnant une existence administrative précise à l'échelle de l'Inde à des catégories qui n'existaient pas auparavant, ou tout du moins qui n'existaient pas sous une forme aussi tranchée et générale, et qui avaient principalement une existence locale, la colonisation britannique a non seulement interrompu le développement autochtone d'une société trifonctionnelle ancienne : elle semble en avoir figé les contours.

De ce point de vue, il est frappant de constater que les proportions de la population classées au sein des hautes castes sont restées quasiment inchangées non seulement entre 1871 et 1931, mais également jusqu'en 2014, en dépit de la croissance considérable de la population (voir graphique 8.4 et

---

1. Voir S. BAYLY, *Caste, Society and Politics in India*, op. cit., p. 217-232 ; N. DIRKS, *Castes of Mind*, op. cit., p. 236-238.

tableau 8.2). Précisons que les recensements indiens ont cessé d'enregistrer les appartenances aux castes élevées depuis le recensement de 1931. Les Britanniques ont fini par réaliser l'ampleur des conflits identitaires et des questions de frontières sociales qu'ils avaient contribué à exacerber, et ils renoncèrent à l'entreprise lors du recensement de 1941. Quant aux gouvernements de l'Inde indépendante, leur objectif était de mettre fin aux discriminations basées sur les castes, et ils cessèrent de poser des questions sur l'identité de caste (sauf pour les plus basses, comme nous le verrons plus loin). Plusieurs enquêtes ont toutefois continué de poser des questions à la population indienne sur les appartenances de caste, et nous avons indiqué ici les résultats obtenus à partir des enquêtes postélectorales menées à l'issue de la plupart des élections législatives en Inde de 1962 à 2014. Les deux sources sont donc fort différentes : il s'agit de recensements concernant l'ensemble de la population dans le premier cas, sous l'autorité des agents recenseurs, et d'enquêtes fondées en principe sur l'autodéclaration et portant sur quelques dizaines de milliers de personnes dans le second cas.

Graphique 8.4

La rigidification des hautes castes en Inde, 1871-2014

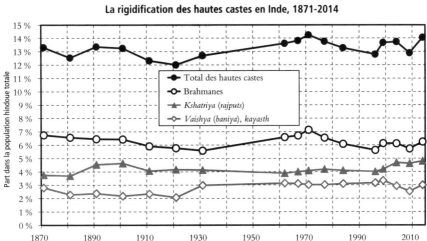

Lecture : les résultats indiqués ici sont issus des recensements coloniaux britanniques de 1871 à 1931 et des enquêtes postélectorales (autodéclaration) de 1962 à 2014. On constate une relative stabilité dans le temps de la proportion de personnes enregistrées comme brahmanes (anciennes classes de prêtres et de lettrés), *kshatriya* (*rajputs*) (anciennes classes de guerriers), et dans les autres castes élevées : *vaishya* (*baniya*) (artisans, commerçants) et *kayasth* (écrivains, comptables). N'ont pas été prises en compte ici d'autres castes élevées locales tels les *marathes* (environ 2 % de la population).
Sources et séries : voir piketty.pse.ens.fr/ideologie.

Tableau 8.2

La structure des hautes castes en Inde, 1871-2014

	1871	1881	1891	1901	1911	1921	1931	1962	1967	1971	1977	1996	1999	2004	2009	2014
Total hautes castes	13,3 %	12,6 %	13,4 %	13,2 %	12,3 %	12,0 %	12,7 %	13,6 %	13,8 %	14,2 %	13,7 %	12,8 %	13,6 %	13,7 %	12,8 %	14,0 %
dont brahmanes (prêtres, lettrés)	6,7 %	6,6 %	6,5 %	6,4 %	5,9 %	5,8 %	5,6 %	6,6 %	6,7 %	7,1 %	6,5 %	5,6 %	6,1 %	6,1 %	5,7 %	6,2 %
dont *kshatriya* (rajputs) (guerriers)	3,8 %	3,7 %	4,5 %	4,6 %	4,1 %	4,2 %	4,1 %	3,9 %	4,0 %	4,1 %	4,2 %	4,0 %	4,2 %	4,7 %	4,6 %	4,8 %
dont autres hautes castes : *vaishya* (baniya), kayasth	2,8 %	2,3 %	2,4 %	2,2 %	2,3 %	2,1 %	3,0 %	3,1 %	3,1 %	3,0 %	3,0 %	3,2 %	3,3 %	2,9 %	2,5 %	3,0 %
Population hindoue totale (en millions)	179	194	217	216	228	226	247	375	419	453	519	759	800	870	939	1 012

Lecture : les résultats indiqués ici sont issus des recensements coloniaux britanniques de 1871 à 1931 et des enquêtes postélectorales (autodéclaration) de 1962 à 2014. On constate une relative stabilité dans le temps de la proportion de personnes enregistrées comme brahmanes (anciennes classes de prêtres et de lettrés), *kshatriya* (*rajputs*) (anciennes classes de guerriers), et dans les autres castes élevées : *vaishya* (*baniya*) (artisans, commerçants) et *kayasth* (écrivains, comptables). N'ont pas été prises en compte ici d'autres castes élevées locales tels les marathas (environ 2 % de la population). Sources et séries : voir piketty.pse.ens.fr/ideologie.

Il est néanmoins intéressant de constater que les différentes proportions n'ont quasiment pas changé. La proportion de brahmanes au sein de la population hindoue oscillait entre 6 % et 7 % dans les recensements conduits de 1871 à 1931 ; elle se situait à ce même niveau entre 1962 et 2014. La proportion de *kshatriya* (en pratique principalement des *rajputs*) était comprise entre 4 % et 5 % dans les recensements coloniaux de la fin du XIXᵉ siècle et du début du XXᵉ siècle ; il en allait de même dans les enquêtes postélectorales de la fin du XXᵉ siècle et du début du XXIᵉ siècle. J'ai également indiqué sur le graphique 8.4 et le tableau 8.2 les proportions enregistrées comme *vaishya* (*baniya*) et comme *kayasth* : on constate que ces deux groupes représentent au total entre 2 % et 3 % de la population hindoue tout au long de la période. Si l'on considère le total des hautes castes, en incluant ces deux derniers groupes, on constate qu'elles ont toujours représenté entre 12 % et 14 % de la population hindoue au cours de la période 1871-2014. Si l'on ajoutait les *marathes* (autour de 2 % de la population) et d'autres hautes castes présentes dans certaines régions spécifiques, et dont l'appartenance aux hautes castes fait l'objet de nombreux conflits et controverses, on aboutirait à un total compris entre 15 % et 20 % suivant les définitions retenues.

Afin de bien comprendre les enjeux derrière ces questions, il faut préciser que les conséquences de ces classifications se sont radicalement transformées au cours du XXᵉ siècle. À la fin du XIXᵉ siècle, il existait un enjeu fort d'être reconnu comme caste élevée, pour des raisons de prestige symbolique, mais aussi pour obtenir l'accès à certains temples, écoles, fontaines, citernes et autres lieux publics. À la fin de la période coloniale, en particulier dans l'entre-deux-guerres, les autorités britanniques, sous la pression des mouvements indépendantistes, commencent à abolir les règles discriminatoires à l'encontre des basses castes, et notamment des intouchables, et à mettre en place au contraire des mesures d'accès préférentiel visant à corriger les discriminations passées. Ce n'est cependant qu'avec l'avènement de l'Inde indépendante (1947) que les discriminations anciennes seront définitivement abolies et qu'une politique systématique de « discrimination positive » sera appliquée. John Hutton, commissaire du recensement de 1931, note que les signes *untouchables excluded* étaient encore très nombreux dans les restaurants et coiffeurs de Madras en 1929[1]. Le leader indépendantiste Periyar quitta en 1925 le parti

---

1. Voir J. HUTTON, *Caste in India : Its Nature, Functions and Origins*, 1946, *Cambridge University Press*, p. 197-199.

du Congrès, qu'il jugeait trop timoré dans son combat pour imposer aux deux-fois-nés les plus conservateurs l'ouverture de tous les temples aux basses castes, et pour mettre fin aux repas séparés entre élèves brahmanes et non brahmanes dans les écoles ; il considérait que l'on pouvait obtenir plus et plus vite[1].

Ambedkar, premier intouchable diplômé en droit et en économie de l'université Columbia et de la London School of Economics, et futur rédacteur de la Constitution indienne de 1950, éprouva quant à lui les plus grandes difficultés à exercer comme avocat dans l'Inde des années 1920. Il contribua à lancer le mouvement des dalits (« cassés » en sanskrit, ainsi qu'Ambedkar proposait d'appeler les ex-intouchables) et brûla publiquement le Manusmriti en 1927 lors des grands rassemblements dalits à la citerne de Chavadar (Maharashtra). Ambedkar invita plus tard les dalits à se convertir au bouddhisme : il était convaincu que seule une remise en cause radicale du système religieux hindou permettrait de détruire celui des castes et de mettre fin aux discriminations anciennes. Il s'opposait vigoureusement à Gandhi, qui à l'inverse jugeait très irrespectueux de brûler le Manusmriti. Gandhi défendait les brahmanes et l'idéal de solidarité fonctionnelle des *varnas*, et appelait les *harijan* (« enfants de dieu », ainsi qu'il nommait les intouchables) à prendre toute leur place au sein de l'hindouisme. Aux yeux de nombreux Indiens de haute caste, cela signifiait aussi et surtout adopter un comportement et des normes familiales, alimentaires et hygiéniques plus proches de la pureté que les classes élevées entendaient incarner (un peu à la façon des mouvements paternalistes bourgeois de l'Angleterre victorienne visant à encourager la sobriété et les comportements vertueux parmi les classes laborieuses). Certains deux-fois-nés proches de Gandhi allèrent jusqu'à proposer aux intouchables, aux aborigènes et même aux musulmans une conversion symbolique à l'hindouisme pour marquer leur retour plein et entier dans la communauté hindoue et leur entrée dans une vie pure.

Par ailleurs, chacun sentait bien au cours des années 1920-1930 que le système colonial n'était sans doute pas éternel, et des négociations étaient en cours avec les Britanniques pour étendre le droit de vote et donner plus de pouvoir à des assemblées indiennes élues. Les autorités coloniales avaient commencé à instituer des électorats censitaires séparés pour les hindous et les musulmans avant la Première Guerre mondiale,

---

1. Voir N. Dirks, *Castes of Mind, op. cit.*, p. 257-263.

en particulier au Bengale en 1909, une décision qui pour beaucoup fut le premier acte menant à la partition avec le Pakistan et le Bangladesh en 1947. À la fin des années 1920, Ambedkar défendit lui aussi l'idée d'électorats séparés, mais cette fois-ci pour les dalits et les hindous non dalits : il considérait que c'était la seule façon pour les anciens intouchables de pouvoir s'exprimer, d'être représentés et de se défendre. Gandhi s'y opposa vigoureusement et commença une grève de la faim. Les deux leaders indépendantistes trouvèrent finalement un compromis avec le pacte de Poona en 1932 : les dalits et les hindous non dalits voteront ensemble pour élire les mêmes députés, mais une partie des circonscriptions (en proportion de leur part dans la population) sera réservée pour les dalits, dans le sens où seuls des candidats dalits pourront se présenter. C'est le système de « réservations » qui sera mis en place dans la Constitution de 1950 et qui s'applique toujours aujourd'hui.

Lors du recensement de 1931, il avait été estimé que les *outcasts*, *tribes* et autres *depressed classes*, comme on appelait alors les intouchables et autres catégories discriminées dans la langue administrative britannique, et qui deviendront par la suite les *scheduled castes* et les *scheduled tribes*, regroupaient quelque 50 millions de personnes, soit environ 21 % des 239 millions d'hindous. À la fin des années 1920, des mouvements indépendantistes avaient lancé dans plusieurs provinces des opérations de boycott du recensement, qui recommandaient de ne pas indiquer de *jati* ni de *varna* aux agents recenseurs. Petit à petit, on passa d'un système où les recensements visaient à identifier les élites et les hautes castes, parfois pour leur garantir explicitement des droits et des privilèges, à la fin du XIXᵉ siècle et au début du XXᵉ siècle, à une logique visant au contraire à identifier les plus basses castes, dans le but de corriger les discriminations passées. En 1935, alors que des systèmes d'accès préférentiel à certains emplois publics étaient expérimentés par le gouvernement colonial pour les *scheduled castes*, on constata que certaines *jatis* qui s'étaient mobilisées dans les années 1890 pour être reconnues comme *kshatriya* et obtenir l'accès à certains temples et lieux publics, se mobilisaient à présent pour être considérées comme faisant partie des plus basses castes[1]. Cela démontre de nouveau la plasticité des identités individuelles et leur adaptabilité aux incitations contradictoires créées par le pouvoir colonial.

---

1. *Ibid.*, p. 236-238.

Il est intéressant de noter que les premiers mécanismes visant à limiter la mainmise des castes privilégiées sur les places à l'université et les postes de la fonction publique avaient été expérimentés dès 1902, au sein de l'État princier marathe de Kolhapur. Le roi de Kolhapur s'était senti humilié devant sa propre cour quand les brahmanes locaux lui avaient interdit une lecture rituelle des Veda, au motif que ses origines *shudra* ne lui permettaient pas une telle chose. Furieux, il avait aussitôt fixé un quota de 50 % pour que les non-brahmanes puissent occuper des postes élevés au sein de son administration. Des mouvements similaires se développèrent à Madras, avec la création du parti de la Justice en 1916, ainsi que dans l'État princier de Mysore (Karnataka) en 1918, où le souverain et les élites non brahmanes supportaient de plus en plus mal que 3 % de brahmanes occupent 70 % des places à l'université et des postes les plus importants de la fonction publique, de la même façon qu'à Kolhapur. Un mouvement similaire voit le jour sous l'impulsion du parti de la Justice dans le Tamil Nadu en 1921. Dans le contexte de l'Inde du Sud, où les élites brahmanes n'étaient parfois pas loin d'être traitées par les autres groupes comme des intrus venus du Nord (presque comme les Chinois en Malaisie), bien qu'elles y soient installées depuis de nombreux siècles, ces politiques de quotas prirent une tournure antibrahmane relativement radicale, dès avant l'indépendance. Par comparaison, le parti du Congrès, qui compte en son sein de nombreux représentants progressistes des hautes castes d'Inde du Nord, à commencer par Nehru et Gandhi, défendra toujours des positions beaucoup plus modérées concernant les « réservations » : il faut certes aider les plus basses castes à progresser, mais cela ne doit pas retirer toute chance aux castes les plus élevées de faire valoir leurs talents et d'en faire bénéficier le reste de la société. Ces conflits allaient prendre toute leur ampleur dans les décennies suivantes.

L'Inde indépendante face aux inégalités statutaires issues du passé

Après l'indépendance, en 1947, la République indienne mit en place la politique de discrimination positive la plus systématique jamais expérimentée. On associe parfois cette notion aux États-Unis, mais en réalité les systèmes de quotas en faveur des Noirs ou d'autres minorités n'y ont jamais fait l'objet d'une politique publique assumée. Dans le contexte étatsunien, les mesures d'admission préférentielle, par exemple dans les universités, ont toujours été appliquées à la marge du système et de la légalité, par des institutions volontaires, et jamais dans le cadre d'une politique nationale et systématique. À l'inverse, la Constitution indienne de 1950 prévoit explicitement un cadre légal visant à corriger les discriminations issues du passé, avec les moyens en principe apaisés de l'État de droit. De façon générale, la Constitution de 1950 commence par abolir tous les privilèges de caste et par supprimer toute référence à la religion. Les articles 15-17 mettent fin à l'intouchabilité et bannissent ainsi toutes les restrictions d'accès dans les temples et autres lieux publics[1]. L'article 48 donne toutefois de larges latitudes aux États pour réguler les conditions d'abattage des vaches. Les conflits à ce sujet seront à l'origine de nombreuses émeutes et de lynchages à l'encontre de dalits ou de musulmans, régulièrement accusés de transporter des carcasses d'animaux abattus de façon indue. L'article 46 prévoit par ailleurs des mécanismes visant à promouvoir les intérêts éducatifs et économiques des *scheduled castes* (SC) et *scheduled tribes* (ST), c'est-à-dire les anciens intouchables et aborigènes discriminés. Les articles 338-339 organisent les commissions chargées du délicat travail de classement de la population du pays comme SC ou ST. L'article 340 prévoit des dispositifs similaires en faveur des *other backward classes* (OBC).

Dans un premier temps, seules les commissions visant à définir les SC et les ST furent mises en place. Le principe général était que les groupes classés comme SC et ST devaient rassembler des catégories de population remplissant une double condition : d'une part, elles devaient être objectivement défavorisées sur les plans du niveau d'éducation, des conditions de vie et de logement, et des types d'emploi occupés (chacune de ces dimensions socio-économiques étant mesurée lors des recensements et des enquêtes officielles) ; et d'autre part, ce retard socio-économique et ce dénuement matériel (*material deprivation*) devaient s'expliquer au moins en partie par des discriminations particulières subies dans le passé. Il s'agissait donc implicitement des anciens groupes d'intouchables et d'aborigènes placés en marge de la société hindoue traditionnelle (évoqués par exemple par Nesfield dans son récit de 1885). En pratique, à la suite des classifications

---

1. La Cour suprême en 1970 débouta cependant Periyar, qui voulait supprimer la prêtrise héréditaire au Tamil Nadu et imposer l'égal accès aux fonctions cléricales. Voir *ibid.*, p. 263. Pour une analyse de la stratification spatiale et des discriminations encore en place entre brahmanes et non-brahmanes dans l'Inde rurale des années 1950-1960, en lien notamment avec l'alimentation, voir A. Beteille, *Caste, Class and Power : Changing Patterns of Stratification in a Tanjore Village*, University of California Press, 1965.

mises en place par ces commissions, revues périodiquement, les différents recensements et enquêtes établirent que les SC et ST regroupaient environ 21 % de la population indienne totale dans les années 1950-1970, et 25 % dans les années 2000-2020.

En principe, des groupes sociaux et des anciennes *jatis* issus de toutes les religions pouvaient se voir accorder le statut de SC ou ST. Dans les faits, les musulmans en étaient quasiment exclus (à peine 1 %-2 % de SC-ST parmi eux). En revanche, près de la moitié des bouddhistes furent reconnus comme SC (suite notamment au mouvement de conversion relancé par Ambedkar pour fuir l'hindouisme) et près du tiers des chrétiens comme ST (de nombreux aborigènes et tribus isolées s'étaient convertis au christianisme à l'époque coloniale, ce qui avait d'ailleurs provoqué un soupçon d'insincérité au sein du pouvoir colonial). Le classement comme SC-ST ouvrait le droit à des places réservées dans les universités et la fonction publique, ainsi qu'à des circonscriptions réservées pour les élections législatives au niveau fédéral, en proportion des SC-ST dans la population.

L'article 340 de la Constitution concernant les OBC mit beaucoup plus de temps à être appliqué. Toute la difficulté était que le champ couvert était beaucoup plus large : pouvaient y figurer toutes les catégories sociales en situation de retard socio-économique ou de dénuement matériel, sans que cette situation soit nécessairement imputable à une discrimination passée. Concrètement, les OBC pouvaient potentiellement inclure l'ensemble des *shudra*, c'est-à-dire toute la population à l'exception des SC-ST et des plus hautes castes. Outre que les frontières inférieures et supérieures du groupe des OBC étaient difficiles à établir, les conséquences sur les élites de la société indienne étaient potentiellement beaucoup plus dommageables. Tant que les quotas ne portaient que sur 20 %-25 % des places, les brahmanes et autres classes élevées n'étaient pas véritablement menacés. Il restait 75 %-80 % de places disponibles, si bien que les meilleurs résultats scolaires obtenus par leurs enfants devaient suffire à leur trouver une place. Mais il en allait différemment si les quotas se mettaient à doubler ou tripler de taille, comme des États d'Inde du Sud avaient d'ailleurs déjà commencé à le faire avant l'indépendance, d'autant plus que le nombre absolu d'étudiants et de fonctionnaires était relativement réduit dans un pays aussi pauvre que l'Inde. Une première commission réunie en 1953-1956 conclut que les OBC représentaient au minimum 32 % de la population totale, ce qui, en incluant le quota SC-ST, aurait impliqué des « réservations » portant sur 53 % des places. Les réactions furent explosives au sein des hautes castes, et l'État fédéral décida sagement de ne rien faire, et de laisser les États expérimenter en la matière, ce qu'ils firent à grande échelle, en particulier en Inde du Sud. Au début des années 1970, la plupart des États avaient mis en place des mécanismes de discrimination positive allant au-delà des mécanismes fédéraux, en particulier en direction des OBC.

Puis la commission Mandal en 1978-1980 conclut que la mise en place des mécanismes fédéraux prévus par la Constitution ne pouvait plus être repoussée, et estima que les OBC devant bénéficier de quotas représentaient 54 % de la population (et non plus 32 %, ce qui démontra au passage les immenses difficultés rencontrées pour définir les contours de cette catégorie des OBC, en particulier dans sa frange supérieure). Le gouvernement fédéral se résolut finalement à lancer l'application des « réservations » OBC en 1989, ce qui déclencha des vagues d'immolations parmi de jeunes étudiants de hautes castes qui en conclurent que leur vie était fichue, en dépit de leurs notes plus élevées que nombre de camarades OBC. La Cour suprême indienne valida le dispositif en 1992, tout en précisant que les quotas ne pourraient excéder 50 % des places (en incluant à la fois les places pour les OBC et les SC-ST).

Les commissions compétentes pour statuer sur les contours de la catégorie se mirent en place, et depuis 1999 les enquêtes NSS (National Sample Survey) de la statistique publique indienne enregistrent officiellement les appartenances individuelles aux OBC. La proportion de la population classée comme OBC était de 36 % en 1999, 41 % en 2004 et 44 % en 2011 et 2014 (soit des niveaux assez différents de ceux envisagés par la commission Mandal, ce qui montre là encore la plasticité de la catégorie). Au total, au milieu des années 2010, on constate que près de 70 % de la population indienne bénéficie de la discrimination positive, soit au titre des SC-ST, soit au titre des OBC (voir graphique 8.5). Les quelque 30 % qui n'en bénéficient pas sont constitués pour plus de 20 % par les hautes castes hindoues (et plus généralement tous les hindous non classés comme SC-ST ou OBC) et pour un peu moins de 10 % par les musulmans, chrétiens, bouddhistes et sikhs non classés comme SC-ST ou OBC. Ces groupes sociaux élevés étaient historiquement ceux qui concentraient la quasi-totalité des places à l'université et dans l'emploi public ; l'objectif revendiqué des « réservations » est précisément que les 70 % du bas puissent accéder à une part substantielle de ces places.

Graphique 8.5

La discrimination positive en Inde, 1950-2015

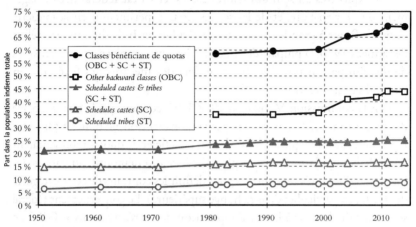

Lecture : les résultats indiqués ici sont issus des recensements décennaux 1951-2011 et des enquêtes NSS 1983-2014. Des quotas pour l'accès aux universités et aux emplois publics ont été mis en place pour les *schedules castes* (SC) et *scheduled tribes* (ST) (anciens intouchables et aborigènes discriminés) dès 1950, avant d'être étendus à partir de 1980-1990 aux *other backward classes* (OBC) (anciens *shudra*), à la suite de la commission Mandal en 1979-1980. Les OBC ne sont mesurés par les enquêtes NSS que depuis 1999, et les estimations indiquées ici pour 1981 et 1991 (35 % de la population) sont approximatives.
Sources et séries : voir piketty.pse.ens.fr/ideologie.

Il faut noter que la catégorie des OBC est largement ouverte aux musulmans, contrairement aux SC-ST, ce qui a d'ailleurs contribué à nourrir la montée en puissance des nationalistes hindous du BJP (Bharatiya Janata Party). Ce parti, qui repose sur un discours antimusulman assez marqué, attire par ailleurs un électorat de plus en plus centré sur les castes élevées, ce qui souligne l'interaction cruciale entre la structure socio-économique des électorats et l'évolution des mécanismes de redistribution sur lesquels se concentre le conflit politique et électoral (nous y reviendrons dans la quatrième partie de ce livre). Il faut également préciser que la Cour suprême a introduit en 1993 un critère de revenu pour l'application des quotas : si une caste est incluse parmi les OBC, alors sont exclus du bénéfice des quotas les membres de ce groupe faisant partie de la *creamy layer* (littéralement la « couche crémeuse », la couche la plus favorisée), c'est-à-dire les personnes bénéficiant d'un revenu annuel supérieur à un certain seuil (fixé initialement à 100 000 roupies en 1993, et qui est en 2019 de 800 000 roupies[1], ce qui en pratique exclut moins de 10 % de la population indienne).

1. Soit environ 30 000 euros en parité de pouvoir d'achat, et trois fois moins au taux de change courant.

Le dossier est cependant loin d'être clos. En particulier, ce dernier critère a posé la question centrale du lien entre l'appartenance à un groupe socialement et économiquement défavorisé (et anciennement discriminé, dans le cas des SC-ST) et les caractéristiques individuelles telles que le revenu ou le patrimoine. Par ailleurs, lors du recensement de 2011, pour la première fois depuis le recensement de 1931, il fut décidé de recueillir des informations portant sur l'ensemble des identités de caste et de *jati*, afin de procéder à une réévaluation générale des caractéristiques socio-économiques des différents groupes, à la fois en termes de niveau d'éducation, de catégorie d'emploi et de logement (murs et toits en bambou, en plastique, en bois, en brique, en pierre ou en béton), de tranche de revenus, du type d'actifs possédés (réfrigérateur, téléphone portable, mobylette, voiture) et de la taille des terres détenues. Le *Socio-Economic and Caste Census* (SECC) de 2011 tranche ainsi avec ceux menés de 1951 à 2001, qui recueillaient également le même type d'informations socio-économiques, mais sans poser de questions sur les castes et les *jatis* (à l'exception de l'appartenance aux SC-ST). C'est l'ensemble du système de « réservations » qui est susceptible d'être révisé et affecté par cette remise à plat. Le sujet est toutefois explosif, et à la fin des années 2010 les résultats détaillés du recensement de 2011 n'étaient toujours pas accessibles.

La Cour suprême a décidé fin 2018 d'étendre la règle de la *creamy layer* aux SC-ST, ce qui revient à dire que l'impact de discriminations statutaires anciennes ne peut justifier éternellement des mesures de compensation. Compte tenu du niveau relativement élevé du seuil de revenus utilisé, l'impact restera toutefois limité. Au début de l'année 2019, le gouvernement indien (BJP) a fait adopter une mesure visant à étendre le bénéfice des « réservations » aux membres des hautes castes disposant de revenus inférieurs à ce seuil, sans pour autant réduire les quotas accessibles aux autres groupes. Il est probable que ces questions continueront d'agiter les débats au cours des décennies à venir.

Succès et limitations de la discrimination positive à l'indienne

Les politiques de discrimination positive mises en place en Inde ont-elles permis de réduire les inégalités sociales liées aux catégories statutaires anciennes, ou bien ont-elles au contraire contribué à les figer ? Nous reviendrons sur cette question complexe dans les prochaines parties, en particulier quand nous étudierons les transformations de la structure socio-économique des clivages électoraux et politiques au sein de la plus grande démocratie du monde[1]. Plusieurs remarques peuvent déjà être formulées. Tout d'abord, l'examen du cas indien montre à quel point il est indispensable de procéder à une vaste remise en perspective historique et comparative avant d'aborder l'analyse des régimes inégalitaires du XXIe siècle. La structure des inégalités en vigueur en Inde actuellement est le produit d'une histoire complexe, mettant en jeu la transformation d'une société trifonctionnelle ancienne, dont l'évolution a été considérablement affectée par sa rencontre avec les colonisateurs britanniques, qui décidèrent de mettre en place une codification administrative rigide des identités sociales locales. L'enjeu aujourd'hui n'est plus vraiment de savoir comment le régime inégalitaire indien aurait évolué sans la colonisation. La question est largement indécidable, tant les deux siècles de présence britannique, sous l'emprise de l'EIC (1757-1858) puis de l'administration directe (1858-1947), ont totalement bouleversé les logiques antérieures. La question importante est plutôt de déterminer les meilleures stratégies permettant de sortir par le haut de ce très lourd héritage inégalitaire, à la fois trifonctionnel et colonial.

Les éléments disponibles suggèrent que les politiques menées en Inde ont permis de réduire significativement les inégalités entre les anciennes castes discriminées et le reste de la population entre les années 1950 et les années 2010, d'une façon plus forte par exemple que dans le cas des inégalités entre Noirs et Blancs aux États-Unis, et incomparablement plus forte que les inégalités entre Noirs et Blancs en Afrique du Sud depuis la fin de l'apartheid (voir graphique 8.6). Ces comparaisons sont certes loin d'épuiser le débat. Le fait que les Noirs sud-africains disposent d'un revenu moyen inférieur de 20 % à celui des Blancs dans les années 2010, alors que les SC et ST, anciens intouchables et aborigènes discriminés, disposent d'un revenu supérieur de 70 % à celui du reste de la population, doit être relativisé, dans la mesure où les deux configurations sont très différentes. Les Noirs représentent plus de 80 % de la population sud-africaine, alors que les SC-ST forment 25 % de la population indienne. La comparaison avec les Noirs étatsuniens (12 % de la population) est de ce point de vue plus pertinente. Elle montre une réduction des écarts sensiblement plus forte dans le cas indien, pour

1. Voir quatrième partie, chapitre 16, p. 1067-1089.

un même point de départ dans les années 1950 (avec un ratio autour de 50 %, autant que les données imparfaites permettent d'en juger). Le niveau de vie moyen demeure toutefois autrement plus faible en Inde qu'aux États-Unis, ce qui limite la portée de l'exercice. Les enquêtes disponibles permettent également de constater que, si les membres des anciennes castes élevées (en particulier les brahmanes) continuent de bénéficier de revenus, de patrimoines et de diplômes sensiblement plus élevés que le reste de la population, les écarts observés sont d'une ampleur nettement plus modérée que dans d'autres pays marqués par de fortes inégalités statutaires comme l'Afrique du Sud, ce qui, il est vrai, revient là encore à ne pas fixer la barre très haut[1].

Graphique 8.6

Discrimination positive et inégalités en perspective comparative

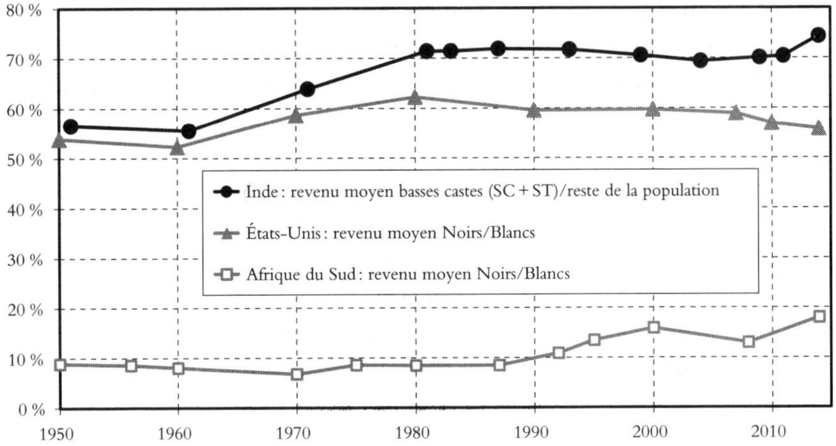

Lecture : le ratio entre le revenu moyen des basses castes en Inde (*scheduled castes and tribes*, SC + ST, anciens intouchables et aborigènes discriminés) et celui du reste de la population est passé de 57 % en 1950 à 74 % en 2014. Le ration entre le revenu moyen des Noirs et des Blancs est passé dans le même temps de 54 % à 56 % aux États-Unis, et de 9 % à 18 % en Afrique du Sud.
Sources et séries : voir piketty.pse.ens.fr/ideologie.

1. Le revenu moyen des non-brahmanes se situe dans les années 2010 à environ 65 % de celui des brahmanes (à peine plus de 5 % de la population, donc une élite plus étroite que les Blancs sud-africains). Voir annexe technique et les données rassemblées par N. BHARTI, « Wealth Inequality, Class and Caste in India, 1951-2012 », WID.world, Working Paper n° 2018/14. Sur les inégalités raciales aux États-Unis, voir R. MANDUCA, « Income Inequality and the Persistence of Racial Economic Disparities », *Sociological Science*, vol. 5, 2018, p. 182-205 ; P. BEYER, K. KOFI CHARLES, « Divergent Paths. A New Perspective on Earnings Differences between Black and White Men since 1940 », *Quarterly Journal of Economics*, vol. 133 (3), 2018, p. 1459-1501.

De façon peut-être plus probante encore, de nombreux travaux ont montré que les mécanismes mis en place dans le cadre de la démocratie parlementaire indienne avaient permis dans une large mesure d'intégrer les classes populaires au jeu électoral et politique. En particulier, les « réservations » de sièges pour les SC-ST appliquées à toutes les élections législatives fédérales depuis le début des années 1950 ont conduit tous les partis politiques à promouvoir des élus issus des SC et ST, en proportion de leur part dans la population, et il est très peu probable qu'un tel résultat aurait été obtenu en l'absence d'un tel mécanisme[1]. En 1993, un amendement à la Constitution a contraint les États qui ne l'avaient pas encore fait à réserver aux femmes un tiers des *panchayat* (mairies). Des travaux ont montré que le fait d'avoir expérimenté des femmes à la tête de son *panchayat* avait permis de réduire fortement les stéréotypes négatifs vis-à-vis d'elles, mesurés par exemple par les réactions suscitées par la lecture de mêmes discours politiques par des voix masculines et féminines, ce qui constitue peut-être la preuve la plus convaincante de la nécessité et de l'efficacité potentielle des politiques de discrimination positive pour venir à bout de préjugés anciens[2]. Des débats sont toujours en cours en Inde pour savoir s'il faudrait également amender la Constitution pour réserver aux femmes un tiers des circonscriptions aux élections législatives fédérales, et sur la façon dont ces nouvelles « réservations » devraient s'articuler avec les sièges réservés aux *scheduled castes* et *scheduled tribes*.

Plus généralement, concernant l'intégration politique des classes défavorisées, et en particulier des OBC (qui contrairement aux SC et ST ne bénéficient pas de quotas de sièges au niveau fédéral) au sein de la démocratie parlementaire et électorale indienne, il faut souligner le rôle essentiel joué par le développement depuis les années 1980-1990 de nouveaux partis visant à mobiliser les plus basses castes. Cette « démocratie par la

1. Voir F. JENSENIUS, *Social Justice Through Inclusion : The Consequences of Electoral Quotas in India*, Oxford University Press, 2017. Les sièges réservés évoluent en fonction des recensements et redécoupages. En 2014, les circonscriptions SC comprenaient 25 % d'électeurs SC, contre 17 % pour la moyenne nationale. Les élus SC-ST ne semblent pas voter différemment des autres ou conduire à des politiques socio-économiques différentes (au sein d'un parti donné), ce qui peut être vu comme une déception, ou au contraire comme le signe d'une intégration sociale réussie au sein des partis et du système politique.

2. Voir L. BEAMAN, R. CHATTOPADHYAY, E. DUFLO, R. PANDE, P. TOPALOVA, « Powerful Women : Does Exposure Reduce Bias ? », *Quarterly Journal of Economics*, vol. 124 (4), 2009, p. 1497-1540.

caste », analysée notamment par Christophe Jaffrelot[1], a parfois pris la forme de partis politiques surprenants aux yeux des élites, qui, en Inde comme ailleurs, sont souvent tentées de qualifier de « populistes » des mobilisations populaires dont elles se sentent exclues. En 1993, l'un des slogans du BSP, parti de basses castes qui a pris le pouvoir en Uttar Pradesh dans les années 1990 et 2000 avant de devenir le troisième parti en voix aux élections fédérales de 2014 (derrière les nationalistes hindous du BJP et le parti du Congrès), exprimait un rejet parfaitement explicite des hautes castes : *Priest, merchant, soldier, boot them out forever*[2]. Nous verrons dans la quatrième partie de ce livre que ce type de mobilisation a permis une forte participation démocratique, ainsi que le développement d'une forme de clivage de classes au sein du système électoral indien, ce qui n'avait rien d'évident dans le contexte des dernières décennies.

Cela étant posé, il serait tout à fait inadapté d'idéaliser l'utilisation qui a été faite des systèmes de « réservations » comme vecteur privilégié de la réduction des inégalités en Inde, et plus généralement la façon dont les identités de caste ont été instrumentalisées dans le jeu politique indien. Par construction, les places réservées dans les universités, la fonction publique et les assemblées élues ne peuvent concerner qu'une petite minorité des classes sociales les plus désavantagées. Ces promotions individuelles sont très importantes, et peuvent parfaitement justifier des mécanismes de quotas, surtout dans des situations où les discriminations et les préjugés sont aussi clairement établis que dans le contexte indien. Mais elles ne peuvent suffire. Pour réduire véritablement les inégalités sociales en Inde, il aurait surtout fallu investir massivement dans les services publics de base ouverts aux couches indiennes les plus défavorisées (SC-ST et OBC confondus), par-delà les anciennes frontières statutaires et confessionnelles, notamment en matière d'éducation, de santé publique et d'infrastructures sanitaires et de transport.

Or les ressources investies ont été très limitées, non seulement évidemment par comparaison aux pays les plus riches, mais également et surtout

---

1. Voir C. JAFFRELOT, *Inde : la démocratie par la caste. Histoire d'une mutation sociopolitique 1885-2005*, Fayard, 2005. Sur l'importance centrale de la caste et de son dépassement dans la réflexion sur les régimes inégalitaires de type statutaire, voir également ID., « Partir de la caste pour penser les assignations statutaires », *in* C. JAFFRELOT, J. NAUDET, *Justifier l'ordre social*, PUF, 2013.

2. Voir A. TELTUMBE, *Republic of Caste : Thinking Equality in a Time of Neoliberal Hindutva*, Navayana, 2018, p. 346.

par rapport aux voisins asiatiques. Au milieu des années 2010, les budgets publics totaux alloués à la santé dépassaient ainsi à peine 1 % du revenu national en Inde, contre plus de 3 % en Chine (et 8 % en Europe). Pour Jean Drèze et Amartya Sen, le fait que les classes indiennes les plus aisées ont refusé de payer les impôts requis pour financer les dépenses sociales nécessaires est pour partie la conséquence d'une culture politique hindoue particulièrement élitiste et inégalitaire (que le système de quotas permet d'une certaine façon de dissimuler). Il en résulte que l'Inde, malgré les succès indéniables de son modèle de démocratie parlementaire, d'État de droit et d'inclusion politique et juridique des classes populaires, a perdu beaucoup de terrain sur le plan du développement économique comme des indicateurs sociaux élémentaires, y compris vis-à-vis de pays voisins qui n'étaient pas spécialement plus avancés dans les années 1960 ou 1970, loin de là. Si l'on examine l'évolution des indicateurs sanitaires et éducatifs disponibles depuis les années 1970-1980, on constate que la comparaison tourne au désavantage de l'Inde non seulement vis-à-vis de la Chine et d'autres pays communistes (ou néocommunistes) comme le Vietnam, mais également vis-à-vis de pays moins élitistes que l'Inde comme le Bangladesh[1]. Dans le cas de l'Inde, il est particulièrement frappant de constater que le déficit criant d'infrastructures sanitaires comme l'eau courante et les toilettes (d'après les estimations disponibles, la défécation ouverte concernait encore la moitié de la population au milieu des années 2010) aille de pair avec un discours politique stigmatisant et des mesures parfois explicitement discriminatoires pour les populations concernées[2].

Il faut certes ajouter à ces facteurs le poids de l'environnement international. Dans un contexte idéologique et institutionnel marqué par une concurrence fiscale exacerbée pour attirer les investisseurs privés et les

---

1. Voir J. DRÈZE, A. SEN, *An Uncertain Glory : India and its Contradictions*, Princeton University Press, 2013. Le contraste avec le bilan comparatif moins alarmiste qu'ils tiraient vingt ans plus tôt est à la fois justifié et révélateur. Voir ID., *India. Economic Development and Social Opportunity*, Oxford University Press, 1995.

2. En 2015, les gouvernements BJP du Rajasthan et de l'Haryana ont restreint l'accès aux fonctions électives aux personnes disposant de toilettes et d'une éducation suffisante (scolarité minimale de 5 ans pour les femmes et 8 ans pour les hommes), et ces mesures furent validées par la Cour suprême. En 2018, un formulaire d'admission scolaire demandant si les parents avaient une *unclean occupation* (et visant clairement les enfants d'anciens intouchables) fit scandale et fut finalement abandonné dans l'Haryana. Voir A. TELTUMBE, *Republic of Caste*, *op. cit.*, p. 57-75.

contribuables les plus riches et par le développement sans précédent des paradis fiscaux, il s'est avéré de plus en plus difficile depuis les années 1980-1990 pour les pays les plus pauvres, en Inde mais aussi dans d'autres parties du monde (en particulier en Afrique subsaharienne), de développer des normes de justice fiscale et des niveaux de recettes adaptés à une stratégie ambitieuse de construction de l'État social. Nous reviendrons de façon détaillée sur ces questions dans la prochaine partie[1]. Il reste que, dans le cas de l'Inde, l'insuffisance des dépenses éducatives et sanitaires en faveur des classes les plus défavorisées peut également être reliée à des facteurs domestiques plus anciens. En particulier, ce retard doit être mis en parallèle avec le développement dès 1950 des « réservations » en faveur des basses castes, politique qui aux yeux des classes favorisées progressistes la soutenant (en particulier au sein du parti du Congrès) avait le grand mérite de ne rien coûter à personne en recettes fiscales et, au final, se faisait principalement au détriment des OBC. À l'inverse, la mise en place d'un service public universel d'éducation et de santé de qualité élevé, accessible à tous, en particulier aux SC-ST comme aux OBC, aurait eu un coût fiscal important, notamment pour les groupes les plus favorisés.

Inégalités propriétaristes, inégalités statutaires

L'autre politique structurelle, en dehors de l'éducation et de la santé, qui aurait pu permettre une forte réduction des inégalités entre les classes sociales indiennes est naturellement la redistribution de la propriété, et en particulier des terres agricoles. Malheureusement, aucune réforme agraire ne fut lancée ni même soutenue au niveau fédéral. De façon générale, la Constitution de 1950 comme les principaux acteurs politiques de l'Inde indépendante avaient une approche relativement conservatrice des questions de propriété. Cela valait non seulement pour les leaders du parti du Congrès, mais également pour les leaders dalits comme Ambedkar, dont le combat pour « l'annihilation de la caste » (titre de son discours censuré de 1936) passait par des mesures radicales comme les électorats séparés et la conversion au bouddhisme, mais qui refusait de s'engager sur des mesures qui remettraient en cause le régime de propriété. Cette attitude s'expliquait en partie par sa méfiance vis-à-vis des marxistes, qui dans le contexte indien avaient tendance à tout ramener aux questions de

---

1. Voir en particulier chapitre 13, p. 807-810.

propriété des moyens de production, quitte à négliger selon Ambedkar les discriminations subies par les ouvriers dalits de la part des non-dalits dans les usines textiles de Mumbai, et à feindre de croire que ces problèmes se régleraient d'eux-mêmes, dès lors que la propriété privée aurait cessé d'exister[1].

Au-delà du cas d'Ambedkar, il est intéressant de noter que de multiples débats eurent lieu en Inde dans les années 1950-1970 sur l'opportunité de réformes agraires ambitieuses, ainsi que sur la possibilité de fonder les quotas sur des caractéristiques familiales « objectives » (revenus, patrimoines, diplômes, etc.) et non sur la caste. Ces débats butèrent sur deux contre-arguments principaux : d'une part, beaucoup insistèrent sur le fait que la caste était une catégorie pertinente pour réduire les inégalités et organiser les politiques publiques en Inde (à la fois du fait que les pratiques discriminatoires peuvent se fonder sur la caste en tant que telle et des difficultés considérables liées à la mesure des caractéristiques « objectives ») ; d'autre part, on craignait de ne pas savoir où arrêter la réforme agraire, et plus généralement on n'était pas sûr de parvenir à un accord sur la meilleure façon de combiner le revenu, le patrimoine et les autres paramètres pertinents pour réguler le système de quotas, et au-delà pour structurer la redistribution[2].

Tous ces débats indiens sont essentiels pour notre enquête, pour plusieurs raisons. Tout d'abord, nous avons déjà rencontré à de multiples reprises cette crainte de la boîte de Pandore de la redistribution de la propriété et des revenus, qu'il vaudrait mieux ne jamais ouvrir de peur de ne savoir comment la refermer. L'argument a été utilisé sous toutes les latitudes et à toutes les époques pour justifier le maintien en l'état des droits de propriété établis dans le passé. Nous l'avons croisé sous la Révolution française, parmi les Lords britanniques, et lors des abolitions de l'esclavage et des débats autour de la nécessaire compensation des propriétaires. Il n'est donc pas étonnant de le retrouver en Inde, dans un contexte où se cumulent les inégalités statutaires et propriétaristes. Le problème est que cet argument « pandorien » ne règle rien au sentiment d'injustice et au risque de violence. En particulier, des parties

---

1. Sur les conflits et polémiques entre Ambedkar et les leaders du Communist Party of India (fondé en 1925) dans l'entre-deux-guerres, voir A. TELTUMBE, *Republic of Caste*, *op. cit.*, p. 105-107.

2. Voir S. BAYLY, *Caste, Society and Politics in India*, *op. cit.*, p. 288-293 ; N. DIRKS, *Castes of Mind*, *op. cit.*, p. 283-285.

importantes du territoire indien sont secouées de façon quasi continue depuis les années 1960 par des soulèvements naxalites-maoïstes, qui opposent pour une large part des paysans sans terre issus des anciennes populations intouchables et aborigènes et des propriétaires terriens issus de castes plus élevés[1]. Ces conflits se déroulent dans le cadre de systèmes fonciers et de relations de propriété qui n'ont parfois pas beaucoup changé depuis le féodalisme hindou et sa consolidation par le colonisateur britannique, et qui encore aujourd'hui alimentent la spirale identitaire et les violences intercastes[2].

Une réforme agraire ambitieuse, doublée d'une fiscalité plus redistributrice finançant de meilleurs services éducatifs et sanitaires, aurait permis de tirer vers le haut les classes défavorisées et de réduire les inégalités indiennes. Des recherches ont également montré que les expériences limitées de réforme agraire menées dans certains États, notamment au Bengale-Occidental à la suite de la victoire électorale des communistes en 1977, avaient conduit à des améliorations significatives de la productivité agricole. Au Kerala, la réforme agraire menée à partir de 1964 sous l'impulsion des communistes est allée de pair avec la mise en place d'un modèle de développement plus égalitaire que dans le reste de l'Inde, notamment en matière d'éducation et santé. À l'inverse, les régions indiennes caractérisées par les systèmes fonciers les plus inégalitaires et la propriété terrienne la plus concentrée sont celles qui ont connu le développement économique et social le moins rapide[3].

---

1. Le terme « naxalite » renvoie au village de Naxalbari, dans le nord du Bengale, où des paysans sans terre s'emparèrent en 1967 des réserves de riz d'un propriétaire terrien et lancèrent le mouvement. Il est devenu synonyme de rebelles antigouvernementaux en général, comme avec l'arrestation au Maharashtra en 2018 de « naxalites urbains » (en réalité des intellectuels pro-dalits, tels que ceux évoqués dans le film *Court* réalisé par C. Tamhane en 2014), suite aux commémorations conflictuelles du bicentenaire de la bataille de Koregaon (1818), interprétée comme un affrontement entre dalits et *marathes* selon les premiers, mais comme une bataille contre les Anglais pro-dalits selon les seconds.

2. Voir S. BAYLY, *Caste, Society and Politics in India, op. cit.*, p. 344-364 ; A. TELTUMBE, *Republic of Caste, op. cit.*, p. 179-202.

3. Voir en particulier A. BANERJEE, P. GERTLER, M. GHATAK, « Empowerment and Efficiency : Tenancy Reform in West Bengal », *Journal of Political Economy*, vol. 110 (2), 2002, p. 239-280 ; A. BANERJEE, L. IYER, R. SOMANATHAN, « History, Social Divisions and Public Goods in Rural India », *Journal of the European Economic Association*, vol. 3 (2-3), 2005, p. 639-647 ; A. BANERJEE, L. IYER, « History, Institutions and Economic Performance : The Legacy of Colonial Land Tenure Systems in India », *American Economic Review*, vol. 95 (4), 2005, p. 1190-1213.

Des quotas genrés et sociaux et des conditions de leur transformation

Ensuite et surtout, les débats indiens sont essentiels, car ils illustrent la nécessité de prendre au sérieux la question des politiques antidiscriminatoires (s'il le faut au moyen de quotas), et en même temps le besoin de repenser et d'adapter sans cesse ces politiques afin de ne pas les figer. Quand un groupe est victime de préjugés et de stéréotypes anciens et établis, comme les femmes un peu partout dans le monde ou certains groupes sociaux spécifiques dans les différents pays (comme les basses castes en Inde), il est clairement insuffisant d'organiser la redistribution uniquement en fonction du revenu, du patrimoine ou du diplôme. Il peut alors être nécessaire de mettre en place des accès préférentiels et des quotas (les « réservations » dans le contexte de l'Inde) fondés directement sur l'appartenance à ces groupes en tant que tels.

À la suite de l'Inde, de nombreux pays ont développé au cours des dernières décennies des systèmes comparables, en particulier quant à l'accès aux fonctions électives. En 2016, 77 pays utilisaient des systèmes de quotas pour accroître la représentation des femmes au sein de leurs assemblées législatives, et 28 pays faisaient de même pour promouvoir une meilleure représentation de diverses minorités nationales, linguistiques ou ethniques, en Asie et en Europe comme sur tous les continents[1]. Dans les démocraties électorales des pays riches, la forte baisse au cours des dernières décennies de la proportion de députés issus des classes populaires (ouvriers et employés notamment) a conduit à renouveler la réflexion sur les formes de la représentation politique, y compris sur la question du tirage au sort ou sous la forme d'un « quota social[2] », un système qui s'approcherait des « réservations » à l'indienne, et sur lequel nous reviendrons.

Nous verrons également que des pays comme la France ou les États-Unis commencent tout juste à formaliser des mécanismes d'accès préférentiel à l'éducation et à l'enseignement supérieur, avec par exemple en France une prise en compte explicite des origines sociales (sous forme d'un bonus pour les élèves à bas revenu parental ou issu d'un quartier défavorisé, s'ajoutant aux notes) dans les algorithmes d'admission dans les lycées

---

1. Voir F. Jensenius, *Social Justice Through Inclusion*, op. cit., p. 15-20.
2. Voir J. Cagé, *Le Prix de la démocratie*, Fayard, 2018.

parisiens depuis 2007 et dans l'enseignement supérieur français depuis 2018. D'autres critères sont parfois ajoutés, comme le territoire ou l'école d'origine. Ces mécanismes s'approchent des dispositifs de quotas appliqués aux étudiants SC-ST au niveau fédéral en Inde depuis 1950, et plus encore des mécanismes d'admission expérimentés depuis les années 1960 par nombre d'universités indiennes (comme Jawaharlal Nehru University à Delhi) pour aller au-delà des quotas fédéraux, en prenant en compte à la fois les notes et un ensemble de points dépendant du fait d'appartenir aux SC-ST, mais également du genre, du revenu parental et de la région d'origine.

Que l'Inde ait été pionnière sur ces questions témoigne de la tentative du pays de faire face, avec les moyens de l'État de droit, à un héritage inégalitaire particulièrement lourd, lié à des inégalités statutaires issues des logiques trifonctionnelles anciennes, et rigidifiées de surcroît par la codification coloniale britannique. Il ne s'agit pas d'idéaliser ici la façon dont l'Inde indépendante a fait face à cet héritage, mais simplement de constater que l'on peut tirer de nombreux enseignements de cette expérience. Les autres pays, en particulier en Europe, se sont longtemps imaginé que de tels dispositifs de discrimination positive étaient inutiles, puisque les membres des différentes classes sociales étaient réputés égaux en droit, en particulier face à l'éducation. On se rend mieux compte en ce début de XXIe siècle à quel point l'égalité formelle est insuffisante et doit parfois être complétée par des dispositifs plus volontaristes.

Pour autant, l'expérience de l'Inde illustre également les risques que les quotas font courir en termes de sédimentation des identités et des catégories, et souligne le besoin d'inventer des systèmes plus flexibles et évolutifs. Il est possible que les quotas mis en place en faveur des SC-ST depuis 1950, puis des OBC depuis 1990, tout cela après des décennies de recensements coloniaux et d'assignations identitaires, aient contribué à figer les identités de caste et de *jati*. Le mariage à l'extérieur de la *jati* a certes progressé : d'après les enquêtes disponibles, il concernait à peine 5 % des mariages dans les années 1950, dans les zones rurales comme dans les zones urbaines, pour atteindre 8 % des mariages ruraux et 10 % des mariages urbains dans les années 2010. Il faut également rappeler que le mariage intra-*jati* exprime la persistance de proximités et de solidarités sociales à l'intérieur de microgroupes partageant des origines socioprofessionnelles, régionales, culturelles ou parfois culinaires communes, bien davantage qu'une logique verticale et hiérarchique. Par exemple, si l'on mesure les probabilités de se mettre en couple avec une personne de même niveau de diplôme (ou avec une personne dont les parents ont le même niveau de diplôme que les siens), alors on constate que le degré d'homogamie sociale en Inde, tout en étant très élevé, est approximativement du même ordre que celui observé en France ou dans les autres pays occidentaux[1]. Rappelons par ailleurs que les taux d'intermariage entre les personnes issues de différentes origines nationales, religieuses ou ethniques sont souvent extrêmement faibles en Europe et aux États-Unis (nous y reviendrons), et que les *jatis* indiennes reflètent pour partie des identités régionales et culturelles distinctes. Il est toutefois permis de penser que le mariage intra-*jati*, qui reste très élevé en Inde, exprime une forme de fermeture sociale, et que l'utilisation excessive de mécanismes de quotas et de stratégies de mobilisations politiques fondées sur la caste contribue à pérenniser cette situation.

Idéalement, un système de quotas devrait prévoir les conditions de sa propre transformation. Autrement dit, des « réservations » en faveur de groupes discriminés devraient prévoir de cesser de s'appliquer à mesure que le mécanisme mis en œuvre permet de faire diminuer les préjugés. S'agissant des quotas sociaux et non genrés, il paraît également essentiel de s'appuyer aussi vite que possible sur des critères socio-économiques objectifs tels que le revenu, le patrimoine ou le diplôme, faute de quoi les catégories visées (telles que les SC-ST en Inde) risquent de se figer et de compliquer considérablement le développement de normes de justice acceptables par tous. Il est possible que le système de quotas indiens soit au milieu d'une grande transformation lui permettant de passer graduellement d'une logique s'appuyant sur les catégories statutaires anciennes à un système basé sur les revenus et les actifs détenus, et sur d'autres critères socio-économiques objectivables et applicables à d'autres groupes. La transition paraît toutefois très lente et, pour pouvoir s'appliquer de façon juste, exigerait le développement d'un meilleur système d'enregistrement des revenus et des propriétés, en lien avec la transformation du système

---

1. Voir annexe technique et les comparaisons réalisées par N. BHARTI, « Wealth Inequality, Class and Caste in India, 1951-2012 », art. cité. Voir également A. BANERJEE, E. DUFLO, M. GHATAK, J. LAFORTUNE, « Marry for What ? Caste and Mate Selection in Modern India », *American Economic Journal*, vol. 5 (2), 2013, p. 33-72. Les enquêtes déclaratives enregistrent entre quelques milliers et plusieurs dizaines de milliers de *jatis* suivant les questionnaires utilisés, compte tenu des réponses multiples et des nombreuses sous-*jatis*.

fiscal, sur laquelle nous reviendrons dans la suite de ce livre. En tout état de cause, c'est en prenant pleinement la mesure des succès et des limites de l'expérience indienne qu'il sera possible d'aller plus loin dans le dépassement des inégalités sociales et statutaires anciennes, en Inde comme dans le reste du monde.

Chapitre 9

SOCIÉTÉS TERNAIRES ET COLONIALISME : TRAJECTOIRES EURASIATIQUES

Nous avons étudié dans les précédents chapitres le cas des sociétés esclavagistes puis des sociétés coloniales postesclavagistes, en analysant plus particulièrement le cas de l'Afrique puis celui de l'Inde. Avant d'aborder l'étude de la crise des sociétés propriétaristes et coloniales au XXᵉ siècle, ce que nous ferons dans la prochaine partie, il nous faut compléter l'analyse du colonialisme et des conséquences sur la transformation des régimes inégalitaires extraeuropéens. Nous allons dans ce chapitre traiter notamment du cas de la Chine, du Japon et de l'Iran, et plus généralement de la façon dont la rencontre entre les puissances européennes et les principales structures étatiques asiatiques a contribué à forger différentes trajectoires inégalitaires, sur le plan à la fois politico-idéologique et institutionnel.

Nous allons commencer par examiner le rôle central joué par les rivalités entre États européens dans le développement d'une capacité fiscale et militaire sans précédent au cours du XVIIᵉ et du XVIIIᵉ siècle, sans commune mesure par exemple avec celle observée au même moment dans les Empires chinois et ottomans. Cette puissance étatique européenne, mue par une compétition exacerbée entre plusieurs constructions étatiques et communautés sociopolitiques de taille comparable en Europe (en particulier entre la France, le Royaume-Uni et l'Allemagne), apparaît dans une large mesure à l'origine de la domination militaire, coloniale et économique occidentale qui a longtemps caractérisé le monde moderne. Nous analyserons ensuite la diversité des constructions idéologiques et politiques qui ont succédé aux sociétés trifonctionnelles asiatiques à la suite de leur rencontre avec le colonialisme européen. Au-delà du cas de l'Inde, nous évoquerons en particulier ceux du Japon, de la Chine et de l'Iran. Nous verrons que la multiplicité des évolutions et des bifurcations possibles invite de nouveau à relativiser l'importance des déterminismes culturels et civilisationnels, et à insister sur l'importance des logiques sociopolitiques et événementielles dans la transformation des régimes inégalitaires.

Le colonialisme, la domination militaire et la prospérité occidentale

Nous avons déjà évoqué à de multiples reprises le rôle central joué par l'esclavage, le colonialisme et plus généralement les formes les plus brutales de coercition et de domination policière et militaire dans le processus de montée en puissance de l'Europe entre 1500 et 1960. Il est peu contestable que la force pure et dure a joué un rôle central dans le commerce triangulaire et la mise au travail des Africains dans les îles esclavagistes françaises et britanniques, dans le sud des États-Unis et au Brésil. Le fait que les matières premières extraites de ces plantations ont apporté des bénéfices considérables aux puissances coloniales, et en particulier que le coton a joué un rôle central dans le décollage de l'industrie textile, est tout aussi bien établi. Nous avons également analysé comment l'abolition de l'esclavage s'était accompagnée de généreuses indemnités aux propriétaires (avec dans le cas de Haïti une lourde dette vis-à-vis de la France jusqu'en 1950, et dans le cas étatsunien la privation des droits civiques des descendants d'esclaves jusqu'aux années 1960, voire jusqu'aux années 1990 dans la variante sud-africaine). Enfin nous avons étudié comment le colonialisme postesclavagiste s'était également appuyé sur diverses formes d'inégalités légales et statutaires, ainsi que sur le travail forcé, appliqué par exemple dans les colonies françaises jusqu'en 1946[1].

Nous allons maintenant examiner comment la domination militaire européenne, qui s'imposa graduellement au cours des XVIIᵉ et XVIIIᵉ siècles, avant de devenir hégémonique au XIXᵉ et au début du XXᵉ, s'est appuyée sur le développement d'une capacité fiscale et administrative sans précédent des États européens au cours de cette période. Les données permettant de mesurer le poids des impôts dans les différents pays sont certes limitées avant le XIXᵉ siècle. Plusieurs faits sont toutefois bien établis. En particulier, des recherches récentes ont permis de collecter sur une base aussi homogène que possible les recettes fiscales des principaux États européens

---

1. Voir chapitres 6-7.

et celles de l'Empire ottoman depuis le début du XVIe jusqu'au XIXe siècle[1]. La principale difficulté est de parvenir à comparer les montants de façon significative : si les populations des États sont relativement bien connues, tout du moins en première approximation, il n'en va pas de même des niveaux d'activité économique, qui ne sont saisis que de façon très incomplète. Il faut également souligner que de nombreux paiements obligatoires (ou quasi obligatoires) étaient alors réalisés au bénéfice d'autres acteurs et structures collectives, en particulier des organisations religieuses, des fondations pieuses, des seigneuries locales ou des ordres militaires, aussi bien en Europe que dans le monde ottoman, perse, indien ou chinois, qu'il serait d'ailleurs intéressant de comparer sur ce point. Les éléments présentés ici concernent uniquement les recettes collectées par l'État central au sens strict.

Une première façon de procéder consiste à estimer la valeur en argent ou en or des recettes fiscales collectées par les États dans les différentes monnaies en vigueur. À une époque où la monnaie avait toujours un soubassement métallique, cela permet de se faire une bonne idée de la capacité des États à financer leur politique, par exemple pour rétribuer des soldats, acquérir des marchandises, ou financer la construction de routes et de bateaux. En l'occurrence, on constate une progression spectaculaire des sommes collectées par les États européens entre le début du XVIe siècle et la fin du XVIIIe siècle. Autour de 1500-1550, les recettes fiscales des principales puissances européennes, comme le royaume de France et le royaume d'Espagne, se situaient à environ 100-150 tonnes d'argent par an, soit approximativement le même montant que l'Empire ottoman. À ce même moment, l'Angleterre collecte à peine 50 tonnes par an, ce qui s'explique en partie par sa population plus réduite[2]. Au cours des siècles suivants, ces ordres de grandeur vont se transformer radicalement, en particulier au fil d'une rivalité croissante entre l'Angleterre et la France : les deux pays atteignent respectivement 600 et 900 tonnes d'argent par an autour de 1700, 800 et 1 100 tonnes dans les années 1750, puis 1 600

---

1. Voir annexe technique ; voir également K. KARAMAN, S. PAMUK, « Ottoman State Finances in European Perspective », *Journal of Economic History*, vol. 70 (3), 2010, p. 593-629.

2. Aux XIVe-XVe siècles, les recettes fiscales des royaumes de France et d'Angleterre étaient toujours inférieures à 100 tonnes d'argent par an, tout en traversant de multiples cycles et retournements, liés aux conflits militaires et aux regroupements territoriaux en cours. Voir par exemple J.-P. Genet, « France, Angleterre, Pays-Bas : l'État moderne », *in* P. BOUCHERON, *Histoire du monde au XVe siècle*, t. I : *Territoires et Écritures du monde* (2009), Pluriel, 2012, p. 248-249.

et 1 900 tonnes dans les années 1780, laissant les autres États européens loin derrière. Surtout, le fait central est que les recettes fiscales collectées par l'État ottoman sont restées quasiment au même niveau entre 1500 et 1780 : à peine 150-200 tonnes. À partir de 1750, ce sont non seulement la France et l'Angleterre qui ont une capacité fiscale nettement supérieure à celle de l'État ottoman, mais également l'Autriche, la Prusse, l'Espagne et la Hollande (voir graphique 9.1).

Graphique 9.1

La capacité fiscale des États, 1500-1780 (tonnes d'argent)

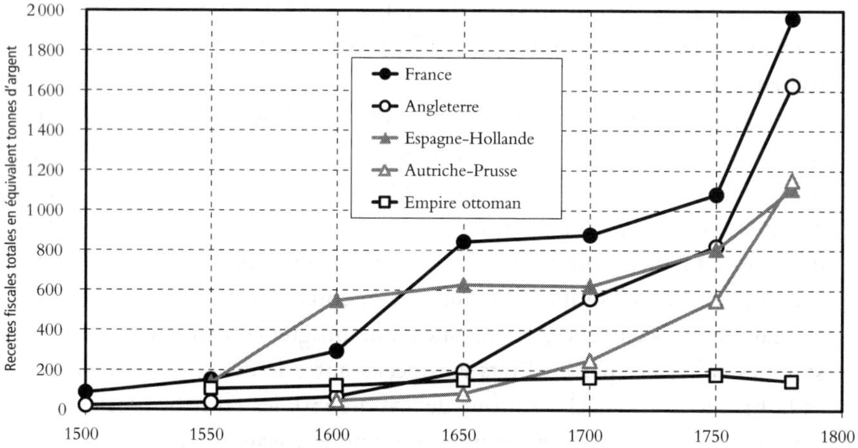

Lecture : autour de 1500–1550, les recettes fiscales des principaux États européens comme de l'Empire ottoman se situaient à un niveau équivalant à 100-200 tonnes d'argent par an. Dans les années 1780, les recettes fiscales de la France et l'Angleterre étaient comprises entre 1 600 et 2 000 tonnes d'argent par an, alors que celles de l'État ottoman demeuraient inférieures à 200 tonnes.
Sources et séries : voir piketty.pse.ens.fr/ideologie.

Ces évolutions s'expliquent pour partie par l'évolution des populations (rappelons en particulier que la France était de loin le pays européen le plus peuplé au XVIIIe siècle) et des richesses produites (par exemple en Angleterre, dont la plus faible population est compensée par une production par habitant plus importante). Mais elles s'expliquent aussi et surtout par l'intensification de la pression fiscale dans les États européens, alors que celle-ci reste stable dans l'Empire ottoman. Pour mesurer l'intensité du prélèvement fiscal, une bonne façon de procéder consiste à calculer les recettes fiscales par habitant, et à comparer les montants obtenus avec le niveau des salaires journaliers urbains dans le secteur de la construction. Ces derniers font en effet partie des salaires les moins mal connus et les plus comparables dans les différents pays sur une longue période, aussi bien en Europe que dans l'Empire ottoman, et dans une certaine mesure en Chine. Les données disponibles sont imparfaites, mais les ordres de grandeur sont extrêmement frappants. On constate par exemple que les recettes fiscales par habitant se situaient entre l'équivalent de deux à quatre journées de travail de manœuvre urbain non qualifié autour de 1500-1600, aussi bien dans les principaux États européens que dans l'Empire ottoman et dans l'Empire chinois. Puis la pression fiscale s'intensifie à partir de 1650-1700 dans les États européens. Elle atteint l'équivalent de dix à quinze journées de salaire vers 1750-1780 et de près de vingt journées de salaire en 1850, avec des trajectoires extrêmement proches dans les principaux États, en particulier en France, en Angleterre et en Prusse, construction étatique et nationale qui part de plus loin mais se développe à vive allure au XVIIIᵉ siècle. La progression de la pression fiscale européenne est extrêmement rapide : aucune différence claire entre les niveaux européens, ottomans et chinois n'apparaît autour de 1650, puis des écarts commencent à se former autour de 1700, et enfin le décrochage est considérable à partir de 1750-1780 (voir graphique 9.2).

Graphique 9.2

La capacité fiscale des États, 1500-1850 (journées de salaire)

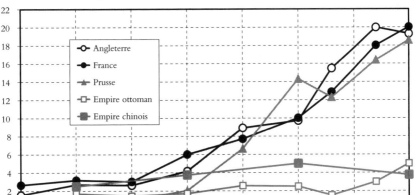

Lecture : autour de 1500-1600, les recettes fiscales par habitant des États européens se situaient entre l'équivalent de 2 et 4 journées de salaire de manœuvre urbain non qualifié ; en 1750-1850, elles se situaient entre 10 et 20 journées de salaire. Les recettes fiscales sont restées autour de 2-5 journées dans l'Empire ottoman comme dans l'Empire chinois. Avec un revenu national par habitant estimé autour de 250 journées de salaire urbain, cela signifie que les recettes ont stagné autour de 1 %-2 % du revenu national dans les Empires chinois et ottomans, alors qu'elles passaient de 1 %-2 % à 6 %-8 % du revenu national en Europe. Sources et séries : voir piketty.pse.ens.fr/ideologie.

Pourquoi les États européens ont-ils connu une progression aussi rapide de leur pression fiscale aux XVIIe et XVIIIe siècles, et pourquoi les États ottoman ou chinois n'ont-ils pas suivi une même évolution ? Précisons tout d'abord que ces niveaux de pression fiscale demeurent faibles par comparaison à ceux de l'âge moderne (toujours moins de 10 % du revenu national). Comme nous le verrons dans les prochains chapitres, le total des impôts, taxes et autres prélèvements obligatoires ne dépassait pas 10 % du revenu national en Europe comme aux États-Unis au XIXe siècle et jusqu'à la Première Guerre mondiale, avant de connaître un grand bond en avant au cours du XXe siècle, entre les années 1910-1920 et les années 1970-1980, puis de se stabiliser suivant les cas entre 30 % et 50 % du revenu national dans les pays riches depuis les années 1980[1].

Il est d'ailleurs intéressant de noter que les premières estimations du revenu national, c'est-à-dire du total des revenus monétaires et en nature dont bénéficient les habitants d'un pays donné, ont vu le jour au Royaume-Uni et en France autour de 1700, sous la plume d'auteurs tels que Petty, King, Boisguilbert et Vauban[2]. Ces travaux avaient notamment pour objectif d'estimer le potentiel fiscal des États et de débattre de possibles réformes du système des impôts, à une époque où chacun sentait bien que la pression fiscale de l'État central s'était accrue, et où le besoin de quantification et de rationalisation se faisait sentir. Ces estimations se fondaient sur des calculs de surfaces et de productions agricoles ainsi que sur des données commerciales et salariales comme celles du secteur de la construction, et elles fournissent d'utiles ordres de grandeur. Les séries de revenu national et de produit intérieur brut établies à partir des matériaux pour le XVIIe et le XVIIIe siècle permettent ainsi de fixer les niveaux et les progressions d'ensemble. Leurs variations d'une décennie à l'autre sont

---

1. Voir chapitre 10, graphique 10.14, p. 535.

2. Rappelons que le revenu national est égal à ce que l'on appelle aujourd'hui le produit intérieur brut (somme des productions de biens et services réalisés sur un territoire au cours d'une année, une fois déduits les biens et services nécessaires pour assurer cette production), diminué de la dépréciation du capital (c'est-à-dire l'usure des équipements, des machines, des logements, etc., qui représente en pratique autour de 10 %-15 % du produit intérieur brut), augmenté ou diminué du revenu net perçu de l'étranger (terme qui peut être positif ou négatif suivant les pays, mais qui s'annule au niveau mondial). Ces premières estimations des revenus nationaux britannique et français de la période 1690-1710 furent sans cesse raffinées par la suite, notamment sous la Révolution française (par exemple avec les travaux de Lavoisier sur la « richesse territoriale de la France »). Sur l'histoire des comptes nationaux, voir T. PIKETTY, *Le Capital au XXIe siècle, op. cit.*, chapitres 1-2. Nous reviendrons dans le chapitre 10, p. 504-507, sur les diverses mesures de la « fortune nationale » également établies depuis 1700.

toutefois trop incertaines pour que l'on puisse les utiliser ici, et c'est pourquoi je préfère exprimer l'évolution des recettes fiscales en termes de tonnes d'argent ou de journées de salaire de manœuvre urbain (qui constituent des unités de mesure sans doute plus adaptées aux constructions statistiques propres à ces périodes). Pour fixer les idées, on peut toutefois considérer que les évolutions observées en France, au Royaume-Uni et en Prusse, avec une hausse des recettes par habitant allant d'environ deux-quatre journées de salaire en 1500-1550 à quinze-vingt journées de salaire en 1780-1820, correspondent à une situation où les recettes fiscales seraient passées d'à peine 1 %-2 % du revenu national au début du XVIᵉ siècle à environ 6 %-8 % du revenu national à la fin du XVIIIᵉ siècle (voir graphique 9.2)[1].

Quand l'État ne veillait pas la nuit : les deux bonds en avant de l'État moderne

Aussi approximatifs soient-ils, ces ordres de grandeur méritent d'être retenus, car ils correspondent à des capacités étatiques très différentes. Un État qui prélève seulement 1 % du revenu national dispose de très peu de pouvoir et de capacité de mobilisation de la société. En gros, il peut mettre à son service 1 % de la population pour remplir les fonctions qu'il juge utiles[2]. À l'inverse, un État qui prélève de l'ordre de 10 % du revenu national en impôts peut mettre à son service environ 10 % de sa population (ou financer des transferts ou des achats d'équipements et de marchandises d'un montant équivalent), ce qui est autrement plus considérable. Concrètement, avec 8 %-10 % du revenu national en recettes fiscales, comme les États européens du XIXᵉ siècle, il est certes impossible de financer un système éducatif, sanitaire et social élaboré (écoles, collèges et lycées gratuits,

1. Voir annexe technique. Les calculs de revenu national utilisent notamment les données de salaires urbains citées ici, mais en les combinant avec de très nombreuses autres sources sur la production et les échanges, ce qui en principe permet précisément d'aboutir à une estimation plus représentative du véritable revenu national moyen du pays en question. Mais lorsque les différentes sources élémentaires sont relativement incertaines, les agréger en un revenu national ou un produit intérieur brut ne contribue pas toujours à la clarté du débat ; d'où le choix qui est fait ici et par de nombreux chercheurs de présenter les séries de recettes fiscales en journées de salaire urbain.

2. En supposant que les personnes employées par l'État (policiers, militaires, administrateurs, etc.) ont en moyenne le même niveau de qualification et de rémunération que la moyenne de la société en question, et que les équipements et fournitures dont elles ont besoin pour assurer leur mission sont également du même ordre que la moyenne.

assurance-maladie universelle, retraites et transferts sociaux, etc.), fonctions qui comme nous le verrons ont exigé le développement au XXe siècle de niveaux de pression fiscale nettement supérieurs (typiquement entre 30 % et 50 % du revenu national). En revanche, de telles sommes sont amplement suffisantes pour permettre à l'État centralisé d'organiser de façon efficace ses fonctions de « veilleur de nuit », c'est-à-dire les fonctions policières et juridictionnelles permettant d'assurer le maintien de l'ordre et la protection de la propriété sur l'ensemble du territoire, tout en finançant une importante capacité militaire de projection extérieure. En pratique, quand la pression fiscale avoisinait 8 %-10 % du revenu national, comme en Europe au XIXe siècle et au début du XXe siècle, ou 6 %-8 % du revenu national dans les États européens de la fin du XVIIIe siècle, les dépenses militaires absorbaient généralement à elles seules plus de la moitié des recettes, et parfois plus des deux tiers[1].

À l'inverse, avec l'équivalent d'à peine 1 % ou 2 % du revenu national en recettes fiscales, un État est condamné à être un État faible, incapable de maintenir l'ordre et d'assurer les fonctions minimales de veilleur de nuit. Si l'on adopte cette définition, la plupart des États de la planète jusqu'à une date relativement récente, en particulier les États européens jusqu'au XVIe siècle, ainsi par exemple que les États ottomans et chinois jusqu'au XIXe siècle, étaient des États faibles. Plus précisément, il s'agissait de structures étatiques faiblement centralisées, incapables de garantir de façon autonome la sécurité des biens, des personnes et le respect de l'ordre public et du droit de propriété sur l'ensemble du territoire qu'elles étaient théoriquement supposées contrôler. Ces États s'appuyaient par conséquent pour assurer ces tâches régaliennes sur de multiples structures et élites locales, seigneuriales et militaires, cléricales et intellectuelles, dans le cadre des sociétés trifonctionnelles et de leurs diverses variantes. Tant que tous les États de la planète étaient également faibles, un certain équilibre prévalait. À partir du moment où plusieurs États européens développèrent une capacité fiscale et administrative significativement plus importante, des dynamiques nouvelles s'enclenchèrent.

---

1. Ces ordres de grandeur valent encore pour les budgets militaires des années 2010, qui sont d'environ 2 % du revenu national dans les pays militairement peu actifs (comme en Europe), dépassent les 4 % du revenu national aux États-Unis et les 10 % en Arabie saoudite. Au niveau mondial, les dépenses militaires sont passées de plus de 6 % du revenu national au début des années 1960 (guerres coloniales, guerre froide) à tout juste 3 % dans les années 2010. Voir annexe technique.

À l'intérieur des pays en question, ce développement de l'État centralisé coïncida avec la transformation des sociétés ternaires en sociétés de propriétaires et s'appuya sur la montée en puissance de l'idéologie propriétariste, fondée sur une séparation stricte entre les pouvoirs régaliens (désormais monopole de l'État) et le droit de propriété (réputé ouvert à tous). À l'extérieur, la capacité de projection des États européens aboutit à la formation des empires esclavagistes puis coloniaux, et au développement de diverses constructions politico-idéologiques permettant de structurer l'ensemble. Dans les deux cas, les processus de construction d'une capacité fiscale et administrative furent inséparables des développements politico-idéologiques. C'est toujours en vue d'un objectif de structuration de la société domestique et internationale (par exemple dans le cadre de la rivalité avec l'Islam) qu'une forme particulière de capacité étatique se développe, suivant des processus sociopolitiques conflictuels et instables.

Pour résumer : on peut distinguer deux grands bonds en avant de l'État moderne. Le premier, qui se déroula entre 1500 et 1800 environ dans les principaux États européens, permit à ces derniers de passer d'à peine 1 %-2 % du revenu national en recettes fiscales à environ 6 %-8 % ; ce processus alla de pair avec le développement des sociétés propriétaristes à l'intérieur et coloniales à l'extérieur. Le second bond en avant, qui se déroula des années 1910-1920 aux années 1970-1980, conduisit l'ensemble des pays riches à passer d'environ 8 %-10 % du revenu national en recettes fiscales à la veille de la Première Guerre mondiale à 30 %-50 % depuis les années 1980 ; cette transformation est inséparable du processus général de développement économique et d'amélioration historique des conditions de vie, et il aboutit à la mise en place de diverses formes de sociétés sociales-démocrates. Autour de ce schéma général, il existe une grande diversité de trajectoires et de bifurcations possibles, en particulier concernant le second bond en avant et sa difficile extension aux pays pauvres à la fin du XXe siècle et au début du XXIe siècle, questions sur lesquelles nous reviendrons dans les prochaines parties.

Revenons-en à la question initiale : pourquoi le premier bond en avant s'est-il déroulé entre 1500 et 1800 dans les principaux États européens, avec le développement d'une capacité fiscale sans précédent, et non pas par exemple dans les États ottomans et asiatiques ? Il ne peut exister de réponse unique ou déterministe à une telle question. Pour autant, un facteur particulièrement important apparaît clairement : celui du morcellement politique de l'Europe en plusieurs États de taille comparable et de la rivalité militaire exacerbée qui en a découlé. Cette explication pose naturellement la question des origines de ce morcellement politique, par comparaison notamment à la relative unité chinoise, ou à la très relative unité indienne. On peut penser que les barrières géographiques et physiques propres à l'Europe, en particulier à l'ouest du continent (où la France est séparée de ses principaux voisins par des barrières montagneuses, maritimes ou fluviales), ont pu jouer un certain rôle. Il paraît toutefois évident que des constructions étatiques et des regroupements territoriaux autres que ceux observés auraient pu se produire, en Europe comme dans les autres régions du monde, en fonction de trajectoires indissociablement socio-économiques et politico-idéologiques.

Toujours est-il que si l'on prend comme donnés les découpages étatiques en vigueur autour de 1500, et si l'on examine le déroulé des événements conduisant au quasi-décuplement de la capacité fiscale des États européens entre 1500 et 1800 (voir graphiques 9.1 et 9.2), alors on constate que chacune des étapes majeures de hausse des impôts correspondait effectivement à des besoins de recrutement de nouveaux soldats et de mise en place d'armées supplémentaires, dans le cadre de la situation de guerre quasi permanente qui régnait alors en Europe. Suivant la forme du régime politique et de la structure socio-économique du pays concerné, ces besoins donnaient alors lieu au développement de capacités fiscales et administratives plus ou moins étendues[1]. L'histoire a notamment retenu la guerre de Trente Ans (1618-1648), la guerre de Succession d'Espagne (1701-1714), ou encore la guerre de Sept Ans (1756-1763) qui constitua le premier conflit européen d'ampleur véritablement mondial, puisqu'il mettait en jeu les colonies d'Amérique, des Antilles et de l'Inde, et a fortement contribué à préparer le terrain pour les révolutions étatsunienne, ibéro-américaine et française. Mais il existait également en sus de ces conflits majeurs une multitude de guerres plus courtes et plus localisées. En prenant en compte l'ensemble des conflits militaires du continent et des années concernées, on constate que les pays européens étaient en guerre 95 % du temps au XVIᵉ siècle, 94 % au XVIIᵉ siècle et encore 78 % au XVIIIᵉ siècle (contre

---

1. Voir en particulier K. KARAMAN, S. PAMUK, « Different Paths to the Modern State in Europe : The Interaction between Warfare, Economic Structure, and Political Regime », *American Political Science Review*, vol. 107 (3), 2013, p. 603-626. Voir également M. DINCECCO, « The Rise of Effective States in Europe », *Journal of Economic History*, vol. 75 (3), 2015, p. 901-918 ; ID., *State Capacity and Economic Development*, Cambridge University Press, 2017.

40 % au XIXe et 54 % au XXe siècle)[1]. La période 1500-1800 met en jeu une rivalité militaire incessante entre puissances européennes, et c'est ce qui nourrit le développement d'une capacité fiscale sans précédent, ainsi que de nombreuses innovations technologiques, en particulier en matière de canons et de navires de guerre[2].

À l'inverse, l'État ottoman et l'État chinois, qui autour de 1500-1550 avaient une capacité fiscale proche de celle des États européens (voir graphiques 9.1 et 9.2), ne firent pas face aux mêmes incitations. Ils régnaient entre 1500 et 1800 sur des empires de grande taille de façon relativement décentralisée, sans qu'il leur soit nécessaire de faire progresser leur capacité militaire et leur centralisation fiscale. La concurrence exacerbée entre États-nations européens de taille moyenne, en cours de formation entre le XVIe et le XIXe siècle, semble bien être le facteur central à l'origine de structures étatiques spécifiques, plus fortement centralisées et plus développées fiscalement que les États en cours de développement des Empires ottoman, chinois ou moghol. Or le fait est que, si la capacité fiscale et militaire des États européens a initialement été développée principalement en vue des conflits internes au continent européen, cette compétition a fini par donner à ces États une puissance de frappe beaucoup plus forte que celle des États des autres régions du monde. Vers 1550, l'infanterie et la marine ottomanes regroupaient environ 140 000 hommes, soit autant que les effectifs français et anglais réunis (respectivement 80 000 et 70 000 hommes). Cet équilibre va être bouleversé au cours des deux siècles suivants, marqués par d'interminables guerres internes européennes. En 1780, les effectifs ottomans n'ont presque pas bougé (150 000 hommes), alors que les troupes terrestres et navales françaises et anglaises atteignent 450 000 hommes (280 000 fantassins et marins pour la France, 170 000 pour l'Angleterre), tout cela avec une flotte et une puissance de feu nettement supérieures. À cette date, il faut en outre compter sur 250 000 hommes pour l'Autriche et 180 000 pour la Prusse (alors que ces deux États étaient militairement inexistants en 1550)[3]. Au

---

1. Voir C. Tilly, *Coercion, Capital and European States, AD 990-1990*, Blackwell, 1990. Voir également N. Gennaioli, H. J. Voth, « State Capacity and Military Conflict », *Review of Economic Studies*, vol. 82, 2017, p. 1409-1448.

2. Sur l'ampleur de ces innovations techniques, voir P. Hoffman, « Prices, the Military Revolution, and Western Europe's Comparative Advantage in Violence », *Economic History Review*, vol. 64, 2011, p. 39-59 ; Id., « Why Was it Europeans who Conquered the World ? », *Journal of Economic History*, vol. 72 (3), 2012, p. 601-633.

3. Voir K. Karaman, S. Pamuk, « Ottoman State Finances in European Perspective », art. cité, p. 612.

XIXe siècle, l'Empire ottoman comme l'Empire chinois seront définitivement dominés sur le plan militaire par les États européens[1].

Concurrences étatiques et innovations jointes : l'invention de l'Europe

La prospérité économique occidentale est-elle entièrement due à la domination militaire des États européens et à l'emprise coloniale qu'ils exercent sur le reste de la planète au cours du XVIIIe et du XIXe siècle ? Il est évidemment très difficile de répondre de façon univoque à une question aussi complexe, d'autant plus que la domination militaire a également contribué à engendrer des innovations technologiques et financières utiles en tant que telles. Dans l'absolu, on peut imaginer des trajectoires historiques et technologiques qui auraient permis aux pays européens de connaître la même prospérité et la même révolution industrielle en l'absence de la colonisation, par exemple dans le cadre d'une planète Terre réduite à une grande île-continent européenne, sans conquête extérieure possible, sans « grande découverte » des autres parties du monde, sans extraction d'aucune sorte. Pour concevoir un tel scénario, il faut cependant faire preuve d'une certaine imagination, et être prêt à effectuer toute une série d'hypothèses technologiques audacieuses.

En particulier, Kenneth Pomeranz a bien montré dans son livre sur la « grande divergence » à quel point la révolution industrielle qui prit place à la fin du XVIIIe siècle et au XIXe siècle au Royaume-Uni puis dans le reste de l'Europe reposait de façon centrale sur l'extraction à grande échelle de matières premières (en particulier de coton) et de sources d'énergie (notamment sous forme de bois) venues du reste du monde, dans le cadre d'un schéma d'organisation coercitif et colonial[2]. Pour Pomeranz, les régions les plus avancées de Chine et du Japon étaient autour de 1750-1800 dans un état de développement relativement comparable aux

---

1. Outre ces différences quantitatives, il faut souligner le rôle joué par la supériorité des formes d'organisation militaire (en particulier en matière navale) héritée des combats intra-européens des siècles précédents. Voir notamment C. BAYLY, *The Birth of the Modern World, 1780-1914*, Oxford University Press, 2004.

2. Voir le livre éclairant de K. POMERANZ, *The Great Divergence : China, Europe and the Making of the Modern World Economy*, Princeton University Press, 2000. Pour une perspective mondiale sur la mise en exploitation du monde et de ses ressources naturelles de 1500 à 1800, voir également J. RICHARDS, *The Unending Frontier : An Environmental History of the Early Modern World*, University of Chicago Press, 2003.

régions correspondantes d'Europe de l'Ouest. En particulier, on observe dans les deux cas des formes assez proches de développement économique, fondées d'une part sur une croissance démographique et agricole soutenue (rendue possible notamment par l'amélioration des techniques de culture, ainsi que par la progression considérable des surfaces cultivées, au travers des défrichements et des déforestations), et d'autre part sur des processus comparables de proto-industrialisation, en particulier dans le secteur de l'industrie textile. Pour Pomeranz, deux éléments essentiels vont conduire à des trajectoires divergentes à partir de 1750-1800. Tout d'abord, la contrainte plus prégnante liée à la déforestation européenne ainsi que la présence de gisements de charbon idéalement situés, en particulier en Angleterre, menèrent à l'utilisation très tôt en Europe d'autres formes d'énergie que le bois, et au développement précoce des technologies correspondantes. Ensuite et surtout, la capacité fiscale et militaire des États européens, largement issue de leurs rivalités passées, et renforcée de surcroît par les innovations technologiques et financières induites par la concurrence interétatique, va leur permettre d'organiser au cours des XVIIIᵉ et XIXᵉ siècles une division internationale du travail et des approvisionnements particulièrement profitable.

Concernant la déforestation, Pomeranz insiste sur le fait que l'Europe était à la fin du XVIIIᵉ siècle tout près de buter sur une contrainte « écologique » de grande ampleur. Au Royaume-Uni comme en France, au Danemark comme en Prusse, en Italie ou en Espagne, les forêts avaient disparu à vive allure au cours des siècles précédents, passant d'environ 30 %-40 % des surfaces autour de 1500 à guère plus de 10 % en 1800 (16 % en France, 4 % au Danemark). Dans un premier temps, le commerce de bois avec les régions encore boisées d'Europe de l'Est et du Nord permet de pallier en partie les manques, mais très vite cela ne suffit plus. On observe également une déforestation graduelle en Chine entre 1500 et 1800, mais de façon moins marquée, notamment du fait d'une plus grande intégration politique et commerciale entre les régions les plus avancées et les régions boisées de l'intérieur.

Dans le cas européen, la « découverte » de l'Amérique, le commerce triangulaire avec l'Afrique et les échanges avec l'Asie vont débloquer les contraintes. L'exploitation des terres d'Amérique du Nord, des Antilles et d'Amérique du Sud, sur lesquelles a été transportée la force de travail venue d'Afrique, permet de produire les matières premières (notamment sous forme de bois, coton et sucre) utilisées pour alimenter les profits des colons et les fabriques textiles en plein développement à partir de 1750-1800. La maîtrise militaire des voies navales les plus éloignées permet également le développement de complémentarités à grande échelle. La nourriture des esclaves des Antilles et du sud des États-Unis actuels est ainsi financée par les exportations textiles et manufacturières britanniques vers l'Amérique du Nord, elles-mêmes permises par le bois et le coton venus des plantations. Ajoutons qu'un tiers des textiles utilisés pour vêtir les esclaves venait d'Inde au XVIIIᵉ siècle, et que ces importations en provenance d'Asie (textiles, soierie, thé, porcelaine, etc.) étaient payées pour une large part par l'argent venu d'Amérique depuis le XVIᵉ siècle. Vers 1830, les importations de coton, de bois et de sucre reçues par l'Angleterre en provenance des plantations correspondent d'après les calculs de Pomeranz à l'exploitation de plus de 10 millions d'hectares de terres cultivables, soit entre 1,5 et 2 fois le total des terres cultivables présentes sur le sol du Royaume-Uni[1]. Sans le déblocage colonial de la contrainte écologique, il aurait fallu trouver ailleurs ces sources d'approvisionnement. Il n'est certes pas interdit d'imaginer des scénarios historiques et technologiques permettant à une Europe autarcique de connaître la même prospérité industrielle, mais cela demande de l'imagination, par exemple de fertiles plantations de coton entretenues par des paysans anglais du Lancashire ou des arbres poussant jusqu'au ciel près de Manchester. En tout état de cause, il s'agirait véritablement d'une autre histoire, d'un autre monde, sans grand rapport avec celui dont nous sommes issus.

Il paraît plus pertinent de prendre comme donné le fait que la révolution industrielle est issue de l'interaction étroite entre l'Europe, l'Amérique, l'Afrique et l'Asie, et de réfléchir à des modes d'organisation alternatifs de ces interactions et de cette histoire connectée. En l'occurrence, ces mises en contact ont été organisées de 1500 à 1900 sous la forme de la domination militaire et coloniale européenne, avec le transport forcé de main-d'œuvre servile d'Afrique en Amérique et aux Antilles, l'ouverture à la canonnière des ports d'Inde et de Chine, et ainsi de suite. Mais elles auraient très bien pu être organisées de dizaines de façons différentes, par exemple sous la forme d'échanges équitables, de migrations libres et de travail rémunéré, en fonction des rapports de force politico-idéologiques en vigueur, de même d'ailleurs que les relations économiques mondiales au XXIᵉ siècle peuvent être structurées par de multiples systèmes de règles distincts.

---

1. Voir K. POMERANZ, *The Great Divergence, op. cit.*, p. 211-230, 264-297, 307-312.

De ce point de vue, il est frappant de constater à quel point les institutions et stratégies guerrières qui ont mené l'Europe au succès aux XVIIIe et XIXe siècles avaient peu à voir avec les vertueuses institutions recommandées par Adam Smith en 1776 dans la *Richesse des nations*. Dans ce livre fondateur du libéralisme économique, Smith conseillait notamment aux gouvernements l'adoption d'impôts faibles et de budgets équilibrés (pas ou peu de dette publique), le respect absolu du droit de propriété, et le développement de marchés du travail et des biens aussi unifiés et concurrentiels que possible. Or de tous ces points de vue, les institutions en vigueur en Chine au XVIIIe siècle étaient, selon Pomeranz, beaucoup plus smithiennes que celles appliquées au Royaume-Uni. En particulier, les marchés étaient plus fortement unifiés en Chine. Le marché des grains fonctionnait sur une aire géographique plus importante, et la mobilité du travail y était sensiblement plus forte. Cela tenait aussi à une plus grande emprise des institutions féodales en Europe, au moins jusqu'à la Révolution française. Le servage subsista en Europe de l'Est jusqu'au XIXe siècle (alors qu'il aurait presque totalement disparu en Chine au début du XVIe siècle), et il existait encore des restrictions à la mobilité à l'ouest du continent au XVIIIe siècle, en particulier au Royaume-Uni et en France, dans le cadre des *Poor Laws* et de la grande autonomie laissées aux élites et cours seigneuriales locales pour imposer des règles coercitives aux classes laborieuses. Les propriétés ecclésiastiques partiellement gelées aux échanges étaient également plus importantes en Europe.

Enfin et surtout, les impôts étaient beaucoup plus légers en Chine : à peine 1 %-2 % du revenu national, alors qu'ils approchaient de 6 %-8 % du revenu national en Europe à la fin du XVIIIe siècle. L'empire Qing appliquait une stricte orthodoxie budgétaire : les impôts finançaient rigoureusement les dépenses, sans déficit. À l'inverse, les États européens, à commencer par le royaume de France et le Royaume-Uni, malgré le niveau élevé de leurs impôts, accumulaient des dettes publiques considérables, en particulier en temps de guerre, car les recettes fiscales ne suffisaient jamais à couvrir les dépenses exceptionnelles liées au conflit, gonflées en outre des paiements d'intérêts liés aux dettes précédentes.

À la veille de la Révolution française, la dette publique avoisinait une année de revenu national en France comme au Royaume-Uni. À la suite des guerres révolutionnaires et napoléoniennes (1792-1815), la dette publique britannique dépassa même 200 % du revenu national, à tel point que près d'un tiers des impôts acquittés entre 1815 et 1914 par les contribuables britanniques (principalement par les classes modestes et moyennes) fut consacré au paiement de cette dette et de ses intérêts (pour le plus grand profit des propriétaires qui avaient prêté pour financer les guerres). Nous reviendrons sur ces épisodes quand nous évoquerons dans les prochaines parties les problèmes posés par les dettes publiques et leur remboursement aux XXe et XXIe siècles. À ce stade, notons simplement que ces dettes abyssales ne semblent pas avoir nui au développement européen. De même que les impôts européens plus élevés, les dettes ont permis de bâtir une capacité étatique et militaire qui s'est avérée décisive pour la montée en puissance de l'Europe. Ces impôts et ces dettes auraient certes pu servir à des choses plus utiles que l'armée dans le long terme (par exemple des écoles, des hôpitaux, des routes, des assainissements d'eau), et il aurait sans doute été préférable de faire payer des impôts aux propriétaires britanniques (plutôt que leur permettre de s'enrichir encore davantage par la dette publique). Dans le contexte de violente concurrence interétatique de l'époque, et avec un pouvoir politique aux mains des propriétaires, ce sont cependant les dépenses militaires et le financement par la dette qui ont été choisis, et l'ensemble a contribué à asseoir la domination européenne sur le reste du monde.

Des Chinois smithiens, des Européens trafiquants d'opium

Dans l'absolu, les paisibles et vertueuses institutions smithiennes auraient sans doute pu avoir du bon si elles avaient été adoptées par tous les pays aux XVIIIe et XIXe siècles (encore que cette vision smithienne sous-estimait l'utilité des impôts et de la puissance publique pour le financement d'investissements productifs, et négligeait l'importance de l'égalité éducative et sociale pour le développement). Mais dans un monde où certains pays développent une capacité militaire supérieure à d'autres, les plus vertueux ne sont pas toujours ceux qui s'en sortent le mieux. L'histoire des relations entre Européens et Chinois est de ce point de vue exemplaire. À partir du début du XVIIIe siècle, compte tenu de l'épuisement de l'argent américain qui leur avait permis d'équilibrer jusqu'ici leur balance commerciale avec la Chine et l'Inde, les Européens s'inquiètent de ne plus rien avoir à vendre en échange de leurs importations de soierie, de textile, de porcelaine, d'épices et de thé en provenance des deux géants asiatiques. Les Britanniques entreprennent alors d'intensifier la culture d'opium en Inde afin d'exporter cette production en Chine auprès des revendeurs et consommateurs qui en ont les moyens et en sont friands. C'est ainsi que le trafic d'opium prend de l'ampleur au cours du XVIIIe siècle, et que l'EIC établit en 1773 son monopole sur la production et l'exportation d'opium depuis le Bengale.

Face à l'énorme progression des volumes échangés et à la pression de son administration et de son opinion éclairée, l'empire Qing, qui depuis 1729 tentait de faire respecter l'interdiction de consommation d'opium à des fins récréatives, pour des raisons évidentes de santé publique, finit par passer à l'action. En 1839, l'empereur ordonne à son envoyé à Canton de faire cesser le trafic et de brûler immédiatement le stock d'opium. À la fin de l'année 1839 et au début de 1840, une violente campagne de presse antichinoise se mit en place au Royaume-Uni, financée par les marchands d'opium, afin de dénoncer l'insupportable violation du droit de propriété et l'inacceptable remise en cause des principes du libre-échange. L'empereur Qing avait visiblement mal mesuré la progression de la capacité fiscale et militaire du Royaume-Uni, et la première guerre de l'opium (1839-1842) conduisit à une déroute rapide des Chinois. Les Britanniques envoyèrent une flotte qui pilonna Canton et Shanghai, ce qui leur permit d'obtenir en 1842 la signature du premier des « traités inégaux » (expression popularisée par Sun Yat-sen en 1924). Les Chinois versèrent une compensation financière pour l'opium détruit et les frais de guerre, tout en accordant des privilèges légaux et fiscaux aux marchands anglais et en leur cédant l'île de Hong Kong.

L'État Qing se refusait cependant toujours à légaliser officiellement le commerce de l'opium. Le déficit commercial anglais s'accroissait, jusqu'à ce que la seconde guerre de l'opium (1856-1860) et le sac du palais d'Été par les troupes franco-britanniques à Pékin en 1860 conduisent finalement l'empereur à se soumettre. L'opium fut légalisé, et surtout l'État chinois dut accorder aux Européens en 1860-1862 une série de comptoirs commerciaux et de concessions territoriales, ainsi qu'une lourde indemnité de guerre. Il fut également imposé, au nom de la liberté religieuse, que les missionnaires chrétiens puissent parcourir librement le pays (sans que l'on envisage que des missionnaires bouddhistes, musulmans ou hindous disposent du même droit en Europe). Ironie de l'histoire : c'est à la suite de ce tribut militaire imposé par les Franco-Britanniques que l'État chinois dut abandonner son orthodoxie budgétaire smithienne et fut contraint d'expérimenter pour la première fois une dette publique importante. Cette dette fit boule de neige et obligea les Qing à augmenter les impôts pour rembourser les

Européens, puis à leur céder une part croissante de la souveraineté fiscale du pays, suivant un scénario colonial classique de coercition par la dette, que nous avons déjà rencontré pour d'autres pays (comme au Maroc)[1].

S'agissant des très lourdes dettes publiques internes contractées par les États européens pour financer leurs guerres intérieures au cours des XVIIe et XVIIIe siècles, il faut également souligner le rôle central qu'elles jouèrent pour le développement des marchés financiers. Cela vaut notamment pour la dette britannique issue des guerres napoléoniennes, qui demeure à ce jour l'une des plus élevées de l'histoire (plus de deux années de revenu national et de production intérieure brute britannique, ce qui est considérable, compte tenu du poids du pays dans l'économie mondiale en 1815-1820), et dont le placement auprès des propriétaires et épargnants britanniques exigea le développement de solides réseaux bancaires et d'intermédiation financière. Nous avons déjà évoqué le rôle de l'expansion coloniale dans la création des premières sociétés par actions d'envergure mondiale, à commencer par l'EIC britannique et la VOC néerlandaise, qui étaient des compagnies à la tête de véritables armées privées et exerçant des pouvoirs régaliens sur de vastes territoires[2]. Les nombreuses et coûteuses incertitudes liées aux expéditions maritimes contribuèrent aussi au développement de compagnies d'assurances et de fret qui jouèrent un rôle décisif par la suite.

Il faut ajouter que l'endettement public lié aux guerres européennes joua également un rôle moteur dans les processus de titrisation et d'innovation financière. Certaines de ces expériences se conclurent par des faillites retentissantes, à commencer par la fameuse banqueroute de Law en 1718-1720, qui avait notamment pour origine la concurrence à laquelle se livraient les États français et britannique pour se débarrasser de leurs dettes respectives en offrant aux porteurs de titres des actions dans des compagnies coloniales plus ou moins délirantes (comme la Compagnie du Mississippi, qui précipita l'effondrement de la bulle financière). Sur le moment, la plupart de ces projets de sociétés par actions reposaient sur l'exploitation de monopoles commerciaux ou fiscaux de type colonial, et s'apparentaient davantage à du brigandage sophistiqué et militarisé qu'à de l'entrepreneuriat productif[3].

---

1. Voir chapitre 7, p. 335-337. Sur les guerres de l'opium, voir par exemple P. SINGARAVÉLOU, S. VENAYRE, *Histoire du monde au XIXe siècle, op. cit.*, p. 266-270.

2. Voir chapitre 8, p. 387-389.

3. Le projet le plus grandiose imaginé lors de la bulle de 1718-1720 était celui d'une compagnie conçue par des marchands français et qui aurait eu un monopole commercial sur l'ensemble des Amériques, avec un capital de 80 millions de livres sterling (environ une année

Il reste qu'en développant des techniques financières et commerciales à l'échelle de la planète, les Européens contribuèrent à mettre en place des infrastructures et des avantages comparatifs qui allaient s'avérer décisifs à l'âge du capitalisme industriel et financier mondialisé du XIXe siècle et du début du XXe siècle.

Protectionnisme et mercantilisme : aux origines de la « grande divergence »

Les recherches récentes ont largement confirmé les conclusions de Pomeranz sur les origines de la « grande divergence » et le rôle central joué par la domination militaire et coloniale et les innovations technologiques et financières qui en ont découlé[1]. Les travaux de Jean-Laurent Rosenthal et Roy Bin Wong ont notamment insisté sur le fait que la fragmentation politique de l'Europe, qui a eu des effets globalement négatifs dans le très long terme (comme l'illustrent de façon extrême l'autodestruction de l'Europe des années 1914-1945, ainsi que les difficultés européennes pour s'unir après la Seconde Guerre mondiale, ou plus récemment pour faire face aux conséquences de la crise financière de 2008), avait effectivement permis aux États européens de prendre le dessus sur la Chine et sur le monde entre 1750 et 1900, grâce notamment aux innovations induites par les rivalités militaires[2].

---

de revenu national britannique de l'époque). Plusieurs projets promettaient la découverte du mythique royaume d'Ophir, qui était réputé abriter les richesses du roi Salomon, et que l'on situait généralement entre le Mozambique et le Zimbabwe actuels. Un autre projet envisageait de produire en Afrique les textiles échangés contre les esclaves, afin de s'adapter plus vite aux goûts des marchands locaux. Voir S. CONDORELLI, *From Quincampoix to Ophir : A Global History of the 1720 Financial Boom*, Bern Univerity, 2019. Voir également A. ORAIN, *La Politique du merveilleux. Une autre histoire du Système de Law*, Fayard, 2018.

1. Il faut souligner que le rôle clé de l'extraction esclavagiste et coloniale dans le développement du capitalisme industriel avait déjà été analysé par de nombreux observateurs au XIXe siècle (à commencer par Karl Marx), ainsi que par Eric Williams (Premier ministre de Trinité-et-Tobago de 1956 à 1981) dans *Capitalism and Slavery* (1944). Par comparaison, Max Weber dans *L'Éthique protestante et l'Esprit du capitalisme* (1905) insistait sur des facteurs culturels et religieux, alors que Fernand Braudel dans *Civilisation matérielle, Économie et Capitalisme* (1979) mettait notamment en valeur le rôle de la haute finance venue de l'Europe catholique comme protestante. Les travaux récents de Pomeranz, Parthasarathi et Beckert, beaucoup moins eurocentriques, représentent une forme de retour à Marx et à Williams, mais avec des outils et des sources plus riches associés à l'histoire globale et connectée.

2. Voir J.-L. ROSENTHAL, R. B. WONG, *Before and Beyond Divergence : The Politics of Economic Change in China and Europe*, Harvard University Press, 2011.

Les travaux de Sven Beckert ont également montré l'importance cruciale de l'extraction esclavagiste et cotonnière dans la prise de contrôle par les Britanniques et les Européens de la production textile mondiale entre 1750 et 1850. En particulier, Beckert rappelle que la moitié des esclaves africains transportés à travers l'Atlantique entre 1492 et 1888 l'ont été au cours de la période 1780-1860 (et notamment entre 1780 et 1820). Cette dernière phase de croissance accélérée de l'esclavage et des plantations cotonnières joua un rôle central dans la montée en puissance des textiles britanniques[1]. Au final, l'idée smithienne selon laquelle l'avance britannique et européenne se serait appuyée sur de paisibles et vertueuses institutions parlementaires et propriétaristes n'est plus guère défendue[2]. Des chercheurs ont par ailleurs entrepris de collecter des données détaillées de salaires et de productions permettant de comparer les niveaux européens, chinois et japonais avant et pendant la « grande divergence ». Malgré la fragilité des sources, les éléments disponibles confirment la thèse d'une divergence tardive entre Europe et Asie, qui ne prend vraiment forme qu'à partir du XVIIIᵉ siècle, avec des nuances suivant les auteurs[3].

1. Voir S. Beckert, *Empire of Cotton : A Global History*, *op. cit.* Voir également S. Beckert, S. Rockman, *Slavery's Capitalism* : *A New History of American Economic Development*, University of Pennsylvania Press, 2016.

2. Précisons que le propos d'Adam Smith avait une dimension normative et prospective : il ne prétendait pas que les processus militaires et esclavagistes n'avaient joué aucun rôle dans la prospérité britannique (ce qui aurait été difficile), mais plutôt que les clés de la richesse future reposaient sur le respect des droits de propriété et sur les lois de l'offre et de la demande. De même, la vision néopropriétariste du développement défendue par Douglass North et Barry Weingast est certes centrée sur la protection des droits de propriété et sur les vertueuses institutions britanniques (voir en particulier « Constitutions and Commitment », *Journal of Economic History*, vol. 49 [4], 1989, p. 803-832), sans pour autant nier l'importance des autres facteurs. L'approche développée par Daron Acemoglu et James Robinson, initialement centrée sur le rôle des systèmes de droits de propriété issus des révolutions atlantiques, a par la suite été étendue et insiste désormais sur le rôle dans le processus de développement des « institutions inclusives », notion large qui peut potentiellement englober de multiples institutions sociales, fiscales et éducatives (voir par exemple *Why Nations Fail : The Origins of Power, Prosperity and Poverty*, Crown Publishers, 2012).

3. Voir par exemple S. Broadberry, H. Guan, D. Daokui Li, « China, Europe and the Great Divergence : A Study in Historical National Accounting 980-1850 », *Journal of Economic History*, vol. 78 (4), 2018, p. 955-1000. Ces auteurs concluent que la divergence de la production par habitant et de salaire moyen entre la Chine et le Royaume-Uni apparaît clairement à partir de 1700, ce qui est un peu plus précoce que l'estime Pomeranz (qui défend l'idée d'une parité salariale entre les régions les plus avancées d'Europe et d'Asie jusqu'en 1750-1800), mais « plus tardif que dans les thèses eurocentriques antérieures ». Il n'est pas certain toutefois que les sources permettent d'être aussi précis, et il est peut-être préférable de se concentrer sur des régions chinoises et européennes particulières (comme le fait Pomeranz).

Les travaux de Prasannan Parthasarathi ont quant à eux permis d'insister sur le rôle clé des politiques protectionnistes anti-indiennes dans l'émergence de l'industrie textile britannique[1]. Aux XVIIe et XVIIIe siècles, les exportations de produits manufacturiers (textiles de toutes sortes, soierie, porcelaine) proviennent principalement de Chine et d'Inde, et elles sont largement financées par des importations d'argent et d'or en provenance d'Europe et d'Amérique (ainsi que du Japon)[2]. Les textiles indiens, et notamment les tissus imprimés et les calicots bleus, font fureur en Europe et dans le monde entier. Au début du XVIIIe siècle, 80 % des textiles échangés par les marchands anglais contre des esclaves en Afrique de l'Ouest étaient fabriqués en Inde, et cette proportion atteint encore 60 % à la fin du siècle. Les registres maritimes indiquent que les textiles indiens représentaient à eux seuls un tiers des cargaisons embarquées à Rouen dans les années 1770 dans les navires en partance pour le commerce négrier. Des rapports ottomans indiquent que les exportations textiles indiennes vers le Moyen-Orient étaient alors encore plus importantes que celles acheminées vers l'Afrique de l'Ouest, ce qui ne semblait pas poser de problème majeur aux autorités turques, davantage sensibles aux intérêts du consommateur local.

En Europe, les marchands virent très vite l'intérêt qu'ils pouvaient avoir à attiser les tensions contre les textiles indiens, afin de s'approprier une partie de ce savoir-faire et de développer leurs projets transcontinentaux. Dès 1685, le Parlement britannique introduisit des droits de douane de 20 %, puis de 30 % en 1690, avant de bannir entièrement l'importation de textiles imprimés et colorés en 1700. À partir de cette date, seuls les tissus vierges étaient importés d'Inde, ce qui permit aux producteurs britanniques de progresser dans la fabrication des pièces de couleur et des impressions. Des mesures similaires furent prises en France, avant d'être renforcées tout au long du XVIIIe siècle au Royaume-Uni, avec notamment l'institution d'un droit de douane de 100 % sur l'ensemble des textiles indiens en 1787. La pression des marchands d'esclaves de Liverpool, qui avaient un besoin vital de textiles de qualité afin de pouvoir développer leur commerce sur les côtes africaines sans dépenser tout leur métal, joua un rôle décisif, notamment entre 1765 et 1785, période de rapide amélioration de la production

---

1. Voir le livre éclairant de P. PARTHASARATHI, *Why Europe Grew Rich and Asia Did Not : Global Economic Divergence 1600-1850*, Cambridge University Press, 2011.

2. D'après les estimations disponibles, sur quelque 142 kilotonnes de métaux précieux (en équivalent argent) extraites entre 1600 et 1800 (132 en Amérique, 10 au Japon), environ 28 kilotonnes (20 %) auraient été exportées en Inde. Voir *ibid.*, p. 46-47.

anglaise. Ce n'est qu'après avoir acquis un avantage comparatif indiscutable dans l'industrie textile, en particulier grâce à l'utilisation du charbon, que le Royaume-Uni se mit à partir du milieu du XIXe siècle à tenir un discours libre-échangiste plus affirmé (et non dénué d'ambiguïtés, comme avec les exportations d'opium en Chine).

Les Britanniques firent également usage de mesures protectionnistes dans l'industrie navale, florissante en Inde aux XVIIe et XVIIIe siècles, en instituant en 1815 une taxe spéciale de 15 % sur tous les biens importés sur des navires de fabrication indienne, puis en décrétant que seuls les bateaux anglais pouvaient importer au Royaume-Uni des marchandises venues de l'est du cap de Bonne-Espérance. Même s'il est difficile de proposer une estimation globale, il paraît clair que l'ensemble de ces mesures protectionnistes et mercantilistes, imposées au reste du monde la main sur le canon, a joué un rôle significatif dans la domination industrielle britannique et européenne. D'après les estimations disponibles, la part de la Chine et de l'Inde dans la production manufacturière mondiale, qui était encore de 53 % en 1800, n'était plus que de 5 % en 1900[1]. Là encore, il serait absurde de voir dans cette trajectoire la seule voie possible menant à la révolution industrielle et à la prospérité moderne. On peut par exemple imaginer d'autres trajectoires historiques qui auraient permis aux producteurs européens et asiatiques d'aboutir à une même croissance industrielle d'ensemble (voire à une croissance supérieure) sans le protectionnisme anti-indien et antichinois, sans la domination coloniale et militaire, et avec des formes d'échanges et d'interactions plus égalitaires et équilibrées entre les différentes régions de la planète. Il s'agirait certes d'un monde très différent de celui dont nous sommes issus. Mais le rôle de la recherche historique est précisément d'illustrer l'existence d'alternatives et de bifurcations, en fonction notamment des rapports de force politico-idéologiques entre les différents groupes en présence.

Le Japon et la modernisation accélérée d'une société ternaire

Nous allons maintenant examiner la façon dont la rencontre avec les puissances coloniales européennes a affecté la transformation des régimes

---

1. Voir *ibid.*, p. 97-131, 234-235. Voir également P. SINGARAVÉLOU, S. VENAYRE, *Histoire du monde au XIXe siècle, op. cit.*, p. 90-92.

inégalitaires ternaires qui prédominaient dans les différentes parties de l'Asie avant l'arrivée des Européens. Nous avons vu dans le chapitre précédent comment les inégalités en Inde précoloniale étaient notamment structurées par l'idéologie trifonctionnelle, avec une forme d'équilibre entre les élites guerrières et militaires (les *kshatriya*) et les élites cléricales et intellectuelles (les brahmanes), suivant des configurations instables et évolutives, en fonction notamment de l'émergence de nouvelles élites guerrières, de la concurrence entre royaumes hindous et musulmans, et des formes mouvantes de solidarité et d'identité des *jatis*. Surtout, nous avons vu comment l'administration britannique, en rigidifiant les castes dans le cadre des recensements et des politiques coloniales, avait interrompu la transformation des sociétés trifonctionnelles indiennes, et avait contribué à l'émergence d'un régime inégalitaire original, fondé sur un mélange inédit d'inégalités statutaires anciennes et d'inégalités propriétaristes et éducatives modernes.

Le cas du Japon présente de multiples différences avec celui de l'Inde, mais également plusieurs similitudes. Le Japon de l'ère Edo (1600-1868) était une société fortement hiérarchisée, avec de multiples disparités sociales et rigidités statutaires de type trifonctionnel, suivant des logiques comparables par certains aspects à celles observées dans l'Europe d'Ancien Régime ou en Inde précoloniale. La société était dominée d'une part par une noblesse guerrière, avec à son sommet les *daimyos* (grands seigneurs féodaux), sous l'autorité du shogun (chef militaire), et d'autre part par une classe de prêtres shinto et de moines bouddhistes (les deux formes de religion étant plus ou moins en symbiose ou en concurrence suivant les périodes). La particularité du régime japonais sous l'ère Edo est que la classe guerrière avait pris un fort ascendant sur les autres. Les shoguns héréditaires de la dynastie Tokugawa, après avoir rétabli l'ordre en 1600-1604 à la suite des multiples guerres féodales des décennies précédentes, avaient peu à peu cessé d'être de simples chefs militaires et étaient devenus les véritables dirigeants politiques du pays, à la tête de l'ensemble du système administratif et juridique depuis leur capitale d'Edo (Tokyo), alors que l'empereur basé à Kyoto était réduit à des fonctions symboliques de chef spirituel.

La légitimité du shogun et de la classe guerrière fut cependant durement éprouvée par l'arrivée dans la baie de Tokyo en 1853 des navires de guerre armés de canons du commodore étatsunien Matthew Perry. Quand il revint en 1854, avec une armada deux fois plus importante, renforcée par les bateaux de plusieurs alliés européens (britanniques, français, néerlandais, russes), le shogunat n'eut d'autre choix que d'accorder les privilèges commerciaux, fiscaux et juridictionnels exigés par les puissances coalisées. Cette humiliation sans détour fit entrer le Japon dans une phase d'intense remise en cause politico-idéologique, qui aboutit au début de l'ère Meiji en 1868. Le dernier shogun Tokugawa fut déposé et l'autorité de l'empereur rétablie, sous l'impulsion d'une partie de la noblesse et des élites japonaises désireuses de moderniser le pays et de concurrencer les puissances occidentales. Le Japon offre ainsi l'exemple inédit d'une modernisation sociopolitique accélérée qui débuta par une restauration impériale (en grande partie symbolique il est vrai)[1].

Les réformes qui furent mises en place à partir de 1868 reposaient sur plusieurs piliers. En particulier, les anciennes distinctions statutaires furent supprimées. La noblesse guerrière perdit ses privilèges légaux et fiscaux. Cela valait non seulement pour la haute aristocratie des *daimyos* (mince couche comparable aux lords britanniques), mais également pour l'ensemble des guerriers dotés de fiefs (revenus perçus sur la production des villages), qui furent partiellement dédommagés sur le plan financier. La Constitution de 1889, inspirée notamment des régimes britannique et prussien, s'appuyait sur une Chambre des pairs (permettant à une partie triée sur le volet de l'ancienne noblesse de conserver un rôle politique) et surtout une Chambre des représentants, initialement élue sur une base censitaire par à peine 5 % des hommes adultes, avant que le suffrage masculin soit étendu en 1910 et 1919 et devienne universel en 1925. Il fut ensuite étendu aux femmes en 1947, en même temps que la Chambre des pairs était définitivement supprimée[2].

D'après les recensements de la population par classes réalisés sous les Tokugawa à partir de 1720, la classe des *daimyos* et des guerriers dotés de fiefs représentait entre 5 % et 6 % de la population totale, avec de fortes variations suivant les régions et les principautés (de 2 %-3 % à 10 %-12 %). L'importance numérique de ce groupe semble avoir diminué au cours de l'ère Edo, puisque la classe des guerriers représentait entre

---

1. Pour l'anthropologue Claude Lévi-Strauss, la chance du Japon est précisément que la modernisation a pris la forme d'une restauration : c'est le fait que l'empereur et une partie des anciennes élites ont pris le pouvoir qui aurait permis le succès industriel dans le respect des traditions, alors que la bourgeoisie révolutionnaire française était tout juste bonne à occuper des postes de bureaucrates, après avoir dépouillé l'ancienne noblesse (qui était pourtant prête à se risquer au capitalisme). À défaut d'être pleinement convaincante, cette thèse illustre le besoin parfois irrépressible de donner du sens aux trajectoires socio-économiques et politico-idéologiques nationales. Voir C. LÉVI-STRAUSS, *L'Autre Face de la Lune. Écrits sur le Japon*, Seuil, 2011, p. 75-76, 155-156.

2. Voir par exemple E. REISCHAUER, *Histoire du Japon et des Japonais*, Seuil, 1997, t. I, p. 164-196.

3 % et 4 % de la population lors du recensement réalisé en 1868 au début de l'ère Meiji, à la veille de la suppression des fiefs et des guerriers en tant que classe statutaire (à l'exception des pairs). Les prêtres shintos et les moines bouddhistes représentaient quant à eux entre 1 % et 1,5 % de la population. Si l'on compare avec les réalités européennes des XVIᵉ-XVIIIᵉ siècles, on constate que la classe guerrière était numériquement plus importante au Japon qu'en France ou au Royaume-Uni, alors que la classe religieuse était un peu moins nombreuse (voir graphique 9.3)[1]. Comme nous l'avons vu, d'autres pays européens, ainsi que plusieurs sous-régions indiennes, avaient des classes guerrières et nobles d'une taille voisine ou supérieure à celles observées au Japon[2]. Au final, ces ordres de grandeur ne sont pas très différents et attestent d'une certaine similarité des sociétés trifonctionnelles, tout du moins du point de vue de la structure formelle d'ensemble.

Graphique 9.3
L'évolution des sociétés ternaires : Europe-Japon, 1530-1870

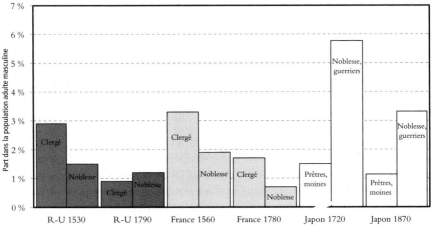

Lecture : au Royaume-Uni et en France, les deux classes dominantes de la société trifonctionnelle (clergé et noblesse) ont connu une réduction de leur importance numérique entre le XVIᵉ et le XVIIIᵉ siècle. Au Japon, le poids numérique de la haute noblesse guerrière (*daimyo*) et des guerriers dotés en fiefs est sensiblement supérieur à celui des prêtres shintos et des moines, mais il diminue fortement entre 1720 et 1870, d'après les recensements japonais de l'époque Edo et du début de l'ère Meiji.
Sources et séries : voir piketty.pse.ens.fr/ideologie.

1. Voir annexe technique pour une présentation détaillée des données issues des recensements japonais des époques Edo et Meiji rassemblées avec l'aide de G. Carré.
2. Voir chapitre 5, graphique 5.2, p. 199, et chapitre 8, graphique 8.3, p. 398.

Outre l'abolition des privilèges fiscaux et des corvées, les réformes du début de l'ère Meiji supprimèrent les multiples inégalités de statut entre différentes catégories de travailleurs des villes et des campagnes qui caractérisaient le régime précédent. En particulier, le nouveau pouvoir mit officiellement fin aux discriminations dont faisaient l'objet les burakumins (« gens des hameaux »), qui formaient la catégorie la plus basse de travailleurs sous les Tokugawa, et dont le statut de paria était par certains aspects proche de celui des intouchables et des aborigènes en Inde. On considère généralement que les burakumins regroupaient moins de 5 % de la population à l'époque Edo, mais ils étaient généralement exclus des recensements, et cette catégorie cessa officiellement d'exister sous l'ère Meiji[1].

Par ailleurs, le régime Meiji mit en place une série de politiques visant à favoriser l'industrialisation accélérée du pays et le rattrapage sur les puissances occidentales. La centralisation fiscale et administrative du pays fut rapidement renforcée (les préfets et les régions remplacèrent les *daimyos* et les fiefs), et des impôts importants furent instaurés pour financer des investissements au service du développement économique et social du pays, en particulier en termes d'infrastructures de transport (route, chemin de fer, secteur naval) et dans le domaine éducatif et sanitaire[2].

L'effort réalisé en termes d'éducation fut particulièrement spectaculaire, aussi bien quant à la formation d'une nouvelle élite capable de rivaliser avec les ingénieurs et savants occidentaux que concernant l'alphabétisation et la formation de la masse du pays. Du côté des élites, la motivation est parfaitement claire : il s'agit d'éviter la domination occidentale. Les étudiants japonais partis de Kagoshima en 1872 pour étudier dans des universités occidentales racontent leur histoire sans détour. En escale sur les côtes de l'Inde, sur le bateau les menant en Europe, ils virent de jeunes enfants indiens réduits à plonger dans l'océan pour y ramasser des piécettes et distraire ainsi les colons britanniques qui les regardaient. Ils en conclurent

---

1. Voir G. CARRÉ, « Les marges statutaires dans le Japon prémoderne : enjeux et débats », *Annales Histoire, Sciences sociales*, vol. 66 (4), 2011, p. 955-976 ; T. MORISHITA, « Le Japon prémoderne : une société de statuts. Réflexions sur quatre décennies de débats », *Histoire, Économie et Société*, vol. 36 (2), 2017, p. 30-45.

2. Selon certaines estimations, les recettes fiscales de l'État japonais étaient déjà relativement élevées (près de 10 % du revenu national, donc plus proches des États européens que des États chinois ou ottoman) au milieu du XIXᵉ siècle, donc avant le début de l'ère Meiji, avant de s'accroître par la suite au-delà de 10 % du revenu national. Voir T.-H. SNG, C. MORIGUCHI, « Asia's Little Divergence : State Capacity in China and Japan Before 1850 », *Journal of Economic Growth*, vol. 19 (4), 2014, p. 439-470.

qu'il fallait étudier d'arrache-pied pour éviter que le Japon connaisse le même sort[1]. L'alphabétisation de masse et la formation technique étaient aussi considérées comme des conditions indispensables pour une industrialisation réussie.

De l'intégration sociale des burakumins, des intouchables et des Roms

Il ne s'agit pas d'idéaliser ici cette politique d'intégration sociale et éducative. Le Japon est resté une société hiérarchisée et inégalitaire. Des groupes comme les burakumins ont continué de lutter contre les discriminations réelles (à défaut d'être légales) dont ils faisaient encore l'objet aux lendemains de la Seconde Guerre mondiale, et les traces de ce lourd héritage sont toujours visibles au début du XXIe siècle (même si les traces sont sans commune mesure avec celles laissées par les basses castes en Inde). Le projet japonais d'intégration sociale s'est en outre accompagné d'une montée en puissance du nationalisme et du militarisme, qui conduisit à Pearl Harbor puis à Hiroshima.

Pour une partie de l'opinion nationaliste japonaise, telle qu'elle s'exprime par exemple au musée militaire du sanctuaire Yasukuni à Tokyo, le long conflit qui se déroule de 1854 à 1945 doit être considérée comme la « Grande Guerre d'Asie orientale », une guerre au cours de laquelle le Japon, malgré quelques cuisants revers, serait parvenu à ouvrir la voie à la décolonisation de l'Asie et du monde. Cette vision met l'accent sur le soutien apporté par les Japonais aux indépendantistes indiens, indochinois et indonésiens pendant la Seconde Guerre mondiale, et plus généralement sur le fait que les Européens et les Étatsuniens n'avaient au fond jamais accepté l'idée d'une puissance asiatique indépendante, et n'auraient jamais consenti à la fin de leur domination coloniale autrement que par la force des armes. Malgré ses brillantes victoires militaires face à la Chine en 1895, la Russie en 1905 et la Corée en 1910, preuves indiscutables du succès des réformes de l'ère Meiji, le Japon eut l'impression qu'il ne gagnerait jamais complètement le respect des Occidentaux au sein du club des puissances industrielles et coloniales[2]. Aux yeux des nationalistes japonais, l'humilia-

---

1. Voir le monument en mémoire des étudiants de Kagoshima au musée de la ville.

2. Dans son dernier film, *Le vent se lève* (2013), Hayao Miyazaki, auteur de magnifiques dessins animés pacifistes et féministes, évoque avec tendresse la vie de Jiro Horikoshi (concepteur des avions bombardiers Mitsubishi A6M, particulièrement meurtriers pendant la guerre), et

tion suprême fut le refus occidental de l'inscription du principe de l'égalité raciale dans le traité de Versailles en 1919, en dépit de leurs demandes répétées[1], et surtout l'imposition lors du traité de Washington de 1921 de la règle selon laquelle les tonnages militaires des États-Unis, du Royaume-Uni et du Japon devraient rester bloqués sur une proportion 5-5-3. Cette règle condamnait le Japon à une infériorité militaire éternelle dans les mers asiatiques, quels que soient ses progrès industriels et démographiques. L'Empire nippon la dénonça en 1934, ouvrant la voie à la guerre.

En 1940-1941, deux visions de plus en plus antagoniques se faisaient face : le Japon exigeait le retrait occidental complet de l'Asie orientale, alors que les États-Unis demandaient le retrait généralisé des puissances coloniales présentes en Chine (donc en particulier le retrait japonais), et renvoyaient à plus tard la question plus générale de la décolonisation. Lorsque Roosevelt décréta l'embargo pétrolier contre le Japon, clouant ainsi sa marine et son armée au sol à brève échéance, les généraux japonais considérèrent qu'ils n'avaient d'autre choix que d'attaquer Pearl Harbor. Cette vision nationaliste japonaise est intéressante et par certains côtés compréhensible, mais elle oublie toutefois un point essentiel : les populations de Corée, de Chine et des autres pays d'Asie occupés par les Japonais n'ont pas le souvenir d'avoir eu affaire à des libérateurs, mais bien plutôt à une puissance coloniale faisant preuve de la même brutalité dominatrice que les Européens (voire parfois pire, encore que ceci mérite d'être apprécié au cas par cas, d'autant plus que la barre est parfois élevée). L'idéologie colonialiste visant à libérer et civiliser les peuples malgré eux mène généralement à des désastres, quelle que soit la couleur de peau du colonisateur[2].

Si on laisse de côté ces conflits toujours vifs entre les différentes puissances et idéologies coloniales et les mémoires des populations colonisées,

---

plus généralement les difficultés et les doutes des ingénieurs japonais tentant de gagner l'estime et le respect des ingénieurs allemands et européens pendant l'entre-deux-guerres.

1. Les puissances occidentales, sûres de leur domination, étaient coutumières à l'époque de ce type de vexations. En 1926, le Brésil claqua la porte de la Société des Nations car on lui refusait un siège de membre permanent au Conseil. Voir B. BADIE, *Nous ne sommes plus seuls au monde. Un autre regard sur l'« ordre international »*, La Découverte, 2016, p. 142.

2. Parmi les autres exemples majeurs de colonisation intra-asiatique de l'âge moderne figure également l'extension du royaume du Vietnam au Cambodge en 1806-1848. Ce projet s'appuyait sur une ambitieuse vietnamisation-sinisation de cet Ouest barbare, avant que les rois khmers fassent appel en 1863 à la France, qui n'en demandait pas tant et en profita pour amorcer sa prise de contrôle de l'ensemble de la péninsule indochinoise. Voir P. SINGARA-VÉLOU, S. VENAYRE, *Histoire du monde au XIXᵉ siècle, op. cit.*, p. 171-172.

il reste que la politique d'intégration sociale et éducative et de développement économique menée par le Japon de l'ère Meiji (1868-1912), ainsi que par le Japon démilitarisé depuis 1945, constitue une expérience de transformation sociopolitique particulièrement rapide d'un régime inégalitaire ancien. Le succès de la transition propriétariste et industrielle japonaise démontre à quel point les mécanismes en jeu ne dépendent pas de la prétendue unicité de la culture chrétienne ou de l'essence civilisationnelle européenne.

Ensuite et surtout, l'expérience du Japon montre que des politiques volontaristes, notamment en matière d'infrastructures publiques et d'investissement éducatif, peuvent venir à bout en quelques décennies d'inégalités statutaires anciennes particulièrement fortes, et qui dans d'autres contextes sont parfois perçues comme figées et inaltérables. Si les discriminations passées envers les classes parias ont laissé des traces, il reste que le Japon est devenu au cours du XXe siècle un pays dont le niveau de vie moyen est l'un des plus élevés de la planète, et où les inégalités de revenus se situent à un niveau intermédiaire entre l'Europe et les États-Unis[1]. La politique menée par l'État japonais de 1870 à 1940 pour assurer le développement socio-économique et éducatif du pays et une certaine unification de la société n'était pas parfaite, mais elle était par exemple autrement plus unificatrice que celle menée en Inde par l'État colonial britannique, qui se préoccupait peu de réduire les inégalités sociales ou d'investir dans l'alphabétisation et la formation des basses castes. Nous verrons dans la prochaine partie que la réduction des inégalités sociales japonaises fut également renforcée par une ambitieuse réforme agraire mise en place en 1945-1950, ainsi que par le développement d'une fiscalité fortement progressive sur les hauts revenus et les hautes successions (processus politico-fiscal qui avait débuté sous l'ère Meiji et dans l'entre-deux-guerres, mais qui fut renforcé après la défaite).

Dans le contexte européen, les Roms constituent sans doute l'exemple d'un groupe social discriminé comparable aux burakumins japonais et aux basses castes indiennes. Rappelons que le Conseil de l'Europe désigne sous le terme de Roms un ensemble de populations nomades ou sédentarisées également connues sous diverses autres appellations (y compris Tsiganes, Gitans, Manouches, gens du voyage), la plupart présentes en Europe depuis au moins un millénaire, et issues de diverses provenances

1. Voir Introduction, graphique 0.6, p. 47.

indiennes et moyen-orientales plus ou moins avérées, compte tenu des multiples métissages en jeu[1]. Selon cette définition, les Roms représentaient entre 10 et 12 millions de personnes dans les années 2010, soit environ 2 % du total de la population européenne. C'est plus limité que les burakumins japonais (entre 2 % et 5 % de la population) ou les basses castes indiennes (entre 10 % et 20 %), mais néanmoins significatif. On trouve des Roms dans presque tous les pays européens, particulièrement en Hongrie et en Roumanie, où l'abolition de l'esclavage-servage des Roms a eu lieu en 1856, avant que les populations nouvellement émancipées fuient leurs anciens maîtres et se répartissent dans d'autres parties du continent[2].

Par comparaison aux burakumins et aux anciens intouchables et aborigènes, la très lente intégration des Roms s'explique pour une large part par l'absence de politiques adéquates, et en particulier par le fait que les différents pays européens se renvoient la responsabilité de s'occuper de ces populations, qui continuent de faire l'objet de préjugés négatifs concernant l'étrangeté de leurs mœurs et leur refus supposé de s'intégrer, alors même qu'elles font face à des discriminations considérables et des politiques d'intégration relativement limitées[3]. Le cas des Roms est d'autant plus intéressant qu'il peut permettre aux opinions européennes, souvent promptes à donner des leçons à la terre entière, de mieux comprendre les difficultés auxquelles des pays comme le Japon ou l'Inde ont eu à faire face avec les burakumins ou les basses castes, catégories qui ont fait l'objet du même type de préjugés au cours de l'histoire, et que ces pays ont néanmoins

---

1. Voir par exemple I. MENDIZABAL *et al.*, « Reconstructing the Population History of European Romani from Genome-wide Data », *Current Biology*, vol. 22 (24), 2018, p. 2342-2349.

2. Avant 1856, les Roms étaient exploités à la fois par des nobles et des monastères. Des commémorations du 160e anniversaire de l'abolition de l'esclavage des Roms ont eu lieu en Roumanie et ailleurs en Europe en 2016. Nous avons déjà insisté à de multiples reprises sur la complexité et la porosité des frontières entre esclavage, servage et les diverses formes de travail forcé (voir en particulier chapitres 6-7), et la question de savoir si le statut des Roms avant 1856 relevait davantage du servage ou de l'esclavage exigerait un examen détaillé qui dépasserait de loin le cadre de ce livre. Il en va de même pour l'esclavage-servage des *nobi* en Corée, dont la révolte, l'émancipation et l'annulation des « dettes » en 1894 précipitèrent la chute de l'Empire coréen et l'invasion japonaise. Voir par exemple B. R. KIM, « *Nobi* : A Korean System of Slavery », *Slavery and Abolition*, vol. 24 (2), 2003, p. 155-168.

3. Sur les insuffisances des politiques européennes menées, voir par exemple « Working with Roma. Participation and Empowerment of Local Communities », EU Agency for Fundamental Rights (2018).

réussi à dépasser, avec diverses politiques d'intégration sociale et éducative menées dans la durée.

La société trifonctionnelle
et la construction de l'État chinois

Venons-en maintenant à la façon dont le colonialisme a affecté la transformation du régime inégalitaire chinois. Tout au long de son histoire, jusqu'à la révolution de 1911 instituant la république, la Chine était organisée suivant une configuration idéologique que l'on peut qualifier de trifonctionnelle, de même que l'Europe ou l'Inde jusqu'aux XVIIIe-XIXe siècles. Une première différence importante tient toutefois à la nature du confucianisme, qui s'apparente davantage à une sagesse civique qu'à une religion au sens des monothéismes chrétien, juif ou musulman ou de l'hindouisme. Érudit et pédagogue hors pair ayant vécu au VIe siècle et au début du Ve siècle avant l'ère commune (AEC), issu d'une famille princière éprouvée par les conflits incessants entre royaumes chinois, Kongfuzi (latinisé en Confucius) aurait selon la tradition parcouru la Chine pour délivrer ses enseignements et démontrer que la paix publique et l'harmonie sociale devaient se fonder sur l'éducation, la pondération et la recherche de solutions qui se voulaient rationnelles et pragmatiques (mais qui en pratique étaient le plus souvent assez conservatrices, aussi bien du point de vue des mœurs et du respect dû aux anciens que de la propriété et du respect dû aux propriétaires). Comme toujours dans les sociétés trifonctionnelles, il s'agissait de mettre la pondération des savants et des lettrés au cœur de l'ordre politique, et d'équilibrer ainsi les débordements des guerriers.

Le confucianisme, *ruxue* en chinois (« enseignement des lettrés »), est ainsi devenu doctrine d'État au IIe siècle AEC et l'est resté jusqu'en 1911, au fil de ses transformations et de ses divers échanges et symbioses avec le bouddhisme et le taoïsme. Depuis les temps les plus reculés, les lettrés confucéens étaient décrits comme des savants et des administrateurs mettant leurs immenses savoirs et compétences, leurs connaissances de l'écriture et de l'histoire chinoises, et aussi leur morale familiale et civique très stricte, au service de la communauté, de l'ordre public et de l'État, et non pas au service d'une organisation religieuse distincte de l'État. Cette différence essentielle entre les logiques trifonctionnelles confucianistes et chrétiennes constitue d'ailleurs l'une des explications les plus naturelles pour l'unité étatique chinoise et la fragmentation politique européenne, quelles que soient par ailleurs les tentatives de l'Église pour rapprocher les royaumes chrétiens[1].

Il peut également être tentant de rapprocher cette « religion de l'unité de l'État » que fut d'une certaine façon le confucianisme dans l'histoire impériale chinoise de cette autre forme de religion de l'État que constitue à sa façon le communisme chinois moderne. Autrement dit, les administrateurs et les lettrés confucianistes au service des empereurs Han, Song, Ming ou Qing seraient simplement devenus les fonctionnaires et les grands prêtres du Parti communiste chinois (PCC) au service du président de la République populaire. Ce type de parallèle est parfois opéré pour insister sur l'action du régime communiste en faveur de l'unité du pays et de l'harmonie sociale, dans la droite ligne de l'histoire chinoise et du confucianisme. C'est dans cet esprit que les dirigeants du PCC ont remis Confucius à l'honneur depuis le début des années 2010, non sans une spectaculaire volte-face (le conservatisme économique et social du confucianisme était honni sous la Révolution culturelle, à l'époque du combat contre les « quatre vieilleries », les propriétaires fonciers et les mandarins). À l'étranger, et parfois aussi en Chine, ce même parallèle historique est à l'inverse souvent utilisé de façon négative, pour décrire un pouvoir chinois réputé éternellement autoritaire, avec des masses immuablement soumises à une forme de despotisme millénaire propre à la culture et à l'âme chinoises, sous la férule des empereurs et de leurs mandarins puis des dirigeants et apparatchiks communistes. Dans tous les cas, de tels rapprochements posent de multiples problèmes. Ils supposent une continuité et un déterminisme qui ne se justifient pas, et qui ne permettent pas de penser la complexité et la diversité des points de bifurcations qui caractérisent la trajectoire chinoise, comme d'ailleurs toutes les trajectoires sociopolitiques historiques.

---

1. Le christianisme romain a également tenté d'œuvrer pour l'unité politique européenne : en particulier, le pouvoir spirituel de la papauté avait officiellement pour contrepartie le pouvoir temporel du Saint Empire romain germanique (962-1806). En pratique, cette construction politique instable et fragile ne concernait toutefois qu'une partie de la chrétienté (essentiellement l'Europe germanique et centrale). Surtout, la différence décisive avec les lettrés confucianistes au service de l'Empire chinois est que les clercs et évêques chrétiens étaient avant tout au service de la papauté (et non de l'empereur). Les deux pouvoirs étaient d'ailleurs fréquemment en conflit l'un avec l'autre, ce qui contribua à la fragilité de l'ensemble. Il va de soi que bien d'autres facteurs politico-idéologiques, socio-économiques et géographiques peuvent contribuer à expliquer le morcellement européen comparé à l'unité chinoise.

Le premier problème posé par ces comparaisons est que l'État impérial chinois n'avait aucunement les moyens d'être despotique. Il s'agissait d'un État structurellement faible, disposant de recettes fiscales extrêmement limitées, avec des capacités d'interventions économiques et sociales et d'encadrement de la société absolument minuscules (voire insignifiantes) par comparaison à l'État chinois actuel. Les recherches disponibles suggèrent que sous les Ming (1368-1644) comme sous les Qing (1644-1911) le niveau de pression fiscale ne dépassait pas 2 %-3 % du revenu national[1]. Si l'on exprime les recettes fiscales par habitant en termes de journées de salaire, on constate que les ressources contrôlées par l'État Qing étaient entre trois et quatre fois plus faibles que celles des États européens à la fin du XVIIIᵉ siècle et au début du XIXᵉ (voir graphique 9.2, p. 433).

Le recrutement des fonctionnaires impériaux et provinciaux (que les Européens désignèrent comme les « mandarins ») suivait certes des procédures très strictes, avec les fameux examens organisés dans tout l'empire pendant treize siècles, de 605 à 1905, qui firent grand effet et inspirèrent par la suite les Occidentaux (notamment en France et en Prusse). Mais les effectifs totaux de fonctionnaires furent toujours extrêmement réduits : à peine 40 000 fonctionnaires impériaux et provinciaux au milieu du XIXᵉ siècle, soit environ 0,01 % de la population (autour de 400 millions d'habitants), et généralement autour de 0,01 %-0,02 % de la population aux différentes époques[2]. En pratique, l'essentiel des moyens de l'État Qing était consacré à la classe guerrière et à l'armée (comme toujours pour des États disposant de ressources aussi réduites), et les moyens disponibles pour l'administration civile ou les dépenses sanitaires et éducatives étaient insignifiants. Comme nous l'avons vu plus haut, l'État Qing au XVIIIᵉ siècle

---

1. Les travaux disponibles indiquent que la pression fiscale était plus élevée sous les Song (960-1279), à une époque où la Chine était davantage divisée politiquement (et où l'empire développa l'usage d'une marine militaire permanente, de la poudre à canon et des billets de banque), avant de se stabiliser à des niveaux plus faibles sous les empires unis et néoconfucéens des Ming et des Qing (2 %-3 % du revenu national en recettes fiscales et non plus 5 %-10 %). Voir R. VON GLAHN, *The Economic History of China : From Antiquity to the Nineteenth Century*, Cambridge University Press, 2016, p. 358-382.

2. D'après les décomptes officiels, l'empire comptait par exemple 24 653 fonctionnaires (dont 1 944 dans les services centraux de la capitale et 22 709 en province) au début des Ming (fin du XIVᵉ siècle, à un moment où la population chinoise avoisinait les 100 millions), soit 0,02 % de la population. Voir J. GERNET, « Le pouvoir d'État en Chine », *Actes de la recherche en sciences sociales*, nᵒ 118, 1997, p. 19.

et au début du XIXᵉ siècle n'avait par exemple pas les moyens d'imposer efficacement sur le territoire chinois son interdiction de la consommation d'opium. Dans les faits, l'administration de la Chine fonctionnait de façon extrêmement décentralisée, et les fonctionnaires impériaux et provinciaux n'avaient d'autre choix que de se reposer sur le pouvoir des différentes élites guerrières, lettrées et propriétaires au niveau local, qu'ils ne contrôlaient que de façon très limitée, comme d'ailleurs en Europe et dans les autres parties du monde avant la montée en puissance de l'État centralisé moderne[1].

Il faut également insister sur le fait que le régime inégalitaire chinois, comme les autres sociétés trifonctionnelles, reposait sur des formes complexes et évolutives de compromis et de concurrence entre les élites lettrées et les élites guerrières, et non pas sur une surpuissance des premières. Ceci est particulièrement clair à l'époque de la dynastie Qing, qui était issue des guerriers mandchous qui avaient conquis la Chine et pris le contrôle de Pékin et du pays en 1644. La classe guerrière mandchoue avait été organisée depuis le début du XVIIᵉ siècle en Mandchourie suivant le système militaire des « Huit Bannières », dont les membres jouissaient de droits fonciers et de privilèges administratifs, fiscaux et légaux par comparaison au reste de la population. Les Mandchous transportèrent avec eux l'organisation de cet ordre militaire à Pékin et intégrèrent progressivement dans cette noblesse guerrière des nouveaux éléments chinois (*han*) en plus des guerriers mandchous.

Des recherches récentes ont estimé que cette noblesse guerrière des Bannières regroupait au total près de 5 millions de personnes autour de 1720, à un moment où la population chinoise avoisinait les 130 millions d'habitants, soit près de 4 % de la population. Il est possible que les effectifs des Bannières aient progressé entre le moment de la conquête mandchoue, au milieu du XVIIᵉ siècle (environ 1 %-2 % de la population), et le XVIIIᵉ siècle (3 %-4 % de la population), lors de la consolidation du nouveau pouvoir, avant de décliner au cours du XIXᵉ siècle. La fragilité des sources et les multiples difficultés liées à de telles estimations, qui sont de même nature que celles que nous avons rencontrées pour estimer les effectifs de la noblesse en France et en Europe aux XVIIᵉ et XVIIIᵉ siècles, impliquent

---

1. On retrouve la même mythologie avec l'absolutisme espagnol, supposément à l'origine du retard ibérique, alors que l'État espagnol se caractérisait surtout aux XVIIIᵉ-XIXᵉ siècles par une faible capacité à faire appliquer ses décisions et une grande dépendance face aux élites cléricales et nobles locales.

toutefois qu'il est impossible d'être parfaitement précis, en l'absence de recensement systématique avant le XXᵉ siècle en Chine (ce qui montre d'ailleurs au passage le caractère faiblement centralisé de l'État impérial)[1]. Ces effectifs (environ 3 %-4 % de la population pour la noblesse guerrière des Bannières au XVIIIᵉ siècle) sont relativement élevés par comparaison aux noblesses française et britannique de la même époque (voir graphique 9.3), mais sont du même ordre que ceux rencontrés au Japon ou en Inde[2], et plus faibles que ceux rencontrés dans des pays européens marqués par le poids des ordres militaires et de l'expansion territoriale, comme l'Espagne, la Hongrie ou la Pologne[3].

Au début de l'époque Qing, les guerriers des Bannières étaient principalement stationnés dans des garnisons à proximité des grandes villes. Ils vivaient de droits fonciers et de revenus financés sur les productions locales et par l'État impérial. À partir du milieu du XVIIIᵉ siècle, l'État Qing commença cependant à considérer que cette noblesse guerrière était trop nombreuse et lui coûtait des ressources trop importantes. L'affaire était délicate, comme dans toutes les sociétés trifonctionnelles, car des mesures trop radicales à l'encontre de la noblesse guerrière risquaient de mettre le régime en péril. Dès 1742, l'empereur Qing avait entrepris de relocaliser une partie des Bannières en Mandchourie. À partir de 1824, cette politique prit une ampleur nouvelle : à la fois dans un objectif d'économies budgétaires et dans un souci de mise en exploitation et de colonisation du nord du territoire chinois, l'État impérial entreprit de distribuer des terres en Mandchourie septentrionale à une partie de sa noblesse guerrière, tout en favorisant l'immigration de populations non nobles pour travailler pour le compte de ces nouveaux propriétaires terriens. L'affaire ne fut pas simple et conserva une ampleur limitée, d'une part parce que la plupart des membres des Bannières et de leur famille n'avaient pas l'intention de se laisser transporter aussi loin si facilement, et d'autre part parce que les immigrants roturiers étaient souvent plus à même d'organiser la mise en exploitation des terres que ceux issus de la classe guerrière, ce qui provoqua de multiples tensions. Au début du XXᵉ siècle, on observe toutefois dans le nord de la Mandchourie d'étonnantes microsociétés propriétaristes

---

1. Voir M. ELLIOTT, C. CAMPBELL, J. LEE, « A Demographic Estimate of the Population of the Qing Eight Banners », *Études chinoises*, vol. 35 (1), 2016, p. 9-39, pour une présentation détaillée des sources et méthodes utilisées.

2. Voir chapitre 8, graphique 8.3, p. 398.

3. Voir chapitre 5, graphique 5.2, p. 199.

caractérisées par une forte concentration des terres aux mains de l'ancienne noblesse guerrière[1].

Les concours impériaux chinois : lettrés, propriétaires et guerriers

Plus généralement, l'État Qing se devait de veiller de près à un certain équilibre entre la classe guerrière et les autres groupes sociaux chinois ; en pratique il était cependant surtout attentif à l'équilibre entre les élites. Cela valait notamment pour l'organisation du système des examens impériaux, qui fit l'objet de réformes incessantes au cours de sa longue histoire, en fonction des rapports de force entre les groupes en présence. Ces compromis sont intéressants, car ils expriment à leur façon la recherche d'une forme d'équilibre entre d'une part la légitimité du savoir, et d'autre part les légitimités propriétaristes et guerrières. Le recrutement des fonctionnaires se faisait en plusieurs étapes. Il fallait tout d'abord réussir les examens organisés deux années sur trois dans les différentes préfectures de l'empire permettant d'obtenir la licence (*shengyuan*). Cette licence ne donnait pas directement droit à un emploi public, mais elle donnait la possibilité de se présenter ensuite aux différents concours de fonctionnaires aux niveaux provincial et impérial.

La détention de la *shengyuan* conférait également des privilèges légaux, politiques et économiques (par exemple pour témoigner en justice, dans les procédures juridictionnelles, ou pour participer aux instances communales) et un important prestige social, y compris pour tous ceux qui ne devenaient jamais fonctionnaires. D'après les recherches disponibles, sur les bases des archives de ces examens et des listes de personnes, on peut estimer qu'environ 4 % des hommes adultes disposaient au XIXᵉ siècle d'une éducation classique (au sens où ils avaient une maîtrise avancée de l'écriture chinoise et des savoirs traditionnels, et où ils s'étaient présentés au moins une fois à l'examen pour obtenir la *shengyuan*) ; sur ce total, environ 0,5 % des hommes adultes réussissaient l'examen permettant de détenir la précieuse licence. Un second groupe de personnes avait toutefois le droit de se présenter directement aux concours pour devenir fonctionnaire : celles qui avaient acheté une licence (*jiansheng*). L'importance de

---

1. Voir S. CHEN, *State-Sponsored Inequality : The Banner System and Social Stratification in North East China*, Stanford University Press, 2017.

ce groupe s'est accrue au cours du XIXe siècle : il représentait l'équivalent de 0,3 % des hommes adultes dans les années 1820-1830, et près de 0,5 % dans les années 1870-1880, presque autant que ceux qui avaient effectivement obtenu la licence[1].

Une exploitation récente des archives de la province du Jiangnan a permis de montrer que ce mécanisme conduisait à accroître significativement la reproduction sociale dans la sélection des fonctionnaires : cela permettait à des fils de propriétaires et de classes fortunées d'avoir une chance d'être recrutés sans passer les difficiles épreuves de l'examen de licence, tout en procurant d'utiles recettes à l'État (d'où la justification de cette pratique). Les archives indiquent que la reproduction était également très forte au sein de la procédure classique : l'immense majorité des candidats qui réussissaient l'examen de licence et finissaient recrutés comme fonctionnaire impérial ou provincial avaient eux-mêmes un père, un grand-père ou un aïeul ayant occupé des charges semblables, même s'il existait des exceptions (moins de 20 % des cas)[2].

Cette possibilité d'acheter une licence répondait en partie aux difficultés budgétaires de l'État chinois aux XVIIIe et XIXe siècles, et peut être rapprochée des ventes de charges et offices et de nombreuses fonctions publiques dans la France de l'Ancien Régime, et de pratiques similaires dans de nombreux États européens. La différence toutefois est que dans le cas chinois les détenteurs d'une licence achetée devaient en principe se soumettre aux mêmes concours que les autres pour devenir effectivement fonctionnaire (même si les soupçons de complaisance lors de cette étape ultime étaient très répandus, sans qu'il soit possible de dire jusqu'à quel point ils étaient exagérés). Ce système chinois se rapproche peut-être davantage de la pratique des plus prestigieuses universités étatsuniennes qui, en ce début de XXIe siècle, admettent ouvertement que certains étudiants (les *legacy students*) dont les parents ont fait des dons suffisamment importants peuvent bénéficier d'une admission directe, en dépit de leurs résultats scolaires insuffisants. Nous reviendrons dans les prochains chapitres sur

---

1. Voir H. YIFEI, *Social Mobility and Meritocracy : Lessons from Chinese Imperial Civil Service Examination*, CalTech PhD, 2016, p. 5-11, table 1.1. Voir également C.-L. CHANG, *The Chinese Gentry : Studies on their Role in Nineteenth-Century Chinese Society*, University of Washington Press, 1955. Voir aussi J. OSTERHAMMEL, *La Transformation du monde. Une histoire globale du XIXe siècle*, Nouveau Monde Éditions, 2017, p. 1023-1027.

2. Voir H. YIFEI, *Social Mobility and Meritocracy, op. cit.* Voir également B. ELMAN, *Civil Examinations and Meritocracy in Late Imperial China*, Harvard University Press, 2013.

cette question, qui soulève des enjeux considérables pour la définition d'une norme partagée de justice éducative et sociale au XXIᵉ siècle, et qui illustre de nouveau le besoin de placer l'étude des régimes inégalitaires dans une perspective historique et comparative, y compris en comparant des pays, des époques et des institutions qui préféreraient parfois ne pas se comparer les uns aux autres[1].

Dans le cas des examens impériaux chinois, il faut également ajouter une autre dimension essentielle et relativement mal connue des règles en vigueur à l'époque Qing : environ la moitié des quelque 40 000 postes de fonctionnaires (l'équivalent d'environ 0,01 % de la population chinoise totale au XIXᵉ siècle, et autour de 0,03 % des hommes adultes) étaient réservés aux membres de la noblesse guerrière des Bannières[2]. En pratique, les membres de la classe guerrière passaient, suivant les cas, des concours spécifiques, parfois en langue mandchoue afin de pallier leur connaissance insuffisante du chinois classique, ou bien pour certains postes des concours similaires à ceux auxquels étaient soumis les titulaires de licence réelle ou achetée, mais avec des places réservées pour les membres des Bannières. Ce système de « réservations » à la chinoise, bien différent des quotas indiens en faveur des membres des basses castes développés au cours du XXᵉ siècle, allait d'ailleurs bien au-delà des concours d'admission dans la fonction publique. Au sein de chaque administration et de chaque catégorie de postes, il existait également des quotas de places réservées aux membres de l'aristocratie guerrière (mandchous et han) et aux lettrés et propriétaires issus des autres voies de recrutement[3]. Ces règles faisaient l'objet de conflits multiples et de renégociations permanentes, mais pour l'essentiel l'aristocratie guerrière réussit à maintenir ses avantages jusqu'à la chute de l'empire en 1911, et les privilèges de type propriétariste (liés en particulier à l'achat de licences) se renforcèrent au cours du XIXᵉ siècle et au début du XXᵉ, en partie du fait des besoins budgétaires croissants de l'État Qing (qui devait acquitter une dette de plus en plus considérable aux puissances européennes).

1. Voir en particulier chapitre 11, p. 627-629.

2. Le nombre total de postes ouverts aux titulaires de la *shengyuan* était ainsi d'à peine 0,01 % de la population adulte masculine : le taux de succès potentiel était donc d'environ 1 sur 50 licenciés (0,5 % des hommes adultes), et de 1 sur 400 lettrés (4 % des hommes adultes). L'entonnoir était d'autant plus étroit que l'administration centrale pékinoise absorbait moins de 10 % des postes de fonctionnaires (contre plus de 90 % pour les postes territoriaux).

3. Voir M. ELLIOTT, C. CAMPBELL, J. LEE, « A Demographic Estimate of the Population of the Qing Eight Banners », art. cité ; S. CHEN, *State-Sponsored Inequality*, *op. cit.*

Révoltes chinoises et bifurcations inachevées

Pour résumer : la société impériale chinoise était une société fortement inégalitaire et hiérarchisée, marquée par des conflits entre des élites lettrées, propriétaires et guerrières. Tous les éléments disponibles suggèrent que ces groupes se recoupaient pour partie : les élites lettrées et administratives étaient également des propriétaires terriens recevant des rentes foncières du reste de la population, de même que les élites guerrières, et les alliances entre ces différents groupes étaient nombreuses. Pour autant, le régime était loin d'être figé : outre les conflits entre élites, il fut marqué par de multiples révoltes et révolutions populaires, qui auraient pu conduire la Chine à emprunter des trajectoires différentes de celle qui a finalement été suivie.

La plus spectaculaire et la plus sanglante fut la révolte des Taiping (1850-1864). Il s'agissait initialement d'une révolte de paysans pauvres refusant de payer les rentes aux propriétaires et occupant illégalement des terres, comme il y en eut tant d'autres. Ces révoltes étaient courantes depuis toujours, mais elles s'étaient multipliées et menaçaient de plus en plus fortement le régime à la suite de l'humiliante défaite face aux Européens lors de la première guerre de l'opium (1839-1842). De fait, la révolte des Taiping manqua de très peu de renverser l'empire Qing en 1852-1854, lors des premières années du mouvement. Les révoltés établirent leur capitale à Nankin (près de Shanghai). Un décret du nouveau régime prévoyait en 1853 une redistribution familiale des terres suivant les besoins et commença à s'appliquer dans les régions contrôlées par la rébellion. Le 14 juin 1853, Karl Marx annonça, dans un article publié dans la *New York Daily Tribune*, que la révolution était sur le point de triompher, et que ces événements chinois allaient provoquer des secousses considérables dans le système industriel mondial, avec à la clé des révolutions à la chaîne en Europe. Le conflit se transforma rapidement en une gigantesque guerre civile dans le centre de la Chine, opposant les forces impériales basées au Nord (elles-mêmes issues d'un État relativement faible) aux rebelles Taiping au Sud, de mieux en mieux organisés, tout cela dans un pays qui avait connu une croissance démographique gigantesque au cours du siècle écoulé (la population était passée d'environ 130 millions en 1720 à près de 400 millions dans les années 1840), et qui était ravagé par l'opium et les risques de famine. D'après les estimations disponibles, la révolte des Taiping aurait causé entre 20 et 30 millions de morts militaires et civils entre 1850 et 1864, soit davantage que tous les morts cumulés des différents pays impliqués au cours de la Première Guerre mondiale (entre 15 et 20 millions de morts). Des recherches ont montré que les régions chinoises les plus touchées n'ont par la suite jamais totalement compensé leur retard de croissance démographique, et ont connu un état de rébellion rurale et de lutte armée quasi permanent jusqu'à la chute de l'empire[1].

Dans un premier temps, les puissances occidentales adoptèrent une attitude de neutralité face au conflit. Cela tenait notamment aux références christiques et messianiques du leader de la rébellion Taiping, ce qui lui valait des sympathies dans les pays chrétiens, et notamment aux États-Unis, où l'opinion aurait mal compris que l'on soutienne l'empereur Qing (réputé insuffisamment ouvert aux missionnaires). En Europe, certains socialistes et républicains radicaux voyaient dans cette révolte une sorte d'équivalent chinois de la Révolution française, mais cela eut un impact moins important. À partir du moment où les Taiping se mirent à remettre radicalement en cause le droit de propriété et à menacer durablement le commerce et le paiement des dettes aux Occidentaux (que les Franco-Britanniques venaient d'imposer suite au sac de Pékin en 1860), les puissances européennes décidèrent de prendre fait et cause pour l'État Qing. Leur soutien eut un impact sans doute décisif sur la victoire finale des forces impériales sur les rebelles en 1862-1864, tout cela en pleine guerre civile étatsunienne (ce qui facilita d'ailleurs l'intervention européenne, à un moment où l'attention des milieux chrétiens étatsuniens était occupée par d'autres événements)[2]. Si la rébellion avait triomphé, il est bien difficile de prédire comment auraient évolué la structure politique et les frontières de la Chine depuis lors.

À la fin du XIXᵉ siècle, la légitimité morale de l'État Qing, de son empereur comme de ses différentes élites (noblesse guerrière, mandarins lettrés), était tombée à un point extrêmement bas auprès de l'opinion chinoise. Le pays avait dû accepter toute une série de « traités inégaux » avec les Européens, et se retrouvait à devoir augmenter fortement les impôts acquittés par sa population afin de pouvoir rembourser aux Occidentaux et à leurs banquiers ce qui était ni plus ni moins qu'un tribut militaire, ainsi que les

---

1. Voir en particulier L. COLIN XU, L. YANG, « Stationary Bandits, State Capacity, and Malthusian Transition : The Lasting Impact of the Taiping Rebellion », PSE, 2018.

2. Voir P. SINGARAVÉLOU, S. VENAYRE, *Histoire du monde au XIXᵉ siècle, op. cit.*, p. 286-288.

intérêts cumulés produits par ce tribut[1]. Dans un tel contexte, la défaite chinoise en 1895 face au Japon (qui depuis des millénaires avait été dominé militairement et culturellement par la Chine), et la mainmise nippone sur la Corée et Taïwan, apparaissait comme le coup de trop pour les Qing.

En 1899-1901, la révolte des Boxers, fomentée par les « Poings de la justice et de la concorde », société secrète dont le symbole était un poing fermé, et qui luttait à la fois pour la destruction du pouvoir féodal et impérial mandchou et l'expulsion des étrangers, faillit de nouveau faire chuter le régime. Les puissances occidentales, menacées dans leurs concessions territoriales, aidèrent l'État Qing à mater la révolte, et expérimentèrent une forme inédite de gouvernement international en 1900-1902 à Tianjin (à l'embouchure stratégique commandant Pékin). Pas moins de dix puissances coloniales, déjà établies en Chine ou nouvellement venues au festin, se partagèrent le pouvoir au sein d'une administration chargée notamment de liquider les derniers rebelles boxers. Les archives de cet étonnant gouvernement indiquent la présence de troupes françaises et allemandes particulièrement brutales et indisciplinées, sans cesse accusées de viols et de rapines par la population locale, aussi violentes et méprisantes avec les Chinois qu'avec les soldats indiens que les Britanniques avaient fait venir du Raj (et dont les Chinois eux-mêmes appréciaient peu le contact). Les comités regroupant des représentants des différentes puissances durent trancher toutes sortes de questions économiques et légales complexes, concernant le ravitaillement de la ville ou l'organisation des tribunaux et des bordels militaires. Après moult débats, notamment entre Français et Japonais, l'âge minimal pour la prostitution de jeunes Chinoises fut par exemple fixé à 13 ans, alors qu'il venait de passer de 13 à 16 ans au Royaume-Uni en 1885. Au moment de partir et de remettre le pouvoir à l'État Qing en 1902, les journaux et les lettres des soldats français qui s'étaient illustrés par leur sauvagerie attestent de leur tristesse à devoir retourner en métropole jouer de nouveau un rôle de prolétaires, après ces longs mois enivrants et divertissants passés à occuper la Chine[2].

---

1. Entre 1880 et 1910, la Chine dut ainsi réaliser un excédent commercial croissant pour rembourser ses dettes. Voir R. VON GLAHN, *The Economic History of China, op. cit.*, p. 394, figure 9.11.

2. Voir en particulier l'intéressant journal d'un certain Jacques Grandin, cité par P. SINGARAVÉLOU, *Tianjin Metropolis. Une autre histoire de la mondialisation*, Seuil, 2017, p. 224-225, 281-299, 331-335. Les pays occupants comprenaient le Royaume-Uni, la France, les États-Unis, l'Allemagne, la Russie, le Japon, l'Autriche-Hongrie, l'Italie, la Belgique et le Danemark.

La révolution de 1911 aboutit finalement à la chute de l'empire et la mise en place de la république de Chine, avec l'élection de Sun Yat-sen comme premier président par l'Assemblée réunie à Nankin. Pour expliquer le triomphe final des communistes et le passage de la république bourgeoise de 1911 à la république populaire de 1949, à l'issue de près de quatre décennies de quasi-guerre civile entre nationalistes (finalement réfugiés à Taïwan en 1949) et communistes et de lutte contre les occupants japonais et occidentaux, il est tentant d'évoquer le caractère excessivement conservateur du régime mis en place en 1911-1912, sans doute peu conforme aux aspirations des paysans chinois à la redistribution des terres et à l'égalité, après des siècles de régime inégalitaire Qing. De fait, Sun Yat-sen était un médecin anglican républicain et antimandchou, mais relativement conservateur sur les questions économiques et sociales, et la plupart des révolutionnaires bourgeois de 1911 partageaient son respect pour l'ordre établi et le droit de propriété (à partir du moment où l'ancienne classe guerrière était privée de ses privilèges indus). La Constitution chinoise de 1911 était de ce point de vue peu innovante : elle sanctuarisait les droits de propriété acquis dans le passé et rendait quasiment impossible toute redistribution dans un cadre légal apaisé, à la différence par exemple de la Constitution mexicaine de 1910 ou de la Constitution allemande de 1919, qui présentaient la propriété comme une institution sociale au service de l'intérêt général et envisageaient la possibilité que les assemblées législatives redéfinissent les conditions d'exercice du droit de propriété et mettent en place le cas échéant de vastes réformes agraires, ou d'autres limitations motivées des droits des propriétaires[1]. Le président Sun Yat-sen fut lui-même expulsé du pouvoir et remplacé par le général impérial Yuan Shikai dès 1912, sous la pression des Occidentaux, qui considéraient qu'un pouvoir militaire fort serait mieux à même de maintenir l'ordre en Chine et d'assurer les rentrées fiscales et les remboursements de dettes et d'intérêts aux puissances coloniales.

Compte tenu de la complexité du déroulé des événements et des mobilisations politico-idéologiques, militaires et populaires qui se déroulèrent en Chine au cours des années 1911-1949, il serait cependant peu crédible de voir dans l'avènement de la république populaire la conséquence

---

1. Voir P. SINGARAVÉLOU, S. VENAYRE, *Histoire du monde au XIXᵉ siècle, op. cit.*, p. 393-399. Nous reviendrons sur ces questions constitutionnelles et propriétaristes dans les prochaines parties (voir en particulier chapitre 11, p. 580-581, sur les Constitutions allemandes de 1919 et 1949).

déterministe et inéluctable des insuffisances de la république bourgeoise de 1911-1912 et du profond sentiment d'injustice à la fois anti-impérial, antipropriétariste et antimandarins accumulé par la masse de la population paysanne chinoise au cours des siècles précédents. Bien d'autres évolutions auraient pu se produire, à commencer par diverses formes de républiques sociales et démocratiques[1]. Nous verrons également dans la prochaine partie à quel point l'avènement d'une république communiste en Chine laissait ouverte (et laisse toujours ouverte aujourd'hui) une grande diversité de trajectoires politico-idéologiques et institutionnelles possibles[2]. L'étude de la transformation du régime inégalitaire trifonctionnel chinois en un régime propriétariste puis communiste, comme celle des autres régimes inégalitaires, doit d'abord être vue comme un ensemble d'expériences sociopolitiques riches en bifurcations inachevées et en enseignements pour l'avenir.

Un exemple de république cléricale constitutionnelle : l'Iran

Évoquons enfin le cas de l'Iran, qui offre l'exemple inédit d'une constitutionnalisation tardive du pouvoir clérical, avec la création en 1979 de la République islamique, régime fragile mais toujours en place à la fin des années 2010. Comme tous les événements de ce type, la révolution iranienne est due à un ensemble de facteurs et d'événements plus ou moins contingents qui aurait fort bien pu s'agencer différemment. La répulsion suscitée dans la population par le dernier shah d'Iran, l'empereur Mohammad Reza Pahlavi, et par sa connivence avec les Occidentaux et leurs compagnies pétrolières, joua un rôle particulièrement important, de même que l'habileté tactique de l'imam Khomeyni. Pourtant, au-delà de ces logiques événementielles particulières, le point important est que la possibilité même d'une république cléricale iranienne était liée à la forme spécifique prise par la structure trifonctionnelle dans l'histoire de l'islam

---

1. Au cours des années 1930 et au début des années 1940, de nombreux diplomates et géopoliticiens étatsuniens plaçaient leurs espoirs dans une Chine sociale et démocratique pour équilibrer l'influence de l'Union soviétique et des puissances coloniales européennes dans l'organisation de l'après-guerre. Voir O. ROSENBOIM, *The Emergence of Globalism : Visions of World Order in Britain and the United States 1939-1950*, Princeton University Press, 2017, p. 59-99.

2. Voir en particulier chapitre 12, p. 705-739.

chiite et sunnite, et plus particulièrement au rôle joué par le clergé chiite dans la résistance au colonialisme[1].

De façon générale, les sociétés musulmanes diffèrent depuis toujours par l'importance relative qu'elles accordent aux élites guerrières et militaires d'un côté, et aux élites cléricales et intellectuelles de l'autre. Dès l'origine, les sunnites reconnaissent l'autorité du calife, choisi comme chef temporel et militaire pour diriger l'umma, la communauté des musulmans, alors que les chiites suivent l'imam, chef spirituel et religieux reconnu comme savant parmi les savants. Les sunnites reprochent à Ali, gendre du Prophète, premier imam et quatrième calife, et à ses successeurs imams, d'avoir négligé l'autorité des califes et divisé la communauté. À l'inverse, les chiites vénèrent l'autorité des douze premiers imams, et ne pardonnent pas aux sunnites d'avoir entravé leur action unificatrice et de s'être rangés auprès de califes parfois brutaux et sans réelle connaissance de la religion. Après l'occultation du douzième imam en 874, les grands ulémas chiites renoncent temporairement au pouvoir temporel, et publient aux XIe-XIIIe siècles depuis les villes saintes chiites d'Irak des recueils des traditions et des jugements prononcés par les douze imams. Tous les croyants sont alors supposés égaux dans leur effort pour imiter l'exemple idéal des imams.

L'équilibre politico-idéologique va être redéfini au XVIe siècle. Alors que le chiisme se limitait encore à quelques foyers à l'ouest de l'Iran, en Irak et au Liban (souvent au sein de populations pauvres sensibles au discours de dénonciation des puissants et des princes, statut social défavorisé que les minorités chiites libanaises ou irakiennes ont d'ailleurs conservé jusqu'à nos jours), l'État safavide entreprend pour des raisons politico-religieuses de s'appuyer sur les ulémas chiites pour convertir l'ensemble de la Perse au chiisme (c'est ainsi que l'Iran devint le seul pays musulman presque entièrement chiite)[2]. Petit à petit, les ulémas chiites étendent leur pouvoir

---

1. Voir le livre éclairant de J.-P. LUIZARD, *Histoire politique du clergé chiite, XVIIIe-XXIe siècle*, Fayard, 2014.

2. Le haut clergé chiite reste encore aujourd'hui principalement basé en Iran, en Irak et au Liban, et « règne » sur environ 170 millions de chiites dans le monde (11 % des musulmans), dont 85 % de la population en Iran, 75 % à Bahreïn, 55 % en Irak, 35 % au Liban (mais plus de la moitié des musulmans), environ 15-20 % au Pakistan et en Afghanistan (et des musulmans en Inde), et généralement moins de 10 % dans les autres pays musulmans. Voir *ibid.*, p. 40-41. Certains auteurs insistent sur le fait que les *pishtras*, classes sociales fonctionnelles de l'Iran trifonctionnel ancien de la période zoroastrienne (au Ier millénaire AEC et au début du Ier millénaire de notre ère), accordaient une place éminente à la classe des prêtres par rapport à celle des guerriers (voir par exemple E. SÉNART, *Les Castes dans l'Inde. Les faits et le*

d'interprétation et justifient l'usage de la raison pour adapter et étendre les préceptes anciens. Leur rôle politique s'étend encore à la fin du XVIIIᵉ siècle et au début du XIXᵉ siècle à la fin des Safavides et au début des Qadjars (1794-1925), quand les nouveaux souverains leur demandent par exemple de décréter le djihad contre les Russes, et que les ulémas obtiennent confirmation de leur droit d'exécuter les sentences et de percevoir l'impôt.

Depuis leurs fiefs de Najaf (où se trouve le mausolée d'Ali, au sud de Bagdad), Karbala (où a eu lieu le sacrifice d'Hussein, fils d'Ali) et Samarra (où le douzième imam a disparu)[1], les ulémas défient alors régulièrement les souverains perses et ottomans quand ils désapprouvent leurs actions, et s'érigent en véritables contre-pouvoirs. Au XIXᵉ siècle, la doctrine se précise : chaque chiite doit suivre un *mujtahid*, et le *marja* est le plus savant de tous les *mujtahids*, parfois avec des spécialisations suivant les domaines de sagesse et de compétence. L'avis du *marja* se transmet par contact direct avec lui ou par l'intermédiaire d'hommes l'ayant entendu s'exprimer.

Il n'existe en général pas plus de cinq ou six *marjas* vivants dans tout le monde chiite. Passer du statut du *mujtahid* à celui de *marja* est l'œuvre de toute une vie, et se décide sur la base de la sagesse et de la science religieuse, à la différence des ulémas sunnites qui se fondent sur une reconnaissance officielle par les pouvoirs temporels. *De facto*, sous les Empires perse et ottoman des XVIIIᵉ-XXᵉ siècles, le statut d'extraterritorialité et de puissance morale, fiscale et militaire des villes saintes chiites d'Irak et d'Iran place le clergé chiite à la tête de quasi-États. Leur statut n'est pas incomparable à celui des États pontificaux dans l'Europe médiévale et moderne, à la différence importante près que la classe cléricale chiite est une véritable classe sociale à part entière, avec ses alliances matrimoniales entre familles de grands ulémas (un petit-fils de Khomeyni s'est par exemple marié à une petite-fille du grand *marja* Sistani, basé à Najaf), ses enfants et ses propriétés, même si les détentions patrimoniales sont principalement organisées par

---

système, Leroux, 1896, p. 140-141). Il serait toutefois hasardeux de rattacher trop fortement la puissance de la classe cléricale iranienne à cette tradition, dans la mesure où la conversion au chiisme a également concerné d'autres régions. Sur les débats liés au processus de conversion de l'Iran au chiisme, voir I. POUTRIN, « Quand l'Iran devint chiite. Religion et pouvoir chez les Safavides (XVIᵉ-XVIIᵉ s.) », *Conversion/Pouvoir et religion*, 2017.

1. Ces trois villes saintes sont situées en Irak. En Iran, seule Mashhad abrite le tombeau d'un imam. La fille du Prophète Fatima et les autres imams sont enterrés à Médine (Arabie saoudite), ce qui est source de grandes tensions avec les autorités saoudiennes (sunnites) lors des pèlerinages.

l'intermédiaire des mosquées, des écoles, des services sociaux et de multiples fondations pieuses.

De la légitimité anticolonialiste du clergé chiite

Alors que les pouvoirs impériaux ottomans et perses sont de plus en plus souvent accusés de plier face aux injonctions des puissances coloniales chrétiennes, quand ils ne sombrent pas eux-mêmes dans la corruption, le clergé chiite apparaît comme la voie de la résistance, notamment lors des émeutes du tabac de 1890-1892. Le grand *marja* Shirazi, déjà très populaire pour son action sociale lors de la famine de Mésopotamie de 1870, s'oppose alors aux monopoles sur le tabac, les chemins de fer et les autres ressources naturelles accordés aux Anglais en 1890-1891, à un moment où la Banque impériale perse vient de passer sous le contrôle des créanciers britanniques (la Banque impériale ottomane étant quant à elle contrôlée par un consortium franco-britannique depuis 1863). Les émeutes et la mobilisation populaire sont telles que le shah doit temporairement renoncer à son projet en 1892[1]. Les Occidentaux reprendront le dessus par la suite, notamment après la découverte du pétrole en 1908, l'occupation des villes iraniennes par les troupes anglo-russes en 1911, puis le partage franco-britannique du Moyen-Orient ottoman en 1919-1920. Mais le clergé chiite s'est imposé comme force anticoloniale majeure et en récoltera les fruits plus tard. De façon générale, l'intense activité missionnaire chrétienne déployée à la fin du XIXᵉ siècle par les Occidentaux (convaincus de la supériorité de leur modèle culturel et religieux) contribue à stimuler de multiples formes de renouveaux religieux hindouistes et musulmans à partir du début du XXᵉ siècle[2]. Les Frères musulmans (sunnites) sont par exemple fondés en Égypte en 1928 et vont par la suite développer des formes de services sociaux et de solidarités entre les fidèles qui ne sont pas sans rapport avec les quasi-États chiites, à la différence que ces derniers peuvent s'appuyer sur une hiérarchie religieuse et une classe cléricale beaucoup plus structurées.

Après la tentative de nationalisation du pétrole par le Premier ministre Mossadegh en 1951, un coup d'État d'instigation anglo-étatsunienne intervient en 1953 pour rétablir au pouvoir le shah (issu d'une famille de

---

1. Voir J.-P. LUIZARD, *Histoire politique du clergé chiite, op. cit.*, p. 77-88
2. Voir P. SINGARAVÉLOU, S. VENAYRE, *Histoire du monde au XIXᵉ siècle, op. cit.*, p. 147-148.

militaires sortis du rang, peu portés sur la religion, parvenus au pouvoir en 1925, et régulièrement stigmatisés pour leur népotisme) et surtout les privilèges des compagnies occidentales. Le régime tente en 1962 de porter le coup de grâce au clergé chiite en lui retirant son indépendance financière, par l'intermédiaire d'une réforme agraire obligeant les waqf (fondations pieuses) à vendre leurs terres. S'ensuivent d'immenses rassemblements, l'exil de Khomeyni à Najaf de 1965 à 1978, et une répression de plus en plus violente.

Très impopulaire, le shah doit finalement fuir le pays en février 1979 et céder le pouvoir à Khomeyni. Ce dernier met alors en place avec les ulémas chiites une Constitution étonnante et largement inédite dans l'histoire. En 1906, la Constitution perse avait décidé que les lois votées par le Parlement devaient être confirmées par au moins cinq *mujtahids* nommés par un ou plusieurs *marjas*. Mais cette règle fut contournée dès 1908-1909, et les rédacteurs de la Constitution de 1979 prirent soin de verrouiller à double tour le pouvoir du clergé au sein de la république islamique d'Iran. Le Majlis (Parlement), l'Assemblée des experts et le président sont certes élus au suffrage universel direct (y compris par les femmes, électrices depuis 1963 en Iran) ; mais seuls des religieux (en principe diplômés de théologie, ou disposant d'une formation religieuse adéquate) peuvent être candidats à l'Assemblée des experts de 86 membres, instance qui élit le Guide suprême, et qui en principe peut le révoquer. En pratique, il n'y eut que deux Guides suprêmes : l'imam Khomeyni de 1979 à sa mort en 1989, et l'ayatollah Khamenei depuis 1989. Le Guide domine nettement le pouvoir civil et les autres instances politiques, en particulier en cas de crise grave : il est le chef des armées, il nomme aux hautes fonctions militaires et judiciaires, et il arbitre les conflits entre exécutif, législatif et judiciaire. Par ailleurs le Guide nomme directement 6 membres sur les 12 religieux composant le Conseil des gardiens de la Constitution (les 6 autres membres devant être approuvés par le Majlis, sur proposition des autorités judiciaires, contrôlées par le Guide), instance constitutionnelle suprême qui verrouille l'ensemble du système électoral, puisqu'elle doit approuver toutes les candidatures au Majlis, à l'Assemblée des experts et à la présidence.

S'il existe un grand nombre de régimes politiques modernes accordant la toute-puissance à la classe militaire (en général dans le cadre de dictatures militaires aux formes juridiques peu formalisées), et même parfois des Constitutions accordant des prérogatives spécifiques aux militaires au sein d'un système parlementaire, en particulier concernant le vote du budget (comme les Constitutions actuellement en vigueur en Égypte ou en Thaïlande)[1], la Constitution iranienne représente véritablement un cas à part. Elle est fondée sur une grande sophistication dans la façon dont la classe cléricale organise et codifie sa mainmise sur le pouvoir politique, tout cela dans le cadre d'un régime laissant par ailleurs une assez large place à des élections relativement contestées et pluralistes, ou tout du moins davantage que dans la plupart des régimes politiques du Moyen-Orient.

Il faut toutefois noter que le pouvoir étatique officiellement conféré aux religieux chiites par la Constitution iranienne a toujours suscité la plus extrême méfiance d'une bonne partie de la classe cléricale, qui a généralement préféré se tenir éloignée de la politique, de peur de se retrouver entraînée dans ses errements. C'est notamment le cas des plus hauts *marjas* et dignitaires basés dans les villes saintes d'Irak, ainsi que du petit clergé chiite et des imams des mosquées iraniennes, qui sont pour la plupart hostiles au régime en place. Ceux parmi les religieux et théologiens (ou parvenant à se faire reconnaître comme tels) qui font leur carrière à l'Assemblée des experts, en politique ou dans l'appareil d'État constituent donc un groupe spécifique, qui ne doit pas être confondu avec les religieux en général[2]. Il est intéressant de noter que la Constitution de 1979 prévoyait initialement que seul un authentique *marja* pouvait être élu Guide suprême de la République islamique. Mais en 1989, à la mort de Khomeyni (qui avait reçu la distinction de *marja* pendant son exil à Najaf), aucun *marja* vivant ne remplissait les conditions et ne souhaitait devenir Guide. Faute de mieux, il fut donc décidé d'élire l'actuel Guide Khamenei (qui n'était pourtant qu'ayatollah), ce qui constituait une violation caractérisée de la Constitution. Celle-ci fut rétrospectivement amendée à la fin de l'année 1989 afin de se replacer dans un cadre légal. Au cours des années suivantes, le régime tenta d'obtenir des *marjas* vivants une reconnaissance du statut de *marja* pour son Guide suprême, sans succès[3]. Cet épisode relativement humiliant marqua un divorce clair entre les instances proprement religieuses

---

1. La Constitution égyptienne de 2014 prévoit ainsi que le budget militaire reste secret (un seul chiffre global est rendu public) et soit négocié avec les chefs de l'armée. La Constitution thaïlandaise de 2016 donne à ces derniers le pouvoir de nommer les sénateurs, qui peuvent faire tomber le gouvernement.

2. Le seul président non religieux à ce jour est Mahmoud Ahmadinejad (2005-2013), perçu comme plus rigoriste et conservateur que nombre de présidents membres de la classe cléricale et religieuse.

3. Voir J.-P. Luizard, *Histoire politique du clergé chiite, op. cit.*, p. 217-230.

et transnationales du chiisme et les instances étatiques et nationales de la république islamique d'Iran[1].

République chiite égalitaire, pétro-monarchies sunnites : discours et réalités

En ce début de XXIe siècle, le régime iranien cherche toujours à se présenter comme plus moral et égalitaire que les autres États musulmans, et en particulier que l'État saoudien et les autres pétro-monarchies du Golfe, régulièrement accusées d'instrumentaliser la religion pour dissimuler leur accaparement familial, dynastique et clanique des ressources. À l'inverse de ces régimes gouvernés par des familles de princes, de milliardaires et de parvenus, le régime iranien entend se fonder sur l'égalité républicaine des citoyens, sans privilège dynastique d'aucune sorte, et sur la sagesse des savants et des docteurs en religion, quelle que soit leur origine sociale.

De fait, les données disponibles indiquent que le Moyen-Orient apparaît aujourd'hui comme la région la plus inégalitaire du monde[2], et que cela s'explique pour l'essentiel par l'accaparement des ressources économiques par des pétro-États aux populations limitées, et par des couches sociales extrêmement réduites au sein de ces États. Parmi ces couches minuscules figurent notamment les familles régnantes saoudiennes, émiriens et qataris, qui s'appuient depuis des décennies sur un discours religieux rigoriste concernant certaines dimensions (notamment à l'encontre des femmes), dans l'espoir peut-être de faire oublier leurs turpitudes financières. Nous reviendrons dans la prochaine partie de ce livre sur cet aspect important du régime inégalitaire mondial actuel, et plus généralement sur la question de la réduction des inégalités au niveau régional et international[3].

À ce stade, notons simplement que des niveaux aussi extrêmes d'inégalité ne peuvent qu'engendrer d'immenses tensions sociales et politiques. La perpétuation de tels régimes repose sur des appareils répressifs sophistiqués, ainsi que sur la protection militaire occidentale, et notamment

---

1. Le régime conserve toutefois un certain prestige auprès des religieux lié à son rayonnement régional et à la protection des chiites, ainsi qu'à la mémoire de la guerre contre l'Irak (1980-1988), à un moment où tous les pays occidentaux soutenaient et armaient Saddam Hussein, issu de la minorité sunnite irakienne (et lui-même peu religieux), qui n'avait pas hésité à exécuter le grand *marja* de Najaf en 1980.

2. Voir Introduction, graphique 0.4, p. 39.

3. Voir en particulier chapitre 13, p. 761-764.

étatsunienne. Si les armées occidentales n'étaient pas venues déloger les forces irakiennes en 1991, afin de rétablir la souveraineté de l'émir du Koweït sur ce territoire et ses ressources pétrolières (ainsi que les intérêts des compagnies étatsuniennes et européennes), il est probable que le processus de redéfinition des frontières régionales ne se serait pas arrêté là. Au sein de l'Islam, le régime chiite iranien n'est pas le seul acteur à dénoncer la corruption des pétro-monarchies et leur connivence réputée impie avec les Occidentaux. Ce discours est également partagé par de nombreux citoyens et groupes politiques sunnites, la plupart pacifistes et peinant généralement à se faire entendre (quand ils en ont le droit), et d'autres pratiquant l'action terroriste et occupant une part importante de l'actualité mondiale des dernières décennies (avec les organisations al-Qaïda et Daech en particulier)[1].

Il faut également souligner que le régime iranien, malgré tous ses discours, se caractérise lui aussi par une très grande opacité dans la répartition des richesses. Ce manque de transparence ainsi que les soupçons de corruption massive qu'il suscite auprès de la population expliquent aujourd'hui l'extrême fragilité du régime. Les Pasdaran, le corps militaire des Gardiens de la République islamique, directement rattaché au Guide suprême, constituent un véritable État dans l'État, et contrôlent d'après certaines estimations entre 30 % et 40 % de l'économie iranienne. Les multiples fondations pieuses placées sous la mainmise du Guide et ses alliés sont également réputées détenir des participations et des biens importants, au service officiellement de leur rôle social et du développement du pays, mais l'absence quasi complète d'informations fiables à leur sujet interdit tout bilan précis et alimente naturellement les soupçons[2]. Le cinéma iranien donne parfois à voir quelques aperçus, peu rassurants. Dans *Un homme intègre* (2017), Reza vit sous la menace d'expropriation de sa maison et de son terrain par une mystérieuse compagnie proche du régime et des autorités locales. Il finira hagard au milieu de ses poissons morts. Le réalisateur, Mohammad

---

1. Rappelons qu'al-Qaïda est une organisation terroriste sunnite connue en particulier pour les attentats du 11 septembre 2001, et qui a toujours été relativement ouverte vis-à-vis des chiites, alors que Daech se fonde notamment sur un projet territorial visant à établir un État islamique sunnite puissant « en Irak et au Levant » (avec à la clé une redéfinition radicale des frontières entre Irak et Syrie, qui a failli réussir entre 2014 et 2018), en opposition violente aux chiites irakiens et régionaux.

2. Sur les évolutions récentes du régime, voir notamment A. CHELLY, *Iran, autopsie du chiisme politique*, Cerf, 2017 ; C. ARMINJON HACHEM, *Chiisme et État. Les clercs à l'épreuve de la modernité*, CNRS Éditions, 2013.

Rasoulof, a été interpellé et privé de son passeport, sans motif officiel, et vit depuis sous la menace d'être emprisonné.

Égalité, inégalité et zakat dans les pays musulmans

De façon générale, force est de constater que les promesses d'égalité sociale, politique et économique régulièrement portées par l'islam au cours de l'histoire, comme d'ailleurs par le christianisme, l'hindouisme et les autres religions, ont régulièrement conduit à des désillusions. Toutes les religions ont certes servi de support depuis des millénaires et sur tous les continents au développement de solidarités importantes et de services sociaux essentiels au niveau local. Les classes cléricales et intellectuelles issues des diverses constructions et doctrines religieuses (y compris le confucianisme et le bouddhisme) ont également permis d'équilibrer pendant des siècles le pouvoir des classes guerrières et militaires au sein des sociétés trifonctionnelles dans toutes les régions du monde. Les messages d'égalité et d'universalité portés par les religions ont régulièrement offert des voies d'émancipation possibles pour des minorités discriminées, comme l'illustrent par exemple les conversions musulmanes dans les sociétés hindoues (qu'une partie des nationalistes hindous reprochent d'ailleurs toujours à l'islam et aux intéressés).

Mais dès lors qu'il s'agit de structurer des sociétés et de réduire les inégalités à une plus vaste échelle, les rigidités, les conservatismes et les incohérences des idéologies religieuses, en particulier sur le plan familial, légal et fiscal, apparaissent au grand jour. On observe certes dans l'islam, comme dans toutes les religions, l'expression d'un certain attachement à l'idée d'égalité sociale au niveau théorique. Mais les recommandations pratiques et institutionnelles qui en découlent sont en général relativement floues. Elles se caractérisent souvent par une telle plasticité qu'il est possible de les mettre au service de toutes les idéologies conservatrices du moment. S'agissant par exemple de l'esclavage, dont le christianisme s'est parfaitement bien accommodé pendant des siècles, ainsi que nous l'avons vu avec l'attitude des papes et des royaumes chrétiens depuis les Grandes Découvertes comme avec les justifications sociales portées par Jefferson ou Calhoun au début du XIXᵉ siècle, on retrouve les mêmes ambiguïtés fondamentales tout au long de l'histoire de l'islam. En théorie, l'esclavage est condamné, surtout s'agissant de coreligionnaires ou de convertis musulmans. En pratique, on observe de vastes concentrations négrières dans de nombreux États musulmans depuis l'hégire, à commencer par le cas des esclaves noirs utilisés dans les plantations irakiennes aux VIIIe et IXe siècles, lors de « l'âge d'or » du califat abbasside[1]. Les théologiens musulmans du début du XXIe siècle continuent d'expliquer doctement, à l'image des sénateurs de Virginie et de Caroline du Sud du XIXe siècle, que l'esclavage est certes insatisfaisant sur le plan historique, mais que son abolition est un processus qui doit être préparé avec soin, en fonction du contexte de l'époque, et en prenant le temps nécessaire pour que les populations concernées disposent des capacités et de la maturité suffisantes pour pouvoir vivre autrement que sous la tutelle de leur maître[2].

Concernant la fiscalité et la solidarité entre classes sociales, l'islam impose en principe l'obligation du zakat : les fidèles qui en ont les moyens doivent contribuer par leur aumône aux besoins de la communauté et à l'aide aux plus démunis, en principe en proportion des biens détenus (argent, métaux précieux, fonds de commerce, terres, récoltes, bestiaux, etc.). Le zakat apparaît dans plusieurs sourates du Coran, mais sous une forme imprécise. De nombreuses traditions juridiques musulmanes proposeront par la suite diverses formulations, souvent de façon contradictoire. Au XIXe siècle, dans les régions chiites d'Irak et en Iran, les fidèles devaient en principe verser jusqu'à un cinquième de leurs revenus et un tiers de leurs héritages au *mujtahid* de leur choix[3]. Il faut cependant souligner que le montant effectivement versé reste souvent confidentiel : dans la plupart des sociétés musulmanes, le zakat est généralement conçu comme le fruit d'un dialogue direct entre le fidèle, sa conscience et la divinité, d'où le besoin d'une certaine flexibilité. Cela explique sans doute pourquoi nous ne disposons pour aucune société historique musulmane (qu'elles relèvent du chiisme ou du sunnisme) d'archives du zakat qui auraient pu être exploitées pour étudier les montants réellement versés par les uns et les autres, ou pour analyser l'évolution de la répartition des fortunes et

---

1. Voir en particulier A. POPOVIC, *La Révolte des esclaves en Irak au* IIIe/IXe *siècle*, Geuthner, 1976 ; C. COQUERY-VIDROVITCH, *Les Routes de l'esclavage. Histoire des traites africaines*, Albin Michel, 2018, p. 67-68.

2. Voir par exemple T. RAMADAN, *Le Génie de l'Islam. Initiation à ses fondements, sa spiritualité et son histoire*, Archipoche, 2016, p. 47. L'auteur explique dans la même veine que les droits plus réduits accordés aux femmes (comme la demi-part d'héritage) ne sont certes pas pleinement satisfaisants, mais peuvent se justifier si les hommes assument leur rôle et s'occupent bien des femmes (p. 150).

3. Voir J.-P. LUIZARD, *Histoire politique du clergé chiite, op. cit.*, p. 38-39.

des revenus de la société en question. Dans le cas des pétro-monarchies, des versements en rapport avec les fortunes possédées par les princes et les milliardaires du pays pourraient pourtant fournir des recettes substantielles pour la communauté, et aussi apporter des informations précieuses sur la répartition de la propriété et son évolution. Il faut également souligner que le zakat a généralement été envisagé comme un prélèvement strictement proportionnel (avec un même taux demandé aux plus pauvres et aux plus riches), ou parfois un prélèvement avec deux tranches (un montant exonéré, suivi d'un taux unique au-delà de ce seuil), et non comme un prélèvement explicitement progressif à tranches multiples, qui seul permettrait une véritable mise en adéquation de l'effort demandé en fonction des capacités contributives des uns et des autres, et ouvrirait des perspectives réelles de redistribution des richesses[1].

Ce manque de transparence, de progressivité et d'ambition redistributrice du zakat est d'ailleurs une caractéristique que l'on retrouve dans une large mesure dans l'ensemble des religions. La dîme ecclésiastique pratiquée en France sous l'Ancien Régime, et à laquelle l'État monarchique et les élites seigneuriales avaient donné force de loi, était par exemple un prélèvement strictement proportionnel[2]. Il fallut attendre la Révolution française et surtout le XXe siècle pour que l'on commence à débattre explicitement de prélèvements progressifs permettant d'envisager des formes plus ambitieuses de justice sociale et de réduction des inégalités, dans le cadre de sociétés non religieuses. On rencontre également ce même type de conservatisme dans les religions plus récentes comme l'Église de Jésus-Christ et des Saints des derniers jours (les mormons), fondée en 1830 par Joseph Smith à partir d'une révélation permettant de rattacher les terres étatsuniennes oubliées au grand récit abrahamique et christique, et dont le financement actuel repose sur une dîme (*tythe*)

---

1. Les références au zakat font parfois état de taux variables suivant les assiettes, par exemple de l'ordre de « 2,5 % sur les sommes d'argent et 5 %-10 % sur les récoltes » (voir T. RAMADAN, *Le Génie de l'Islam..*, *op. cit.*, p. 127 ; voir également A. D. ARIF, *L'Islam et le Capitalisme : pour une justice économique*, L'Harmattan, 2016, p. 70). Le fait que le premier taux semble faire référence à un impôt sur un stock de capital et le second à un impôt sur un flux annuel de revenu (ou bien à une production non immédiatement consommée ou réinvestie, suivant certaines interprétations) ajoute toutefois à la confusion, d'autant plus qu'aucune comparaison n'est esquissée avec les impôts réellement existants sur les revenus, les successions et les patrimoines. En pratique, les zakats semblent avoir surtout beaucoup varié suivant les contextes, les sociétés et les normes construites au niveau local.

2. Voir chapitre 2, p. 95-97.

égale en principe au dixième des revenus des fidèles[1]. Ces versements importants ont permis de développer des formes nouvelles de partage et de solidarités au sein d'une communauté de 16 millions de fidèles dans le monde (dont près de 7 millions aux États-Unis, principalement dans l'Utah). Mais il s'agit d'un prélèvement strictement proportionnel, les finances du mouvement sont particulièrement opaques, et l'ensemble est placé sous le contrôle exclusif d'un collège de douze apôtres nommés à vie (comme le pape de l'Église catholique et les juges de la Cour suprême étatsunienne), basé dans la prospère capitale mormone de Salt Lake City. L'apôtre le plus âgé prend automatiquement la tête de l'Église, dont il devient très officiellement le prophète. En cas de décès d'un des leurs, les onze apôtres restants se réunissent pour choisir un remplaçant. L'actuel prophète, Russell Nelson, a pris ses fonctions en 2018, à l'âge de 94 ans, en remplacement du précédent, décédé à 91 ans. On notera au passage que, depuis une bulle pontificale de 1970, seuls les cardinaux âgés de moins de 80 ans peuvent participer au conclave élisant le nouveau pape. Voici bien la preuve que toutes les institutions ont une chance d'évoluer, y compris les plus vénérables.

Propriétarisme et colonialisme : la globalisation de l'inégalité

Récapitulons. Nous avons étudié, dans les deux premières parties de ce livre, la transformation des sociétés trifonctionnelles en sociétés de propriétaires, et la façon dont la rencontre entre les puissances coloniales et propriétaristes européennes avait affecté l'évolution des sociétés ternaires dans les autres parties du monde. Nous avons vu que la plupart

---

1. D'après le *Livre de Mormon*, qui fait suite aux Évangiles, une tribu d'Israël aurait fui la Mésopotamie puis les côtes arabiques par bateau et se serait installée en Amérique aux VIe siècle avant notre ère, et aurait appris le récit des événements survenus en terre biblique directement de la part de Jésus-Christ, qui se serait rendu en Amérique peu après sa résurrection ; les tablettes correspondantes auraient ensuite été retrouvées par Joseph Smith en 1828 dans l'ouest de l'État de New York. Ce mode de rattachement d'une terre et d'une communauté se percevant comme périphériques au grand récit monothéiste n'est pas sans rapport avec la façon dont le Coran rattache le territoire du Hedjaz aux récits juifs et chrétiens (les Arabes étant réputés être issus d'Ismaël, qui construisit les fondations de la Kaaba mecquoise avec son père Abraham). Cette dimension égalitaire des récits messianiques et ce refus de la hiérarchisation des territoires et des origines constituent un aspect essentiel de ces textes. Sur le contexte social de l'émergence de l'islam, voir le livre classique de M. RODINSON, *Mahomet*, Club français du livre, 1961.

des sociétés anciennes, en Europe comme en Asie, en Afrique et en Amérique, étaient organisées suivant une logique trifonctionnelle. Le pouvoir était structuré au niveau local autour d'élites cléricales et religieuses chargées de l'encadrement spirituel de la société, et d'élites guerrières et militaires responsables du maintien de l'ordre, suivant des configurations politico-idéologiques variables et évolutives. Entre 1500 et 1900, la formation de l'État centralisé s'est accompagnée d'une transformation radicale des dispositifs politico-idéologiques visant à justifier et à organiser la structure des inégalités sociales. En particulier, l'idéologie trifonctionnelle a progressivement été remplacée par l'idéologie propriétariste, fondée sur une séparation stricte entre le droit de propriété (réputé ouvert à tous) et les pouvoirs régaliens (désormais monopoles de l'État centralisé).

Ce mouvement vers le propriétarisme, qui est allé de pair avec la construction de l'État et le développement de nouveaux moyens de transport et de communication, s'est également accompagné d'une mise en contact de régions du monde et de civilisations lointaines qui auparavant s'ignoraient presque complètement ou en totalité. Ces rencontres se sont produites suivant des termes nettement hiérarchiques et inégalitaires, compte tenu notamment de la capacité fiscale et militaire supérieure acquise par les États européens à la suite de leurs rivalités internes. La mise en contact des puissances coloniales européennes et des sociétés des autres continents a produit un ensemble varié de trajectoires politico-idéologiques, en fonction notamment de la façon dont la légitimité des anciennes élites intellectuelles ou guerrières a été affectée par ces rencontres. Le monde moderne est directement issu de ce processus.

Parmi les multiples leçons que l'on peut tirer de ces expériences et trajectoires historiques, il faut insister sur la grande diversité politico-idéologique et institutionnelle des différentes sociétés pour structurer les inégalités sociales, au niveau international comme au niveau le plus local, dans des contextes marqués par des transformations rapides et multiples. On pense par exemple aux stratégies européennes de contournement de l'Islam par les côtes de l'Afrique et la découverte de l'Inde (suivie de la codification de ses castes), aux puissants États européens fiscalo-guerriers (devenus ensuite fiscalo-sociaux au XXᵉ siècle), aux idéologies propriétaristes ou aux audacieuses compagnies coloniales et actionnariales imaginées en Europe. On songe aux notions de pureté alimentaire, aux métissages plurilinguistiques et multiconfessionnels, aux dispositifs de quotas sociaux ou au parlementarisme fédéral à grande échelle développés en Inde ; aux administrateurs lettrés au service de l'État et du bien public, aux concours impériaux et aux formes communistes nouvelles inventées en Chine ; au shogunat, à la restauration et aux stratégies d'intégration sociale appliquées au Japon ; ou encore au rôle social des quasi-États chiites, au Conseil des gardiens de la Constitution et aux formes républicaines inédites imaginées en Iran. Une bonne partie de ces constructions politico-idéologiques et de ces institutions n'ont pas franchi le cap de l'histoire ; certaines sont encore en cours d'expérimentation, et nous n'avons pas cherché à en dissimuler les fragilités. Le point commun entre toutes ces expériences historiques est qu'elles montrent à quel point l'inégalité sociale n'a jamais rien de « naturel » : elle est toujours profondément idéologique et politique. Chaque société n'a d'autre choix que de donner du sens à ses inégalités, et ces discours au service du bien commun ne peuvent être efficaces que s'ils ont un minimum de plausibilité et s'incarnent dans des institutions durables.

L'objectif de ces deux premières parties, au cours desquelles nous avons parcouru l'histoire des régimes inégalitaires trifonctionnels, propriétaristes, esclavagistes et colonialistes jusqu'au début du XXᵉ siècle, avec parfois quelques incursions plus récentes, n'était pas seulement d'illustrer l'imagination politico-idéologique des sociétés humaines. J'ai également tenté de montrer dans ce récit qu'il était possible de tirer de ces expériences historiques des leçons pour l'avenir, en particulier concernant la capacité des différentes idéologies et institutions à pouvoir tenir leurs objectifs d'harmonie politique et de justice sociale. Nous avons vu par exemple que la promesse propriétariste d'une plus grande diffusion de la richesse, exprimée avec force lors de la Révolution française, s'était heurtée à une réalité toute différente : la concentration de la propriété en France et en Europe était encore plus forte à la veille de la Première Guerre mondiale qu'elle ne l'était un siècle plus tôt ou sous l'Ancien Régime (voir chapitres 1-5). Nous avons noté les hypocrisies des discours civilisateurs et les formes de sacralisation propriétariste et de dominations raciales et culturelles qui ont présidé au développement des sociétés coloniales, et aux effets durables produits par la codification étatique moderne des inégalités statutaires anciennes (voir chapitres 6-9). Surtout, l'étude de ces différentes trajectoires nous a permis de mieux comprendre les processus indissociablement socio-économiques et politico-idéologiques par lesquels les différentes parties du monde sont entrées en contact les unes avec les autres et ont donné naissance au monde moderne. Pour aller plus loin, il nous faut maintenant analyser la façon dont les événements et les idéologies du XXe siècle ont transformé radicalement la structure des inégalités, à l'intérieur des pays comme au niveau international.

TROISIÈME PARTIE

La grande transformation du XXe siècle

Chapitre 10

LA CRISE DES SOCIÉTÉS
DE PROPRIÉTAIRES

Nous avons étudié dans les deux premières parties de ce livre la transformation des sociétés trifonctionnelles (fondées sur une tripartition clergé-noblesse-tiers état et un enchevêtrement des droits de propriété et des pouvoirs régaliens au niveau local) en sociétés de propriétaires (formées autour d'une séparation stricte entre le droit de propriété, réputé ouvert à tous, et les pouvoirs régaliens, monopole de l'État centralisé). Nous avons également examiné la façon dont la rencontre entre les puissances propriétaristes et coloniales européennes avait affecté l'évolution des sociétés ternaires dans les autres parties du monde. Nous allons maintenant analyser dans cette troisième partie la façon dont le XXᵉ siècle a profondément bouleversé cette structure des inégalités. Le siècle allant de l'attentat de Sarajevo le 28 juin 1914 à celui de New York le 11 septembre 2001 se caractérise notamment par l'espoir d'un monde plus juste et de sociétés plus égalitaires, et par des projets de transformation radicale des régimes inégalitaires issus du passé. Cet espoir s'est trouvé confronté au triste bilan du communisme soviétique (1917-1991), qui explique pour partie le désenchantement actuel et un certain fatalisme face aux inégalités, qu'il est pourtant possible de dépasser, à condition précisément de reprendre le fil de cette histoire et d'en tirer pleinement les leçons. Le XXᵉ siècle se caractérise aussi (et peut-être surtout) par la fin du colonialisme et la mise en contact de sociétés et de cultures qui auparavant s'ignoraient presque complètement, et communiquaient principalement par le biais de relations interétatiques et des dominations militaires.

Nous allons commencer par examiner dans ce chapitre la crise des sociétés de propriétaires des années 1914-1945. Puis nous étudierons dans le chapitre suivant les promesses et les limitations des sociétés sociales-démocrates bâties à la suite de la Seconde Guerre mondiale. Nous analyserons ensuite le cas des sociétés communistes et postcommunistes, et enfin celui des sociétés hypercapitalistes et postcoloniales de la fin du XXe siècle et du début du XXIe siècle.

Repenser la « grande transformation » de la première moitié du XXe siècle

Entre 1914 et 1945, la structure des inégalités mondiales, aussi bien à l'intérieur des pays qu'au niveau international, a sans doute connu la transformation la plus rapide et la plus profonde jamais observée dans l'histoire des régimes inégalitaires. En 1914, à la veille de la guerre, la prospérité du système de propriété privée paraît aussi absolue et inaltérable que celle du système colonial. Les puissances européennes, inséparablement propriétaristes et coloniales, sont au sommet de leur pouvoir. Les propriétaires britanniques et français détiennent alors dans le reste du monde des portefeuilles financiers ⸱ une ampleur inégalée jusqu'à nos jours. En 1945, à peine plus de trente plus tard, la propriété privée a disparu dans le système communiste qui s'est imposé en Union soviétique, et bientôt en Chine et en Europe de l'Est. Elle a beaucoup perdu de son emprise dans les pays qui sont restés nominalement capitalistes, mais qui en réalité sont en passe de devenir des sociétés sociales-démocrates, avec des mélanges variables de nationalisations, de systèmes publics d'éducation et de santé, et d'impôts lourdement progressifs sur les plus hauts revenus et patrimoines. Les empires coloniaux vont bientôt être démantelés. Les vieux États-nations européens se sont autodétruits, et leur règne a été remplacé par une compétition idéologique mondiale entre communisme et capitalisme, incarnée par deux puissances étatiques aux dimensions continentales : l'Union soviétique et les États-Unis d'Amérique.

Nous allons commencer par prendre la mesure de la chute des inégalités de revenus et de patrimoines survenue en Europe et aux États-Unis au cours de la première moitié du XXe siècle, et surtout de l'effondrement du poids de la propriété privée qui se déroule dans ces pays entre 1914 et 1945. Nous verrons que les destructions matérielles liées aux guerres n'expliquent qu'une part minoritaire de cette évolution, quoique non négligeable pour les pays les plus touchés. Cet effondrement découle aussi et surtout d'une multitude de décisions politiques qui furent souvent prises dans l'urgence, mais dont le point commun est qu'elles visaient à réduire l'emprise sociale de la propriété privée : expropriations d'actifs étrangers ; nationalisations ; contrôle des loyers et des prix immobiliers ; réduction du poids de la dette publique par l'inflation, par l'imposition exceptionnelle des patrimoines privés, ou son annulation pure et simple. Nous analyserons également le rôle central joué par l'invention de progressivité fiscale de grande ampleur au cours de la première moitié du XXᵉ siècle, avec des taux supérieurs à 70 %-80 % sur les plus hauts revenus et patrimoines, qui se sont maintenus jusqu'aux années 1980-1990. Avec le recul dont nous disposons aujourd'hui, tout laisse à penser que cette innovation historique a joué un rôle central dans la réduction des inégalités qui s'est produite au XXᵉ siècle.

Nous étudierons enfin les conditions politico-idéologiques qui ont rendu possibles ce tournant historique, et en particulier cette « grande transformation » des attitudes face à la propriété privée et au marché analysée dès 1944 par Karl Polanyi dans son livre éponyme (ouvrage magistral écrit dans le feu de l'action, et sur lequel nous reviendrons)[1]. Les différentes décisions financières, légales, sociales et fiscales prises entre 1914 et 1950 furent certes le produit de logiques événementielles spécifiques. Elles portent la marque des évolutions politiques passablement chaotiques propres à cette période, et elles témoignent de la façon dont les groupes qui se retrouvèrent alors au pouvoir tentèrent de faire face à des circonstances inédites, et auxquelles ils étaient souvent peu préparés. Mais ces décisions renvoient également et surtout à des transformations profondes et durables des perceptions sociales du système de propriété privée, de sa légitimité et de sa capacité à apporter la prospérité et à protéger des crises et des guerres. Cette remise en cause du capitalisme privé était en gestation depuis le milieu du XIXᵉ siècle, avant de se cristalliser en opinion majoritaire à la suite des conflits mondiaux, de la révolution bolchevique et de la dépression des années 1930. Après de tels chocs, il n'était plus possible de continuer de s'en remettre à l'idéologie qui avait été dominante jusqu'en 1914, à base de quasi-sacralisation de la propriété privée et d'une croyance absolue dans les bienfaits de la

---

1. Voir K. POLANYI, *La Grande Transformation. Aux origines politiques et économiques de notre temps*, Gallimard, 1983 (*The Great Transformation : The Political and Economic Origin of our Time*, 1944). Économiste et historien hongrois, Polanyi fuit Vienne pour Londres en 1933, puis émigre aux États-Unis en 1940, où il rédige entre 1940 et 1944 son analyse devenue classique de la déflagration qui se déroule alors en Europe. Pour Polanyi, c'est l'idéologie du marché autorégulé, ultradominant au XIXᵉ siècle, qui a conduit à l'autodestruction des sociétés européennes entre 1914 et 1945, et à la remise en cause durable du libéralisme économique.

concurrence généralisée, que ce soit entre les individus ou entre les États. C'est ainsi que les forces politiques en présence se retrouvèrent à proposer de nouvelles voies, en particulier diverses formes de social-démocratie et de socialisme en Europe ou de New Deal aux États-Unis. Ces enseignements ont une importance évidente pour l'analyse des développements en cours en ce début de XXIe siècle, d'autant plus qu'une idéologie néopropriétariste a gagné en puissance depuis la fin du XXe siècle. Cela peut être attribué en partie à l'échec catastrophique du communisme soviétique. Mais cela s'explique aussi par l'oubli de l'histoire et la division des savoirs économiques et historiques, ainsi que par les insuffisances des solutions sociales-démocrates mises en place au milieu du XXe siècle, dont il est urgent de faire aujourd'hui l'inventaire[1].

L'effondrement des inégalités et de la propriété privée (1914-1945)

La chute des sociétés de propriétaires entre 1914 et 1945 peut s'analyser comme la conséquence d'un triple défi : un défi inégalitaire interne aux sociétés propriétaristes européennes, qui conduisit à l'émergence des contre-discours puis des contre-régimes communistes et sociaux-démocrates à la fin du XIXe siècle et au cours de la première moitié du XXe ; un défi inégalitaire externe lié à la remise en cause de l'ordre colonial et aux mouvements indépendantistes, de plus en plus puissants au cours de la même période ; et enfin un défi nationaliste et identitaire, qui mena les puissances européennes à une concurrence de plus en plus exacerbée, et finalement à leur autodestruction guerrière et génocidaire entre 1914 et 1945. C'est la conjonction de ces trois crises intellectuelles profondes (émergence du communisme et du socialisme, crépuscule du colonialisme, exacerbation du nationalisme et du racialisme) et de trajectoires événementielles spécifiques qui explique la radicalité de la remise en cause et de la transformation observée[2].

Avant d'étudier les mécanismes en jeu, et de revenir aux transformations politico-idéologiques de long terme qui ont rendu ces évolutions possibles, il est important de commencer par prendre la mesure de la réduction historique des inégalités socio-économiques et de la chute de la propriété

---

1. Voir chapitre 11.
2. Sur ces trois défis, voir également chapitre 5, p. 241-243.

privée qui se déroulent au cours de cette période. Commençons avec les inégalités de revenus (voir graphique 10.1). La part du décile supérieur (les 10 % des revenus les plus élevés) se situait autour de 50 % du revenu total en Europe au XIXe siècle et au début du XXe, jusqu'au début de la Première Guerre mondiale. Elle entame ensuite une baisse chaotique entre 1914 et 1945 et se stabilise autour de 30 % du revenu total en 1945-1950 et jusqu'en 1980. Les inégalités européennes, qui étaient sensiblement plus fortes qu'aux États-Unis jusqu'en 1914, passent ainsi au-dessous des niveaux étatsuniens au cours des Trente Glorieuses, cette période allant de 1950 à 1980 et qui se caractérise par une croissance exceptionnellement forte (particulièrement en Europe et au Japon) et des inégalités historiquement faibles. Le fait que la remontée des inégalités depuis 1980 a été nettement plus forte outre-Atlantique a aussi contribué à faire des États-Unis le leader inégalitaire face à l'Europe à la fin du XXe siècle et au début du XXIe, alors que le contraire était vrai au début du XXe siècle.

Graphique 10.1

L'inégalité des revenus : Europe et États-Unis, 1900-2015

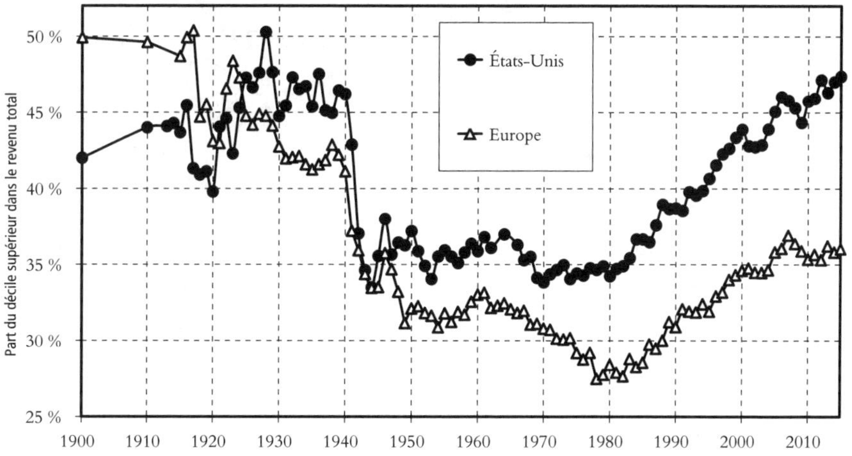

Lecture : la part du décile supérieur (les 10 % des revenus les plus élevés) dans le revenu national total était en moyenne d'environ 50 % en Europe occidentale en 1900-1910, avant de s'abaisser autour de 30 % en 1950-1980, puis de remonter au-dessus de 35 % en 2010-2015. La remontée des inégalités a été beaucoup plus forte aux États-Unis, où la part du décile supérieur se situe autour de 45 %-50 % en 2010-2015 et dépasse le niveau de 1900-1910.

Sources et séries : voir piketty.pse.ens.fr/ideologie.

Si l'on examine la diversité des situations à l'intérieur de l'Europe, on constate d'une part que tous les pays pour lesquels des données sont disponibles connaissent un effondrement des inégalités entre 1914 et 1945-1950, et d'autre part que le retour des inégalités depuis 1980 a pris des ampleurs très différentes suivant les cas (voir graphiques 10.2 et 10.3). Le Royaume-Uni s'approche par exemple le plus de la trajectoire observée aux États-Unis, alors que les inégalités sont restées les plus faibles en Suède ; l'Allemagne et la France se situent dans une position intermédiaire entre les deux situations[1]. On retrouve ces mêmes résultats si l'on examine l'évolution de la part du centile supérieur (et non plus du décile supérieur), avec une avance étatsunienne encore plus marquée au cours des dernières décennies suivant cet indicateur. Nous

Graphique 10.2

L'inégalité des revenus : la diversité de l'Europe, 1900-2015

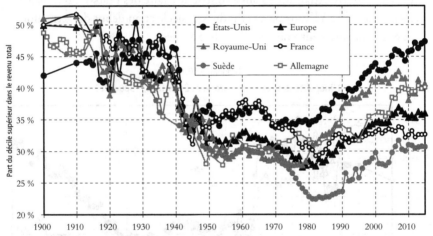

Lecture : la part du décile supérieur (les 10 % des revenus les plus élevés) dans le revenu national total était en moyenne d'environ 50 % en Europe occidentale en 1900-1910, avant de s'abaisser autour de 30 % en 1950-1980 (voire au-dessous de 25 % en Suède), puis de remonter au-dessus de 35 % en 2010-2015 (voire plus de 40 % au Royaume-Uni). En 2015, le Royaume-Uni et l'Allemagne se situent au-dessus de la moyenne européenne, et la France et la Suède au-dessous.

Sources et séries : voir piketty.pse.ens.fr/ideologie.

1. Les estimations de l'inégalité des revenus en Europe indiquées sur les graphiques 10.1-10.3 ont été calculées comme la moyenne du Royaume-Uni, de l'Allemagne, de la France et la Suède (qui sont les pays dont les sources disponibles sont les plus complètes sur longue période). Les autres pays pour lesquels nous disposons d'estimations remontant au début du XXe siècle (en particulier les Pays-Bas, le Danemark et la Norvège) indiquent des évolutions similaires. Le Japon suit également une évolution similaire dans le long terme, avec une position intermédiaire entre les États-Unis et l'Europe pour la période récente. Voir annexe technique, et notamment les graphiques supplémentaires S0.6 et S10.1-S10.5. Voir également Introduction, graphique 0.6, p. 47.

reviendrons dans les prochains chapitres sur cette remontée générale des inégalités constatée depuis 1980 et les raisons de ces différentes trajectoires et chronologies observées dans les pays européens et aux États-Unis.

Graphique 10.3

L'inégalité des revenus : le centile supérieur, 1900-2015

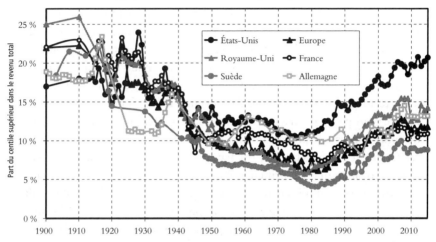

Lecture : la part du centile supérieur (les 1 % des revenus les plus élevés) dans le revenu national total était d'environ 20 %-25 % en Europe occidentale en 1900-1910, avant de s'abaisser à 5 %-10 % en 1950-1980 (voire moins de 5 % en Suède), puis de remonter autour de 10 %-15 % en 2010-2015. La remontée des inégalités a été beaucoup plus forte aux États-Unis, où la part du décile supérieur atteint 20 % en 2010-2015 et dépasse le niveau de 1900-1910.

Sources et séries : voir piketty.pse.ens.fr/ideologie.

Du propriétarisme européen au néopropriétarisme étatsunien

À ce stade, précisons simplement que le retour de très hauts niveaux d'inégalité de revenus dans les années 2000-2020, notamment aux États-Unis, avec 45 %-50 % du revenu total pour le décile supérieur et autour de 20 % pour le centile supérieur, soit des niveaux presque aussi élevés que ceux observés en Europe en 1900-1910 (avec environ 50 % pour le décile supérieur et 20 %-25 % pour le centile supérieur, voire un peu plus au Royaume-Uni), n'implique pas que les deux formes d'inégalité ont exactement la même structure. Dans l'Europe de la Belle Époque (1880-1914), les niveaux d'inégalité de revenus étaient la marque des sociétés de propriétaires. Les plus hauts revenus étaient constitués presque exclusivement de revenus issus de la propriété (loyers, profits, dividendes, intérêts, etc.), et c'est l'effondrement de la concentration de la propriété et des plus hauts patrimoines qui a provoqué la chute de la part des hauts revenus dans le revenu total et la disparition des sociétés de propriétaires sous leur forme classique.

Dans les États-Unis des années 2000-2020, les origines des inégalités sont légèrement différentes. Les hauts revenus du capital jouent toujours un rôle central au sommet de la hiérarchie sociale, d'autant plus que la concentration des patrimoines étatsuniens a fortement progressé depuis 1980. Mais cette concentration patrimoniale reste à un niveau un peu moins extrême que celui observé en Europe en 1880-1914, et la forte inégalité étatsunienne des revenus en ce début de XXIe siècle résulte pour partie d'un autre facteur, à savoir l'explosion aux États-Unis des plus hautes rémunérations des cadres et des dirigeants d'entreprise relativement aux plus bas salaires depuis les années 1980. Contrairement à une croyance que les principaux intéressés cherchent souvent à promouvoir, cela n'implique aucunement que cette forme d'inégalité soit plus « juste » ou « méritée » que la première. Nous avons déjà noté que les inégalités d'accès à l'enseignement supérieur étaient abyssales aux États-Unis, sans aucun rapport avec les proclamations méritocratiques officielles[1], et nous verrons dans le prochain chapitre que cet envol des plus hautes rémunérations reflète également et surtout l'absence de contre-pouvoir adéquat au sein des entreprises concernées et le déclin du rôle modérateur de la progressivité fiscale. Simplement, les mécanismes et processus en jeu, à la fois du point de vue socio-économique et politico-idéologique, ne sont pas exactement les mêmes dans la société néopropriétariste étatsunienne des années 2000-2020 que ceux en vigueur dans les sociétés de propriétaires d'avant 1914.

Concernant l'évolution de la concentration de la propriété, on rappellera tout d'abord qu'elle a toujours été beaucoup plus forte que l'inégalité des revenus. La part détenue par les 10 % les plus riches atteignait environ 90 % du total des propriétés privées en Europe au début de XXe siècle et jusqu'en 1914, avant de s'abaisser pendant l'entre-deux-guerres et dans l'après-Seconde Guerre, jusqu'à 50 %-55 % dans les années 1980-1990, puis d'entamer une remontée depuis cette date

---

1. Voir Introduction, graphique 0.8, p. 53.

(voir graphique 10.4)[1]. Autrement dit, quand la concentration des patrimoines atteint son niveau historique le plus bas, il s'agit néanmoins d'un niveau comparable au niveau le plus élevé observé pour l'inégalité des revenus. Il en va de même pour la part du centile supérieur (voir graphique 10.5)[2]. Il est en outre possible que les sources disponibles, qui sont paradoxalement moins précises en ce début de XXIe siècle (âge supposé du big data) qu'il y a un siècle, à la fois du fait de l'internationalisation des patrimoines, de la montée des paradis fiscaux, et surtout du manque de volonté politique des États pour établir la transparence nécessaire, nous conduisent à sous-estimer la remontée de la part des hauts patrimoines au cours des dernières décennies[3].

Graphique 10.4
L'inégalité de la propriété : Europe et États-Unis, 1900-2015

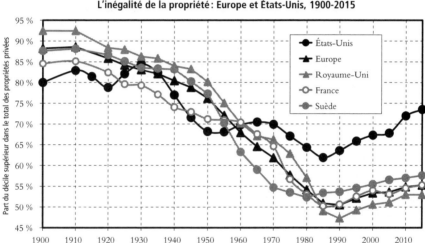

Lecture : la part du décile supérieur (les 10 % les plus riches) dans le total des propriétés privées (actifs immobiliers, professionnels et financiers, nets de dettes) était d'environ 90 % en Europe occidentale en 1900-1910, avant de s'abaisser à environ 50 %-55 % en 1980-1990, puis de remonter depuis cette date. La remontée a été beaucoup plus forte aux États-Unis, où la part du décile supérieur approche de 75 % en 2010-2015 et du niveau de 1900-1910.
Sources et séries : voir piketty.pse.ens.fr/ideologie.

1. Les estimations de l'inégalité des patrimoines en Europe indiquées sur les graphiques 10.4 et 10.5 ont été calculées comme la moyenne du Royaume-Uni, de la France et la Suède. Les autres pays pour lesquels nous disposons d'estimations remontant au début du XXe siècle (malheureusement moins nombreuses que pour les revenus) indiquent des évolutions similaires. Voir annexe technique.

2. Il faut également souligner que cette très forte concentration des patrimoines, beaucoup plus élevée que celle des revenus, se retrouve à l'intérieur de chaque groupe d'âge. Voir annexe technique.

3. Sur ce manque de transparence et les enjeux politiques qu'il pose, voir chapitre 13, p. 764-794.

Graphique 10.5

L'inégalité de la propriété : le centile supérieur, 1900-2015

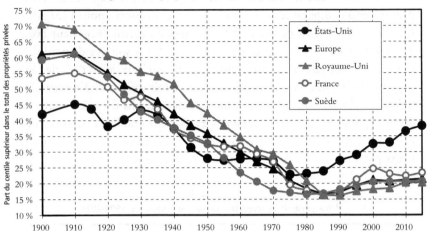

Lecture : la part du centile supérieur (les 1 % des plus riches) dans le total des propriétés privées était d'environ 60 % en Europe occidentale en 1900-1910 (55 % en France, 70 % au Royaume-Uni), avant de s'abaisser à moins de 20 % en 1980-1990, puis de remonter depuis cette date. La remontée des inégalités a été beaucoup plus forte aux États-Unis, où la part du décile supérieur s'approche de 40 % en 2010-2015 et du niveau de 1900-1910.

Sources et séries : voir piketty.pse.ens.fr/ideologie.

Deux faits paraissent toutefois bien établis. D'une part, l'accroissement de la concentration de la propriété au cours des dernières décennies a été sensiblement plus fort aux États-Unis qu'en Europe. D'autre part, en dépit des incertitudes, les niveaux de concentration observés au cours de la période 2000-2020 paraissent un peu moins extrêmes que dans l'Europe de la Belle Époque. Aux États-Unis, la part du décile supérieur se situait d'après les dernières données disponibles entre 70 % et 75 % du total des propriétés privées dans les années 2010, ce qui est évidemment considérable, mais ce qui reste moins élevé que les niveaux de l'ordre de 85 %-95 % observés en France, en Suède ou au Royaume-Uni autour de 1900-1910 (voir graphique 10.4). La part du centile supérieur s'approchait quant à elle de 40 % aux États-Unis dans les années 2010, contre 55 %-70 % en France, en Suède ou au Royaume-Uni autour de 1900-1910 (voir graphique 10.5). En raison de la rapidité des évolutions en cours, il n'est toutefois pas exclu que la part détenue par les 90 % les moins riches (qui en pratique correspond essentiellement à la part détenue par la « classe moyenne patrimoniale », c'est-à-dire les personnes comprises entre le 50ᵉ et le 90ᵉ percentile, compte tenu du fait que la part détenue par les 50 % les plus pauvres est quasi nulle) continue de s'abaisser au cours des décennies à venir. Les États-Unis pourraient alors atteindre le même niveau d'hyperconcentration patrimoniale que celui observé dans l'Europe du XIXᵉ siècle et du début du XXᵉ siècle, avec de surcroît une inégalité inédite des rémunérations du travail, auquel cas ce néopropriétarisme serait encore plus inégalitaire que celui en vigueur dans l'Europe de la Belle Époque. Mais ce n'est là qu'une des trajectoires possibles, car comme nous le verrons plus loin il n'est pas impossible que de nouvelles formes de plates-formes redistributrices s'imposent aux États-Unis en ce début de XXIᵉ siècle.

La fin des sociétés de propriétaires, la stabilité des inégalités salariales

Concernant l'Europe, il faut insister sur l'ampleur et le caractère historique du phénomène de déconcentration de la propriété qui se déroule entre 1914 et les années 1970-1980 (voir graphiques 10.4 et 10.5). En particulier, le centile supérieur, qui en 1900-1910 détenait à lui seul 55 % du total des propriétés privées en France, 60 % en Suède et 70 % au Royaume-Uni, n'en détenait plus que 15 %-20 % dans ces trois pays dans les années 1980, avant de remonter autour de 20 %-25 % (et peut-être un peu plus en réalité) dans les années 2000-2020. Cet effondrement de la part des hauts patrimoines est d'autant plus spectaculaire que rien ne laissait présager une telle évolution avant le déclenchement de la Première Guerre mondiale. Dans tous les pays européens pour lesquels des données patrimoniales adéquates sont disponibles, la concentration de la propriété se situait à des niveaux extrêmement élevés tout au long du XIXᵉ siècle et jusqu'en 1914, avec même une tendance à la hausse et à l'accélération de cette hausse dans les décennies précédant 1914[1]. Il en va de même pour les pays pour lesquels des données fiscales permettent d'étudier les dernières décennies du XIXᵉ siècle, comme en Allemagne, où l'on observe des années 1870 jusqu'en 1914 une concentration croissante des revenus, tirée par

---

1. C'est notamment le cas en France, au Royaume-Uni et en Suède. Voir chapitre 4, graphiques 4.1 et 4.2, p. 161 et 163, et chapitre 5, graphiques 5.4 et 5.5, p. 237 et 238. Les données disponibles pour les États-Unis au XIXᵉ siècle sont imparfaites, mais les éléments existants suggèrent également une tendance à la hausse, avec toutefois la particularité d'une très forte redéfinition de la richesse à la suite de la guerre civile et de la disparition des fortunes négrières sudistes. Voir annexe technique.

les plus hauts revenus du capital[1]. Les salaires amorcent certes une timide progression au cours des dernières décennies du XIXᵉ siècle et au début du XXᵉ, ce qui tranche positivement avec la stagnation quasi complète (voire la régression) observée pendant la première moitié du XIXᵉ siècle et jusqu'aux années 1860. Cette phase noire de l'industrialisation avait d'ailleurs largement contribué à nourrir la naissance des mouvements socialistes[2]. Il reste que les inégalités demeurent extrêmement fortes au cours de la période 1870-1914 et que la concentration de la propriété et des revenus du capital continue même de progresser jusqu'au premier conflit mondial[3].

Plus généralement, tous les éléments disponibles suggèrent que la concentration de la propriété était également très forte au XVIIIᵉ siècle et au cours des siècles précédents, dans le cadre des sociétés trifonctionnelles, quand les droits de propriété étaient souvent entremêlés avec les pouvoirs régaliens dont disposaient les élites nobiliaires et ecclésiastiques.

1. Voir C. BARTELS, « Top Incomes in Germany, 1871-2014 », WID.world, Working Paper Series, nᵒ 2017/18, *Journal of Economic History*, 2019 ; F. DELL, *L'Allemagne inégale. Inégalités de revenus et de patrimoine en Allemagne, dynamique d'accumulation du capital et taxation de Bismarck à Schröder 1870-2005*, thèse de doctorat, EHESS, 2008.

2. Sur la stagnation des salaires ouvriers jusqu'aux années 1850-1860 et sur la forte hausse de la part des profits qui en a résulté, voir R. ALLEN, « Engels' Pause : Technical Change, Capital Accumulation, and Inequality in the British Industrial Revolution », *Explorations in Economic History*, vol. 46 (4), 2009, p. 418-435. Voir également T. PIKETTY, *Le Capital au XXIᵉ siècle, op. cit.*, p. 24-30, et chapitre 6, graphiques 6.1 et 6.2. De nombreux travaux attestent par ailleurs de l'intensification du travail et de la détérioration des conditions de vie (telles que mesurées par exemple par les tailles des conscrits) pendant les premières phases de la révolution industrielle. Voir S. NICHOLAS, R. STECKEL, « Heights and Living Standards of English Workers during the Early Years of Industrialization », *Journal of Economic History*, vol. 51 (44), 1991, p. 937-957. Voir aussi J. DE VRIES, « The Industrial Revolution and the Industrious Revolution », *Journal of Economic History*, vol. 54 (2), 1994, p. 249-270 ; H. J. VOTH, « Time and Work in Eighteenth-Century London », *Journal of Economic History*, vol. 58 (1), 1998, p. 29-58.

3. Cette réalité complexe de la période 1870-1914 (hausse des salaires réels, mais inégalité croissante des revenus et de la propriété) permet de mieux comprendre les violentes controverses qui agitent les socialistes européens dans les années 1890-1910, en particulier au sein du SPD allemand, où les thèses révisionnistes d'Eduard Bernstein (qui remet en cause l'hypothèse marxiste de stagnation des salaires et de l'inéluctabilité de la révolution) s'affrontent à la ligne orthodoxe défendue par Karl Kautsky et Rosa Luxemburg (qui stigmatisent le réformisme de Bernstein, prêt à la collaboration avec le régime en place et même à devenir vice-président du Reichstag). Avec le recul disponible aujourd'hui, il apparaît que la progression des salaires était réelle (bien que d'ampleur modérée), mais que Bernstein était excessivement optimiste sur la diffusion de la propriété et la réduction des inégalités.

Certains travaux accréditent l'idée d'une concentration croissante de la propriété dans les sociétés européennes entre le XVe et le XVIIIe siècle, tendance qui se serait prolongée au XIXe siècle avec le durcissement des droits de propriété (comme l'indiquent pour cette dernière phase les données successorales françaises, ainsi que les données britanniques et suédoises). Ces comparaisons avec les périodes antérieures au XIXe siècle sont toutefois difficiles à établir avec certitude, d'une part car les données disponibles portent généralement sur des villes ou territoires spécifiques, et ne couvrent pas toujours toute la population pauvre, et d'autre part car la notion même de propriété était alors liée à des privilèges légaux et juridictionnels difficiles à quantifier. En tout état de cause, ces sources imparfaites indiquent des niveaux de concentration patrimoniale aux XVe-XVIIIe siècles sensiblement plus élevés que ceux observés au XXe siècle[1].

La chute de la concentration de la propriété qui s'est déroulée au cours du XXe siècle constitue une nouveauté historique majeure, dont l'importance ne saurait être sous-estimée. Les patrimoines sont certes restés très inégalement répartis. Mais, pour la première fois dans l'histoire des sociétés modernes, une part significative du total des biens (plusieurs dizaines de pourcents, voire près de la moitié) était détenue par des groupes sociaux se situant parmi les 90 % les moins riches[2]. Pour ces nouvelles couches sociales de propriétaires, qui possèdent souvent leur habitation ou une petite entreprise, la propriété n'est pas suffisante pour vivre, elle vient en complément de revenus principaux issus du travail, comme une forme d'accomplissement et de reconnaissance d'un statut durement acquis. À l'inverse, la chute de la part des très hauts patrimoines dans le

---

1. Voir en particulier les recherches de Guido Alfani sur l'évolution de la concentration des propriétés en Italie et en Hollande entre 1500 et 1800 (les parts du décile supérieur avoisinent 60 %-80 % du total des propriétés et semblent en progression, en partie du fait de la régressivité du système fiscal et étatique en vigueur). Voir notamment G. ALFANI, M. DI TULLIO, *The Lion's Share : Inequality and the Rise of the Fiscal State in Preindustrial Europe*, Cambridge University Press, 2019. Voir également annexe technique.

2. Des recherches archéologiques (comme celles de Monique Borgerhoff Mulder) suggèrent que la concentration de la propriété était limitée dans les sociétés de chasseurs-cueilleurs, où il y avait peu de biens à accumuler et à transmettre par comparaison aux sociétés faisant suite à l'invention de l'agriculture (au sein desquelles la propriété semble se concentrer et atteindre très vite des niveaux comparables à ceux observés dans les sociétés européennes des XVe-XVIIIe siècles). Ces matériaux sont fragiles et ne portent que sur des sociétés de petite taille, mais ils confirment à leur façon le caractère historique de la déconcentration de la propriété qui se déroule au XXe siècle. Voir annexe technique.

patrimoine total, et en particulier l'effondrement de la part du centile supérieur (qui a été *grosso modo* divisée par 3 au cours du XXe siècle en Europe), signifie qu'il existe beaucoup moins de personnes suffisamment riches pour pouvoir vivre de leurs biens immobiliers ou de leurs avoirs financiers. Il s'agit donc d'une transformation d'ensemble de la nature même de la propriété et de sa signification sociale. L'événement est d'autant moins banal que ce processus de diffusion de la propriété et de renouvellement des élites s'est également accompagné d'une accélération de la croissance économique, qui n'a jamais été aussi élevée dans l'histoire qu'au cours de la seconde moitié du XXe siècle, ce qu'il nous faudra tenter de mieux comprendre.

Il faut également ajouter que cette déconcentration de la propriété (et par conséquent des revenus qui en sont issus) constitue la principale raison expliquant la réduction des inégalités de revenus en Europe au cours du XXe siècle. On constate par exemple dans le cas de la France que l'inégalité des revenus du travail (salaires et revenus d'activité non salariée) n'a pas baissé significativement au cours du XXe siècle. Au-delà des variations de court et moyen terme, la part des 10 % des revenus du travail les plus élevés s'est toujours située aux alentours de 25 %-30 % du total des revenus du travail, et seul l'effondrement de l'inégalité des revenus du capital permet d'expliquer la baisse de l'inégalité du revenu total (voir graphique 10.6)[1]. Il en va de même si l'on examine la part du centile supérieur, qui a fluctué autour de 5 %-8 % pour les revenus du travail en France au XXe siècle, sans tendance claire, alors que la part correspondante chutait pour les revenus du capital, d'où une baisse de la part du centile supérieur dans le revenu total (voir graphique 10.7).

L'idée d'une totale stabilité des inégalités face au travail au cours du siècle écoulé ne doit certes pas être exagérée. Si l'on va au-delà des seules dimensions monétaires, et que l'on prend en compte l'évolution du statut salarial, de la stabilité de l'emploi, des droits sociaux et syndicaux, et en particulier de l'accès à des biens fondamentaux comme la santé, la formation ou la retraite, alors on aboutit à la conclusion que les inégalités

---

1. Un facteur additionnel à prendre en compte est la baisse de la part des revenus du capital dans le revenu national, qui était d'environ 35 %-40 % à la fin du XIXe siècle et au début du XXe siècle, 20 %-25 % dans les années 1950-1970 et 25 %-30 % dans les années 2000-2020. Cette évolution découle pour une large part des rapports de force entre capital et travail et des pouvoirs de négociation des uns et des autres. Voir T. PIKETTY, *Le Capital au XXIe siècle*, *op. cit.*, chapitre 6, et annexe technique.

Graphique 10.6

Inégalité du revenu et de la propriété, France, 1900-2015

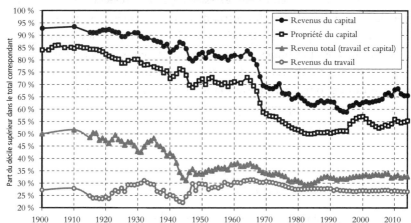

Lecture : en 1900-1910, les 10 % qui perçoivent le plus de revenus du capital (loyers, profits, dividendes, intérêts, etc.) reçoivent environ 90 %-95 % du total des revenus du capital ; les 10 % qui perçoivent le plus de revenus du travail (salaires, revenus d'activité non salariée, pensions) reçoivent environ 25 %-30 % du total des revenus du travail. La réduction des inégalités au XXᵉ siècle vient entièrement de la déconcentration de la propriété, alors que l'inégalité des revenus du travail a peu changé.

Sources et séries : voir piketty.pse.ens.fr/ideologie.

Graphique 10.7

Le centile supérieur : revenu *vs* propriété, France, 1900-2015

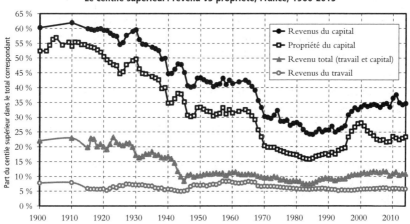

Lecture : en 1900-1910, les 1 % qui perçoivent le plus de revenus du capital (loyers, profits, dividendes, intérêts, etc.) reçoivent environ 60 % du total ; les 1 % qui possèdent le plus de capital (actifs immobiliers, professionnels et financiers, nets de dettes) détiennent environ 55 % du total ; les 1 % qui perçoivent le plus de revenu total (travail et capital) reçoivent environ 50 %-25 % du revenu total ; les 1 % qui perçoivent le plus de revenus du travail (salaires, revenus d'activité non salariée, pensions) reçoivent environ 5 %-10 % du total. Sur longue période, la réduction des inégalités s'explique entièrement par la déconcentration des propriétés.

Sources et séries : voir piketty.pse.ens.fr/ideologie.

face au travail, en particulier entre les différentes classes de salariés, se sont fortement réduites au cours du XXe siècle (nous y reviendrons). Il reste que du strict point de vue des écarts de revenus monétaires, question qui a son importance pour les conditions de vie comme pour les relations de pouvoir entre les personnes, les inégalités de revenus du travail sont restées relativement stables, et seule la déconcentration de la propriété et des revenus qui en sont issus a permis la réduction des écarts de revenu total. Tous les éléments disponibles pour les autres pays européens indiquent des résultats similaires[1].

Décomposer la chute de la propriété privée (1914-1950)

Essayons maintenant de mieux comprendre les mécanismes permettant d'expliquer ces différentes évolutions, et en particulier la disparition des sociétés de propriétaires européennes. Au-delà du processus de déconcentration des patrimoines, qui s'échelonne sur une bonne partie du XXe siècle (de 1914 aux années 1970-1980), il faut tout d'abord souligner que le phénomène le plus soudain et le plus frappant est la chute brutale de la valeur totale des propriétés privées, qui se déroule de façon extrêmement rapide, entre 1914 et 1945-1950.

À la fin du XIXe siècle et au début du XXe siècle, le capital privé était florissant. La valeur de marché de l'ensemble des actifs immobiliers, professionnels et financiers (nets de dettes) détenus par les propriétaires privés oscillait entre sept et huit années de revenu national en France et au Royaume-Uni, et autour de six années en Allemagne (voir graphique 10.8). Ces propriétés comprenaient notamment les actifs détenus à l'étranger, dans les empires coloniaux comme dans l'ensemble de la planète. La Belle Époque est la période faste des placements internationaux, dont nous avons vu qu'ils dépassaient à la veille de la Première Guerre mondiale l'équivalent d'une année de revenu national pour la France et près de deux années pour le Royaume-Uni, contre moins d'une demi-année pour l'Allemagne, ce qui est déjà considérable si l'on se place en perspective historique et comparative, mais qui pouvait être jugé insuffisant pour les normes européennes de l'époque[2].

1. Voir annexe technique.
2. Voir chapitre 7, graphique 7.9, p. 331.

Graphique 10.8

La propriété privée en Europe, 1870-2020

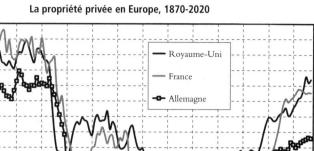

Lecture : la valeur de marché de la propriété privée (actifs immobiliers, professionnels et financiers, nets de dettes) avoisinait les 6-8 années de revenu national en Europe occidentale de 1870 à 1914, avant de s'effondrer de 1914 à 1950, et de se situer autour de 2-3 années de revenu national dans les années 1950-1970, puis de remonter autour de 5-6 années dans les années 2000-2010 (le niveau allemand plus faible s'explique notamment par des valorisations immobilières et boursières moins importantes).
Sources et séries : voir piketty.pse.ens.fr/ideologie.

On notera d'ailleurs que les écarts entre les imposants placements internationaux détenus par les deux grandes puissances coloniales britannique et française et les possessions étrangères allemandes plus réduites correspondent approximativement aux écarts de détention totale, ce qui illustre l'importance du lien entre le propriétarisme, le colonialisme et plus généralement le processus d'internationalisation des relations économiques et des rapports de propriété. En dehors des actifs étrangers, les propriétés privées se décomposaient alors en deux moitiés de taille comparable : d'une part les biens immobiliers et les terres agricoles (la part de ces dernières déclinant fortement au cours du temps) ; et d'autre part les biens professionnels (fabriques, entrepôts, etc.) détenus directement ou au travers d'actifs financiers (actions et obligations privées et publiques, placements de toute nature).

Précisons d'emblée que cet indicateur – le rapport entre la valeur de marché des propriétés privées et le revenu national – ne nous apporte par définition aucune information sur les inégalités de détentions. Il a cependant le mérite de permettre de comparer dans le temps et l'espace l'importance globale prise par la propriété privée et les relations de propriété dans les différentes sociétés. Un rapport élevé peut certes attester du fait que des investissements importants ont été réalisés dans le passé afin d'accumuler du capital productif : défrichements et mises en valeur de terrains ; constructions de maisons, d'immeubles et d'usines ; accumulations de machines et d'équipements de toute nature. En pratique, un rapport élevé peut aussi témoigner de l'ampleur des opportunités d'appropriation que le régime légal et politique en vigueur offre aux propriétaires privés, par exemple pour ce qui concerne les possibilités de détention de richesses coloniales, de ressources naturelles, de titres de dette publique ou encore de brevets et de connaissances. Surtout, la valeur de marché des propriétés exprime les anticipations de gains futurs et de profits de toutes sortes. Pour un capital productif donné, c'est la solidité des droits garantis aux propriétaires par le système politique en place, et la perception de leur pérennité plus ou moins assurée, qui détermine différents niveaux de valorisation patrimoniale. En tout état de cause, cet indicateur mesure d'une certaine façon l'emprise de la propriété privée dans une société donnée : un rapport faible signifie qu'il suffit en principe de quelques dizaines d'années d'épargne pour rattraper les propriétaires (ou tout du moins pour accéder au niveau moyen de patrimoine) ; à l'inverse, un rapport élevé implique que le gouffre séparant les propriétaires de ceux qui ne possèdent rien est plus difficile à combler[1].

En l'occurrence, il est frappant de constater que les niveaux élevés de valorisation patrimoniale observés dans les sociétés de propriétaires de la Belle Époque se retrouvent en première approximation pour l'ensemble de la période 1700-1914. De multiples estimations de la valeur totale des propriétés ont été réalisées depuis la fin du XVIIe siècle et le début du XVIIIe, en particulier au Royaume-Uni et en France, par Petty, King, Vauban et Boisguilbert, avant d'être raffinées sous la Révolution française (en particulier par Lavoisier) puis par de nombreux auteurs tout au long du XIXe siècle (notamment Colqhoun, Giffen, Foville et Colson). Si l'on reprend et confronte l'ensemble de ces matériaux, on constate que la valeur totale des propriétés privées était généralement comprise entre six et huit années de revenu national, tout au long du XVIIIe et du XIXe siècle, ce

---

1. Si le rapport entre le capital privé (mesuré à sa valeur de marché) et le revenu national est égal à 2, alors cela signifie qu'un taux d'épargne de 10 % par an appliqué au revenu moyen permet de devenir en vingt ans un propriétaire moyen ; si le rapport est égal à 8, alors il faudra quatre-vingts ans. Pour fixer les ordres de grandeur, le revenu national au Royaume-Uni et en France était d'environ 35 000 euros par an et par adulte dans les années 2010, donc le rapport d'environ 5-6 indiqué sur le graphique 10.8 correspond à un patrimoine moyen par adulte d'environ 200 000 euros. Nous reviendrons dans les prochains chapitres sur la structure actuelle des patrimoines (voir en particulier chapitre 11, graphique 11.17, p. 647).

qui est extrêmement élevé si l'on compare aux périodes ultérieures[1]. La nature des propriétés s'est certes totalement transformée au cours de cette période (avec notamment l'importance déclinante des terres agricoles et le rôle croissant des actifs immobiliers, industriels et internationaux), mais la prospérité des propriétaires ne s'est jamais démentie. Les romans d'Austen et de Balzac, dont l'action se déroule dans les années 1790-1830, illustrent parfaitement cette plasticité de la propriété. Peu importe si les fortunes évoquées sont constituées de domaines terriens, d'investissements lointains ou de titres de dette, pourvu que le montant de la fortune soit solide et produise le niveau de revenu attendu et la sociabilité qui l'accompagne[2]. Près d'un siècle plus tard, en 1913, quand Proust publie *Du côté de chez Swann*, la propriété a encore changé de forme, mais elle paraît tout aussi indestructible, qu'il s'agisse des portefeuilles financiers ou du grand hôtel de Cabourg où le romancier aime passer ses étés.

Tout va pourtant changer très vite. La valeur totale des propriétés privées s'est littéralement effondrée pendant la Première Guerre mondiale et au début des années 1920, avant de se relever légèrement pendant les années 1920, puis de s'écrouler de nouveau au cours de la crise des années 1930, de la Seconde Guerre mondiale et de l'immédiat après-guerre, à tel point que les propriétés privées ne représentaient plus que l'équivalent de deux années de revenu national en France et en Allemagne en 1950. La chute a été un peu moins prononcée au Royaume-Uni, mais néanmoins massive : les propriétés privées britanniques valaient à peine plus de trois années de revenu national dans les années 1950, contre plus de sept au début des années 1910. Dans tous les cas, la valeur des propriétés privées a été divisée par un facteur compris entre deux et trois en quelques décennies (voir graphique 10.8).

Pour expliquer cet effondrement, il faut prendre en compte plusieurs facteurs. Une décomposition quantitative détaillée a déjà été présentée dans mes précédents travaux, et je vais me contenter de résumer ici les principales conclusions, et surtout de préciser le contexte politico-idéologique dans lequel ces évolutions prennent place[3]. De façon générale, il faut souligner

---

1. Voir annexe technique et T. PIKETTY, *Le Capital au XXIe siècle, op. cit.*, chapitre 3, graphiques 3.1 et 3.2, p. 188 et 189.

2. Voir chapitre 5, p. 208-212.

3. Voir T. PIKETTY, *Le Capital au XXIe siècle, op. cit.*, chapitres 3-5 (en particulier p. 232-237). Pour les décompositions et séries les plus complètes, voir T. PIKETTY, G. ZUCMAN, « Capital is Back : Wealth-Income Ratios in Rich Countries, 1700-2010 », *Quarterly Journal of*

que les multiples sources disponibles pour estimer l'évolution des propriétés aux différentes époques (registres de prix immobiliers et boursiers, recensements des immeubles, des terrains et des entreprises, etc.), en dépit de leurs insuffisances, permettent d'établir clairement les principaux ordres de grandeur. En particulier, les destructions matérielles de maisons, d'immeubles, d'usines et de biens de toute nature survenues au cours des deux guerres, bien que d'une ampleur considérable (notamment du fait des bombardements massifs de 1944-1945, plus courts que les combats de 1914-1918, mais menés à une plus vaste échelle géographique, et avec une technologie autrement plus destructrice), ne peuvent expliquer qu'une part minoritaire des pertes de propriétés : entre un quart et un tiers en France et en Allemagne (ce qui est déjà considérable), et quelques pourcents tout au plus dans le cas du Royaume-Uni.

Le reste de la chute est dû à deux grandes séries de facteurs d'une ampleur comparable, que nous allons examiner tour à tour, et qui expliquent chacune un peu plus d'un tiers de la chute total du rapport entre propriétés privées et revenu national en France et en Allemagne (et chacune près de la moitié au Royaume-Uni). Il s'agit d'une part d'un certain nombre d'expropriations et de nationalisations, et plus généralement de politiques visant explicitement à réduire la valeur des propriétés privées pour les propriétaires et le pouvoir de ces derniers vis-à-vis du reste de la société (par exemple avec les réglementations sur les loyers ou le partage du pouvoir avec les représentants des salariés dans les entreprises). Il s'agit d'autre part de la faiblesse des investissements privés et des rendements obtenus sur ces investissements au cours de la période 1914-1950, et en particulier du fait qu'une grande partie de l'épargne privée fut prêtée aux États pour financer les guerres, avant d'être réduite en cendres par l'inflation et par d'autres moyens.

Expropriations, nationalisations-sanctions et « économie mixte »

Commençons par les expropriations. L'un des exemples les plus emblématiques concerne les investissements étrangers (notamment français) en

---

Economics, vol. 129 (3), 2014, p. 1255-1310, et les annexes correspondantes. Ce travail se fonde sur un examen systématique des différentes sources et estimations du total et de la structure des propriétés privées et publiques réalisées depuis le début du XVIIIe siècle. Précisons également que la chute indiquée sur le graphique 10.8 concerne non seulement les pays européens, mais aussi le Japon et à un degré moindre les États-Unis (qui partaient d'un niveau moins élevé).

Russie. Avant la Première Guerre mondiale, l'alliance entre la République française et l'Empire tsariste s'était matérialisée dans de vastes emprunts émis par l'État russe et de nombreuses compagnies privées (par exemple dans le chemin de fer). De vastes campagnes de presse, parfois financées par des pots-de-vin du gouvernement tsariste, avaient convaincu les épargnants et propriétaires français de la solidité de l'allié russe et de la pérennité de ces placements. Après la révolution bolchevique de 1917, le nouvel État soviétique décida de répudier l'ensemble de ces dettes, créances et avoirs, qui à ses yeux n'avaient fait que prolonger la vie du pouvoir tsariste (ce qui n'était pas entièrement faux). Une expédition militaire menée par le Royaume-Uni, la France et les États-Unis débarqua en 1918-1920 dans le nord de la Russie, dans l'espoir de venir étouffer la révolution, sans succès.

À l'autre bout de la période, la nationalisation du canal de Suez décidée par Nasser en 1956 conduisit à l'expropriation des actionnaires britanniques et français, qui possédaient le canal et en touchaient les dividendes et royalties depuis son inauguration en 1869. Conformément à leurs vieilles habitudes, le Royaume-Uni et la France envisagèrent une expédition militaire pour récupérer leurs biens. Mais les États-Unis, soucieux de ne pas laisser les pays du Sud (en particulier les pays nouvellement indépendants, souvent friands en nationalisations-expropriations, notamment vis-à-vis des anciens maîtres coloniaux) aux mains de l'Union soviétique, décidèrent d'abandonner leurs alliés européens. Face à la pression exercée de concert par les Soviétiques et les Étatsuniens, les deux ex-puissances coloniales durent retirer leurs troupes et se résoudre à constater ce qui devint alors évident aux yeux de tous : l'ancien monde propriétariste et colonial avait cessé d'exister.

Les expropriations d'actifs étrangers illustrent à la perfection le basculement politico-idéologique du monde au cours de la première moitié du XXe siècle. Entre 1914 et les années 1950, c'est toute la conception de la propriété qui a changé, sous l'effet des luttes sociales et politiques et des événements militaires. La solidité des droits de propriété acquis dans le passé, qui semblait inébranlable en 1914, a cédé la place dans les années 1950 à une conception plus sociale et instrumentale de la propriété, plaçant le capital productif et l'investissement au service du développement, de la justice ou de l'indépendance nationale. Ces expropriations jouèrent un rôle considérable pour la réduction des inégalités entre pays (puisque les anciens pays colonisés ou débiteurs se retrouvèrent à se posséder eux-mêmes), mais aussi pour la réduction des inégalités à l'intérieur des sociétés européennes, dans la mesure où les actifs étrangers constituaient l'un des placements favoris des propriétaires les plus aisés, comme nous l'avons vu en examinant les archives successorales parisiennes[1]. L'inégalité des revenus particulièrement forte observée au Royaume-Uni et en France avant la Première Guerre mondiale, par comparaison par exemple à l'Allemagne, s'explique pour une large part par l'importance des revenus de placement reçus du reste du monde par les riches propriétaires britanniques et français. En ce sens, le régime inégalitaire interne aux sociétés européennes était étroitement lié à la structure externe de l'inégalité aux niveaux international et colonial.

Ajoutons que des vagues de nationalisations, qui furent parfois de véritables nationalisations-expropriations, eurent également lieu en Europe, avec une ampleur variable suivant les pays européens. De façon générale, la foi dans le capitalisme privé avait été fortement ébranlée par la crise économique des années 1930 et par les cataclysmes qui en ont découlé. La Grande Dépression, déclenchée en octobre 1929 par le krach boursier à Wall Street, frappa les pays riches avec une brutalité inégalée à ce jour. Dès 1932, le chômage touchait un quart de la population active industrielle aux États-Unis comme en Allemagne, au Royaume-Uni comme en France. La doctrine traditionnelle de « laissez-faire » et de non-intervention de la puissance publique dans la vie économique, qui prédominait dans tous les pays au XIXe siècle et dans une large mesure jusqu'au début des années 1930, s'en trouva durablement discréditée. Un peu partout, un basculement vers un plus grand interventionnisme se produisit. Assez naturellement, les gouvernements et les opinions publiques demandèrent des comptes aux élites financières et économiques qui s'étaient enrichies tout en conduisant le monde au bord du gouffre. On se mit à envisager des formes d'économie « mixte », mettant en jeu différents degrés de propriété publique des entreprises aux côtés des formes traditionnelles de propriété privée, ou à tout le moins une très forte régulation et une reprise en main publique du système financier et du capitalisme privé dans son ensemble.

En France et dans d'autres pays, ce climat général de défiance envers le capitalisme privé fut en outre renforcé en 1945 par le fait qu'une bonne partie des élites économiques furent suspectées de collaboration avec l'occupant allemand et d'enrichissement indécent entre 1940 et 1944. C'est dans cette atmosphère électrique que furent lancées les grandes vagues de nationalisations de la Libération, qui concernaient notamment le secteur

---

1. Voir chapitre 4, tableau 4.1, p. 168.

bancaire, les mines de charbon et l'industrie automobile, avec en particulier la fameuse nationalisation-sanction des usines Renault. Le propriétaire Louis Renault fut arrêté comme collaborateur en septembre 1944, ses usines furent saisies par le gouvernement provisoire et nationalisées en janvier 1945[1]. On peut également mentionner, dans le même esprit de sanction, l'impôt de solidarité nationale institué par l'ordonnance du 15 août 1945. Cet impôt exceptionnel et progressif prélevé à la fois sur le capital et sur les enrichissements survenus au cours de l'Occupation ne fut prélevé qu'une seule fois, mais ses taux extrêmement élevés ont constitué un choc supplémentaire très lourd pour les personnes concernées. Il comprenait un prélèvement exceptionnel sur la valeur de tous les patrimoines estimée au 4 juin 1945, à des taux allant jusqu'à 20 % pour les patrimoines les plus élevés, et un prélèvement exceptionnel pesant sur tous les enrichissements nominaux survenus entre 1940 et 1945, à des taux allant jusqu'à 100 % pour les enrichissements les plus importants[2].

Les nationalisations jouèrent un rôle central dans de nombreux pays européens et aboutirent à la constitution d'un vaste secteur public dans les années 1950-1970. Nous reviendrons également dans le prochain chapitre sur la façon dont certains pays, en particulier l'Allemagne, la Suède et la plupart des pays d'Europe du Nord, mirent en place à l'issue de la Seconde Guerre mondiale des nouvelles formes d'organisation et de gouvernance des entreprises. Cela prit notamment la forme d'une diminution importante des droits de vote des actionnaires au sein des conseils d'administration, et une augmentation correspondante des droits de vote nouvellement attribués aux représentants élus des salariés (et parfois aux collectivités publiques étatiques ou régionales). Cette expérience est d'autant plus intéressante qu'elle illustre la déconnexion entre la valeur de marché du capital et sa valeur sociale. Tout indique en effet que ces politiques ont conduit dans

---

1. Voir C. ANDRIEU, L. LE VAN, A. PROST, *Les Nationalisations de la Libération. De l'utopie au compromis*, Presses de Sciences Po, 1987, et T. PIKETTY, *Les Hauts Revenus en France au XXe siècle, op. cit.*, p. 137-138.

2. En pratique, compte tenu de l'inflation (les prix avaient plus que triplé entre 1940 et 1945), ce prélèvement revenait à taxer à 100 % tous ceux qui ne s'étaient pas suffisamment appauvris. Pour André Philip, membre SFIO du gouvernement provisoire du général de Gaulle, il était d'ailleurs inévitable que cet impôt exceptionnel pèse sur « ceux qui ne se sont pas enrichis, et peut-être même sur ceux qui, monétairement, se sont appauvris en ce sens que leur fortune ne s'est pas accrue dans la même proportion que la hausse générale des prix, mais qui ont pu conserver leur fortune globale, alors qu'il y a tant de Français qui ont tout perdu ». Voir *L'Année politique 1945*, p. 159.

les pays concernés à de plus faibles valorisations boursières des entreprises (phénomène qui se prolonge d'ailleurs jusqu'à nos jours), sans pour autant que cela nuise au niveau d'activité économique et à la croissance, bien au contraire : la plus forte implication des salariés dans les stratégies à long terme des entreprises allemandes ou suédoises semble avoir plutôt contribué à une meilleure productivité d'ensemble[1].

Enfin, au-delà du cas des nationalisations et de ces nouvelles formes de partage de pouvoir dans les entreprises, la plupart des pays européens ont mis en place entre 1914 et 1950 diverses politiques de régulation des marchés immobiliers et financiers, qui ont abouti *de facto* à réduire les droits des propriétaires et la valeur de marché de leurs biens. Le cas le plus emblématique est celui des mécanismes de blocage des loyers, qui commencèrent à se développer pendant le conflit de 1914-1918. Ils prirent une ampleur nouvelle à l'issue de la Seconde Guerre mondiale, à tel point que la valeur réelle des loyers était tombée en France en 1950 à un niveau inférieur à un cinquième de celui de 1914, entraînant une chute comparable du niveau des prix immobiliers[2]. On observe des politiques similaires dans la plupart des pays européens au cours de cette période. Ces politiques traduisaient elles aussi un profond changement d'attitude face à la légitimité de la propriété privée et des inégalités produites par les relations de propriété. Dans un contexte marqué par une très forte inflation, inconnue avant 1914, et où les salaires réels n'avaient souvent toujours pas retrouvé leur niveau d'avant-guerre, il paraissait insupportable que les propriétaires fonciers puissent continuer de s'enrichir sur le dos des ouvriers et des classes sociales modestes et moyennes de retour du front. C'est dans ce contexte que se développèrent dans les différents pays de nouvelles réglementations visant à contrôler les loyers, à augmenter les droits des locataires et à les

1. Nous reviendrons sur ces questions dans le chapitre 11, p. 578-598. Précisons que si l'on utilisait la notion de valeur comptable (et non de valeur de marché) pour valoriser les actifs des sociétés allemandes, alors le niveau allemand rattraperait (voire dépasserait légèrement) les niveaux franco-britanniques indiqués pour les années 1970-2020 sur le graphique 10.8. À l'inverse, la très forte hausse des capitalisations boursières anglo-saxonnes depuis les années 1980 résulte pour une large part de l'augmentation du pouvoir de négociation des actionnaires (et non d'investissements réels). Voir annexe technique. Voir aussi T. PIKETTY, *Le Capital au XXI* siècle, *op. cit.*, chapitre 5, p. 294-301, en particulier graphique 5.6.

2. En France, le rapport entre l'indice des loyers et l'indice général des prix, exprimé en base 100 en 1914, tombe autour de 30-40 en 1919-1921 et 10-20 en 1948-1950, avant de remonter graduellement par la suite (le rapport est d'environ 70 en 1970-1980 et retrouve son niveau 100 de 1914 en 2000-2010). Voir T. PIKETTY, *Les Hauts Revenus en France au XX* siècle, *op. cit.*, p. 89, graphique 1.8.

protéger de possibles évictions, en particulier en allongeant la durée des baux, en fixant le loyer sur de longues périodes, et en instituant un droit préférentiel pour le rachat du logement, parfois avec une forte décote sur le prix. Dans leur forme la plus ambitieuse, de tels mécanismes pouvaient être assez proches des réformes agraires (comme celles déjà évoquées dans le cas de l'Irlande ou de l'Espagne) visant à diviser les plus grandes parcelles et à faciliter le transfert de propriété en faveur des exploitants agricoles[1]. De façon générale, la faiblesse des prix immobiliers en vigueur au cours des années 1950-1980, indépendamment de toute règle supplémentaire, facilita mécaniquement l'accès à la propriété de nouveaux groupes sociaux et la diffusion du patrimoine[2].

Épargne privée, dette publique et inflation

Venons-en maintenant au rôle joué par la faiblesse de l'investissement privé, ainsi que par l'inflation et la dette publique, dans la chute des patrimoines privés au cours de la période 1914-1950. Soulignons tout d'abord qu'au cours des années de guerre, comme pendant les années 1930, les investissements réalisés dans les secteurs civils non prioritaires étaient tellement faibles qu'ils ne permettaient souvent même pas de remplacer les équipements usagés[3]. Ensuite et surtout, il faut insister sur le fait que l'épargne privée des années 1914-1945 a été utilisée en grande partie pour financer l'augmentation de la dette publique qui a eu lieu pour financer les guerres.

1. Voir chapitre 5, p. 197-198 et 221-225.

2. Précisons que les plus faibles valorisations immobilières allemandes (dues pour partie aux différentes régulations de loyers en vigueur) contribuent également à expliquer les écarts observés en 2000-2020 sur le graphique 10.8. Plus généralement, si l'on pouvait mesurer de façon parfaitement comparable dans le temps la valeur sociale du stock de capital (et non sa valeur de marché), en prenant notamment en compte l'effet des politiques de partage de pouvoir sur la capitalisation boursière et de blocage des loyers sur la capitalisation immobilière, il est probable que les niveaux d'accumulation indiqués sur le graphique 10.8 pour les années 2000-2020 dépasseraient ceux de 1880-1914. Voir annexe technique.

3. Autrement dit, l'investissement net de dépréciation (la différence entre l'investissement brut et l'usure du capital) était souvent négatif. Soulignons que, compte tenu de la croissance du revenu national (qui était faible mais pas totalement nulle entre 1913 et 1950), un flux régulier et relativement important d'investissement net est nécessaire pour maintenir un niveau élevé de ratio entre capital privé et revenu national. Par exemple, avec une croissance de 1 % par an, un flux de 8 % par an est requis pour maintenir un ratio capital/revenu égal à 8. Voir T. PIKETTY, Le Capital au XXIe siècle, op. cit., chapitre 3.

À la veille de la Première Guerre mondiale, en 1914, la dette publique représentait l'équivalent d'environ 60 %-70 % du revenu national au Royaume-Uni, en France et en Allemagne, et moins de 30 % du revenu national aux États-Unis. Au lendemain de la Seconde Guerre mondiale, en 1945-1950, la dette publique atteignait 150 % du revenu national aux États-Unis, 180 % en Allemagne, 270 % en France et 310 % au Royaume-Uni (voir graphique 10.9). Encore faut-il préciser que le total aurait été encore plus élevé si une partie des dettes contractées pendant la Première Guerre n'avaient pas déjà été noyées dans l'inflation des années 1920, en particulier en Allemagne, et à un degré moindre en France. Pour financer une telle augmentation de la dette publique entre 1914 et 1945-1950, les épargnants des différents pays durent consacrer l'essentiel de leur épargne non pas à abonder leurs investissements habituels (dans l'immobilier, dans l'industrie ou à l'international), mais à acheter presque exclusivement des bons du Trésor et les divers titres de la dette publique. Les propriétaires britanniques, français et allemands se retrouvèrent aussi à vendre graduellement une part importante de leurs actifs étrangers afin de prêter les sommes nécessaires à leur gouvernement, parfois peut-être par patriotisme,

Graphique 10.9

Les vicissitudes de la dette publique, 1850-2020

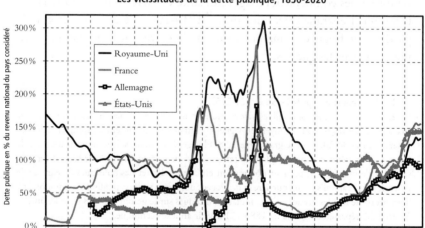

Lecture : la dette publique a fortement progressé à la suite des deux guerres mondiales, pour atteindre entre 150 % et 300 % du revenu national en 1945-1950, puis chuter brutalement en Allemagne et en France (annulation de dette, inflation élevée), et plus graduellement au Royaume-Uni et aux États-Unis (inflation modérée, croissance). Les actifs publics (notamment immobiliers et financiers) varient moins fortement au cours du temps et se situent généralement autour de 100 % du revenu national.
Sources et séries : voir piketty.pse.ens.fr/ideologie.

et sans doute aussi parce qu'ils espéraient faire de bonnes affaires. La parole sacrée du pays leur garantissait en principe le remboursement de solides intérêts en plus du principal, et c'est d'ailleurs ce qui s'était produit sans coup férir tout au long du XIXᵉ siècle. Il s'agissait aussi dans certains cas d'emprunts quasi obligatoires, en particulier pendant les années de guerre, où les gouvernements exigèrent des banques qu'elles détiennent des quantités importantes de titres publics, tout en prenant des mesures visant à plafonner les taux d'intérêt.

Or le fait est que cette épargne et ces actifs placés dans la dette publique allaient très vite se retrouver à fondre comme neige au soleil, et que la « parole sacrée » donnée aux propriétaires fut remplacée par d'autres priorités. En pratique, l'un des principaux mécanismes fut la planche à billets et la hausse des prix. Au cours des XVIIIᵉ et XIXᵉ siècles, l'inflation avait été quasi nulle (voir graphique 10.10). Les monnaies étaient liées à leur contenu en or et en argent, et leur pouvoir d'achat n'avait presque pas changé. Cela valait notamment pour la livre sterling, ainsi que pour le

Graphique 10.10
L'inflation en Europe et aux États-Unis, 1700-2020

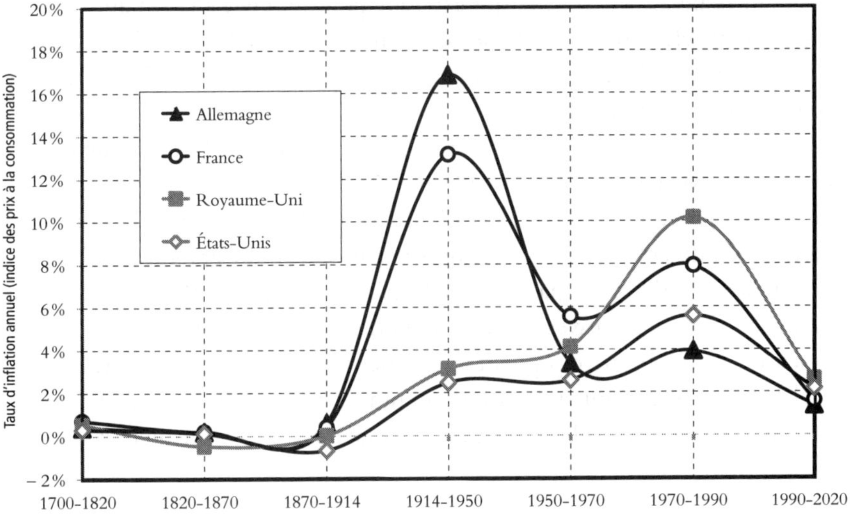

Lecture : l'inflation était quasi nulle aux XVIIIᵉ-XIXᵉ siècles, avant de s'élever au XXᵉ siècle. Elle est depuis 1990 de l'ordre de 2 % par an. L'inflation a été particulièrement forte en Allemagne et en France de 1914 à 1950, et à un degré moindre au Royaume-Uni, en France et aux États-Unis pendant les années 1970. Note : L'inflation allemande moyenne d'environ 17 % entre 1914 et 1950 ne prend pas en compte l'hyperinflation de 1923.
Sources et séries : voir piketty.pse.ens.fr/ideologie.

franc-or, qui avait succédé sous la Révolution française à la livre tournois d'Ancien Régime, avec exactement la même parité métallique de 1726 à 1914, preuve s'il en est de la continuité propriétariste, à tel point d'ailleurs que les romanciers français du début du XIXᵉ siècle utilisaient indifféremment la livre et le franc pour ciseler les montants et les frontières sociales, et passaient souvent de l'une à l'autre sans même s'en apercevoir[1].

La guerre mit fin presque immédiatement à cette longue période de stabilité monétaire. Dès août 1914, les principaux belligérants suspendirent la convertibilité de leur monnaie en or. Les diverses tentatives de réintroduction de l'étalon-or dans les années 1920 ne survécurent pas à la crise des années 1930[2]. Au total, entre 1914 et 1950, l'inflation dépassa 13 % par an en moyenne en France (soit une multiplication des prix par cent), et atteignit 17 % en Allemagne (soit une multiplication des prix par plus de trois cents)[3]. Au Royaume-Uni et aux États-Unis, moins lourdement touchés par les guerres, et moins fortement déstabilisés politiquement, le taux d'inflation fut nettement plus faible : à peine 3 % par an en moyenne entre 1914 et 1950. Cela représentait tout de même une multiplication des prix par trois, après deux siècles de stabilité quasi absolue. Dans le cas du Royaume-Uni, cela fut toutefois insuffisant pour éliminer l'imposante dette publique issue des guerres, ce qui explique pourquoi elle s'est maintenue à un niveau élevé outre-Manche pendant les années 1950-1970, avant que l'inflation britannique des années 1970 (entre 10 % et 20 % par an) finisse par en venir à bout.

En France et en Allemagne, les choses furent menées de façon beaucoup plus expéditive. Dès le début des années 1950, les énormes dettes publiques des deux pays étaient redescendues à moins de 30 % du revenu national, contre plus de 200 % quelques années auparavant (voir graphique 10.9). En France, l'inflation dépassa les 50 % par an de 1945 à 1948, pendant quatre années consécutives. La dette publique fut mécaniquement réduite à peu de chose, beaucoup plus radicalement encore que sous l'effet du prélèvement exceptionnel sur les patrimoines privés appliqué en 1945. Le problème est que des millions de petits épargnants furent également ruinés

---

1. Voir *ibid.*, p. 169-179.

2. L'étalon dollar-or de l'après-Seconde Guerre mondiale fut à peine plus durable : mis en place en 1946, il disparut en 1971 avec la fin de la convertibilité du dollar en or.

3. Ce calcul exclut pour l'Allemagne l'année 1923 (au cours de laquelle les prix furent multipliés par 100 millions) et mesure donc l'inflation moyenne des années 1914-1922 et 1924-1950.

par l'inflation, ce qui contribuera à aggraver une pauvreté endémique des personnes âgées pendant les années 1950[1].

En Allemagne, où l'hyperinflation des années 1920 avait gravement déstabilisé les relations sociales et le pays dans son ensemble, on se méfiait davantage des méfaits sociaux de la hausse des prix, et on eut recours en 1949-1952 à des méthodes plus sophistiquées pour réduire la dette de façon accélérée. En particulier, la jeune République fédérale allemande mit en place diverses formes de prélèvements progressifs et exceptionnels sur les patrimoines privés, que les propriétaires concernés étaient tenus d'acquitter pendant plusieurs dizaines d'années, et dont certains s'appliquèrent jusqu'aux années 1980[2]. Enfin, l'Allemagne de l'Ouest bénéficia lors de la conférence de Londres de 1953 d'une suspension de sa dette extérieure, qui fut ensuite définitivement annulée lors de l'unification allemande en 1991. Avec les autres mesures, et notamment les prélèvements exceptionnels mis en place en 1952, cette annulation permit à l'État ouest-allemand de s'atteler à la reconstruction des années 1950 et 1960 et d'augmenter sensiblement les marges disponibles pour les dépenses sociales et les investissements en infrastructures[3].

Solder le passé, construire la justice : l'impôt exceptionnel sur le capital privé

Il faut souligner que les prélèvements exceptionnels sur les propriétés privées avaient déjà été expérimentés au lendemain de la Première Guerre mondiale pour réduire la dette publique dans de nombreux pays européens, en particulier en Italie, en Tchécoslovaquie, en Autriche et en Hongrie entre 1919 et 1923, avec des taux allant jusqu'à 50 % sur les patrimoines les plus

---

1. L'épargne financière des années 1920-1930 avait certes été largement détruite par l'effondrement des marchés boursiers. Il n'en reste pas moins que l'inflation de 1945-1948 engendra un choc supplémentaire. L'une des réponses fut le minimum vieillesse (créé en 1956 pour les personnes âgées sans ressources) et le développement des systèmes de retraite par répartition (créés en 1945, mais qui ne montèrent en puissance que progressivement).

2. Ces prélèvements progressifs de grande ampleur sur les propriétés privées furent également appliqués jusqu'aux années 1980 dans le cadre des programmes dits de *Lastenausgleich* (partage des charges) visant à indemniser les réfugiés allemands venus de l'Est pour les pertes subies à la suite des changements de frontière. Voir M. L. HUGHES, *Shouldering the Burdens of Defeat : West Germany and the Reconstruction of Social Justice*, University of North Carolina Press, 1999.

3. Voir G. GALOFRÉ-VILA, C. MEISSNER, M. MCKEE, D. STUCKLER, « The Economic Consequences of the 1953 London Debt Agreement », *European Review of Economic History*, vol. 23 (1), 2018, p. 1-29.

élevés. L'une des ponctions les plus massives et les plus efficaces (en termes de recettes collectées) semble avoir été le prélèvement exceptionnel appliqué au Japon en 1946-1947, avec des taux s'élevant à 90 % pour les portefeuilles les plus importants. L'impôt de solidarité nationale adopté en France en 1945 relève également de cette catégorie, même si les recettes étaient destinées au budget général (et non pas spécifiquement à réduire la dette)[1].

Par comparaison à l'inflation, qui ampute toutes les liquidités de façon proportionnelle, celles des plus pauvres comme celles des plus riches, l'avantage de ces prélèvements exceptionnels sur les propriétés privées est qu'ils offrent beaucoup plus de latitude pour répartir la charge, d'une part car ils ont recours à des taux variables suivant l'ampleur de la fortune (avec le plus souvent une exemption totale des plus faibles patrimoines, des taux de l'ordre de 5 %-10 % pour les propriétés moyennes, et de 30 %-50 % pour les grandes fortunes, voire davantage), et d'autre part car ils s'appliquent généralement à la totalité des actifs privés, qu'ils soient immobiliers, terriens, professionnels ou financiers. En pratique, l'inflation s'apparente à une forme de prélèvement régressif sur les patrimoines. Ceux qui ne détiennent que quelques liquidités en billets ou en dépôts bancaires sont frappés de plein fouet, alors que les patrimoines plus importants, qui sont pour la plupart placés dans des biens immobiliers et professionnels ou des portefeuilles financiers (pour les plus élevés d'entre eux), échappent pour une large part aux effets de la hausse des prix, sauf si d'autres mesures comme le blocage des loyers et des prix des actifs sont également mises en œuvre. Concernant les actifs financiers, les obligations et autres placements fixes sont frappés par l'inflation, à commencer par les titres de la dette publique eux-mêmes ; mais les actions, parts de sociétés et autres placements à cours variables, qui sont les plus prisés des plus grandes fortunes, échappent souvent à la ponction inflationniste, car leurs valeurs tendent à suivre la hausse générale des prix. Plus généralement, le problème de l'inflation est qu'elle répartit les gains et les pertes de façon relativement arbitraire, en fonction de l'identité de ceux qui ont réussi à réallouer leurs avoirs dans les bons

---

1. Des débats eurent également lieu en France et au Royaume-Uni autour de telles mesures en 1919-1923, mais elles n'aboutirent pas. Pour un aperçu des différentes expériences de ponctions sur le capital privé visant à réduire des dettes publiques, voir B. EICHENGREEN, « The Capital Levy in Theory and Practice », *in* R. Dornbusch, M. Draghi, *Public Debt Management : Theory and History*, Cambridge University Press, 1990. Sur ces débats, voir également J. HICKS, U. HICKS, L. ROSTAS, *The Taxation of War Wealth*, Oxford University Press, 1941.

actifs au bon moment. L'inflation est le signe d'une société qui fait face à un lourd conflit distributif, par exemple car elle souhaite se débarrasser de certaines créances léguées par le passé, mais qui ne parvient pas à débattre à ciel ouvert de la meilleure façon de répartir les efforts demandés aux uns et aux autres, et préfère s'en remettre aux caprices des prix et de la spéculation. Le risque évident est de créer un immense sentiment d'injustice.

De ce point de vue, il n'est pas surprenant que tant de pays aient entrepris d'avoir recours à des prélèvements exceptionnels sur les propriétés privées afin de réduire le poids des dettes publiques à l'issue des conflits de 1914-1918 et 1939-1945. Il ne s'agit pas d'idéaliser ici ces expériences, qui reposaient sur des administrations insuffisamment préparées pour de telles tâches, à des époques où il n'existait aucune des technologies de l'information dont nous disposons actuellement. Il reste que ces prélèvements ont fonctionné et ont contribué à éteindre rapidement des dettes publiques considérables et à favoriser des trajectoires exceptionnellement réussies de reconstruction sociale et de croissance économique, par exemple en Japon et en Allemagne. Dans le cas allemand, il paraît clair que les prélèvements exceptionnels sur les patrimoines privés mis en place en 1949-1952, et qui se sont appliqués jusqu'aux années 1980, ont constitué une bien meilleure façon de réduire la dette publique que ne l'avait été l'hyperinflation des années 1920, aussi bien d'un point de vue économique que d'un point de vue social et démocratique.

Au-delà des aspects techniques et administratifs, il faut souligner enfin l'ampleur des transformations politico-idéologiques que révèlent ces expériences. On peut certes trouver de multiples exemples d'annulations de dettes publiques et privées tout au long de l'histoire, depuis les temps les plus reculés. Mais il faut attendre le XXᵉ siècle pour que des systèmes de ponction progressive sur le capital privé soient appliqués à une telle échelle et de façon aussi sophistiquée. À l'époque médiévale aussi bien que dans l'Europe moderne, les souverains se contentaient de modifier de temps à autre le contenu métallique des monnaies afin d'alléger leurs dettes[1]. À la fin du XVIIIᵉ siècle, lors de la Révolution française, on se mit à débattre

---

1. On peut estimer que le contenu en or et argent des monnaies européennes a été en moyenne divisé par un facteur de l'ordre de 2,5-3 entre 1400 et 1800, ce qui correspond à une inflation moyenne de 0,2 % par an pendant quatre cents ans, qui en pratique prenait plutôt la forme d'une succession de phases de stabilité des prix, ponctuée par des dévalorisations soudaines de quelques dizaines de pourcents. Voir C. REINHART, K. ROGOFF, *This Time is Different : Eight Centuries of Financial Folly*, Princeton University Press, 2009, chapitre 11.

explicitement de barèmes progressifs pesant sur les revenus et patrimoines, et un système d'emprunt forcé atteignant 70 % des plus hauts revenus fut même brièvement appliqué en 1793-1794. Rétrospectivement, ce système paraît prémonitoire de ce qui sera appliqué dans de nombreux pays au XXe siècle à la suite des guerres[1]. Il fut néanmoins insuffisant. Faute d'avoir mis à contribution assez tôt ses classes privilégiées, l'Ancien Régime avait en effet accumulé une dette publique considérable, de l'ordre d'une année de revenu national de l'époque, voire une année et demie si l'on inclut la valeur des charges et offices, qui étaient une façon pour l'État d'obtenir des liquidités immédiates en échange de revenus futurs prélevés sur la population, et en ce sens s'apparentaient à une forme de dette. Au final, la Révolution française aboutit à la mise en place d'un système fiscal qui mettait fin aux privilèges de la noblesse et du clergé, mais qui était strictement proportionnel et tournait le dos à l'ambition de la progressivité. La dette publique fut fortement réduite par la « banqueroute des deux tiers » décrétée en 1797 et par la grande inflation des assignats, bien davantage que par les prélèvements fiscaux exceptionnels, et c'est ainsi que l'État français se retrouva en 1815 avec une dette insignifiante (moins de 20 % du revenu national)[2].

Entre 1815 et 1914, les sociétés européennes entrèrent alors dans une longue phase de sacralisation de la propriété privée et de stabilité monétaire, au cours de laquelle l'idée même de ne pas rembourser une dette était considérée comme totalement taboue et inenvisageable. Les différentes puissances européennes avaient certes des mœurs des plus rugueuses, en particulier lorsqu'elles s'imposaient des tributs guerriers les unes aux autres, et surtout au reste du monde. Mais une fois qu'une dette avait été fixée, qu'il s'agisse de celle de la France vis-à-vis des monarchies coalisées en 1815 ou de la Prusse en 1871, ou bien des dettes de l'Empire chinois, de l'Empire ottoman ou du Maroc vis-à-vis du Royaume-Uni ou de la France, alors il était essentiel pour le bon fonctionnement du système qu'elle soit payée rubis sur l'ongle, sur la base de l'étalon-or, faute de quoi la canonnière entrait en action. Les pays européens pouvaient bien menacer de se faire la guerre et dépenser des ressources considérables pour s'armer les uns contre les autres. Mais dès lors qu'une créance devait être remboursée, les

---

1. Sur les débats autour de l'impôt progressif au cours de la Révolution française, voir chapitre 3, tableau 3.1, p. 141.

2. Par la suite, la hausse de la dette publique entre 1814 et 1914 fut principalement le fait d'opérations exceptionnelles comme les indemnités de guerre et le « milliard des émigrés ». Voir également T. PIKETTY, *Le Capital au XXIe siècle, op. cit.*, p. 210-213.

querelles cessaient, et les puissances propriétaristes s'accordaient sur le fait que les débiteurs devaient respecter le droit de propriété des créanciers. C'est ainsi par exemple que la tentative de défaut turc en 1875 conduisit immédiatement à la constitution d'une coalition de la haute finance européenne et des États européens pour rétablir les paiements et imposer aux Ottomans le traité de Berlin en 1878. Les défauts de paiement étaient encore relativement courants au XVIIIe siècle (par exemple quand la Prusse refusa en 1752 de rembourser l'emprunt silésien aux Britanniques), quoique de plus en plus rares[1]. Ils cessèrent après les répudiations de la Révolution française, qui, après bien des hésitations, conduisit *de facto* au triomphe de la stabilité propriétariste et monétaire en Europe.

Un cas particulièrement significatif est celui du Royaume-Uni, dont la dette publique dépassait les 200 % du revenu national en 1815, à l'issue des guerres napoléoniennes. Le pays, il est vrai gouverné à l'époque par un mince groupe de propriétaires qui allait bénéficier directement de cette politique, fit le choix de consacrer pendant un siècle près du tiers des impôts acquittés par les contribuables britanniques (principalement des ménages modestes et moyens, compte tenu de la prédominance à l'époque de la fiscalité indirecte) au paiement de cette dette et surtout de ses intérêts (pour le plus grand profit de ceux qui avaient prêté pour financer les guerres, et en particulier pour le bénéfice du centile supérieur de la répartition de la fortune). Cette expérience montre qu'il est certes techniquement possible de réduire une dette publique d'une telle ampleur au moyen d'excédents budgétaires primaires. Ces derniers furent en moyenne compris entre 2 % et 3 % du revenu national au Royaume-Uni entre 1815 et 1914, à un moment où la totalité des recettes fiscales ne dépassait pas 10 % du revenu national, et où les ressources totales consacrées à l'éducation étaient inférieures à 1 % du revenu national. Il n'est pas sûr cependant qu'une telle utilisation des deniers publics ait été la meilleure stratégie d'avenir pour le pays. En tout état de cause, le problème est qu'une telle méthode a le défaut d'être extrêmement lente. La dette publique britannique dépassait encore 150 % du revenu national en 1850, et elle était toujours de 70 % en 1914. L'excédent primaire, bien que considérable, permettait tout juste de payer les intérêts, et pour réduire le principal il fallait attendre que la croissance du revenu national fasse sentir ses effets (croissance qui était en l'occurrence pourtant relativement rapide : plus de 2 % par an pendant un siècle). Des recherches récentes ont montré

---

1. Voir K. Polanyi, *La Grande Transformation, op. cit.*, p. 52-53.

que ces paiements ont fortement contribué à accroître les inégalités et la concentration de la propriété au Royaume-Uni entre 1815 et 1914[1].

L'expérience des dettes publiques issues des guerres du XXe siècle montre qu'il est possible de procéder autrement. Des dettes comprises entre 200 % et 300 % du revenu national en 1945-1950 furent réduites à peu de chose en quelques années dans le cas de la France et de l'Allemagne, et en guère plus de deux décennies dans le cas du Royaume-Uni, ce qui était lent par comparaison aux voisins franco-allemands, mais autrement plus rapide qu'au cours de la période 1815-1914 (voir graphique 10.9). Rétrospectivement, avec le recul dont nous disposons aujourd'hui, il paraît clair que la stratégie de réduction accélérée de la dette était préférable : s'ils avaient suivi la stratégie britannique du XIXe siècle, les pays européens se seraient retrouvés à consacrer de 1950 à 2050 (et au-delà) de lourds paiements d'intérêts aux anciennes classes propriétaires, au détriment de la réduction des inégalités sociales et des dépenses d'investissements dans l'éducation et les infrastructures qui ont permis la croissance exceptionnelle de l'après-guerre. Mais dans le feu de l'action, ces questions ne sont jamais simples à traiter, car les sociétés en prise avec de fortes dettes publiques doivent arbitrer entre différentes légitimités *a priori* acceptables, celle des droits de propriété établis dans le passé et celle des groupes sociaux non propriétaires et qui ont d'autres besoins et priorités (souvent sous forme d'investissements sociaux et éducatifs dans l'avenir). Nous reviendrons plus loin sur les enseignements que l'on peut tirer de ces expériences pour résoudre les problèmes posés par les dettes publiques au XXIe siècle[2].

De la chute à une déconcentration durable : le rôle de l'impôt progressif

Nous venons d'analyser les différents mécanismes expliquant l'effondrement de la valeur totale des propriétés privées en Europe entre 1914 et 1945-1950. Cette évolution résulte d'un ensemble de facteurs (notamment sous forme de destructions, d'expropriations et d'inflations) qui ont cumulé leurs effets pour conduire à une chute exceptionnellement forte du rapport entre capital privé et revenu national, qui atteint un point bas autour de 1945-1950, avant

---

1. Voir annexe technique et V. AMOUREUX, *Public Debt and its Unequalizing Effects : Explorations from the British Experience in the Nineteenth Century*, PSE, 2014.
2. Voir en particulier chapitre 16, p. 1026-1056, sur le cas européen.

un relèvement graduel au cours des décennies suivantes et jusqu'aux années 2010-2020 (voir graphique 10.8). Il nous faut maintenant mieux comprendre pourquoi cette baisse du niveau d'ensemble des patrimoines s'est également accompagnée d'une forte diminution de la concentration de la propriété, phénomène qui a débuté au cours de la période 1914-1945, et qui s'est poursuivi jusqu'aux années 1970-1980. En dépit de la nouvelle tendance à la hausse observée depuis les années 1980-1990, cette déconcentration des patrimoines, et en particulier la chute de la part du centile supérieur, demeure la transformation la plus marquante dans le long terme (voir graphiques 10.4 et 10.5).

Pourquoi donc la chute du niveau général des patrimoines des années 1914-1950 s'est-elle accompagnée d'une déconcentration durable de la structure de la propriété ? Dans l'absolu, on aurait pu imaginer que la chute initiale concerne tous les niveaux de détention dans des proportions comparables, sans véritablement affecter la part du décile supérieur ou du centile supérieur. Nous avons déjà indiqué plusieurs facteurs expliquant pourquoi les plus hauts patrimoines ont baissé plus fortement que les autres. En particulier, les expropriations d'actifs étrangers ont plus fortement affecté les hauts portefeuilles (qui en proportion en détenaient davantage), et les prélèvements exceptionnels et progressifs sur le capital privé mis en place lors de l'apurement des dettes publiques (ou dans le cadre de prélèvements-sanctions) étaient par construction concentrés sur les niveaux de patrimoine les plus élevés.

Outre ces facteurs spécifiques, il faut ajouter un mécanisme plus général. À l'issue de la Première Guerre mondiale et tout au long de l'entre-deux-guerres, les détenteurs de revenus et de patrimoines importants durent faire face à la montée en puissance d'un système permanent d'impôt progressif, c'est-à-dire un système fiscal appliquant des taux d'imposition structurellement plus lourds sur les personnes disposant de revenus et patrimoines élevés que sur le reste de la population. Des débats à ce sujet avaient eu lieu depuis des siècles, en particulier au XVIIIᵉ siècle et pendant la Révolution française, mais jamais de tels systèmes n'avaient été appliqués à grande échelle et de façon permanente. Dans la plupart des pays d'Europe, ainsi qu'aux États-Unis et au Japon, l'impôt progressif se développa sous une double forme : d'une part, un impôt progressif sur le revenu global (c'est-à-dire la somme des revenus des différentes catégories : salaires et traitements, revenus des professions non salariées, pensions, loyers, dividendes, intérêts, royalties, profits et bénéfices de toute nature, etc.) ; et d'autre part, un impôt progressif sur les successions (c'est-à-dire sur les transmissions de patrimoines de toutes sortes, immobiliers, professionnels ou financiers, au décès ou par donation, suivant des modalités diverses)[1]. Pour la première fois dans l'histoire, et de façon quasiment simultanée dans tous les pays, les taux appliqués aux plus hauts revenus et aux plus hautes successions atteignirent durablement des niveaux extrêmement élevés, de l'ordre de plusieurs dizaines de pourcents.

L'évolution des taux appliqués au sommet de la hiérarchie des revenus et des successions de 1900 à 2018 aux États-Unis, au Royaume-Uni, au Japon, en Allemagne et en France est indiquée sur les graphiques 10.11 et 10.12, et permet de se faire une première idée de l'ampleur des bouleversements en jeu[2]. En 1900, les taux pesant sur les plus hauts revenus et successions étaient partout inférieurs à 10 % ; en 1920, ils s'étageaient entre 30 % et 70 % pour les hauts revenus, et entre 10 % et 40 % pour les plus hautes successions. Les taux supérieurs furent légèrement abaissés pendant la courte accalmie des années 1920, avant de repartir à la hausse dans les années 1930-1940, en particulier aux États-Unis après l'élection de Roosevelt en 1932 et la mise en place du New Deal. Dans un contexte où le chômage frappait un quart de la population active, et où il fallait augmenter les ressources pour financer les grands travaux et les nouvelles politiques sociales, il paraissait évident qu'il fallait mettre à contribution les catégories les plus favorisées, d'autant plus qu'elles avaient prospéré de façon spectaculaire au cours des décennies précédentes (et notamment des *Roaring Twenties*), tout en menant le pays vers la crise. Entre 1932 et 1980, le taux applicable aux plus hauts revenus fut en moyenne de 81 % aux États-Unis. Sur cette même période, le taux applicable aux plus hautes successions était de 75 %[3]. Au Royaume-Uni, où la dépression conduisit également à une profonde remise en cause des élites économiques et financières, le taux appliqué entre 1932 et 1980 fut en moyenne de 89 % pour les plus hauts revenus, et de 72 % pour les plus hautes successions (voir graphiques 10.11 et 10.12).

---

1. Dans certains pays, en particulier en Allemagne, en Suède et plus généralement en Europe du Nord, l'impôt progressif prit également dès le début du XXᵉ siècle une troisième forme, celle de l'impôt progressif annuel sur le patrimoine. Nous y reviendrons dans le chapitre 11.

2. Les taux marginaux supérieurs indiqués ici s'appliquent généralement à une petite fraction des revenus et successions les plus élevés, généralement au sein du centile ou même du millime supérieur ; mais le fait est qu'il s'agit précisément du niveau où la déconcentration des patrimoines et des revenus a été la plus forte. Nous reviendrons plus loin sur l'évolution des taux effectifs acquittés aux différents niveaux de la répartition.

3. Précisons que sont uniquement pris en compte ici les taux de l'impôt fédéral sur le revenu et les successions, auxquels il faut ajouter en pratique les impôts appliqués par les États, avec des taux additionnels pouvant atteindre de l'ordre de 5 %-10 % suivant les périodes.

Graphique 10.11

**L'invention de la progressivité fiscale :
le taux supérieur de l'impôt sur le revenu, 1900-2018**

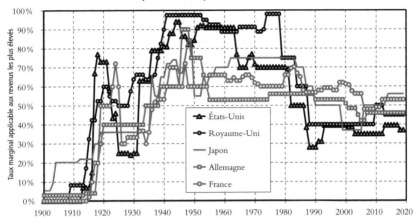

Lecture : le taux marginal d'imposition applicable aux revenus les plus élevés était en moyenne de 23 % aux États-Unis entre 1900 et 1932, de 81 % entre 1932 et 1980, et de 39 % entre 1980 et 2018. Sur ces mêmes périodes, le taux supérieur a été de 30 % et 89 % et 46 % au Royaume-Uni, de 26 %, 68 % et 53 % au Japon, de 18 %, 58 % et 50 % en Allemagne, et de 23 %, 60 % et 57 % en France. La progressivité fiscale a été maximale au milieu du siècle, particulièrement aux États-Unis et au Royaume-Uni.
Sources et séries : voir piketty.pse.ens.fr/ideologie.

Graphique 10.12

**L'invention de la progressivité fiscale :
le taux supérieur de l'impôt sur les successions, 1900-2018**

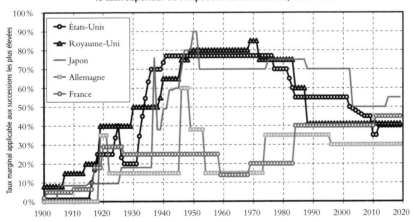

Lecture : le taux marginal d'imposition applicable aux successions les plus élevées était en moyenne de 12 % aux États-Unis entre 1900 et 1932, de 75 % entre 1932 et 1980, et de 50 % entre 1980 et 2018. Sur ces mêmes périodes, le taux supérieur a été de 25 %, 72 % et 46 % au Royaume-Uni, de 9 %, 64 % et 63 % au Japon, de 8 %, 23 % et 32 % en Allemagne, et de 15 %, 22 % et 39 % en France. La progressivité fiscale a été maximale au milieu du siècle, particulièrement aux États-Unis et au Royaume-Uni.
Sources et séries : voir piketty.pse.ens.fr/ideologie.

En France, lorsque les parlementaires se résolurent finalement à mettre en place un impôt progressif sur le revenu, dans le cadre de la loi du 15 juillet 1914, le taux le plus élevé n'était que de 2 %. Les élites politiques et économiques de la IIIe République avaient longtemps refusé une telle réforme, qu'elles jugeaient nuisible et inadaptée à un pays aussi égalitaire que la France, non sans une bonne dose d'hypocrisie et de mauvaise foi[1]. Puis le taux supérieur fut augmenté pendant la guerre, avant d'être porté à 50 % en 1920, 60 % en 1924, et même 72 % en 1925. Il est particulièrement frappant de constater que la loi décisive du 25 juin 1920, qui institua le taux de 50 %, fut adoptée par la Chambre bleu horizon (l'une des Chambres les plus à droite de toute l'histoire de la République) et la majorité dite du « Bloc national », c'est-à-dire par une majorité constituée pour une large part des groupes parlementaires qui avant la guerre s'étaient le plus farouchement opposés à la création d'un impôt sur le revenu avec un taux supérieur de 2 %. Ce revirement complet des députés situés dans la partie droite de l'échiquier politique s'explique notamment par la situation financière désastreuse héritée de la guerre. Au-delà des discours rituels sur le thème « l'Allemagne paiera », tout le monde se rendait bien compte qu'il était indispensable de trouver des recettes nouvelles. Dans un contexte où les pénuries et le recours à la planche à billets avaient porté l'inflation à des niveaux inconnus avant la guerre, où les salaires ouvriers n'avaient toujours pas retrouvé leur pouvoir d'achat de 1914, et où plusieurs vagues de grèves menaçaient le pays de paralysie en mai-juin 1919, puis de nouveau au printemps de 1920, la couleur politique importait finalement assez peu. Il fallait trouver des ressources, et personne n'imaginait que les titulaires de hauts revenus soient épargnés. C'est dans ce contexte politique et social explosif, marqué aussi par la révolution bolchevique de 1917, à laquelle une large part du mouvement ouvrier et socialiste français venait de se rallier, que l'impôt progressif changea de nature[2].

---

1. Voir chapitre 4, p. 186-189.

2. Les taux indiqués sur le graphique 10.11 ne prennent pas en compte les majorations d'impôt de 25 % introduites par la loi de 1920 pour les contribuables célibataires sans enfants et les contribuables mariés « qui au bout de deux ans de mariage n'ont toujours pas eu d'enfant » (en les incluant, le taux supérieur serait de 62 % en 1920 et 90 % en 1925). Cet intéressant dispositif, qui témoigne de la force du traumatisme français en matière de dénatalité, et aussi de l'imagination sans limites du législateur fiscal pour exprimer les peurs et les espoirs d'un pays, deviendra de 1939 à 1944 la « taxe de compensation familiale », et se prolongera de 1945 à 1951 dans le cadre du système du quotient familial (les couples mariés

Ces chocs fiscaux très lourds eurent pour effet d'amplifier et surtout de pérenniser l'effet des autres chocs subis par les hauts patrimoines au cours de la période 1914-1945. De fait, tous les éléments dont nous disposons aujourd'hui suggèrent que cette innovation fiscale radicale constitue l'un des principaux facteurs expliquant pourquoi la chute du niveau global des patrimoines s'est accompagnée d'une déconcentration durable de leur répartition. Cette explication fiscale permet également de mieux comprendre pourquoi la réduction des inégalités patrimoniales s'est déroulée de façon graduelle, au fur et à mesure que les revenus et donc les capacités d'épargne et de reconstitution de patrimoines importants étaient amputés par la montée en puissance de l'impôt sur le revenu, et que les transmissions patrimoniales les plus hautes étaient amoindries au fil des générations et des transmissions.

Des recherches récemment menées dans les archives successorales parisiennes de l'entre-deux-guerres et l'après-Seconde Guerre mondiale ont permis de mettre au jour ce processus au niveau individuel[1]. À la fin du XIXe siècle et jusqu'à la Première Guerre mondiale, les 1 % des Parisiens les plus riches en patrimoines bénéficiaient grâce aux revenus de leurs propriétés (dividendes, intérêts, loyers, etc.) d'un niveau de vie moyen de l'ordre de trente à quarante fois le salaire moyen de l'époque. Les impôts payés sur leurs successions comme sur leurs revenus ne dépassaient pas 5 %, et ils pouvaient se contenter d'épargner une fraction limitée des revenus issus de leurs propriétés (entre un quart et un tiers) pour transmettre un patrimoine en croissance suffisamment forte pour que la génération suivante puisse bénéficier du même niveau de vie (relativement au salaire moyen, lui-même en croissance). Tout changea subitement à l'issue de la Première Guerre mondiale. Compte tenu des chocs subis pendant la guerre (expropriations d'actifs étrangers, inflation, blocage des loyers) et des nouveaux impôts sur les revenus (dont le taux effectif atteignit dans les années 1920 environ 30 %-40 % pour les 1 % des Parisiens les plus riches, et plus de 50 % pour les 0,1 % des Parisiens les plus riches),

---

sans enfants, normalement dotés de 2 parts, tombent alors à 1,5 part s'ils n'ont toujours pas d'enfant « au bout de trois ans de mariage » ; on notera que l'Assemblée constituante de 1945 allonge d'un an le délai de grâce fixé en 1920 par le Bloc national). Pour une analyse détaillée de ces épisodes et de ces débats, voir T. PIKETTY, *Les Hauts Revenus en France au XXe siècle, op. cit.*, p. 233-334.

1. Voir annexe technique et T. PIKETTY, G. POSTEL-VINAY, J.-L. ROSENTHAL, « The End of Rentiers : Paris 1842-1957 », WID.world, Working Paper Series, n° 2018/1 pour l'ensemble des données et résultats, que je résume ici.

le niveau de vie de ce groupe s'écroula autour de cinq, dix fois le salaire moyen. Dans ces conditions, il devint matériellement impossible, même en réduisant drastiquement ses dépenses et en licenciant une bonne partie des domestiques (dont le nombre chuta d'ailleurs considérablement dans l'entre-deux-guerres, alors qu'il était stable avant la guerre), de reconstituer une fortune comparable à celle d'avant 1914, d'autant plus que les taux effectifs d'impôt sur les successions subis par ce groupe s'élevèrent graduellement à 10 %-20 % dans les années 1920 et près de 30 % dans les années 1930-1940.

Cela ne signifie certes pas que toutes les familles concernées aient fini ruinées. De même qu'à l'époque de Balzac, du père Goriot et de César Birotteau, tout dépend des investissements réalisés et des rendements obtenus, plus ou moins juteux, et particulièrement volatils en cette période d'inflation, de reconstruction et de crises à répétition. Certains ont pu s'enrichir et perpétuer leur niveau de vie. D'autres au contraire ont voulu le maintenir trop longtemps et se sont retrouvés à dilapider leurs avoirs à vitesse accélérée, faute d'avoir accepté à temps que leurs revenus ne leur permettaient plus de vivre sur le même pied qu'avant-guerre. Ce qui est certain, c'est qu'il était inévitable, en raison des nouveaux impôts progressifs mis en place sur les plus hauts revenus (qui en pratique étaient surtout les plus hauts revenus du patrimoine) et les plus hautes successions, que la position moyenne de ce groupe social s'effondre entre 1914 et 1950, et continue de s'abaisser par la suite, sans possibilité matérielle de reconstitution des niveaux précédents, quels que soient les taux d'épargne pratiqués et la rapidité de l'ajustement du niveau de vie.

Des origines anglo-saxonnes de la progressivité fiscale moderne

On constate un phénomène comparable au Royaume-Uni. Souvenons-nous de la crise occasionnée par le vote du *People's Budget* en 1909-1911 : les Lords avaient commencé par refuser le relèvement des impôts progressifs sur les plus hauts revenus et successions (dont les recettes étaient pourtant destinées à financer des mesures sociales en faveur des classes ouvrières), ce qui précipita leur chute et la fin de leur rôle politique[1]. Les taux applicables aux revenus et successions les plus élevés furent de nouveau relevés à l'issue

---

1. Voir chapitre 5, p. 217-220.

de la Première Guerre mondiale, à tel point qu'il devint matériellement impossible pour les propriétaires britanniques de maintenir leur train de vie d'avant-guerre. Ce difficile processus d'ajustement est évoqué par exemple dans la série *Downton Abbey*, où l'on voit poindre également l'importance de la question irlandaise dans la remise en cause du régime propriétariste. Mais pour faire face à des taux d'imposition atteignant très rapidement 50 %-60 % dans les années 1920 et 1930 pour les plus hauts revenus britanniques (qui en pratique étaient essentiellement des revenus du capital, et notamment des loyers, intérêts et dividendes), et 40 %-50 % au moment de la transmission successorale, il n'était pas suffisant de réduire légèrement le nombre de domestiques. La seule solution était de vendre une partie des biens, et c'est ce qui se produisit à vitesse accélérée au Royaume-Uni dans l'entre-deux-guerres.

Ce processus concerna notamment les grands domaines terriens britanniques, qui historiquement étaient exceptionnellement concentrés. L'ampleur et la rapidité des transferts de terres prirent des proportions inédites au cours des années 1920 et 1930, et inconnues dans le royaume depuis la conquête normande de 1066 et la dissolution des monastères de 1530[1]. Ce phénomène concerna aussi et surtout les énormes portefeuilles financiers domestiques et étrangers accumulés par les propriétaires britanniques au cours du XIXᵉ siècle et au début du XXᵉ siècle, qui furent démembrés à vive allure, comme en témoigne l'effondrement spectaculaire de la part du centile supérieur dans le total des propriétés britanniques (voir graphique 10.5)[2]. Cette évolution prit une ampleur nouvelle après la Seconde Guerre mondiale, quand les taux appliqués aux plus hauts revenus dépassèrent 90 %, et que les taux concernant les successions les plus importantes atteignirent 80 % pendant plusieurs décennies, aussi bien d'ailleurs au Royaume-Uni qu'aux États-Unis (voir graphiques 10.11 et 10.12). Il est bien évident que la mise en place de tels taux d'imposition a pour objectif d'éradiquer purement et simplement ce type de niveau de patrimoine, ou tout du moins de mettre des conditions drastiques à leur perpétuation (comme des rendements exceptionnellement élevés sur les propriétés héritées).

De façon générale, il faut souligner le rôle central joué par les États-Unis et le Royaume-Uni dans le développement de l'impôt progressif à grande

---

1. Voir D. Cannadine, *The Decline and Fall of the British Aristocracy*, *op. cit.*, p. 89.
2. Voir également chapitre 7, graphique 7.9, p. 331.

échelle, aussi bien pour ce qui concerne les revenus que les successions. Des travaux récents ont montré que ce ne sont pas seulement les taux supérieurs théoriques qui ont été relevés à des niveaux inédits dans ces deux pays au cours de la période 1932-1980 : ce sont également les taux effectifs d'imposition réellement acquittés par les groupes les plus fortunés qui atteignirent des sommets. Des années 1930 aux années 1960, le total des impôts payés (tous prélèvements confondus, directs et indirects) par les 0,1 % et les 0,01 % des revenus les plus élevés oscillait autour de 50 %-80 % de leurs revenus avant impôts, alors que la moyenne de la population se situait entre 15 % et 30 %, et les 50 % les plus pauvres entre 10 % et 20 % (voir graphique 10.13). Tout semble en outre indiquer que les taux marginaux de l'ordre de 70 %-80 % ont aussi et surtout eu un effet sur la répartition des revenus avant impôts (ce qui par définition ne peut apparaître sur ces taux effectifs). De fait, de tels taux marginaux ont rendu presque impossible le maintien de revenus du capital de ce niveau (sauf à réduire massivement le train de vie, ou à vendre graduellement une partie des actifs), et ont également eu un impact dissuasif majeur sur la fixation de rémunérations stratosphériques pour les dirigeants d'entreprise[1].

S'agissant de l'impôt successoral, il est frappant de constater que l'Allemagne et la France appliquèrent des taux d'à peine 20 %-30 % aux plus grandes fortunes au cours de la période 1950-1980, au moment où les deux puissances anglo-saxonnes appliquaient des taux de 70 %-80 % (voir graphique 10.12). Cela peut s'expliquer pour partie par l'ampleur des destructions et de l'inflation en Allemagne et en France, qui eurent par conséquent moins besoin de l'arme fiscale que le Royaume-Uni et les États-Unis pour transformer le régime inégalitaire issu du passé[2].

---

1. Sur ce mécanisme, voir chapitre 11 et T. PIKETTY, E. SAEZ, S. STANTCHEVA, « Optimal Taxation of Top Labor Incomes : A Tale of Three Elasticities », *American Economic Journal : Economic Policy*, 6 (1), 2014, p. 230-271. La disparition graduelle des contribuables figurant dans les tranches de revenus les plus élevées explique d'ailleurs pour partie le fait que les taux effectifs s'abaissent pour les centiles et millimes les plus élevés entre les années 1930-1950 et les années 1960-1970. Le fait que les taux effectifs n'atteignent jamais les taux marginaux statutaires s'explique également par le fait que les gouvernements en place choisissent d'accorder des régimes dérogatoires à certaines catégories de revenus (comme les plus-values), particulièrement à partir des années 1960 et 1970. Pour des séries détaillées sur les taux effectifs par centile et types d'impôts, voir annexe technique et T. PIKETTY, E. SAEZ, G. ZUCMAN, « Distributional National Accounts : Methods and Estimates for the United States », *Quarterly Journal of Economics*, vol. 133 (2), 2018, p. 553-609.

2. On notera toutefois que le Japon, également très touché par les destructions, eut recours à des taux très élevés sur les plus hautes successions au cours de la période 1950-1980, et

Graphique 10.13

Taux effectifs et progressivité aux États-Unis, 1910-2020

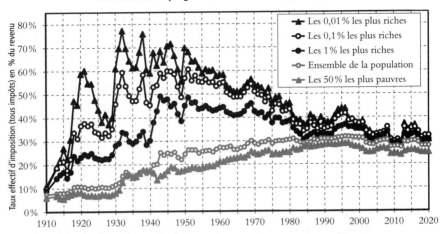

Lecture : de 1915 à 1980, le système fiscal était fortement progressif aux États-Unis, dans le sens où les taux effectifs d'imposition acquittés par les plus hauts revenus (tous impôts confondus, et en % du revenu total avant impôts) étaient significativement plus élevés que le taux effectif moyen acquitté par l'ensemble de la population (et en particulier par les 50 % des revenus les plus bas). Depuis 1980, le système fiscal est faiblement progressif, avec des écarts limités de taux effectifs d'imposition. Sources et séries : voir piketty.pse.ens.fr/ideologie.

Il est également frappant de constater que le seul moment où l'Allemagne appliqua aux plus hauts revenus un taux de 90 % correspond à la période 1946-1948, quand la politique fiscale allemande était fixée par l'Allied Control Council, dominé en pratique par les États-Unis. Dès que l'Allemagne retrouva sa souveraineté fiscale, en 1949, les gouvernements successifs choisirent de réduire ce taux et de le stabiliser très vite autour de 50 %-55 % (voir graphique 10.11). Dans l'esprit étatsunien de 1946-1948, ce taux de 90 % n'était en aucune façon une punition imposée aux élites allemandes, puisque le même taux était alors appliqué aux élites anglo-saxonnes. Selon l'idéologie dominante à l'époque aux États-Unis et au Royaume-Uni, ces impôts lourdement progressifs faisaient partie intégrante de l'ensemble institutionnel sur lequel devait s'appuyer le nouveau monde de l'après-guerre : les institutions électorales devaient être complétées par des institutions fiscales solides permettant d'éviter que la démocratie soit de nouveau capturée par les intérêts financiers et oligarchiques. Ces représentations peuvent sembler lointaines et surprenantes, surtout s'agissant de pays anglo-saxons qui se sont lancés à partir des

---

continue aujourd'hui de manifester un attachement à un impôt successoral important pour les plus hautes transmissions.

années 1980 dans une forme de démantèlement de l'impôt progressif, mais elles font partie de notre héritage commun. Ces transformations illustrent de nouveau l'importance des processus politico-idéologiques dans la dynamique des régimes inégalitaires, la rapidité et la multiplicité des transitions et bifurcations possibles, et le fait qu'il n'existe pas d'essence culturelle ou civilisationnelle égalitaire ou inégalitaire en tant que telle, mais simplement des trajectoires sociopolitiques conflictuelles où les différentes sociétés et les multiples groupes sociaux et sensibilités en leur sein tentent de construire des visions cohérentes de la justice, en fonction notamment des expériences et événements auxquels ils sont confrontés et des rapports de force en présence.

Dans le cas du Royaume-Uni, nous avons vu que l'irruption de l'impôt progressif et de la redistribution des revenus et des propriétés avait été préparée par des luttes sociales et politiques qui avaient débuté au début du XIXe siècle avec le processus d'extension du suffrage universel, et qui prirent un tournant décisif avec les débats autour de la question irlandaise et des *absentee landlords* à la fin du XIXe siècle, le développement du mouvement syndical, puis avec le *People's Budget* et la chute finale de la Chambre des lords en 1909-1911[1].

Pour ce qui est des États-Unis, nous avons déjà noté comment le parti démocrate, violemment ségrégationniste au Sud, avait entrepris dès les années 1870-1880 de fédérer les aspirations des classes blanches modestes, des petits colons et des nouveaux immigrés italiens et irlandais, tout en stigmatisant l'égoïsme des élites financières et industrielles du Nord-Est et en défendant le besoin d'une plus juste répartition des richesses[2]. Au cours des années 1890, le parti populiste (de son vrai nom le People's Party, mais qui revendiquait aussi l'appellation de Populist Party) présenta des candidats aux élections sur une plate-forme de partage des terres, de crédit aux petits fermiers et d'opposition à la mainmise des actionnaires, des propriétaires et des grandes corporations sur le gouvernement du pays. Les populistes ne se hissèrent pas au pouvoir, mais ils jouèrent un rôle central dans la campagne qui se développa alors pour réformer le système fiscal du pays, et qui aboutit à l'adoption en 1913 du 16e amendement et au vote la même année d'un impôt fédéral sur le revenu, puis en 1916 d'un impôt fédéral sur les successions. De tels impôts fédéraux n'étaient en effet pas autorisés jusqu'ici par la Constitution, ainsi que la Cour suprême l'avait rappelé en censurant en 1894 le projet adopté par la majorité démocrate. Du fait de la complexité du processus de

1. Voir chapitre 5, p. 217-225.
2. Voir chapitre 6, p. 289-293.

révision constitutionnelle aux États-Unis (un amendement doit d'abord être approuvé à la majorité des deux tiers par chacune des deux chambres, avant d'être ratifié par les trois quarts des États), cela exigea une intense mobilisation populaire et témoigne de la force de la demande de justice fiscale et économique qui s'exprimait alors dans le pays. Cela correspond à l'époque dite du *Gilded Age*, où s'accumulent aux États-Unis des fortunes industrielles et financières inconnues jusqu'alors, où l'on s'inquiète du pouvoir amassé par les Rockefeller, Carnegie et autre J. P. Morgan, et où une demande de plus grande égalité s'exprime de plus en plus fortement. L'émergence de cette nouvelle fiscalité fédérale, à base d'impôts directs et progressifs sur les revenus et les successions, dans un pays où l'État fédéral avait jusqu'ici joué un rôle limité, et s'était financé principalement par les droits de douane, doit également beaucoup au rôle de mobilisation et d'intermédiation joué par les partis politiques, et particulièrement par le parti démocrate[1].

Il est d'ailleurs intéressant de constater que les États-Unis furent à la fin du XIXᵉ siècle et au début du XXᵉ l'un des principaux pôles de la campagne internationale qui se développa alors en faveur de l'impôt sur le revenu. En particulier, les nombreux ouvrages et traités publiés entre 1890 et 1910 par l'économiste étatsunien Edwin Seligman pour vanter les mérites de l'impôt progressif sur le revenu global furent traduits dans toutes les langues et suscitèrent des débats passionnés[2]. Dans une étude consacrée en 1915 à la répartition des richesses aux États-Unis (le premier travail d'ensemble sur la question), le statisticien Willford King s'inquiète du fait que le pays devienne de plus en plus inégalitaire et s'éloigne progressivement de son idéal pionnier des origines[3].

En 1919, le président de l'American Economic Association, Irving Fisher va plus loin encore. Il choisit de consacrer sa *Presidential address* à la question des inégalités, et il explique sans détour à ses collègues que la concentration

---

1. Voir à ce sujet E. BROWNLEE, *Federal Taxation in America : A Short History*, Cambridge University Press, 2016. L'auteur insiste aussi sur le fait que l'État fédéral (ainsi d'ailleurs que les États fédérés) a longtemps bénéficié au XIXᵉ siècle de recettes non fiscales sous la forme de ventes de terres publiques dans les zones de frontière, ce qui peut contribuer à expliquer certaines résistances ultérieures à l'impôt.

2. Sur cette période et ces débats, voir par exemple P. ROSANVALLON, *La Société des égaux*, Seuil, 2011, p. 227-233. Voir également N. DELALANDE, *Les Batailles de l'impôt. Consentement et résistances de 1789 à nos jours*, Seuil, 2011.

3. Voir W. I. KING, *The Wealth and Income of the People of the United States*, Macmillan, 1915. L'auteur, professeur de statistiques et d'économie à l'université du Wisconsin, rassemble des données imparfaites mais suggestives sur plusieurs États américains, les compare à des estimations européennes et trouve des écarts plus réduits que ce qu'il imaginait *a priori*.

croissante de la fortune est en passe de devenir le principal problème économique de l'Amérique, qui risque, si l'on n'y prend garde, de devenir aussi inégalitaire que la vieille Europe (alors perçue comme oligarchique et contraire à l'esprit étatsunien). Fisher est affolé par les estimations réalisées par King. Le fait que « 2 % de la population possède plus de 50 % de la fortune », et que « les deux tiers de la population ne possèdent presque rien », lui apparaît comme « une répartition non démocratique de la richesse » (*an undemocratic distribution of wealth*), menaçant les fondements mêmes de la société étatsunienne. Plutôt que de restreindre arbitrairement la part des profits ou le rendement du capital, solutions que Fisher évoque pour mieux les rejeter, la méthode la plus adaptée lui semble être d'imposer lourdement les héritages les plus importants. Il mentionne notamment l'idée d'une taxation égale à un tiers de la valeur transmise à la première génération, à deux tiers à la seconde génération, voire à la totalité si l'héritage perdure depuis trois générations[1]. Même si cette solution spécifique ne fut pas retenue, les États-Unis appliquèrent dès 1918-1920 (sous le mandat du démocrate Wilson) des taux de plus de 70 % au sommet de la hiérarchie des revenus, avant tous les autres pays (voir graphique 10.11). Quand Roosevelt fut élu en 1932, cela faisait déjà longtemps que le terrain intellectuel avait été préparé pour la mise en place aux États-Unis d'une progressivité fiscale de grande ampleur.

La montée en puissance de l'État fiscal et social

Le régime inégalitaire en vigueur au XIXe siècle et jusqu'en 1914 reposait sur le refus de l'impôt progressif, ainsi que sur des recettes fiscales totales relativement limitées. Les États européens des XVIIIe-XIXe siècles étaient fiscalement riches par comparaison aux structures étatiques des siècles précédents ou aux États ottoman ou chinois de leur époque[2]. Mais ils étaient fiscalement pauvres par comparaison aux niveaux observés au cours du XXe siècle, période qui se caractérise par un bond en avant décisif de l'État fiscal. Au-delà de la question de l'impôt progressif, cette montée en puissance de l'État fiscal et social a joué un rôle central dans la transformation des sociétés de propriétaires en sociétés sociales-démocrates.

---

1. Voir I. FISHER, « Economists in Public Service », *American Economic Review*, vol. 9 (1), 1919, p. 5-21. Fisher s'inspire notamment des propositions de l'économiste italien Eugenio Rignano. Voir G. ERREYGERS, G. DI BARTOLOMEO, « The Debates on Eugenio Rignano's Inheritance Tax Proposals », *History of Political Economy*, vol. 39 (4), 2007, p. 605-638.
2. Voir chapitre 9, p. 432-433.

Les principaux ordres de grandeur sont les suivants. Les recettes fiscales totales, en incluant l'ensemble des taxes, impôts, cotisations et autres prélèvements obligatoires de toute nature (toutes collectivités publiques confondues : État central, collectivités territoriales, administrations de sécurité sociale, etc.), représentaient moins de 10 % du revenu national en Europe et aux États-Unis à la fin du XIXᵉ siècle et au début du XXᵉ siècle, avant de s'élever à environ 20 % dans les années 1920-1930, puis autour de 30 % dans les années 1950-1960, avant de se stabiliser depuis les années 1970-1980 à des niveaux sensiblement différents suivant les pays : autour de 30 % du revenu national aux États-Unis, 40 % au Royaume-Uni, 45 % en Allemagne, et 50 % en France ou en Suède (voir graphique 10.14)[1]. On notera toutefois qu'aucun pays riche n'est parvenu à se développer avec

Graphique 10.14

La montée de l'État fiscal dans les pays riches, 1870-2015

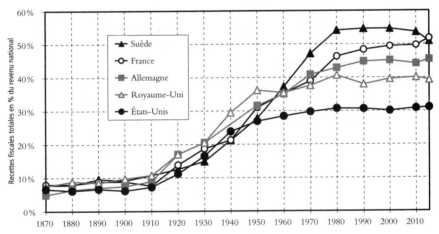

Lecture : les recettes fiscales totales (tous impôts, taxes, cotisations sociales et prélèvements obligatoires confondus) représentaient moins de 10 % du revenu national dans les pays riches au XIXᵉ siècle et jusqu'à la Première Guerre mondiale, avant d'augmenter fortement des années 1910-1920 aux années 1970-1980, puis de se stabiliser à des niveaux variables suivant les pays : autour de 30 % du revenu national aux États-Unis, 40 % au Royaume-Uni et 45 %-55 % pour l'Allemagne, la France et la Suède.
Sources et séries : voir piketty.pse.ens.fr/ideologie.

1. Aux États-Unis, l'essentiel de la hausse de long terme provient des recettes fiscales de l'État fédéral, qui étaient d'à peine 2 % du revenu national tout au long du XIXᵉ siècle et jusqu'à la Première Guerre mondiale, avant de passer à 5 % en 1930, 15 % en 1950 puis de se stabiliser autour de 20 % depuis les années 1960-1970. Les recettes des États fédérés et des autres collectivités locales sont restées stables autour de 8 %-10 % du revenu national depuis la fin du XIXᵉ siècle. Voir annexe technique.

des recettes fiscales limitées à 10 % ou 20 % du revenu national, et que personne ne propose aujourd'hui dans ces pays de revenir aux niveaux de recettes fiscales du XIXe siècle. Les débats portent le plus souvent sur une possible stabilisation de ces niveaux de prélèvements obligatoires, ou éventuellement sur une légère baisse, ou parfois sur des hausses plus ou moins substantielles, mais jamais sur une division par quatre ou cinq du dimensionnement de l'État fiscal.

De multiples travaux ont montré que la montée en puissance de l'État fiscal n'avait non seulement pas empêché la croissance économique, mais qu'elle constituait au contraire un élément central du processus de modernisation et de la stratégie de développement menés en Europe et aux États-Unis au cours du XXe siècle[1]. Les nouvelles recettes fiscales ont en effet permis de financer des dépenses indispensables pour le développement, en particulier un investissement massif et relativement égalitaire dans l'éducation et la santé (ou, tout du moins, beaucoup plus massif et égalitaire que tout ce qui avait été fait auparavant), ainsi que des dépenses sociales indispensables pour faire face au vieillissement (comme les pensions de retraite) et pour stabiliser l'économie et la société en cas de récession (comme l'assurance-chômage).

Si l'on fait la moyenne des données disponibles pour les différents pays européens, on constate que la hausse des recettes fiscales entre les années 1900-1910 et 2000-2010 s'explique presque entièrement par la hausse des dépenses sociales liées à l'éducation, à la santé, aux retraites et aux autres transferts et revenus de remplacement (voir graphique 10.15)[2]. On notera également l'importance cruciale de la période 1910-1950 dans la transformation du rôle de l'État. Au début des années 1910, l'État était le garant du maintien de l'ordre et du respect du droit de propriété, aussi bien sur le terrain domestique que sur la scène interétatique et coloniale, comme

---

1. Voir en particulier P. LINDERT, *Growing Public : Social Spending and Economic Growth since the Eighteenth Century*, Cambridge University Press, 2004.

2. Les séries présentées sur le graphique 10.15 ont été obtenues en faisant la moyenne des principaux pays Européens pour lesquels des données adéquates sont disponibles dans le long terme (Royaume-Uni, France, Allemagne, Suède). Ces ordres de grandeur peuvent être considérés comme globalement représentatifs de l'Europe occidentale et nordique. Précisons que le total des dépenses publiques peut en pratique être légèrement supérieur aux recettes fiscales réparties ici, compte tenu des recettes non fiscales (par exemple sous forme de paiements partiels des usagers pour accéder à certains services publics) et du déficit (même si le déficit primaire est généralement quasi nul en moyenne sur longue période, du fait des intérêts de la dette). Voir annexe technique.

il l'avait été tout au long du XIXe siècle. Les dépenses régaliennes (armée, police, justice, administration générale, infrastructures de base) absorbaient la quasi-totalité des recettes fiscales, soit environ 8 % du revenu national sur un total d'à peine 10 %, et l'ensemble des autres dépenses devaient se contenter de moins de 2 % du revenu national (dont moins de 1 % pour l'éducation). Au début des années 1950, les éléments essentiels de l'État social étaient déjà en place en Europe, avec des recettes totales dépassant les 30 % du revenu national, et un ensemble diversifié de dépenses éducatives et sociales absorbant les deux tiers du total, en lieu et place des dépenses régaliennes autrefois dominantes. Cette évolution spectaculaire n'a été possible qu'à l'issue d'une transformation radicale des rapports de force politico-idéologiques au cours de la période 1910-1950, tout cela dans un contexte où les guerres, les crises et les révolutions démontraient au grand jour les limites du marché autorégulé et le besoin d'un encastrement social de l'économie.

Graphique 10.15

La montée de l'État social en Europe, 1870-2015

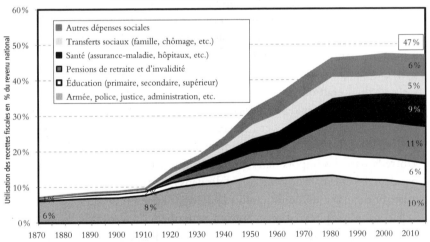

Lecture : en 2015, les recettes fiscales représentaient 47 % du revenu national en moyenne en Europe occidentale et étaient dépensées comme suit : 10 % du revenu national pour les dépenses régaliennes (armée, police, justice, administration générale, infrastructures de base : routes, etc.) ; 6 % pour l'éducation ; 11 % pour les retraites ; 9 % pour la santé ; 5 % pour les transferts sociaux (hors retraites) ; 6 % pour les autres dépenses sociales (logement, etc.). Avant 1914, les dépenses régaliennes absorbaient la quasi-totalité des recettes fiscales.
Note : l'évolution indiquée ici est la moyenne Allemagne-France-Royaume-Uni-Suède (voir graphique 10.14).
Sources et séries : voir piketty.pse.ens.fr/ideologie.

On remarquera aussi que la hausse tendancielle des dépenses de retraite et de santé, dans un contexte de vieillissement de la population et de gel du niveau global des recettes fiscales, a entraîné mécaniquement au cours des années 1990-2020 une certaine fuite en avant vers la dette, ainsi qu'une stagnation (voire une légère baisse) des investissements éducatifs publics (voir graphique 10.15), ce qui est paradoxal, s'agissant d'une période où l'on parle beaucoup d'économie de la connaissance et de l'innovation, et où une part de plus en plus importante d'une classe d'âge accède à l'enseignement supérieur (ce qui est une excellente chose en soi, mais peut entraîner un énorme gâchis humain et de grandes frustrations sociales si l'ensemble n'est pas correctement financé). Nous reviendrons dans les prochains chapitres sur ce défi fondamental et les insuffisances des réponses apportées par la social-démocratie de la fin du XXe siècle et du début du XXIe siècle.

En théorie, le fait que les prélèvements obligatoires avoisinent 50 % du revenu national signifie que la puissance publique (dans ses différentes incarnations) pourrait faire travailler la moitié de la population active, rémunérée au même revenu moyen que le secteur privé, utilisant en moyenne les mêmes équipements, locaux, etc., et produisant la moitié du produit intérieur du pays. En pratique, l'emploi public travaillant dans les différentes administrations nationales et locales, écoles, lycées, universités, hôpitaux, etc., représente dans les années 2000-2020 autour de 15 %-20 % de l'emploi total dans les pays ouest-européens, contre 80 %-85 % pour l'emploi privé. Cela est dû au fait que la plus grande partie des impôts et cotisations sert non pas à rémunérer des emplois publics, mais à financer des transferts (retraites, allocations, etc.) et l'achat de biens et services au secteur privé (bâtiments et travaux publics, équipements, prestations extérieures, etc.)[1]. Outre la part des impôts dans le revenu national (40 %-50 % en Europe occidentale) et la part de l'emploi public dans l'emploi total (15 %-20 %), il existe une troisième façon d'évaluer le poids de l'État, consistant à mesurer sa part dans le capital national. Suivant ce dernier critère, nous verrons que la part de l'État a beaucoup baissé au cours des dernières décennies, et est même devenue négative dans de nombreux pays[2].

---

1. En 2017, les salariés du secteur public (État, collectivités locales et hôpitaux) représentent 21 % de l'emploi total en France, contre 79 % pour l'emploi privé (12 % pour les indépendants non salariés et 67 % pour les salariés du secteur privé).

2. Voir chapitre 12, graphique 12.6, p. 706.

De la diversité des prélèvements
et du rôle de la progressivité fiscale

On notera également que la montée en puissance de l'État fiscal et social s'est faite en réalité en ayant recours à une grande diversité de prélèvements. Pour obtenir des recettes égales à 45 % du revenu national, ce qui correspond approximativement à la moyenne des pays ouest-européens dans les années 2000-2020, il suffirait par définition d'avoir recours à un impôt unique prélevé sur tous les revenus à un même taux proportionnel de 45 % ; ou bien à un impôt unique mais progressif sur le revenu, avec des taux inférieurs à 45 % dans le bas de la distribution et supérieurs à 45 % dans le haut, de façon que le taux moyen soit de 45 %[1]. En pratique, ces recettes sont obtenues non pas avec un impôt unique, mais avec une multitude de taxes, impôts et cotisations, qui forment un ensemble complexe, incohérent et souvent peu lisible pour les citoyens[2]. Ceci peut menacer l'acceptabilité de l'ensemble, surtout dans un contexte où la concurrence fiscale exacerbée tend à conduire à l'abaissement des prélèvements sur les groupes sociaux les plus mobiles et les plus favorisés et à un alourdissement graduel pour les autres. Pour autant, l'impôt unique n'est pas la solution, et la question de l'impôt juste et idéal mérite d'être examinée de façon

---

1. Par exemple, le taux effectif moyen de prélèvement pourrait être de 30 % sur la masse des 50 % des revenus les plus bas (ce qui correspond *grosso modo* aux 80 % des personnes disposant des plus bas revenus en Europe en ce début de XXIe siècle) et de 60 % sur la masse des 50 % des revenus les plus élevés (ce qui correspond approximativement aux 20 % des personnes disposant des revenus les plus élevés). Nous verrons que la structure globale des prélèvements obligatoires actuellement en vigueur dans un pays comme la France est nettement moins progressive. Voir chapitre 11, graphique 11.19, p. 649.

2. La répartition moyenne européenne actuelle est approximativement la suivante : environ un tiers du total pour les impôts sur les revenus (y compris impôts sur les bénéfices des sociétés) ; un tiers pour les cotisations sociales et les divers prélèvements sociaux sur les salaires et les autres revenus ; un tiers pour les taxes indirectes (taxes sur la valeur ajoutée et autres taxes sur la consommation) et les impôts sur les patrimoines et successions (moins d'un dixième). Les frontières entre ces catégories sont en partie arbitraires (notamment entre les deux premières : les prélèvements sociaux sur les salaires et revenus sont parfois peu différents de l'impôt sur le revenu *stricto sensu*), et le véritable enjeu est souvent davantage la progressivité d'ensemble des prélèvements, ainsi que la question de leur affectation et de leur gouvernance, et non leur intitulé formel. On notera également que le poids global des prélèvements est sensiblement plus faible dans les pays les plus pauvres de l'Union européenne (à peine 25 %-30 % du revenu national en Roumanie et Bulgarie), et plus généralement dans les pays pauvres que dans les pays riches. Voir annexe technique et chapitre 13, graphique 13.12, p. 808.

détaillée, et dans toute sa complexité. Il existe en particulier de bonnes raisons de trouver un équilibre entre l'imposition des flux de revenus et celle des stocks de patrimoines, à la fois pour des raisons de justice et d'efficacité, sur lesquelles nous reviendrons[1].

À ce stade, je veux surtout souligner la complémentarité historique entre le développement de l'impôt progressif à grande échelle et la montée en puissance de l'État social au cours du XXᵉ siècle. Les taux de 70 %-80 % appliqués aux plus hauts revenus et successions entre les années 1920-1930 et les années 1960-1970 ne concernaient certes qu'une petite fraction de la population (généralement autour de 1 % ou 2 %, parfois à peine 0,5 %). Tout indique cependant qu'ils jouèrent un rôle essentiel pour réduire durablement la concentration extrême de la propriété et du pouvoir économique qui caractérisait l'Europe de la Belle Époque. À eux seuls, ces taux d'imposition n'auraient jamais pu suffire à rapporter les recettes nécessaires pour financer l'État social, et il était crucial de développer dans le même temps d'autres prélèvements pesant sur l'ensemble des salaires et des revenus. C'est la conjonction de ces deux visions complémentaires du rôle de l'impôt (la réduction des inégalités, le financement des dépenses) qui a permis la transformation des sociétés de propriétaires en sociétés sociales-démocrates.

On remarquera en particulier qu'entre les années 1920-1930 et les années 1960-1970, il existait en Europe comme aux États-Unis un écart considérable entre le taux moyen d'imposition (qui était d'environ 20 %-40 % du revenu national, en progression) et les taux appliqués aux plus hauts revenus et patrimoines (qui atteignaient souvent 70 %-80 %, voire davantage). Le système était clairement progressif, et chacun dans le bas et le milieu de l'échelle sociale pouvait comprendre que les efforts les plus importants étaient demandés au sommet de la hiérarchie, ce qui favorisait à la fois la réduction des inégalités et le maintien du consentement à l'impôt.

Cette double nature de l'État fiscal au XXᵉ siècle (progressivité de grande ampleur, financement de l'État social) permet également de mieux comprendre pourquoi la baisse à long terme de la concentration de la propriété n'a pas empêché le processus d'investissement et d'accumulation de suivre son cours. L'accumulation de capital productif et éducatif s'est poursuivie depuis la Seconde Guerre mondiale à des rythmes supérieurs à ceux observés avant 1914, en partie parce que des canaux publics d'accumulation ont pris

---

1. Voir en particulier chapitres 11, p. 650-671, et 17, p. 1129-1137.

le relais, et en partie parce que les groupes sociaux plus modestes (et peu touchés par les impôts progressifs) ont compensé la moindre accumulation des plus riches. La situation en vigueur dans les années 1990-2020 est rigoureusement inverse (le taux moyen d'imposition appliqué aux classes moyennes et populaires est égal ou supérieur aux taux appliqués au sommet), ce qui tend naturellement à avoir les effets inverses : augmentation tendancielle des inégalités, remise en cause du consentement fiscal, faible accumulation d'ensemble. Nous y reviendrons dans le prochain chapitre.

Les sociétés propriétaristes, l'impôt progressif et la Première Guerre mondiale

Venons-en maintenant à une question particulièrement complexe et délicate. La montée en puissance extrêmement rapide de l'impôt progressif, avec des taux de 70 %-80 % sur les plus hauts revenus et successions dès les années 1920-1930, aurait-elle pu avoir lieu sans la Première Guerre mondiale ? Plus généralement, les sociétés de propriétaires, qui paraissaient si solides et inébranlables en 1914, se seraient-elles transformées avec la même célérité sans la violence destructrice inouïe qui se déchaîne entre 1914 et 1918 ? Peut-on imaginer une trajectoire historique où les sociétés de propriétaires, en l'absence du premier conflit mondial, auraient maintenu leur emprise sur l'Europe et les États-Unis, voire sur le monde à travers la domination coloniale, et jusque quand ?

Il va de soi qu'il est impossible de répondre de façon certaine à ces questions d'histoire « contrefactuelle[1] ». L'irruption du premier conflit mondial a tellement perturbé l'ensemble des dynamiques sociales, économiques et politiques qu'il est maintenant très difficile d'imaginer une trajectoire historique en son absence. Ces questionnements ont toutefois

---

1. L'histoire contrefactuelle renvoie à une longue tradition. Au Ier siècle de notre ère, Tite-Live imaginait ce qui se serait produit si Alexandre le Grand était parti vers l'ouest et avait conquis Rome. En 1776, Edward Gibbon imagine une Europe musulmane (et fort raffinée) après une défaite de Charles Martel à Poitiers en 732. En 1836, Louis Geoffroy imagine Napoléon empereur du monde, après avoir vaincu la Russie et l'Angleterre en 1812-1814, conquis l'Inde, la Chine et l'Australie en 1821-1827, et obtenu la soumission du Congrès des États-Unis en 1832. En 2003, Niall Ferguson imagine un monde meilleur (selon lui) où les diplomates anglais auraient laissé l'Allemagne écraser la France et la Russie en 1914, et où la planète aurait été dominée au XXe siècle par les Empires britannique et allemand, à la place des Empires étatsunien et russe. Voir Q. DELUERMOZ, P. SINGARAVÉLOU, *Pour une histoire des possibles, op. cit.*, p. 22-37.

des conséquences sur la façon dont on peut envisager la question de la redistribution et des inégalités au XXIe siècle, et il est possible d'apporter quelques éléments de réponse, et surtout de ne pas se laisser enfermer dans des lectures déterministes. Du point de vue de l'analyse présentée dans cette enquête, où j'insiste sur le poids des facteurs politico-idéologiques dans la dynamique des régimes inégalitaires, ainsi que sur l'interaction entre les évolutions intellectuelles de long terme et les logiques événementielles de court terme, la Première Guerre mondiale constitue un événement majeur, susceptible d'ouvrir sur une multiplicité de trajectoires possibles. Il suffit de regarder la hausse spectaculaire du taux supérieur de l'impôt sur le revenu (voir graphique 10.11), ou l'effondrement des propriétés privées (voir graphique 10.8) ou des actifs étrangers[1], pour voir l'impact profond et multiforme de la guerre sur le régime inégalitaire propriétariste et colonialiste. La réduction des inégalités et la sortie des sociétés de propriétaires au XXe siècle ne sont pas des processus paisibles. Ils sont le produit de crises et de leur rencontre avec des idées nouvelles et avec les luttes sociales et politiques, comme la plupart des changements historiques d'ampleur. Pour autant, peut-on vraiment affirmer que des évolutions similaires ne se seraient pas produites en tout état de cause, sans doute à la faveur d'autres crises, y compris en l'absence de la Première Guerre mondiale ?

Des recherches récentes ont insisté sur l'importance de l'expérience de guerre en tant que telle, et en particulier sur le rôle de la conscription militaire de masse dans le processus de légitimation de l'impôt progressif et la mise en place de taux d'imposition quasiment confiscatoires sur les plus hauts revenus et patrimoines à l'issue du premier conflit mondial. Après le sang versé par les classes populaires, il était impossible de ne pas demander un effort inédit aux classes privilégiées, afin d'apurer les dettes issues de la guerre, et aussi pour permettre la reconstruction de pays durement éprouvés et la mise en place d'une plus grande justice. Certains travaux vont jusqu'à conclure que les impôts fortement progressifs n'auraient pas pu voir le jour sans la Première Guerre mondiale, et que, en l'absence d'une expérience similaire (et peu probable à ce stade) de conscription militaire de masse au XXIe siècle, une telle progressivité fiscale ne pourra revoir le jour à l'avenir[2].

1. Voir chapitre 7, graphique 7.9, p. 331.
2. Voir en particulier le livre de K. SCHEVE et D. STASAVAGE, *Taxing the Rich : A History of Fiscal Fairness in Europe and the United States*, Princeton University Press, 2016. Sur le rôle décisif des guerres dans l'histoire des inégalités, voir aussi W. SCHEIDEL, *The Great*

Aussi intéressantes soient-elles, ces hypothèses me semblent un peu trop rigides et déterministes. Plutôt que de prétendre pouvoir identifier l'impact causal de tel ou tel événement, il me semble plus prometteur de voir dans ces multiples moments de crise des points de bifurcations endogènes reflétant des causes plus profondes, et ouvrant sur un grand nombre de trajectoires et d'évolutions possibles, en fonction de la façon dont les acteurs se mobilisent et convoquent des expériences partagées et des idées nouvelles pour redéfinir le cours des choses. En l'occurrence, la Première Guerre mondiale n'est pas un événement exogène que la planète Mars aurait catapulté sur Terre. Il n'est pas interdit de penser qu'elle a été causée, au moins en partie, par les très fortes inégalités et tensions sociales qui minaient les sociétés européennes d'avant 1914. Les enjeux économiques étaient également très forts. Nous avons vu par exemple que les placements étrangers rapportaient à la France et au Royaume-Uni entre 5 % et 10 % de revenu national supplémentaire à la veille de la guerre, apport considérable et en progression accélérée au cours de la période 1880-1914, et qui ne pouvait qu'aiguiser les convoitises. De façon générale, les placements financiers franco-britanniques s'accroissaient de façon tellement rapide entre 1880 et 1914 qu'il est difficile d'imaginer comment cette trajectoire aurait pu se poursuivre à ce rythme sans susciter d'énormes tensions politiques, aussi bien au sein des pays possédés que des rivaux européens[1]. De tels montants avaient en outre des conséquences non seulement pour les propriétaires français et britanniques, mais également pour la capacité des différents pays à mener des politiques fiscales et financières permettant de garantir la paix sociale. Au-delà des intérêts économiques en jeu, qui étaient tout sauf symboliques, il faut ajouter que le développement des États-nations européens s'est également accompagné d'un raidissement des identités nationales et des antagonismes nationaux. Les rivalités coloniales elles-mêmes alimentaient également des conflits identitaires, par exemple entre ouvriers français et italiens dans le sud de la France, qui contribuèrent à renforcer les coupures entre nationaux et étrangers, à durcir les identités

---

Leveler : Violence and the History of Inequality from the Stone Age to the Twenty-First Century, Princeton University Press, 2017.

1. Dans son livre classique de 1916, *L'Impérialisme, stade suprême du capitalisme*, Lénine avait également mobilisé les statistiques sur les placements financiers disponibles à l'époque pour montrer l'importance de cette course-poursuite aux ressources entre puissances coloniales rivales.

nationales, linguistiques et culturelles, et finalement à rendre la guerre possible[1].

Par ailleurs, le rôle central joué par le conflit de 1914-1918 dans l'effondrement des sociétés de propriétaires ne doit pas conduire à négliger l'importance des autres événements majeurs de la période, à commencer par la crise des années 1930 et la révolution bolchevique. Ces différentes crises auraient pu se dérouler suivant d'autres scénarios et s'agencer différemment, et l'analyse des différents pays et trajectoires montre qu'il est difficile d'isoler l'effet de la guerre par rapport à celui des autres événements. Dans certains cas, le conflit de 1914-1918 eut un rôle décisif, comme avec le vote de l'impôt sur le revenu dans le cadre de la loi du 15 juillet 1914 en France[2]. Mais les choses furent généralement plus complexes et conduisent à relativiser le rôle de la guerre et de la conscription de masse en tant que telles.

Par exemple, dans le cas du Royaume-Uni, la progression des taux de l'impôt successoral et de l'impôt sur le revenu était déjà bien lancée à la suite de la crise politique de 1909-1911, avant le déclenchement de la Première Guerre mondiale (voir graphiques 10.11 et 10.12). La chute de la Chambre des lords ne doit rien à la guerre et à la conscription, pas plus que la dissolution des monastères en 1530, la Révolution française de 1789, la réforme agraire lancée en Irlande autour de 1890-1900, ou la fin des droits de vote proportionnels aux fortunes en Suède en 1911[3]. Les aspirations à la justice et à l'égalité prennent de multiples formes dans l'histoire, et n'ont pas besoin de l'expérience des tranchées pour prospérer. On peut faire la même remarque pour le Japon que pour le Royaume-Uni : le développement de l'impôt progressif était déjà bien avancé avant 1914, particulièrement pour l'imposition des hauts revenus (voir graphiques 10.11 et 10.12). Cette évolution obéissait pour partie à sa logique propre, issue des spécificités de

1. Par exemple, des émeutes mortelles anti-Italiens eurent lieu à Marseille en 1881 (quelques années avant les massacres d'Aigues-Mortes en 1893), après que l'on eut suspecté des ouvriers italiens de siffler le défilé des troupes françaises qui venaient de prendre le contrôle de la Tunisie au détriment de l'Italie. Voir G NOIRIEL, *Une histoire populaire de la France*, op. cit., p. 401-405, qui y voit l'un des moments fondateurs de la politisation de la question de l'immigration en France.

2. On notera toutefois qu'un alourdissement important de la progressivité de l'impôt successoral fut adopté en 1910, dans le contexte de la recherche de financement pour la loi sur les retraites ouvrières et paysannes, ce qui suggère que la France aurait sans doute fini par adopter l'impôt sur le revenu, avec ou sans la guerre. Voir chapitre 4, p. 177-178.

3. Voir chapitre 5, p. 229-231.

l'histoire japonaise, au sein de laquelle de nombreux éléments pèsent plus que le conflit de 1914-1918[1].

Du rôle des luttes sociales et idéologiques dans la chute du propriétarisme

Pour ce qui concerne les États-Unis, nous avons vu que la demande sociale et la mobilisation populaire en faveur de la justice fiscale s'exprimaient de plus en plus fortement depuis les années 1880-1890. Le long processus menant à l'adoption du 16e amendement en 1913 doit peu au conflit de 1914-1918, qui ne semble jouer aucun rôle dans les discours de Fisher en 1919 ou de Roosevelt en 1932 sur le renforcement de l'impôt progressif et la nécessité de réduire la concentration de la propriété et l'emprise des grandes fortunes. De façon générale, il ne faut pas exagérer l'ampleur du choc politique produit aux États-Unis par la Première Guerre mondiale, qui est avant tout un traumatisme européen. Pour la majeure partie de la population, la Grande Dépression de 1929-1933 constitue outre-Atlantique un choc autrement plus marquant. Les récits que fait Steinbeck dans les *Raisins de la colère* de la souffrance des ouvriers agricoles et des métayers expropriés de l'Oklahoma et de la violence des relations de travail dans les camps et les exploitations de Californie nous en disent davantage sur le contexte menant au New Deal et à la progressivité fiscale rooseveltienne que les récits de tranchées du nord de la France. On peut raisonnablement penser que la crise de 1929 (ou une crise financière du même type) aurait suffi pour entraîner un tournant comparable au New Deal (ou des développements similaires), y compris en l'absence du conflit de 1914-1918. De même, si la guerre de 1939-1945 joua sans nul doute un rôle important pour justifier de nouvelles augmentations d'impôts sur les plus riches, en particulier dans le cadre du *Victory Tax Act* de 1942 (qui porta le taux supérieur à 91 %)[2], le fait est que cette évolution avait commencé bien plus tôt au cours du mandat de Roosevelt, dans le contexte de la crise des années 1930.

Il faut également souligner l'impact majeur de la révolution bolchevique de 1917, qui conduisit les élites capitalistes à revoir radicalement leurs

---

1. Voir chapitre 9, p. 450-454.

2. Pour justifier les nouvelles hausses d'impôts du *Victory Tax Act*, on mobilisa même Donald Duck, héros du fameux cartoon de 1943 *Taxes Will Bury the Axis*.

positions sur les questions de redistribution des richesses et de justice fiscale, particulièrement en Europe. Dans les débats français de 1920, quand les groupes politiques qui refusaient en 1914 l'impôt sur le revenu avec un taux de 2 % se mirent subitement à voter des taux de 60 % sur les plus hauts revenus, un aspect qui ressort clairement est la peur de la révolution, dans un contexte où des grèves générales menacent d'embraser le pays, et où la majorité des militants socialistes choisit de se rallier à l'Union soviétique et à la nouvelle Internationale communiste dirigée par Moscou[1]. Par comparaison au risque d'une expropriation généralisée, l'impôt progressif paraît soudainement moins effrayant. Il en va de même lors des grèves quasi insurrectionnelles qui ont lieu en France en 1945-1948 (particulièrement au cours de l'année 1947). Le renforcement de la progressivité fiscale et la mise en place de la Sécurité sociale paraissent de moindres maux aux yeux de tous ceux qui craignent une révolution communiste. On peut certes noter que la révolution russe est elle-même issue de la Première Guerre mondiale. Pour autant, il est peu probable que le régime tsariste aurait perduré indéfiniment en son absence. La guerre joua également un rôle central dans l'extension du droit de vote en Europe. Le suffrage universel masculin fut par exemple institué en 1918 au Royaume-Uni, au Danemark et en Hollande, et en 1919 en Suède, en Italie et en Belgique[2]. Là encore, il paraît toutefois assez vraisemblable qu'une évolution similaire aurait eu lieu en l'absence de guerre, à la faveur d'autres crises et surtout d'autres mobilisations populaires et collectives.

Nous avons déjà noté l'importance des luttes sociales dans le cas de la Suède. C'est le mouvement ouvrier et social-démocrate suédois, à travers une exceptionnelle mobilisation populaire entre 1890 et 1930, qui a conduit à la transformation d'un régime propriétariste exacerbé (où un seul électeur fortuné avait parfois plus de droits de vote aux élections municipales que l'ensemble des autres habitants d'une commune) en un

---

1. Lors du congrès de Tours en 1920, la majorité des délégués choisit de quitter la SFIO (Section française de l'Internationale ouvrière) et de créer la SFIC (Section française de l'Internationale communiste), qui deviendra le Parti communiste français (PCF), et qui conservera la main sur le quotidien *L'Humanité*. Par contre, une majorité de parlementaires choisira le maintien dans la SFIO, stigmatisée comme plus « bourgeoise » et centriste par les communistes.

2. Cette même année 1919, le vote devint secret en Allemagne, où tous les hommes adultes avaient en principe le droit de vote depuis 1871 (comme en France), mais sans isoloir, ce qui en pratique pouvait limiter son expression, suivant l'ampleur de l'emprise exercée par les élites locales.

régime social-démocrate, caractérisé par un ambitieux État social et une forte progressivité fiscale. Le premier conflit mondial, auquel la Suède ne participe pas, semble jouer un rôle tout à fait mineur dans cette évolution. On remarquera d'ailleurs que les taux des impôts progressifs suédois restent relativement modérés pendant la Première Guerre mondiale et les années 1920 (autour de 20 %-30 %). Ce n'est qu'après que les sociaux-démocrates ont solidement pris les rênes du pouvoir, dans les années 1930 et 1940, que les taux appliqués aux plus hauts revenus et successions atteignent 70 %-80 %, niveau auquel ils se maintiendront jusqu'aux années 1980[1].

Un autre exemple de trajectoire politique originale est fourni par l'Italie. Le régime fasciste qui se met en place en 1921-1922 n'aime guère l'impôt progressif. Les taux appliqués aux plus hauts revenus restèrent bloqués à des niveaux relativement faibles pendant tout l'entre-deux-guerres (autour de 20 %-30 %), avant de subitement bondir à plus de 80 % en 1945-1946 avec la chute du fascisme et la mise en place de la République italienne, dans un contexte où les partis communistes et socialistes jouissent d'une grande popularité. Le régime de Mussolini décide même d'abolir purement et simplement les droits de succession en 1924, à rebours complet de ce qui se passe partout ailleurs, avant de les réintroduire en 1931 à un taux hyperfaible de 10 %. Les taux applicables aux successions les plus élevées seront immédiatement portés autour de 40 %-50 % après la Seconde Guerre mondiale[2]. Cela confirme que ce sont avant tout les mobilisations politiques (ou leur absence) qui expliquent les évolutions de la fiscalité et des inégalités.

Pour résumer : la fin des sociétés de propriétaires est avant tout la conséquence d'une transformation politico-idéologique. Les réflexions et les débats autour de la justice sociale, de l'impôt progressif et de la redistribution des revenus et de la propriété, déjà très présents au XVIIIe siècle

---

1. Voir chapitre 5, et annexe technique, graphiques supplémentaires S10.11a-12a.

2. Voir annexe technique, graphiques supplémentaires S10.11b-12b. On notera que les taux des impôts progressifs allemands, qui avaient été fortement relevés dans les années 1920, furent maintenus à un niveau élevé sous les nazis. Par contre, les politiques nazies favorisèrent le rétablissement des profits industriels (notamment dans les secteurs stratégiques) et des hiérarchies salariales, d'où une hausse importante des inégalités de revenus, et en particulier de la part du centile supérieur entre 1933 et 1939, à rebours des autres pays (voir annexe technique et graphique 10.3). Dans un contexte international marqué par une forte réduction des inégalités sociales, le fascisme et le nazisme furent davantage préoccupés par la lutte contre l'ennemi extérieur et par la promotion de l'ordre et de la hiérarchie que par la compression des écarts au sein de leur communauté nationale.

et pendant la Révolution française, prirent une ampleur nouvelle dans la plupart des pays à partir de la fin du XIXᵉ siècle et du début du XXᵉ siècle, compte tenu notamment de la très forte concentration des richesses générée par le capitalisme industriel et des progrès de l'éducation et de la diffusion des idées et de l'information. C'est la rencontre entre cette évolution intellectuelle et un ensemble de crises militaires, financières et politiques, en partie causées par les tensions inégalitaires, qui conduisit à la transformation du régime inégalitaire. Les mobilisations et les luttes sociales jouèrent un rôle central, de même que les évolutions politico-idéologiques, avec des spécificités propres à chaque histoire nationale, et dans le même temps des expériences de plus en plus partagées et connectées au niveau mondial, ce qui peut provoquer une diffusion rapide des pratiques et des ruptures. Il en ira probablement de même à l'avenir.

Du besoin d'un encastrement social des marchés

Dans *La Grande Transformation*, Polanyi propose en 1944 une analyse magistrale de la façon dont l'idéologie du marché autorégulé du XIXᵉ siècle a conduit selon lui à la destruction des sociétés européennes depuis 1914, et finalement à la mort du libéralisme économique. On sait maintenant que cette mort n'était que temporaire. Dès 1938, des économistes et intellectuels libéraux se réunissent à Paris pour préparer la suite. Conscients que la doctrine libérale d'avant 1914 a perdu la partie, inquiets des succès du planisme et du collectivisme, tétanisés par le choc annoncé des totalitarismes (même si le mot est encore peu utilisé), ils ont pour but de réfléchir aux conditions d'une possible renaissance de ce qu'ils proposent alors de nommer le « néolibéralisme ». Parmi les participants à ce colloque Walter Lippmann (du nom de l'essayiste étatsunien à l'origine de cette rencontre parisienne) figurent en réalité des personnes aux points de vue très différents, certains proches de la social-démocratie et d'autres défendant le retour à un libéralisme économique pur et dur, avec notamment Friedrich Hayek, l'un des inspirateurs d'Augusto Pinochet et de Margaret Thatcher dans les années 1970 et 1980, sur lequel nous reviendrons[1]. En attendant, attardons-nous un peu sur le récit de

---

1. Sur le propriétarisme autoritaire de Hayek, voir chapitre 13, p. 821-825. Pour une analyse critique des textes du colloque Lippmann de 1938 et de leurs suites, voir S. AUDIER, *Le Colloque Lippmann. Aux origines du « néo-libéralisme »*, Le Bord de l'eau, 2012 ; ID., *Néo-libéralisme(s). Une archéologie intellectuelle*, Grasset, 2012.

Polanyi, qui conserve toute sa pertinence pour analyser l'effondrement des sociétés de propriétaires[1].

Quand Polanyi rédige *La Grande Transformation*, entre 1940 et 1944 aux États-Unis, l'Europe est en pleine pulsion autodestructrice et génocidaire, et la foi dans l'autorégulation est au plus bas. Pour l'économiste et historien hongrois, la civilisation du XIXe siècle s'appuyait sur quatre piliers : l'équilibre des puissances ; l'étalon-or ; l'État libéral ; et le marché autorégulé. Polanyi montre en particulier comment la croyance absolue dans la capacité régulatrice de l'offre et de la demande pose de sérieux problèmes quand on l'applique sans limites au marché du travail, un marché dont le prix d'équilibre (le salaire) engage les conditions de vie et de survie de l'espèce humaine. Pour que l'offre baisse et que le prix remonte, il faut qu'une partie de l'espèce disparaisse, ce qui était à peu de chose près la solution envisagée par les propriétaires britanniques lors des famines en Irlande ou au Bengale. Pour Polanyi, qui croit en 1944 dans la possibilité d'un socialisme démocratique (non communiste), l'économie de marché doit faire l'objet d'un encastrement social, ce qui, dans le cas du marché du travail, signifie que la formation des salaires, l'accès aux qualifications, les éventuelles limitations posées à la mobilité du travail, ainsi que l'existence de compléments de salaire financés collectivement doivent faire l'objet d'une négociation sociale et politique, en dehors de la sphère du marché[2].

De mêmes problèmes d'encastrement se posent pour le marché de la terre et des ressources naturelles, qui sont disponibles en quantité finie et périssable, et pour lesquelles il serait illusoire de penser qu'une régulation par l'offre et la demande entre les forces marchandes en présence pourrait suffire à garantir un usage social raisonné. En particulier, donner tous les pouvoirs aux « premiers » propriétaires de la terre et du capital naturel n'a

1. Polanyi n'utilise pas explicitement les termes de « société de propriétaires », mais c'est bien de cela qu'il s'agit. En particulier, il met l'accent sur le régime de quasi-sacralisation de la propriété privée qui caractérise selon lui le monde de la période 1815-1914. De façon générale, le terme de « propriétarisme » me semble mieux capturer ce dont il est question ici que celui de « libéralisme », qui joue sur l'ambiguïté entre libéralisme économique et politique.

2. Sans chercher à les idéaliser, Polanyi insiste sur le fait que les *Poor Laws* britanniques incluaient avant les réformes de 1795 et 1834 des limitations à la mobilité en même temps que des compléments de salaire indexés sur le prix du grain et financés localement, avant que les élites industrielles imposent l'idée d'un marché autorégulé et unifié sur tout le territoire. On peut toutefois reprocher à Polanyi de ne pas préciser à quelle échelle territoriale (État-nation, Europe, Europe-Afrique, monde) et suivant quelles modalités il envisage la régulation de la mobilité du travail et de la formation des revenus pour l'après-Seconde Guerre mondiale. Voir K. POLANYI, *La Grande Transformation*, *op. cit.*, chapitres 6-10.

guère de sens, et leur garantir ce pouvoir jusqu'à la fin des temps encore moins[1]. Enfin, s'agissant du marché de la monnaie, intimement lié à la finance d'État, Polanyi montre comment la croyance dans l'autorégulation, doublée de l'extension du champ du marché et de la monétisation généralisée des relations économiques, a placé les sociétés modernes dans un état de grande fragilité. L'entre-deux-guerres est le moment où cette fragilité apparaît dans toute sa violence. Dans une économie devenue entièrement marchande et monétisée, la débâcle de l'étalon-or et la désintégration monétaire ont en effet des conséquences incalculables, qui explosent au grand jour dans les années 1920. Des groupes entiers sont paupérisés, alors que des spéculateurs amassent des fortunes, ce qui nourrit la demande pour un pouvoir fort et autoritaire, notamment en Allemagne. Des fuites de capitaux font chuter des gouvernements, y compris en France, dans des conditions et avec une célérité inconnues au XIXe siècle.

La compétition impériale et l'effondrement de l'équilibre européen

Enfin, Polanyi rappelle que l'idéologie de l'autorégulation s'appliquait également à l'équilibre entre puissances européennes. De 1815 à 1914, on s'imagine que l'existence de grands États-nations européens de taille et de puissance comparables, unis dans la défense de la propriété privée, de l'étalon-or et de la domination coloniale sur le reste du monde, devrait suffire à garantir la pérennité du processus d'accumulation du capital et la prospérité du continent et du monde. Cet espoir de concurrence équilibrée vaut en particulier pour les trois « sociétés impériales » (l'Allemagne, la France, le Royaume-Uni), qui visent chacune à promouvoir leur assise territoriale et financière et leur modèle culturel et civilisationnel à l'échelle mondiale, sans réaliser que leur volonté de puissance les rend sourdes aux inégalités sociales qui les minent de l'intérieur[2]. Comme le note Polanyi, cette nouvelle application des principes théoriques de la concurrence autorégulée était la plus fragile de toutes. Après que le Royaume-Uni a signé

1. On notera toutefois que Polanyi ne s'étend pas sur les remèdes : les questions de propriété publique, de réforme agraire, de redistribution des propriétés et d'impôt progressif ne sont pas évoquées explicitement. Son livre est davantage un récit de l'effondrement que de la reconstruction.

2. Voir l'analyse stimulante de C. CHARLE, *La Crise des sociétés impériales. Allemagne, France, Grande-Bretagne, 1900-1940. Essai d'histoire sociale comparée*, Seuil, 2001.

un accord avec la France en 1904 pour se partager l'Égypte et le Maroc, puis un autre avec la Russie en 1906 pour faire de même avec la Perse, tout cela pendant que l'Allemagne consolidait son alliance avec l'Autriche-Hongrie, deux groupes de puissances hostiles se font face, dans l'attente de la confrontation totale.

Il faut également souligner ici le poids évident des retournements démographiques. Les principaux États-nations ouest-européens ont certes depuis plusieurs siècles des populations du même ordre. Cette réalité a d'ailleurs contribué à nourrir la concurrence militaire, la centralisation étatique précoce et les innovations financières et technologiques au cours des XVe-XVIIIe siècles[1]. Il n'en reste pas moins que plusieurs retournements de grande ampleur se sont produits à l'intérieur de ce schéma général (voir graphique 10.16). Au XVIIIe siècle, la France est de loin le pays européen le plus peuplé, ce qui explique en partie son poids militaire et culturel. En particulier, autour de 1800, la France (environ 30 millions d'habitants) est moitié plus peuplée que l'Allemagne (guère plus de 20 millions), sans compter que cette dernière n'est pas encore unifiée[2]. C'est dans ce contexte que Napoléon entreprend de bâtir un empire européen aux couleurs françaises. Puis la population française va connaître une stagnation quasi complète pendant un siècle et demi (à peine plus de 40 millions d'habitants en 1950), pour des raisons qui sont d'ailleurs imparfaitement comprises, et qui semblent être liées à une déchristianisation et à une maîtrise des naissances particulièrement précoces[3]. À l'inverse, l'Allemagne connaît au XIXe siècle une croissance démographique accélérée, et réalise de surcroît son unité politique autour d'un projet impérial. En 1910, l'Allemagne est maintenant moitié plus peuplée que la France : plus de 60 millions d'Allemands pour environ 40 millions de Français[4]. Sans en faire la cause

1. Voir chapitre 9.

2. Les estimations indiquées sur le graphique 10.16 couvrent les territoires actuels de chaque pays, et valent davantage pour les ordres de grandeur que pour leur précision absolue. Voir annexe technique.

3. La dénatalité comme la déchristianisation (telles que mesurées par les registres de naissances et les actes de baptêmes) semblent débuter dès 1750-1780 et paraissent plus fortes dans les départements où les prêtres sont davantage ralliés à la Révolution. Aucun autre pays ne connaît une transition démographique aussi précoce. Voir T. GUINNANE, « The Historical Fertility Transition », *Journal of Economic Literature*, vol. 49 (3), 2011, p. 589-614 ; T. MURPHY, « Old Habits Die Hard (Sometimes) : What Can Department Heterogeneity Tell us about the French Fertility Decline ? », vol. 20 (2), *Journal of Economic Growth*, 2015, p. 177-222.

4. Dans les frontières de 1913, l'écart de population entre l'Allemagne (67 millions) et la France (39 millions) est encore plus fort que celui indiqué ici (63 millions *vs* 41 millions).

unique des affrontements militaires à répétition, il est bien évident que de tels retournements peuvent donner des idées.

Graphique 10.16

Démographie et équilibre des puissances en Europe

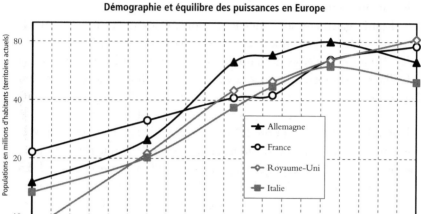

Lecture : l'Allemagne, le Royaume-Uni, l'Italie et la France ont depuis plusieurs siècles des populations du même ordre : les quatre pays avaient chacun autour de 20-30 millions d'habitants en 1820, et chacun aura autour de 60-80 millions d'habitants en 2020. Les retournements de positions relatives ont toutefois été fréquents et massifs : en 1800, la France est moitié plus peuplée que l'Allemagne (31 millions *vs* 22 millions) ; en 1910, l'Allemagne est moitié plus peuplée que la France (63 millions *vs* 41 millions). D'après les prévisions des Nations unies, le Royaume-Uni et la France devraient être les plus peuplés d'ici à 2100. Sources et séries : voir piketty.pse.ens.fr/ideologie.

À l'issue de la Première Guerre mondiale, la France croit tenir sa revanche de la guerre de 1870-1871, et elle exige d'énormes réparations allemandes. L'affaire est bien connue, sauf que l'on oublie généralement de préciser les montants et leur signification. Or les sommes officiellement demandées à l'Allemagne sont totalement invraisemblables. Suivant les décisions du traité de Versailles de 1919, et de la commission des réparations qui en précise les termes en 1921, l'Allemagne est supposée rembourser 132 milliards de marks-or, soit plus de 250 % du revenu national allemand de 1913, et environ 350 % du revenu national allemand de 1919-1921 (compte tenu de la baisse entre les deux dates)[1]. On notera qu'il s'agit approximativement

---

La population allemande s'accroît à ce moment-là de près de 1 million d'habitants par an. Voir annexe technique.

1. Voir annexe technique. Nous n'avons pas inclus les dettes issues du traité de Versailles dans les séries de dette publique allemande indiquées sur le graphique 10.9 (ni dans celles d'actifs étrangers indiquées sur le graphique 7.9, p. 331), d'une part car cela aurait exigé un

de la même proportion du revenu national que la dette imposée à Haïti en 1825 (autour de 300 %), dette que le pays traîna comme un boulet jusqu'en 1950[1], à la différence près que le revenu national allemand est beaucoup plus important à l'échelle de l'Europe et du monde. Du point de vue des autorités françaises, le montant se justifie. Après la défaite de 1871, la France avait payé rubis sur l'ongle 7,5 milliards de francs-or, soit environ 30 % de son revenu national, et les dégâts causés par les combats de 1914-1918 sont autrement plus importants. Les négociateurs français et britanniques insistèrent également sur le fait qu'il fallait récupérer des sommes en rapport avec les énormes dettes publiques qu'ils avaient eux-mêmes contractées vis-à-vis de leurs propriétaires et épargnants, et qu'ils avaient à ce moment-là bien l'intention de rembourser, et d'honorer ainsi la parole sacrée qui leur avait été donnée pour financer la guerre.

Il reste que les sommes exigées plaçaient l'Allemagne dans un état de dépendance éternelle vis-à-vis des vainqueurs, et notamment de la France. Il n'y avait pas besoin d'être un grand statisticien pour le comprendre (de même que pour comprendre l'écart démographique grandissant entre les deux pays), et les acteurs politiques allemands de l'entre-deux-guerres se chargèrent avec soin de l'explication de texte vis-à-vis de leurs électeurs. Avec un taux d'intérêt de 4 %, le simple paiement des intérêts sur une dette de 350 % du revenu national aurait impliqué que l'Allemagne transfère chaque année de l'ordre de 15 % de sa production au cours des années 1920 et 1930, tout cela sans même commencer à rembourser le principal. Insatisfait du rythme de paiements, frustré par la petitesse des actifs étrangers allemands (que les alliés franco-britanniques avaient saisis et s'étaient immédiatement partagés en 1919-1920, de même que les maigres colonies allemandes), le gouvernement français envoya ses troupes occuper la Ruhr en 1923-1925, avec pour projet de se servir directement dans les mines de charbon et les sites industriels. Les troupes prussiennes n'avaient-elles pas elles aussi occupé la France jusqu'en 1873, jusqu'à ce que le tribut de 1871 soit versé dans sa totalité ? La comparaison était peu probante, d'une part car l'état de dévastation de l'Allemagne des années 1920 n'avait rien à voir avec celui relativement florissant de la France des années 1870, d'autre part car les sommes exigées étaient plus de dix fois plus élevées. Mais

---

changement d'échelle, et d'autre part car il aurait également fallu les compter en actifs français et britanniques, ce qui serait largement artificiel, compte tenu du fait que leur remboursement n'a jamais véritablement commencé.

1. Voir chapitre 6, p. 263-267.

elle emportait l'adhésion d'une bonne partie de l'opinion française, elle aussi durement éprouvée par le conflit. L'occupation de la Ruhr eut peu d'effets, à part celui d'exacerber le ressentiment allemand, à un moment où le pays s'enfonçait dans l'hyperinflation, et où le niveau de production était toujours 30 % inférieur à celui de 1913. Les dettes allemandes furent finalement annulées en 1931, alors que le monde entier avait sombré dans la Grande Dépression, et que toute perspective de remboursement avait définitivement disparu. On sait maintenant que tout cela ne fit que préparer le chemin vers le nazisme et la Seconde Guerre mondiale.

Le plus absurde dans cet acharnement français, dénoncé avec force à l'époque par les observateurs anglo-saxons les plus lucides, est que les élites politiques et économiques du pays finirent par réaliser, dans le courant des années 1920, que le paiement de telles sommes pouvait avoir des conséquences indésirables pour l'économie française[1]. Pour rembourser annuellement l'équivalent de 15 % de sa production, il aurait en effet fallu que l'Allemagne réalise année après année un excédent commercial équivalant à 15 % des richesses produites : il s'agit bien d'une seule et même opération sur le plan économique. Or un tel excédent commercial allemand risquait d'empêcher le redémarrage de la production industrielle française, et par là même de limiter les créations d'emplois et d'accroître le chômage ouvrier en France. Au XIXᵉ siècle, les États se versaient des tributs militaires sans se poser ce type de questions. Ces opérations étaient envisagées comme un pur transfert financier entre puissances étatiques, à charge pour chacune de s'organiser avec ses propriétaires, épargnants et contribuables.

Il en va autrement dans un monde où les différentes économies nationales et leurs multiples secteurs d'activité étaient devenus étroitement liés les uns aux autres, dans le cadre de relations de concurrence visant à séduire les mêmes acheteurs transnationaux. On prit alors conscience que ces transferts financiers, au travers de leur contrepartie commerciale, pouvaient avoir dans certains secteurs des effets négatifs sur le niveau d'activité économique, l'emploi et finalement la classe des travailleurs et des ouvriers. Or la promotion du développement industriel, du plein-emploi et de la

---

1. Sur cette prise de conscience très graduelle des effets indésirables des transferts allemands, voir par exemple A. Sauvy, *Histoire économique de la France entre les deux guerres*, Fayard, 1965-1975. Ce livre, assez daté, n'en constitue pas moins un intéressant témoignage de celui qui fut conseiller du ministre des Finances Paul Reynaud en 1938 (très opposé au Front populaire et aux 40 heures), avant de devenir dans l'après-guerre le chef de file de la démographie populationniste française.

qualité de l'emploi, ainsi que du niveau de la production nationale en tant que telle, était précisément en passe de devenir une préoccupation majeure des gouvernements. De fait, dans une société où l'on se soucierait uniquement d'accroître le niveau de production et d'emploi sur le territoire national, quitte à accumuler des excédents commerciaux infinis dans le reste du monde, sans jamais les utiliser, cela n'aurait strictement aucun intérêt d'imposer un tribut financier à son voisin (puisque cela le conduirait à réduire ses achats). Un monde où l'on survalorise la production et le travail est très différent idéologiquement et politiquement d'un monde qui s'appuie sur la propriété et les revenus issus de la propriété. Le monde qui s'effondre en 1914-1945 est un monde de la démesure coloniale et propriétariste, un monde où les élites continuent de raisonner en termes de tributs coloniaux de plus en plus exorbitants, et qui ne comprennent pas les termes et les conditions d'une possible réconciliation sociale[1].

D'un tribut militaire hors norme à un nouvel ordre guerrier

Ce tribut de 300 % du revenu national exigé de l'Allemagne est important, car il est dans la droite ligne des pratiques antérieures, et en ce sens parfaitement justifié aux yeux des créanciers britanniques et surtout français, et en même temps parce qu'il conduit au point de rupture du système. Cet épisode contribua à convaincre une partie importante de l'opinion allemande que la survie des peuples à l'âge industriel et colonial dépendait avant tout de la puissance militaire de leur État, et que seul un pouvoir fort leur permettrait de relever la tête. Quand on relit aujourd'hui *Mein Kampf*, le plus glaçant n'est pas tant la composante antisémite maladive, bien connue et anticipée, mais plutôt la dimension quasi rationnelle de l'analyse des relations interétatiques, et aussi la rapidité avec laquelle le processus électoral peut conduire au pouvoir ce type d'analyse et de frustration. Dès les premières lignes, tout est dit : « Le peuple allemand n'aura aucun droit à une activité politique coloniale tant qu'il n'aura pu réunir ses propres fils en un même État. »

---

1. On notera au passage que le monde de la démesure productiviste et mercantiliste (où la production et l'excédent commercial deviennent un but en soi, en partie peut-être pour se protéger des marchés financiers internationaux et de leurs retournements) est à sa façon tout aussi absurde que celui de la démesure propriétariste et coloniale.

Un peu plus loin, l'auteur distingue clairement un colonialisme commercial et financier, permettant à un peuple de s'enrichir grâce aux profits lointains apportés par le reste du monde, et un colonialisme continental et territorial, où un peuple peut véritablement s'investir et développer des activités agricoles et industrielles. Il rejette le premier modèle, celui des Empires britannique et français, qu'il assimile à des « pyramides qui reposent sur leur pointe », avec de minuscules territoires métropolitains (et une population déclinante dans le cas de la France, ce qui est rappelé en permanence) tentant de capter les profits de colonies immenses et éloignées, formant ainsi un ensemble disparate qui lui paraît fragile. Selon lui, la puissance des États-Unis s'appuie au contraire sur une forte base territoriale et continentale, d'un seul tenant, habitée par un peuple certes moins homogène que le peuple allemand, mais avec lequel il partage de solides origines germaines et saxonnes. L'auteur en conclut que la stratégie territoriale est plus saine que le colonialisme commercial et financier, surtout s'agissant du peuple allemand, en pleine explosion démographique. Pour assurer la cohérence de l'ensemble, l'expansion territoriale doit se faire en Europe et non seulement au Cameroun, car « aucune volonté divine » n'impose « de voir un peuple posséder cinquante fois plus de territoire qu'un autre » (la Russie est visée).

Dans cet ouvrage rédigé en prison en 1924, en pleine occupation de la Ruhr, et publié en deux volumes en 1925-1926, quelques années avant la prise du pouvoir en 1933 par le parti national-socialiste (NSDAP), Hitler exprime aussi et surtout sa haine des sociaux-démocrates, des élites éduquées, des bourgeois apeurés et de tous les pacifistes, qui osent prétendre que le salut du pays viendra de la contrition et de l'internationalisme, alors que seuls la force et le réarmement peuvent permettre à un peuple uni et à son État d'exister dans le monde industriel moderne[1]. Sur ce point, force est de constater qu'il a assez bien intégré les leçons de l'histoire et de la montée

---

1. Sa détestation de la classe intellectuelle semble provenir à la fois du pacifisme et de l'inefficacité qu'il lui attribue (« Un peuple de savants dégénérés physiquement, de volonté faible, et professant un lâche pacifisme, ne pourra jamais conquérir le ciel ; il ne sera même pas capable d'assurer son existence sur cette terre », p. 213), et de sa propension supposée à l'autoreproduction et au mépris social (« On nous objectera immédiatement qu'on ne saurait exiger du fils chéri d'un haut fonctionnaire qu'il devienne ouvrier manuel, parce que quelque autre, dont les parents sont eux-mêmes des ouvriers, aura plus de dispositions que le premier. Cette objection peut être fondée en raison de l'opinion qu'on a actuellement sur la valeur du travail manuel. C'est pourquoi l'État raciste doit partir d'un tout autre principe pour apprécier l'idée de travail. Il lui faut, quand même il devrait consacrer des siècles à son œuvre

en puissance de l'Europe, qui s'est effectivement appuyée de façon décisive de 1500 à 1914 sur la domination militaire et coloniale et sur la politique de la canonnière[1]. Sa détestation de la France, pays démographiquement déclinant qui a juré la perte de l'Allemagne en lui imposant un infâme tribut (dont le montant est régulièrement rappelé), est renforcée par le fait que l'occupant français a fait venir « des hordes de nègres », qui « prennent leurs ébats » jusqu'aux bords du Rhin (sans doute des troupes coloniales dont il a entendu parler ou croisé la route). Cette évocation de la possibilité d'une « république nègre au cœur de l'Europe » revient d'ailleurs régulièrement[2]. Au-delà de ces saillies sur les Noirs et les Juifs, le cœur de son objectif est bien de convaincre son lecteur que les internationalistes et les pacifistes ne sont que des rêveurs et des lâches, et que seule l'unité absolue du peuple allemand autour d'un État fort permettra de relever la tête. Il dénonce une dernière fois les lâches dirigeants allemands qui n'ont pas su reprendre le combat et se dresser militairement contre l'occupant français en 1923-1924, et il conclut l'ouvrage en annonçant au lecteur que le NSDAP est maintenant prêt à accomplir sa tâche historique. Le plus glaçant est évidemment que cette stratégie a été couronnée de succès, jusqu'à ce qu'elle se retrouve finalement confrontée à une force militaire et mécanique supérieure[3].

En 1927, dans *La Trahison des clercs*, l'essayiste Julien Benda accusait la classe des clercs, dans laquelle il englobait les prêtres, les savants et les intellectuels, d'avoir succombé aux passions nationalistes, racistes et classistes. Après avoir passé selon lui plus de deux mille ans à modérer les passions politiques et l'ardeur des guerriers et des gouvernants (« depuis

---

d'éducation, mettre fin à l'injustice qui consiste à mépriser le travail corporel », p. 227). Voir également p. 5 et 69-73. Sur l'édition utilisée, voir annexe technique.

1. Voir chapitre 9.

2. Il va même jusqu'à suspecter les Français de préparer un grand remplacement, doublé d'un grand métissage : si leur politique coloniale continue, alors « les derniers restes de sang franc disparaîtront », et « un immense État métis se répandra du Congo au Rhin » (voir p. 322-336). Voir également pages 338-339 d'étonnantes références à des rencontres et réunions avec des groupes œuvrant pour la libération nationale de l'Inde et de l'Égypte, auxquels Hitler s'identifie mal.

3. D'après les estimations disponibles, l'occupant allemand serait parvenu à extraire entre 30 % et 40 % des richesses produites en France entre 1940 et 1944. Compte tenu des violences humaines et génocidaires en jeu, il n'est pas certain toutefois que ces calculs d'efficacité extractive matérielle aient véritablement un sens. Voir F. OOCHINO, K. OOSTERLINCK, E. WHITE, « How Much can a Victor Force the Vanquished to Pay ? France under the Nazi Boot », *Journal of Economic History*, 68(01), 2008, p. 1-45.

Socrate et Jésus-Christ », va-t-il jusqu'à préciser), les clercs n'ont pas su s'opposer aux pulsions de mort et à la montée sans précédent des antagonismes identitaires en Europe depuis le début du XXe siècle, quand ils ne les ont pas eux-mêmes attisés. S'il en veut particulièrement au clergé et aux professeurs allemands, qui d'après lui ont succombé en premier aux sirènes de la guerre et du nationalisme en 1914-1918, c'est bien toute la classe des clercs européens qui est prise à partie.

En 1939, l'anthropologue et linguiste Georges Dumézil publiait *Mythes et Dieux des Germains*, un « essai d'interprétation comparative » dans lequel sont analysés les liens entre les mythologies des anciens Germains et les conceptions et représentations religieuses des Indo-Européens. L'auteur s'est retrouvé dans une polémique, particulièrement vive dans les années 1980, où on l'accusait de connivence avec le nazisme, ou tout du moins de participation à une tentative de justification anthropologique de l'ardeur guerrière venue de l'Est. En réalité, l'auteur était un conservateur français de tendance monarchiste, peu suspect d'hitlérisme ou de germanophilie. Il entendait montrer dans son livre que l'idéologie trifonctionnelle des anciennes mythologies germaines était structurellement et anciennement déséquilibrée, du fait de l'hypertrophie de la classe guerrière et de l'absence d'une véritable classe sacerdotale et intellectuelle (à l'inverse par exemple du cas indien, où les brahmanes ont généralement dominé les *kshatriya*)[1].

Ces références à des logiques trifonctionnelles, en plein cœur de l'entre-deux-guerres, peuvent sembler surprenantes. Elles illustrent de nouveau le besoin de donner du sens aux structures inégalitaires et à leurs évolutions, et en l'occurrence à l'émergence d'un nouvel ordre guerrier en Europe. Elles rappellent également que l'idéologie propriétariste n'a en réalité jamais cessé de mobiliser le registre trifonctionnel pour justifier l'inégalité. L'envol économique de l'Europe doit peu à ses vertueuses et paisibles institutions propriétaristes[2], et bien davantage à la capacité des États européens à maintenir l'ordre à leur profit au niveau international, en s'appuyant à

---

1. Sa thèse générale (fondée sur l'analyse des mythologies anciennes, méthode dont nous avons noté dans le cas indien qu'elle n'était pas toujours apte à analyser le changement sociohistorique, et avait tendance à pétrifier les différences civilisationnelles supposées) est que les mythes et religions germano-scandinaves sont excessivement centrés sur le culte des guerriers et négligent les formes d'équilibre trifonctionnel que l'on trouve à la fois dans le monde italo-celte et dans le monde indo-iranien. Voir D. ERIBON, *Faut-il brûler Dumézil ? Mythologie, science et politique, op. cit.*, p. 185-206.

2. Songeons aux Européens trafiquants de drogue et aux Chinois smithiens évoqués dans le chapitre 9, p. 444-446.

la fois sur le registre de la domination guerrière et militaire et sur celui de leur supposée supériorité civilisatrice et intellectuelle.

La chute des sociétés de propriétaires, le dépassement de l'État-nation

Récapitulons. Les sociétés propriétaristes européennes du XIXᵉ siècle sont nées d'une promesse d'émancipation individuelle et d'harmonie sociale liée à l'accès de tous à la propriété et à la protection de l'État, en lieu et place des inégalités statutaires des sociétés trifonctionnelles anciennes. Pour une large part, elles ont conquis le monde grâce à la puissance militaire, technologique et financière que la compétition intra-européenne avait contribué à conférer à leurs États. La chute des sociétés de propriétaires découle d'un double échec : d'une part, elles ont atteint en 1880-1914 des niveaux d'inégalité et de concentration des richesses encore plus extrêmes que les sociétés d'Ancien Régime qu'elles prétendaient dépasser ; d'autre part, les États-nations européens ont fini par s'autodétruire et par être remplacés par d'autres puissances étatiques de dimension continentale, organisées autour de nouveaux projets politiques et idéologiques.

Dans *Les Origines du totalitarisme*, ouvrage rédigé entre 1945 et 1949 aux États-Unis où elle était elle aussi réfugiée, et publié en 1951, Hannah Arendt tente de comprendre les raisons de l'autodestruction des sociétés européennes. Comme Polanyi, elle considère que l'effondrement des années 1914-1945 peut se voir comme la conséquence des contradictions du capitalisme européen débridé et non régulé des années 1815-1914. Elle insiste particulièrement sur le fait que les États-nations européens ont été en quelque sorte dépassés par l'internationalisation du capitalisme industriel et financier mondialisé qu'ils avaient contribué à créer. Compte tenu de l'échelle planétaire et de l'ampleur transnationale inédite atteinte par les échanges commerciaux, l'accumulation du capital et la croissance industrielle, ils n'étaient plus en mesure de contrôler et de réguler les forces économiques en jeu et leurs conséquences sociales. Pour Arendt, la principale faiblesse des sociaux-démocrates européens de l'entre-deux-guerres est précisément qu'ils n'avaient toujours pas pleinement intégré ce besoin de dépassement de l'État-nation. D'une certaine façon, ils étaient bien les seuls. Les idéologies coloniales, sur lesquelles s'étaient appuyés depuis longtemps les empires coloniaux britannique et français, tous deux en phase d'expansion accélérée entre 1880 et 1914, étaient à leur manière des dépassements de l'État-nation. Ces formes politiques proposaient une organisation des échanges et du capitalisme mondial au sein de communautés impériales de grande taille, structurées de façon fortement hiérarchique entre le centre et les colonies, et suivant une logique civilisatrice. Elles étaient toutefois sur le point d'être minées par les forces centrifuges et indépendantistes.

Pour Arendt, le succès des projets politiques bolcheviques et nazis vient du fait qu'ils s'appuyaient tous deux sur de nouvelles formes étatiques postnationales adaptées aux dimensions de l'économie mondiale : un État soviétique s'appuyant sur un vaste territoire eurasiatique, mêlant le panslavisme et le messianisme communiste au niveau mondial ; et un État nazi s'appuyant sur un Reich de dimension européenne, fondé sur le pangermanisme et un projet d'organisation hiérarchique et racialisé du monde, désormais dirigé par les plus capables. Chaque projet promet à son peuple une société sans classes, dont tous les ennemis auraient été exterminés, à la différence près que le *Volksgemeinschaft* nazi permet à chaque Allemand de s'imaginer propriétaire d'usines (à l'échelle mondiale), alors que le bolchevisme propose à chacun de devenir ouvrier (membre du prolétariat universel)[1]. À l'inverse, l'échec des sociaux-démocrates serait dû à leur incapacité à penser des formes fédérales nouvelles, et au fait de s'être contenté d'un internationalisme de façade, alors que la réalité de leur projet politique et de l'État social et fiscal qu'ils entreprenaient de bâtir demeurait cantonnée dans les limites étroites de l'État-nation[2].

Cette analyse, formulée notamment à l'encontre des mouvements socialistes, sociaux-démocrates et travaillistes français, allemands et britanniques de la fin du XIXe siècle et de la première moitié du XXe siècle, est d'autant plus intéressante qu'elle reste extrêmement pertinente pour comprendre les limitations des sociétés sociales-démocrates de l'après-guerre et de ces mêmes mouvements politiques à la fin du XXe siècle et au début du XXIe. Elle renvoie également aux débats de la période 1945-1960, non seulement sur la construction d'une communauté économique européenne, mais également sur la transformation de l'empire colonial français en une fédération démocratique, à un moment où nombre de dirigeants ouest-africains percevaient très clairement les difficultés de minuscules « États-nations »

---

1. Voir H. ARENDT, *Les Origines du totalitarisme*, t. III : *Le Système totalitaire* (1951), Seuil, « Points. Essais », 2002, p. 122-123.

2. Arendt mentionne au passage la timide tentative française de représenter ses colonies dans son Parlement, contrairement au Royaume-Uni. Voir *Les Origines du totalitarisme*, t. II : *L'Impérialisme*, Seuil, « Points. Essais », 1982, p. 26-27.

comme le Sénégal ou la Côte d'Ivoire pour développer un modèle social viable au sein du capitalisme mondial[1]. Elle renvoie aussi et surtout aux insuffisances criantes de l'Union européenne actuelle, dont les maigres tentatives pour prendre en main la régulation du capitalisme et la mise en place de nouvelles normes de justice sociale, fiscale et environnementale n'ont à ce jour guère été couronnées de succès, et qui est régulièrement accusée de faire le jeu des acteurs économiques les plus prospères et les plus puissants.

Les positions d'Arendt laissaient toutefois grande ouverte la question de la forme et du contenu du fédéralisme en question, ce qui permet d'ailleurs de mieux comprendre certaines des difficultés ultérieures. S'agit-il d'un fédéralisme visant à réduire les inégalités et à dépasser le capitalisme, ou au contraire d'un fédéralisme visant à empêcher son renversement et à constitutionnaliser le libéralisme économique ? Par la suite, Arendt exprimera une foi de plus en plus forte pour le modèle étatsunien, seul projet politique véritablement fondé sur le respect des droits individuels, alors que les processus politiques européens seraient englués dans une recherche rousseauiste et robespierriste de la volonté générale et de la justice sociale menant presque inévitablement aux totalitarismes. Cette vision s'exprime particulièrement nettement dans son *Essai sur la révolution*, publié en 1963, en pleine guerre froide, et dans lequel elle entend dénoncer la vraie nature de la Révolution française et réhabiliter la révolution américaine, injustement négligée selon elle par les intellectuels européens, férus d'égalité et insuffisamment soucieux de liberté[2]. Ce profond scepticisme sur l'Europe doit sans doute beaucoup à sa trajectoire personnelle et au contexte de

---

1. Voir chapitre 7, p. 354-360.

2. Il est intéressant de noter qu'elle attribue le succès du modèle constitutionnel étatsunien à la relative égalité initiale de la société de pionniers (si l'on excepte le cas des esclaves, vite évacué par Arendt), ce qui aurait permis de sortir de l'enceinte politique les questions des inégalités de classe et de la justice sociale (qui selon Arendt ne pourront jamais être pleinement réglées paisiblement par la sphère politique), alors que le terreau inégalitaire de l'Ancien Régime européen aurait conduit à une obsession pour la question sociale et la violence de classe. Voir H. ARENDT, *Essai sur la révolution* (1963), Gallimard, 1967, p. 84-164. Précédemment, elle avait comparé le déchaînement de l'antisémitisme moderne – conséquence selon elle du fait que les États-nations et leurs systèmes bancaires n'avaient plus besoin à la fin du XIXᵉ siècle des réseaux de financiers juifs transnationaux pour émettre leur dette – à la violence qui se déchaîne sous la Révolution française contre la noblesse, classe devenue depuis longtemps inutile et dont il était enfin possible de se venger. Voir *Les Origines du totalitarisme*, t. I : *L'Antisémitisme*, Seuil, « Points. Essais », 1973, p. 25-26. Pour Arendt, seul le Nouveau Monde semble pouvoir échapper à ces éternels ressentiments légués par l'histoire.

l'époque, et il est bien difficile de savoir comment Arendt, disparue en 1975, jugerait les États-Unis d'Amérique et l'Union européenne de 2019. Il reste que cette argumentation très négative sur la possibilité même d'une justice sociale démocratique est au final assez proche de la position prise en 1944 par un autre exilé européen célèbre, Friedrich Hayek, dans son essai *La Route vers la servitude* (*The Road to Serfdom*), où il explique en substance que tout projet politique à base de justice sociale mène tout droit au collectivisme et au totalitarisme. Il écrit alors depuis Londres, et il vise particulièrement les travaillistes britanniques, qui s'apprêtent à prendre le pouvoir lors des élections de 1945. Rétrospectivement, le jugement paraît sévère et presque incongru, surtout pour quelqu'un qui s'apprêtait à soutenir quelques décennies plus tard la dictature militaire du maréchal Pinochet.

L'union fédérale, entre socialisme démocratique et ordolibéralisme

Ces débats et ces ambiguïtés sur le fédéralisme et le dépassement de l'État-nation sont riches d'enseignements pour notre enquête. Ils permettent aussi de mieux comprendre pourquoi les discussions sur le fédéralisme, très nombreuses dans les années 1930 et 1940, eurent tant de mal à déboucher. En 1938, le mouvement Federal Union lancé au Royaume-Uni, et qui compta rapidement des centaines de sections dans tout le pays, voit ainsi dans la forme fédérale la solution pour éviter la guerre[1]. Les projets évoquent à la fois une union fédérale démocratique entre la métropole et les colonies britanniques, une union anglo-étatsunienne, et une union entre démocraties européennes face au nazisme. En 1939, le journaliste et essayiste new-yorkais Clarence Streit propose dans son projet *Union Now* une fédération trans-atlantique regroupant 15 pays, gouvernée par une Chambre des députés élue proportionnellement aux populations et un Sénat comprenant 40 membres (dont 8 sénateurs pour les États-Unis, 4 pour le Royaume-Uni, 4 pour la France, et 2 pour chacun des 12 autres pays). Il ira jusqu'à proposer en 1945 un projet de fédération mondiale comprenant une convention élue au suffrage universel (chacune des 9 grandes régions de la planète étant découpée en 50 circonscriptions, avec une surreprésentation des puissances

---

1. Sur ces débats, voir le livre éclairant de O. ROSENBOIM, *The Emergence of Globalism*, *op. cit.*, p. 100-178.

occidentales), qui élirait ensuite un président et un conseil de 40 membres, en charge notamment du désarmement nucléaire et d'une certaine dose de redistribution des ressources naturelles[1]. La Charte des Nations unies adoptée en 1945, avec une Assemblée générale composée d'un représentant par pays et un Conseil de sécurité comprenant 5 membres permanents dotés d'un droit de veto et 10 membres élus par l'Assemblée générale[2], est directement issue de ce type de débats, particulièrement nombreux dans les années 1930 et 1940.

Dans un contexte où l'on sent bien que l'ancien monde colonial est sur le point de sombrer, où la Grande Dépression de 1929 vient de démontrer l'interdépendance des économies et le besoin de nouvelles régulations collectives, et aussi où les nouvelles liaisons aériennes viennent de réduire les distances de façon spectaculaire[3], de nombreuses voix se sentent autorisées à imaginer des formes inédites d'organisation politique pour le monde de l'avenir.

De ce point de vue, le mouvement britannique Federal Union et les débats qu'il a suscités sont particulièrement révélateurs. Initié par de jeunes militants qui voyaient aussi dans le fédéralisme une façon d'accélérer les indépendances et de leur fournir un cadre politique pacifique, il fut vite rejoint par des figures universitaires comme Beveridge (auteur du célèbre rapport de 1942 sur les assurances sociales, qui contribua à la mise en place du National Health Service par les travaillistes en 1948) et Robbins (de conviction beaucoup plus libérale). Il inspira la proposition de création d'une Union fédérale franco-britannique formulée par Churchill en juin 1940, refusée par le gouvernement français alors réfugié à Bordeaux et qui préfère donner les pleins pouvoirs à Pétain. Outre que plusieurs membres du gouvernement préféraient ouvertement « devenir une province nazie plutôt qu'un dominion britannique », force est de reconnaître

1. Cette procédure en deux étapes était destinée à éviter les biais nationaux. Le projet initial comportait également des sièges réservés pour les experts et intellectuels, mais l'idée fut ensuite abandonnée.

2. Depuis la résolution 1991 adoptée en 1963 par l'Assemblée générale, les 10 membres élus du Conseil de sécurité comprennent 5 membres issus des pays d'Afrique et d'Asie-Pacifique, 2 membres issus de l'Amérique latine, 2 membres d'Europe occidentale et 1 membre d'Europe orientale.

3. En 1943, Wendell Willkie (candidat républicain malheureux face à Roosevelt en 1940) publie *One World*, un compte rendu optimiste et haut en couleur du tour du monde en avion qu'il vient de réaliser en 1942, à la rencontre de responsables politiques et d'habitants de toute la planète. Voir O. ROSENBOIM, *The Emergence of Globalism, op. cit.*, p. 4-5.

que le contenu institutionnel de l'union fédérale proposée, au-delà de l'alliance militaire indéfectible et la mise en commun complète des forces terrestres, navales et coloniales encore libres, restait relativement flou.

Il est intéressant de noter qu'un groupe d'universitaires britanniques et français s'était réuni à Paris en avril 1940 pour étudier le fonctionnement d'une possible union fédérale, d'abord au niveau franco-britannique, puis élargie au niveau européen, sans parvenir à un accord. La vision la plus imprégnée de libéralisme économique était défendue par Hayek, qui avait quitté Vienne et enseignait depuis 1931 à la London School of Economics (où Robbins l'avait fait recruter), et prônait une pure union commerciale fondée sur les principes de la concurrence, de la liberté des échanges et de la stabilité monétaire. Robbins était sur une ligne assez proche, tout en envisageant la possibilité d'un budget fédéral, et en particulier d'un impôt fédéral sur les successions au cas où la liberté des échanges et la libre circulation des personnes ne suffiraient pas pour diffuser la prospérité et réduire les inégalités.

D'autres membres du groupe avaient des visions beaucoup plus proches du socialisme démocratique, à commencer par Beveridge, adepte des assurances sociales, ainsi que la sociologue Barbara Wootton, qui proposait un impôt fédéral sur le revenu et les successions, avec un taux supérieur de 60 %, doublé d'un système de revenu plafond et de succession maximale. Les participants à la réunion se séparèrent sur un constat de désaccord sur le contenu économique et social de l'union fédérale envisagée, tout en espérant qu'une union militaire se mette en place au plus vite. Wootton précisa ses propositions en 1941 dans son ouvrage *Socialism and Federation*, puis en 1945 dans *Freedom under Planning*. C'est d'ailleurs en partie en réponse à Wootton que Hayek publia en 1944 *The Road to Serfdom*, tout en précisant que ce livre risquait de lui coûter bien des amis dans son nouveau pays d'adoption, mais qu'il lui était nécessaire d'alerter l'opinion sur les risques que représentaient, selon lui, les travaillistes britanniques et les collectivistes de toutes sortes. Il mettait également en garde dans ce même livre contre les sociaux-démocrates suédois, nouvelle coqueluche des progressistes, en rappelant que le volontarisme économique des nazis avait également été salué en son temps, avant que l'on réalise qu'il était porteur de menaces pour les libertés (jugement qui rétrospectivement paraît là encore particulièrement hasardeux)[1]. Tous ces débats autour du

---

1. Voir F. Hayek, *The Road to Serfdom*, Routledge, 1944, p. 3-10, 66-67, où Hayek alerte notamment le lecteur britannique sur la *platform for a planned society* adoptée par le Labour en 1942 et sur des propos des travaillistes des années 1930 indiquant que la pleine réalisation

mouvement Federal Union eurent un écho dans l'Europe entière. Altiero Spinelli, militant communiste alors emprisonné dans les geôles de Mussolini, s'en inspira par exemple pour rédiger en 1941 son *Manifeste pour une Europe libre et unie*, ou *Manifeste de Ventotene* (du nom de l'île où il était emprisonné)[1].

Ces débats et ces ambiguïtés sur le fédéralisme sont essentiels, car ils sont toujours les nôtres. La chute des sociétés de propriétaires pose de façon centrale la question de l'échelon politique pertinent pour réguler et dépasser le capitalisme et les rapports de propriété. À partir du moment où l'on fait le choix que les relations économiques et commerciales et les rapports de propriété s'organisent au niveau transnational, il paraît évident qu'un dépassement durable des sociétés de propriétaires et du capitalisme exige une forme élaborée de dépassement de l'État-nation. Toute la question est celle de la forme et du contenu précis à donner à un tel projet. Nous allons voir dans les prochains chapitres les limites considérables des réponses apportées par les mouvements politiques de l'après-guerre, en particulier au niveau européen, et plus généralement dans le cadre des traités économiques et commerciaux mis en place pour organiser la mondialisation, aussi bien au cours de la guerre froide (1950-1990) que pendant la période postcommuniste (1990-2020).

---

de leur programme pourrait impliquer de larges délégations de pouvoir du Parlement à l'administration et la possibilité d'immuniser leurs réformes de possibles élections futures en leur donnant une dimension constitutionnelle.

1. Spinelli fut en 1984 l'auteur d'une proposition de réforme des institutions européennes adoptée par le Parlement européen (dont il était membre), et sur laquelle nous reviendrons. Voir chapitre 16, p. 1031.

Chapitre 11

LES SOCIÉTÉS
SOCIALES-DÉMOCRATES :
L'ÉGALITÉ INACHEVÉE

Nous venons d'étudier comment les sociétés de propriétaires, qui semblaient si prospères et inébranlables à la veille de la Première Guerre mondiale, s'étaient effondrées entre 1914 et 1945, à tel point que les pays nominalement capitalistes sont en réalité devenus entre 1950 et 1980 des sociétés sociales-démocrates, avec des mélanges variables de nationalisation, de système public d'éducation, de santé et de retraite, et d'impôt progressif sur les plus hauts revenus et patrimoines. Pourtant, malgré leurs indéniables succès, les sociétés sociales-démocrates vont connaître un essoufflement à partir des années 1980-1990. En particulier, elles n'ont pas su faire face à la montée des inégalités qui s'est développée un peu partout depuis lors.

Nous allons nous intéresser dans ce chapitre aux raisons de cet échec. Tout d'abord, les tentatives d'instituer de nouvelles formes de partage du pouvoir et de propriété sociale des entreprises sont longtemps restées cantonnées à un petit nombre de pays (Allemagne et Suède en particulier), et n'ont jamais été véritablement explorées autant qu'elles auraient pu l'être, alors même qu'elles apportent l'une des réponses les plus prometteuses pour un dépassement de la propriété privée et du capitalisme. Ensuite, la social-démocratie n'a pas su répondre efficacement au profond besoin d'accès égalitaire à la formation et aux connaissances, et en particulier lors de la transition de la révolution primaire et secondaire à celle de l'enseignement supérieur. Nous analyserons enfin les limites de la réflexion sociale-démocrate sur l'impôt, et notamment sur l'impôt progressif sur la propriété. En particulier, la social-démocratie n'a pas réussi à bâtir de nouvelles formes fédérales transnationales de souveraineté partagée et de justice sociale et fiscale. De fait, la concurrence exacerbée entre pays, dans le cadre d'une mondialisation où les traités de libre-échange et de libre circulation des capitaux tiennent lieu de toute régulation (et auxquels les sociaux-démocrates n'ont pas su proposer d'alternative, quand ils ne les ont pas eux-mêmes inspirés), met gravement en péril en ce début de XXIe siècle le consentement fiscal et le contrat social sur lequel s'est bâti l'État social-démocrate au cours du XXe siècle.

De la diversité des sociétés sociales-démocrates européennes

Au cours de la période 1950-1980, qui correspond à l'âge d'or de la social-démocratie, les inégalités de revenus se sont établies à un niveau sensiblement plus faible qu'au cours des autres périodes historiques, aussi bien aux États-Unis qu'au Royaume-Uni, en France, en Allemagne, en Suède, au Japon, et dans la quasi-totalité des pays européens et extraeuropéens pour lesquels des données adéquates sont disponibles[1]. Cette inégalité plus faible est due en partie aux destructions entraînées par les guerres, qui ont davantage appauvri ceux qui possédaient beaucoup que ceux qui ne possédaient rien. Mais elle s'explique surtout par un ensemble de politiques fiscales et sociales qui ont permis de structurer des sociétés à la fois plus égalitaires et plus prospères que toutes les sociétés précédentes, et que l'on peut désigner de façon générale comme les « sociétés sociales-démocrates ».

Précisons d'emblée que les notions de « société sociale-démocrate » et de « social-démocratie » envisagées ici doivent être entendues dans un sens relativement large, pour décrire un ensemble de pratiques politiques et d'institutions visant à apporter un encastrement social au système de propriété privée et au capitalisme, telles qu'elles furent mises en place dans un grand nombre de sociétés non communistes européennes et extra-européennes au cours du XXe siècle, que ces expériences aient ou non utilisé explicitement l'appellation « sociale-démocrate » pour se désigner elles-mêmes. Au sens strict, il n'y a guère qu'en Suède qu'un parti officiellement social-démocrate, le SAP, a été au pouvoir de façon quasi ininterrompue du début des années 1930 jusqu'aux années 2000-2020 (avec quelques alternances avec les partis dits « bourgeois » depuis la crise bancaire suédoise de 1991-1992, sur laquelle nous reviendrons). Il s'agit du pays par excellence de la social-démocratie, là où cette forme historique a pu être expérimentée de façon la plus complète. Ce cas est d'autant

---

1. Voir chapitre 10, graphiques 10.1 et 10.2, p. 493 et 494.

plus intéressant que la Suède constituait jusqu'aux réformes politiques de 1910-1911 un cas particulièrement inégalitaire de société censitaire et propriétariste, avec une concentration inédite des droits de vote au sein d'une mince couche de propriétaires[1]. Il s'agit également du pays qui a mis en place le plus haut niveau de prélèvement fiscal et de dépenses sociales au cours de la période 1950-2000, même s'il a été rejoint par la France dans les années 2000-2020. De façon générale, la montée en puissance de l'État fiscal et social constitue l'indicateur le plus caractéristique de la notion de société sociale-démocrate envisagée ici[2].

En Allemagne, le SPD (Sozialdemokratische Partei Deutschlands), qui a été le premier grand parti social-démocrate de l'histoire par le nombre de militants, dès la fin du XIXe siècle, n'a été au pouvoir que de façon intermittente depuis la Seconde Guerre mondiale. Son influence sur la mise en place de l'État social allemand a toutefois été considérable, à tel point que le parti chrétien-démocrate (CDU), au pouvoir sans discontinuer de 1949 à 1966, a adopté comme doctrine officielle « l'économie sociale de marché », ce qui en pratique implique notamment une reconnaissance du rôle central des assurances sociales et d'un certain partage du pouvoir entre actionnaires et syndicats. Si l'on ajoute à cela le fait que le SPD a abandonné dans son programme de Bad Godesberg de 1959 toute référence aux nationalisations et au marxisme, il en résulte une certaine convergence programmatique des deux principaux partis allemands de l'après-guerre, unis dans la recherche d'un nouveau modèle de développement permettant de reconstruire le pays après le désastre du nazisme, et que l'on peut qualifier de « social-démocrate ». Cela n'empêche pas des différences substantielles entre les deux partis, par exemple concernant la générosité du système social et son organisation, mais implique néanmoins l'acceptation commune d'un nouveau cadre général, caractérisé notamment par un niveau élevé de prélèvements obligatoires et de dépenses sociales, par comparaison notamment au régime fiscal et social en vigueur avant la Première Guerre mondiale, auquel aucun mouvement politique ne propose de revenir (ni en Allemagne ni dans les autres pays européens). On retrouve une configuration semblable en Suède (les partis « bourgeois » n'ont pas remis radicalement en cause l'État social mis en place par le SAP quand ils ont été au pouvoir depuis

1. Voir chapitre 5, p. 229-231.
2. Voir chapitre 10, graphiques 10.14 et 10.15, p. 536 et 537.

1991) et dans les autres pays d'Europe centrale et nordique caractérisés par l'existence depuis l'après-guerre de puissants partis sociaux-démocrates (comme l'Autriche, le Danemark ou la Norvège).

Nous qualifierons également de « sociaux-démocrates » (au sens large) les différents modèles d'État social développés depuis la Seconde Guerre mondiale au Royaume-Uni, en France et dans d'autres pays européens, sous l'égide notamment de divers partis travaillistes, socialistes ou communistes ne se revendiquant pas explicitement du label « social-démocrate ». Au Royaume-Uni, le Labour Party a sa propre histoire, issue notamment du mouvement des *trade unions*, du socialisme fabianiste et du parlementarisme britannique[1]. Le modèle travailliste résulte également et surtout d'une pratique et d'une histoire politiques spécifiques, avec l'obtention d'une large majorité de sièges travaillistes en 1945 et la mise en place par le gouvernement de Clement Attlee du National Health Service et des fondements de l'État social britannique. Malgré les remises en cause ultérieures, en particulier par les tories menés par Margaret Thatcher dans les années 1980, les dimensions de l'État fiscal et social britannique demeurent substantielles dans les années 2000-2020 – avec environ 40 % du revenu national en recettes fiscales, moins importantes certes qu'en Allemagne, en France ou en Suède (autour de 45 %-50 %), mais nettement plus imposantes qu'aux États-Unis (à peine 30 %).

En France, le mouvement socialiste a été durablement divisé à partir du congrès de Tours (1920) en un parti communiste (PCF) soutenant l'Union soviétique et un parti socialiste (PS) favorisant le socialisme démocratique sous une autre forme que le soviétisme. Les deux partis ont partagé le pouvoir en 1936 au sein de la coalition du Front populaire mise en place avec le parti radical[2]. Ils ont ensuite joué un rôle central

---

1. La Fabian Society, fondée en 1884 en vue de promouvoir le passage graduel et réformiste au socialisme démocratique, sans déflagration révolutionnaire (d'où la référence aux tactiques du général romain Fabius, adepte de la guerre d'usure au IIIe siècle avant notre ère), est encore aujourd'hui l'une des *socialist societies* affiliées au Labour Party. Les fabiens Beatrice et Sidney Webb fondèrent en 1895 la London School of Economics, dirigée par Beveridge de 1919 à 1937. Sur l'histoire intellectuelle du parti travailliste, voir M. BEVIR, *The Making of British Socialism*, Princeton University Press, 2011.

2. Le parti radical (de son vrai nom le Parti républicain, radical et radical-socialiste) regroupait les républicains les plus radicaux lors des premières décennies de la IIIe République. Il défendait la « réforme sociale dans le respect de la propriété privée » et était opposé aux nationalisations. Plus conservateur que les socialistes et communistes sur les questions socioéconomiques, il perdit son rôle central dans la vie politique française à l'issue de la Seconde

à la Libération dans la mise en place du système de Sécurité sociale en 1945, en partie inspiré du programme du Conseil national de la Résistance (CNR) adopté en 1944, de même que les nationalisations et le rôle nouveau donné aux syndicats dans les négociations collectives, les grilles de salaires et l'organisation du travail. Socialistes et communistes ont de nouveau gouverné ensemble en 1981 à la suite de la victoire de l'union de la gauche. L'appellation « sociale-démocrate » a souvent été stigmatisée comme excessivement « centriste » dans le contexte français, en partie du fait de la concurrence (et parfois de la surenchère verbale) entre socialistes et communistes, dans un contexte où le SPD allemand avait renoncé depuis longtemps aux nationalisations, mesures qui formaient l'ossature du programme de 1981, si bien que la notion de social-démocratie était souvent associée à une forme de renoncement à toute véritable ambition de dépassement du capitalisme. Il reste que le système social et fiscal en vigueur en France depuis la Seconde Guerre mondiale appartient bien à la grande famille des sociétés sociales-démocrates européennes[1].

Le New Deal étatsunien :
une société sociale-démocrate au rabais

On pourrait aussi qualifier de « social-démocrate » (au sens très large) le système social qui se met en place aux États-Unis à la suite du New Deal rooseveltien à partir de 1932, puis dans les années 1960 dans le cadre de la *War on Poverty* lancée par l'administration Johnson. Par comparaison aux équivalents européens, la société sociale-démocrate qui se développe aux États-Unis au milieu du XXe siècle sous l'égide du parti démocrate correspond cependant à une forme de social-démocratie au rabais, pour des raisons qu'il nous faudra mieux comprendre. Concrètement, le niveau étatsunien de prélèvements obligatoires et de dépenses sociales a été rapidement distancé par les pays européens au cours de la période 1950-1980,

---

Guerre mondiale. Jusqu'en 1971, le PS était généralement désigné sous le nom SFIO (Section française de l'Internationale ouvrière).

1. Pour une étude classique des modèles sociaux-démocrates et du cas français, voir A. BERGOUNIOUX, B. MANIN, *La Social-Démocratie ou le Compromis*, PUF, 1979. Sur la diversité de la social-démocratie européenne, voir H. KITSCHELT, *The Transformation of European Social Democracy*, Cambridge University Press, 1994. Voir également G. ESPING-ANDERSEN, *The Three World of Welfare Capitalism*, Princeton University Press, 1990.

ce qui n'était aucunement le cas au XIXe siècle et au début du XXe[1]. En particulier, contrairement à ce qui est devenu dans l'après-guerre la norme européenne, les États-Unis n'ont jamais mis en place de système universel d'assurance-santé. Les programmes publics Medicare et Medicaid adoptés en 1965 sont réservés aux plus de 65 ans et aux ménages les plus pauvres, laissant sans assurance les salariés insuffisamment pauvres pour Medicaid et pas assez riches pour bénéficier d'une couverture privée. Les débats au sujet de l'universalisation de Medicare, c'est-à-dire son application à toute la population, ont cependant repris un nouveau cours depuis le milieu des années 2010, et il n'est pas impossible qu'une telle réforme voie le jour à l'avenir[2]. Le système fédéral étatsunien de sécurité sociale comprend également depuis 1935 un programme de retraite et d'assurance-chômage, moins généreux mais plus ancien que la plupart des systèmes européens. Comme nous l'avons vu dans le chapitre précédent, les impôts sur les revenus et successions ont par ailleurs été plus lourdement progressifs aux États-Unis que dans la plupart des pays européens au cours de la période 1932-1980. Le fait que les États-Unis ont pu être plus égalitaires que l'Europe sur la progressivité fiscale et moins ambitieux sur l'État social peut sembler paradoxal et sera examiné de près.

Il existe également de multiples sociétés extraeuropéennes qui ont développé au cours de la période 1950-1980 des systèmes sociaux que l'on peut rattacher à la social-démocratie européenne. C'est le cas par exemple en Amérique latine, notamment en Argentine, avec toutefois des variations considérables suivant les pays et les périodes[3]. On peut aussi être tenté de rattacher un grand nombre de pays nouvellement indépendants à la nébuleuse du socialisme démocratique, comme l'Inde

1. Voir chapitre 10, graphique 10.14, p. 536.

2. Le programme Obamacare (2010) visait à rendre obligatoire l'achat subventionné d'une assurance privée pour les personnes non couvertes. Il a rencontré de grandes difficultés d'application, en raison notamment de l'hostilité de nombreux États républicains, et du fait que la jurisprudence de la Cour suprême limite les capacités de l'État fédéral à imposer aux États des programmes sociaux. Des propositions plus ambitieuses de type Medicare for All visant à universaliser le programme Medicare sont maintenant mises en avant par de nombreux responsables démocrates.

3. En Argentine, et à un degré moindre au Brésil (qui se caractérise en outre par des inégalités beaucoup plus élevées), les recettes fiscales ont atteint au cours de la période 1950-1980 des niveaux intermédiaires entre les niveaux étatsuniens et européens (entre 30 % et 40 % du revenu national). À l'inverse, le Mexique et le Chili continuent d'avoir des recettes beaucoup plus faibles (moins de 20 % du revenu national). Voir annexe technique et les travaux de M. Morgan.

entre 1950 et 1980. Il faut toutefois insister sur le fait que l'Inde, comme la plupart des pays d'Asie du Sud et d'Afrique, a toujours eu des niveaux de prélèvement fiscal relativement faibles (entre 10 % et 20 % du revenu national, parfois même moins de 10 %), avec de surcroît une tendance générale à la baisse au cours des années 1980 et 1990 (sur laquelle nous reviendrons). Il est donc très difficile de comparer de telles situations aux sociétés sociales-démocrates européennes. Nous étudierons également dans les prochains chapitres le cas spécifique des sociétés communistes et postcommunistes et leur influence sur les perceptions de l'État social-démocrate. Plus généralement, nous reviendrons de façon détaillée dans la quatrième partie de ce livre sur l'évolution de la structure des électorats et des coalitions « sociales-démocrates » en Europe, aux États-Unis et dans les autres parties du monde, ce qui nous permettra de mieux comprendre les spécificités de ces différentes trajectoires et constructions politiques.

Des limites des sociétés sociales-démocrates

À ce stade, notons simplement que la plupart des grandes régions du monde, qu'il s'agisse de l'Europe sociale-démocrate, des États-Unis, de l'Inde ou de la Chine, ont connu depuis 1980 un mouvement de retour des inégalités, avec une forte hausse de la part des 10 % des revenus les plus élevés dans le revenu total, et une baisse significative de la part allant aux 50 % les plus pauvres (voir graphique 11.1)[1]. Au sein de ce paysage mondial général, les sociétés sociales-démocrates européennes sont certes celles où les inégalités ont le moins fortement progressé entre 1980 et 2018. En ce sens, le modèle social-démocrate européen apparaît plus protecteur que tous les autres modèles (et en particulier que le maigre État social étatsunien) face aux tendances inégalitaires de la mondialisation à l'œuvre depuis les années 1980. Il n'en reste pas moins que la rupture par rapport aux périodes précédentes, en particulier par comparaison à la baisse historique des inégalités qui a eu lieu entre 1914 et 1950 et la stabilisation des années 1950-1980, est extrêmement claire, y compris en Europe[2]. Dans un contexte de concurrence fiscale

---

1. L'Europe au sens défini sur le graphique 11.1 comprend à la fois l'ouest et l'est du continent (soit au total plus de 540 millions d'habitants). Si l'on se restreint à l'Europe occidentale, l'écart avec les États-Unis apparaît plus fort encore. Voir chapitre 12, graphique 12.9, p. 741.

2. Voir également chapitre 10, graphiques 10.1 et 10.2, p. 493 et 494.

et sociale croissante, que les gouvernements sociaux-démocrates européens eux-mêmes ont d'ailleurs fortement contribué à créer, et qui pose également de multiples difficultés aux pays africains, asiatiques et latino-américains cherchant à développer des modèles sociaux viables, il n'est en outre pas exclu que cette tendance inégalitaire post-1980 s'amplifie à l'avenir. Si l'on ajoute à cela le fait que la plupart des pays du Vieux Continent ont été confrontés au cours des années 2000-2020 à une nouvelle montée en puissance de mouvements nationalistes et anti-immigrés, on voit à quel point la social-démocratie européenne peut difficilement se contenter de se reposer sur son bilan et ses succès passés.

Graphique 11.1

La divergence entre hauts et bas revenus, 1980-2018

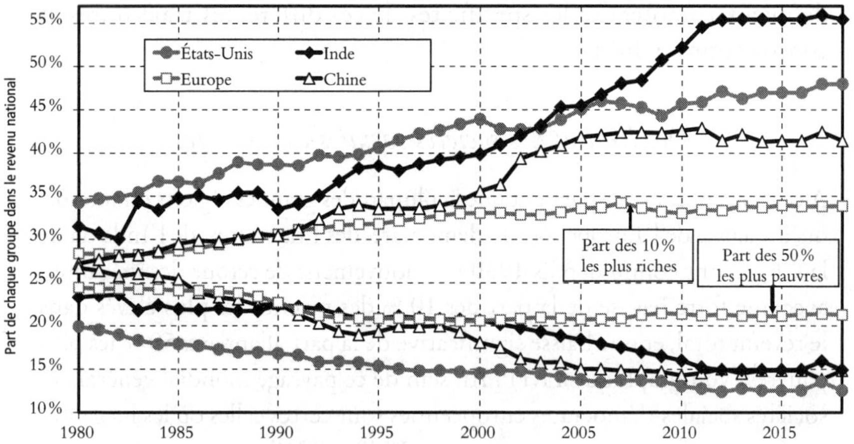

Lecture : la part du décile supérieur (les 10 % les plus élevés) a progressé dans toutes les régions du monde : elle était comprise entre 27 % et 34 % en 1980 ; elle se situe entre 34 % et 56 % en 2018. La part des 50 % les plus pauvres s'est réduite : elle était comprise entre 20 % et 27 % ; elle est maintenant entre 12 % et 21 %. La divergence entre hauts et bas revenus est générale, mais son ampleur varie suivant les pays : elle est plus forte en Inde et aux États-Unis qu'en Chine et en Europe (UE).
Sources et séries : voir piketty.pse.ens.fr/ideologie.

Par ailleurs, le caractère égalitaire de la période 1950-1980 ne doit pas être exagéré. Par exemple, si l'on examine le cas de la France (relativement représentative des évolutions ouest-européennes) et des États-Unis, on constate que la part du revenu national allant aux 50 % les plus pauvres a toujours été nettement inférieure à celle revenant aux 10 % les plus riches (voir graphique 11.2). En France, au début du XXe siècle, les 10 % les plus riches bénéficiaient d'environ 50-55 % du revenu total, et les 50 % les plus pauvres d'une part de l'ordre de quatre fois plus faible (autour de

13 % du revenu total). Les premiers étant par définition cinq fois moins nombreux que les seconds, cela signifie que le revenu moyen des 10 % les plus riches était environ vingt fois plus élevé que celui des 50 % les plus pauvres. Dans les années 2010, ce même rapport est de près de 8 : le revenu moyen des 10 % les plus riches en 2015 était en moyenne d'environ 113 000 euros par adulte, contre 15 000 euros pour les 50 % les plus pauvres. On voit donc que la société sociale-démocrate, si elle est moins inégale que la société de propriétaires de la Belle Époque ou que les autres modèles de sociétés de par le monde, demeure une société fortement hiérarchisée sur le plan économique et monétaire. Quant aux États-Unis, on constate que le rapport approche de 20 : près de 250 000 euros en moyenne pour le décile supérieur, contre environ 13 000 euros pour la moitié la plus pauvre. Nous verrons plus loin que les impôts et transferts n'améliorent que très légèrement la situation de la moitié la plus pauvre de la population aux États-Unis dans les années 2010-2020 (et par ailleurs que les écarts entre États-Unis et Europe sont dus aux écarts avant impôts et transferts).

Graphique 11.2
Bas et hauts revenus : France et États-Unis, 1910-2015

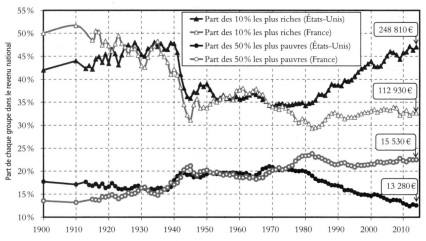

Lecture : les inégalités de revenus aux États-Unis ont dépassé en 2010-2015 leur niveau de 1900-1910, alors qu'elles se sont réduites en France (et en Europe). Dans les deux cas, les inégalités sont néanmoins restées très fortes : bien que 5 fois moins nombreux, les 10 % les plus riches reçoivent toujours une part du revenu total beaucoup plus forte que les 50 % les plus pauvres. Les revenus indiqués sont les revenus annuels moyens de chaque groupe en euros de 2015 (exprimés en parité de pouvoir d'achat).
Sources et séries : voir piketty.pse.ens.fr/ideologie.

Propriété publique, propriété sociale, propriété temporaire

Pour toutes ces raisons, il est essentiel de se réinterroger sur les acquis et les limites des sociétés sociales-démocrates. Les institutions sociales-démocrates, qu'il s'agisse du système légal (et notamment du droit des entreprises et du droit du travail), du système d'assurances sociales, du système éducatif ou du système fiscal, ont souvent été mises en place dans l'urgence de l'après-guerre (ou parfois de la crise des années 1930) et n'ont jamais été véritablement pensées comme un tout cohérent. En particulier, chaque pays s'est le plus souvent appuyé sur sa propre expérience, et assez peu sur celles des autres. Les phénomènes de diffusion et d'apprentissage mutuel ont parfois été importants, par exemple concernant l'envol des taux supérieurs de l'impôt progressif sur les revenus et les successions, mais ils ont été beaucoup plus limités pour les politiques sociales et le système légal.

Nous allons nous intéresser tout d'abord à la question du régime de propriété. Pour simplifier, on peut dire qu'il existe trois façons de dépasser le système fondé sur la propriété privée des entreprises et la toute-puissance des actionnaires. Il s'agit d'une part de la propriété publique : l'État central, une collectivité locale (région, département, commune, etc.), ou bien une agence sous contrôle de la puissance publique deviennent les propriétaires d'une entreprise en lieu et place des actionnaires privés. Il s'agit d'autre part de la propriété sociale : les salariés participent à la direction des entreprises et partagent le pouvoir avec les actionnaires privés (et le cas échéant publics), éventuellement en les en évinçant complètement. Il s'agit enfin de ce que je propose d'appeler la « propriété temporaire » : les propriétaires privés les plus fortunés doivent rendre chaque année à la collectivité une partie de ce qu'ils possèdent, afin de permettre la circulation des biens et une moins forte concentration de la propriété privée et du pouvoir économique. Cela peut par exemple prendre la forme d'un impôt progressif sur la propriété permettant de financer une dotation universelle en capital versée à chaque jeune adulte, ainsi que nous l'analyserons plus loin[1].

Pour résumer : la propriété publique équilibre la puissance du propriétaire privé par celle de l'État ; la propriété sociale vise à partager le pouvoir et le contrôle des moyens de production au niveau des entreprises ; la

1. Voir chapitre 17, p. 1122-1150.

propriété temporaire fait circuler la propriété privée et empêche la persistance de détentions trop importantes.

Tous les éléments historiques dont nous disposons aujourd'hui suggèrent que ces trois formes de dépassement de la propriété privée sont complémentaires les unes des autres. Autrement dit, c'est en ayant recours à un mélange de propriété publique, de propriété sociale et de propriété temporaire qu'il est possible de dépasser réellement et durablement le capitalisme. Les sociétés communistes de type soviétique ont tenté de s'appuyer presque uniquement sur la propriété publique, et en l'occurrence sur la propriété étatique hypercentralisée de la quasi-totalité des entreprises et du capital immobilier, ce qui les a conduites à un cuisant échec. Les sociétés sociales-démocrates ont développé des approches plus équilibrées, en s'appuyant d'une certaine façon sur les trois registres, mais à chaque fois de manière insuffisamment ambitieuse et systématique, notamment pour ce qui concerne la propriété sociale et la propriété temporaire. Trop souvent, l'accent a été mis sur les nationalisations et la propriété étatique, avant que cette option soit finalement abandonnée après la chute du communisme, sans être véritablement remplacée par un programme alternatif digne de ce nom, si bien que la question même du dépassement de la propriété privée a souvent été abandonnée presque entièrement par les sociaux-démocrates.

De façon générale, il faut insister sur le fait que chacun de ces trois dépassements de la propriété privée peut prendre des formes multiples, qui constituent autant de champs inépuisables d'expérimentation historique, sociale et politique. Dans le cadre de cette enquête, il ne s'agit en aucune façon de clore le débat, mais au contraire de contribuer à l'ouvrir, dans toute sa complexité. Par exemple, il existe de multiples formes de propriété publique, plus ou moins démocratiques et participatives, en fonction notamment de la façon dont on organise la gouvernance des entreprises publiques, par exemple au travers de la représentation des usagers, des citoyens et des différentes parties prenantes au sein des conseils de direction ou de surveillance, ou encore du mode de nomination et de contrôle des administrateurs par les structures étatiques et les collectivités publiques concernées. La propriété publique peut parfaitement se justifier et a souvent démontré sa supériorité sur la propriété privée dans de nombreux secteurs, par exemple dans les transports, la santé ou l'éducation, à la condition toutefois que la gouvernance des entreprises et des administrations publiques concernées favorise la transparence et la réactivité aux besoins des citoyens et des usagers. Concernant la propriété temporaire, et la dotation universelle en capital, elle peut notamment impliquer la mise en place de diverses formes d'impôt progressif sur la propriété, qui ont été insuffisamment expérimentées jusqu'ici, et sur lesquelles je reviendrai de façon détaillée. Enfin, la propriété sociale et le partage du pouvoir entre salariés et actionnaires peuvent également être organisés de différentes façons, dont certaines sont en place dans plusieurs pays européens depuis les années 1950. Nous allons commencer par là.

Partager le pouvoir, instituer la propriété sociale : une histoire inachevée

L'Allemagne et la Suède, et plus généralement les sociétés sociales-démocrates d'Europe germanique et nordique (notamment en Autriche, au Danemark et en Norvège), sont les pays qui ont été le plus loin dans la mise en place de la cogestion, qui est une forme particulière de propriété sociale des entreprises et de partage du pouvoir institutionnalisé entre salariés et actionnaires. Précisons d'emblée que la cogestion n'est pas une fin en soi et peut être dépassée ; encore faut-il partir de cette expérience historique importante pour mieux comprendre les suites possibles.

Le cas allemand est particulièrement intéressant, compte tenu notamment de l'importance du modèle social et industriel allemand au sein de la social-démocratie européenne[1]. La loi de 1951 introduisit pour la première fois l'obligation pour les grandes entreprises industrielles de l'acier et du charbon de réserver la moitié des sièges et des droits de vote dans les conseils d'administration pour les représentants des salariés (élus généralement sur des listes syndicales). Concrètement, cela signifie que les administrateurs salariés peuvent voter sur tous les choix stratégiques de l'entreprise (à commencer par la nomination et la révocation de l'équipe dirigeante, ainsi que l'approbation des comptes) et ont accès aux mêmes documents que les administrateurs choisis par les actionnaires. Puis la loi de 1952 institua pour l'ensemble des grandes entreprises (tous secteurs

---

1. Pour une analyse récente de la mise en place de la cogestion allemande, voir E. McGau-
ghey, « The Codetermination Bargains : The History of German Corporate and Labour Law », *Columbia Journal of European Law*, vol. 23 (1), 2017, p. 1-43. Voir également S. Silvia, *Holding the Shop Together : German Industrial Relations in the Postwar Era*, Cornell University Press, 2013. Le système allemand de *Mitbestimmung* peut être traduit par « codétermination » ou « cogestion ». Je choisis d'utiliser ce second terme, qui me semble plus expressif en français.

confondus, hors acier et charbon) l'obligation d'avoir un tiers des sièges pour les représentants des salariés. Ces deux textes, adoptés sous le chancelier chrétien-démocrate Konrad Adenauer (1949-1963), contenaient également des dispositions étendues sur le rôle des comités d'entreprise et des délégués syndicaux dans les négociations collectives, en particulier concernant les questions salariales et l'organisation du travail et de la formation professionnelle.

Ces textes de lois furent ensuite approfondis avec l'arrivée des sociaux-démocrates au pouvoir à Bonn de 1969 à 1982 (sous Willy Brandt puis Helmut Schmidt). Les débats aboutirent au vote de la grande loi de 1976 sur la cogestion, inchangée dans ses grandes lignes jusqu'à nos jours, et qui généralisa à l'ensemble des entreprises de plus de 2 000 salariés l'obligation de réserver la moitié des sièges et des droits de vote pour les représentants des salariés (et un tiers dans les entreprises comprenant entre 500 et 2 000 salariés). Ces sièges et ces droits de vote sont attribués aux représentants des salariés en tant que tels, indépendamment de toute participation au capital. En présence d'actionnariat salarié (à titre individuel ou par l'intermédiaire d'un fonds de pension ou d'une autre structure collective), cela peut donner lieu à des sièges supplémentaires au sein des conseils d'administration, et possiblement faire basculer la structure de la majorité. Il en va de même en cas d'un actionnariat public minoritaire[1].

Il est important d'insister sur le fait que ce système, qui a valeur légale et obligatoire depuis les lois de 1951-1952 et de 1976, est avant tout la conséquence de la très forte mobilisation des syndicats allemands depuis la fin du XIXe siècle et au début du XXe, ainsi que d'une trajectoire historique spécifique. Si ces règles sont aujourd'hui largement acceptées en Allemagne, y compris par les employeurs, il ne faut pas oublier qu'elles ont été vivement combattues en leur temps par les actionnaires et propriétaires allemands, et qu'elles ne leur ont été imposées qu'à l'issue d'intenses luttes sociales et politiques, menées dans des circonstances historiques où les rapports de force entre salariés et actionnaires étaient un peu moins déséquilibrés que d'ordinaire. C'est en particulier dans le contexte très particulier (et par moments quasiment insurrectionnel) de 1918-1922, à l'issue de la Première Guerre mondiale, que le mouvement syndical allemand réussit

---

1. Par exemple le Land de Basse-Saxe détient en 2019 13 % du capital de Volkswagen, et les statuts de l'entreprise lui garantissent 20 % des droits de vote.

pour la première fois à négocier avec les employeurs de nouveaux droits pour les comités d'entreprise, les délégués syndicaux et la fixation des salaires, dispositions qui furent ensuite reprises dans la loi de 1922 sur les négociations collectives et les représentants des salariés.

C'est également sous la pression du mouvement syndical et de sociaux-démocrates que la Constitution de Weimar de 1919 institua une conception beaucoup plus sociale et instrumentale de la propriété que tous les textes constitutionnels précédents. En particulier, la Constitution de 1919 précise que la loi fixe les conditions d'exercice et les limites du droit de propriété, qui n'est plus dès lors considéré comme un droit naturel et sacré. Le texte envisage explicitement la possibilité d'expropriations et de nationalisations, si le « bien de la communauté » l'exige, suivant des termes fixés par la loi. Cette dernière détermine également le régime foncier et la répartition des sols, en fonction d'objectifs sociaux explicites[1]. La Loi fondamentale allemande de 1949 reprendra des dispositions similaires, en précisant que le droit de propriété n'est légitime que dans la mesure où il contribue au bien-être général de la collectivité. Le texte mentionne explicitement la socialisation des moyens de production, dans des termes qui ouvrent la possibilité de mesures telles que la cogestion[2]. Même si certaines formulations pourraient évidemment être discutées et améliorées, il s'agit là d'une innovation juridique et constitutionnelle radicale[3]. Dans de nombreux pays, les débats sur le partage du pouvoir dans les entreprises, et plus généralement sur la redéfinition du régime de propriété et la redistribution des biens, se sont en effet souvent heurtés (et se heurtent toujours) à des arguments formulés en termes d'inconstitutionnalité et

---

1. « La répartition et l'utilisation du sol sont contrôlées par l'État de manière à empêcher les abus et à atteindre l'objectif d'assurer à tous une habitation saine et à toutes les familles, particulièrement aux familles nombreuses, un foyer domestique et d'activité économique, correspondant à leurs besoins. [...] La propriété foncière dont l'acquisition est nécessaire pour satisfaire aux besoins résultant du manque de logements [...] ou pour développer l'agriculture peut être expropriée » (article 155).

2. « Le sol et les terres, les ressources naturelles et les moyens de production peuvent être placés sous un régime de propriété collective ou d'autres formes de gestion collective par une loi » (article 15).

3. De façon quasi contemporaine à la Constitution allemande de 1919, les Constitutions mexicaines de 1910 et 1917 ouvrirent également la voie à des redistributions de la propriété, et en particulier à une vaste réforme agraire, avec toutefois moins de succès que la cogestion à l'allemande, ce qui montre au passage qu'une Constitution ouverte à la propriété sociale n'est pas suffisante. Il faut également et surtout que les forces sociales et politiques en présence parviennent à se saisir de ces opportunités nouvelles.

de violation supposées du droit de propriété, envisagé comme absolu et sans limites.

Après une suspension de 1933 à 1945, les droits syndicaux prévus par la loi allemande de 1922 furent réactivés à la chute du nazisme et pendant la période d'occupation alliée. Dans le contexte de la reconstruction, les syndicats, de nouveau en position de force, négocièrent entre 1945 et 1951 de nouveaux pouvoirs avec les employeurs des secteurs sidérurgiques et énergétiques, et en particulier une participation paritaire aux organes de direction des entreprises. Ces nouveaux droits, obtenus par la négociation et les luttes, furent simplement retranscrits dans la loi de 1951. De ce point de vue, la loi de 1952 fut ressentie par les fédérations syndicales allemandes (en particulier la DGB, Confédération allemande des syndicats) comme une déception, voire un retour en arrière[1]. La participation des salariés dans les conseils d'administration (hors acier et charbon) était limitée à un tiers (soit en pratique à peine deux ou trois sièges, suivant la taille des conseils), alors que les syndicats militaient pour la généralisation du principe d'une représentation paritaire des salariés et des actionnaires. La loi prévoyait en outre des élections séparées pour les représentants des salariés manuels et non manuels, ce qui aux yeux des syndicats revenait à diviser et affaiblir la voix des salariés.

Réussites et limites de la cogestion à l'allemande

De façon générale, il faut également souligner que l'une des principales limitations de la cogestion à l'allemande est que la parité, en l'absence d'un actionnariat salarié ou public supplémentaire, est en partie un leurre. En cas d'égalité des voix, ce sont en effet les administrateurs choisis par les actionnaires qui disposent de la voix décisive, par exemple pour nommer la direction de l'entreprise ou pour choisir sa stratégie d'investissement ou de recrutement. Cette voix décisive est exercée par le président du conseil, qui est toujours un représentant des actionnaires. Un autre point essentiel à prendre en compte est que la plupart des entreprises allemandes sont gouvernées non pas par un conseil d'administration unique (comme cela est le cas dans la plupart des pays), mais par une structure bicéphale

---

1. Sur ces débats, voir E. McGAUGHEY, « The Codetermination Bargains », art. cité. Voir également C. KERR, « The Trade Union Movement and the Redistribution of Power in Postwar Germany », *Quarterly Journal of Economics*, vol. 68 (41), 1954, p. 556-557.

composée d'un conseil de surveillance et d'un directoire. Les représentants des salariés disposent alors de la moitié des sièges au conseil de surveillance, mais compte tenu de la voix prépondérante des actionnaires ces derniers peuvent nommer tous les membres qu'ils souhaitent au directoire, qui est la structure de direction opérationnelle de la société. L'une des revendications récurrentes des syndicats allemands, toujours insatisfaite à ce jour, est que la parité s'applique également au directoire, c'est-à-dire que les représentants des salariés puissent choisir la moitié de l'équipe dirigeante, et pas uniquement le directeur du personnel et des ressources humaines (poste souvent occupé par un représentant syndical dans les grandes entreprises allemandes, ce qui constitue déjà une différence significative avec les pratiques de la plupart des autres pays). Ces débats montrent que la propriété sociale et la cogestion, telles qu'elles ont été expérimentées à ce jour, ne doivent pas être conçues comme des solutions fermées. Il s'agit au contraire d'une histoire en cours, et largement inachevée, faute d'avoir été suffisamment approfondie et prolongée.

Dans le cas de la Suède, la loi de 1974, étendue en 1980 et 1987, prévoit un tiers des sièges au conseil d'administration de toutes les entreprises de plus de 25 salariés[1]. Les entreprises suédoises étant gouvernées par un conseil d'administration unique, cette représentation certes minoritaire peut parfois permettre un contrôle opérationnel plus poussé que la parité allemande dans les conseils de surveillance (qui sont plus éloignés de la gestion effective de l'entreprise que ne le sont les conseils d'administration suédois). Ces règles s'appliquent en outre à de beaucoup plus petites entreprises que dans le cas allemand (qui concerne uniquement les entreprises au-delà de 500 salariés, ce qui est extrêmement restrictif). Au Danemark et en Norvège, les salariés ont également droit à un tiers des sièges dans les entreprises de plus de 35 et 50 salariés[2]. En Autriche, la proportion est aussi d'un tiers, mais la règle s'applique uniquement au-delà de 300 salariés, ce qui restreint considérablement le champ d'application (presque autant qu'en Allemagne).

1. Plus précisément, la loi actuellement en vigueur prévoit deux sièges pour les entreprises de 25 à 1 000 salariés, et trois sièges au-delà de 1 000 salariés, ce qui compte tenu de la taille des conseils d'administration correspond en général à environ un tiers des sièges dans les deux cas.

2. Il s'agit dans les deux cas d'un nombre de sièges salariés égal à la moitié du nombre d'administrateurs nommés par les actionnaires, donc exactement un tiers au total. Les entreprises comprises entre 30 et 50 salariés donnent également droit à un administrateur salarié en Norvège. Voir annexe technique.

Quelles que soient les limites de la cogestion germanique et nordique, telle qu'elle s'est appliquée depuis la Seconde Guerre mondiale, tous les éléments disponibles suggèrent que ces nouvelles règles ont permis un certain rééquilibrage du pouvoir entre salariés et actionnaires et un développement économique et social plus harmonieux et au final plus efficace au sein des entreprises concernées (tout du moins par comparaison à la situation où les salariés n'ont aucune représentation aux conseils d'administration). En particulier, le fait que les syndicats participent à la définition de la stratégie à long terme des entreprises, et disposent à cette fin de toutes les informations et tous les documents nécessaires, semble permettre une plus grande implication des salariés et une plus forte productivité d'ensemble. La présence de salariés au sein des conseils d'administration a également permis de limiter l'inégalité des salaires, et en particulier de mieux contrôler la croissance parfois vertigineuse des rémunérations des cadres dirigeants observée dans les autres pays. Concrètement, les dirigeants des entreprises allemandes, suédoises ou danoises ont dû se contenter depuis les années 1980-1990 de hausses de rémunération sensiblement moins mirobolantes que leurs homologues anglo-saxons, et cela ne semble pas avoir nui à la productivité et à la compétitivité des entreprises concernées, bien au contraire[1].

La critique selon laquelle la présence minoritaire des salariés aux conseils d'administration les conduirait à cautionner les décisions unilatérales des actionnaires et nuirait à la combativité syndicale ne semble pas davantage justifiée. Le système de cogestion doit certes être amélioré et dépassé. Il n'en reste pas moins que tous les pays qui ont introduit des sièges pour les salariés aux conseils d'administration ont également mis en place des systèmes de négociations collectives permettant aux salariés d'être représentés au sein de comités d'entreprise, de délégations syndicales ou d'autres structures uniquement composées de salariés et chargées de négocier directement les conditions d'emploi et de salaires avec les directions des entreprises (que ces dernières aient été nommées ou non avec l'aval des administrateurs salariés, et sans que ceci empêche cela). En Suède, ce sont avant tout ces organes de négociation capital-travail qui ont été investis par les syndicats après l'arrivée des sociaux-démocrates au pouvoir à partir des années 1930 et 1940. Des institutions du même type ont

---

1. Voir E. McGaughey, « Do Corporations Increase Inequality ? », Transnational Law Institute, King's College London, 2016. Nous reviendrons plus loin sur les autres déterminants de la fixation des rémunérations des cadres dirigeants, et en particulier le degré de progressivité fiscale.

d'ailleurs permis de développer un véritable statut salarial, avec notamment la fixation d'un revenu garanti (en général sous forme d'un salaire mensuel, en lieu et place des salaires à la tâche ou à la journée qui prévalaient au XIXᵉ siècle) et la protection contre les licenciements abusifs (ce qui permet là encore un meilleur investissement à long terme des salariés dans l'entreprise), dans la quasi-totalité des pays développés, y compris en l'absence de représentation des salariés dans les conseils d'administration[1]. Simplement, le fait d'obtenir de surcroît des sièges au sein des conseils d'administration constitue un canal supplémentaire d'influence. Ceci est particulièrement vrai dans une phase de déclin industriel et syndical, et contribue à expliquer une plus grande résilience du modèle social et économique germanique et nordique depuis les années 1980 et 1990[2]. Pour résumer, la cogestion est l'une des formes les plus élaborées et les plus durables dans laquelle s'institutionnalise à partir du milieu du XXᵉ siècle le nouveau rapport de force travail-capital en construction dans le cadre des luttes syndicales, ouvrières et politiques menées depuis le milieu du XIXᵉ siècle, à l'issue d'un très long processus[3].

De la lente diffusion de la cogestion germanique et nordique

Résumons. Dans les pays germaniques et nordiques (notamment en Allemagne, Autriche, Suède, Danemark et Norvège), les représentants des salariés ont entre un tiers et la moitié des sièges et des droits de vote au sein des conseils d'administration des entreprises (ou tout du moins des plus grandes d'entre elles), indépendamment de toute participation au capital. Dans le cas de l'Allemagne, pays précurseur sur ces questions, le

---

1. Sur la lente constitution d'un statut du travail salarié et d'une véritable « société salariale », voir R. CASTEL, *Les Métamorphoses de la question sociale, op. cit.*, p. 594-595. Il faut par exemple attendre 1969-1977 pour que la mensualisation soit généralisée en France. Voir également R. CASTEL, C. HAROCHE, *Propriété privée, Propriété sociale, Propriété de soi*, Fayard, 2001.

2. Voir E. McGAUGHEY, « Do Corporations Increase Inequality ? », art. cité.

3. Parmi les nombreux travaux consacrés à l'histoire de cette mobilisation, voir. S. BARTOLINI, *The Political Mobilization of the European Left 1860-1980 : The Class Cleavage*, Cambridge University Press, 2000. Pour une analyse novatrice des réseaux européens et des premières formes d'entraide ouvrière et de caisses de grève développées à partir des années 1860, en particulier dans le cadre de la Première Internationale (1864-1876), voir N. DELALANDE, *La Lutte et l'Entraide. L'âge des solidarités ouvrières*, Seuil, 2019.

système est en place depuis le début des années 1950. Pourtant, jusqu'aux années 2010, en dépit des succès largement reconnus du modèle social et industriel germanique et nordique, caractérisé par un haut niveau de vie et de productivité et une inégalité modérée, les autres pays n'ont pas suivi ce mouvement. Au Royaume-Uni comme aux États-Unis, en France comme en Italie ou en Espagne, au Japon comme au Canada ou en Australie, les entreprises privées ont continué d'être gouvernées suivant les règles immuables des sociétés par actions. Autrement dit, l'assemblée générale des actionnaires continue dans tous ces pays de désigner la totalité des administrateurs, sur la base « une action, une voix », sans aucune représentation pour les salariés (ou bien parfois avec une représentation purement consultative, sans droit de vote).

Les choses ont commencé à changer légèrement avec l'adoption en France en 2013 d'une loi contraignant les entreprises de plus de 5 000 salariés à avoir un siège sur douze pour les salariés dans leurs conseils d'administration. Ces nouvelles règles françaises sont toutefois extrêmement restrictives par comparaison aux systèmes en vigueur dans les pays germaniques et nordiques (aussi bien du point de vue du nombre d'administrateurs salariés que du champ d'entreprises couvertes)[1]. Il n'est certes pas exclu que de tels dispositifs soient étendus au cours des années 2020, non seulement en France mais également au Royaume-Uni et aux États-Unis, où des propositions relativement ambitieuses et novatrices ont récemment été débattues et reprises par des responsables travaillistes et démocrates. Si ces propositions françaises et anglo-saxonnes étaient appliquées, il est possible que les conditions d'une diffusion mondiale beaucoup plus large seraient alors réunies. Il reste qu'en 2019, si l'on excepte le maigre siège français introduit en 2013, les dispositifs de partage du pouvoir et de cogestion demeurent étroitement confinés aux pays germaniques et nordiques. Il s'agit encore aujourd'hui de la marque de fabrique du capitalisme rhénan et scandinave, et non du capitalisme anglo-saxon (ni d'ailleurs du capitalisme français, latin ou nippon). Comment expliquer une diffusion aussi limitée et aussi lente, si l'on compare par exemple à la diffusion rapide et

---

1. Plus précisément, la loi crée un siège pour un administrateur salarié lorsque le conseil d'administration compte moins de douze membres, et deux sièges pour les administrateurs salariés au-delà de ce seuil. La loi de 2013 prévoyait une application aux entreprises employant plus de 5 000 salariés en France (ou plus de 10 000 dans le monde), et ces seuils ont été abaissés en 2015 aux entreprises employant plus de 1 000 salariés en France (ou plus de 5 000 dans le monde).

généralisée de la progressivité fiscale à grande échelle à l'issue de la Première Guerre mondiale et dans l'entre-deux-guerres ?

La première explication est que le fait de donner une part substantielle des droits de vote aux salariés, en l'absence de toute participation au capital, représente une remise en cause relativement radicale de la notion même de propriété privée, à laquelle les actionnaires et les propriétaires se sont toujours opposés avec une énergie particulière. Il est aisé de défendre l'idée théorique d'une certaine diffusion de la propriété, y compris pour des partis politiques relativement conservateurs sur le plan économique. Le mouvement gaulliste en France a ainsi promu l'idée de participation (notion qui recouvre à la fois l'actionnariat salarié et la possibilité de primes salariales indexées sur les bénéfices, mais sans droit de vote). Les conservateurs britanniques comme les républicains étatsuniens ont régulièrement défendu l'actionnariat populaire, par exemple lors des privatisations thatchériennes des années 1980. Mais changer les règles reliant la propriété du capital et le pouvoir de disposer librement du bien en question (pouvoir qui est réputé absolu dans les définitions classiques de la propriété), et créer en l'occurrence des droits de vote pour des personnes qui ne possèdent rien, constitue des opérations très déstabilisantes d'un point de vue conceptuel, plus encore d'un certain point de vue que l'impôt progressif. En Allemagne comme dans les pays nordiques, seules des circonstances historiques spécifiques et une mobilisation particulièrement forte du mouvement syndical et des partis sociaux-démocrates ont rendu possibles ces transformations et ces réécritures du droit de la propriété et des entreprises.

La seconde explication, complémentaire à la première, est précisément que les forces politiques et sociales dans les autres pays n'avaient pas la même détermination pour imposer ces règles, pour des raisons qui tiennent aux trajectoires politico-idéologiques propres à chaque pays. Dans le contexte français, on considère souvent que le goût durable du mouvement socialiste pour les nationalisations (qui constituaient par exemple le socle du programme d'union de la gauche dans les années 1970) et son peu d'appétence pour la cogestion tiennent à l'idéologie réputée étatiste du socialisme français et à son faible lien avec le mouvement syndical. De fait, aucune mesure visant à instituer des administrateurs salariés dans les entreprises privées ne fut prise entre 1981 et 1986, période au cours de laquelle les socialistes disposaient pourtant d'une majorité absolue à l'Assemblée nationale. Le rôle des délégués syndicaux dans les négociations sur les salaires et les conditions de travail fut étendu, et d'autres

mesures favorisant la décentralisation et la participation furent mises en
œuvre dans d'autres secteurs (comme la plus grande liberté laissée aux
collectivités locales), mais le lien exclusif entre actionnariat et pouvoir
décisionnaire dans les entreprises ne fut pas brisé. En revanche, la grande
loi de nationalisation de 1982 entreprit de compléter les nationalisations
de la Libération en englobant dans le secteur public la quasi-totalité du
secteur bancaire et les principaux groupes industriels, et en y nommant
par conséquent des administrateurs choisis par l'État en lieu et place des
administrateurs choisis par les actionnaires. Autrement dit, les socialistes
français considérèrent que l'État et ses hauts fonctionnaires étaient capables
d'intervenir dans tous les conseils d'administration du pays, mais que les
représentants des salariés n'y avaient pas leur place.

Puis le retour au pouvoir en 1986-1988 des partis gaullistes et libéraux,
dans le contexte nouveau des privatisations et dérégulations thatchériennes-
reaganiennes et de l'effondrement graduel du bloc communiste, conduisit
à la mise en vente de l'essentiel des entreprises nationalisées en 1945 et en
1982. Le mouvement de privatisations s'est d'ailleurs en partie poursuivi
pendant les législatures 1988-1993, 1997-2002 et 2012-2017, au cours desquelles les socialistes étaient au pouvoir, sans pour autant que la cogestion
germano-nordique soit mise en place, à l'exception de la timide et tardive
loi de 2013[1]. Les socialistes et communistes français auraient également pu
choisir d'imposer la cogestion dès 1945-1946, mais préférèrent se concentrer sur d'autres combats, comme les nationalisations et la Sécurité sociale.

Il n'est pas certain toutefois que l'explication pour ce peu d'appétence
pour la cogestion soit attribuable à la faiblesse du syndicalisme français.
D'une part, s'il est vrai que le mouvement ouvrier est historiquement moins
puissant et structuré en France qu'en Allemagne ou au Royaume-Uni, et
moins étroitement lié aux partis politiques[2], il n'en reste pas moins que
les syndicats et les mobilisations sociales ont joué un rôle essentiel dans

---

1. Dans sa « Lettre aux Français », François Mitterrand promettait en 1988 le « ni-ni »
(ni nouvelles nationalisations ni nouvelles privatisations). Sa réélection se joua sur cette promesse d'apaisement, ainsi que sur la dénonciation des violences policières face aux manifestations étudiantes (opposées à la hausse des droits d'inscription) et de la suppression de l'impôt
sur les grandes fortunes imprudemment décidée par la droite en 1986.

2. Ce lien moins étroit a souvent été attribué au fait que la démocratie électorale et le
suffrage universel ont précédé la démocratie sociale et le syndicalisme en France (alors que le
contraire est vrai, dans une large mesure, en Allemagne et au Royaume-Uni), d'où une méfiance
particulière des syndicats (qui ont longtemps subi les conséquences de l'interdiction des
groupements professionnels et des corporations par la loi de 1791 et n'ont été légalisés qu'en

l'histoire politique du pays (en particulier en 1936, 1945, 1968, 1981, 1995 et 2006). D'autre part et surtout, la cogestion germano-scandinave ne s'est pas davantage étendue au Royaume-Uni, alors même que le Labour Party est structurellement lié depuis ses origines au puissant mouvement syndical britannique. L'explication la plus probable pour ce manque d'appétence partagé est que les socialistes français comme les travaillistes britanniques ont longtemps considéré que seules les nationalisations et la propriété étatique des grandes entreprises permettaient de véritablement changer les rapports de force et de dépasser le capitalisme. C'est évident dans le cas de la France (comme l'indique le programme de 1981), mais cela l'est tout autant pour le Royaume-Uni. La constitution du parti travailliste de 1918, au travers de sa fameuse « clause IV », fixait pour objectif central la collectivisation des moyens de production (ou tout du moins a été interprétée comme telle). Les programmes travaillistes promettaient encore dans les années 1980 de nouvelles nationalisations et une extension indéfinie du secteur public, jusqu'à ce que le New Labour de Tony Blair parvienne en 1995 à supprimer de la clause IV toute référence au régime de propriété[1].

Socialistes, travaillistes, sociaux-démocrates : trajectoires croisées

De ce point de vue, c'est plutôt le SPD qui constitue une exception. Alors que les partis français et britanniques attendent la chute de l'Union soviétique en 1989-1991 pour renoncer aux nationalisations comme élément central de leur programme, les sociaux-démocrates allemands adoubent dès 1950 les principes de la cogestion et abandonnent les nationalisations à Bad Godesberg en 1959. Il est intéressant de noter qu'il en allait différemment

---

1883) vis-à-vis des parlementaires et du pouvoir politique. Voir par exemple M. Duverger, *Les Partis politiques*, Armand Colin, 1951, p. 33-34.

1. En réalité, la clause IV de 1918 ouvrait la possibilité de plusieurs formes de propriété, puisqu'il était indiqué que l'objectif du parti était le suivant : « To secure for the workers by hand or by brain the full fruits of their industry and the most equitable distribution thereof that may be possible upon the basis of the common ownership of the means of production, distribution and exchange, and the best obtainable system of popular administration and control of each industry or service. » La clause adoptée en 1995 est formulée ainsi : « The Labour Party is a democratic socialist party. It believes that by the strength of our common endeavour we achieve more than we achieve alone, so as to create for each of us the means to realise our true potential and for all of us a community in which power, wealth and opportunity are in the hands of the many, not the few, where the rights we enjoy reflect the duties we owe, and where we live together, freely, in a spirit of solidarity, tolerance and respect. »

dans l'entre-deux-guerres : dans les années 1920 et 1930, le SPD plaçait les nationalisations au cœur de son programme, de la même façon que ses équivalents français et britanniques, et ne s'intéressait guère à la cogestion[1]. Si les choses ont changé en 1945-1950, c'est donc du fait des spécificités de la trajectoire politico-idéologique allemande. Outre le fait que les très durs affrontements de l'entre-deux-guerres entre SPD et KPD ont laissé des traces[2], les sociaux-démocrates ouest-allemands ont toutes les raisons en 1950 de vouloir se démarquer des communistes est-allemands et de la propriété étatique. L'expérience traumatisante d'un pouvoir étatique hypertrophié sous le régime nazi a sans doute également contribué aux yeux du SPD et de l'opinion allemande à disqualifier les nationalisations et la propriété d'État, ou tout du moins à rehausser l'attrait des solutions autogestionnaires[3].

En tout état de cause, il est intéressant de noter que l'abandon au début des années 1990 de la référence aux nationalisations ne conduisit pas pour autant les socialistes français et les travaillistes britanniques à épouser l'agenda cogestionnaire. Au cours de la période 1990-2010, les uns et les autres ne paraissent plus vraiment habités par la moindre volonté de transformation du régime de propriété. Le capitalisme privé et le principe « une action, une voix » semblent devenir pour eux des horizons indépassables, au moins temporairement. Ils y contribuèrent d'ailleurs en poursuivant certaines privatisations autant qu'en soutenant la libéralisation des flux de capitaux et la course-poursuite à la baisse sur la fiscalité des sociétés[4]. Dans le cas français, le fait que la cogestion soit finalement revenue sur le devant de la scène avec la timide loi de 2013 doit beaucoup

---

1. Il en allait de même avant la Première Guerre mondiale, en particulier lors de la mise en minorité du réformisme « révisionniste » de Bernstein au congrès de Hanovre en 1899. Voir chapitre 10, p. 500.

2. Lors des élections décisives de 1930-1932, le SPD (sociaux-démocrates) et le KPD (communistes) réunirent à eux deux davantage de voix et de députés que le NSDAP (par exemple 37 % des voix et 221 sièges en regroupant SPD et KPD aux élections de novembre 1932, contre 31 % des voix et 196 sièges pour le NSDAP), et c'est leur incapacité à s'unir qui permit aux nazis d'accéder au pouvoir.

3. Sur ce contexte intellectuel, voir E. McGaughey, « The Codetermination Bargains », art. cité.

4. Les socialistes français au pouvoir en 1997-2002 et les travaillistes britanniques au pouvoir en 1997-2010 entreprirent certes d'autres transformations, en particulier concernant la réduction du temps de travail (pour les premiers) et un certain rattrapage éducatif (surtout pour les seconds). Mais, sur les questions clés du régime de propriété et du régime financier international, les socialistes comme les travaillistes se montrèrent relativement conservateurs.

aux revendications cogestionnaires de certains syndicats (en particulier de la CFDT), et surtout aux succès de plus en plus évidents du secteur industriel allemand. Dans un contexte où la référence à l'Allemagne et à son modèle économique devenait omniprésente à la fin des années 2000 et au début des années 2010, en partie pour de bonnes raisons, il devenait de plus en plus difficile pour les actionnaires et employeurs français de refuser la cogestion et d'expliquer que la présence de salariés allait semer le chaos au sein de conseils d'administration[1]. La timidité de l'avancée de 2013, par comparaison aux pratiques germaniques et nordiques en place depuis des décennies, en dit long sur les résistances politico-idéologiques en jeu, et aussi sur le caractère souvent étroitement national de ces processus d'apprentissage et d'expérimentation.

Dans le cas britannique, le besoin de trouver de nouvelles pistes pour lutter contre la montée des inégalités tout autant que le changement de leadership travailliste en 2015, en partie du fait de l'insatisfaction avec la ligne blairiste et la dérive inégalitaire du pays, contribuèrent au cours des toutes dernières années au développement d'un nouvel agenda politique sur ces sujets. On constate à la fois une approche plus ouverte sur les questions de nationalisation (les entreprises publiques étant de nouveau envisagées comme une forme souhaitable dans certains secteurs, comme les transports ou la distribution d'eau, ce qui témoigne d'un certain pragmatisme par rapport à la phase précédente) et la promotion d'un nouveau système de droit du travail, de gouvernance des entreprises à la britannique. La popularité croissante de l'idée d'une représentation des salariés au sein des conseils d'administration dans les pays anglo-saxons, que l'on a également vue brandie ces dernières années par des démocrates étatsuniens autrefois sceptiques, et même par certains conservateurs britanniques, s'explique sans doute également par le fait qu'il s'agit d'une mesure sociale qui ne coûte rien aux finances publiques, ce qui est particulièrement précieux en ces temps d'inégalités croissantes et de déficits en hausse. Pour toutes ces raisons, bonnes et mauvaises, il est probable que ces questions continueront d'occuper les débats des années à venir, sans qu'il soit possible à ce stade de dire quand et comment le changement se produira.

---

1. À l'inverse, les difficultés économiques allemandes, liées notamment à l'unification dans les années 1990 et au début des années 2000, ont probablement ralenti la diffusion de la cogestion.

D'une directive européenne cogestionnaire à la proposition « 2x + y »

Avant d'en arriver à ces perspectives nouvelles, il faut toutefois insister sur le fait que les différentes trajectoires politico-idéologiques qui viennent d'être résumées ne sont que celles qui sont advenues. Il en est de multiples autres qui auraient pu advenir, car l'histoire des régimes de propriété, de même que l'histoire des régimes inégalitaires en général, est composée de multiples points de bifurcations possibles et ne saurait être envisagée suivant une perspective linéaire et déterministe.

Un cas particulièrement intéressant est celui de la proposition dite « 2x + y » débattue au Royaume-Uni en 1977-1978. Le Premier ministre travailliste Harold Wilson avait commandé en 1975 un rapport sur la question à une commission présidée par l'historien Alan Bullock et composée de juristes, de syndicalistes et d'employeurs, qui lui rendirent leurs conclusions en 1977. Ce rapport faisait suite à une demande de la Commission européenne, qui, sous la pression notamment de l'Allemagne, tentait à l'époque de faire adopter une directive européenne sur le droit des sociétés. Dans le projet publié en 1972 par les autorités de Bruxelles, toutes les entreprises au-delà de 500 salariés devaient avoir au moins un tiers d'administrateurs salariés au sein de leur conseil d'administration. De nouveaux projets de directive virent le jour en 1983 et 1988, mais l'ensemble fut finalement abandonné, faute d'une majorité suffisante de pays européens pour l'adopter[1]. Nous reviendrons sur les règles de prise de décision européennes qui rendent presque impossible l'adoption de ce type de politique commune (aussi bien pour ce qui est de réformes du système légal que du système fiscal et social), et que seule une profonde démocratisation des institutions pourrait permettre de changer. Il est néanmoins intéressant de constater qu'une tentative relativement avancée de promotion d'un modèle européen de partage du pouvoir entre salariés et actionnaires ait eu lieu en Europe dans les années 1970 et 1980.

---

1. Le projet de cinquième directive européenne en droit des sociétés se heurta également au fait que la version de 1972 favorisait le modèle allemand de gouvernance duale. Les versions de 1983 et 1988 abandonnèrent cet aspect, tout en conservant une forte représentation des salariés (entre un tiers et la moitié des sièges au sein du conseil d'administration), sans succès. Voir annexe technique.

Toujours est-il que la commission Bullock proposa en 1977 au gouvernement travailliste britannique d'adopter le système dit « $2x + y$ »[1]. Concrètement, dans toutes les entreprises au-delà de 2 000 salariés, les actionnaires et les salariés élisent chacun un nombre x de membres du conseil d'administration, et l'État complète le tour de table en nommant un nombre y d'administrateurs indépendants, qui, en cas d'égalité des voix entre les actionnaires et les salariés, pourrait s'avérer décisif. Par exemple, le conseil d'administration pouvait comporter 5 actionnaires, 5 salariés, et 2 représentants de l'État. Les statuts de l'entreprise pouvaient faire varier x et y, mais ne pouvaient rien changer au fait que ce *board of directors* (ainsi que l'on appelle le conseil d'administration des entreprises anglo-saxonnes) était seul compétent pour les décisions les plus importantes (nomination et révocation de la direction, approbation des comptes, distributions de dividendes, etc.). Sans surprise, les actionnaires et la City étaient vent debout contre cette proposition, qui bouleversait radicalement les conceptions habituelles du capitalisme privé, et qui allait potentiellement bien au-delà de la cogestion à l'allemande ou à la suédoise. La proposition était vivement soutenue par les syndicalistes et la plupart des travaillistes, et aucun compromis ne semblait en vue[2]. Au début de l'automne 1978, le nouveau Premier ministre travailliste James Callaghan, qui avait remplacé Wilson en 1976, envisagea sérieusement de convoquer des élections, à un moment où les sondages annonçaient une victoire du Labour. Il décida finalement d'attendre un an de plus. Le pays fut immobilisé par de multiples conflits sociaux pendant le *Winter of Discontent* 1978-1979, dans un contexte social inflationniste en pleine ébullition. Les tories menés par Margaret Thatcher remportèrent finalement les élections de 1979, et le projet fut définitivement enterré.

Au-delà de la cogestion : repenser la propriété sociale et le partage du pouvoir

Nous reviendrons dans la quatrième partie de ce livre sur la façon dont il est possible d'envisager le développement d'une nouvelle forme de socialisme

---

1. Sur cette proposition et sur l'histoire de ces débats, voir E. McGaughey, « Votes at Work in Britain : Shareholder Monopolisation and the Single Channel », *Industrial Law Journal*, vol. 47 (1), 2018, p. 76-106.

2. Les syndicalistes et les employeurs s'étaient d'ailleurs affrontés au sein de la commission Bullock, et ce sont les voix des juristes et des universitaires qui firent pencher la balance vers la solution retenue.

participatif pour le XXIe siècle, en s'appuyant sur les leçons de l'histoire, et en combinant notamment des éléments de propriété sociale et de propriété temporaire[1]. À ce stade, je voudrais simplement indiquer que la propriété sociale, c'est-à-dire le partage du pouvoir au sein des entreprises, peut potentiellement prendre bien d'autres formes que la cogestion germanique et nordique, et que cette histoire est loin d'être achevée, comme l'illustrent plusieurs propositions et débats récents.

D'une façon générale, l'une des questions centrales est de savoir dans quelle mesure il est possible de dépasser la majorité automatique donnée aux actionnaires associée à la cogestion allemande. Une solution est la proposition $2x + y$ de la commission Bullock, mais elle repose sur un rôle considérable accordé à l'État, ce qui peut éventuellement fonctionner dans le cas de très grandes entreprises (cela revient à donner aux collectivités publiques locales et nationales un rôle d'actionnaire minoritaire) mais peut poser problème dès lors qu'il s'agit d'appliquer un tel système à des centaines de milliers de petites et moyennes entreprises[2]. De façon générale, une limite importante du système allemand est qu'il ne concerne que les grandes structures (au-delà de 500 salariés), alors que la cogestion nordique a le mérite d'être d'une application plus large (au-delà de 30, 35 ou 50 salariés suivant les cas). Compte tenu du fait qu'une majorité de salariés travaillent dans de petites unités, il est essentiel d'imaginer des dispositifs applicables à tous, d'une façon ou d'une autre[3].

Au-delà de la proposition $2x + y$, une solution complémentaire consisterait à encourager l'actionnariat salarié, qui, en s'ajoutant à un nombre important de sièges attribué aux administrateurs salariés (indépendamment de toute participation au capital), pourrait permettre de créer les conditions pour des majorités nouvelles à la tête des entreprises. Des projets de lois déposés en 2018 par plusieurs sénateurs démocrates envisagent

---

1. Voir chapitre 17, p. 1117-1128.

2. Sauf à préciser les mécanismes et procédures utilisés pour nommer les y administrateurs publics et à s'assurer que le système fonctionne de façon satisfaisante (ce qui n'a rien d'absolument impossible en soi, mais demanderait une expérimentation historique concrète).

3. En 2017, 21 % des salariés du secteur privé en France travaillaient dans des entreprises de moins de 10 salariés, 40 % entre 10 et 250 salariés, 26 % entre 250 et 5 000 salariés, et 13 % au-delà de 5 000 salariés. Les indépendants (non salariés) représentaient par ailleurs 12 % des emplois, contre 21 % pour les salariés du secteur public (État, collectivités locales et hôpitaux) et 67 % des emplois pour les salariés du secteur privé (tous statuts d'entreprises et d'associations confondus). Les répartitions sont comparables dans les autres pays européens. Voir annexe technique.

par exemple d'obliger les entreprises étatsuniennes à avoir entre 30 % et 40 % de sièges pour les représentants élus des salariés au sein des conseils d'administration[1]. L'adoption de telles législations serait révolutionnaire dans le contexte des États-Unis, où il n'y a jamais eu de règle de cette nature, mais où il existe en revanche une certaine tradition d'actionnariat salarié, même si la remontée de la concentration de la propriété au cours des dernières décennies a fortement réduit le poids de la classe moyenne patrimoniale. Des politiques fiscales moins favorables aux hauts revenus et patrimoines, et à l'inverse des mesures incitatives en faveur de l'actionnariat salarié pourraient permettre de renforcer ce dernier[2]. Des propositions comme celles que nous évoquerons plus loin concernant l'impôt progressif sur la propriété et la dotation universelle en capital pourraient également contribuer à modifier les majorités et les rapports de force et à égaliser les capacités de participation et d'intervention dans la vie économique. La création de sièges d'administrateurs salariés reste certes relativement hypothétique aux États-Unis, dans un contexte politico-idéologique où les références aux succès de la cogestion germanique et nordique, ou plus généralement à quoi que ce soit d'extérieur au pays, ont le plus souvent un impact limité. Il faut toutefois rappeler qu'il existe une tradition anglo-saxonne ancienne (et largement oubliée) de limitation du pouvoir des plus gros actionnaires : au début du XIXᵉ siècle, les compagnies britanniques et étatsuniennes plafonnaient souvent les droits de vote au-delà d'un certain seuil de détention[3].

Les débats britanniques récents ont également suggéré de nouvelles pistes permettant de dépasser les modèles existants de cogestion. Un collectif de juristes a notamment entrepris de publier en 2016 un *Labour Law Manifesto*, en partie repris dans la plate-forme officielle du parti

1. Bien que limités aux grandes entreprises, ces projets n'en sont pas moins inédits dans le contexte étatsunien. Le projet de *Reward Work Act* (mars 2018) prévoit que les sociétés cotées aient au moins un tiers d'administrateurs élus par les salariés sur une base « un salarié, une voix ». Celui d'*Accountable Capitalism Act* (août 2018) propose d'instituer 40 % d'administrateurs salariés (*employee directors*) pour les plus grandes sociétés (au-delà de 1 milliard de dollars de chiffre d'affaires), cotées ou non, et exige par ailleurs une majorité de 75 % au sein des *boards* pour approuver des dons politiques (à défaut de pouvoir les interdire, compte tenu de la jurisprudence de la Cour suprême). Aucun de ces projets n a été adopté à ce jour, mais le fait qu'ils soient déposés et discutés au Congrès étatsunien est une nouveauté.

2. Voir à ce sujet J. BLASI, R. FREEMAN, D. KRUSE, *The Citizen's Share : Putting Ownership Back into Democracy*, Yale University Press, 2013. Voir également J. OTT, *When Wall Street Met Main Street : The Quest for an Investors' Democracy*, Harvard University Press, 2011.

3. Voir chapitre 5, p. 231-236.

travailliste. L'objectif est de remettre à plat de larges pans du droit du travail et des entreprises, afin de favoriser une plus grande participation des salariés et une amélioration des conditions de travail et de rémunération, tout autant qu'une plus grande efficacité sociale et économique d'ensemble. Le *Manifesto* propose notamment que les représentants des salariés occupent immédiatement au minimum deux sièges au sein des conseils d'administration (environ 20 % des sièges). Surtout, la proposition la plus originale consiste à faire élire les administrateurs par une assemblée mixte actionnaires-salariés[1]. Autrement dit, tous les salariés seraient considérés comme membres de l'entreprise au même titre que les actionnaires, en tant qu'acteurs de long terme de son développement. Ils disposeraient en tant que tels de droits de vote au sein de l'assemblée mixte chargée de désigner les administrateurs. Le texte propose dans un premier temps que les salariés disposent de 20 % des droits de vote au sein de cette assemblée, tout en envisageant que ce pourcentage soit graduellement relevé (possiblement jusqu'à 50 % ou davantage). Il est par ailleurs proposé d'appliquer ces règles à l'ensemble des entreprises, quelle que soit leur taille, y compris les plus petites, ce qui constituerait une différence essentielle avec l'expérience des autres pays et permettrait de généraliser la participation à tous les salariés.

L'intérêt d'un tel système, selon les auteurs, est qu'il contraindrait les administrateurs potentiels à s'adresser à la fois aux salariés et aux actionnaires. Plutôt que de représenter uniquement les intérêts de l'un et l'autre groupe, les administrateurs élus par l'assemblée mixte devraient présenter des stratégies à long terme s'appuyant sur les aspirations et les informations des deux catégories d'acteurs. Pour peu que les salariés détiennent également une partie des actions, à titre individuel ou au travers d'une structure collective, des dynamiques nouvelles pourraient émerger[2].

---

1. Voir E. McGaughey, « A Twelve Point Plan for Labour and a Manifesto for Labour Law », *Industrial Law Journal*, vol. 46 (1) 2017, p. 169-184. Voir également K. Ewing, G. Hendy, C. Jones (éd.), *A Manifesto for Labour Law*, Institute of Employment Rights, 2016 ; Id., *Rolling out the Manifesto for Labour Law*, Institute of Employment Rights, 2018, p. 32-33.

2. Voir également les propositions de I. Ferreras, *Firms as Political Entities : Saving Democracy through Economic Bicameralism* (Cambridge University Press, 2017), qui envisage que les entreprises soient gouvernées par une assemblée de salariés et une assemblée d'actionnaires, sans qu'aucune ait la préséance sur l'autre, à la manière d'un certain nombre de démocraties électorales bicamérales. L'avantage est de pousser les acteurs à un compromis mutuellement profitable ; le risque est un blocage des décisions.

Coopératives et autogestion : capital, pouvoir et droits de vote

Mentionnons enfin les réflexions en cours au sujet de la gouvernance des sociétés coopératives, et plus généralement des structures non lucratives, telles que les associations et fondations, qui jouent un rôle central dans de nombreux secteurs, notamment l'éducation, la santé, la culture, les universités, les médias. S'agissant des sociétés coopératives, l'une des principales limites à leur développement a été une trop grande rigidité. La forme la plus classique consiste en ce que chaque membre de la coopérative dispose d'un même droit de vote. Cela peut être parfaitement adapté à certains projets, fondés précisément sur une coopération égalitaire et des apports similaires de chacun des membres. De multiples formes d'organisations coopératives ont également montré dans l'histoire leur capacité à gérer des ressources naturelles communes sur une base égalitaire[1].

Mais cela peut conduire à des complications dans de nombreuses autres situations, en particulier en cas de besoin de financement d'un nouvel investissement mettant en jeu des caractéristiques individuelles spécifiques. Cela peut poser des difficultés aussi bien pour des projets de grande taille que pour de toutes petites entreprises. Prenons le cas d'une personne créant un café-restaurant ou une épicerie bio, et investissant ses 50 000 euros d'économies dans l'affaire. Supposons que l'entreprise compte trois salariés : le fondateur et deux autres salariés qu'il a recrutés pour travailler avec lui, mais qui n'ont pas apporté de capital. Avec une structure coopérative parfaitement égalitaire, les trois salariés disposeraient chacun d'un droit de vote. Les deux salariés nouvellement embauchés, qui ont peut-être rejoint l'entreprise une semaine auparavant ou s'apprêtent à la quitter pour mener leurs propres projets, peuvent sur toutes sortes de décisions mettre en minorité le fondateur, qui a investi dans l'affaire non seulement ses économies mais peut-être aussi des années de rêve et d'idées qui lui sont chers. Un tel arrangement peut être adapté à certaines situations, mais l'imposer dans tous les cas ne serait ni juste ni efficace. Il existe une grande diversité des aspirations et des cheminements individuels, et les différentes formes possibles de partage du pouvoir doivent s'adapter à cette diversité,

---

1. Voir D. Cole, E. Olstrom, *Property in Land and Other Resources*, Lincoln, 2012. Voir aussi F. Graber, F. Locher, *Posséder la nature. Environnement et propriété dans l'histoire*, Éditions Amsterdam, 2018.

et non l'étouffer. Je reviendrai dans le prochain chapitre sur cette question cruciale au sujet des sociétés communistes et postcommunistes[1].

Plus généralement, pour des projets impliquant davantage de salariés et une structure de capital plus diversifiée, il n'est pas anormal que les personnes ayant apporté davantage de capital disposent de plus de droits de vote, à la condition que les salariés soient également représentés dans les organes de la décision (avec des représentants choisis suivant les règles de la cogestion allemande, ou bien en ayant recours à l'assemblée mixte salariés-actionnaires), et que tout soit fait par ailleurs pour réduire les inégalités de patrimoines et égaliser les conditions de participation à la vie économique et sociale. On peut aussi plafonner les droits de vote au-delà d'un certain seuil de détention, ou bien avoir plusieurs classes de droits de vote[2].

Par exemple, il a été récemment proposé de créer un statut de « société de média à but non lucratif », dans lequel les droits de vote des plus gros donateurs sont plafonnés, alors que ceux des donateurs moins importants (journalistes, lecteurs, *crowdfunders*, etc.) sont majorés d'autant. En l'occurrence, on pourrait par exemple décider que seul un tiers des apports individuels supérieurs à 10 % du capital soit porteur de droits de vote[3]. L'idée est que cela peut avoir du sens de donner plus de voix à un journaliste ou à un lecteur qui apporte 10 000 euros plutôt que 100 euros, mais qu'il faut éviter de donner tous les pouvoirs à un donateur aux poches sans fond qui apporterait la totalité des 10 millions d'euros requis pour « sauver » le journal. Il s'agirait en quelque sorte d'une forme intermédiaire entre les sociétés par actions traditionnelles, fondées sur le principe « une action, une voix », et les fondations, associations et autres structures non lucratives au sein desquelles les donations n'apportent aucun droit de vote (tout du moins pas directement).

Initialement pensé pour le secteur des médias, et dans un cadre où les apports financiers prennent la forme de dons (non recouvrables), un tel modèle pourrait également être utilisé pour des sociétés coopératives

1. Voir chapitre 12, p. 688-693.
2. Cela se pratiquait parfois aux XVIIIᵉ et XIXᵉ siècles au sein des assemblées politiques comme des assemblées d'actionnaires : on pouvait soit appliquer intégralement le principe proportionnel « une action, une voix », ou bien choisir d'ordonner les électeurs ou les actionnaires en fonction de leur fortune ou de leur capital et définir plusieurs classes de droits de vote. Voir chapitre 5, p. 231-236.
3. Voir J. CAGÉ, *Sauver les médias. Capitalisme, financement participatif et démocratie*, Seuil, 2015.

dans d'autres secteurs d'activité, et s'appliquer également à des cas où les apports en capitaux peuvent être recouvrés. De façon générale, il n'existe aucune raison de se limiter à une confrontation entre un modèle purement coopératif (une personne, une voix) et un modèle purement actionnarial (une action, une voix). Le point important est que les nouvelles formes mixtes doivent être expérimentées concrètement et à grande échelle. Les débats sur l'autogestion ont souvent suscité de grands espoirs, par exemple en France dans les années 1970. Mais ils sont généralement restés à l'état de slogan et n'ont guère débouché, faute de s'être matérialisés dans des propositions précises[1]. La promotion de ces nouveaux statuts doit également s'accompagner d'une refonte du régime fiscal des structures non lucratives. Dans la plupart des pays, les avantages fiscaux liés aux dons favorisent de façon disproportionnée les plus aisés, dont les préférences en matière caritative, culturelle, artistique, éducative et parfois politique sont *de facto* subventionnées par les contribuables moyens et modestes. Nous reviendrons dans la quatrième partie de ce livre sur la façon dont il est possible d'utiliser ces mêmes moyens dans une logique beaucoup plus démocratique et participative, en permettant à chaque citoyen d'abonder d'un même montant les projets non lucratifs de son choix, qui pourraient également concerner d'autres secteurs que ceux envisagés jusqu'ici (par exemple les médias ou le développement durable)[2].

Résumons. Au XIXe siècle et jusqu'à la Première Guerre mondiale, l'idéologie dominante consistait à sacraliser la propriété privée et les droits des propriétaires. Puis de 1917 à 1991, les débats sur les formes de propriété ont été surdéterminés par l'opposition bipolaire entre le communisme soviétique et le capitalisme étatsunien, ce qui a engendré une certaine glaciation des discours et de la réflexion. Il fallait être pour l'extension indéfinie de la propriété étatique des entreprises, ou bien pour la société privée par actions comme solution à tous les problèmes. Cela contribue à expliquer pourquoi des voies alternatives comme la cogestion et l'autogestion n'ont pas été explorées et approfondies autant qu'elles auraient pu l'être. La chute de l'Union soviétique a commencé par ouvrir une nouvelle période de foi sans limites dans la propriété privée, dont nous ne sommes d'ailleurs pas complètement sortis, mais qui commence néanmoins à montrer de

---

1. Sur les débats autour de l'autogestion, voir par exemple P. ROSANVALLON, *Notre histoire intellectuelle et politique, 1968-2018*, Seuil, 2018, p. 56-77.

2. Voir chapitre 17, p. 1117-1128.

sérieux signes d'épuisement. Ce n'est pas parce que le soviétisme a été un désastre qu'il faut s'arrêter de penser la propriété et son dépassement. Les formes concrètes de la propriété et du pouvoir sont encore et toujours à réinventer. Il est temps de reprendre le cours de cette histoire, en repartant notamment des expériences cogestionnaires germaniques et nordiques, et en les généralisant et en les étendant à des logiques autogestionnaires viables, participatives et innovantes.

La social-démocratie, l'éducation et la fin de l'avance étatsunienne

Venons-en maintenant à ce qui est l'un des principaux défis auxquels font face les sociétés sociales-démocrates en ce début de XXIᵉ siècle, à savoir la question de l'accès aux qualifications, à la formation et en particulier à l'enseignement supérieur. De façon générale, au-delà de la question du régime de propriété, il faut souligner le rôle central de l'éducation dans l'histoire des régimes inégalitaires et l'évolution de la structure des inégalités socio-économiques, aussi bien à l'intérieur des pays qu'au niveau international. Deux points notamment méritent une attention particulière. Tout d'abord, les États-Unis ont bénéficié pendant la majeure partie du XXᵉ siècle d'une avance éducative significative sur l'Europe de l'Ouest et le reste du monde. Cette réalité remontait au début du XIXᵉ siècle et aux origines du pays, et explique pour une large part les écarts importants de productivité et de niveau de vie moyen observés pendant l'essentiel du XXᵉ siècle. Cette avance a disparu à la fin du XXᵉ siècle, pour laisser la place à une stratification éducative elle aussi inédite aux États-Unis, avec des écarts d'investissement éducatif considérables entre les classes populaires et moyennes et les personnes accédant aux universités les plus richement dotées. Au-delà du cas étatsunien, je vais insister sur le fait que le passage de la révolution primaire et secondaire à la révolution tertiaire constitue un défi inégalitaire auquel aucun pays n'a su répondre de façon pleinement satisfaisante. Ceci explique pour partie le phénomène général de montée des inégalités depuis 1980 et l'épuisement du modèle social-démocrate et de la coalition électorale qui l'avait rendu possible.

Commençons avec l'avance étatsunienne. Au début des années 1950, la productivité du travail était en Allemagne et en France d'à peine 50 % du niveau observé aux États-Unis. Au Royaume-Uni, elle était inférieure à 60 % du niveau étatsunien. Puis l'Allemagne et la France ont dépassé le Royaume-Uni dans les années 1960 et 1970, avant de rattraper les États-Unis à la fin des années 1980. Les productivités allemandes et françaises se sont ensuite stabilisées approximativement au même niveau que les États-Unis depuis le début des années 1990, alors que la productivité britannique restait à un niveau environ 20 % plus bas (voir graphiques 11.3 et 11.4).

Graphique 11.3

La productivité du travail, 1950-2015 (euros 2015)

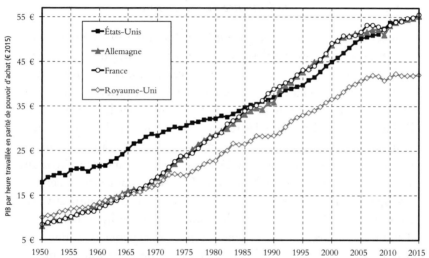

Lecture : la productivité du travail, telle que mesurée par le PIB par heure travaillée (en euros constants de 2015 et en parité de pouvoir d'achat), est passée de 8 € en Allemagne et en France en 1950 à 55 € en 2015. L'Allemagne et la France ont rattrapé (ou légèrement dépassé) le niveau des États-Unis vers 1985-1990, alors que le Royaume-Uni est resté 20 % plus bas.
Sources et séries : voir piketty.pse.ens.fr/ideologie.

Plusieurs remarques doivent être faites au sujet de ces évolutions. Il faut tout d'abord insister sur le fait que les mesures de la productivité du travail indiquées sur les graphiques 11.3 et 11.4, à savoir le produit intérieur brut divisé par le nombre total d'heures travaillées par la population active de chaque pays au cours de l'année en question, sont loin d'être parfaitement satisfaisantes. La notion même de « productivité » est en soi problématique et mérite des précisions. Le mot semble parfois exprimer une sorte d'injonction à produire sans cesse davantage, ce qui n'a aucun sens si cela a pour conséquence de rendre la planète invivable. C'est pourquoi il est hautement préférable de raisonner non pas en termes de produit intérieur brut mais en termes de produit intérieur net, c'est-à-dire après déduction de la dépréciation et des dommages causés au capital, y compris au capital naturel, ce qui est très mal intégré dans les comptes nationaux officiels actuellement disponibles. En l'occurrence, cela n'affecte pas les comparaisons entre pays sur lesquelles nous nous concentrons ici. Mais cela a un impact essentiel pour l'analyse du régime productif et inégalitaire mondial au XXIe siècle[1].

Graphique 11.4

La productivité du travail : Europe *vs* États-Unis

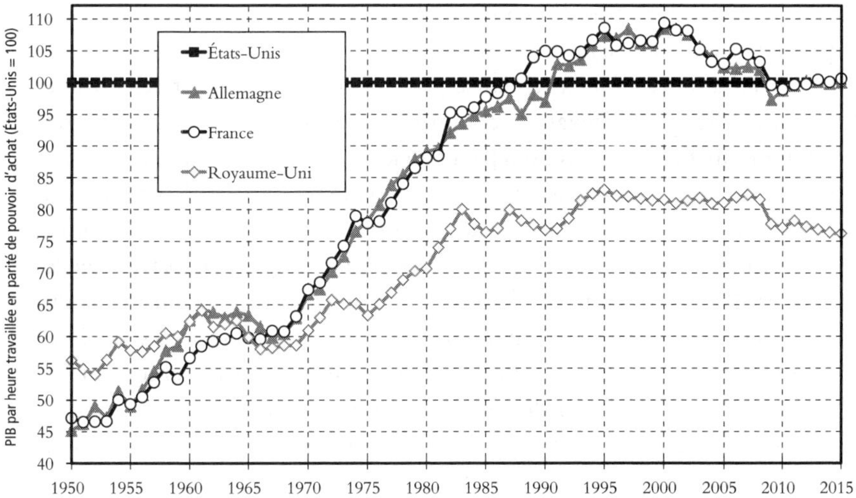

Lecture : la productivité du travail, telle que mesurée par le PIB par heure travaillée (en euros constants 2015 et en parité de pouvoir d'achat), était deux fois plus faible en Europe occidentale qu'aux États-Unis en 1950. L'Allemagne et la France ont rattrapé (ou légèrement dépassé) le niveau étatsunien en 1985-1990, alors que le Royaume-Uni restait environ 20 % plus bas.

Sources et séries : voir piketty.pse.ens.fr/ideologie.

Ensuite, il est relativement complexe de mesurer de façon parfaitement fiable et comparable le nombre d'heures travaillées dans les différents pays. Il existe certes de multiples enquêtes depuis les années 1960 et 1970 permettant d'estimer les nombres d'heures travaillées par semaine, les congés, et ainsi de suite. Mais ces enquêtes sont rarement menées de façon totalement similaire dans le temps et l'espace, et elles sont beaucoup moins nombreuses et complètes pour les périodes antérieures. J'ai repris ici les séries d'heures travaillées rassemblées par les instituts statistiques internationaux. Il s'agit des meilleures estimations dont nous disposons, mais leur précision ne doit

---

1. Voir chapitre 13, p. 771-781.

pas être exagérée. Le principal fait qu'il faut avoir présent à l'esprit (et qui en l'occurrence est raisonnablement bien documenté) est que le nombre d'heures travaillées par emploi était approximativement le même dans les différents pays ouest-européens et aux États-Unis jusqu'au début des années 1970 (entre 1 900 et 2 000 heures par an et par emploi), puis qu'un écart significatif est apparu à partir des années 1980 et 1990. Au milieu des années 2010, le nombre d'heures travaillées est compris entre 1 400 et 1 500 heures par an et par emploi en Allemagne et en France, contre près de 1 700 heures au Royaume-Uni et 1 800 heures aux États-Unis. Ces écarts reflètent à la fois des semaines de travail plus courtes et des congés plus longs en Allemagne et en France[1].

On remarquera que la tendance générale à long terme est celle d'une baisse du temps de travail (y compris au Royaume-Uni, et à un degré moindre aux États-Unis), ce qui paraît logique. À mesure que la productivité augmente, il est naturel de travailler moins longtemps et de profiter du niveau de vie supplémentaire pour s'occuper de sa famille, de ses enfants, de ses amis, pour découvrir le monde et les autres, pour se distraire et se cultiver. Il n'est pas interdit de penser que cela constitue le but même du progrès technologique et économique, et que cet objectif général d'amélioration de la qualité de la vie est globalement un peu mieux rempli par les trajectoires observées en Allemagne et en France que dans les pays anglo-saxons. La question du rythme idéal de réduction du temps de travail et des modalités d'organisation est cependant extrêmement complexe, et il n'est pas question de la trancher ici. Le processus de baisse tendancielle du temps de travail est éminemment politique, et il met toujours en jeu des conflits sociaux et des évolutions idéologiques propres à chaque pays[2]. On

1. Les séries utilisées ici sont celles de l'OCDE et du BLS (US Bureau of Labor Statistics). Pour simplifier, une durée annuelle de 2 000 heures correspond à 40 heures × 50 semaines (deux semaines de congé), alors qu'une durée annuelle de 1 500 heures correspond environ à 35 heures × 44 semaines (huit semaines de congé). La durée moyenne en Allemagne était de 1 370 heures par emploi en 2015 (contre 1 470 heures en France, 1 680 heures au Royaume-Uni et 1 790 heures aux États-Unis), ce qui reflète également l'importance de l'emploi à temps partiel. Voir annexe technique. Les recherches historiques disponibles indiquent des durées du travail sensiblement plus courtes outre-Atlantique entre 1870 et 1913, puis une convergence avec l'Europe dans l'entre-deux-guerres, et enfin un écart qui s'est nettement inversé depuis les années 1970. Voir M. HUBERMAN, C. MINNS, « The Times they Are not Changin' : Days and Hours of Work in Old and New Worlds, 1870-2000 », *Explorations in Economic History*, vol. 44 (4), 2007, p. 538-567.

2. Par exemple, la réduction de la durée légale hebdomadaire du travail à 35 heures en France de 1997 à 2002 s'est accompagnée d'une flexibilisation accrue des horaires pour les

notera simplement qu'en l'absence de lois nationales ou de négociations collectives concernant l'ensemble des salariés, au niveau d'un pays ou au moins d'un secteur, il est extrêmement rare d'observer des réductions historiques importantes du temps de travail[1].

En tout état de cause, quoi que l'on puisse penser de la durée du travail hebdomadaire ou du volume de congés payés choisis par les différents pays, le fait important sur lequel je souhaite insister ici est que la productivité moyenne du travail, telle que mesurée par le PIB par heure travaillée, était deux fois plus faible en Allemagne et en France qu'aux États-Unis au début des années 1950, et qu'elle est quasiment identique depuis 1985-1990, alors qu'elle est environ 20 % plus faible au Royaume-Uni. Au-delà des limitations des données disponibles, qui peuvent légèrement biaiser les comparaisons dans un sens ou dans l'autre, ces ordres de grandeur méritent d'être retenus[2].

Précisons enfin que la notion de productivité utilisée ici, bien que hautement imparfaite et insatisfaisante, est plus subtile qu'une simple notion de productivité marchande. En particulier, la production du secteur public et du secteur non lucratif est prise en compte dans le produit

---

bas salaires, en sus d'un gel prolongé du pouvoir d'achat, et s'est avérée plus avantageuse pour les cadres (qui ont surtout bénéficié de congés supplémentaires). Au Royaume-Uni et aux États-Unis, la faible réduction du temps de travail au cours des dernières décennies est allée de pair avec un déclin syndical marqué (sans que les pouvoirs politiques et législatifs prennent le relais) et un accroissement particulièrement fort des inégalités salariales. Une analyse des différentes trajectoires nationales de réduction et d'organisation du temps de travail dépasserait de beaucoup le cadre de cette enquête.

1. Cela peut s'expliquer par les difficultés pratiques pour un salarié de négocier individuellement son temps de travail, et aussi par une tendance à suivre une certaine norme de niveau de vie : on ne souhaite pas être le premier à sacrifier une partie de son pouvoir d'achat, même si collectivement on préfère avoir plus de temps libre. La baisse du temps de travail des indépendants à la suite des lois concernant les seuls salariés suggère que ce second facteur a une certaine importance. Les données disponibles pour trancher ces questions sont toutefois imparfaites.

2. En théorie, et dans la mesure où les personnes exclues de l'emploi sont souvent les moins formées, la forte productivité française pourrait s'expliquer en partie dans les années 2010 par la faiblesse relative du niveau d'emploi. Toutefois, si l'on corrige les séries de productivité en supposant que les heures de travail aient suivi la même évolution qu'en Allemagne depuis 2005 (année où les taux d'emploi étaient très proches), on constate que la productivité française passe légèrement au-dessous des niveaux allemands et étatsuniens en 2010-2015, sans pour autant affecter significativement la comparaison d'ensemble. Voir annexe technique et graphique supplémentaire S11.4. Le point important est que les différences de durée du travail entre pays tiennent davantage à des choix collectifs (durée hebdomadaire, congés payés, etc.) qu'au sous-emploi involontaire.

intérieur brut sur la base des coûts de production, ce qui revient à supposer que les impôts, subventions et dons versés et utilisés pour rémunérer les enseignants ou les médecins assurant ces services correspondent à la « valeur » que la société leur prête. Cela conduit probablement à sous-estimer légèrement le produit intérieur brut des pays où le secteur public est plus étendu (par comparaison aux pays où ces services sont rendus par des entreprises privées, souvent de façon plus onéreuse), mais le biais est beaucoup moins fort que si le secteur non marchand était purement et simplement ignoré.

Les États-Unis, pays de la scolarisation et de la secondarisation précoces

Revenons à la question de l'avance étatsunienne et de sa résorption depuis les années 1950 (voir graphiques 11.3 et 11.4). Soulignons tout d'abord que le faible niveau de productivité européenne relativement aux États-Unis observé au milieu du XXe siècle renvoie à une réalité plus ancienne. L'écart a certes été aggravé par les destructions et les désorganisations de l'appareil productif liées aux deux guerres mondiales, mais le fait important est qu'il était déjà très fort à la fin du XIXe siècle et au début du XXe. En France et en Allemagne, le produit intérieur brut ou le revenu national par habitant ou par emploi étaient compris entre 60 % et 70 % du niveau étatsunien autour de 1900-1910. L'écart était moins fort dans le cas du Royaume-Uni, avec un ratio d'environ 80 %-90 %. Mais le fait est que la productivité britannique, qui avait été la première du monde pendant la majeure partie du XIXe siècle, grâce notamment à l'avance établie au cours de la première révolution industrielle (en particulier grâce à sa domination sur l'industrie textile mondiale), avait déjà été nettement dépassée par les États-Unis en 1900-1910, après avoir perdu du terrain à un rythme accéléré au cours des décennies précédant la Première Guerre mondiale.

Tous les éléments disponibles suggèrent que ces écarts de producti-vité anciens, persistants et croissants (tout du moins jusqu'aux années 1950-1960) s'expliquent pour une large part par l'avance historique des États-Unis en termes de formation de la main-d'œuvre. Au début du XIXe siècle, la population étatsunienne est de petite taille par comparaison aux populations européennes, mais le fait est qu'elle va beaucoup plus souvent à l'école. Les données dont nous disposons, issues notamment des recen-sements, indiquent des taux de scolarisation primaire (ici définis comme le pourcentage d'enfants âgés de 5 à 11 ans, garçons et filles confondus, scolarisés à l'école primaire) de près de 50 % dans les années 1820, 70 % dans les années 1840 et de plus de 80 % dans les années 1850. Si l'on exclut la population noire, la scolarisation primaire parmi les Blancs apparaît quasiment universelle (plus de 90 % de la classe d'âge considérée) dès les années 1840-1850. Au même moment, les taux de scolarisation primaire sont compris entre 20 % et 30 % au Royaume-Uni, en France et en Allemagne. Dans ces trois pays, il faudra attendre les années 1890-1910 pour atteindre le niveau de scolarisation primaire quasi universelle observée aux États-Unis plus d'un demi-siècle plus tôt[1]. Cette avance éducative étatsunienne s'explique en partie par des racines religieuses et protestantes (la Suède et le Danemark ne sont d'ailleurs pas loin derrière les États-Unis au cours de la première moitié du XIXe siècle), mais également par des facteurs plus spécifiques. Ainsi l'Allemagne est légèrement en avance sur la France et le Royaume-Uni en matière de scolarisation primaire au milieu du XIXe siècle, mais loin derrière les États-Unis. Cette avance éducative étatsunienne doit également être rattachée à un phénomène classique encore observé de nos jours concernant les migrants. Concrètement, les personnes en situation de migrer vers l'Amérique au XVIIIe siècle ou au XIXe étaient en moyenne plus éduquées, et plus à même d'investir dans l'éducation de leurs enfants, que la population européenne de l'époque, y compris à l'intérieur d'une même origine géographique et religieuse donnée.

Cette avance éducative des États-Unis par rapport à l'Europe, très nette au niveau de la scolarisation primaire dès la période 1820-1850, allait d'ailleurs en parallèle avec une extension beaucoup plus rapide du suffrage masculin. Le lien avait déjà été noté en 1835 par Tocqueville, qui voyait dans la diffusion de l'éducation et de la propriété terrienne les deux forces fondamentales permettant l'épanouissement de « l'esprit démocratique » aux États-Unis[2]. De fait, les données disponibles indiquent que le taux de participation des hommes adultes blancs aux élections

---

1. Voir annexe technique sur les différentes sources disponibles. Les taux de scolarisation cités ici sont notamment issus des données rassemblées par J. LEE, H. LEE, « Human Capital in the Long-Run » (*Journal of Development Economics*, vol. 122, 2016, p. 147-169), qui s'appuient sur de nombreux travaux antérieurs.

2. « C'est par les prescriptions relatives à l'éducation publique que, dès le principe, on voit se révéler dans tout son jour le caractère original de la civilisation américaine. [...] Les magistrats municipaux doivent veiller à ce que les parents envoient leurs enfants dans les écoles ; ils ont le droit de prononcer des amendes contre ceux qui s'y refusent ; et si la résistance continue, la société, se mettant alors à la place de la famille, s'empare de l'enfant, et enlève aux pères les

présidentielles aux États-Unis est passé de 26 % en 1824 à 55 % en 1832 et 75 % en 1844[1]. Les femmes et les Noirs restent certes longtemps exclus du droit de vote (les seconds jusqu'aux années 1960). Il n'en reste pas moins qu'il faut attendre la fin du XIXᵉ siècle et parfois le début du XXᵉ pour voir une telle diffusion du droit de vote en Europe[2]. La participation aux élections locales progresse également au même rythme, ce qui contribue en retour à un plus grand soutien politique au financement des écoles par l'impôt local.

Surtout, le point important est que cette avance éducative va se poursuivre pendant une grande partie du XXᵉ siècle. En 1900-1910, alors que les pays européens viennent tout juste d'atteindre la scolarisation primaire universelle, les États-Unis sont déjà très avancés dans la généralisation de la scolarisation secondaire. De fait, les taux de scolarisation secondaire, définis comme le pourcentage d'enfants âgés de 12 à 17 ans (garçons et filles confondus) scolarisés dans des établissements d'enseignement secondaire, atteignent déjà 30 % dans les années 1920, 40 %-50 % dans les années 1930, et près de 80 % à la fin des années 1950 et au début des années 1960. Autrement dit, au lendemain de la Seconde Guerre mondiale, les États-Unis ont déjà quasiment réalisé la scolarisation secondaire universelle[3]. Au même moment, le taux de scolarisation secondaire est compris entre 20 % et 30 % au Royaume-Uni et en France, et atteint tout juste 40 % en Allemagne.

---

droits que la nature leur avait donnés, mais dont ils savaient si mal user » (*De la démocratie en Amérique*, 1835, p. 42).

1. Pour les données détaillées par État, voir S. ENGERMAN, K. SOKOLOFF, « The Evolution of Suffrage Institutions in the New World », *Journal of Economic History*, vol. 65, 2005, p. 906, tableau 2.

2. Voir chapitre 5, graphique 5.3, p. 218. Le contraste est particulièrement fort avec les pays d'Amérique latine (en particulier Brésil, Mexique, Argentine, Chili), où la participation des hommes adultes blancs aux élections restera inférieure à 10 %-20 % jusqu'en 1890-1910. Voir *ibid.*, p. 910-911, tableau 3. Sur le lent passage d'une idéologie mercantiliste-absolutiste à une idéologie propriétariste-censitaire au sein des élites argentines au XIXᵉ siècle, en lien avec la recomposition des formes de la richesse (depuis l'exportation d'argent jusqu'à la constitution d'un fort surplus agricole), voir J. ADELMAN, *Republic of Capital : Buenos Aires and the Legal Transformation of the Atlantic World*, Stanford University Press, 1999. Sur l'absence d'une phase de compression des inégalités en Amérique latine au XXᵉ siècle, voir J. WILLIAMSON, « Latin American Inequality : Colonial Origins, Commodity Booms or a Missed Twentieth Century Leveling », *Journal of Human Development and Capabilities*, vol. 16 (3), 2015, p. 324-341.

3. Voir en particulier C. GOLDIN, « America's Graduation from High School : The Evolution and Spread of Secondary Schooling in the Twentieth Century », *Journal of Economic History*, vol. 58 (2), 1998, p. 345-374 ; ID., « The Human Capital Century and American Leadership : Virtues of the Past », *Journal of Economic History*, vol. 61 (2), 2001, p. 263-292.

Dans ces trois pays, il faut attendre les années 1980-1990 pour atteindre les taux de scolarisation secondaire de 80 % observés aux États-Unis dès le début des années 1960. Au Japon, en revanche, le rattrapage est plus rapide : la scolarisation secondaire atteint 60 % dès les années 1950, et dépasse 80 % à la fin des années 1960 et au début des années 1970[1].

Il est intéressant de noter que des voix commencèrent à s'élever en Europe dès la fin du XIXe siècle, et en particulier au Royaume-Uni et en France, au sujet du manque d'investissement éducatif. De multiples observateurs commençaient alors à percevoir que la domination mondiale exercée par les deux puissances coloniales était fragile. Outre que la diffusion de l'éducation revêtait un enjeu moral et civilisationnel évident, l'idée relativement neuve à l'époque selon laquelle les qualifications allaient jouer un rôle central dans la prospérité économique future devenait de plus en plus courante. De fait, rétrospectivement, il apparaît clairement que la seconde révolution industrielle, qui se diffuse graduellement entre 1880 et 1940, avec la chimie, la sidérurgie, l'électricité, l'automobile, l'équipement ménager, etc., est beaucoup plus exigeante en formation. Lors de la première révolution industrielle, en particulier dans le charbon et le textile, on pouvait se contenter de mobiliser une force de travail relativement mécanique, encadrée par des contremaîtres et une petite minorité d'entrepreneurs et d'ingénieurs maîtrisant les nouvelles machines et procédés de production. L'ensemble reposait également de façon cruciale sur des structures étatiques, capitalistiques et coloniales en charge de l'organisation des approvisionnements en matières premières et de la division mondiale des tâches et des rôles[2]. Avec la seconde révolution industrielle, il devint essentiel qu'une partie de plus en plus importante de la main-d'œuvre soit alphabétisée et puisse maîtriser des processus de fabrication faisant appel à la culture technique et numérique, consulter les manuels d'utilisation des équipements, et ainsi de suite. C'est par ce biais que les États-Unis, suivis de l'Allemagne et du Japon, nouvellement venus sur la scène internationale, prirent graduellement le dessus sur le Royaume-Uni et la France dans les nouveaux secteurs industriels entre 1880 et 1960.

À la fin du XIXe siècle et au début du XXe, le Royaume-Uni et la France étaient trop sûrs de leur avance et de leur puissance pour prendre pleinement la mesure du nouveau défi éducatif. En France, le traumatisme

---

1. Voir annexe technique. Les sources disponibles sont imparfaites, mais ces ordres de grandeur et surtout ces écarts entre pays sont bien établis.
2. Voir chapitre 9.

consécutif à la défaite militaire face à la Prusse en 1870-1871 joua un rôle décisif pour accélérer le processus. Les lois adoptées dans les années 1880 par la IIIᵉ République sur l'instruction obligatoire et la centralisation du financement des écoles primaires eurent un impact certain et positif sur la progression des taux de scolarisation. Mais le fait est qu'elles furent mises en place relativement tardivement, au terme d'une lente progression des taux d'alphabétisation et de scolarisation primaire, qui avait commencé au XVIIIᵉ siècle et s'était graduellement accélérée au cours du XIXᵉ siècle[1].

Au Royaume-Uni, l'inquiétude au sujet du manque d'investissement éducatif du pays commence à se manifester dès le milieu du XIXᵉ siècle. Mais les élites politiques et économiques du pays ne s'en soucient guère, convaincues que la prospérité britannique tient avant tout à l'accumulation de capital industriel et financier et à la solidité de ses institutions propriétaristes. Des travaux récents ont ainsi montré que les résultats du recensement britannique de 1851 avaient été manipulés afin de minimiser le fossé éducatif qui était en train de se creuser avec d'autres pays, en particulier les États-Unis et l'Allemagne. En 1861, un rapport parlementaire officiel annonce fièrement que la quasi-totalité des enfants de moins de 11 ans sont scolarisés, avant d'être démenti quelques années plus tard par une enquête de terrain, qui conclut que c'est le cas de moins de la moitié des enfants[2].

Les consciences commencent à évoluer après la victoire du Nord sur le Sud aux États-Unis en 1865, qui, comme celle de la Prusse sur la France en 1871, est en grande partie interprétée parmi les élites britanniques et françaises comme le triomphe de la supériorité éducative. Les statistiques budgétaires montrent cependant que l'investissement éducatif continue d'accuser un retard marqué au Royaume-Uni jusqu'à la Première Guerre mondiale. En 1870, les dépenses publiques d'éducation (tous niveaux d'éducation et de collectivités publiques confondus) représentent plus

---

1. Après l'expulsion des protestants en 1685, un premier édit royal de 1698 prescrit une école par paroisse afin d'enseigner le catéchisme et de développer une culture religieuse écrite. Le principe d'un financement par l'impôt de l'instruction obligatoire est adopté en 1792-1793 mais jamais appliqué. À partir de 1833, les communes sont tenues de rémunérer les instituteurs, puis l'État verse des compléments de rémunération à partir des années 1850 et 1860, avant de prendre entièrement en charge les salaires à compter de 1889 (en même temps que disparaissent les certificats de moralité délivrés par les curés aux instituteurs). Voir F. Furet, J. Ozouf, *Lire et Écrire. L'alphabétisation des Français de Calvin à Jules Ferry*, Éditions de Minuit, 1977. Voir également A. Prost, *Histoire de l'enseignement en France, 1800-1967*, Armand Colin 1968.

2. Voir D. Cannadine, *Victorious Century, op. cit.*, p. 257, 347.

de 0,7 % du revenu national aux États-Unis, contre moins de 0,4 % en France et moins de 0,2 % au Royaume-Uni. En 1910, elles ont atteint 1,4 % aux États-Unis, contre 1 % en France et 0,7 % au Royaume-Uni[1]. Par comparaison, rappelons que le Royaume-Uni consacre chaque année entre 1815 et 1914 entre 2 % et 3 % de son revenu national pour servir des intérêts aux détenteurs des titres de la dette publique, ce qui illustre l'écart entre l'importance accordée à l'idéologie propriétariste et à la question de l'éducation[2]. Rappelons également que les dépenses publiques d'éducation avoisinent 6 % du revenu national dans les principaux pays européens au cours de la période 1980-2020[3]. On mesure l'ampleur du chemin parcouru au cours du XXᵉ siècle, et aussi l'importance potentielle des divergences entre pays et des inégalités entre groupes sociaux au sein de ce schéma général de montée en puissance de l'éducation. En l'occurrence, le système britannique est resté marqué par une très forte stratification sociale et éducative, notamment entre des établissements privés huppés et le tout-venant des écoles et lycées publics, ce qui peut contribuer à expliquer le retard du pays en termes de productivité, en dépit des efforts budgétaires réalisés depuis la fin des années 1990 et le début des années 2000[4].

Le décrochage des classes populaires aux États-Unis depuis 1980

Comment les États-Unis, qui ont été pionniers de l'accès universel à l'éducation primaire et secondaire, et qui jusqu'au début du XXᵉ siècle étaient sensiblement plus égalitaires que l'Europe en termes de répartition des revenus et de la propriété, sont-ils devenus depuis les années 1980 le pays le plus inégalitaire du monde développé, à tel point que les fondements mêmes de leurs succès antérieurs sont maintenant menacés ? Nous allons voir que la trajectoire éducative du pays, et en particulier le fait que l'entrée dans l'âge de l'enseignement supérieur se soit accompagnée d'une stratification éducative particulièrement extrême, a joué un rôle central.

1. Voir P. LINDERT, *Growing Public. Social Spending and Economic Growth since the Eighteenth Century*, *op. cit.*, vol. 2, p. 154-155.

2. Voir chapitre 10, p. 521-522.

3. Voir chapitre 10, graphique 10.15, p. 537.

4. Le Royaume-Uni a aujourd'hui des dépenses éducatives totales voisines des autres pays européens (Allemagne, France ou Suède), autour de 6 % du revenu national. Voir annexe technique.

Il ne faut certes pas exagérer l'importance des racines égalitaires du pays. Les États-Unis ont toujours entretenu une relation ambiguë avec l'égalité : plus égalitaires que l'Europe par certains côtés, et beaucoup plus inégalitaires sur d'autres, en particulier du fait de leurs racines esclavagistes. Nous avons d'ailleurs vu que la « social-démocratie » étatsunienne avait ses origines idéologiques dans une forme de social-nativisme : le parti démocrate a longtemps été à la fois ségrégationniste vis-à-vis des Noirs et égalitaires vis-à-vis des Blancs[1]. Nous reviendrons dans la quatrième partie sur l'évolution des coalitions électorales aux États-Unis et en Europe au XXᵉ siècle et au début du XXIᵉ. Nous analyserons en particulier dans quelle mesure ces différences peuvent contribuer à expliquer pourquoi le développement de l'État social et fiscal a été plus limité aux États-Unis qu'en Europe, et si des facteurs raciaux ou ethno-religieux similaires sont susceptibles de jouer un rôle comparable à l'avenir dans le contexte européen.

Il reste que les États-Unis se caractérisaient encore dans les années 1950 par un niveau d'inégalité voisin ou inférieur à celui observé dans un pays comme la France, tout en disposant d'un niveau moyen de productivité (et donc d'un niveau de vie) deux fois plus élevé. À l'inverse, dans les années 2010, les États-Unis sont devenus beaucoup plus inégalitaires, et leur avance en termes de productivité a totalement disparu (voir graphiques 11.1-11.4). Le fait que les pays européens, en particulier l'Allemagne et la France, ont rattrapé leur retard de productivité n'est pas entièrement surprenant. À partir du moment où ces pays développaient une capacité fiscale importante dans l'après-guerre et investissaient les ressources correspondantes dans l'éducation, et plus généralement dans les dépenses sociales et les infrastructures publiques, il n'est pas anormal que le retard éducatif et économique ait été comblé. La montée des inégalités aux États-Unis interroge davantage. En particulier, alors que les 50 % les plus pauvres du pays bénéficiaient de conditions de vie supérieures à celles du groupe équivalent en Europe dans les années 1950, la situation s'est totalement inversée dans les années 2010.

Précisons d'emblée que les causes de cet effondrement de la position relative des classes populaires aux États-Unis sont multiples et ne sauraient se résumer à l'évolution du système éducatif. C'est l'ensemble du système social et des mécanismes de formation des salaires et d'accès à l'emploi qui sont en cause. Il faut tout d'abord insister sur le fait qu'il s'agit bien d'un véritable effondrement. La part des 50 % les plus pauvres, qui était d'environ

1. Voir chapitre 6, p. 289-293.

20 % du revenu total pendant les années 1960-1970 et jusqu'en 1980, a été quasiment divisée par deux, passant à guère plus de 12 % dans les années 2010-2015. La part des 1 % les plus riches a connu l'évolution opposée : elle est passée d'à peine 11 % à plus de 20 % (voir graphique 11.5). À titre de comparaison, on remarquera que si les inégalités ont également augmenté en Europe depuis 1980, avec une hausse significative de la part du centile supérieur et une baisse de la part de la moitié la plus pauvre, ce qui dans un contexte d'affaissement général de la croissance est loin d'être passé inaperçu, les ordres de grandeur ne sont pas du tout les mêmes. En particulier, la part du revenu total allant aux 50 % les plus pauvres est restée en Europe nettement supérieure à celle allant aux 1 % les plus riches (voir graphique 11.6).

Graphique 11.5
La chute de la part des bas revenus aux États-Unis, 1960-2015

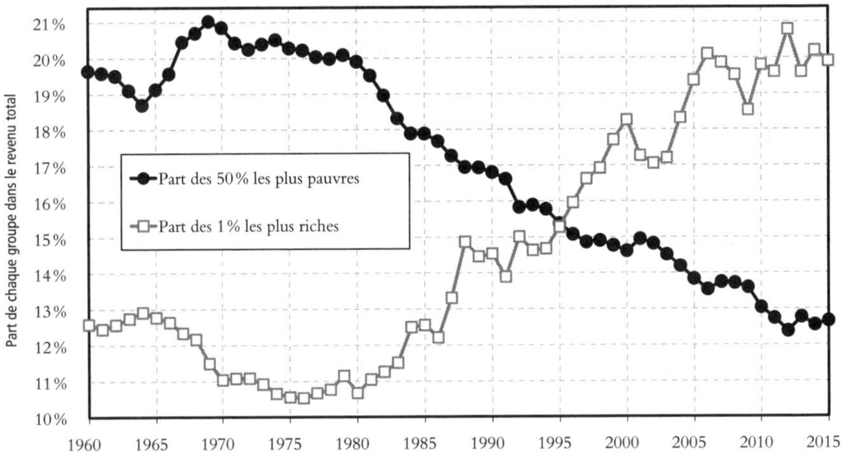

Lecture : la part des 50 % des revenus les plus faibles est passée d'environ 20 % du revenu total aux États-Unis dans les années 1970 à 12 %-13 % dans les années 2010. Au cours de la même période, la part des 1 % des revenus les plus élevés est passée de 11 % du revenu total à 20 %-21 %.
Sources et séries : voir piketty.pse.ens.fr/ideologie.

Il faut également souligner à quel point une telle divergence entre ces deux parties du monde de taille comparable, les États-Unis (environ 320 millions d'habitants en 2015) et l'Europe occidentale (environ 420 millions), caractérisées par des niveaux de développement et de productivité moyenne semblables, n'a absolument rien d'évident. En particulier, la mobilité du travail est plus forte aux États-Unis, conséquence notamment de la plus forte homogénéité linguistique et culturelle, et un tel facteur est réputé contribuer à la convergence des niveaux de revenus. Les États-Unis disposent également d'une fiscalité au niveau fédéral (en particulier d'un impôt fédéral sur le revenu et les successions) et de politiques sociales importantes (en particulier concernant les retraites et la santé), ce qui n'est pas le cas en Europe. De toute évidence, d'autres facteurs allant en sens inverse, liés aux politiques sociales, fiscales et éducatives plus égalitaires menées à l'intérieur des États-nations européens, ont joué un rôle plus important[1].

Graphique 11.6

Bas revenus et hauts revenus en Europe, 1980-2016

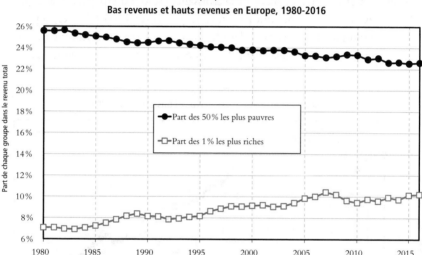

Lecture : la part des 50 % des revenus les plus faibles est passée d'environ 26 % du revenu total en Europe occidentale au début des années 1980 à 23 % dans les années 2010. Au cours de la même période, la part des 1 % des revenus les plus élevés est passée de 7 % du revenu total à 10 %.
Sources et séries : voir piketty.pse.ens.fr/ideologie.

Il est maintenant bien connu que l'explosion des inégalités étatsuniennes depuis 1980 a notamment pris la forme d'un envol sans précédent des très hauts revenus, et en particulier du fameux « 1 % ». Concrètement, pour que la part des 1 % les plus riches dans le revenu total dépasse à elle toute seule la part allant aux 50 % les plus pauvres, il faut et il suffit que le revenu moyen du premier groupe soit plus de cinquante fois plus élevé que celui du second. C'est précisément ce qui s'est produit (voir graphique 11.7). Jusqu'en 1980, le revenu moyen des 1 % les plus riches était de l'ordre de vingt-cinq fois plus élevé que celui des 50 % les plus pauvres (environ 400 000 dollars par an et par adulte pour les 1 % les plus riches, contre

1. Nous verrons également que les inégalités restent sensiblement plus faibles en Europe lorsqu'on inclut l'Europe de l'Est dans l'ensemble européen. Voir chapitre 12, graphique 12.9, p. 741.

15 000 dollars par an et par adulte pour les 50 % les plus pauvres). En 2015, le revenu moyen des 1 % les plus riches est plus de quatre-vingts fois plus élevé que celui des 50 % les plus pauvres : environ 1,3 million de dollars pour le premier, contre toujours environ 15 000 dollars pour le second (tous les montants sont ici exprimés en dollars constants de 2015).

Graphique 11.7

Bas et hauts revenus aux États-Unis, 1960-2015

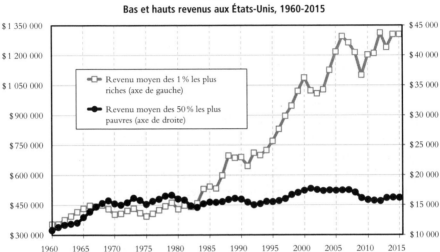

Lecture : en 1970, le revenu moyen des 50 % les plus pauvres était de 15 200 $ par an et par adulte, et celui des 1 % les plus riches de 403 000 $, soit un rapport de 1 à 26. En 2015, le revenu moyen des 50 % les plus pauvres est de 16 200 $, et celui des 1 % les plus riches de 1 305 000 $, soit un rapport de 1 à 81. Tous les montants sont en dollars 2015.

Sources et séries : voir piketty.pse.ens.fr/ideologie.

Mais plus encore que l'envol des 1 %, le phénomène le plus important est sans aucun doute cette chute de la part des 50 % les plus pauvres. Cela n'avait là encore rien d'évident : la hausse de la part des 1 % les plus riches aurait pu se faire au détriment des personnes immédiatement au-dessous d'eux au sein des 10 % les plus riches, ou bien au détriment des 40 % suivants, au moins en partie ; or le fait est qu'elle s'est produite presque exclusivement au détriment des 50 % les plus pauvres. Il est particulièrement frappant de constater que leur pouvoir d'achat a connu une stagnation quasi complète aux États-Unis depuis la fin des années 1960. Avant impôts et transferts, le revenu moyen des 50 % les plus pauvres était déjà de l'ordre de 15 000 dollars par an et par adulte à la fin des années 1960, et il se situe toujours approximativement à ce même niveau à la fin des années 2010 (en dollars 2015), un demi-siècle plus tard, ce qui n'est pas banal, compte tenu des transformations socio-économiques considérables (et notamment de la forte augmentation de la productivité moyenne) que l'économie et la société étatsuniennes ont connues au cours de cette période. Dans un contexte marqué de surcroît par la dérégulation croissante du système financier, une telle évolution n'a pu que contribuer à accroître l'endettement des ménages les plus pauvres et à la fragilisation du système bancaire qui a mené à la crise de 2008[1].

Si l'on prend maintenant en compte les impôts et les transferts, on constate que la situation des 50 % les plus pauvres ne s'améliore que légère-ment (voir graphique 11.8)[2]. Examinons tout d'abord les résultats obtenus en nous limitant aux transferts monétaires, y compris *food stamps* (bons alimentaires), qui ne sont pas à proprement parler des transferts monétaires, mais qui permettent tout de même une plus grande liberté d'usage que la plupart des transferts en nature. On constate alors que le revenu moyen n'est pas très différent après prise en compte de ces impôts et transferts, ce qui signifie que le montant des impôts payés par les 50 % les plus pauvres (en particulier sous forme des taxes indirectes) est approximativement équi-valent au montant des transferts monétaires reçus (y compris *food stamps*)[3].

---

1. Voir M. Bertrand, A. Morse, « Trickle-Down Consumption », *Review of Economics and Statistics*, vol. 98 (5), 2016, p. 863-879 ; M. Kumhof, R. Rancière, P. Winant, « Ine-quality, Leverage and Crises », *American Economic Review*, vol. 105 (3), 2015, p. 1217-1245. Sur l'histoire de la régulation du crédit aux États-Unis, voir L. Hyman, *Debtor Nation : The History of America in Red Ink*, Press University Press, 2011 ; Id., *Borrow : The American Way of Debt : How Personal Credit Created the American Middle Class and Almost Bankrupted the Nation*, Vintage Books, 2012.

2. Les résultats résumés ici ont été obtenus en combinant de façon systématique les diffé-rentes sources disponibles : fichiers fiscaux, enquêtes auprès des ménages, comptes nationaux. Voir T. Piketty, E. Saez, G. Zucman, « Distributional National Accounts : Methods and Estimates for the United States », art. cité. Voir annexe pour les séries détaillées.

3. Le principal transfert monétaire aux plus pauvres (hors *food stamps*) est l'EITC (*Earned income tax credit*), qui est un système d'impôt négatif similaire à la prime d'activité en France (ancienne prime pour l'emploi, PPE) visant à augmenter le revenu disponible des travailleurs à bas salaire. L'extension de l'EITC et les baisses fiscales consécutives à la crise de 2008 expliquent pourquoi le revenu après impôts et transferts monétaires passe légèrement au-dessus du revenu avant impôt et transferts. Comme pour les autres pays, le revenu avant impôt et transferts considéré ici inclut toutefois les retraites publiques (et déduit les cotisations correspondantes), faute de quoi le revenu des retraités serait artificiellement bas. Si l'on se restreint aux popula-tions en âge de travailler, on constate la même stagnation du revenu moyen des 50 % les plus pauvres au cours du dernier demi-siècle. Voir *ibid.*, figure 4, p. 585. Par ailleurs, la baisse de la progressivité fiscale implique que l'écart entre les taux effectifs d'imposition acquittés par les 50 % les plus pauvres et les 1 % les plus riches s'est beaucoup réduit par comparaison aux années 1930-1970. Voir *ibid.*, figure 9a, p. 599, et chapitre 10, graphique 10.13.

Graphique 11.8

Bas revenus et transferts aux États-Unis, 1960-2015

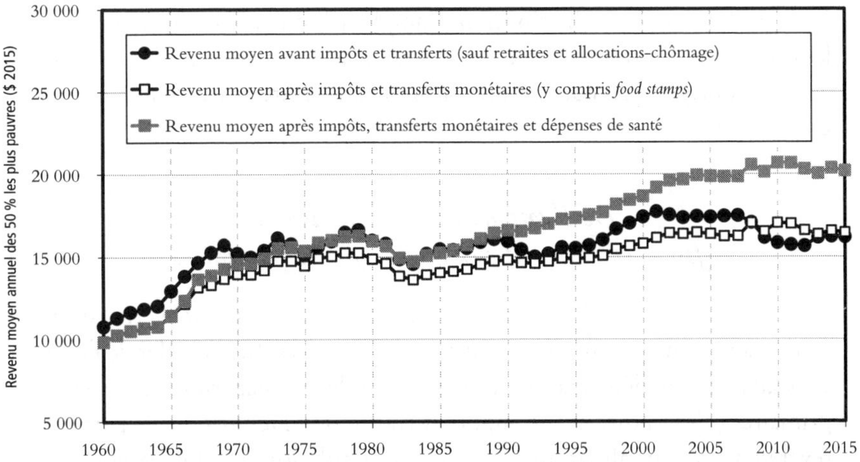

Lecture : exprimé en dollars constants de 2015, le revenu moyen annuel avant impôts et transferts des 50 % les plus pauvres a stagné autour de 15 000 $ par adulte entre 1970 et 2015. Il en va de même après impôts (y compris taxes indirectes) et transferts monétaires (y compris *food stamps*), les uns et les autres s'équilibrant approximativement. Il monte jusqu'à 20 000 $ en 2010-2015 si l'on inclut les transferts en nature sous forme de dépenses publiques de santé.
Sources et séries : voir piketty.pse.ens.fr/ideologie.

Si l'on inclut à présent les remboursements liés au système public d'assurance-maladie (Medicare et Medicaid), ainsi que les frais d'hospitalisation correspondants, on constate que le revenu après impôts et transferts des 50 % les plus pauvres a connu une certaine progression, passant d'environ 15 000 dollars en 1970 à 20 000 dollars en 2015 (voir graphique 11.8). Il s'agit toutefois d'une progression de niveau de vie très limitée sur une période aussi longue, et qui est de surcroît assez difficile à interpréter. Ces 5 000 dollars de « revenu supplémentaire » liés aux dépenses de santé constituent certes pour partie une amélioration des conditions d'existence, dans un contexte général d'allongement de l'espérance de vie (plus limité toutefois aux États-Unis qu'en Europe, surtout pour les classes populaires). Mais ce transfert supplémentaire reflète également pour partie une augmentation du coût des services de santé aux États-Unis, c'est-à-dire en pratique les rémunérations des médecins, les profits des compagnies pharmaceutiques, etc., qui ont prospéré au cours des dernières décennies. Concrètement, l'augmentation de 5 000 dollars dont ont bénéficié les 50 % les plus pauvres correspond environ à une semaine de revenu avant impôt d'un fournisseur de soins faisant partie des 10 %

des revenus les plus élevés, et à environ un jour de revenu avant impôt d'un fournisseur de soins faisant partie des 1 % des revenus les plus élevés. Il s'agit donc d'une redistribution d'ampleur limitée. On voit également les difficultés d'interprétation auxquelles on se retrouve confrontés si l'on cherche à prendre en compte les transferts en nature et pas seulement les transferts monétaires[1].

De l'impact du système légal, fiscal et éducatif sur les inégalités primaires

En tout état de cause, il apparaît clairement qu'une politique de transferts (qu'ils soient monétaires ou en nature) ne peut pas suffire à régler de façon satisfaisante une déformation aussi massive de la répartition des revenus primaires (c'est-à-dire avant impôts et transferts). Dès lors que la part des revenus primaires allant aux 50 % de la population les plus pauvres est quasiment divisée par deux en quarante ans, et que la part allant aux 1 % les plus riches est corrélativement multipliée par deux (voir graphique 11.5), il semble illusoire de chercher à contrecarrer une telle évolution uniquement par une politique de redistribution *ex post*. Cette dernière est bien évidemment indispensable, mais il faut également et surtout s'intéresser aux politiques permettant de modifier la répartition primaire des revenus, c'est-à-dire aux modifications en profondeur du système légal, fiscal et éducatif permettant aux 50 % les plus pauvres d'accéder à des emplois mieux rémunérés et à la propriété.

De façon générale, il est important d'insister sur le fait que les différents régimes inégalitaires observés dans l'histoire se caractérisent avant tout par la façon dont ils contribuent à déterminer la répartition primaire des ressources. C'est le cas dans les sociétés trifonctionnelles comme dans les sociétés esclavagistes, et dans les sociétés coloniales comme dans les sociétés de propriétaires. Il en va de même dans les diverses formes de sociétés sociales-démocrates, communistes, postcommunistes ou néopropriétaristes qui se sont succédé au XXe siècle et au début du XXIe. Par exemple, si les États-Unis sont devenus plus inégalitaires que l'Europe, c'est uniquement du fait de leur plus grande inégalité de revenus

---

1. On peut également inclure d'autres transferts en nature (comme les dépenses d'éducation ou de maintien de l'ordre), mais il devient encore plus difficile de les attribuer et de les interpréter de façon satisfaisante. Voir annexe technique pour les résultats détaillés correspondants.

primaires. Si l'on compare les niveaux d'inégalité avant et après impôts et transferts aux États-Unis et en France, tels que mesurés par le rapport entre le revenu moyen des 10 % les plus riches et les 50 % les plus pauvres, on constate que les impôts et les transferts réduisent les inégalités dans des proportions comparables dans les deux pays (voire un peu plus aux États-Unis), et que l'écart inégalitaire global s'explique entièrement par la différence observée avant impôts et transferts (voir graphique 11.9)[1]. Autrement dit, il est essentiel de s'intéresser au moins autant aux politiques de « prédistribution » (c'est-à-dire aux politiques qui affectent le niveau d'inégalité primaire) qu'à celles de « redistribution »

Graphique 11.9
Inégalité primaire et redistribution : États-Unis *vs* France

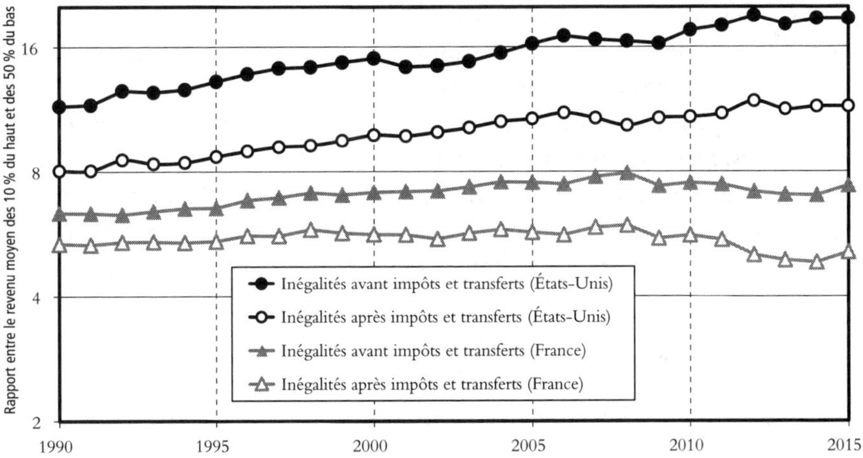

Lecture : en France, le rapport entre le revenu moyen avant impôts et transferts du décile supérieur (les 10 % les plus élevés) et de la moitié inférieure (les 50 % les plus bas) est passé de 6,4 en 1990 à 7,4 en 2015. Aux États-Unis, le même rapport est passé de 11,5 à 18,7. Dans les deux pays, la prise en compte des impôts et transferts monétaires (y compris *food stamps* et allocations-logement) permet de réduire les inégalités d'environ 20 %-30 %.
Note : la distribution est celle du revenu annuel par adulte.
Sources et séries : voir piketty.pse.ens.fr/ideologie.

1. De la même façon que pour les États-Unis, les estimations portant sur la France ont été obtenues en combinant de façon systématique les différentes sources disponibles : fichiers fiscaux, enquêtes auprès des ménages, comptes nationaux. Voir A. Bozio, B. Garbinti, J. Goupille-Lebret, M. Guillot, T. Piketty, « Inequality and Redistribution in France 1990-2018 : Evidence from Post-Tax Distributive National Accounts (DINA) », WID.world, Working Paper Series, n° 2018/10. Les résultats sont identiques avec d'autres indicateurs d'inégalité (comme le coefficient de Gini), ou bien en considérant séparément différents groupes d'âge (par exemple en excluant les retraités). Voir annexe technique pour les séries détaillées.

(c'est-à-dire permettant de réduire l'inégalité des revenus disponibles pour une inégalité primaire donnée)[1].

Compte tenu de la complexité des systèmes sociaux en jeu, et des limitations des données disponibles, il est difficile de quantifier de façon parfaitement précise le rôle joué par les différents dispositifs institutionnels pour expliquer les variations dans le temps et l'espace du niveau d'inégalité primaire. Il est toutefois utile de décrire les principaux mécanismes. Le système légal, en particulier le droit du travail et des entreprises, joue un rôle essentiel. Nous avons déjà noté l'importance des négociations collectives, des syndicats et plus généralement des règles et institutions applicables pour la fixation des salaires. La présence de représentants des salariés au conseil d'administration, dans le cadre de la cogestion germanique et nordique, tend par exemple à limiter l'envol des rémunérations des cadres dirigeants, et plus généralement à conduire à des grilles salariales plus resserrées et moins arbitraires[2]. Le salaire minimum et son évolution jouent également un rôle central pour expliquer les variations des inégalités de salaires dans le temps et entre pays. Dans les années 1950 et 1960, les États-Unis avaient de loin le salaire minimum le plus élevé du monde. En 1968-1970, il atteignait au niveau fédéral l'équivalent de plus de 10 dollars actuels par heure de travail. Depuis 1980, l'irrégularité des revalorisations a conduit à un grignotage graduel du niveau réel du salaire minimum fédéral, qui n'est plus que de 7,20 dollars en 2019, soit un pouvoir d'achat 30 % plus faible qu'un demi-siècle auparavant, ce qui n'est pas banal pour un pays en paix et en expansion économique. Ce retournement témoigne

---

1. En ce sens, les résultats présentés ici montrent l'intérêt de la notion de « prédistribution ». Voir M. O'NEILL, T. WILLIAMSON, « The Promise of Predistribution », *Policy Network*, 2012 ; A. THOMAS, *Republic of Equals : Predistribution and Property-Owning Democracy*, Oxford University Press, 2017. Il faut toutefois souligner que cette notion a parfois été instrumentalisée pour promouvoir l'idée d'une redistribution minimale, et en particulier pour minimiser le rôle de l'impôt progressif (ce qui n'était pas l'intention initiale de ses promoteurs). J'insiste au contraire sur le fait que l'impôt progressif (en particulier les taux de 70 %-90 % sur les revenus astronomiques) fait partie des institutions les plus importantes permettant d'affecter la « prédistribution ». Voir plus loin.

2. Pour une analyse du rôle des grilles salariales (en particulier des salaires minima et maxima) pour sécuriser les salariés et accroître leurs investissements dans l'entreprise, notamment en présence de fort pouvoir de négociation des employeurs, voir T. PIKETTY, *Le Capital au XXIe siècle, op. cit.*, chapitre 9, p. 487-497. Voir également H. FARBER, D. HERBST, I. KUZIEMKO, S. NAIDU, « Unions and Inequality Over the Twentieth Century : New Evidence from Survey Data », NBER, Working Paper, n° 24587, 2018.

de l'ampleur des bouleversements politico-idéologiques qui ont marqué les États-Unis depuis les années 1970-1980. Dans le même temps, le salaire minimum français est passé d'à peine 3 euros par heure dans les années 1960 à 10 euros en 2019 (voir graphique 11.10), soit une progression du même ordre que celle de la productivité moyenne du travail (voir graphique 11.3).

Graphique 11.10
Le salaire minimum : États-Unis *vs* France, 1950-2019

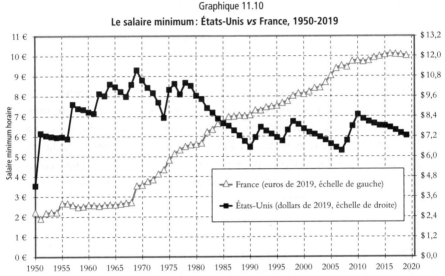

Lecture : converti en pouvoir d'achat de 2019, le salaire minimum fédéral est passé de 4,25 $ en 1950 à 7,25 $ par heure en 2019 aux États-Unis, alors que le salaire minimum national (Smig en 1950 puis Smic à partir de 1970) est passé de 2,23 € en 1950 à 10,03 € par heure en 2019. Les deux échelles respectent les parités de pouvoir d'achat (1,2 $ pour 1€ en 2019).
Sources et séries : voir piketty.pse.ens.fr/ideologie.

De nombreux travaux ont montré que cette chute du salaire minimum aux États-Unis avait fortement contribué au décrochage des bas salaires depuis les années 1980, dans un contexte général d'affaiblissement du pouvoir de négociation des salariés. Le salaire minimum fédéral est d'ailleurs tombé à un niveau tellement bas relativement à la productivité générale du pays que plusieurs États se sont mis à relever leur propre salaire minimum à un niveau sensiblement plus élevé, sans que cela nuise au niveau d'emploi. En Californie, le salaire minimum est ainsi de 11 dollars par heure en 2019, et il va passer graduellement à 15 dollars d'ici à 2023. De la même façon, le haut niveau de salaire minimum fédéral appliqué des années 1930 aux années 1960, dans un contexte de haute productivité et de qualifications élevées aux États-Unis, a contribué à réduire les inégalités salariales, tout cela avec un niveau d'emploi très important. Des travaux récents ont également montré que l'extension au cours des années 1960 du salaire minimum fédéral aux secteurs d'emplois les plus intensifs en main-d'œuvre afro-américaine (en particulier dans l'agriculture, qui avait été exclue du système lors de sa mise en place en 1938, en partie du fait de l'hostilité des démocrates des États du Sud) avait fortement contribué à réduire les écarts de salaires Blancs-Noirs et les discriminations salariales[1].

Il est intéressant de noter que plusieurs pays européens ont instauré relativement tardivement un système de salaire minimum au niveau national. C'est le cas notamment du Royaume-Uni en 1999 et de l'Allemagne en 2015. Auparavant, ces pays s'appuyaient uniquement sur les négociations salariales au niveau des entreprises et des secteurs d'activité, ce qui pouvait conduire à des minima élevés, mais variables suivant les branches. La transformation de la structure de l'emploi et, en particulier, le déclin de l'emploi industriel, le déplacement graduel de l'activité vers les services et le repli de l'implantation syndicale ont progressivement réduit la portée des négociations collectives depuis les années 1980. Cela explique sans doute en partie le recours croissant au salaire minimum national[2]. Cet outil indispensable ne saurait cependant se substituer aux négociations salariales et au partage du pouvoir au niveau des branches et des entreprises, qui pourraient prendre de nouvelles formes à l'avenir.

Outre le système légal et le droit du travail et des entreprises, il faut souligner ensuite que le système fiscal peut également avoir un impact déterminant sur les inégalités primaires. C'est le cas de façon évidente pour l'impôt sur les successions, ou pour l'impôt progressif sur la propriété et la dotation universelle en capital qui pourrait ainsi être financée. Ces mesures fiscales sur les patrimoines réduisent structurellement l'inégalité de la propriété au sein des nouvelles générations, ce qui permet d'égaliser aussi les opportunités d'investissement des uns et des autres, et donc la répartition

---

1. Voir E. DERENONCOURT, C. MONTIALOUX, « Minimum Wages and Racial Inequality », Harvard, 2018.

2. À la fin des années 1960, les États-Unis avaient le salaire minimum réel le plus élevé du monde. À la fin des années 2010, ils sont nettement dépassés par l'Allemagne, le Royaume-Uni, la France, les Pays-Bas, la Belgique, l'Australie et le Canada. Voir L. KENWORTHY, *Social-Democratic Capitalism*, Oxford University Press, 2019, p. 206, figure 7.12. Les pays nordiques continuent de s'appuyer sur les négociations salariales.

future des revenus du travail. De façon peut-être moins évidente, l'impôt progressif sur les revenus a également un très fort impact sur l'inégalité primaire (avant impôts et transferts), et pas seulement sur l'inégalité après impôts. Tout d'abord, l'impôt progressif sur les plus hauts revenus limite les possibilités de concentration de la capacité à épargner et donc de la propriété au sommet de la distribution, et peut contribuer à l'inverse à faire progresser la capacité à épargner et l'accès à la propriété des classes moyennes et populaires.

Par ailleurs, l'une des principales conséquences historiques des taux extrêmement élevés de l'ordre de 70 %-90 % appliqués aux très hauts revenus entre 1930 et 1980, en particulier aux États-Unis et au Royaume-Uni[1], semble avoir été de mettre fin aux rémunérations de cadres dirigeants les plus astronomiques. À l'inverse, la très forte réduction de ces taux dans les années 1980 semble avoir contribué de façon décisive à l'envol de ces revenus. De fait si l'on examine l'évolution des rémunérations des cadres dirigeants des sociétés cotées dans l'ensemble des pays développés depuis 1980, on constate que les variations du taux d'imposition constituent le principal facteur explicatif permettant de rendre compte des différentiels observés, bien davantage que le secteur d'activité, la taille ou la performance de l'entreprise[2]. Le mécanisme en jeu semble être lié à la transformation des modes de formation des salaires des dirigeants et au pouvoir de négociation de ces derniers. Pour un dirigeant, il n'est jamais totalement évident de convaincre les différentes parties prenantes (subordonnés directs, autres salariés, actionnaires, membres du comité de rémunération) qu'une augmentation conséquente de son traitement (par exemple, 1 million de dollars en plus) est indispensable. Dans les années 1950 et 1960, les membres des états-majors des grandes sociétés anglo-saxonnes avaient peu intérêt à se battre pour de telles rémunérations, et les différentes parties prenantes étaient moins prêtes à l'accepter, car de toute façon 80 %-90 % de l'augmentation allait directement dans les caisses du Trésor public. À partir des années 1980, le jeu a totalement changé de nature, et tout semble indiquer que les dirigeants se sont mis à déployer des efforts considérables pour convaincre les uns et les autres de leur accorder des augmentations sans limites, ce qui n'est pas toujours si difficile, compte tenu des très grandes difficultés objectives liées

1. Voir chapitre 10, graphique 10.11, p. 525.
2. Voir T. PIKETTY, E. SAEZ, S. STANTCHEVA, « Optimal Taxation of Top Labor Incomes : A Tale of Three Elasticities », art. cité.

à la mesure de la contribution individuelle d'un cadre dirigeant à son entreprise, et des modes de composition souvent assez incestueux des comités de rémunération. Cette explication a en outre le mérite d'expliquer pourquoi il est si difficile de déceler dans les données disponibles toute relation statistiquement significative entre les rémunérations des dirigeants et la performance des entreprises concernées (ou la productivité des économies en question)[1].

La concentration croissante du système productif étatsunien entre les mains des plus grandes compagnies, que l'on observe dans l'ensemble des secteurs (et pas seulement dans celui des technologies de l'information) depuis les années 1980-1990, a également contribué à accroître le pouvoir de négociation des dirigeants des entreprises leaders dans les différents secteurs ainsi que leur capacité à comprimer les bas et moyens salaires et à augmenter la part des profits dans la valeur ajoutée du secteur privé[2]. Cette évolution reflète elle-même la faiblesse des politiques antitrust, leur incapacité à se renouveler et surtout le manque de volonté politique des administrations successives de les faire évoluer, ce qui s'explique par un contexte idéologique général favorable au « laissez-faire », une concurrence internationale exacerbée, et peut-être aussi un système de financement politique de plus en plus biaisé en faveur des grands groupes et de leurs dirigeants[3].

La tertiarisation et la nouvelle stratification éducative et sociale du monde

Enfin, et peut-être surtout, au-delà de la question du système légal et du système fiscal, le système éducatif joue un rôle crucial dans la formation des inégalités primaires. À long terme, ce sont avant tout l'accès aux qualifications et la diffusion des connaissances qui permettent la réduction des

---

1. Voir *ibid.*, en particulier figures 3, 5, A1 et tableau 2-5.

2. Voir par exemple M. Pursey, *CEO Pay and Factor Shares : Bargaining Effects in US Corporations 1970-2011*, master, PSE 2013. Voir également M. Kehrig, N. Vincent, « The Micro-Level Anatomy of the Labor Share Decline », NBER, Working Paper, n° 25275, 2018 ; E. Liu, M. Mian, A. Sufi, « Low Interest Rates, Market Power, and Productivity Growth », NBER, Working Paper, n° 25505, 2019. La prise de conscience du poids excessif des monopoles privés est peut-être en train de s'accélérer aux États-Unis, comme le montrent par exemple les débats de plus en plus vifs sur la nécessité de placer sous contrôle public les grandes plates-formes numériques.

3. Voir chapitre 12, p. 730-731.

inégalités, aussi bien d'ailleurs à l'intérieur des pays qu'au niveau international. Compte tenu du progrès technique et de la transformation de la structure des emplois, le système productif demande des qualifications de plus en plus importantes. Si l'offre de qualifications ne suit pas cette évolution de façon équilibrée, par exemple si certains groupes sociaux bénéficient d'un investissement éducatif en stagnation ou en diminution, alors que d'autres concentrent une part croissante des ressources en formation, alors les inégalités d'emplois et de salaires entre les deux groupes vont avoir tendance à s'accroître, quelle que soit l'excellence du système légal ou fiscal en place par ailleurs.

En l'occurrence, tout laisse à penser que l'inégalité croissante de l'investissement éducatif joue un rôle central dans la montée particulièrement forte des inégalités de revenus aux États-Unis depuis les années 1980. Dans les années 1950 et 1960, les États-Unis étaient le premier pays à avoir atteint la scolarisation secondaire quasi universelle. Puis dans les années 1980-1990, le pays avait été rejoint dans cette situation par la plupart des pays d'Europe occidentale et par le Japon. Tous ces pays sont ensuite passés dans l'âge de la tertiarisation de masse, caractérisée par l'accès d'une fraction de plus en plus importante des nouvelles générations à l'enseignement supérieur. Au milieu des années 2010, le taux de scolarisation tertiaire (ici défini comme le pourcentage de jeunes adultes âgés de 18 à 21 ans, scolarisés dans un établissement d'enseignement supérieur) atteint ou dépasse les 50 % aux États-Unis et dans tous les pays d'Europe occidentale, et s'approche déjà de 60 %-70 % au Japon ou en Corée[1]. Il s'agit d'un bouleversement radical de l'ordre éducatif et symbolique : l'enseignement supérieur ne concernait de tout temps qu'une fraction privilégiée de la population (toujours moins de 1 % jusqu'au début du XXᵉ siècle, et moins de 10 % jusqu'aux années 1960) ; il touche désormais une majorité des jeunes générations des pays riches, et s'apprête à toucher graduellement une majorité de la population de ces pays. Ce processus est encore en cours : étant donné le rythme de renouvellement des générations, le pourcentage de diplômés de l'enseignement supérieur au sein de la population adulte est actuellement compris entre 30 % et 40 % aux États-Unis et au sein des pays européens et asiatiques les plus avancés, et il faudra encore plusieurs décennies avant qu'il atteigne 50 %-60 %.

---

1. Voir annexe technique.

Ce bouleversement est porteur de nouvelles inégalités, entre pays aussi bien qu'à l'intérieur des pays. Les États-Unis ont perdu leur avance éducative dans les années 1980-1990. De nombreux travaux ont montré comment le ralentissement de l'investissement éducatif du pays avait contribué à l'accroissement des inégalités salariales liées au diplôme à partir des années 1980 et 1990[1]. Il faut également souligner que le financement de l'enseignement primaire et secondaire, bien que très majoritairement d'origine publique (comme d'ailleurs dans tous les pays développés), est aux États-Unis extrêmement décentralisé. Il dépend notamment des recettes de la *property tax* au niveau local, ce qui peut générer des inégalités considérables suivant la richesse des communautés. Par comparaison aux pays européens et asiatiques, où le financement de l'éducation primaire et secondaire est généralement centralisé à l'échelon national, l'enseignement secondaire est donc un peu moins universel aux États-Unis qu'ailleurs. Presque tout le monde va au bout de la *high school*, mais la diversité des niveaux et des moyens est très importante.

Par ailleurs, des travaux récents ont montré que l'accès à l'enseignement supérieur était aux États-Unis surdéterminé par le revenu parental. Concrètement, la probabilité d'accès à l'université était au milieu des années 2010 comprise entre 20 % et 30 % pour les enfants les plus pauvres, et montait quasi linéairement jusqu'à plus de 90 % pour les enfants les plus riches[2]. Les données similaires disponibles pour les autres pays, bien que très incomplètes, ce qui est en soi problématique, suggèrent que la courbe est moins pentue. De même, des recherches comparant la position des enfants et des parents en termes de revenus ont montré que la courbe est particulièrement pentue (et, par conséquent, la mobilité intergénérationnelle particulièrement faible) aux États-Unis par comparaison aux pays européens, et particulièrement aux pays d'Europe nordique[3]. On remarquera également que la corrélation intergénérationnelle entre la position des enfants et des parents dans la hiérarchie des revenus s'est

---

1. Voir en particulier C. GOLDIN, L. KATZ, *The Race between Education and Technology : The Evolution of US Educational Wage Differentials 1890-2005*, Harvard University Press-NBER, 2007. Voir également T. PIKETTY, *Le Capital au XXIᵉ siècle, op. cit.*, chapitre 9, p. 485-486.

2. Voir Introduction, graphique 0.8, p. 53.

3. En termes de mobilité intergénérationnelle, la France et l'Allemagne apparaissent généralement en position intermédiaire entre les États-Unis et le Royaume-Uni (les moins mobiles) et les pays nordiques et scandinaves (les plus mobiles). Voir annexe technique.

accrue de façon marquée aux États-Unis au cours des dernières décennies[1]. Cette diminution significative de la mobilité sociale, en contradiction flagrante avec les discours théoriques sur la « méritocratie » et l'égalité des chances, témoigne de l'extrême stratification du système éducatif et social étatsunien. Cela montre également l'importance de soumettre ce type de discours politico-idéologique à des évaluations empiriques systématiques, ce que les sources disponibles ne permettent pas toujours de faire sur une base comparative et historique satisfaisante.

Le fait que l'accès à l'enseignement supérieur est surdéterminé par le revenu parental aux États-Unis peut s'expliquer de multiples façons. Il s'agit en partie d'une traduction de la stratification antérieure : à partir du moment où l'enseignement primaire et secondaire est lui-même très inégalitaire, les enfants issus de milieux modestes ont moins de chances de remplir les conditions en termes de notes pour être admis dans les universités les plus sélectives. Cela traduit également le coût privé des études, qui a atteint des niveaux particulièrement astronomiques aux États-Unis depuis les années 1980. De façon générale, si tous les pays développés financent leur enseignement primaire et secondaire presque exclusivement avec de l'argent public, on constate de grandes variations dans les modes de financement du supérieur. La part des financements privés est comprise entre 60 % et 70 % aux États-Unis, elle atteint près de 60 % au Royaume-Uni, au Canada et en Australie, contre environ 30 % en moyenne en France, en Italie et en Espagne, où les droits d'inscription sont généralement plus modérés que dans les pays anglo-saxons, et moins de 10 % en Allemagne, en Autriche, en Suède, au Danemark et en Norvège, où le principe général est la gratuité quasi absolue, de la même façon que dans l'enseignement primaire et secondaire (voir graphique 11.11)[2].

---

1. Voir J. HARRIS, B. MAZUMBDER, « The Decline of Intergenerational Mobility since 1980 », Harris School, 2018. Voir également R. CHETTY, D. GRUSKY, M. HELL, N. HENDREN, R. MANDUCA, J. NARAND, « The Fading American Dream : Trends in Absolute Income Mobility Since 1940 », *Science*, vol. 356 (6336), 2017, p. 398-406 ; F. PFEFFER, « Growing Wealth Gaps in Education », Demography, vol. 55 (3), 2018, p. 1033-1068.

2. On constate cette même diversité dans les autres parties du monde. La part des financements privés dans l'enseignement supérieur est relativement forte au Japon et en Corée, ou au Chili et en Colombie, alors qu'elle est faible en Chine, en Indonésie et en Turquie, ou en Argentine et au Mexique. Dans l'enseignement primaire et secondaire, la part des financements privés est systématiquement assez faible (10 %-20 % au maximum). Voir annexe technique, graphique S11.11.

Graphique 11.11

**La part des financements privés dans l'éducation :
diversité des modèles euro-américains**

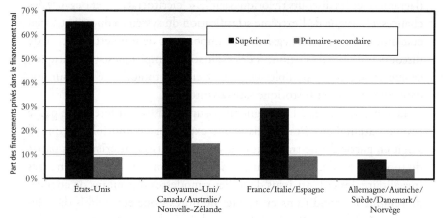

Lecture : aux États-Unis, les financements privés représentent 65 % du financement total (privé et public) de l'enseignement supérieur, et 9 % du financement total de l'enseignement primaire et secondaire. La part des financements privés dans l'enseignement supérieur varie fortement suivant les pays, avec un modèle anglo-saxon, un modèle sud-européen et un modèle nord-européen, alors qu'elle est partout relativement faible dans l'enseignement primaire et secondaire (chiffres 2014-2016).
Sources et séries : voir piketty.pse.ens.fr/ideologie.

Dans le cas des États-Unis, l'importance des financements privés a conduit à la fois à une très grande prospérité des meilleures universités étatsuniennes (ce qui leur permet d'attirer une partie des meilleurs chercheurs et étudiants étrangers) et à une stratification extrême du système d'enseignement supérieur. De fait, si l'on considère la totalité des moyens disponibles (publics et privés) pour l'enseignement supérieur, considéré dans son ensemble, les États-Unis continuent d'être dans une situation d'avance éducative sur le reste du monde[1]. Le problème est que l'écart entre les moyens disponibles dans les meilleures universités et ceux alloués aux universités publiques et *community colleges* les moins dotés a pris des proportions abyssales au cours des dernières décennies. Cette inégalité a également été exacerbée par les dynamiques patrimoniales et financières à l'œuvre dans le capitalisme mondial, au travers du rôle

1. Les moyens totaux de l'enseignement supérieur atteignent environ 3 % du revenu national aux États-Unis, contre environ 1 %-1,5 % en Europe (l'Italie est la moins dotée, suivie de l'Espagne, la France et l'Allemagne, et la Suède, le Danemark et la Norvège sont en tête). Ces moyens incluent également ceux alloués à la recherche scientifique et universitaire et aux agences de recherche (les moyens des universités au sens strict sont d'à peine 0,5 % du revenu national). Voir annexe technique.

croissant joué par les dotations en capital dans le financement des universités. Les dotations en capital les plus importantes ont en effet obtenu des rendements beaucoup plus élevés que les dotations plus modestes, ce qui a fortement contribué à accroître les écarts entre universités[1]. Si l'on examine les classements internationaux disponibles, aussi imparfaits soient-ils, il est frappant de constater que les universités étatsuniennes sont ultradominantes dans le top 20 mondial, mais passent nettement au-dessous des universités européennes voire asiatiques si on élargit la focale au top 100 ou au top 500[2]. Il est possible que le rayonnement international des universités étatsuniennes les plus riches contribue à masquer les déséquilibres internes au système dans son ensemble. Sans doute ces derniers apparaîtraient-ils plus nettement en l'absence de la capacité d'attraction sur le reste du monde. On notera ici une forme d'interaction nouvelle entre régime inégalitaire mondial et régime inégalitaire domestique, absente des périodes antérieures.

Peut-on acheter sa place à l'université ?

Enfin, l'inégalité d'accès à l'enseignement supérieur aux États-Unis est aggravée par le fait que les parents les plus riches, au cas où les notes de leurs enfants seraient insuffisantes, peuvent grâce à leurs contributions financières obtenir dans certains cas l'admission de leur progéniture dans les meilleures universités. Il s'agit généralement de mécanismes peu transparents nichés au sein des procédures d'admission et des préférences données aux *legacy students* (c'est-à-dire aux candidats dont la famille comprend

---

1. Les 850 universités étatsuniennes disposant d'une dotation en capital ont obtenu un rendement réel moyen de 8,2 % par an entre 1980 et 1990 (après déduction de l'inflation et de tous les frais de gestion), dont 6,2 % pour les 498 universités les moins dotées (au-dessous de 100 millions de dollars), 8,8 % pour les 60 les mieux dotées (au-delà de 1 milliard de dollars), et 10,1 % pour Harvard-Yale-Princeton. La part des 60 universités les mieux dotées est passée d'environ 50 % de la dotation totale en 1980 à plus de 70 % en 2010. Ces écarts semblent dus à des économies d'échelle : l'accès aux placements les plus rémunérateurs (actions étrangères non cotées, produits dérivés sur matières premières, etc.) demande un très gros portefeuille. Voir T. PIKETTY, *Le Capital au XXIᵉ siècle*, op. cit., chapitre 12, tableau 12.2, p. 714-719.
2. D'après l'édition 2018 du classement de Shanghai, le top 20 se composait de 16 universités pour les États-Unis et 4 pour l'Europe, le top 200 de 69 universités pour les États-Unis, 80 pour l'Europe, 41 pour l'Asie-Océanie et 10 pour le reste du monde, et le top 500 de 139 universités pour les États-Unis, 195 pour l'Europe, 133 pour l'Asie-Océanie et 33 pour le reste du monde.

des anciens élèves de l'université en question). Comme il se doit, les universités étatsuniennes concernées expliquent que les effectifs en jeu sont ridiculement faibles, et d'ailleurs tellement minuscules qu'il est inutile de les rendre publics et de dévoiler au grand jour les algorithmes et les procédures utilisés pour départager les candidats. De fait, il est probable que les effectifs en question soient limités, et que ces pratiques opaques jouent un rôle quantitativement moins important que les autres mécanismes en jeu (en particulier la décentralisation du financement public de l'enseignement primaire et secondaire et la prépondérance des droits d'inscription et du rendement des dotations dans le financement du supérieur) pour expliquer l'inégalité d'ensemble du système.

La question mérite pourtant une attention particulière, pour plusieurs raisons. Tout d'abord, des chercheurs ont démontré que ces pratiques sont peut-être un peu moins marginales que ce que les universités prétendent. On constate en effet que les dons des riches anciens élèves à leurs universités sont anormalement concentrés lors des années où leurs enfants sont en âge de candidater[1]. Par ailleurs, il est bien évident que le manque de transparence est en soi problématique, d'autant plus que ces *nouveaux héritiers* (issus de la croissance des inégalités étatsuniennes des dernières décennies) sont de plus en plus visibles dans le paysage social et peuvent nourrir le ressentiment vis-à-vis des élites[2]. Ce manque de transparence montre que les universités ne sont pas prêtes à assumer publiquement ce qu'elles font, et ne peut qu'entretenir de sérieux doutes quant à l'équité globale du système.

Il est également frappant de constater que les enseignants-chercheurs en poste dans les universités étatsuniennes semblent de plus en plus enclins à justifier ces pratiques et le secret qui les entoure, au nom de l'efficacité de leur nécessaire campagne de levée de fonds auprès des généreux milliardaires qui financent leurs programmes de recherche et

---

1. Voir J. MEER, H. ROSEN, « Altruism and the Child Cycle of Alumni Donations », *American Economic Journal : Economic Policy*, vol. 1 (1), 2009, p. 258-286.

2. On remarquera qu'une nouvelle expression s'est récemment développée aux États-Unis pour désigner cette nouvelle catégorie d'héritiers disposant de tous les privilèges : les *trust fund babies*, en référence à la structure juridique (*trust fund*) souvent utilisée pour transmettre ces héritages importants. En 2018, un boys band (WDW) a été jusqu'à composer une chanson intitulée « Trust Fund Baby ». Les jeunes garçons, issus du Minnesota et de Virginie, expliquent qu'ils veulent des filles indépendantes, capables de réparer des voitures et de se débrouiller toutes seules, le contraire donc des *trust fund babies*, ces héritières à qui tout a été donné et qui ne pensent qu'à l'argent.

de formation. Cette évolution idéologique est intéressante, car elle pose une question plus générale : jusqu'où exactement doit aller le pouvoir de l'argent, et quelles sont les institutions et procédures qui permettent de lui mettre des limites ? Nous avons déjà rencontré ce type de questionnement, par exemple avec le cas des droits de vote proportionnels à la fortune dans le cas de la Suède des années 1865-1911[1]. En l'occurrence, la comparaison la plus exacte serait plutôt avec les concours impériaux chinois de l'époque Qing, qui autorisaient de larges possibilités d'achats de places pour les enfants des élites propriétaires (ainsi que des quotas pour les enfants de l'ancienne classe guerrière), ce qui a sans nul doute contribué à l'affaiblissement du régime et à la remise en cause de sa légitimité morale et politique[2].

Enfin et surtout, le manque flagrant de transparence dans les procédures d'admission pratiquées par les grandes universités étatsuniennes est préoccupant, car il pose un défi crucial à tous les pays : comment définir une justice éducative pour le XXIe siècle ? Par exemple, supposons que l'on souhaite utiliser des systèmes de quotas ou de points supplémentaires permettant de favoriser une meilleure représentation des catégories socialement défavorisées, comme cela se pratique par exemple en Inde[3]. Si chaque université garde jalousement le contrôle de son algorithme d'admission, au sein duquel elle donne parfois des points supplémentaires aux enfants les plus fortunés (et non pas aux plus modestes), tout en expliquant que la pratique est très rare et doit rester secrète, alors cela risque de compliquer sérieusement la délibération et la prise de décision démocratique, surtout s'agissant d'une question aussi délicate et complexe, remettant en cause les positions des enfants des classes populaires, moyennes et supérieures, et sur laquelle il est par nature extrêmement difficile de construire une norme de justice acceptable par le plus grand nombre. On notera toutefois que la puissance publique étatsunienne a su parfois imposer à ses universités des normes et des règles dans le passé, d'une façon sensiblement plus ferme qu'elle ne le fait aujourd'hui[4]. Comme toujours, l'histoire montre que rien n'est écrit d'avance.

1. Voir chapitre 5, p. 229-235.
2. Voir chapitre 9, p. 464-467.
3. Voir chapitre 8, p. 410-426.
4. Sur les relations changeantes entre Harvard et l'État du Massachusetts, voir N. MAGGOR, *Brahmin Capitalism, op. cit.*, p. 26-28, 96-104.

De l'inégalité d'accès à l'éducation
en Europe et aux États-Unis

Nous venons d'insister sur les inégalités d'accès à l'éducation particulièrement fortes en vigueur aux États-Unis. Il faut toutefois souligner que ces inégalités sont également très importantes en Europe. Plus généralement, on retrouve dans tous les pays du monde un écart considérable entre les discours officiels théoriques sur l'objectif d'égalité des opportunités, l'idéal « méritocratique », etc., et la réalité des inégalités auxquelles font face les différents groupes sociaux en termes d'accès à l'éducation. Aucun pays n'est véritablement en position de donner des leçons à ce sujet. En particulier, il faut souligner que l'entrée dans l'âge de l'enseignement tertiaire a partout constitué un défi structurel pour l'idée même d'égalité éducative.

À l'âge de l'enseignement primaire et secondaire, il existait une plateforme égalitaire assez évidente en matière d'éducation : il fallait conduire la totalité d'une classe d'âge à la fin de l'école primaire, puis à la fin du secondaire, avec pour objectif que chaque enfant accède approximativement aux mêmes savoirs fondamentaux. Avec l'enseignement tertiaire, les choses sont devenues beaucoup plus compliquées. Outre qu'il paraît peu réaliste de conduire la totalité d'une classe d'âge au niveau du doctorat, tout du moins dans un avenir proche, le fait est qu'il existe naturellement une diversité considérable de filières et de voies au niveau de l'enseignement supérieur. Cette diversité reflète pour partie la légitime multiplicité des savoirs et des aspirations individuelles, mais elle tend également à s'ordonner de façon hiérarchique, et à conditionner fortement les hiérarchies sociales et professionnelles futures. Autrement dit, l'entrée dans l'âge de la tertiarisation de masse pose un défi politique et idéologique d'une nature nouvelle. Il devient inévitable d'accepter une forme durable d'inégalité éducative, en particulier entre des personnes poursuivant des études supérieures plus ou moins longues. Cela n'empêche évidemment pas de concevoir de nouvelles formes de justice dans la répartition des ressources et dans les règles d'accès aux différentes filières. Mais cela devient une tâche plus complexe que l'affirmation d'un principe d'égalité absolue face au primaire et au secondaire[1].

---

1. Sur le défi inégalitaire et idéologique posé par la tertiarisation éducative, voir également E. TODD, *Où en sommes-nous ? Une esquisse de l'histoire humaine*, Seuil, 2017.

Nous verrons dans la quatrième partie de ce livre que ce nouveau défi éducatif est l'un des principaux facteurs qui ont conduit à l'éclatement de la coalition électorale « sociale-démocrate » de l'après-guerre. Dans les années 1950-1970, les divers partis sociaux-démocrates et socialistes européens, de même que le parti démocrate étatsunien, réalisaient leurs meilleurs scores parmi les groupes sociaux les moins diplômés. Au cours des années 1980-2010, cette réalité électorale s'est totalement inversée, et ces mêmes partis font dorénavant leurs meilleurs scores parmi les plus diplômés. Un élément d'explication possible, sur lequel nous reviendrons de façon détaillée, est naturellement lié à l'évolution des politiques mises en place par ces mouvements politiques, qui ont progressivement été perçues comme de plus en plus favorables aux gagnants de la compétition socio-éducative[1].

À ce stade, notons simplement que les pays européens, en dépit d'un système de formation globalement plus égalitaire qu'aux États-Unis, ont eux aussi eu bien du mal à faire face au défi de l'expansion éducative au cours des dernières décennies. En particulier, il est frappant de constater que les dépenses publiques en termes d'éducation, qui avaient connu une progression considérable au cours du XXe siècle, passant d'à peine 1 %-2 % du revenu national en 1870-1910 à 5 %-6 % en 1980-1990, ont cessé de s'accroître depuis les années 1980-1990[2]. Dans tous les pays ouest-européens, en Allemagne comme en France, en Suède comme au Royaume-Uni, on constate que l'investissement éducatif a stagné entre 1990 et 2015, aux environs de 5,5 %-6 % du revenu national[3].

Cette stagnation peut certes s'expliquer par le fait que les dépenses publiques dans leur ensemble ont cessé de progresser au cours de cette période. Dans un contexte marqué par la progression structurelle et quasi inévitable des dépenses de santé et de retraite, il est devenu indispensable aux yeux de certains de stabiliser les dépenses éducatives, voire de les abaisser légèrement en proportion du revenu national, et de faire appel davantage aux financements privés et aux droits d'inscription. À l'inverse, il est permis de penser qu'il aurait été possible (et qu'il serait possible à l'avenir)

---

1. Voir chapitres 14-15.
2. Voir chapitre 10, graphique 10.15, p. 537.
3. Voir annexe technique. Les données permettant de comparer les budgets éducatifs entre pays sont loin d'être parfaites, mais la rupture avec les périodes antérieures est extrêmement claire.

d'envisager une hausse maîtrisée des prélèvements obligatoires permettant un accroissement de l'investissement éducatif, à condition toutefois de pouvoir mettre à contribution d'une façon équitable les différents niveaux de revenus et de patrimoines. Autrement dit, la concurrence fiscale entre pays et l'impossibilité perçue de l'impôt juste peuvent contribuer à expliquer cette stagnation de l'investissement éducatif, ainsi d'ailleurs que la fuite en avant vers la dette.

En tout état de cause, il faut souligner à quel point cette stagnation a quelque chose de paradoxal. Au moment même où les pays développés sont entrés dans l'âge de la tertiarisation de masse, et où la proportion d'une classe d'âge accédant à l'enseignement supérieur est passée d'à peine 10 %-20 % à plus de 50 %, l'investissement éducatif public (exprimé en pourcentage du revenu national) a stagné. La conséquence est qu'une partie de ceux qui avaient cru à la promesse de l'accès croissant aux études supérieures, souvent issus de catégories sociales modestes ou moyennes, se sont retrouvés confrontés au manque de moyens et parfois de débouchés. À ce sujet, il faut insister sur le fait que la gratuité ou quasi-gratuité des études et la prépondérance des financements publics ne suffisent évidemment pas à garantir l'égalité réelle d'accès à l'enseignement supérieur. Les étudiants issus des milieux favorisés sont souvent en meilleure situation pour accéder aux filières les plus prometteuses, à la fois du fait des transmissions familiales et d'un accès préalable à de meilleurs lycées et écoles.

Un exemple particulièrement frappant d'inégalité éducative à l'intérieur d'un système supposément public, gratuit et égalitaire est donné par le cas français. En pratique, les ressources publiques investies dans les filières élitistes des classes préparatoires et des grandes écoles, vers lesquelles se dirigent très majoritairement des étudiants socialement favorisés, sont deux à trois fois plus élevées par étudiant que celles investies dans les filières universitaires moins élitistes. Cette stratification ancienne du système français est devenue flagrante avec la tertiarisation de masse, d'autant plus que les promesses d'égalisation des moyens investis dans les écoles, collèges et lycées défavorisés n'ont jamais été traduites dans les faits, ce qui a généré de très fortes tensions sociales et politiques. Au-delà du cas français, la question de la justice éducative et de la transparence sur les moyens alloués aux uns et aux autres et sur les procédures d'admission est un enjeu central auquel tous les pays auront à faire face de façon croissante dans l'avenir, et sur lequel nous reviendrons largement dans la suite de cette enquête[1].

L'égalité éducative, aux origines de la croissance moderne

Précisons enfin que cette stagnation de l'investissement éducatif dans les pays riches depuis les années 1980-1990 peut contribuer à expliquer non seulement la montée des inégalités, mais également le tassement de la croissance. Aux États-Unis, le taux de croissance du revenu national par habitant était de 2,2 % par an en moyenne au cours de la période 1950-1990, avant de s'abaisser à 1,1 % par an en 1990-2020. Dans le même temps, les inégalités augmentaient, et le taux supérieur de l'impôt sur le revenu passait de 72 % en moyenne en 1950-1990 à 35 % en 1990-2020 (voir graphiques 11.12 et 11.13).

Graphique 11.12
Croissance et inégalités aux États-Unis, 1870-2020

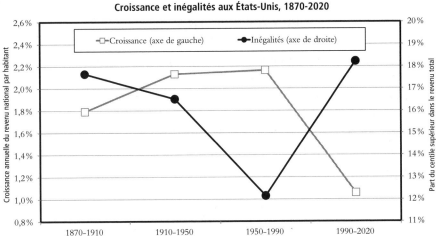

Lecture : aux États-Unis, la croissance du revenu national par habitant est passée de 2,2 % par an de 1950 à 1990 à 1,1 % par an de 1990 à 2020, alors que la part du centile supérieur (les 1 % des revenus les plus élevés) dans le revenu national passait dans le même temps de 12 % à 18 % du revenu national.
Sources et séries : voir piketty.pse.ens.fr/ideologie.

1. Voir en particulier chapitres 13, p. 825-829, 14, p. 876-885, et 17, p. 1159-1168. Sur les inégalités d'investissement éducatif en France, voir chapitre 7, graphique 7.8, p. 327. Voir également S. ZUBER, *L'Inégalité de la dépense publique d'éducation en France, 1900-2000*, master, EHESS, 2003, et annexe technique.

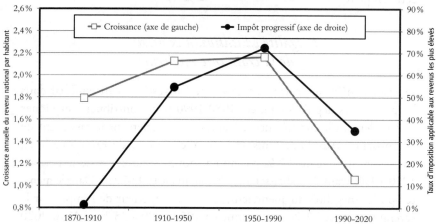

Graphique 11.13

Croissance et impôt progressif aux États-Unis, 1870-2020

Lecture : aux États-Unis, la croissance du revenu national par habitant est passée de 2,2 % par an de 1950 à 1990 à 1,1 % par an de 1990 à 2020, alors que le taux marginal supérieur applicable aux revenus les plus élevés passait dans le même temps de 72 % à 35 %.

Sources et séries : voir piketty.pse.ens.fr/ideologie.

En Europe, on constate également que les années de plus forte croissance correspondent à la période 1950-1990, quand les inégalités étaient les plus faibles et la progressivité fiscale la plus forte (voir graphiques 11.14 et 11.15). Dans le cas de l'Europe, la croissance exceptionnellement forte de la période 1950-1990 peut être attribuée en partie au rattrapage lié aux guerres mondiales. Cet élément d'explication ne s'applique pas aux États-Unis : la croissance de la période 1910-1950 était plus forte que celle des années 1870-1910, et celle de la période 1950-1990 fut encore plus rapide qu'en 1910-1950, avant que la croissance soit divisée par deux au cours de la période 1990-2020.

Cette réalité historique incontournable est riche d'enseignements pour l'avenir. En particulier, elle permet d'éliminer quelques fausses pistes. Tout d'abord, une forte progressivité fiscale n'est clairement pas un obstacle à une croissance rapide de la productivité, pour peu que les taux d'imposition les plus importants s'appliquent à des niveaux de revenus et de patrimoines suffisamment élevés. Si des taux d'imposition de l'ordre de 80 %-90 % s'étaient appliqués à toute personne dépassant tout juste de la moyenne, il est tout à fait possible que les effets auraient été différents. Mais à partir du moment où ils s'appliquent uniquement à des niveaux très élevés (typiquement à l'intérieur du centile ou du demi-centile supérieur),

Graphique 11.14

Croissance et inégalités en Europe, 1870-2020

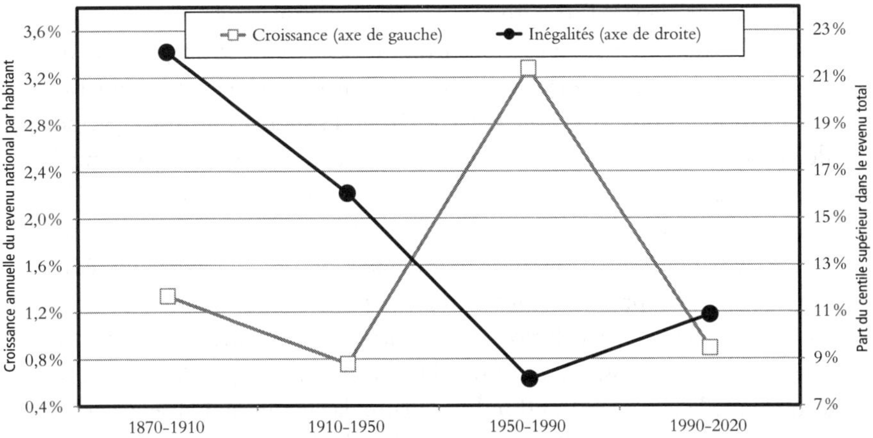

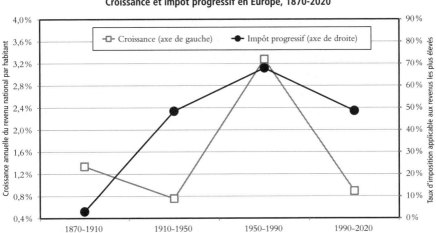

Lecture : en Europe occidentale, la croissance du revenu national par habitant est passée de 3,3 % par an de 1950 à 1990 à 0,9 % par an de 1990 à 2020, alors que la part du centile supérieur (les 1 % des revenus les plus élevés) dans le revenu national passait dans le même temps de 8 % à 11 % du revenu national (moyenne Allemagne-Royaume-Uni-France).
Sources et séries : voir piketty.pse.ens.fr/ideologie.

Graphique 11.15

Croissance et impôt progressif en Europe, 1870-2020

Lecture : en Europe occidentale, la croissance du revenu national par habitant est passée de 3,3 % par an de 1950 à 1990 à 0,9 % par an de 1990 à 2020, alors que le taux marginal supérieur applicable aux revenus les plus élevés passait dans le même temps de 68 % à 49 % (moyenne Allemagne–Royaume-Uni–France).
Sources et séries : voir piketty.pse.ens.fr/ideologie.

les expériences historiques dont nous disposons suggèrent qu'il est tout à fait possible de concilier forte progressivité, faible inégalité et forte croissance. Concrètement la très forte progressivité fiscale mise en place au XXᵉ siècle a contribué à mettre fin à la concentration extrême de la propriété et des revenus en vigueur au XIXᵉ siècle et au début du XXᵉ, et cette réduction des inégalités a ouvert la voie entre 1950 et 1980 à la plus forte période de croissance jamais observée. Au minimum, cela devrait mettre tout le monde d'accord sur le fait que la très forte inégalité d'avant la Première Guerre mondiale n'était en aucune façon nécessaire pour la croissance, ce qui était pourtant le discours dominant d'une bonne partie des élites de l'époque. En principe, tout le monde pourrait également s'accorder sur l'échec de la « révolution conservatrice » reaganienne des années 1980-1990 : la croissance des États-Unis a été divisée par deux, et l'idée selon laquelle elle se serait effondrée encore davantage en l'absence de ces politiques paraît particulièrement peu plausible[1].

Ensuite et surtout, le rôle historique joué par l'avance éducative états-unienne au XIXᵉ siècle et pendant la majeure partie du XXᵉ siècle tout comme la comparaison des trajectoires éducatives et économiques des différents pays montrent l'importance cruciale pour le développement d'un investissement égalitaire dans la formation et l'éducation. Si les États-Unis étaient plus productifs et se développaient plus rapidement que l'Europe au XIXᵉ siècle et au début du XXᵉ, ce n'est pas parce que les droits de propriété y étaient mieux protégés ou que la fiscalité y était plus faible : les impôts étaient très faibles partout, et nulle part les droits de propriété n'étaient mieux protégés qu'en France, au Royaume-Uni et en Europe. Le point central est que les États-Unis avaient alors plus d'un demi-siècle d'avance sur l'Europe en termes de scolarisation primaire puis secondaire universelle. Cette avance s'est tarie à la fin du XXᵉ siècle, et avec elle l'écart de productivité. À un niveau plus général, la période 1950-1990 se caractérise par un investissement éducatif exceptionnellement élevé dans l'ensemble des pays riches, beaucoup plus élevé qu'au cours des périodes précédentes, ce qui peut contribuer à expliquer le niveau inhabituellement haut de la

---

1. L'idée d'un succès du reaganisme s'est développée à partir d'une construction politico-idéologique complexe, s'appuyant notamment sur le succès dans la compétition politique et militaire contre l'Union soviétique (sans grand rapport pourtant avec les politiques économiques et fiscales menées aux États-Unis), et à titre secondaire sur la réduction de l'écart de croissance avec l'Europe (qui se serait très certainement produite de toute façon, compte tenu de la fin du rattrapage de l'après-guerre).

croissance. À l'inverse, la stagnation de l'investissement éducatif de la période 1990-2020, alors même que des effectifs de plus en plus nombreux se dirigeaient vers l'enseignement supérieur, est cohérente avec le tassement du rythme de progression de la productivité.

Pour résumer : l'égalité et l'éducation paraissent à la lumière de l'histoire des deux derniers siècles des facteurs de développement beaucoup plus porteurs que la sacralisation de l'inégalité, de la propriété et de la stabilité. Plus généralement, l'analyse historique du développement illustre le risque récurrent de « trappe inégalitaire » auquel se sont trouvées confrontées de nombreuses sociétés dans l'histoire. Le discours porté par les élites tend à survaloriser l'objectif de stabilité, et en particulier de perpétuation des droits de propriété acquis dans le passé, alors que le développement exige souvent la redéfinition des relations de propriété et des opportunités au bénéfice de nouveaux groupes sociaux. Le refus des élites britanniques et françaises de redistribuer les richesses et d'investir dans la formation et dans l'État social se prolonge jusqu'à la Première Guerre mondiale. Ce refus s'appuyait sur des constructions idéologiques sophistiquées, de même qu'aux États-Unis en ce début de XXIe siècle[1]. L'histoire montre que le changement ne peut venir que de la rencontre entre des luttes sociales et politiques et de profonds renouvellements idéologiques.

La social-démocratie et l'impôt juste : une rencontre incomplète

Venons-en maintenant à la question de l'impôt juste, ce qui nous mènera aussi à celle du dépassement de l'État-nation. Nous avons vu les difficultés rencontrées par les sociétés sociales-démocrates pour redéfinir des normes de propriété juste et d'éducation juste, en particulier à partir des années 1980-1990, à mesure que l'agenda à base de nationalisations perdait de son attrait et que l'on rentrait dans l'âge de la tertiarisation éducative. Ces limitations politico-idéologiques concernent également la réflexion insuffisante autour de l'impôt. Les partis sociaux-démocrates, socialistes, travaillistes et

---

1. Pour d'autres exemples de « trappe inégalitaire », comme les Pays-Bas aux XVIIe-XVIIIe siècles (où l'élite commerciale a dans une large mesure capturé la puissance publique à son profit, et en particulier les finances publiques, *via* l'accumulation de dettes à son nom, bloquant ainsi les possibilités de développement de la société dans son ensemble), voir B. VAN BAVEL, *The Invisible Hand ? How Market Economies Have Emerged and Declined since AD 500*, Oxford University Press, 2016.

démocrates de diverses orientations ont eu tendance à négliger la doctrine fiscale et la question de l'impôt juste. Le développement spectaculaire de l'impôt progressif sur le revenu et l'héritage au cours des années 1914-1945 s'est généralement fait dans l'urgence, sans véritable appropriation intellectuelle et politique, ce qui explique en partie la fragilité de ces constructions institutionnelles et leur remise en cause à partir des années 1980.

De façon générale, le mouvement socialiste s'est construit à partir de la question du régime de propriété, avec en ligne de mire l'objectif des nationalisations. Or cette focalisation sur la propriété étatique des entreprises, dont nous avons vu qu'elle était encore très forte jusqu'aux années 1980 au sein du socialisme français ou du travaillisme britannique, a eu tendance à bloquer la réflexion autour de la fiscalité autant que celle autour de la cogestion ou de l'autogestion. Pour résumer : la foi dans la centralisation étatique comme solution unique au dépassement du capitalisme a parfois conduit à ne pas prendre suffisamment au sérieux la question de l'impôt, de ses taux et des assiettes, tout comme la question du partage du pouvoir et de la répartition des droits de vote au sein des entreprises.

Parmi les insuffisances de la réflexion sociale-démocrate sur les questions de fiscalité, deux points méritent une mention particulière. Tout d'abord, les mouvements sociaux-démocrates, socialistes et travaillistes n'ont pas su développer les coopérations internationales nécessaires pour préserver et approfondir l'impôt progressif, quand ils n'ont pas eux-mêmes organisé les conditions d'une concurrence fiscale dévastatrice pour l'idée même de justice fiscale. Ensuite, la réflexion autour de l'impôt juste n'a pas suffisamment intégré la question de l'impôt progressif sur la propriété, pourtant centrale pour toute tentative ambitieuse de dépassement du capitalisme privé, notamment au travers du financement d'une dotation universelle en capital et d'une plus grande circulation de la propriété. Comme nous le verrons plus loin, la notion d'impôt juste doit reposer sur un équilibre entre trois formes légitimes et complémentaires d'impôt progressif : l'impôt progressif sur le revenu, l'impôt progressif sur les successions et l'impôt progressif annuel sur la propriété.

La social-démocratie face au dépassement du capitalisme et de l'État-nation

La social-démocratie au XXᵉ siècle a toujours été internationaliste dans ses principes, mais elle l'a été beaucoup moins dans sa pratique politique. Au fond, cette critique adressée en 1951 par Hannah Arendt aux sociaux-démocrates de la première moitié du XXᵉ siècle[1] pourrait être étendue à leurs successeurs de la période 1950-2020. Les mouvements sociaux-démocrates ont poursuivi depuis 1950 la construction de l'État fiscal et social dans le cadre étroit de l'État-nation, avec des succès incontestables, mais sans véritablement chercher à développer des formes politiques fédérales ou transnationales nouvelles (à l'image des constructions coloniales, bolcheviques ou nazies analysées par Arendt, mais dans une version sociale, démocratique et égalitaire). Faute d'avoir su ancrer la solidarité et la fiscalité à l'échelon postnational, comme l'illustre l'absence emblématique de tout impôt commun et de politique sociale commune en Europe, la social-démocratie a contribué à fragiliser les constructions développées au niveau national et à mettre en péril sa base sociale et politique.

À l'échelon européen, les divers mouvements sociaux-démocrates et socialistes ont certes soutenu avec constance les efforts accomplis pour développer la Communauté européenne du charbon et de l'acier (CECA) en 1952, puis la Communauté économique européenne (CEE) établie par le traité de Rome en 1957, et enfin l'Union européenne (UE), qui a succédé à la CEE en 1992. Cette série d'accords politiques, économiques et commerciaux, consolidés de traité en traité, a permis d'ouvrir une ère de paix et de prospérité sans précédent en Europe, notamment grâce à une coopération visant à réguler dans un premier temps les conditions de la concurrence sur les principales productions industrielles et agricoles. Le contraste est saisissant entre les années 1920, où les troupes françaises occupaient la Ruhr pour obtenir le paiement d'une dette-tribut égale à 300 % du produit intérieur brut allemand, et les années 1950, où la France, l'Allemagne, l'Italie et les trois pays du Benelux (Belgique, Pays-Bas, Luxembourg) coordonnent leurs niveaux de production de charbon et d'acier afin de stabiliser les prix et d'assurer une reconstruction aussi harmonieuse que possible. À partir de l'Acte unique de 1986, qui établit le principe de la liberté de circulation des marchandises, des services, des capitaux et des personnes dans l'espace européen (les « quatre libertés »)[2],

---

1. Voir chapitre 10, p. 559-562.

2. On notera au passage que ces « quatre libertés » établies par l'Acte unique européen de 1986 sont d'une nature assez nettement différente des « quatre libertés » évoquées par Roosevelt dans son fameux discours de 1941 sur l'état de l'Union (*freedom of expression, freedom of worship, freedom from want, freedom from fear*).

et du traité de Maastricht de 1992, qui met en place non seulement l'UE, mais également la monnaie unique pour les pays qui le souhaitent (l'euro devenant effectif en 1999 pour les banques et en 2002 pour les particuliers), les institutions européennes ont été de plus en plus sollicitées par les États membres pour négocier les accords commerciaux entre l'Europe et le reste du monde, dans un contexte d'ouverture économique internationale accélérée. Des historiens ont parlé avec justesse de la construction européenne des années 1950-2000 comme d'une opération de « sauvetage de l'État-nation », forme politique qui paraissait à beaucoup condamnée en 1945-1950. De fait, la CEE puis l'UE ont permis aux vieux États-nations européens de coordonner leurs productions et leurs échanges, entre eux puis avec le reste du monde, tout en restant au cœur du jeu politique[1].

Malgré ses succès, la construction européenne souffre de multiples limitations, qui menacent l'ensemble d'un possible rejet populaire en ce début de XXIe siècle, comme l'illustre le référendum sur le Brexit en 2016. Au cours des dernières décennies, un sentiment diffus selon lequel « l'Europe » (mot qui en est venu à désigner la construction européenne bruxelloise elle-même) fonctionnerait au détriment des classes populaires et moyennes, et bénéficierait principalement aux plus favorisés et aux grandes entreprises, s'est progressivement répandu. Cet « euroscepticisme » s'est également nourri de l'hostilité face aux nouvelles réalités migratoires et d'un certain sentiment européen de déclassement (postcolonial ou postcommuniste, suivant les pays). Il reste que les gouvernements européens n'ont pas su faire face au mélange de montée des inégalités et d'abaissement de la croissance à l'œuvre depuis les années 1980-1990. Cet échec retentissant s'explique notamment par le fait que l'Europe s'est appuyée presque exclusivement sur un modèle de développement fondé sur la mise en concurrence des territoires et des personnes, au bénéfice des groupes perçus comme les plus mobiles, et par l'incapacité des États membres à adopter le moindre impôt ou la moindre politique sociale en commun. Cette incapacité résulte elle-même du choix de la règle de l'unanimité en matière fiscale, choix qui a été reconduit de traité en traité depuis les années 1950 jusqu'à nos jours[2].

1. Voir en particulier A. MILWARD, *The European Rescue of the Nation-State*, Routledge, 2000.
2. Il suffit d'un État, par exemple le Luxembourg ou l'Irlande, pour bloquer tout projet fiscal commun. Je reviendrai de façon plus détaillée sur cette question dans le chapitre 16, p. 1026-1059.

Telle qu'elle s'est déroulée jusqu'à présent, la construction européenne repose pour une large part sur l'hypothèse selon laquelle la libre concurrence et la libre circulation des biens et des capitaux suffisent à apporter la prospérité collective et l'harmonie sociale, et sur la conviction que les bénéfices de la concurrence fiscale entre États (en particulier pour empêcher ces derniers de trop grossir ou de sombrer dans des lubies redistributives sans fin) l'emportent sur les coûts. Ces hypothèses ne sont pas totalement indéfendables d'un point de vue théorique. En particulier, la construction d'une puissance publique légitime pour prélever l'impôt dans une communauté de grande taille n'a rien d'anodin ou d'évident, surtout à l'échelle de l'Europe. Elles n'en sont pas moins relativement fragiles, surtout au vu des évolutions inégalitaires des dernières décennies et des dangers qu'elles entraînent, et compte tenu du fait que des communautés de taille comparable ou supérieure ont réussi depuis des décennies à adopter des impôts communs et partagés au niveau fédéral, le tout dans un cadre démocratique (par exemple aux États-Unis ou en Inde). Le fait que l'intégration européenne s'est appuyée à partir des années 1950 sur une stratégie de construction d'un marché commun peut également s'expliquer par l'histoire des décennies précédentes. Dans l'entre-deux-guerres, la montée du protectionnisme et les stratégies mercantilistes non coopératives avaient contribué à accroître la crise. À sa façon, l'idéologie concurrentialiste est une réponse aux crises du passé. Ce faisant, la construction européenne a oublié une autre leçon de l'histoire : la dérive inégalitaire sans fin des années 1815-1914, qui démontre le besoin d'un encastrement social et fiscal du marché.

Il est particulièrement frappant de constater que la social-démocratie européenne et notamment les socialistes français et les sociaux-démocrates allemands, bien qu'ils aient été régulièrement au pouvoir (parfois même de façon concomitante) et en situation de réécrire les traités existants, n'ont jamais véritablement formulé de proposition précise permettant de remplacer la règle de l'unanimité en matière fiscale. Sans doute n'étaient-ils eux-mêmes pas entièrement convaincus que les complications (réelles) de l'impôt commun en valaient la peine. La question de la construction d'une forme fédérale adéquate et adaptée à l'Europe et à ses vieux États-nations est certes tout sauf évidente. Il reste que de multiples solutions institutionnelles auraient pu permettre d'adopter des impôts communs dans une fédération démocratique européenne, perspective qui était déjà envisagée en 1938-1940 lors des débats autour du mouvement Federal

Union[1], et qui pourrait rapidement devenir une réalité dans les années et décennies à venir[2].

Toujours est-il que la règle de l'unanimité et la concurrence fiscale entre États européens ont conduit le continent dans un mouvement de dumping fiscal accéléré au cours de la période 1990-2020, en particulier concernant l'impôt sur les bénéfices des sociétés, dont le taux était d'environ 45 %-50 % dans la plupart des pays dans les années 1980 et s'est graduellement abaissé à tout juste 22 % en moyenne dans l'Union européenne en 2018, tout cela dans un contexte où le taux global de prélèvements obligatoires est resté stable, et sans garantie que ce processus de baisse tendancielle de l'imposition des profits des entreprises soit arrivé à son terme (les taux pourraient s'abaisser jusqu'à 0 %, voire se transformer en subventions pour attirer les investissements, comme cela est déjà souvent le cas)[3]. Le fait que ce soient les États européens, qui ont pourtant le plus besoin de ces recettes pour financer leur État social, qui ont joué un rôle de leader mondial dans la compétition à la baisse sur l'impôt sur les sociétés, bien davantage que les États-Unis d'Amérique (où cet impôt est prélevé au niveau fédéral, tout comme l'impôt sur le revenu et l'impôt sur les successions), témoigne de l'importance des effets de concurrence fiscale, tout autant que du rôle central des institutions politiques et électorales[4]. Le fait que la construction européenne s'est surtout illustrée par sa défense des principes de la concurrence « libre et non faussée », et a été généralement perçue comme une force hostile ou indifférente au développement de l'État social, explique aussi pourquoi les travaillistes britanniques étaient partagés

1. Voir chapitre 10, p. 562-565.
2. Voir chapitre 16, p. 1026-1059.
3. Voir *Taxation Trends in the European Union*, Eurostat, 2018, p. 35, graphique 17. Certains États comme la France ont encore des taux statutaires de 30 % ou plus, alors que l'Irlande ou le Luxembourg pratiquent des taux de 10 % ou moins. Dans un système fiscal international parfaitement coordonné, l'impôt sur les bénéfices des sociétés pourrait n'être qu'un simple précompte pour l'impôt progressif sur le revenu individuel. En pratique, compte tenu de la faiblesse des procédures de coordination et d'échange d'informations au sujet de l'actionnaire final et de la multiplicité des possibilités d'évasion et de contournement, l'impôt sur les sociétés fait souvent figure de seul et unique impôt dont le paiement est réellement assuré. Voir chapitre 17, p. 1188-1189.
4. Le taux de l'impôt fédéral sur les bénéfices des sociétés était de 45 %-50 % jusqu'au début des années 1980 aux États-Unis, avant d'être abaissé à 30 %-35 % sous Reagan. Il s'est ensuite stabilisé à 35 % de 1992 à 2017 (taux auquel il faut ajouter les taux des États, généralement autour de 5 %-10 %), avant d'être abaissé à 21 % sous Trump en 2018. Cela pourrait relancer la course-poursuite à la baisse avec les États européens et au niveau mondial.

dans leur soutien à l'Europe lors du référendum de 1972, comme d'ailleurs lors de celui de 2016, sans toutefois proposer entre ces deux dates de projet visant véritablement à lui donner un autre contenu[1].

Repenser la mondialisation et la libéralisation des flux de capitaux

Des travaux ont également montré le rôle central joué par les sociaux-démocrates européens, et singulièrement par les socialistes français, dans le mouvement de libéralisation des flux de capitaux qui se met en place en Europe puis dans le monde à partir de la fin des années 1980[2]. Échaudés par les difficultés rencontrées avec les nationalisations de 1981, le plan de relance à contretemps de 1981-1982 et le contrôle des changes de 1983, qui aurait affecté les classes moyennes sans réduire les fuites de capitaux des plus riches, les socialistes français décident à partir de 1984-1985 de changer radicalement de stratégie économique et politique. Dans la foulée de l'Acte unique européen de 1986, ils accèdent aux demandes des chrétiens-démocrates allemands visant à une libéralisation complète des flux de capitaux, qui se matérialise dans une directive européenne de 1988, retranscrite dans le traité de Maastricht de 1992, et dont les termes seront ensuite repris par l'OCDE et le FMI et serviront de nouveau standard international[3]. D'après les témoignages recueillis, ces concessions aux demandes allemandes (qui visaient quant à elles à garantir une « dépolitisation » complète des questions monétaires et financières) étaient perçues comme une condition acceptable pour l'obtention de la monnaie unique et d'une souveraineté fédérale partagée sur la future Banque centrale européenne (BCE)[4]. De fait, la BCE est devenue la seule institution européenne vérita-

1. Sur les déceptions britanniques face à l'Europe sociale, voir l'intéressant témoignage de T. Atkinson, *Inégalités*, Seuil, 2016, p. 360-362.

2. Voir R. Abdelal, *Capital Rules : The Construction of Global Finance*, Harvard University Press, 2007. L'enquête s'appuie notamment sur les témoignages de responsables de l'époque (en particulier Jacques Delors et Pascal Lamy). Voir aussi N. Jabko, *L'Europe par le marché. Histoire d'une stratégie improbable*, Presses de Sciences Po, 2009.

3. L'insistance des chrétiens-démocrates allemands sur la libre circulation des capitaux est souvent associée à l'ordolibéralisme et s'incarne par de nombreux traités bilatéraux signés par la RFA dès les années 1950 et 1960. Voir par exemple L. Panitch, S. Gindin, *The Making of Global Capitalism : The Political Economy of American Empire*, Verso, 2012, p. 116-117.

4. L'objectif était aussi d'abaisser le coût de l'emprunt public grâce à l'appel aux capitaux internationaux, sans que ces différents objectifs aient vraiment eu le temps d'être explicités et débattus.

blement fédérale (le représentant allemand ne peut s'opposer à la majorité du conseil d'administration, pas plus que le représentant français), et nous verrons que cela lui a permis de jouer un rôle non négligeable à la suite de la crise de 2008.

Pour autant, il n'est pas sûr que les acteurs de l'époque aient pleinement perçu les conséquences à long terme d'une libéralisation absolue des flux de capitaux. Le problème ne concerne pas seulement le cas des flux de court terme, la *hot money* dénoncée par Roosevelt en 1936, dont on avait vu l'impact déstabilisant dans les années 1930 (en particulier lors de la crise bancaire autrichienne de 1931), et qui non sans raison avaient été encadrés entre 1945 et 1985, avant que leur excessive libéralisation contribue d'ailleurs à la crise asiatique de 1997[1]. Plus généralement, la libéralisation des flux de capitaux pose problème dès lors qu'elle ne s'accompagne pas d'accords internationaux permettant des échanges automatiques d'informations sur l'identité des détenteurs de capitaux et la mise en place d'une politique coordonnée et équilibrée de régulation et de taxation adéquate des profits, revenus et actifs concernés. Le problème est précisément que la libre circulation des biens et des capitaux qui s'est mise en place à l'échelle mondiale à partir des années 1980, sous influence à la fois état-sunienne et européenne, a été pensée indépendamment de tout objectif fiscal et social, comme si la mondialisation pouvait se passer de recettes fiscales, d'investissements éducatifs, de règles sociales et environnementales. L'hypothèse implicite semble avoir été que chaque État-nation doit régler ces menus problèmes tout seul, et que les traités internationaux ont pour unique fonction d'organiser la libre circulation et d'empêcher les États d'y attenter. Comme souvent avec les bifurcations historiques de cette nature, le plus frappant est le sentiment d'impréparation et d'improvisation. On notera également au passage que le mouvement de libéralisation économique et financière observé depuis les années 1980-1990 ne saurait être entièrement attribué à la « révolution conservatrice » anglo-saxonne : les influences françaises et allemandes ont également joué un rôle central dans ce cheminement complexe[2]. Le rôle de multiples lobbies financiers issus

1. La crise de 1997 conduisit le FMI à réévaluer les règles européennes de libéralisation complète des flux de court terme et à s'en tenir à des principes plus souples autorisant certains contrôles de capitaux, dans l'esprit des accords de Bretton Woods de 1944. Voir R. ABDELAL, *Capital Rules, op. cit.*, p. 131-160.

2. De même, il ne faut pas exagérer le rôle de l'ordolibéralisme allemand. Il existe également une forte tradition libérale française, très présente au XIXe siècle, au début du

des différents pays européens (comme le Luxembourg), auxquels les partis politiques et organisations collectives n'ont pas su s'opposer efficacement, doit également être souligné[1].

Il faut aussi souligner que cette incapacité de la social-démocratie de l'après-guerre à organiser l'État social et fiscal à l'échelle postnationale n'est pas propre à l'Europe, et se retrouve sur tous les continents. Les tentatives d'union régionale développées en Amérique latine, en Afrique ou au Moyen-Orient ont également buté sur des difficultés considérables. Nous avons vu comment les dirigeants d'Afrique de l'Ouest, conscients en 1945-1960 des difficultés auxquelles de minuscules États-nations allaient devoir faire face pour trouver leur place et développer un modèle social viable au sein du capitalisme mondial, avaient tenté sans succès de développer des formes fédérales originales, en particulier avec la Fédération du Mali regroupant le Sénégal, le Dahomey, la Haute-Volta et l'actuel Mali[2]. L'éphémère République arabe unie créée entre 1958 et 1961 par l'union de l'Égypte et de la Syrie (et brièvement du Yémen) témoigne également de la prise de conscience qu'une communauté humaine de grande taille est nécessaire pour réguler les forces économiques et capitalistiques. Dans cette trame, le cas de l'Union européenne joue naturellement un rôle particulier, compte tenu notamment de la richesse de ses protagonistes, de la sophistication de la construction européenne et de l'effet d'entraînement que sa trajectoire peut impliquer.

Par ailleurs, l'ampleur prise par l'État fiscal et social européen, avec environ 40 %-50 % du revenu national en prélèvements obligatoires suivant les pays dans les années 1990-2020[3], implique que la question de la justice fiscale et du consentement à l'impôt joue un rôle crucial. Or ce

---

XXe siècle et dans l'entre-deux-guerres, et qui se retrouve par exemple dans les années 1960 et 1970 avec Valéry Giscard d'Estaing, secrétaire d'État puis ministre des Finances de façon presque ininterrompue de 1959 à 1974 puis président de la République de 1974 à 1981. Giscard fut ensuite président en 2001-2004 de la Convention sur l'avenir de l'Europe, qui déboucha sur le projet de TCE (Traité constitutionnel européen), texte qui sacralisait *de facto* la libre circulation des capitaux et la règle de l'unanimité en matière fiscale. Le TCE fut rejeté par référendum en France en 2005, avant d'être finalement adopté par la voie parlementaire après de menus changements dans le cadre du traité de Lisbonne de 2007. Je reviendrai plus précisémment plus loin sur ces règles et traités européens. Voir en particulier chapitres 12, p. 745-749, et 16, p. 1026-1060.

1. Voir S. WEEKS, « Collective Effort, Private Accumulation : Constructing the Luxembourg Investment Fund (1956-1988) », Jefferson University, 2019.

2. Voir chapitre 7, p. 354-359.

3. Voir chapitre 10, graphiques 10.14 et 10.15, p. 536 et 537.

consentement est mis à rude épreuve, à la fois du fait de la complexité et du manque de transparence des systèmes fiscaux en question (qui sont souvent le fruit de strates successives, et qui n'ont pas été réformés et rationalisés autant qu'ils auraient pu l'être), et de la concurrence fiscale exacerbée et du manque de coordination entre États, ce qui tend à favoriser les groupes sociaux qui sont déjà les premiers à bénéficier de la mondialisation des échanges.

De ce point de vue, il faut rappeler que la concentration de la propriété et des revenus du capital, même si elle est moins extrême qu'à la Belle Époque (1880-1914), demeure très élevée à la fin du xx⁰ siècle et en ce début du xxi⁰ siècle, et en particulier beaucoup plus élevée que celle des revenus du travail[1]. Cela implique qu'une grande partie des plus hauts revenus sont composés de revenus du patrimoine, et en particulier de dividendes et intérêts issus du capital financier (voir graphiques 11.16 et 11.17).

Graphique 11.16
La composition des revenus en France, 2015

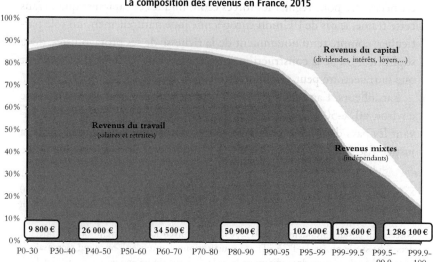

Lecture : en France en 2015 (comme dans tous les pays pour lesquels des données sont disponibles), les revenus bas et moyens se composent majoritairement de revenus du travail, et les plus hauts revenus de revenus du capital (surtout de dividendes).
Note : la distribution indiquée ici est celle du revenu annuel par adulte, avant impôts, mais après prise en compte des pensions de retraite et allocations-chômage.
Sources et séries : voir piketty.pse.ens.fr/ideologie.

1. Voir chapitre 10, graphiques 10.6 et 10.7, p. 503.

Graphique 11.17

La composition de la propriété en France, 2015

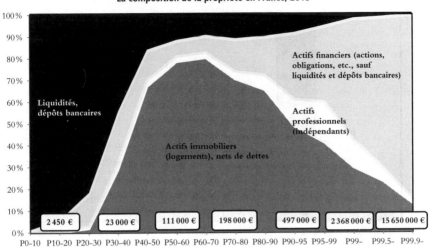

Lecture : en France en 2015 (comme dans tous les pays pour lesquels des données sont disponibles), les bas patrimoines sont composés principalement de liquidités et dépôts bancaires, les patrimoines moyens d'actifs immobiliers, et les hauts patrimoines d'actifs financiers (surtout des actions).

Note : la distribution indiquée ici est celle du patrimoine par adulte (patrimoine des couples divisé par deux).

Sources et séries : voir piketty.pse.ens.fr/ideologie.

Les inégalités face au capital et au travail sont certes fortes dans les deux cas, mais les ordres de grandeur ne sont pas du tout les mêmes. En ce qui concerne les revenus du capital, les 50 % des revenus les plus bas représentent à peine 5 % du total en France en 2015, contre 66 % pour les 10 % les plus élevés (voir graphique 11.18). Pour ce qui est des revenus du travail, les 50 % des revenus les plus bas regroupent 24 % du total, soit presque autant que les 27 % allant aux 10 % les plus élevés (qui sont certes cinq fois moins nombreux). Il faut également souligner que la très forte concentration de la propriété et des revenus qui en sont issus n'est pas un biais lié au profil par âge de la richesse : elle se retrouve au sein de chaque groupe d'âge, parmi les plus jeunes aussi bien que parmi les plus âgés. Autrement dit, la propriété ne se diffuse que très légèrement avec l'âge[1].

1. La concentration est particulièrement forte parmi les 20-39 ans, avec 62 % des patrimoines détenus par les 10 % les plus riches au sein de cette classe d'âge en France en 2015 (compte tenu de l'importance des héritages parmi les rares propriétaires à cet âge), contre 53 % parmi les 40-59 ans, 50 % parmi les 60 ans et plus, et 55 % en moyenne pour l'ensemble de la population. Au sein de chaque groupe d'âge, les 50 % les plus pauvres ne possèdent presque rien (à peine 5 %-10 % du patrimoine total dans tous les cas). Voir annexe technique,

Graphique 11.18

Les inégalités face au capital et au travail en France, 2015

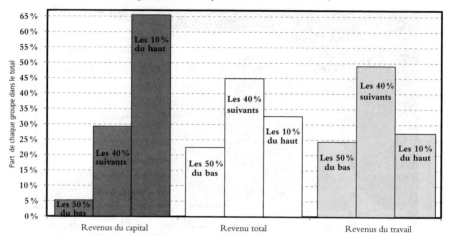

Lecture : les 10 % des revenus du capital les plus élevés représentent 66 % du total des revenus du capital, contre 5 % pour les 50 % les plus faibles, et 29 % pour les 40 % suivants. Pour les revenus du travail, ces parts sont respectivement de 27 %, 24 % et 49 %.

Note : les répartitions indiquées ici sont celles du revenu par adulte (le revenu des couples est divisé par deux).

Sources et séries : voir piketty.pse.ens.fr/ideologie.

Compte tenu de cette très forte concentration de la propriété (notamment financière), on voit à quel point la libéralisation des flux de capitaux sans échange d'informations et sans coordination fiscale peut conduire à miner la progressivité d'ensemble du système fiscal. Outre la course-poursuite à la baisse sur l'impôt sur les bénéfices des sociétés, de nombreux pays européens ont ainsi développé au cours des années 1990-2020 divers régimes dérogatoires permettant aux dividendes et aux intérêts d'échapper au barème progressif de l'impôt sur le revenu, et donc à acquitter des impôts plus faibles qu'un revenu salarial équivalent, ce qui constitue un changement radical de perspective par rapport aux périodes précédentes[1].

---

graphique supplémentaire S11.18. Pour des résultats détaillés sur les profils et compositions par âge, voir B. Garbinti, J. Goupille-Lebret, T. Piketty, « Accounting for Wealth Inequality Dynamics », art. cité.

1. Lors de la création de l'impôt progressif sur le revenu, au début du XXᵉ siècle, le premier objectif était d'imposer les plus hauts revenus du capital, et il existait dans la plupart des pays des régimes préférentiels en faveur des revenus du travail, par exemple avec le système français d'impôts dits cédulaires (plus favorables pour les salaires que pour les revenus des capitaux mobiliers). Dans les années 1960 et 1970, les États-Unis et le Royaume-Uni appliquaient encore un taux supérieur plus élevé pour les revenus du capital (*unearned income*) que pour les revenus du travail (*earned income*).

De fait, si l'on cherche à calculer le profil global des prélèvements obligatoires, on constate que la progressivité a beaucoup diminué depuis les années 1980-1990. Ceci est la conséquence mécanique du fait que le taux moyen de prélèvement est resté stable alors que les taux appliqués aux plus hauts revenus déclinaient[1], facteur général qui a été aggravé par le développement de régimes dérogatoires. En France, le taux global de prélèvements obligatoires est actuellement d'environ 45 %-50 % au niveau des 50 % les plus pauvres, avant de monter autour de 50 %-55 % au sein des 40 % suivants, puis de redescendre vers 45 % parmi les 1 % les plus riches (voir graphique 11.19). Autrement dit, l'impôt est légèrement progressif entre le bas et le milieu de la distribution, mais il est régressif au sommet. Cela provient de l'importance des impôts indirects (TVA, taxes sur l'énergie, etc.) et des cotisations sociales pour les plus pauvres, auxquels s'ajoute l'impôt progressif sur les revenus pour les classes moyennes et moyennes-supérieures. Pour les plus riches, le poids de l'impôt progressif ne suffit pas à compenser la baisse des taxes indirectes et des cotisations,

Graphique 11.19

Le profil des prélèvements obligatoires en France, 2018

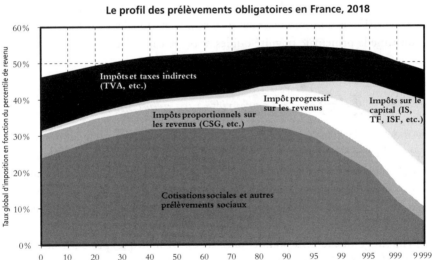

Lecture : en France en 2018, le taux global d'imposition est d'environ 45 % pour les bas revenus, 50 %-55 % pour les revenus moyens et moyens-supérieurs, et 45 % pour les revenus les plus élevés.
Note : la distribution indiquée ici est celle du revenu factoriel annuel parmi les adultes âgés de 25 à 60 ans travaillant au moins à temps partiel.
Sources et séries : voir piketty.pse.ens.fr/ideologie.

1. Voir chapitre 10, graphiques 10.11-10.13, p. 525-531.

ce qui s'explique notamment par les multiples exonérations dont bénéficient les revenus du capital. La régressivité au sommet serait beaucoup plus marquée si l'on examinait l'évolution des impôts payés en fonction de la position dans la répartition des patrimoines (et non des revenus), ou bien si l'on combinait la répartition du revenu et du patrimoine, ce qui serait sans doute le plus justifié. Il faut également souligner que toutes ces estimations ne prennent pas en compte l'optimisation fiscale et l'utilisation des paradis fiscaux par les plus riches, ce qui conduit là aussi à sous-estimer l'ampleur de la régressivité au sommet[1].

Le fait que les classes populaires et moyennes acquittent des impôts significatifs n'est certes pas un problème en soi. À partir du moment où l'on souhaite financer un haut niveau de dépenses sociales et d'investissement éducatif, il est inévitable que tout le monde soit mis à contribution. Mais pour que le consentement à l'impôt se maintienne, il est indispensable que le système fiscal soit transparent et juste. Si les classes populaires et moyennes ont l'impression qu'elles sont davantage mises à contribution que les plus riches, alors il existe un risque évident que le consentement fiscal et le contrat social qui fondent les sociétés sociales-démocrates se délitent progressivement. En ce sens, l'incapacité de ces dernières à dépasser l'État-nation et à promouvoir des formes transnationales de justice fiscale constitue la principale fragilité qui les mine de l'intérieur.

Les États-Unis, l'Europe
et l'impôt sur la propriété : un débat inachevé

Au-delà de la question du dépassement de l'État-nation et de la mise en place d'impôts communs et de coopérations fiscales nouvelles, il faut enfin souligner que les réflexions autour de la notion d'impôt juste méritent elles aussi d'être approfondies. De façon générale, ces réflexions se sont concentrées depuis le XVIIIe siècle autour de l'impôt progressif, c'est-à-dire un impôt prélevé à des taux faibles sur les plus pauvres, et dont les taux s'élèvent graduellement pour les plus riches. De multiples projets d'impôt progressif ont été débattus sous la Révolution française[2], avant d'être mis

---

1. Pour des résultats détaillés, voir A. Bozio, B. Garbinti, J. Goupille-Lebret, M. Guillot, T. Piketty, « Inequality and Redistribution in France 1990-2018 : Evidence from Post-Tax Distributive National Accounts (DINA) », art. cité. Voir annexe technique pour une discussion des méthodes.

2. Voir chapitre 3, tableau 3.1, p. 141.

en place à grande échelle et sur tous les continents au XXe siècle[1]. Cette trame générale est importante, mais elle n'épuise pas le sujet, car derrière la notion générale d'impôt progressif figurent plusieurs réalités différentes.

De façon générale, on peut distinguer trois grandes catégories d'impôt progressif : l'impôt progressif sur le revenu, l'impôt progressif sur les successions et l'impôt progressif annuel sur la propriété. Ces trois impôts ont leur justification et doivent être considérés comme complémentaires les uns des autres. L'impôt progressif sur le revenu pèse en principe sur l'ensemble des revenus perçus au cours d'une année donnée, quelle que soit leur source, revenus du travail (salaires, pensions, revenus des professions non salariés, etc.) ou revenus du capital (dividendes, intérêts, loyers, profits, etc.), ce qui permet de mettre chacun à contribution en fonction de ses ressources du moment, et donc de sa capacité actuelle à contribuer aux charges publiques. L'impôt sur les successions, qui en général prend également en compte les donations, est prélevé au moment des transmissions patrimoniales et permet ainsi de réduire la perpétuation intergénérationnelle de la fortune et la concentration des patrimoines[2]. L'impôt annuel sur la propriété, également appelé impôt sur la fortune ou impôt sur le capital ou encore impôt sur le patrimoine, est prélevé chaque année en fonction du total des biens que l'on possède, que l'on peut considérer comme un indice de la capacité contributive plus révélateur et plus durable (et dans une certaine mesure moins aisément manipulable) que le revenu annuel. Il est en outre le seul à permettre une redistribution permanente de la propriété et une véritable circulation patrimoniale. L'expérience historique suggère que le système fiscal idéal doit chercher à trouver un équilibre entre ces trois formes *a priori* légitimes d'impôt progressif, sur la base des connaissances léguées par l'histoire. Cet objectif n'est pas simple à réaliser, car il suppose une large appropriation sociale et politique de questions qui concernent certes tout un chacun, mais dont l'apparente technicité peut parfois conduire les meilleures volontés à choisir de se reposer sur d'autres (qui ne sont malheureusement pas toujours les plus désintéressées).

---

1. Voir chapitre 10, graphiques 10.11 et 10.12, p. 525.

2. En langue anglaise, on distingue l'impôt sur l'héritage (l'*inheritance tax*, prélevée suivant un barème dépendant de la part d'héritage reçue par chaque héritier) et l'impôt sur la fortune au décès (l'*estate tax*, prélevée sur le patrimoine total des défunts, indépendamment de la division entre héritiers ; la fortune, l'*estate*, se décompose elle-même en biens immobiliers, *real estate*, et en biens mobiliers, *personal estate*, tels que les meubles ou les actifs financiers). Les pays européens utilisent généralement une *inheritance tax*, alors que les États-Unis appliquent une *estate tax*.

En pratique, on constate que la quasi-totalité des pays développés ont mis en place à la fin du XIXe siècle ou au début du XXe siècle un impôt progressif sur le revenu et un impôt progressif sur les successions, avec des taux faibles dans le bas de la distribution et des taux applicables aux plus hauts revenus et patrimoines qui ont atteint au cours de la période 1950-1980 des niveaux extrêmement élevés, typiquement 60 %-90 %[1]. Par comparaison, les trajectoires suivies concernant l'impôt sur la propriété ont été plus diverses et hésitantes. Des impôts exceptionnels et progressifs sur la propriété privée ont joué un rôle important dans de nombreux pays. Les expériences en matière d'impôt progressif annuel et permanent sur la propriété ont été plus limitées, mais nous allons voir que les débats (et parfois les réalisations) ont été extrêmement nombreux et instructifs, aussi bien aux États-Unis qu'en Europe. Tout laisse à penser que cette question de l'impôt progressif sur la propriété va jouer un rôle central au XXIe siècle, en raison notamment de la remontée très forte du niveau général des propriétés privées et de la concentration des patrimoines depuis les années 1980-1990[2]. Plus généralement, l'une des thèses défendues dans ce livre, que je présenterai de façon plus détaillée à l'issue de cette enquête, est que la mise en place d'un véritable impôt progressif sur la propriété, permettant le financement d'une dotation universelle en capital, pourrait contribuer à faire face aux dérives inégalitaires et identitaires du capitalisme globalisé actuel[3].

L'impôt progressif sur la propriété ou la réforme agraire permanente

Commençons par analyser le cas des prélèvements exceptionnels sur la propriété privée. À la suite des guerres mondiales, de multiples impôts exceptionnels sur la propriété immobilière, professionnelle et financière ont été mis en place avec succès pour apurer les dettes publiques, en particulier au Japon, en Allemagne, en Italie, en France et dans de nombreux pays européens. Ils étaient prélevés en une seule fois, et les taux appliqués aux patrimoines bas et moyens étaient nuls ou faibles, alors que ceux imposés aux plus hauts patrimoines privés atteignirent souvent 40 %-50 %, voire davantage (ainsi

---

1. Voir chapitre 10, graphiques 10.11 et 10.12, p. 525.
2. Voir chapitre 10, graphiques 10.4, 10.5 et 10.8, p. 497, 498 et 505.
3. Voir chapitre 17, p. 1122-1150.

que nous l'avons déjà évoqué)[1]. Malgré leurs insuffisances, et en particulier la faible coordination internationale dont ils firent l'objet, ces prélèvements ont été dans leur ensemble de grands succès, dans le sens où ils ont permis de se défaire de dettes importantes à un rythme accéléré (et de façon plus juste et maîtrisée qu'au travers du chaos inflationniste) et de consacrer ainsi les ressources disponibles à la reconstruction et à l'investissement dans l'avenir.

D'une certaine façon, les réformes agraires constituent également une forme d'impôt exceptionnel sur la propriété privée, puisqu'elles consistent à saisir une partie des domaines terriens les plus étendus (jusqu'à 40 %-50 % ou même la quasi-totalité s'agissant de propriétés couvrant parfois des régions entières) pour les redistribuer en parcelles de petite taille pour des exploitants individuels. De façon peu surprenante, les réformes agraires font généralement l'objet de luttes sociales et politiques intenses. Nous avons déjà évoqué les redistributions de terres réalisées sous la Révolution française, ainsi que le cas des réformes agraires en Espagne et celui des *absentee landlords* en Irlande et des redéfinitions des droits de propriété des terres irlandaises entreprises par les gouvernements britanniques à la fin du XIXe et au début du XXe siècle[2]. Les réformes agraires de grande ampleur appliquées au Japon et en Corée en 1947-1950 sont généralement considérées comme de grandes réussites. Elles ont permis de mettre en place une répartition relativement égalitaire des terres agricoles et allaient de pair avec des stratégies d'investissement social et éducatif qui ont permis le décollage économique ultérieur et le consensus politique autour de la stratégie de développement[3]. Nous avons également noté les effets très positifs en termes de productivité associés aux réformes agraires malheureusement plus timides mises en place en Inde, en particulier au Bengale-Occidentale à la fin des années 1970 et dans les années 1980[4]. À l'inverse, les réformes

1. Voir chapitre 10, p. 517-519.

2. Voir chapitres 3, p. 138-141, et 5, p. 198-199 et 221-225.

3. Voir par exemple J.-S. YOU, « Land Reform, Inequality, and Corruption : A Comparative Historical Study of Korea, Taiwan, and the Philippines », *Korean Journal of International Studies*, vol. 12 (1), 2014, p. 91-224. Voir aussi T. KAWAGOE, *Agricultural Land Reform in Postwar Japan : Experience and Issues*, World Bank, 1999. Voir également E. REISCHAUER, *Histoire du Japon et des Japonais*, t. II, *op. cit.*, p. 22-30. Ancien ambassadeur des États-Unis au Japon, volontiers condescendant vis-à-vis des Japonais, et peu suspect de sympathie pour le socialisme, l'auteur se félicite des succès de la réforme agraire et de l'égalisation de la propriété, dans un contexte marqué par la concurrence avec le communisme.

4. Voir chapitre 8, p. 423, et les références aux travaux menés par A. Banerjee. Les redistributions de terres ont notamment eu lieu à la suite de la victoire électorale du Left Front

agraires menées en Amérique latine, et en particulier au Mexique à partir de la révolution de 1910, se sont heurtées à de fortes résistances de la part des propriétaires et se sont accompagnées de processus politiques très longs et souvent chaotiques[1].

De façon générale, une limitation importante des réformes agraires et, plus globalement, des prélèvements exceptionnels sur la propriété privée est qu'ils ne permettent de régler que temporairement la question de la concentration de la propriété et du pouvoir économique et politique. Or l'expérience historique montre que de nouvelles inégalités se recréent en permanence à partir de nouvelles formes de propriété. C'est pourquoi il est nécessaire d'avoir recours à un impôt progressif sur la propriété sur une base annuelle et permanente, avec des taux applicables aux plus fortes détentions patrimoniales qui sont naturellement plus limités que ceux utilisés dans le cadre d'un prélèvement exceptionnel, mais néanmoins suffisamment élevés pour permettre une véritable mobilité de la fortune et éviter que se reconstitue une concentration excessive. Si un tel impôt était utilisé pour financer une dotation universelle en capital à chaque jeune adulte, alors il s'agirait *de facto* d'une forme de réforme agraire permanente et continue, s'appliquant à l'ensemble du capital privé, et non seulement des terres agricoles.

On peut certes considérer que les terres, et plus généralement les ressources naturelles, justifient une forme particulière de redistribution, dans la mesure où elles n'ont été accumulées par personne, et qu'elles font donc partie en quelque sorte du patrimoine commun de l'humanité. De fait, la plupart des pays ont par exemple des législations particulières pour réguler la propriété du sous-sol et permettre différentes formes de partage et d'appropriation collective. Si une personne découvre dans le fond de son jardin une nouvelle ressource naturelle d'une valeur exceptionnelle, permettant de sauver la vie de l'ensemble de la planète, et que l'ensemble des Terriens s'apprête à disparaître si cette ressource n'est pas partagée derechef, alors il est probable que le système juridique et politique sera

---

(conduit par le CPI, Communist Party of India) au Bengale-Occidentale en 1977 et durant son maintien au pouvoir jusqu'en 2011.

1. Au Mexique, où selon les estimations disponibles 1 % de la population détenait plus de 95 % des terres à la veille de la révolution de 1910, la réforme agraire se déroule des années 1910 jusqu'aux années 1970. Voir S. Sanderson, *Land Reform in Mexico, 1910-1980*, Elsevier, 1984 ; P. Dorner, *Latin American Land Reforms in Theory and Practice : A Retrospective Analysis*, University of Wisconsin Press, 1992.

très vite amendé pour permettre une telle redistribution, que l'heureux propriétaire du jardin le veuille ou non. Il serait cependant erroné de considérer que ces questions se posent uniquement pour les ressources naturelles. Dans l'exemple cité, la légitimité de la redistribution serait tout aussi forte si le propriétaire du jardin, en se réveillant de sa sieste, avait eu l'idée géniale d'une formule magique d'un médicament permettant de sauver la planète. La question n'est pas tant de savoir si une richesse constitue une ressource naturelle appartenant à tous, ou bien une richesse privée qui pourrait être attribuée à l'action d'un seul individu isolé, car au fond toutes les richesses sont avant tout sociales. En particulier, toutes les créations de richesses dépendent de la division du travail social et du capital de connaissances accumulées depuis les débuts de l'humanité, dont aucune personne vivante ne saurait être tenue pour responsable ou propriétaire[1]. La question importante est plutôt de savoir dans quelle mesure l'intérêt général, et en particulier l'intérêt des groupes sociaux les plus défavorisés, justifie tel ou tel degré d'inégalité de la propriété, quelle que soit la nature de la propriété[2]. En tout état de cause, il serait illusoire de penser qu'il suffirait pour rendre une société juste de procéder une bonne fois pour toutes à une grande réforme agraire concernant les terres et l'ensemble des ressources naturelles, puis de laisser les uns et les autres échanger et accumuler jusqu'à la fin des temps.

À la fin du XIXᵉ siècle, en plein *Gilded Age*, au moment où les États-Unis s'inquiétaient de la concentration croissante des richesses aux mains de quelques-uns et du pouvoir grandissant des grandes compagnies et de leurs actionnaires, l'écrivain autodidacte Henry George eut un grand succès en dénonçant la propriété privée de la terre. Son livre *Progress and Poverty*, publié en 1879, et sans cesse réédité et diffusé en plusieurs millions d'exemplaires au cours des décennies suivantes, raillait avec bonheur les droits extravagants que s'étaient arrogés les propriétaires du sol américain, alors même que les origines des découpages terriens remontaient souvent à l'époque du roi d'Espagne, du roi d'Angleterre et du roi de France, voire du pape. Dans la même veine antimonarchique, antieuropéenne et

---

1. Cette conception « solidariste » de la propriété considérée comme propriété sociale était déjà défendue de façon similaire dans les années 1890-1900 par Léon Bourgeois et Émile Durkheim pour justifier l'impôt progressif sur les revenus et les successions. Voir à ce sujet R. CASTEL, *Les Métamorphoses de la question sociale, op. cit.*, p. 444-449.

2. Je reviendrai dans la quatrième partie sur cette définition (imparfaite) de la justice. Voir chapitre 17, p. 1113-1119.

antipropriétariste, il dénonçait les prétentions des propriétaires terriens à une compensation, en allant même jusqu'à les comparer aux propriétaires d'esclaves qui avaient réussi à être grassement indemnisés lors de l'abolition britannique de 1833-1843[1]. Pourtant, au moment de donner sa solution aux maux du pays, George se montre finalement assez conservateur. Il prétend régler tous les problèmes au moyen d'un impôt proportionnel sur la propriété du sol, égale à l'intégralité de la valeur locative du terrain vierge de toute construction, tout drainage ou toute amélioration, de façon que chacun puisse profiter pleinement du fruit de son travail[2]. Outre qu'il ne prévoit rien pour imposer les successions futures, et laisse donc ouverte la possibilité de la reconstitution d'une très forte concentration de la propriété non terrienne, sa proposition est rendue impraticable par le fait qu'il est quasiment impossible de distinguer la valeur du sol pur de celle des multiples améliorations et aménagements apportés au fil du temps (sauf à accepter un impôt fondant comme peau de chagrin). C'est pourquoi aucune application pratique de cette proposition ne fut véritablement envisagée. Le mouvement de dénonciation des inégalités auquel Henry George avait contribué déboucha finalement sur la création de l'impôt progressif sur le revenu en 1913 et de l'impôt progressif sur les successions en 1916.

Un demi-siècle plus tard, la question de l'impôt sur la propriété revint de façon beaucoup plus radicale dans le débat étatsunien avec les propositions du sénateur démocrate de Louisiane Huey Long. Lui aussi très remonté contre le pouvoir des actionnaires et des grandes compagnies, il tenta au début des années 1930 de doubler Roosevelt sur sa gauche sur les questions de progressivité fiscale, en expliquant que l'impôt progressif sur les revenus et les successions ne suffirait pas à résoudre les problèmes du pays. En 1934, il diffusa une brochure présentant son plan d'action intitulé « Share our Wealth. Every Man a King ». Le cœur de son programme consistait en la mise en place d'un impôt lourdement progressif sur tous les patrimoines supérieurs à 1 million de dollars (environ soixante-dix fois le patrimoine moyen de l'époque), de façon à pouvoir garantir à chaque famille une « part dans la richesse des États-Unis », sous la forme d'un

---

1. Voir H. GEORGE, *Progress and Poverty*, 1879, p. 342-359. Sur ces compensations, voir chapitre 6.

2. Concrètement, la proposition de Henry George aurait pu être mise en place avec un impôt sur le revenu imposant à 100 % la valeur locative des terres détenues par chacun (que le sol soit loué ou non), ou bien de façon équivalente par un impôt sur le capital égal par exemple à 4 % de la valeur des terres (en supposant un rendement locatif de 4 %).

patrimoine au moins égal à un tiers de la moyenne du pays. Le tout était complété par un renforcement de la progressivité de l'impôt sur le revenu et sur les successions, de façon à financer une augmentation du niveau des retraites pour toutes les personnes âgées disposant de faibles patrimoines, ainsi qu'une réduction du temps de travail et un plan d'investissement visant à rétablir le plein-emploi[1]. Personnage haut en couleur, autoritaire et controversé, issu d'une famille pauvre de petits Blancs de Louisiane, Huey Long avait annoncé son intention de défier Roosevelt lors des primaires démocrates de 1936. En partie pour répondre à cette pression, Roosevelt fit adopter dans le *Revenue Act* de 1935 une *wealth tax*, qui était en réalité une surtaxe de l'impôt sur le revenu avec un taux de 75 % sur les plus hauts revenus. La popularité de Huey Long était à son zénith en septembre 1935 (plus de 8 millions de membres dans les comités locaux Share our Wealth, des audiences record de 25 millions d'auditeurs dans ses émissions radio) quand il fut abattu à la carabine par un opposant politique dans la *State House* de Bâton Rouge.

De l'inertie des impôts sur la propriété issus du XVIIIᵉ siècle

Venons-en maintenant aux impôts annuels sur la propriété tels qu'ils ont été expérimentés historiquement. On peut distinguer deux groupes de pays. Dans un premier groupe, qui comprend notamment les États-Unis, la

---

1. Long envisageait un impôt progressif sur le patrimoine net débutant à 1 million de dollars (soixante-dix fois la moyenne) et des taux marginaux d'imposition s'élevant graduellement jusqu'à 100 %, avec un patrimoine maximal évalué à 50 millions de dollars (trois mille cinq cents fois la moyenne), tout en précisant que le barème pourrait si nécessaire être ajusté, avec un patrimoine maximal de 10 millions de dollars (sept cents fois la moyenne). Son objectif central est de garantir à chaque famille américaine un tiers du patrimoine moyen (soit 5 000 dollars pour une moyenne de 15 000 dollars), et il entend bien préciser qu'il n'a rien contre la fortune privée, tant qu'elle reste raisonnable et non obscène. L'ensemble était parsemé de références religieuses permettant d'exprimer comment une petite minorité s'était emparée de la plus grande partie des richesses du pays : « God invited us all to come and eat and drink all we wanted. He smiled on our land and we grew crops of plenty to eat and wear. He showed us in the earth the iron and other things to make everything we wanted. He unfolded to us the secrets of science so that our work might be easy. God called : "Come to my feast." Then what happened ? Rockefeller, Morgan, and their crowd stepped up and took enough for 120 million people and left only enough for 5 million for all the other 125 million to eat. And so many millions must go hungry and without these good things God gave us unless we call on them to put some of it back. » Voir annexe technique.

France et le Royaume-Uni, l'idée d'un impôt annuel progressif sur la propriété a longtemps suscité une forte résistance de la part des propriétaires, si bien que les systèmes de taxation proportionnelle du patrimoine hérités du XVIIIe et du XIXe siècle n'ont jamais été véritablement réformés. À l'inverse, les pays d'Europe germanique et nordique (en particulier l'Allemagne, l'Autriche, la Suisse, la Suède, la Norvège et le Danemark, c'est-à-dire ces mêmes pays qui ont introduit le partage du pouvoir entre actionnaires et salariés) ont instauré dès les années 1890-1910 un impôt progressif annuel sur le patrimoine, le plus souvent en même temps que la création de l'impôt progressif sur le revenu et sur les successions.

Commençons par le premier groupe, et en particulier les États-Unis. Si les propositions de Henry George et Huey Long n'ont jamais été appliquées, il n'en reste pas moins que l'impôt sur la propriété a joué un rôle central dans l'histoire fiscale du pays, sous la forme de la *property tax*, qui constitue toujours aujourd'hui l'une des principales recettes des États et des communes. De manière générale, l'impôt sur la propriété peut avoir des significations très différentes suivant la façon dont il est conçu. S'il est prélevé avec un taux faible et proportionnel sur toutes les propriétés, quelle que soit leur ampleur, alors il s'agit d'un impôt relativement peu menaçant pour les détenteurs de patrimoines importants, qui dans ce cas peuvent même souvent le préférer à l'impôt sur le revenu. C'est le cas par exemple de la *property tax* étatsunienne, ainsi que du système de contribution foncière établi sous la Révolution française, qui a constitué tout au long du XIXe siècle l'impôt idéal aux yeux des propriétaires français (léger, peu inquisitorial et favorisant l'accumulation et la concentration des fortunes) et la principale recette de l'État avec les droits de succession jusqu'à la Première Guerre mondiale, ainsi que nous l'avons déjà noté[1]. L'équivalent aux États-Unis était la *property tax*, également mise en place à la fin du XVIIIe siècle, et qui comme en France constituait le principal impôt direct étatsunien au XIXe siècle et au début de XXe, avec la particularité qu'il était perçu par les États fédérés et les communes, et non par l'État fédéral, qui avait peu de poids outre-Atlantique jusqu'à la création de l'impôt fédéral sur le revenu en 1913. En France, la contribution foncière (rebaptisée taxe foncière) a cessé de financer l'État central et est devenue un impôt local à la suite de la création de l'impôt sur le revenu en 1914.

---

1. Voir chapitre 4, p. 178-181.

Précisons que la taxe foncière comme la *property tax*, qui existent toujours en ce début de XXIe siècle comme impôts locaux et lèvent des recettes fiscales très substantielles en France comme aux États-Unis (entre 2 % et 2,5 % du revenu national dans les deux pays dans les années 2010-2020), imposent non seulement la détention de logements, mais également les biens professionnels utilisés comme capital productif par les entreprises tels que les bureaux, terrains, entrepôts, etc.[1]. La différence centrale avec un impôt progressif sur le patrimoine est que la taxe foncière comme la *property tax* ont toujours été strictement proportionnelles. Autrement dit, le taux prélevé est le même que l'on possède une maison ou des centaines d'immeubles[2]. Le fait que les biens professionnels sont imposés au niveau de l'entreprise qui les possède et les utilise (ou les loue à d'autres utilisateurs, par exemple dans le cas de logements), et non pas au niveau de l'actionnaire qui possède l'entreprise, implique également qu'il n'est pas nécessaire pour administrer un tel impôt de rassembler l'ensemble des propriétés d'une même personne au sein d'une même déclaration fiscale (ce qui est rassurant pour les multipropriétaires, qui sinon pourraient s'inquiéter que l'impôt devienne très vite progressif et non plus proportionnel). La nature locale de l'imposition constitue une garantie supplémentaire contre toute velléité redistributrice excessive[3]. On notera cependant que la taxe foncière comme la *property tax* reposent bien dans leur essence sur une philosophie fiscale fondée sur l'imposition du patrimoine en tant que tel, indépendamment de tout revenu. Par exemple, personne n'a jamais proposé ouvertement d'exonérer de taxe foncière ou de *property tax* un propriétaire qui détiendrait des dizaines d'immeubles, de maisons, de terrains et d'entrepôts, au motif qu'il n'en tirerait aucun revenu (faute de les louer ou de les exploiter). Même s'il s'agit d'un consensus relativement confus, d'autant

---

1. Les recettes de la taxe foncière représentaient en 2018 environ 40 milliards d'euros en France (2 % du revenu national) et 500 milliards de dollars aux États-Unis (plus de 2,5 % du revenu national).

2. Le taux appliqué est actuellement d'environ 0,5 %-1 % de la valeur des propriétés en France et aux États-Unis (avec des variations suivant les États et collectivités). Compte tenu du fait que le total des propriétés privées avoisine 5 à 6 années de revenu national dans les deux pays dans les années 2010 (voir chapitre 10 et annexe technique, graphique 10.8 et S10.8), on voit comment les recettes peuvent facilement atteindre plusieurs pourcents de revenu national, en dépit des exonérations.

3. En raison de la compétition entre collectivités locales pour attirer les plus riches contribuables, seul un impôt prélevé au niveau national ou fédéral peut véritablement devenir fortement progressif.

plus que la connaissance du système fiscal et des revenus et patrimoines des uns et des autres est souvent très imparfaite, il existe un certain consensus pour considérer qu'une telle personne devrait acquitter la taxe foncière ou la *property tax*, quitte à se défaire d'une partie de ses propriétés et à les céder à d'autres personnes qui sauront mieux les utiliser[1]. Autrement dit, le principe est bien celui de l'imposition de la propriété, en tant qu'elle permet d'apprécier la véritable capacité contributive du contribuable, de façon plus durable et moins manipulable que le revenu.

La seconde différence essentielle avec un impôt général et progressif sur la propriété (incluant idéalement toutes les formes de propriété) est que la taxe foncière et la *property tax* exonèrent un grand nombre d'actifs, et notamment les actifs financiers, qui se trouvent précisément constituer la majeure partie des patrimoines les plus importants (voir graphique 11.17). Il serait certes exagéré de dire que la taxe foncière et la *property tax* frappent uniquement l'immobilier résidentiel : les bureaux, terrains, entrepôts et autres biens immobiliers et fonciers détenus par les entreprises sont également soumis à l'impôt, et les détenteurs d'actions de ces entreprises le sont donc également à travers elles. L'imposition des actifs financiers qui en résulte est cependant beaucoup plus faible que celle de l'immobilier, d'une part parce que les actifs financiers investis à l'étranger ou en rentes d'État sont totalement exonérés[2], et d'autre part parce que de nombreux éléments d'actifs investis dans les entreprises domestiques échappent pour tout ou partie à l'impôt (en particulier les machines et équipements, ainsi que les biens immatériels tels que les brevets)[3]. Cet ensemble incohérent ne résulte pas d'un plan préconçu : il est le fruit de processus historiques particuliers et de mobilisations politico-idéologiques spécifiques autour de la question de l'impôt sur la propriété (ou de l'absence de telles mobilisations).

Il faut d'ailleurs préciser que la *property tax* étatsunienne, comme son nom l'indique, a parfois été plus ambitieuse que la taxe foncière française. De façon générale, il existe de grandes variations dans les différentes formes

1. Lors de la tentative de mise en place en France en 2007-2011 d'un système de bouclier fiscal, c'est-à-dire de plafonnement du total des impôts en proportion des revenus (et non du patrimoine), seule la taxe foncière acquittée au titre de la résidence principale était incluse dans ledit total.

2. Les premiers peuvent en principe être soumis à l'équivalent de la taxe foncière ou de la *property tax* dans les pays et territoires où ils sont investis.

3. Les machines et équipements sont parfois inclus dans l'assiette de la *property tax*, ou bien partiellement imposés *via* d'autres impôts locaux comme l'ancienne taxe professionnelle en France. En pratique ils sont généralement nettement moins imposés que les biens fonciers.

de *property tax* appliquées aux États-Unis. Suivant les États et communes, la *property tax* peut frapper non seulement la *real property* (c'est-à-dire les biens fonciers et immobiliers : terrains, maisons, immeubles, bureaux, entrepôts, etc.) mais également parfois la *personal property* (c'est-à-dire les biens mobiliers, meubles meublants, liquidités, y compris actifs financiers de toute nature). La situation actuellement la plus courante est que seule la *real property* soit concernée, mais il n'en a pas toujours été ainsi.

De ce point de vue, les très vifs débats qui se déroulent à Boston à la fin du XIXe siècle, et qui ont récemment été étudiés par Noam Maggor, sont particulièrement intéressants[1]. À l'époque, la *property tax* appliquée dans la capitale du Massachusetts, où résidait une partie importante de la haute aristocratie financière et industrielle du pays, frappait à la fois la *real* et la *personal property*, et notamment les portefeuilles financiers détenus par l'élite bostonienne dans le reste du pays et à l'étranger. Les riches propriétaires de Boston étaient vent debout contre cette imposition. Ils insistaient notamment sur le fait qu'ils acquittaient déjà des impôts fort lourds sur les territoires où leurs capitaux étaient investis, et ils réclamaient que la *property tax* se limite à l'immobilier, envisagé comme un indice peu intrusif de la capacité contributive, comme cela se faisait en Europe, et notamment en France[2]. Ils convoquaient à l'appui de leurs revendications le soutien des économistes et fiscalistes des universités voisines, et notamment de Harvard, qui vantaient la sagesse des fiscalités européennes. Thomas Hills, *chief tax assessor* de la ville de Boston dans les années 1870-1900, ne l'entendait pas ainsi. Il publia en 1875 un premier mémoire montrant que l'immobilier ne représentait qu'une fraction minuscule des propriétés des plus riches Bostoniens, et que l'exonération des portefeuilles financiers conduirait à une énorme perte de recettes, d'autant plus dommageable que la ville était en pleine expansion, avec de nouvelles vagues d'immigrants italiens et irlandais peuplant les faubourgs, où de nombreux investissements publics étaient nécessaires[3]. Ces arguments et les rapports de force

---

1. Voir N. MAGGOR, *Brahmin Capitalism*, *op. cit.*, en particulier p. 76-95 et 178-203.

2. Mais pas nécessairement partout en Europe : si l'on en croit Victor Hugo dans *L'Archipel de la Manche*, la taxe foncière prenait à Guernesey la forme d'un impôt pesant sur le patrimoine global des personnes au XIXe siècle, ce qui surprend beaucoup le romancier, comme toujours curieux de tout, et plus habitué au système français. Voir V. HUGO, *Les Travailleurs de la mer* (1866), Gallimard, « Folio », 1980, p. 67.

3. Une autre bataille politique qui se déroule en même temps concerne précisément l'extension des limites de la ville pour incorporer les nouveaux faubourgs ou la constitution des nouveaux territoires urbanisés en communes indépendantes : Hills défend la première thèse,

politiques du moment conduisirent au maintien d'un impôt général sur la propriété. Mais le débat se poursuivit dans les années 1880-1890, et les propriétaires obtinrent finalement gain de cause au cours des années 1900-1910, avec une suppression graduelle des éléments de *personal property* (et en particulier des exonérations de plus en plus nombreuses des actifs financiers) de la base de la *property tax* bostonienne, qui depuis 1915 s'est limitée à la *real property*[1].

Ces débats sont d'autant plus intéressants qu'ils illustrent la multiplicité des points de bifurcations et des trajectoires possibles. En particulier, un élément central de ces discussions était l'absence de coopération entre États et collectivités locales pour se transmettre les informations sur les possessions des uns et des autres. Pour dépasser ces contradictions, une bonne solution aurait pu être (et pourrait être à l'avenir) de coordonner l'impôt sur la propriété au niveau fédéral et de le transformer en véritable impôt progressif sur le patrimoine net individuel. La voie qui fut suivie en 1913-1916 aux États-Unis fut différente : le gouvernement fédéral se concentra sur le développement d'un impôt fédéral sur le revenu et sur le patrimoine hérité, alors que l'impôt annuel sur la propriété (le plus souvent limité à la propriété immobilière et de façon strictement proportionnelle) resta l'affaire des États et des communes.

Au final, la *property tax* étatsunienne comme la taxe foncière française, qui n'ont toutes deux jamais fait l'objet d'une réforme globale depuis la fin du XVIIIe siècle, donc depuis l'âge propriétariste et censitaire, constituent en ce début de XXIe siècle deux impôts particulièrement régressifs, puisque les actifs et passifs financiers sont purement et simplement ignorés. Supposons par exemple que la *property tax* ou la taxe foncière à acquitter pour un bien immobilier d'une valeur de 300 000 euros (ou dollars) soit de 3 000 euros, soit 1 % de la valeur du bien. Considérons le cas d'une personne qui serait endettée à hauteur de 270 000 euros, si bien que son patrimoine net n'est en réalité que de 30 000 euros. Pour elle, le taux d'imposition est donc de 10 % de son patrimoine net (3 000 euros d'impôt pour 30 000 euros de patrimoine net). À l'inverse, considérons

---

alors que les propriétaires du centre-ville défendent la seconde pour ne pas avoir à partager les recettes fiscales. Voir N. MAGGOR, *Brahmin Capitalism, op. cit.*, Cet épisode illustre de nouveau le lien structurel entre régime fiscal, régime politique et régime de frontière.

1. Sur le processus politico-administratif aboutissant à l'exonération complète de la *personal property* en 1915, voir *ibid.* Voir également C. BULLOCK, « The Taxation of Property and Income in Massachusetts », *Quarterly Journal of Economics*, vol. 31 (1), 1916, p. 1-61.

une personne qui détiendrait en plus de ce même bien immobilier de 300 000 euros un portefeuille financier de 2,7 millions d'euros, si bien que son patrimoine net serait de 3 millions d'euros. Avec le système de taxe foncière ou de *property tax* actuellement appliqué en France ou aux États-Unis, cette personne acquitterait le même impôt de 3 000 euros que la première, soit dans son cas un taux de 0,1 % de son patrimoine (3 000 euros d'impôt pour 3 millions de patrimoine). Une telle réalité est très difficile à justifier et fait partie des éléments qui peuvent contribuer à miner le consentement fiscal et à nourrir une certaine désillusion face à la possibilité d'une économie juste. Il est d'ailleurs frappant que les enquêtes menées à ce sujet montrent que les personnes interrogées plébiscitent l'idée d'un système fiscal mixte fondé à la fois sur le revenu annuel et sur le patrimoine (indépendamment de la nature immobilière ou financière de ce dernier, question qui ne joue assez logiquement aucun rôle dans ces perceptions)[1]. La seule justification possible (relativement nihiliste et factuellement fausse) pour l'exonération des actifs et passifs financiers est que ces derniers peuvent entièrement échapper à toute imposition, et que nous n'avons d'autres choix que de les exonérer entièrement. En réalité, l'imposition des intérêts et dividendes fait depuis longtemps l'objet de transmissions automatiques entre institutions financières et administration fiscale au niveau national, et rien n'empêcherait que le système s'applique aux actifs financiers eux-mêmes (et pas seulement aux revenus qui en sont issus) et soit étendu à l'échelon international par une modification des accords en vigueur concernant la circulation des capitaux[2]. Rappelons également que les impôts exceptionnels sur le patrimoine privé mis en place avec succès en Allemagne, au Japon et dans de nombreux pays à l'issue du second conflit mondial s'appliquaient évidemment aux actifs financiers. Il aurait semblé totalement incongru qu'il en aille autrement, puisque l'objectif était précisément de mettre à contribution les plus aisés.

---

1. Voir R. FISMAN, K. GLADSTONE, I. KUZIEMKO, S. NAIDU, « Do Americans Want to Tax Capital ? Evidence from Online Surveys », NBER, Working Paper, n° 23907, 2017. Concrètement l'enquête présente des paires (revenus, patrimoines) et demande aux personnes quel serait d'après elles l'impôt juste. Pour un revenu donné (par exemple 100 000 dollars par an), les personnes interrogées jugent que ceux qui possèdent 1 million de dollars devraient au total payer plus d'impôts que ceux qui ne possèdent rien, et moins que ceux qui possèdent 10 millions de dollars. Il en va de même si l'on fait varier le revenu pour un patrimoine donné.

2. Ces questions seront examinées plus précisément plus loin. Voir en particulier chapitres 13 et 17.

Apprentissages collectifs et perspectives futures
sur l'impôt sur la propriété

Tout laisse à penser que cette longue histoire est loin d'être terminée. Le système en place est le fruit de processus sociopolitiques dépendant avant tout des rapports de force politico-idéologiques et des capacités de mobilisation des uns et des autres, et il continuera d'évoluer de la même façon. Surtout, la très forte montée des inégalités patrimoniales aux États-Unis au cours de la période 1980-2020, conjuguée avec la médiocre croissance, a créé les conditions d'une remise en cause du tournant idéologique des années 1980-1990. Depuis le milieu des années 2010, on voit de plus en plus fréquemment des responsables du parti démocrate évoquer le retour à des taux de l'ordre de 70 %-80 % applicables aux plus hauts revenus et patrimoines hérités. Cela vaut notamment pour Bernie Sanders, battu sur le fil par Hillary Clinton lors de la primaire démocrate de 2016, et qui a proposé un taux de 77 % pour les plus hautes successions (au-delà de 1 milliard de dollars).

Dans la perspective de l'élection présidentielle de 2020, certains candidats démocrates ont mis en avant la création pour la première fois aux États-Unis d'un impôt fédéral sur la fortune, par exemple avec un taux de 2 % pour les patrimoines compris entre 50 millions et 1 milliard de dollars, et de 3 % au-delà de 1 milliard de dollars, suivant la proposition faite par Elizabeth Warren début 2019[1]. Le projet s'accompagne également d'une *exit tax* égale à 40 % du patrimoine pour ceux qui choisiraient de quitter le pays et d'abandonner la citoyenneté étatsunienne. La taxe s'appliquerait à tous les actifs, sans aucune exemption, avec des sanctions dissuasives pour les personnes et les gouvernements qui ne transmettraient pas les informations adéquates sur les actifs détenus à l'étranger.

Il est impossible de dire à ce stade si, quand et sous quelle forme ce type de débat aboutira. Le taux de 3 % applicable au-delà de 1 milliard de dollars indique une volonté claire de circulation de la fortune. Ce taux implique par exemple qu'un patrimoine statique de 100 milliards retourne à la

---

1. La proposition concerne les personnes dont le patrimoine est plus de cent fois plus élevé que la moyenne (environ 500 000 dollars par couple et 250 000 dollars par adulte), soit moins de 0,1 % de la population, mais 20 % du patrimoine total, d'où des recettes substantielles, estimées à plus de 1 % du revenu national. Voir E. SAEZ, G. ZUCMAN, « How Would a Progressive Wealth Tax Work ? », Berkeley, 2019 ; ID., *The Triumph of Injustice*, Norton, 2019.

communauté en quelques décennies. Autrement dit, les plus fortes détentions patrimoniales deviennent une réalité temporaire. Compte tenu de la progression moyenne observée sur les plus hauts patrimoines financiers, on peut toutefois considérer qu'il faudrait appliquer des taux plus élevés aux détentions les plus importantes : au moins 5 %-10 % par an, voire plusieurs dizaines de pourcents pour les multimilliardaires, de façon à favoriser un renouvellement rapide de la fortune et des positions de pouvoir[1]. On peut aussi penser qu'il serait préférable de faire le lien entre ce barème applicable aux très hautes fortunes et la nécessaire refondation de la *property tax* (avec à la clé la possibilité de réduire cette dernière pour les personnes endettées et tentant d'accéder à la propriété)[2]. En tout état de cause, ces débats sont loin d'être achevés, et leur issue dépendra notamment de la capacité des acteurs à articuler les évolutions récentes avec la mobilisation des expériences antérieures.

On constate dans les autres pays le même besoin de remise en perspective historique des débats en cours. En France, comme aux États-Unis, de multiples débats ont eu lieu à la fin du XIXe siècle et au cours du XXe siècle pour mettre en place un véritable impôt progressif sur la propriété. Des projets avaient été débattus dès avant la Première Guerre mondiale, en particulier au début de l'année 1914, mais dans l'urgence de l'été 1914, et face aux craintes et résistances idéologiques suscitées par l'imposition annuelle progressive du patrimoine, le Sénat décida d'adopter uniquement l'impôt général sur le revenu. Dans les années 1920, les discussions au sein du Cartel des gauches n'aboutirent pas, à la fois car les radicaux ne voulaient pas inquiéter les petits propriétaires, mais aussi parce que les socialistes étaient davantage intéressés par la question des nationalisations que par les projets fiscaux. Il s'agit d'ailleurs là d'un des freins qui ont limité les avancées des mouvements sociaux-démocrates et socialistes sur l'impôt progressif sur la propriété : le projet était souvent considéré comme trop effrayant par les partis du centre, et insuffisamment mobilisateur pour les

---

1. Voir chapitre 17, tableau 17.1, p. 1130.

2. Des chercheurs ont récemment proposé un impôt proportionnel à taux élevé (7 %) sur tous les actifs, afin de contraindre à une réallocation fréquente des biens. Voir E. POSNER, G. WEYL, *Radical Markets : Uprooting Capitalism and Democracy for a Just Society*, Princeton University Press, 2018. Compte tenu de l'absence complète de progressivité, il est possible cependant qu'une telle proposition conduise à une concentration croissante de la propriété et non à sa diffusion (l'objectif principal revendiqué par les auteurs est d'ailleurs de faciliter les regroupements rapides de parcelles et de biens).

forces les plus à gauche, attachées à l'objectif de propriété étatique des moyens de production. En 1936, dans le contexte du Front populaire, les communistes prenaient à cœur de participer à la coalition au pouvoir, et ils défendaient un impôt progressif sur le patrimoine avec des taux allant de 5 % à partir de 1 million de francs à 25 % au-delà de 50 millions (respectivement dix et cinq cents fois le patrimoine moyen de l'époque). Mais la majorité parlementaire reposait sur les radicaux, qui refusèrent de voter cette proposition, dans laquelle ils voyaient le cheval de Troie de la révolution socialiste. De multiples autres propositions furent diffusées par la suite, en particulier par la CGT en 1947 et par les députés socialistes et communistes en 1972.

C'est finalement à la suite des élections de 1981 qu'un impôt sur les grandes fortunes (IGF) fut adopté par la majorité socialiste-communiste, puis aboli par la majorité gaulliste-libérale en 1986, puis rétabli sous la forme de l'impôt de solidarité sur la fortune (ISF) à la suite des élections de 1988[1]. Nous reviendrons dans la suite de cette enquête sur la façon dont le gouvernement issu des élections de 2017 s'est lancé en 2018 dans le remplacement de l'ISF par un impôt sur la fortune immobilière (IFI), avec à la clé une exonération complète des placements financiers, et donc de la quasi-totalité des plus hauts patrimoines[2]. À ce stade, précisons simplement que les oppositions très vives suscitées par cette réforme suggèrent que cette longue histoire va se poursuivre. Par ailleurs, il faut garder présent à l'esprit que l'IGF puis l'ISF appliqués en 1982-1986 puis 1989-2017 ont toujours concerné un nombre limité de contribuables (moins de 1 % de la population), avec des taux réduits (s'échelonnant généralement de 0,2 % à 1,5 %-2 %), et surtout de très nombreuses exonérations, si bien que la taxe foncière, irréformée dans ses grandes lignes depuis les années 1790, n'a jamais cessé d'être le premier impôt sur le patrimoine[3].

---

1. Pour une analyse détaillée des programmes socialistes et communistes et des débats de l'entre-deux-guerres jusqu'aux années 1980-1990 autour de l'impôt progressif sur le patrimoine, voir T. PIKETTY, *Les Hauts Revenus en France au XXᵉ siècle, op. cit.*, p. 373-389. Sur la proposition Caillaux de 1914 et les propositions de 1947 et 1972, voir également J. GROSCLAUDE, *L'Impôt sur la fortune*, Berger-Levrault, 1976, p. 145-217.

2. Voir en particulier chapitre 14, p. 922-925.

3. À la veille de la réforme de 2018, l'ISF rapportait environ 5 milliards d'euros (moins de 0,3 % du revenu national), contre 40 milliards d'euros pour la taxe foncière (plus de 2 % du revenu national).

Trajectoires croisées et redécouvertes
de l'impôt sur la propriété

Au Royaume-Uni, un impôt progressif sur le patrimoine n'était pas loin d'être adopté par les gouvernements travaillistes de Wilson puis Callaghan en 1974-1976. Sous l'impulsion notamment de Nicholas Kaldor, les travaillistes avaient en effet été amenés à conclure au cours des années 1950 et 1960 que le système fiscal à base d'impôt progressif sur les revenus et les successions devait être complété par un impôt annuel et progressif sur la propriété, à la fois pour des raisons de justice et d'efficacité. En particulier, cela leur semblait la seule façon de mieux connaître les patrimoines et leur évolution en temps réel, et de lutter ainsi contre le contournement de l'impôt successoral *via* des trusts et d'autres structures similaires. Leur programme envisageait avant les élections victorieuses de 1974 un impôt progressif avec un taux atteignant 5 % sur les plus hauts patrimoines. Outre l'hostilité du Trésor, le projet se heurta toutefois aux conséquences du choc pétrolier et de la crise inflationniste et monétaire frappant le Royaume-Uni en 1974-1976 (avec en particulier l'intervention du FMI en 1976), et le projet fut finalement abandonné[1].

Le Royaume-Uni fait ainsi figure avec les États-Unis du pays qui a atteint la plus forte progressivité fiscale concernant les revenus et les successions, mais qui n'a jamais expérimenté d'impôt annuel progressif sur le patrimoine. Signalons toutefois l'expérience récente de la *mansion tax*. Bien que le système britannique d'impôts locaux sur les logements soit particulièrement régressif, le pays a en effet la particularité d'avoir un système fortement progressif de taxation des transactions immobilières. Le taux payé lors d'une transaction est nul lorsque la propriété vaut moins de 125 000 livres sterling, 1 % lorsqu'elle vaut entre 125 000 et 250 000 livres, puis s'élève graduellement avec la valeur du bien, jusqu'à 4 % au-delà de 500 000. En 2011, un nouveau taux de 5 % a été créé pour les ventes de biens d'une valeur supérieure à 1 million de livres sterling (les *mansions*)[2].

---

1. Voir H. GLENNERSTER, « A Wealth Tax Abandoned : The Role of UK Treasury 1974-1976 », LSE, 2011.

2. Plus précisément, le taux payé lors d'une transaction est de 0 % lorsque la propriété vaut moins de 125 000 livres, 1 % lorsque la propriété vaut entre 125 000 livres et 250 000 livres, puis monte à 3 % entre 250 000 livres et 500 000 livres, 4 % entre 500 000 livres et 1 million de livres, 5 % entre 1 et 2 millions de livres (nouveau taux introduit en 2011), et 7 % sur les propriétés de plus de 2 millions de livres (introduit en 2012). Ce système progressif est

Il est intéressant de noter que ce taux de 5 %, introduit par un gouvernement travailliste, a d'abord été fortement critiqué par les conservateurs, qui après être parvenus au pouvoir ont introduit un taux de 7 % pour les propriétés d'une valeur supérieure à 2 millions de livres. Cela montre que, dans un contexte d'inégalités croissantes, et en particulier de concentration en hausse des patrimoines et de grandes difficultés d'accès à la propriété pour le plus grand nombre, le besoin de développer un système plus progressif d'imposition des patrimoines se fait sentir par-delà les affiliations politiques partisanes. Cela indique également le besoin de repenser l'ensemble du système d'imposition des patrimoines de façon cohérente. Plutôt que d'avoir des taux aussi élevés au moment des transactions, il serait plus juste et plus efficace d'appliquer un barème progressif avec des taux plus réduits sur une base annuelle, en fonction du patrimoine détenu, tous types d'actifs confondus.

Mentionnons enfin le cas des pays d'Europe germanique et nordique, qui pour la plupart ont été moins loin que le Royaume-Uni et les États-Unis en termes de progressivité fiscale sur les revenus et les successions, mais qui en revanche ont complété très tôt ces deux impôts par des systèmes d'impôt progressif annuel sur le patrimoine. Un impôt annuel et progressif sur le patrimoine global (immobilier, terrien, professionnel et financier, net de dettes) fut mis en place en Prusse dès 1893, peu après l'adoption de l'impôt progressif sur le revenu en 1891, puis en Saxe en 1901, avant d'être généralisé à l'ensemble des États allemands et de devenir un impôt fédéral en 1919-1920[1]. En Suède, l'impôt progressif sur le patrimoine fut mis en place en 1911, en même temps que la réforme de l'impôt progressif sur le revenu[2]. Dans les autres pays d'Europe germanique et nordique (en particulier Autriche, Suisse, Norvège, Danemark), des systèmes similaires

---

relativement surprenant, si l'on considère que ces droits d'enregistrement sont proportionnels dans la plupart des pays (par exemple en France), et que le système d'impôt local (*council tax*), mis en place en 1993 en remplacement de la *poll tax* (qui avait coûté son poste à Thatcher), est en réalité presque aussi régressif que cette dernière (le montant de la *council tax* augmente beaucoup moins que proportionnellement en fonction de la valeur locative de l'habitation principale). Voir à ce sujet T. Atkinson, *Inégalités, op. cit.*, p. 267-268, figure 7.3.

1. Sur l'évolution du système fiscal allemand depuis 1870, voir F. Dell, *L'Allemagne inégale, op. cit.*

2. Le système suédois avait la particularité de mettre en jeu un système d'imposition jointe du revenu et du patrimoine entre 1911 et 1947, avant d'évoluer en deux systèmes séparés à partir de 1948. Pour une analyse détaillée, voir G. Du Rietz, M. Henrekson, « Swedish Wealth Taxation (1911-2007) », *in* M. Henrekson, M. Stenkula (éd.), *Swedish Taxation : Developments since 1862*, Palgrave, 2015.

combinant impôts progressifs sur le revenu, le patrimoine et les successions furent mis en place au cours de la même période, généralement entre 1900 et 1920. Il faut toutefois souligner que ces impôts sur le patrimoine, qui concernaient en général à peine 1 %-2 % de la population, avec des taux s'échelonnant de 0,1 % à 1,5 %-2 % (et jusqu'à 3 %-4 % en Suède dans les années 1980), ont joué un rôle sensiblement moins important que ceux pesant sur les revenus.

Surtout, ces impôts ont été supprimés dans la plupart des pays concernés au cours des années 1990 et au début des années 2000 (à l'exception toutefois de la Suisse et la Norvège, où ils sont encore en place), en partie pour des raisons liées à la concurrence fiscale entre pays (dans une période marquée par la libéralisation des flux de capitaux en Europe à la fin des années 1980) et au contexte idéologique consécutif à la « révolution conservatrice » anglo-saxonne et à la chute de l'Union soviétique. Au-delà de ces facteurs bien connus, il faut également souligner l'importance décisive (et instructive) jouée par des erreurs de conception initiale. Conçus avant la Première Guerre mondiale, dans un contexte d'étalon-or où l'inflation était inconnue, ces impôts germaniques et nordiques sur le patrimoine étaient en effet pour la plupart assis non pas sur les valeurs de marché des différents actifs immobiliers et financiers imposés (le cas échéant avec une indexation du barème permettant d'éviter les trop fortes hausses ou baisses de l'impôt demandé), mais sur des valeurs cadastrales, c'est-à-dire des valeurs enregistrées périodiquement (par exemple tous les dix ans) lors des recensements généraux des propriétés. Le problème est qu'un tel système, viable par temps d'inflation nulle ou faible, a été rapidement rendu obsolète par la très forte inflation observée à la suite des guerres mondiales et pendant les décennies d'après-guerre. Ceci pose déjà de sérieux problèmes d'équité lorsqu'il s'agit d'un système d'imposition proportionnelle des patrimoines (comme la taxe foncière en France). Dans le cas d'un impôt progressif, où il s'agit notamment de savoir qui dépasse le seuil d'imposition et qui ne le dépasse pas, le fait de s'appuyer sur des valeurs qui ont été révisées plus ou moins lointainement suivant les communes ou les quartiers est intenable. C'est dans ce contexte que l'impôt sur le patrimoine a été suspendu par la Cour constitutionnelle allemande en 1997, pour rupture d'égalité devant l'impôt. Les coalitions politiques au pouvoir à Berlin depuis cette date ont jugé qu'elles avaient d'autres priorités que de reprendre cet impôt à la base, pour des raisons sur lesquelles nous reviendrons.

Il faut enfin mentionner le rôle spécifique joué par la crise bancaire suédoise de 1991-1992 dans l'évolution politico-idéologique du pays, avec en retour des conséquences significatives dans les autres pays, compte tenu du rôle emblématique joué par la social-démocratie suédoise. La gravité extrême de la crise, où les principales banques suédoises n'étaient pas loin de faire faillite, posait principalement des questions liées à la régulation bancaire et monétaire et au rôle des flux de capitaux. Elle aboutit cependant à une remise en cause plus générale des excès supposés du modèle social et fiscal suédois, et plus généralement au sentiment d'une grande fragilité du pays au sein du capitalisme financier globalisé. Les sociaux-démocrates furent pour la première fois depuis 1932 chassés du pouvoir, au profit des libéraux, qui mirent en place dès 1991 un régime dérogatoire de taxation des intérêts et dividendes, et réduisirent fortement la progressivité de l'impôt progressif sur le patrimoine. Ce dernier fut finalement supprimé en 2007 par les libéraux, deux ans après que les sociaux-démocrates avaient supprimé l'impôt sur les successions, ce qui peut surprendre, mais reflète la force de la perception de concurrence fiscale qui peut saisir un pays de la taille de la Suède en ce début de XXIe siècle, et aussi peut-être la perception que le modèle égalitaire suédois est tellement ancré qu'il n'a plus besoin de telles institutions. Il est toutefois permis de penser qu'une réorientation aussi radicale de la politique fiscale peut avoir des effets inégalitaires assez marqués à long terme, et peut également contribuer à expliquer pourquoi les sociaux-démocrates suédois séduisent de plus en plus les catégories socialement favorisées et de moins en moins leur électorat populaire traditionnel[1].

Nous reviendrons sur ces questions dans la quatrième partie de ce livre, lorsque nous examinerons l'évolution de la structure des électorats et du conflit politique dans les principales démocraties parlementaires. À ce stade, plusieurs leçons peuvent être tirées. De façon générale, la social-démocratie, malgré tous ses succès, a été confrontée au cours des dernières décennies à de nombreuses limitations à la fois intellectuelles et institutionnelles, en particulier concernant les questions de la propriété sociale, de l'accès égalitaire à la formation, du dépassement de l'État-nation, et de l'impôt progressif sur la propriété. S'agissant de ce dernier point, nous avons constaté une grande diversité de trajectoires et de points de bifurcations, et aussi des incohérences fortes et des partages d'expériences parfois limités, qui traduisent sans doute en partie une faible appropriation de ces

---

1. Voir chapitre 16, p. 994-999 et 1061-1064.

questions par les mouvements politiques et les citoyens. Les évolutions les plus récentes traduisent sans nul doute de grandes hésitations : d'un côté, la montée des inégalités patrimoniales appelle naturellement au développement de nouvelles formes de progressivité fiscale ; de l'autre, la perception d'une concurrence fiscale impitoyable peut justifier l'acceptation accrue du moins-disant en matière de progressivité, avec le risque d'exacerber les évolutions inégalitaires en cours.

En réalité, le refus de débattre rationnellement de l'impôt progressif sur la propriété – en particulier le discours consistant à expliquer qu'il est rigoureusement impossible de mettre à contribution les plus grandes fortunes et que les classes moyennes et populaires sont condamnées à payer à leur place – constitue un choix politique extrêmement dangereux. Toute l'histoire des sociétés humaines démontre que la recherche d'une norme de justice acceptable par le plus grand nombre en matière de répartition des richesses et de la propriété se retrouve à toutes les époques et dans toutes les cultures. Cette quête de justice semble s'exprimer de plus en plus fortement à mesure que les niveaux de formation et d'information s'élèvent. Il serait bien étonnant qu'il en aille différemment au XXIe siècle et que ces débats n'y jouent pas un rôle central, surtout dans un contexte d'accroissement tendanciel de la concentration des patrimoines. Pour s'y préparer, mieux vaut commencer par prendre la mesure des expériences et des débats du passé, pour mieux les dépasser. Si on le refuse, on s'expose à contribuer au désenchantement face à tout programme ambitieux de solidarité fiscale et sociale, et à la montée des replis sociaux et identitaires.

Chapitre 12

LES SOCIÉTÉS COMMUNISTES ET POSTCOMMUNISTES

Nous venons d'analyser la chute des sociétés de propriétaires entre 1914 et 1945, puis la façon dont les sociétés sociales-démocrates bâties entre 1950 et 1980 étaient entrées en crise à partir des années 1980-1990. En particulier, malgré tous ses succès, la social-démocratie n'a pas su pleinement faire face à la montée des inégalités, faute d'avoir su renouveler et approfondir ses réflexions et son programme d'action sur la propriété, l'éducation, l'impôt, et par-dessus tout sur le dépassement de l'État-nation et la régulation de l'économie-monde.

Nous allons maintenant analyser le cas des sociétés communistes et postcommunistes, notamment en Russie, en Chine, et en Europe de l'Est, et leur place dans l'histoire et le devenir des régimes inégalitaires. Le communisme, en particulier sous sa forme soviétique, a constitué au début du XXᵉ siècle le défi le plus radical jamais lancé à l'idéologie propriétariste. Il s'agit de fait de l'idéologie qui lui est la plus frontalement opposée. Alors que le propriétarisme fait le pari que la protection la plus absolue de la propriété privée conduira à la prospérité et à l'harmonie sociale, le communisme soviétique repose sur sa suppression complète et son remplacement par la propriété étatique intégrale. En pratique, ce défi lancé à l'idéologie de la propriété privée aura finalement surtout conduit à la renforcer. L'échec dramatique de l'expérience communiste en Union soviétique (1917-1991) est l'un des facteurs qui ont le plus fortement contribué au retour en force du libéralisme économique depuis 1980-1990, et au développement de nouvelles formes de sacralisation de la propriété privée. La Russie en particulier est devenue le symbole emblématique de ce retournement. Après avoir longtemps été le pays de l'abolition de la propriété privée, elle est devenue le leader mondial des nouveaux oligarques et de la richesse offshore, c'est-à-dire dissimulée dans des structures opaques au sein des paradis fiscaux. Plus généralement, le postcommunisme, dans ses variantes russes, chinoises et est-européennes, est devenu en ce début de XXIe siècle le meilleur allié de l'hypercapitalisme. Il porte également en lui une forme de désillusion face à toute possibilité d'une économie juste, qui nourrit les replis identitaires.

Nous allons commencer par analyser le cas russe et soviétique, et en particulier les raisons de cet échec et de l'incapacité du pouvoir communiste à concevoir d'autres formes d'organisation économique et sociale que la propriété étatique hypercentralisée. Nous étudierons également l'ampleur de la dérive kleptocratique du régime russe depuis la fin du communisme et sa place dans le phénomène plus général de montée en puissance des paradis fiscaux au niveau international. Nous analyserons ensuite le cas de la Chine, qui a su tirer parti des échecs soviétiques et occidentaux pour bâtir une forme d'économie mixte performante dans un contexte de rattrapage postmaoïste. Le régime chinois pose par ailleurs des questions fondamentales aux démocraties électorales et parlementaires occidentales. Les réponses qu'il propose reposent toutefois sur une opacité et un centralisme qui paraissent peu adaptés à une régulation efficace des inégalités produites par la propriété privée. Enfin nous examinerons le cas des sociétés postcommunistes d'Europe de l'Est, leur place dans la transformation du régime inégalitaire européen et mondial et la façon dont elles mettent en lumière les ambiguïtés et les limites du système économique et politique actuellement en place dans l'Union européenne.

Peut-on prendre le pouvoir sans une théorie de la propriété ?

S'intéresser aujourd'hui à l'expérience communiste soviétique (1917-1991), c'est d'abord tenter de comprendre les raisons d'un échec dramatique, qui handicape encore lourdement toute tentative de penser un nouveau dépassement du capitalisme, et qui constitue l'un des principaux facteurs politico-idéologiques expliquant la montée mondiale des inégalités depuis les années 1980-1990.

Les raisons de cet échec sont multiples, mais la première est évidente. Quand les bolcheviques prennent le pouvoir en 1917, leurs plans d'action sont loin d'être aussi « scientifiques » qu'ils ne le prétendent. Il est clair que la propriété privée sera abolie, au moins pour ce qui concerne les grands moyens industriels de production, qui sont d'ailleurs peu nombreux en Russie. Mais comment seront organisés les nouveaux rapports de production et de propriété ? Que fera-t-on exactement des petites unités de production et du secteur du commerce, du transport ou de l'agriculture ? Par quels mécanismes les décisions seront-elles prises et les richesses réparties au sein du gigantesque appareil d'État et de planification ? Faute de réponses claires, on se replia très vite sur l'hyperpersonnalisation du pouvoir. Et faute de résultats à la mesure des espoirs, il fallut trouver des raisons et des boucs émissaires, c'est-à-dire en substance des idéologies de la trahison et du complot capitaliste. C'est ainsi que le régime s'enferma dans des cycles interminables d'emprisonnements et de purges dont il n'est jamais totalement sorti jusqu'à sa chute. Il est facile d'annoncer l'abolition de la propriété privée et du régime électoral bourgeois. Le problème est qu'il est plus complexe (mais aussi plus intéressant) de décrire précisément une organisation alternative. La tâche n'est pas impossible, mais elle demande d'accepter la délibération, la décentralisation, les compromis et les expérimentations.

Il ne s'agit pas ici d'accabler Marx ou Lénine, mais simplement de constater que ni eux ni personne n'avaient proposé avant la prise de pouvoir de 1917 de solutions précises à ces questions essentielles. Marx avait certes prévenu dès 1850 dans *Les Luttes de classes en France* que la transition vers le communisme et la société sans classes nécessiterait une phase de « dictature du prolétariat », au cours de laquelle il serait nécessaire de placer tous les instruments de production entre les mains de l'État. Le terme « dictature » n'était guère rassurant. Mais en réalité cela ne réglait en rien la question de l'organisation de l'État, et il est bien difficile de savoir ce que Marx aurait conseillé de faire s'il avait vécu assez longtemps pour voir la révolution de 1917 et ses suites. Quant à Lénine, on sait qu'il favorisait peu avant sa mort en 1924 une longue phase au cours de laquelle la NEP (Nouvelle Politique économique) s'appuierait sur des formes régulées (et encore mal définies) de marché et de propriété privée. La nouvelle direction conduite par Staline se méfiait de ces complexités, qui risquaient de ralentir l'industrialisation du pays, et décida dès 1928 de mettre fin à la NEP et de se lancer dans la collectivisation de l'agriculture et l'étatisation complète de toutes les formes de production et de possession.

L'absurdité du régime s'exprima alors très clairement, dès la fin des années 1920, dans la façon dont le pouvoir se mit à criminaliser toute une population de petits travailleurs indépendants qui ne rentraient pas dans le cadre du nouveau régime, mais qui n'en étaient pas moins indispensables au fonctionnement de la vie urbaine et de l'économie soviétique dans son ensemble. En particulier, la mesure de privation des droits civiques (qui conduisait à écarter les populations indésirables des listes électorales, et surtout du système de rationnement, ce qui était autrement plus grave pour la survie des familles concernées) concernait non seulement les membres des anciennes classes militaires et cléricales du régime tsariste, mais également et surtout toutes les personnes « tirant leur revenu du commerce privé ou d'une fonction d'intermédiaire », ainsi que celles « ayant engagé un salarié en vue d'un profit ». En 1928-1929, ce sont ainsi quelque 7 % de la population urbaine et 4 % de la population rurale qui furent inscrites sur les listes de *lisency*. En pratique c'est toute une population de petits transporteurs en carriole, de vendeurs ambulants de nourriture, d'artisans et de réparateurs de toutes sortes, qui se retrouva visée.

Dans leurs dossiers de demandes de réhabilitation, au fil de procédures bureaucratiques interminables, ils décrivent leur vie de « petit », possédant tout juste un cheval et une échoppe, disent leur incompréhension face à un régime dont ils se sentaient proches et implorent le pardon[1]. L'absurdité de la situation tient évidemment au fait que l'on ne peut pas organiser une ville et une société uniquement avec des prolétaires patentés, ouvriers dans la grande industrie. Il faut avant tout se nourrir, se vêtir, se transporter, se loger, et ces fonctions demandent toute une population de travailleurs dans des unités de production de taille variable, et parfois de toute petite taille, qui ne peuvent être organisées qu'en s'appuyant sur un minimum de décentralisation et sur les aspirations et les informations de chacun, et le cas échéant sur un petit capital privé et quelques salariés.

La Constitution soviétique de 1936, édictée à un moment où l'on considère que ces pratiques déviantes ont été définitivement éradiquées, institue aux côtés de la « propriété socialiste », c'est-à-dire la propriété d'État (qui comprend aussi celle des fermes collectives et des coopératives, étroitement contrôlées par l'État), la possibilité de la « propriété personnelle ». Mais cette dernière concerne uniquement des biens et des objets personnels acquis grâce au revenu de son travail, par opposition à la « propriété

1. Voir N. MOINE, « Peut-on être pauvre sans être un prolétaire ? La privation des droits civiques dans un quartier de Moscou au tournant des années 1920-1930 », *Le Mouvement social*, n° 196, juillet-septembre 2001.

privée », qui se fonde sur la propriété des moyens de production et donc sur l'exploitation du travail d'autrui, et qui est totalement bannie, aussi petite l'unité de production soit-elle. Des marges de manœuvre seront certes négociées en permanence, pour permettre par exemple aux travailleurs des fermes collectives d'écouler une petite partie de leur production sur les marchés kolkhoziens ou aux brigades de pêcheurs de la mer Caspienne de vendre pour leur compte une partie de leurs poissons. Le problème est que le régime passera son temps à remettre ces règles en cause et à en renégocier les contours, à la fois du fait de son dogmatisme idéologique et de sa méfiance pour ces pratiques subversives, et aussi parce qu'il a besoin de boucs émissaires et de « saboteurs » pour justifier ses échecs et les frustrations de la population.

À la mort de Staline, en 1953, plus de 5 % de la population adulte soviétique est en prison, dont plus de la moitié pour des « vols de propriété socialiste » et autres petits larcins permettant d'améliorer l'ordinaire. C'est la « société des voleurs » décrite par Juliette Cadiot, et elle signe le dramatique échec d'un régime qui se voulait émancipateur[1]. Pour atteindre un niveau d'enfermement comparable, il faut considérer le cas de la population masculine noire américaine aujourd'hui (environ 5 % des hommes adultes en prison). Si l'on prend les États-Unis dans leur ensemble, c'est environ 1 % de la population adulte étatsunienne qui est derrière les barreaux en 2018, ce qui suffit certes à placer le pays en position de leader mondial incontesté en la matière en ce début de XXIe siècle[2]. Que l'Union soviétique ait pu atteindre dans les années 1950 un niveau d'enfermement cinq fois plus élevé en dit long sur l'ampleur du désastre humain et politique. Il est particulièrement frappant de constater qu'il s'agit non seulement de dissidents et de prisonniers politiques, mais également et majoritairement de détenus économiques, accusés de vol de la propriété d'État, alors même que cette dernière était supposée permettre la réalisation de la justice sociale sur terre. On retrouve dans ces prisons toute une foule de petits chapardeurs affamés des usines et des champs, de voleurs de poules ou de poissons dans les régions du Sud, de chefs d'entreprise d'État accusés de corruption et

---

1. Voir J. CADIOT, *La Société des voleurs. La protection de la propriété socialiste sous Staline*, EHESS, 2019. Voir aussi J. CADIOT, « L'affaire Hain. Kyiv, hiver 1952 », *Cahiers du monde russe*, vol. 59, n° 2-3, 2018.

2. À titre de comparaison, le taux d'emprisonnement (toujours exprimé en pourcentage de la population adulte) est actuellement de 0,7 % en Russie, 0,3 % en Chine, et moins de 0,1 % dans tous les pays d'Europe occidentale. Voir annexe technique.

de malversation, souvent à tort. Ils furent les cibles de la direction soviétique et de sa volonté de faire du « voleur » de la propriété socialiste un ennemi du peuple passible de cinq à vingt-cinq années de camp pour des vols souvent mineurs, et de la peine capitale pour les cas plus graves. Les dossiers issus des interrogatoires et des procès permettent d'entendre la parole et les justifications des « voleurs », qui n'hésitent pas à remettre en cause la légitimité politique d'un régime qui n'a pas su tenir sa promesse d'amélioration des conditions de vie.

Il est intéressant de noter que la Seconde Guerre mondiale a conduit paradoxalement le régime soviétique à adopter une conception un peu plus ouverte de la propriété privée, au moins en apparence. Cela est lié au fait que les demandes russes d'indemnisations et de compensations formulées dans l'après-guerre, à la suite des exactions et des pillages commis par les nazis dans les territoires occupés de 1941 à 1944, se situent dans le contexte du droit international de l'époque, qui indemnise plus généreusement les pertes privées que les dommages publics. Les commissions soviétiques se mettent alors à enregistrer méthodiquement des témoignages sur des pertes de propriétés privées, y compris certaines sur des pertes de petits moyens de production qui étaient réputés avoir disparu depuis la Constitution de 1936. En pratique cependant, il s'agit surtout d'une stratégie argumentative déployée par le régime sur le front diplomatique et juridique, le plus souvent sans conséquence directe en termes de restitution effective aux personnes concernées[1].

De la survie du « marxisme-léninisme » au pouvoir

Compte tenu de ce triste bilan, on peut naturellement se demander comment le régime soviétique a pu survivre si longtemps. Outre sa capacité répressive, il faut également prendre en compte, comme pour tous les régimes inégalitaires, sa capacité persuasive. Et il est vrai que l'idéologie « marxiste-léniniste », telle qu'elle a été utilisée par la classe au pouvoir pour s'y maintenir, avait malgré ses nombreuses faiblesses de multiples atouts. Le plus évident d'entre eux est la comparaison

---

1. Voir N. MOINE, « La perte, le don, le butin. Civilisation stalinienne, aide étrangère et biens trophées dans l'Union soviétique des années 1940 », *Annales. Histoire Sciences sociales*, n° 2, 2013, p. 317-355 ; ID., « Évaluer les pertes matérielles de la population pendant la Deuxième Guerre mondiale en URSS : vers la légitimation de la propriété privée ? », *Histoire & Mesure*, vol. 18, n° 1, 2013, p. 187-216.

avec le pouvoir politique précédent. Le régime tsariste, profondément inégalitaire, avait en effet un bilan particulièrement faible en termes de développement économique, social, sanitaire et éducatif de la Russie. Reposant sur une classe nobiliaire et une classe cléricale directement issues du régime trifonctionnel ancien, le pouvoir tsariste avait aboli le servage en 1861, quelques décennies seulement avant la révolution de 1917. Au début des années 1860, les serfs représentaient encore près de 40 % de la population russe. Le pouvoir impérial avait prévu en 1861 que les ex-serfs acquittent jusqu'en 1910 des paiements à leurs ex-propriétaires. Le mécanisme était assez proche en esprit des compensations financières aux propriétaires d'esclaves instituées lors des abolitions de l'esclavage décidées au Royaume-Uni en 1833 et en France en 1848, à la différence près que les serfs vivaient au cœur du territoire russe et non dans des îles esclavagistes[1]. La plupart des paiements prirent fin dans les années 1880, mais cela permet de remettre le régime tsariste et la rupture de 1917 en perspective, et plus généralement de rappeler les formes extrêmes de sacralisation de la propriété privée et des droits des propriétaires (quelles que soient la nature et l'origine de la propriété en question) qui caractérisaient le monde d'avant la Première Guerre mondiale.

Par comparaison avec le pouvoir tsariste, le régime soviétique n'eut pas de mal à apparaître comme porteur d'un projet autrement plus prometteur pour le pays, à la fois égalitaire et modernisateur. De fait, en dépit des répressions et de la vision hyperétatique et ultracentralisée du régime de propriété et de l'organisation sociale et économique, il est clair que les investissements publics réalisés au cours de la période 1920-1950 ont permis de moderniser profondément le pays et de favoriser un début de rattrapage sur les pays ouest-européens. C'est notamment le cas en matière d'infrastructures, de moyens de transport, et surtout d'alphabétisation et plus généralement d'investissements éducatifs, scientifiques et sanitaires. Les sources disponibles permettent ainsi de constater que la concentration des revenus et des ressources économiques a été fortement réduite au cours des premières décennies du pouvoir soviétique par comparaison avec le régime tsariste, le tout dans un contexte d'amélioration relative des conditions de vie et des revenus par comparaison avec l'Europe de l'Ouest, tout du moins jusqu'aux années 1950.

1. Voir chapitre 6, p. 298-301.

S'agissant des inégalités de revenus, des travaux récents ont par exemple permis de montrer que la part du décile supérieur se situait pendant toute la période soviétique, des années 1920 aux années 1980, à un niveau relativement faible, autour de 25 % du revenu total, contre environ 45 %-50 % sous le tsarisme (voir graphique 12.1).

Graphique 12.1
L'inégalité des revenus en Russie, 1900-2015

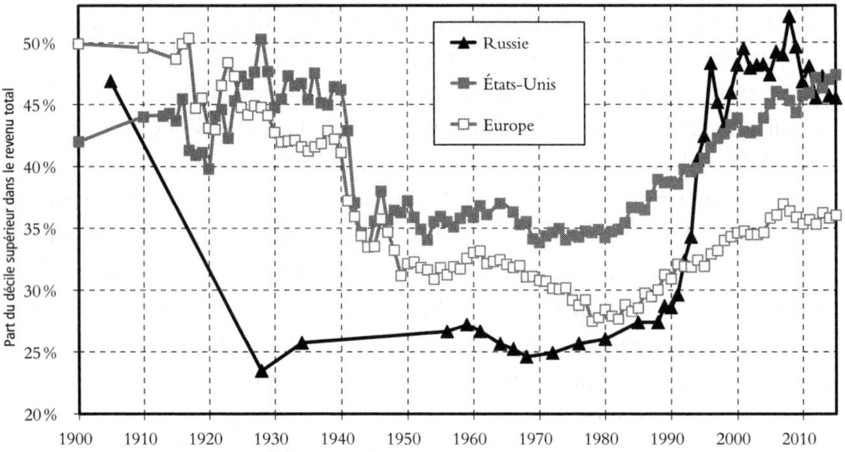

Lecture : la part du décile supérieur (les 10 % des revenus les plus élevés) dans le revenu national total était en moyenne d'environ 25 % en Russie soviétique, soit un niveau plus faible qu'en Europe occidentale et qu'aux États-Unis, avant de s'élever à 45 %-50 % après la chute du communisme et de dépasser les niveaux européens et étatsuniens.
Sources et séries : voir piketty.pse.ens.fr/ideologie.

La part du centile supérieur a pour sa part été abaissée à environ 5 % du revenu total à l'époque soviétique, contre 15 %-20 % avant 1917 (voir graphique 12.2). Il faut toutefois insister sur les limites de telles estimations. Les données monétaires disponibles ont certes été corrigées afin de prendre en compte les avantages en nature (accès facilité à des magasins, centres de vacances, etc.) dont bénéficiaient les classes privilégiées du régime soviétique, mais de telles corrections ne peuvent par définition qu'être relativement approximatives[1].

1. Si l'on s'en tenait strictement aux revenus monétaires, la part du décile supérieur serait d'à peine 20 % du revenu total (au lieu de 25 %) et la part du centile supérieur inférieure à 4 % (au lieu de 5 %). Voir annexe technique et F. NOVOKMET, T. PIKETTY, G. ZUCMAN, « From Soviets to Oligarchs : Inequality and Property in

Graphique 12.2

Le centile supérieur en Russie, 1900-2015

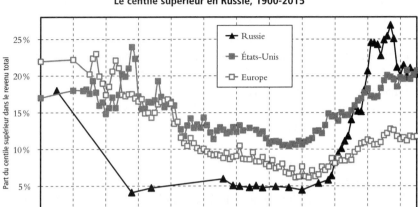

Lecture : la part du centile supérieur (les 1 % des revenus les plus élevés) dans le revenu national total était en moyenne d'environ 5 % en Russie soviétique, soit un niveau plus faible qu'en Europe occidentale et qu'aux États-Unis, avant de s'élever à 20 %-25 % après la chute du communisme et de dépasser les niveaux européens et étatsuniens.

Sources et séries : voir piketty.pse.ens.fr/ideologie.

Au final, ces données sur les inégalités de revenus sous la période soviétique démontrent surtout que le régime communiste ne structurait pas ses inégalités par la voie monétaire. Outre que les revenus de la propriété, qui dans les autres sociétés forment une part essentielle des plus hauts revenus, avaient entièrement disparu, on constate que les hiérarchies salariales séparant l'ouvrier de l'ingénieur et du ministre soviétique étaient relativement comprimées (sans pour autant être totalement aplaties[1]). Il s'agit là d'une caractéristique proprement existentielle du nouveau régime, qui aurait perdu immédiatement toute cohérence idéologique interne et toute légitimité s'il s'était mis à verser subitement à ses dirigeants des salaires ou des bonus monétaires cent fois plus élevés que les salaires ouvriers.

Mais cela ne doit pas éclipser le fait que le régime structurait ses inégalités par d'autres canaux, comme les avantages en nature et les accès privilégiés

---

Russia, 1905-2016 », WID.world, Working Paper Series, n° 2018/2, *Journal of Economic Inequality*, 2018.

1. Concrètement, une part de 4 %-5 % pour le centile supérieur signifie que les 1 % les mieux rémunérés ont un revenu moyen qui est de quatre à cinq fois plus élevé que le revenu moyen, et généralement autour de huit à dix fois plus élevé que les plus bas salaires (qui sont généralement proches de la moitié du revenu moyen).

à certains biens, difficiles à prendre en compte complètement, ainsi que par de violentes disparités statutaires dont l'emprisonnement de masse est la forme la plus extrême, mais qui comprenaient également un système sophistiqué de passeport intérieur. Ce système visait à la fois à freiner les possibilités de migration des campagnes (particulièrement malmenées pendant la collectivisation de l'agriculture et l'industrialisation à marche forcée) vers les villes, à mettre à l'écart certaines populations suspectes ou condamnées, et à réguler les mobilités entre centres urbains et bassins d'emploi, en fonction des besoins perçus de la planification et de l'avancée des constructions de logements[1]. Il serait illusoire de chercher à intégrer tous ces aspects dans un unique indicateur inégalitaire quantitatif d'inspiration monétaire. Il me paraît plus pertinent d'indiquer ce que l'on sait des inégalités monétaires, tout en insistant sur le fait qu'il ne s'agit que de l'une des dimensions (et pas forcément la plus marquante) permettant de caractériser le régime inégalitaire soviétique, comme d'ailleurs les autres régimes inégalitaires dans l'histoire.

Concernant l'évolution du niveau de vie moyen à l'époque soviétique, il faut là aussi insister sur la fragilité des matériaux et des sources. D'après les meilleures estimations disponibles, le niveau de vie moyen, tel que mesuré par le revenu national par habitant, a stagné des années 1870 aux années 1910 en Russie aux alentours de 35 %-40 % du niveau ouest-européen (défini par la moyenne du Royaume-Uni, de la France et de l'Allemagne), avant de s'élever graduellement au cours de la période 1920-1950 et d'atteindre environ 60 % du niveau ouest-européen dans les années 1950 (voir graphique 12.3). La précision de ces comparaisons ne doit pas faire illusion, mais les ordres de grandeur peuvent être considérés comme significatifs. Il ne fait aucun doute que la Russie a connu un début de rattrapage économique sur l'Europe de l'Ouest à la suite de la révolution de 1917, de la fin des années 1910 jusqu'aux années 1950. Ce rattrapage était certes dû en partie au fait que le point de départ était particulièrement bas. Il a également été rendu plus visible par les contre-performances économiques des pays capitalistes, en particulier pendant les années 1930, quand la production s'effondrait en Europe de l'Ouest et aux États-Unis, alors que la planification soviétique tournait à plein régime. Il reste que pour ces différentes raisons, structurelles et conjoncturelles, le bilan économique

---

1. Voir N. MOINE, « Le système des passeports à l'époque stalinienne. De la purge stalinienne au morcellement du territoire (1932-1953) », *Revue d'histoire moderne & contemporaine*, n° 50-1, 2003/1, p. 145-169.

du régime soviétique pouvait apparaître comme globalement très positif dans les années 1950.

Graphique 12.3

L'écart de niveau de vie Russie-Europe, 1870-2015

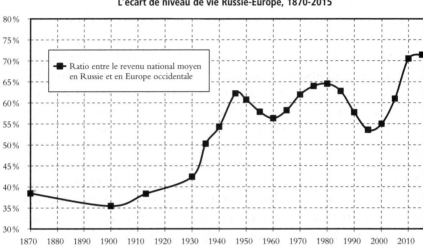

Lecture : exprimé en parité de pouvoir d'achat, le revenu national moyen par adulte en Russie était d'environ 35 %-40 % de la moyenne d'Europe occidentale (Allemagne-France-Royaume-Uni) entre 1870 et 1910, avant de s'élever entre 1920 et 1950, puis de se stabiliser autour de 60 % du niveau ouest-européen entre 1950 et 1990.
Sources et séries : voir piketty.pse.ens.fr/ideologie.

Au cours des quatre décennies suivantes, entre 1950 et 1990, on assiste cependant à une stagnation du revenu national moyen russe autour de 60 % du niveau ouest-européen (voir graphique 12.3). Il s'agit clairement d'une contre-performance, surtout compte tenu de la forte progression des niveaux d'éducation observés au cours de cette période en Russie, comme d'ailleurs en Europe de l'Est, ce qui aurait normalement dû conduire à une poursuite du processus de rattrapage et à une convergence graduelle avec l'Europe de l'Ouest. C'est donc bien l'organisation du système productif qui est en cause. Les frustrations sont d'autant plus fortes que les performances scientifiques, technologiques et industrielles des régimes communistes avaient été amplement vantées et valorisées dans les années 1950 et 1960, aussi bien d'ailleurs à l'intérieur et à l'extérieur, où l'on annonçait régulièrement le triomphe productif du communisme. En 1970, dans la 8e édition de son célèbre manuel, utilisé par des générations d'étudiants nord-américains, Paul Samuelson prédisait toujours, sur la base des tendances observées des années 1920 aux années 1960, un possible dépassement du PIB étatsunien par le PIB soviétique entre 1990 et 2000[1]. Pourtant, dans le courant des années 1970, il devient de plus en plus clair que le processus de rattrapage s'est enrayé, et que le niveau de vie russe stagne relativement aux salaires des pays capitalistes.

Il est en outre possible que ces comparaisons sous-estiment l'écart réel de niveau de vie entre l'Est et l'Ouest, surtout en fin de période. En particulier, si la faible qualité des biens de consommation disponibles dans les pays communistes (équipements ménagers, voitures, etc.) est en principe prise en compte dans les indices de prix utilisés pour faire ces comparaisons, il est fort possible que ce facteur ait gagné en importance au cours du temps et soit particulièrement sous-évalué à partir des années 1960 et 1970. Le poids hypertrophié du secteur militaire en Union soviétique, qui pendant la guerre froide représentait jusqu'à 20 % du produit intérieur brut en URSS, contre 5 %-7 % aux États-Unis[2], complique en outre un peu plus ces comparaisons. La concentration des investissements matériels et des ressources intellectuelles dans les secteurs stratégiques a certes permis des succès spectaculaires, à commencer par l'envoi dans l'espace de Spoutnik 1 en octobre 1957, au grand dam des États-Unis. Mais cela ne suffit plus à masquer la médiocrité des conditions ordinaires d'existence et le retard sur ce terrain avec les pays capitalistes, de plus en plus criant dans les années 1970 et 1980.

Heurs et malheurs de l'émancipation communiste et anticolonialiste

Compte tenu des différences considérables entre les systèmes d'enregistrement et de comptabilisation de la production et des revenus, et du fait du caractère multidimensionnel des écarts entre Est et Ouest, la meilleure façon de prendre la mesure des mauvaises conditions de vie en Russie soviétique est sans doute d'utiliser les données démographiques. Or ces dernières montrent une inquiétante stagnation des espérances de vie à partir des années 1950. On observe même à la fin des années 1960 et au cours des années 1970 une légère tendance à la baisse de l'espérance de vie

---

1. Voir P. SAMUELSON, *Economics*, 8ᵉ édition, McGraw-Hill Book et Cⁱᵉ, 1970, p. 831.
2. Voir par exemple M. MANN, *The Sources of Social Power*, vol. 4 : *Globalizations (1945-2011)*, Cambridge University Press, 28 décembre 2012, p. 182.

des hommes, ce qui est inédit pour un pays en temps de paix, ainsi que des statistiques de mortalité infantile qui ont cessé de se réduire[1]. L'ensemble témoigne d'un système sanitaire en grande difficulté, et qui semble avoir touché ses limites. Dans les années 1980, les tentatives de Gorbatchev de s'attaquer à la surconsommation d'alcool joueront un rôle central dans la chute de popularité du dernier dirigeant soviétique et dans l'effondrement final du régime. Après avoir été le régime qui a su sortir le peuple russe du tsarisme et de la misère, le communisme soviétique devient synonyme de faible bien-être et de vies écourtées.

L'affaiblissement politico-idéologique final du régime soviétique dans les années 1970-1980 doit également beaucoup au fait que la plupart des marqueurs les plus forts de l'après-guerre ont graduellement disparu. Dans les années 1950, l'Union soviétique bénéficie d'un prestige moral considérable au niveau international, lié non seulement à son rôle décisif dans la victoire contre le nazisme, mais également au fait qu'elle représente alors avec le mouvement communiste international qu'elle fédère et contrôle la seule force politique et idéologique s'opposant clairement et radicalement au colonialisme et au racisme. Dans les années 1950, la ségrégation raciale fonctionne à plein régime dans le sud des États-Unis. Il faudra attendre les années 1963-1965 et la très forte mobilisation des Noirs américains pour imposer aux administrations démocrates Kennedy et Johnson (qui n'avaient initialement aucune envie d'envoyer les troupes fédérales dans les États du Sud pour aller y garantir les droits des Noirs) l'agenda des droits civiques et électoraux. L'apartheid vient d'être institué puis renforcé en Afrique du Sud à la fin des années 1940 et au début des années 1950, avec un luxe de législations visant à parquer les Noirs dans des réserves et leur interdire de mettre les pieds dans le reste du territoire[2]. Le régime, proche du nazisme dans l'inspiration racialiste, est soutenu par les États-Unis au nom de l'anticommunisme. Il faudra attendre les années 1980 pour que se développe un mouvement de sanctions internationales contre l'Afrique du Sud, auquel l'administration Reagan s'oppose d'ailleurs ouvertement jusqu'en 1986[3].

---

1. Voir E. TODD, *La Chute finale. Essai sur la décomposition de la sphère soviétique*, Robert Laffont, 1976, nouvelles éditions augmentées, 1990 et 2004.

2. Voir chapitre 7, p. 350-353.

3. À l'issue d'une longue bataille parlementaire, Reagan mit son veto en 1986 au système de sanctions adopté par le Congrès des États-Unis dans le cadre du *Comprehensive Anti-Apartheid Act*, mais le Congrès décida de passer outre et de confirmer son vote, si bien que la loi entra en application.

Dans les années 1950, le mouvement de décolonisation a tout juste commencé, en particulier au sein de l'empire colonial français, et la France s'apprête à mener une guerre atroce en Algérie. Alors que les socialistes participent au gouvernement et aux opérations de « maintien de l'ordre », de plus en plus violentes, seul le parti communiste milite clairement et sans ambiguïté en faveur de l'indépendance immédiate et du retrait des troupes françaises. À ce moment charnière, le mouvement communiste et international apparaît aux yeux d'une bonne partie des intellectuels et du prolétariat international comme la seule force politico-idéologique proposant une organisation sociale et économique du monde sur une base égalitaire, alors que l'idéologie colonialiste continue de vouloir organiser le monde sur une logique inégalitaire, propriétariste, hiérarchique et racialiste.

En 1966, le Sénégal, indépendant depuis peu, organise à Dakar le « Festival mondial des arts nègres ». Il s'agit d'un événement marquant pour le panafricanisme et la « négritude », courant littéraire et politique élaboré notamment par Senghor dans les années 1930 et 1940, intellectuel et écrivain qui est ensuite devenu en 1960 le premier président sénégalais, après avoir tenté en vain de former une vaste fédération démocratique d'Afrique de l'Ouest[1]. Toutes les puissances capitalistes et communistes ont répondu à l'invitation et tentent de faire bonne figure. Au stand soviétique, la délégation venue de Moscou affiche clairement ses convictions et ses analyses historiques dans ses prospectus. La Russie, contrairement aux États-Unis ou à la France, n'a pas eu besoin de l'esclavage pour s'industrialiser. Elle est donc en bien meilleure position pour nouer des partenariats de développement avec l'Afrique sur une base égalitaire[2]. L'affirmation ne semble surprendre personne tant elle est naturelle dans le contexte de l'époque.

Dans les années 1970 et 1980, cet élément de prestige moral a presque totalement disparu. Les décolonisations sont terminées, les droits civiques ont été étendus aux Noirs américains, et les valeurs de l'antiracisme et de l'égalité des races et des peuples font maintenant partie du socle commun réputé consensuel au sein des pays capitalistes, qui sont désormais devenus des sociétés sociales-démocrates postcoloniales. Les questions raciales et migratoires sont certes sur le point de jouer un rôle croissant dans les

1. Voir chapitre 7, p. 354-359.
2. Voir l'exposition *Dakar 1966. Chroniques d'un festival panafricain*, musée du quai Branly, Paris, février-mai 2016.

clivages électoraux en Europe et aux États-Unis à partir des années 1980 et 1990, nous y reviendrons longuement dans la prochaine partie. Mais il est évident que le camp communiste a perdu tout avantage moral clair sur ces questions dans les années 1970 et 1980, et que les critiques à son égard peuvent désormais se concentrer sur sa politique répressive et carcérale, son traitement des dissidents, et ses faibles performances économiques et sociales. Dans *The Americans*, Elizabeth et Philip sont des agents du KGB opérant aux États-Unis au début des années 1980. Elizabeth a une idylle avec un militant noir américain, ce qui témoigne d'ailleurs du fait qu'elle reste de façon générale plus sincèrement attachée à l'idéal communiste que son vrai/faux mari Philip, qui se demande un peu ce qu'il fait là, si près de la chute finale du régime soviétique. Diffusée entre 2013 et 2018, cette série permet également de prendre la mesure du temps passé et du fait que le communisme soviétique a depuis longtemps cessé d'être associé spontanément et principalement à l'antiracisme et à l'anticolonialisme[1].

On retrouve le même mouvement, à un degré moindre, avec la question du féminisme. Au cours de la période 1950-1980, alors que l'idéologie patriarcale de la femme au foyer comme aboutissement social bat son plein dans les pays capitalistes, les régimes communistes se placent à la pointe du combat pour l'égalité femmes-hommes, en particulier sur le lieu de travail, avec le soutien apporté aux crèches et aux services publics de prise en charge des enfants, tout autant qu'à la contraception et au planning familial. Le positionnement n'est pas exempt d'hypocrisie, si l'on en juge par le fait que les dirigeants politiques dans le monde communiste étaient tout aussi masculins qu'ailleurs[2]. Il reste que les soviets et les assemblées parlementaires de toute nature en Union soviétique et en Europe de l'Est comptaient jusqu'à 30 %-40 % de femmes au cours des années 1960 et 1970, à un moment où l'on en trouvait moins de 5 % sur les bancs des parlements

---

1. En janvier 1988, alors que l'apartheid est toujours debout, l'aviation cubaine intervient en Angola face aux blindés sud-africains. « Nous avons décidé de résoudre le problème à nos risques et périls, unis aux Angolais », explique Castro le 26 juillet 1991, en présence de Mandela. Venu exprimer le « sentiment d'une grande dette envers le peuple cubain », celui-ci insiste sur les conséquences historiques d'une défaite qui a « brisé le mythe de l'invincibilité des oppresseurs blancs » et qui fut « une charnière dans la lutte » contre l'apartheid. Voir le recueil de discours de F. CASTRO et N. MANDELA, *Cuba et l'Afrique. La victoire de l'égalité*, L'Esprit du temps, coll. « Quoi de neuf ? », 2018.

2. L'histoire des attitudes des régimes communistes avec la contraception est par ailleurs loin d'être linéaire. L'URSS est ainsi le premier pays au monde à légaliser l'IVG en 1920, avant de l'interdire en 1936 (durcissement nataliste stalinien), puis de la rétablir en 1955.

en Europe de l'Ouest et aux États-Unis. On objectera que les assemblées au sein des pays communistes avaient une autonomie politique limitée et étaient souvent issues d'élections avec un candidat unique, ou bien de partis fantoches jouant un rôle de figuration auprès dudit parti unique, qui détenait la quasi-totalité des pouvoirs réels. Les nominations de femmes sur les listes n'avaient de ce fait que des conséquences limitées sur la réalité du pouvoir et de sa répartition.

Toujours est-il que la proportion de femmes députées chuta brutalement de 30 %-40 % à guère plus de 10 % en Russie et en Europe de l'Est entre les années 1980 et les années 1990, pour se retrouver approximativement au niveau de l'Ouest, voire légèrement au-dessous[1]. On notera aussi que la Chine et plusieurs pays d'Asie du Sud et du Sud-Est sont dans les années 1960 et 1970 très en avance sur les pays occidentaux sur la question de la proportion de femmes députées. Dans *L'Autre Moitié du soleil*, dont l'action se déroule au début des années 1960, à la veille de la guerre du Biafra, l'intellectuel igbo Odenigbo se passionne de politique dans le Nigeria nouvellement indépendant. Comme citoyen du monde, il suit l'actualité, des combats pour l'égalité raciale au Mississippi à la révolution à Cuba, sans oublier la première femme Premier ministre au monde, qui vient d'accéder au pouvoir à Ceylan. À partir des années 1990-2000, les pays occidentaux vont s'approprier la cause du féminisme, comme tant d'autres avant elle, avec plus ou moins de sincérité et d'efficacité quant à leur volonté réelle d'égalité[2].

Le communisme et la question des différences légitimes

Revenons à l'attitude du communisme soviétique face à la question de la propriété. Il est important de tenter de comprendre pourquoi le pouvoir soviétique s'est retrouvé à adopter une position aussi radicale à l'encontre de toute forme de propriété privée des moyens de production, y compris les plus minuscules. Le fait de criminaliser les détenteurs de carrioles et d'échoppes, au point de les emprisonner, peut sembler absurde. Cette politique obéit pourtant à une certaine logique. Il y a d'abord et surtout la crainte de ne pas savoir où s'arrêter. Si l'on commence par autoriser

---

1. Voir les intéressantes données rassemblées par S. CARMICHAEL, S. DILLI, A. RIJPMA, « Gender Inequality since 1820 », in *How was life ? Global Well-Being since 1820*, OCDE, 2014, fig. 12.9, p. 238.

2. Nous reviendrons sur ce point dans le chapitre 13, p. 801-806.

des formes de propriété privée de petites entreprises, ne risque-t-on pas de ne pas savoir où placer la limite, et, de proche en proche, de ressusciter le capitalisme ? De même que l'idéologie propriétariste du XIXᵉ siècle refusait toute remise en cause des droits de propriété privée acquis dans le passé, de peur que l'ouverture de cette boîte de Pandore ne mène tout droit au chaos généralisé, l'idéologie soviétique refuse au XXᵉ siècle d'admettre autre chose que la propriété strictement étatique, de peur que le moindre interstice laissé à la propriété privée ne finisse par gangrener l'ensemble[1]. Au fond, chaque idéologie est victime d'une forme de sacralisation, de la propriété privée dans un cas et étatique dans l'autre, et de la peur du vide.

Avec l'expérience historique dont nous disposons aujourd'hui, et en particulier avec les succès et les échecs observés au cours du XXᵉ siècle, il est possible de dresser les contours d'un socialisme participatif et d'une propriété temporaire et partagée, qui permettent de dépasser à la fois le capitalisme et le soviétisme. Concrètement, il est possible de se reposer sur les initiatives décentralisées portées par des propriétés privées de taille raisonnable, tout en empêchant la concentration de détentions patrimoniales excessives, grâce notamment à l'impôt progressif sur la propriété, la dotation universelle en capital et le partage des droits de vote entre actionnaires et salariés. L'expérience historique permet de mettre des limites et de fixer des bornes, qui ne sont certes pas des certitudes mathématiques menant à des politiques parfaites qu'il n'y aurait plus qu'à appliquer partout et tout le temps, mais dont les implications doivent au contraire être soumises à la délibération permanente et à l'expérimentation, et sur lesquelles il est néanmoins possible de s'appuyer pour aller plus loin. Par exemple, on sait maintenant que la part du centile supérieur dans la propriété totale peut chuter de 70 % à 20 % sans affaiblir la croissance (bien au contraire, comme le montre l'expérience des pays ouest-européens au XXᵉ siècle), ou que les représentants des salariés peuvent disposer de la moitié des droits de vote (comme dans la cogestion germanique ou nordique), et que ce partage du pouvoir permet une amélioration de la performance économique d'ensemble[2]. Le chemin menant de ces expériences concrètes à une forme

---

1. Dans *Land and Freedom* (1995), Ken Loach met en scène un conseil de village dans l'Espagne de 1936 où les uns et les autres s'affrontent sur la question de la propriété communale, étatique ou individuelle de la terre, ce qui contribue à exacerber les conflits entre anarchistes, staliniens et trotskistes, et *de facto* à renforcer l'ennemi franquiste, clérical et propriétariste.

2. Voir chapitres 10-11.

pleinement satisfaisante de socialisme participatif est complexe, d'autant plus qu'il est impossible de séparer la question des petites unités de production de celle des plus grosses. Il est au contraire indispensable de penser l'ensemble en fonction de règles légales et fiscales continues s'appliquant graduellement aux différents cas de figure, des plus petites entreprises aux plus grandes[1]. Mais les expériences historiques sont suffisamment riches pour indiquer des voies précises d'expérimentations possibles[2].

Si les dirigeants bolcheviques refusent de se lancer dans les années 1920 dans la voie d'un socialisme décentralisé et participatif, ce n'est cependant peut-être pas seulement parce qu'ils ne disposaient pas de ce savoir expérimental, issu de l'histoire des sociétés humaines au XXe siècle et au début du XXIe siècle (et en particulier des succès et des limitations des sociétés sociales-démocrates), ou parce qu'ils se méfiaient de ces complexités. Pour que les vertus de la décentralisation apparaissent clairement, il est également nécessaire d'articuler une vision de l'égalité humaine avec une acceptation sereine des différences légitimes et multiples entre individus, notamment en termes d'aspirations et d'informations, et de leur importance dans l'organisation socio-économique d'un pays. Or le communisme sous sa forme soviétique, sans doute en partie sous l'effet d'une certaine illusion industrialiste et productiviste, tend à négliger l'importance et surtout la légitimité de ces différences. Concrètement, si les besoins humains prennent des formes peu nombreuses et relativement homogènes (se nourrir, se vêtir, se loger, s'éduquer, se soigner), et que l'on se convainc que les biens et services correspondants peuvent avoir des contenus quasi identiques pour chacun (en partie d'ailleurs pour de très bonnes raisons, liées à l'unité fondamentale de l'espèce humaine), alors la décentralisation perd de son intérêt. Une organisation fondée sur la planification centralisée peut faire l'affaire, en affectant chaque ressource humaine et matérielle à sa tâche.

Le problème est que la réalité du problème d'organisation économique et sociale que les sociétés humaines ont à résoudre est plus complexe. Il ne peut pas se réduire à cette unité des besoins fondamentaux. Dans toutes les sociétés, aussi bien d'ailleurs à Moscou en 1920 qu'à Paris ou Abuja en 2020, il existe également une infinie diversité de biens et de services dont les individus ont « besoin » pour mener leur vie et développer leurs projets

---

1. En pratique, les niveaux d'emploi comme les volumes d'activité se répartissent de façon très équilibrée entre les différentes tailles d'entreprises, ce qui nécessite des solutions continues concernant la répartition du pouvoir et de la propriété dans ces différentes structures.

2. Voir chapitre 17, p. 1117-1150.

et aspirations. Plusieurs de ces « besoins » sont certes factices, fondés parfois sur l'exploitation d'autres individus, ou bien nocifs et polluants, menaçant les besoins fondamentaux des autres individus, auquel cas il est essentiel que la délibération collective et les lois et institutions en vigueur réduisent ou interdisent leur expression. Mais une partie importante de cette diversité de besoins est légitime, et ne peut être réglementée depuis le sommet de l'État, sauf à s'exposer à une brutalisation des individualités et des individus. Par exemple, à Moscou dans les années 1920, certaines personnes ont une préférence du fait de leur histoire ou de leur sociabilité particulière pour habiter certains quartiers plutôt que d'autres, ou pour certains aliments ou vêtements. D'autres individus disposent à la suite de leur propre trajectoire d'une carriole, d'une échoppe ou d'une qualification aux caractéristiques spécifiques. Seule une organisation décentralisée peut permettre de faire en sorte que toutes ces différences légitimes entre individus puissent se rencontrer et s'exprimer. Une organisation étatique centralisée ne peut y parvenir, non seulement car aucune structure étatique ne pourra jamais rassembler toutes ces informations pertinentes sur les informations et caractéristiques individuelles, mais également parce que le simple fait de chercher à les collecter de façon systématique risquerait d'affecter négativement les processus sociaux par lequel les individus apprennent à se connaître eux-mêmes.

Du rôle de la propriété privée
dans une organisation sociale décentralisée

Une organisation sous forme de coopératives entre travailleurs – forme souvent évoquée en Russie dans les années 1920 au moment des débats autour de la NEP, et également envisagée et soutenue dans les années 1980 lors de la politique d'ouverture économique menée sous Gorbatchev – ne permet pas non plus de répondre entièrement aux défis posés par la diversité des besoins et des aspirations humaines. Comme nous l'avons vu avec l'exemple du projet de création d'un café-restaurant ou d'une épicerie bio[1], cela n'aurait pas beaucoup de sens de donner autant de pouvoir de décision à celui qui a investi toutes ses économies et son énergie dans un tel projet et à un salarié recruté la veille, et qui s'apprête peut-être lui aussi à lancer son propre projet, au sein duquel il serait tout aussi insensé de lui ôter tout

---

1. Voir chapitre 11, p. 596.

droit de contrôle privilégié. De telles différences entre individus en termes de projets et aspirations sont légitimes, et elles existeraient également dans une société parfaitement égalitaire, où chacun disposerait rigoureusement du même capital économique et éducatif de départ. Elles traduiraient alors simplement la diversité des aspirations humaines, des subjectivités et des personnalités, des cheminements personnels possibles. Or, la propriété privée des moyens de production, correctement régulée et limitée dans son étendue, fait partie des éléments de décentralisation et d'organisation institutionnelle permettant à ces différentes aspirations et caractéristiques individuelles de s'exprimer et de se développer dans la durée.

L'ampleur de la concentration de cette propriété privée et du pouvoir qui en découle doit certes être rigoureusement débattue et contrôlée, et ne doit pas dépasser ce qui est strictement nécessaire, au moyen notamment d'un impôt fortement progressif sur la propriété, d'une dotation universelle en capital et d'un équilibre entre les droits de vote des salariés et ceux des actionnaires. Envisagée dans cette perspective purement instrumentale, sans aucune forme de sacralisation, la propriété privée n'en est pas moins indispensable, à partir du moment où l'on considère que l'organisation socio-économique idéale doit reposer de façon essentielle sur cette richesse humaine que constitue la diversité des aspirations et des informations, des talents et des qualifications. À l'inverse, criminaliser toute forme de pro-priété privée d'une carriole ou d'une échoppe, comme le décide le pouvoir soviétique dans les années 1920, revient au fond à faire l'hypothèse que cette diversité d'aspirations et de subjectivités n'a qu'une valeur limitée pour l'organisation de la production et de l'industrialisation du pays.

Signalons enfin un élément important de complexité supplémentaire. En pratique, l'évocation de ces différences légitimes d'aspirations entre individus a été régulièrement utilisée dans l'histoire comme stratégie argu-mentative visant à justifier des inégalités par ailleurs très contestables. Par exemple, les préférences des parents pour différents types d'écoles et de formations sont souvent évoquées pour justifier des formes d'inégalités scolaires et de mise en concurrence des écoles permettant en pratique aux plus favorisés de séparer leurs enfants de ceux dont les parents sont moins à même de déchiffrer les codes et de choisir les écoles et les filières les plus porteuses. Dans ce cas, on peut raisonnablement considérer que la bonne solution consiste à sortir l'éducation du jeu du marché et à lui apporter des financements publics adéquats et égalitaires, c'est dans une certaine mesure ce qui a été fait dans la plupart des pays, tout du moins au niveau de l'enseignement primaire ou secondaire[1]. De façon générale, c'est à la délibération collective et démocratique qu'il revient de fixer les solutions et les règles les plus adaptées à chaque secteur. Lorsque le bien ou service en question est raisonnablement homogène, par exemple si l'on peut se mettre d'accord au sein d'une communauté donnée sur l'ensemble des savoirs et compétences que tous les enfants d'un âge donné doivent acquérir, alors la mise en concurrence des unités produisant ces services (et *a fortiori* la propriété privée et lucrative de leurs moyens de production) n'a que peu d'intérêt, et peut souvent entraîner des conséquences néfastes. À l'inverse, dans des secteurs où il existe une diversité légitime des aspirations et préférences individuelles, par exemple la fourniture de vêtements ou de nourriture, la décentralisation, la concurrence et un usage maîtrisé de la propriété privée des moyens de production se justifient.

Cette réflexion sur l'étendue des différences légitimes est certes plus complexe que la solution simple consistant à décréter que la propriété privée est la solution à tous les problèmes, ou à l'inverse à la criminaliser dans toutes les situations. Elle est pourtant indispensable si l'on veut parvenir à penser la propriété sociale et temporaire comme l'un des éléments d'une stratégie globale d'émancipation, et à ne pas reproduire les erreurs fatales du communisme soviétique.

La Russie postcommuniste : une dérive oligarchique et kleptocratique

Par comparaison avec la « société des petits voleurs » que fut le régime soviétique, on peut dire que le système postcommuniste voit l'arrivée sur scène des oligarques et des grands pillages d'actifs publics. Reprenons le fil des événements. Le démantèlement de l'Union soviétique et de son appareil productif en 1990-1991 conduisit tout d'abord à une chute du niveau de vie en 1992-1995. Puis le revenu par habitant remonte à partir de la fin des années 1990 et se situe depuis le début des années 2010 à environ 70 % du niveau ouest-européen si l'on se place en parité de pouvoir d'achat (voir graphique 12.3), mais à un niveau deux fois plus bas si l'on utilise le taux de change courant, compte tenu de la faiblesse du rouble. Au total, si la situation moyenne s'est améliorée depuis la fin du communisme, le bilan reste extrêmement mitigé, d'autant plus que les

---

1. Voir chapitre 11, graphique 11.11, p. 626.

inégalités ont progressé de manière spectaculaire au cours des années 1990 (voir graphiques 12.1-12.2).

De ce point de vue, il faut souligner l'extrême opacité qui caractérise la mesure et l'analyse des revenus et des propriétés dans la Russie post-communiste. Cela tient notamment au choix qui a été fait par le pouvoir eltsinien puis poutinien de laisser se développer dans des proportions inédites le contournement du système légal national par des structures offshore et des actifs localisés dans les paradis fiscaux. Ce facteur général est aggravé parce que le régime postcommuniste a abandonné non seulement toute ambition en termes de redistribution, mais également toute tenta-tive d'enregistrer les revenus ou les patrimoines. Il n'existe par exemple aucun impôt sur les successions en Russie postcommuniste, si bien qu'il n'existe aucune statistique successorale publique. Il existe un impôt sur le revenu, mais il est strictement proportionnel, et son taux est, depuis 2001, de seulement 13 %, que votre revenu soit de 1 000 roubles ou de 100 milliards de roubles.

On remarquera au passage qu'aucun pays n'a été aussi loin dans la démolition de l'idée même d'impôt progressif. Aux États-Unis, les admi-nistrations Reagan et Trump ont certes mis au cœur de leur projet politique la diminution des taux d'imposition applicables aux revenus les plus élevés, dans l'espoir de stimuler l'activité économique et l'esprit entrepreneurial, mais ils n'ont pas été jusqu'à supprimer le principe même de l'impôt progressif : les taux appliqués aux bas revenus sont restés plus faibles que ceux appliqués aux plus hauts revenus, et ces derniers ont été réduits par les administrations républicaines à environ 30 %-35 % quand elles en ont eu l'occasion, et non pas à 13 %[1]. Une *flat tax* (impôt proportionnel) à 13 % déclencherait une très vive opposition aux États-Unis, et il est difficile d'imaginer les contours d'une majorité électorale et idéologique susceptible d'approuver une telle politique (tout du moins à horizon prévisible). Le fait qu'une telle politique fiscale ait pu être adoptée en Russie montre à quel point le postcommunisme constitue d'une certaine façon le point extrême de la rupture ultralibérale et inégalitaire des années 1980 et 1990.

On notera également que l'impôt progressif sur le revenu ou les succes-sions n'existait pas (ou jouait un rôle totalement secondaire) dans les pays communistes, puisque la planification centralisée et le contrôle étatique direct des entreprises permettaient de fixer directement les échelles de

1. Voir chapitre 10, graphique 10.11, p. 525.

salaires. Une fois la planification démantelée et les entreprises privatisées, l'impôt progressif aurait néanmoins pu et dû jouer tout son rôle, à l'image du rôle qu'il a joué dans les pays capitalistes au cours du XXᵉ siècle. Si tel n'a pas été le cas, cela montre aussi la faiblesse des transmissions et partages d'expériences entre pays.

Comme souvent en pareil cas, l'absence d'investissement politique dans l'impôt progressif va de pair avec la constatation que l'administration fiscale russe est particulièrement peu transparente, et que les données fiscales disponibles sont extrêmement rudimentaires et limitées. Les sources auxquelles nous avons pu accéder avec Filip Novokmet et Gabriel Zucman nous ont néanmoins permis de montrer que les estimations officielles, qui se fondent sur des enquêtes basées sur l'autodéclaration et ignorent presque complètement les hauts revenus, sous-évaluent gravement la hausse des inégalités de revenus depuis la chute du communisme. Concrètement, ces nouvelles données indiquent que la part du décile supérieur dans le revenu total, qui était d'à peine plus de 25 % en 1990, est passée à environ 45 %-50 % autour de 2000, avant de se stabiliser à ce niveau très élevé (voir graphique 12.1). De façon encore plus spectaculaire, la part du centile supérieur serait passée d'à peine 5 % en 1990 à environ 25 % en 2000, soit un niveau sensiblement plus élevé que les États-Unis (voir graphique 12.2). Le pic inégalitaire aurait été atteint vers 2007-2008, et les très hauts revenus russes auraient décliné depuis la crise de 2008 et les sanctions économiques contre la Russie à la suite de la crise ukrainienne de 2013-2014, tout en restant à des niveaux extrêmement élevés (et sans doute sous-estimés, compte tenu des limites des données disponibles). Pour résumer : en moins de dix ans, entre 1990 et 2000, la Russie postcommuniste est passée du statut de pays qui avait réduit les inégalités monétaires à l'un des plus bas niveaux observés dans l'histoire à celui d'un des pays les plus inégalitaires du monde.

La rapidité de la transition inégalitaire suivie par la Russie post-communiste entre 1990 et 2000, inédite à l'échelle du monde et des données historiques rassemblées dans la base de données WID.world, témoigne de la particularité de la stratégie économique suivie par la Russie pour passer du communisme au capitalisme. Là où d'autres pays communistes comme la Chine ont privatisé par étapes et préservé des éléments importants de propriété étatique et d'économie mixte, stratégie gradualiste que l'on retrouve dans une certaine mesure et avec de multiples variantes en Europe de l'Est, la Russie a fait le choix de la fameuse « thérapie de choc » visant à privatiser la quasi-totalité des actifs publics en quelques années seulement, dans le cadre du système de « vouchers » mis en place entre 1991 et 1995. En principe, chaque citoyen russe disposait d'un « chèque privatisation » (*voucher privatization*) lui permettant de devenir actionnaire de l'entreprise de son choix. En pratique, dans un contexte d'hyperinflation (plus de 2 500 % de hausse des prix en 1992), où de nombreux salaires et retraites étaient tombés à des niveaux réels extrêmement bas, où des milliers de personnes âgées ou sans emploi mettaient en vente leurs effets personnels sur les trottoirs de Moscou, et, à l'inverse, où le gouvernement russe offrait des conditions avantageuses à des noyaux durs d'actionnaires qui se proposaient de racheter des paquets importants d'actions, ce qui devait arriver arriva. Une grande partie des entreprises russes, en particulier dans le secteur de l'énergie, tomba en quelques années entre les mains de petits groupes d'actionnaires habiles qui parvinrent à prendre le contrôle à bas prix des vouchers de millions de Russes, et qui devinrent en peu de temps les nouveaux « oligarques » du pays.

D'après les classements établis par le magazine *Forbes*, la Russie est ainsi devenue en quelques années le leader mondial toutes catégories en termes de milliardaires. Au début des années 1990, le pays n'en comptait fort logiquement aucun, puisque la propriété était entièrement publique. Dans le courant des années 2000-2010, la fortune cumulée des milliardaires russes enregistrés par *Forbes* a atteint l'équivalent d'environ 30 %-40 % du revenu national russe, soit un niveau entre trois et quatre fois plus élevé que celui observé aux États-Unis, en Allemagne, en France ou en Chine[1]. Toujours d'après *Forbes*, l'immense majorité de ces milliardaires résident principalement en Russie, et ils ont particulièrement prospéré depuis le début des années 2000 et l'arrivée au pouvoir de Vladimir Poutine. Encore faut-il préciser que ces données ne prennent pas en compte toutes les personnes qui ont accumulé quelques dizaines ou centaines de millions de dollars, qui sont beaucoup plus nombreuses et significatives d'un point de vue macroéconomique.

De fait, la particularité de la Russie des années 2000-2020 est que le pays et ses richesses sont, pour une large part, détenus par un petit groupe de propriétaires très fortunés résidant en Russie, ou parfois partiellement en Russie et partiellement à Londres ou Monaco, à Paris ou en Suisse. Leurs possessions s'organisent au travers de structures juridiques (sociétés-écrans,

---

1. Voir annexe technique et F. Novokmet, T. Piketty, G. Zucman, « From Soviets to Oligarchs : Inequality and Property in Russia, 1905-2016 », fig. 2, art. cité.

trusts, etc.) localisées dans des paradis fiscaux, de façon à pouvoir échapper autant que possible à d'éventuels soubresauts du système légal et fiscal russe (pourtant peu regardant). Le développement de montages et d'entités juridiques permettant de placer ses actifs dans des juridictions extérieures au territoire national considéré, et offrant des garanties solides à leurs propriétaires, alors même que les activités économiques réelles se déroulent toujours sur le territoire en question, est d'ailleurs une caractéristique générale de la mondialisation économique, financière et juridique en plein développement depuis les années 1980-1990[1]. Ce processus découle notamment du fait que les traités et accords internationaux mis en place par l'Europe et les États-Unis pour libéraliser les flux de capitaux à partir de cette période n'ont prévu aucun mécanisme de régulation et d'échanges d'informations permettant aux États de continuer de mener une politique fiscale, sociale et légale adéquate et de développer les coopérations nécessaires dans ces domaines[2]. Les responsabilités pour cet état de fait sont donc largement partagées. Il reste que, au sein de ce paysage général, le degré de contournement du système légal russe a atteint des proportions inédites, comme l'ont montré des travaux juridiques récents[3].

Quand les actifs offshore dépassent le total des actifs financiers légaux

Il faut également souligner que l'ampleur macroéconomique des fuites de capitaux place véritablement la Russie dans une situation à part. De façon générale, il est par nature difficile de comptabiliser précisément ce type de dissimulation. Dans le cas de la Russie, la situation est toutefois simplifiée par l'importance des détournements, et parce que le pays a réalisé au cours de la période 1993-2018 d'énormes excédents commerciaux : près de 10 % du produit intérieur brut en moyenne au cours de cette période de vingt-cinq ans, soit au total près de 250 % du PIB (deux années et

---

1. Voir K. Pistor, *The Code of Capital. How the Law Creates Wealth and Inequality*, op. cit.
2. Voir chapitre 11, p. 643-649.
3. Voir notamment D. Nougayrède, « Outsourcing Law in Post-Soviet Russia », *Journal of Eurasian Law*, 2014 ; Id., « Yukos, Investment Round-Tripping and the Evolving Public-Private Paradigm », *American Review of International Arbitration*, 2015 ; Id., « The Use of Offshore Companies in Emerging Market Economies : A Case Study », *Columbia Journal of European Law*, vol. 23, n° 2, 2017. Voir également T. Gustafson, *Wheel of Fortune. The Battle for Oil and Power in Russia*, Harvard University Press, 2012.

demie de production nationale). Autrement dit, depuis le début des années 1990, les exportations russes, notamment en termes de gaz et de pétrole, ont dépassé massivement les importations de biens et services entrant chaque année dans le pays. En principe, le pays aurait donc dû accumuler d'énormes réserves financières à l'étranger, approximativement du même ordre. C'est d'ailleurs le cas d'autres pays pétroliers, comme la Norvège qui, dans son fonds souverain, dispose d'actifs dépassant les 250 % du PIB depuis le milieu des années 2010. Or les réserves officielles de la Russie sont en 2018 inférieures à 30 % du PIB russe. Il manque donc de l'ordre de 200 % du PIB russe, sans même prendre en compte les revenus produits par ces actifs.

Les données officielles issues de la balance des paiements du pays révèlent d'autres caractéristiques étonnantes. Les actifs publics et privés placés à l'étranger semblent avoir obtenu des rendements particulièrement médiocres, voire, certaines années, subi de fortes pertes en capital, alors que les actifs étrangers investis en Russie ont invariablement obtenu des rendements exceptionnels, en lien notamment avec les fluctuations du rouble, ce qui expliquerait en partie que la position patrimoniale nette du pays vis-à-vis du reste du monde ne se soit pas accrue davantage. Il est fort possible que ces écritures comptables dissimulent elles aussi des opérations liées à des fuites de capitaux. En tout état de cause, même en acceptant de prendre comme donnés et légitimes ces différentiels de rendements, il est indéniable que les réserves officielles figurant dans la balance des paiements demeurent beaucoup trop faibles. En faisant des hypothèses extrêmement conservatrices, on peut estimer que les fuites de capitaux cumulées depuis le début des années 1990 atteignent au milieu des années 2010 environ une année de revenu national russe (voir graphique 12.4). Précisons qu'il s'agit d'une évaluation minimale, et que la réalité pourrait être deux fois supérieure, voire davantage[1]. Quoi qu'il en soit, cette évaluation minimale implique que les actifs financiers détenus au travers de paradis fiscaux sont approximativement du même montant que la totalité des actifs financiers légaux détenus par les ménages russes en Russie (soit environ une année de revenu national). Autrement dit, la propriété offshore est devenue au moins aussi importante que la propriété financière légale d'un point de

---

1. Pour une présentation détaillée de cette estimation, voir F. NOVOKMET, T. PIKETTY, G. ZUCMAN, « From Soviets to Oligarchs : Inequality and Property in Russia, 1905-2016 », art. cité, p. 19-23.

vue macroéconomique, et l'a sans doute dépassée. L'illégalité est devenue la norme, en quelque sorte.

Graphique 12.4

La fuite de capitaux russes vers les paradis fiscaux

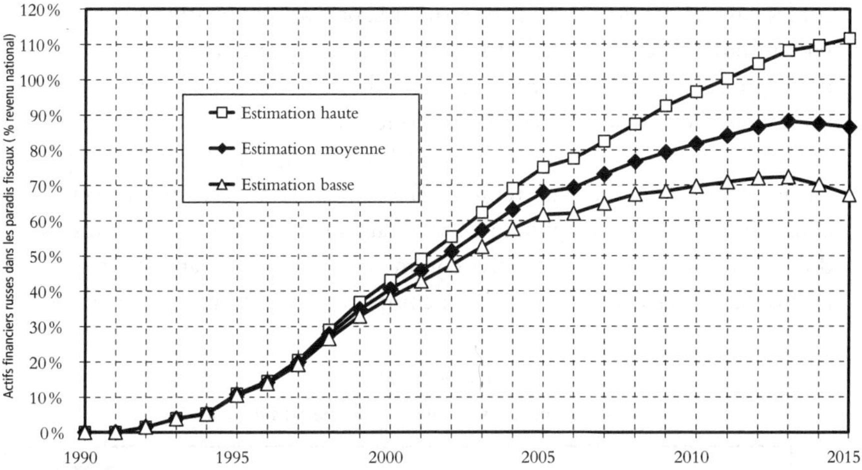

Lecture : compte tenu des écarts croissants entre le cumul des excédents commerciaux russes (près de 10 % du revenu national par an en moyenne de 1993 à 2015) et les réserves officielles (à peine 30 % du revenu national en 2015), et en faisant différentes hypothèses sur les rendements obtenus, on peut estimer que les actifs financiers russes détenus dans des paradis fiscaux se situent entre 70 % et 110 % du revenu national russe en 2015, avec une valeur moyenne autour de 90 %.

Sources et séries : voir piketty.pse.ens.fr/ideologie.

Les autres sources permettant d'appréhender (et de confirmer) l'ampleur des détournements russes, et plus généralement le développement sans précédent des paradis fiscaux au niveau mondial depuis les années 1980-1990, sont notamment issues des incohérences des statistiques financières internationales. Les balances des paiements des pays permettent en théorie de mesurer les flux financiers entrants et sortants, et en particulier les flux entrants et sortants de revenus du capital (dividendes, intérêts, profits de toute nature). En principe, les totaux des flux entrants et sortants devraient chaque année s'équilibrer au niveau mondial. La complexité de ces opérations statistiques pourrait certes entraîner de légers écarts, mais qui devraient alors aller dans les deux sens, et s'équilibrer au cours du temps. Or il existe depuis les années 1980-1990 une tendance systématique à ce que les flux sortants de revenus du capital dépassent les flux entrants. Ces anomalies permettent d'estimer que les actifs financiers détenus dans les paradis fiscaux et non enregistrés dans les autres pays atteignaient au début des années 2010 près de 10 % du total des actifs financiers mondiaux. Tout indique en outre que la progression a continué depuis lors[1].

En exploitant par ailleurs des données rendues publiques par la Banque des règlements internationaux (BRI) et la Banque nationale suisse (BNS) sur les pays de détention, on peut estimer la part approximative que représentent pour chaque pays les actifs offshore détenus dans les paradis fiscaux par rapport au total des actifs financiers (légaux et illégaux) détenus par les résidents du pays en question. La conclusion est que cette part est de « seulement » 4 % aux États-Unis, 10 % en Europe, 22 % en Amérique latine, 30 % en Afrique, et atteint 50 % en Russie et 57 % dans les monarchies pétrolières (voir graphique 12.5). Il faut souligner que ces estimations doivent là encore être considérées comme minimales. En particulier, sont exclus de ces calculs (ou mal pris en compte) les actifs immobiliers et les

Graphique 12.5

Les actifs financiers détenus *via* des paradis fiscaux

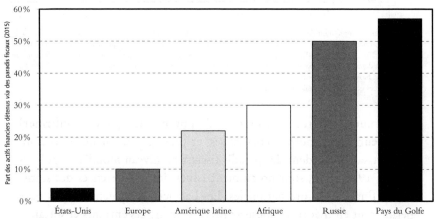

Lecture : en exploitant les anomalies dans les statistiques financières internationales et les décompositions par pays de résidence publiées par la Banque des règlements internationaux et la Banque nationale suisse, on peut estimer que la part des actifs financiers détenus *via* des paradis fiscaux atteint 4 % aux États-Unis, 10 % en Europe et 50 % en Russie. Ces estimations excluent les actifs non financiers (immobilier, etc.) et doivent être considérées comme des estimations minimales.
Sources et séries : voir piketty.pse.ens.fr/ideologie.

1. Voir G. ZUCMAN, « The Missing Wealth of Nations. Are Europe and the US Net Debtors or Net Creditors ? », *Quarterly Journal of Economics*, vol. 128, n° 3, 2013, p. 1321-1364 ; ID., *The Hidden Wealth of Nations*, University of Chicago Press, 2017 ; ID., « Global Wealth Inequality », *Annual Review of Economics*, vol. 11, n° 1, 2019, p. 1-48.

parts dans les sociétés non cotées[1]. On notera au passage que l'opacité financière concerne tous les pays, et notamment les moins développés, ce qui pour ces derniers complique singulièrement la construction de l'État et d'une norme de justice fiscale acceptable par le plus grand nombre.

Aux origines de la « thérapie de choc » et de la kleptocratie russe

Revenons sur les raisons qui ont conduit la Russie postcommuniste à devenir le pays des oligarques et de la kleptocratie, après avoir été celui des soviets et de l'égalité monétaire. Il est tentant d'évoquer un mouvement « naturel » de retour de bâton. Le pays a été traumatisé par l'échec soviétique, et fort naturellement il est reparti avec énergie dans la direction opposée, celle du capitalisme sans règle. L'explication ne peut pas être totalement fausse, mais elle est un peu courte, et elle pèche par déterminisme. Il n'y a rien de « naturel » dans la transformation postcommuniste, pas plus que dans les autres trajectoires de transformation des régimes inégalitaires. De multiples choix s'ouvraient en 1990, et s'ouvrent toujours pour l'avenir. Plutôt que de privilégier les relectures déterministes, il est plus intéressant de voir dans ces évolutions le fruit de processus socio-économiques et politico-idéologiques contradictoires et conflictuels, caractérisés par de multiples points de bifurcations possibles, qui auraient pu tourner différemment, en fonction des capacités de mobilisation et des rapports de force entre les différents groupes et discours en présence.

Le choix de la « thérapie de choc » dans la transition postsoviétique fit l'objet au début des années 1990 de luttes brèves mais intenses, à un moment où le pays était dans une situation d'extrême faiblesse. Parmi les partisans de la thérapie de choc figuraient notamment un grand nombre d'acteurs issus des gouvernements occidentaux (et notamment étatsunien) et des agences et organisations internationales basées à Washington, à commencer par la Banque mondiale et le Fonds monétaire international. L'idée générale était qu'une privatisation ultrarapide de l'économie russe était la seule façon de s'assurer de l'irréversibilité des changements en cours et d'empêcher un possible retour au communisme. De façon générale, il

---

1. Voir G. ZUCMAN, « Taxing Across Borders : Tracking Personal Wealth and Corportate Profits », *Journal of Economic Perspectives*, vol. 28, n° 4, 2014, p. 121-148 ; A. ALSTADSÆTER, N. JOHANNESEN, G. ZUCMAN, « Who Owns the Wealth in Tax Havens ? Macro Evidence and Implications for Global Inequality », *Journal of Public Economics*, n° 162, 2018, p. 89-100.

n'est pas exagéré de dire que l'idéologie dominante au sein des économistes officiant dans ces institutions et intervenant dans ces débats au début des années 1990 était beaucoup plus proche du capitalisme anglo-saxon de type reagano-thatchérien que de la social-démocratie européenne ou de la cogestion germanique et nordique. En particulier, la perception la plus répandue parmi les conseillers occidentaux œuvrant alors à Moscou était que l'Union soviétique avait péché par un excès d'égalité, et, dès lors, que la question de la possible montée des inégalités consécutive aux privatisations et à la « thérapie de choc » devait être considérée comme un souci secondaire et non prioritaire[1].

Avec le recul dont nous disposons aujourd'hui, on peut toutefois noter que les niveaux d'inégalité (monétaire) observés en Russie soviétique dans les années 1980 ne sont pas très différents de ceux observés au même moment en Europe nordique et notamment en Suède, avec dans les deux cas environ 25 % du revenu total pour le décile supérieur et 5 % pour le centile supérieur, ce qui n'a jamais empêché la Suède de figurer parmi les pays au plus haut niveau de vie et de productivité dans le monde[2]. Le problème n'était donc pas tant le niveau excessif d'égalité en tant que tel que l'organisation de l'économie et de la production, caractérisée en Union soviétique par la planification centralisée et l'abolition absolue de la propriété privée des moyens de production. On peut raisonnablement penser que l'adoption en Russie d'institutions sociales-démocrates de type nordique, avec un impôt fortement progressif, un système avancé de protection sociale et la cogestion syndicats-actionnaires, aurait permis de préserver une certaine égalité, tout en favorisant un niveau élevé de productivité et de conditions de vie. Le choix de société qui a été fait dans la Russie postcommuniste des années 1990-2000 est très différent. On a choisi d'offrir à un petit groupe de personnes (les oligarques) de prendre durablement possession de l'essentiel des richesses du pays, le tout avec une *flat tax* de 13 % sur les revenus (et 0 % sur les successions) permettant de pérenniser cette situation, alors même que l'impôt progressif sur les revenus et les successions avait été appliqué avec succès dans l'ensemble des pays occidentaux au cours du XXᵉ siècle. L'absence de mémoire historique et la faible capacité d'apprentissage des expériences partagées prennent parfois des proportions étonnantes, surtout s'agissant de personnes et d'institutions dont la raison

---

1. Pour un livre représentatif de cet état d'esprit, voir par exemple M. Boycko, A. Shleifer, R. Vishny, *Privatizing Russia*, MIT Press, 1995.
2. Voir chapitre 10, graphiques 10.2 et 10.3, p. 494 et 495.

d'être est la production de connaissances et d'expertises au service de la coopération internationale.

Il serait cependant excessif d'attribuer ces choix politico-idéologiques uniquement à des influences extérieures. Ils sont aussi et surtout le fruit d'affrontements internes à la société russe. Dans les années 1980, Gorbatchev avait tenté sans succès de promouvoir un modèle économique préservant les valeurs du socialisme, tout en favorisant une certaine ouverture aux coopératives et à des formes régulées (et souvent mal définies) de propriété privée. D'autres groupes au sein du pouvoir russe, en particulier ceux issus de l'appareil sécuritaire, n'avaient visiblement pas les mêmes opinions. De ce point de vue, les analyses présentées par Vladimir Poutine dans le documentaire d'entretiens réalisé en 2017 par le réalisateur Oliver Stone (par ailleurs très poutinien) sont particulièrement révélatrices. Poutine raille notamment les lubies égalitaires de Gorbatchev et son obsession à vouloir sauver le socialisme dans les années 1980, et en particulier son goût pour les « socialistes français » (référence approximative mais significative : les socialistes français représentaient à ce moment-là ce qui se faisait de plus socialiste dans le paysage politique occidental). En substance, il en conclut que seule une renonciation sans équivoque à toute forme d'égalitarisme et de socialisme pouvait permettre de rétablir la grandeur de la Russie, qui exige avant tout hiérarchie et verticalité, aussi bien sur le plan politique que sur le terrain économique et actionnarial.

Il faut aussi insister sur le fait que cette trajectoire n'était pas écrite à l'avance. En particulier, la transition économique postsoviétique a été menée dans un climat particulièrement chaotique, et sans réelle légitimité électorale et démocratique. Quand Boris Eltsine fut élu président de la Fédération de Russie au suffrage universel en juin 1991, personne ne savait exactement quels seraient ses pouvoirs. Tout s'accéléra à la suite du putsch communiste manqué d'août 1991, qui conduisit au démantèlement accéléré de l'Union soviétique en décembre. Les réformes économiques furent ensuite lancées au pas de charge, avec la libéralisation des prix en janvier 1992 et le *voucher privatization* début 1993. Tout cela se déroula sans que de nouvelles élections législatives aient été organisées, si bien que les décisions clés furent imposées par l'exécutif à un Parlement hostile, élu en mars 1990 à l'époque soviétique (à un moment où les candidatures non communistes n'étaient acceptées qu'au compte-gouttes). Il s'ensuivit un conflit violent entre le pouvoir présidentiel et législatif, qui fut réglé par la force à l'automne 1993 avec le bombardement et la dissolution du Parlement. Si l'on excepte l'élection présidentielle de 1996, remportée de justesse par Eltsine avec à peine 54 % des voix au second tour face au candidat communiste, aucune élection véritablement disputée n'a eu lieu en Russie depuis la chute de l'Union soviétique. Depuis l'avènement de Poutine en 1999, les arrestations d'opposants et les conditions d'accès aux médias ont conduit *de facto* à la mise en place d'un pouvoir autoritaire et plébiscitaire, sans que les orientations fondamentales oligarchiques et inégalitaires prises à la chute du communisme aient jamais été véritablement débattues et remises en cause.

Récapitulons. L'expérience communiste et postcommuniste russe illustre de façon extrême le poids des dynamiques politico-idéologiques dans l'évolution des régimes inégalitaires. L'idéologie bolchevique appliquée après la révolution de 1917 était relativement fruste, dans le sens où elle reposait sur une croyance en une forme exacerbée d'hypercentralisation étatique. Ses échecs conduisirent à une fuite en avant de plus en plus répressive et à des niveaux d'enfermement inédits dans l'histoire. Puis la chute du soviétisme en 1991 conduisit à une forme extrême d'hypercapitalisme et à une dérive kleptocratique elle aussi sans précédent. Ces épisodes montrent également l'importance des moments de crise dans l'histoire des régimes inégalitaires. Les idées disponibles lors des points de bifurcations peuvent faire basculer durablement les trajectoires historiques, en fonction notamment des capacités de mobilisation des différents groupes et discours en présence. En l'occurrence, la trajectoire postcommuniste russe illustre pour partie le manque de renouvellement et de structuration internationale du programme social-démocrate et socialiste-participatif à la fin des années 1980 et au début des années 1990, par comparaison à l'agenda à la fois hypercapitaliste et autoritaire-identitaire.

Si l'on se projette maintenant vers l'avenir, on peut légitimement se demander pourquoi les pays ouest-européens ne s'intéressent pas davantage aux origines des fortunes russes et sont aussi tolérants vis-à-vis de détournements aussi massifs. Une explication possible est qu'ils sont en partie à l'origine de la « thérapie de choc », et qu'ils ont bénéficié des fuites de capitaux de riches Russes (au travers d'investissements dans l'immobilier, la finance, le sport ou parfois les médias). C'est le cas évidemment du Royaume-Uni, mais également de la France et de l'Allemagne. On pourrait aussi évoquer la crainte d'une riposte violente de l'État russe[1].

---

1. D'une certaine façon, la Russie (ou tout du moins une partie importante de ses élites) a autant à perdre de la lutte contre les paradis fiscaux et l'opacité financière que les États-Unis auraient à perdre de la lutte contre le réchauffement climatique. Voir chapitre 13, p. 776-780.

Il reste que, plutôt que d'imposer des sanctions commerciales, qui affectent l'ensemble du pays, il serait plus adapté de geler ou de pénaliser lourdement les actifs financiers et immobiliers aux origines troubles[1]. Cela permettrait de s'adresser à l'opinion et à la population russes, qui est la première à souffrir de la dérive kleptocratique. Si les États européens ne sont pas plus volontaires, c'est sans doute pour une large part qu'ils craignent de ne pas savoir où s'arrêter s'ils commencent à remettre en cause certaines appropriations privées du passé (symptôme pandorien déjà maintes fois rencontré[2]). La lutte contre l'opacité financière et la mise en place d'un véritable cadastre financier permettraient pourtant à l'Europe de résoudre de nombreux autres problèmes auxquels elle fait face.

De la Chine comme économie mixte autoritaire

Venons-en au cas du communisme et du postcommunisme chinois. Il est bien connu que la Chine a tiré parti des échecs de l'URSS, ainsi que de ses propres errements lors de la période maoïste (1949-1976), où les tentatives d'abolition complète de la propriété privée et d'industrialisation-collectivisation à marche forcée se sont terminées par un désastre, pour expérimenter à partir de 1978 une forme inédite de régime politique et économique. Ses deux fondements sont d'une part le maintien (voire le renforcement) du rôle dirigeant du parti communiste chinois (PCC), et d'autre part le développement d'une économie mixte fondée sur un équilibre durable et inédit entre propriété publique et propriété privée.

Commençons par ce second aspect, qui est essentiel pour comprendre les spécificités chinoises, et qui permet également en contrepoint de voir sous un angle nouveau les trajectoires occidentales. La meilleure façon de

1. Les sanctions commerciales ont été prises à la suite de l'annexion de la Crimée et de l'intervention militaire russe dans l'est de l'Ukraine en 2014. La crise faisait elle-même suite à la tentative de l'Ukraine de se placer dans l'espace commercial et politique européen plutôt que russe.

2. Il arrive parfois que les systèmes judiciaires européens s'attaquent à des fortunes « mal acquises », par exemple à des actifs détenus pas des membres de la famille de chefs d'État africains comme Teodorin Obiang, ce qui montre au passage que les gels et expropriations d'actifs sont parfaitement possibles techniquement (voir T. PIKETTY, *Le Capital au XXIe siècle, op. cit.*, p. 712-713). Les détournements russes sont cependant tellement massifs que leur traitement nécessiterait des outils fiscaux et pas seulement judiciaires. Il est également possible que les mobilisations judiciaires soient plus fortes quand les vols de ressources naturelles (comme le bois guinéen, dont sont issus les actifs d'Obiang) ont été faits au détriment d'un pays très pauvre (et aussi que la fortune soit plus suspecte quand elle a la peau noire).

procéder consiste à rassembler l'ensemble des sources disponibles sur la détention des entreprises, des terres agricoles, de l'immobilier résidentiel, des propriétés et des actifs et passifs financiers de toute nature, afin d'estimer la part de la puissance publique (tous échelons de gouvernements et de collectivités confondus) dans le total des propriétés. On aboutit alors aux résultats indiqués sur le graphique 12.6, où nous comparons l'évolution constatée en Chine avec celle observée dans les principaux pays capitalistes (États-Unis, Japon, Allemagne, Royaume-Uni, France[1]).

Graphique 12.6

La chute de la part de la propriété publique, 1978-2018

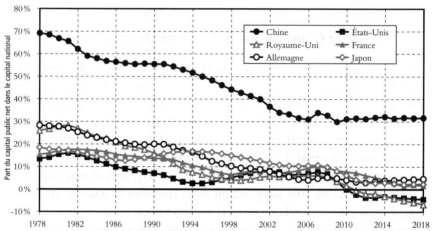

Lecture : la part du capital public (actifs publics nets de dettes, toutes collectivités publiques et tous actifs confondus : entreprises, immeubles, terres, participations et actifs financiers, etc.) dans le capital national (c'est-à-dire la somme du capital public et privé) était d'environ 70 % en Chine en 1978, et elle s'est stabilisée autour de 30 % depuis le milieu des années 2000. Elle était autour de 15 %-30 % dans les pays capitalistes à la fin des années 1970 ; elle est quasi nulle ou négative à la fin des années 2010.

Sources et séries : voir piketty.pse.ens.fr/ideologie.

La principale conclusion est que la part du capital public avoisinait les 70 % du capital national en Chine en 1978, au moment du lancement des réformes économiques, avant de s'abaisser fortement pendant les années 1980 et 1990 et jusqu'au début des années 2000, puis de se stabiliser autour de 30 % du capital national depuis le milieu des années 2000.

1. Les résultats détaillés et les sources et méthodes utilisées pour ces estimations sont présentés dans T. PIKETTY, G. ZUCMAN, L. YANG, « Capital Accumulation, Private Property and Rising Inequality in China, 1978-2015 », WID.world, Working Paper Series, n° 2017/7, *American Economic Review*, 2019. Voir annexe technique.

Autrement dit, le processus de privatisation graduelle de la propriété en Chine s'est interrompu depuis 2005-2006 : l'équilibre entre propriété publique et propriété privée n'a plus guère bougé depuis cette date. Compte tenu de la très forte croissance de l'économie chinoise, le capital privé continue évidemment de progresser : de nouveaux terrains sont aménagés, des usines et des tours sont construites, tout cela à un rythme effréné. Simplement, le capital développé sous détention publique progresse approximativement à la même allure que le capital détenu par des personnes privées. En ce sens, la Chine semble se stabiliser autour d'une structure de propriété que l'on peut qualifier d'économie mixte : le pays n'est plus communiste, puisque la propriété privée représente dorénavant près de 70 % du total des propriétés ; mais il n'est pas non plus complètement capitaliste, puisque la propriété publique représente toujours un peu plus de 30 % du total, ce qui est certes minoritaire mais tout de même très substantiel. Le fait de détenir près d'un tiers de tout ce qu'il y a à posséder dans le pays donne à la puissance publique chinoise, sous la houlette du PCC, des possibilités d'intervention considérables, pour décider de la localisation des investissements et des créations d'emplois et pour mener des politiques de développement régional.

On notera que cette part moyenne d'environ 30 % pour le capital public dissimule des différences très importantes suivant les secteurs et les catégories d'actifs. D'un côté, l'immobilier résidentiel a été presque entièrement privatisé. La puissance publique et les entreprises détiennent à la fin des années 2010 moins de 5 % du stock de logements, qui sont devenus le placement privé par excellence pour les ménages chinois qui en ont les moyens, ce qui a contribué à faire monter en flèche les prix immobiliers, d'autant plus que les possibilités d'épargne financière sont limitées, et que le système de retraites publiques est sous-provisionné et suscite de nombreuses inquiétudes. À l'inverse, la puissance publique détient dans les années 2010 autour de 55 %-60 % du capital total des entreprises (en rassemblant l'ensemble des sociétés cotées et non cotées, toutes tailles et tous secteurs confondus). Cette part est restée quasiment inchangée depuis 2005-2006 et témoigne du maintien d'un contrôle étroit du système productif par l'État et le PCC, et même d'une accentuation du contrôle des plus grandes entreprises[1]. On observe également depuis le milieu des

---

1. Voir J. RUET, *Des capitalismes non alignés. Les pays émergents, ou la nouvelle relation industrielle du monde*, Raisons d'agir, coll. « Cours et Travaux », 2016. L'auteur insiste également sur le maintien d'un rôle significatif pour la propriété étatique en matière industrielle

années 2000 une baisse significative de la part du capital des entreprises détenue par les investisseurs étrangers, compensée par une hausse de la part détenue par les ménages chinois (voir graphique 12.7)[1].

Graphique 12.7

La propriété des entreprises en Chine, 1978-2018

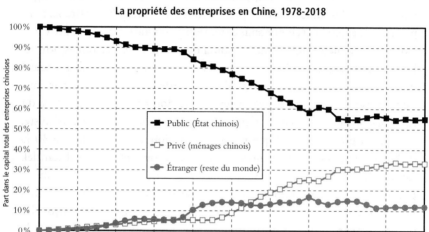

Lecture : l'État chinois (tous niveaux de gouvernement et de collectivités locales confondus) détient en 2017 environ 55 % du capital total des entreprises du pays (sociétés cotées et non cotées, toutes tailles et tous secteurs confondus), contre 33 % pour les ménages chinois et 12 % pour les investisseurs étrangers. La part de ces derniers a diminué depuis 2006, et celle des ménages chinois a progressé, alors que la part de l'État chinois s'est stabilisée autour de 55 %.

Sources et séries : voir piketty.pse.ens.fr/ideologie.

Des années 1950 aux années 1970, les pays capitalistes étaient eux aussi, avec des variations importantes suivant les cas, des économies mixtes. Les actifs publics étaient significatifs, sous forme d'infrastructures et bâtiments

---

en Inde, au Brésil ou en Indonésie (moins massif qu'en Chine, mais plus important qu'au sein du bloc Europe-États-Unis-Japon). En Russie, la part du capital public dans le capital national a chuté beaucoup plus rapidement et fortement qu'en Chine, mais elle est néanmoins restée assez nettement positive (environ 15 % à 20 % à la fin des années 2010), en dépit des fuites de capitaux. Cela s'explique par l'ampleur des ressources naturelles du pays et le maintien de quelques très grandes entreprises énergétiques publiques. Voir F. Novokmet, T. Piketty, L. Yang, G. Zucman, « From Communism to Capitalism : Private *vs* Public Property and Inequality in China and Russia », *American Economic Association (Papers & Proceedings)*, vol. 108, 2018, p. 109-113, et WID.world, Working Paper Series, n° 2018/2.

1. Pour des séries détaillées par catégories d'actifs, voir T. Piketty, G. Zucman, L. Yang, « Capital Accumulation, Private Property and Rising inequality in China, 1978-2015 », art. cité, WID.world 2017, figures 5-6, et annexe technique.

publics, d'écoles et d'hôpitaux, et souvent d'entreprises publiques et de participations financières dans divers secteurs. Les dettes publiques étaient en outre historiquement faibles, suite aux inflations de l'après-guerre et aux diverses mesures mises en place pour réduire les dettes à vive allure, en particulier sous forme de prélèvements exceptionnels sur le capital privé et d'annulations pures et simples[1]. Au total, la part du capital public net de dettes dans le capital national était généralement comprise entre 20 % et 30 % dans les pays capitalistes au cours de la période 1950-1980[2]. À la fin des années 1970, d'après les estimations disponibles, elle se situait autour de 25 %-30 % en Allemagne et au Royaume-Uni, et 15 %-20 % en France, aux États-Unis ou au Japon (voir graphique 12.6). Il s'agit là de niveaux qui sont certes inférieurs mais pas incomparables à la part du capital public en Chine aujourd'hui.

La différence est que les pays occidentaux ont depuis longtemps cessé d'être des économies mixtes. Compte tenu des privatisations d'actifs publics (en particulier dans les industries de réseaux), des investissements limités dans les secteurs qui sont restés publics (éducation, santé notamment), et de la hausse continue de l'endettement public, la part du capital public net dans le capital national est devenue quasi nulle (moins de 5 %) dans tous les grands pays capitalistes, et elle est même devenue négative aux États-Unis et au Royaume-Uni. Autrement dit, dans ces deux pays, les dettes publiques dépassent la valeur de la totalité des actifs publics. Je reviendrai plus loin sur ce que cela signifie et implique. À ce stade, notons simplement la rapidité de l'évolution. Lorsque je publiais *Le Capital au XXIᵉ siècle*, en 2013, les dernières données complètes disponibles portaient sur les années 2010-2011, et parmi les pays développés seule l'Italie avait des dettes publiques dépassant le capital public[3]. Six années plus tard, en 2019, avec des données allant jusqu'en 2016-2017, il apparaît que les États-Unis et le Royaume-Uni sont également entrés en territoire de richesse publique négative.

---

1. Voir chapitre 10, p. 513-521.

2. Pour fixer les ordres de grandeur, le capital public net se situait souvent autour d'une année de revenu national (autour de 150 % du revenu national pour les actifs publics et à peine 50 % pour les dettes publiques), à une époque où le total des propriétés privées (elles aussi nettes de dettes) avoisinait généralement trois années de revenu national. Voir chapitre 10, graphique 10.8. Voir aussi annexe technique et T. Piketty, G. Zucman, « Capital is Back : Wealth-Income Ratios in Rich Countries, 1700-2010 », *Quarterly Journal of Economics*, vol. 129, n° 3, 2014, p. 1255-1310, pour des séries détaillées par pays.

3. Voir T. Piketty, *Le Capital au XXIᵉ siècle, op. cit.*, chap. 5, p. 289-294, graphique 5.5.

À l'inverse, la Chine paraît stabilisée durablement dans une structure d'économie mixte. Il est certes impossible de prédire comment cette situation va évoluer à long terme : le cas chinois est dans une large mesure unique dans l'histoire[1]. Les débats autour de nouvelles privatisations font rage dans le pays, et il est difficile de prévoir comment ils vont évoluer. À horizon prévisible, le plus probable est que l'équilibre actuel va perdurer, d'autant plus que les demandes de changements proviennent souvent de camps idéologiques opposés et prennent des formes contradictoires. Des intellectuels « sociaux-démocrates » demandent de nouvelles formes de partage du pouvoir et de décentralisation, en particulier avec un rôle important pour les représentants des salariés et les syndicats indépendants (actuellement inexistants), et une diminution du rôle du parti et des administrations étatiques locales[2]. À l'inverse, les milieux d'affaires demandent de nouvelles privatisations et un renforcement du rôle des actionnaires privés et des mécanismes de marché, en vue de faire évoluer la Chine vers un modèle capitaliste de type anglo-saxon. Dans les deux cas, les dirigeants du PCC considèrent qu'ils ont de bonnes raisons de s'opposer à de telles évolutions, qui à leurs yeux risqueraient de remettre en cause à terme le développement harmonieux et unitaire du pays (et aussi de réduire leur propre rôle).

Avant d'aller plus loin, plusieurs points méritent d'être précisés concernant ces résultats. De façon générale, il faut rappeler combien les notions mêmes de propriété publique ou de propriété privée ne sont pas figées et intangibles. Elles dépendent des spécificités de chaque système légal, économique et politique. Les évolutions temporelles et les comparaisons internationales indiquées sur le graphique 12.6 fournissent des ordres de grandeur qui peuvent être considérés comme significatifs, mais dont la précision ne doit pas être exagérée.

---

1. Rappelons que, dans un contexte politico-idéologique et socio-économique fort différent, les organisations ecclésiastiques détenaient autour de 25 %-30 % du total des propriétés dans l'Europe des XVIᵉ-XVIIIᵉ siècles (par exemple en France et en Espagne, ainsi qu'au Royaume-Uni avant la dissolution des monastères), ce qui leur donnait à elles aussi les moyens de structurer la société et d'orienter son développement moral et matériel. Voir chapitre 2, graphique 2.3, p. 119. La comparaison est expressive, mais peut difficilement être utilisée pour prédire le devenir du modèle chinois.

2. Voir par exemple les travaux de l'économiste et historien Qin Hui traduits et rassemblés dans *The Chinese Economy*, juillet-octobre 2005. Sur son parcours et sa trajectoire depuis la Révolution culturelle, voir « Dividing the Big Family Assets », *New Left Review*, n° 20, mars-avril 2003, p. 83-110.

Par exemple, dans le contexte chinois, une partie des terres agricoles étaient privées dès avant les réformes de 1978, dans le sens où elles pouvaient être transmises des parents aux enfants (le cas échéant en bénéficiant des améliorations apportées aux parcelles), à la condition toutefois de demeurer officiellement un résident rural au sens du *hukou* (passeport intérieur). Dans le cadre de ce système d'enregistrement de la résidence et de contrôle de la mobilité, chaque Chinois dispose en effet d'un permis de résidence officielle, sous forme d'un *hukou* rural ou d'un *hukou* urbain. Un résident rural peut partir travailler en ville et conserver la propriété de terres agricoles, mais uniquement si cette migration est temporaire. S'il souhaite migrer de façon permanente, et s'il satisfait aux conditions requises (notamment concernant le nombre d'années de résidence), il peut alors demander la transformation de son *hukou* rural en *hukou* urbain, ce qui est souvent indispensable pour que ses enfants et sa famille accèdent à certaines écoles et divers services publics (santé, etc.). Mais dans ce cas il perdra entièrement la propriété de ses terres agricoles laissées au village, y compris la plus-value sur la valeur des terrains, qui peut être considérable compte tenu de la hausse des prix fonciers (ce qui explique pourquoi une partie des migrants préfèrent garder un *hukou* rural). Les terres en question seront alors transférées au gouvernement local, qui les attribuera à d'autres individus munis d'un *hukou* rural du village correspondant. On voit donc qu'il s'agit d'une forme de propriété intermédiaire entre propriété privée et publique, dont les règles exactes ont évolué et ont été assouplies au cours du temps, ce dont nous avons tenté de tenir compte dans nos estimations, de façon par nature approximative[1].

Richesse publique négative, toute-puissance de la propriété privée

Plus généralement, il faut souligner que la notion de capital public prise en compte dans ces estimations est extrêmement restrictive, dans le sens

---

1. Compte tenu des modifications législatives, nous avons estimé que la part publique des terres agricoles était graduellement passée de 70 % à 40 % entre 1978 et 2015. Le fait d'adopter des hypothèses alternatives n'aurait toutefois qu'un impact limité sur les évolutions d'ensemble concernant la structure globale de la propriété en Chine (compte tenu du poids limité des terres agricoles par comparaison aux entreprises et à l'immobilier urbain). Voir T. PIKETTY, G. ZUCMAN, L. YANG, « Capital Accumulation, Private Property and Rising inequality in China, 1978-2015 », art. cité.

où elle suit dans une large mesure les concepts et les modes d'évaluation utilisés pour les propriétés privées. Les seuls actifs publics pris en compte sont en effet ceux qui sont susceptibles de faire l'objet d'une exploitation économique ou d'une cession, et leur valeur est évaluée aux prix de marché auxquels cette cession pourrait se faire. Par exemple, les bâtiments publics comme les écoles et les hôpitaux sont pris en compte à partir du moment où il existe des exemples de cessions de tels actifs et que l'on peut utiliser des valeurs de marché observées en cette occasion (ou des prix au mètre carré constatés pour des bâtiments similaires[1]). Nous avons suivi en cela les règles officielles définies par les Nations unies en matière de comptabilité nationale[2]. Nous reviendrons dans le prochain chapitre sur ces règles, qui posent de multiples problèmes, en particulier concernant les ressources naturelles, qui ne commencent à être intégrées dans les comptes nationaux officiels qu'à partir du moment où elles sont exploitées commercialement. Cela conduit mécaniquement à sous-estimer l'ampleur de la dépréciation du capital naturel et à surestimer la croissance réelle, puisque cette dernière est en partie obtenue en piochant dans des réserves qui étaient là depuis toujours, tout cela en contribuant à la pollution de l'air et au réchauffement climatique, ce qui n'est pas davantage intégré dans les comptes nationaux officiels.

À ce stade, deux points méritent d'être mentionnés. D'une part, si l'on cherchait absolument à attribuer une valeur à la totalité des actifs publics, au sens le plus large, et en particulier à l'ensemble des éléments du patrimoine naturel et cognitif dont dispose l'humanité, et qui fort heureusement n'ont pas encore fait l'objet pour la plupart d'une appropriation privée (tout du moins jusqu'à présent), y compris les paysages, les montagnes, les océans, l'air, les connaissances scientifiques, les créations artistiques et littéraires, etc., alors il est bien évident que la valeur du capital

---

1. Par contre, les actifs uniques et invendus jusqu'ici (comme le Louvre ou la tour Eiffel) ne sont pas pris en compte, ou bien sur la base de valeurs très hypothétiques (à partir de surfaces ou de coût de remplacement) qui en pratique sous-estiment de beaucoup la valeur de marché potentielle.

2. Il s'agit des règles dites SNA 2013. Les règles SNA (System of National Accounts) sont révisées environ tous les dix ans par un consortium d'organisations internationales et d'instituts statistiques et s'imposent en principe à tous les pays. Pour les pays occidentaux, les estimations indiquées sur le graphique 12.8 reprennent simplement les comptes nationaux officiels. Pour la Chine, pays pour lequel il n'existe pas encore de compte de patrimoine officiel, nous avons appliqué les mêmes définitions à partir des diverses sources primaires disponibles. Voir annexe technique.

public serait bien supérieure à celle de toutes les propriétés privées, quelle que soit la définition raisonnable que l'on puisse attribuer à la notion de « valeur[1] ». En l'occurrence, il n'est pas sûr du tout qu'une telle entreprise de comptabilisation généralisée ait le moindre sens ou la moindre utilité pour le débat public. Il n'en reste pas moins qu'il est important de rappeler cette réalité essentielle : la valeur du capital privé et public, tel qu'il est évalué sur la base des prix de marché par les comptes nationaux, ne correspond qu'à une toute petite partie de ce qui a une valeur pour l'humanité, à savoir les actifs que la collectivité a choisi d'exploiter (à tort ou à raison) sur la base de transactions économiques et marchandes. Nous y reviendrons plus en détail dans le prochain chapitre, en particulier concernant la question du réchauffement climatique et de la possession des connaissances.

D'autre part, la dégradation tendancielle du capital naturel implique que la baisse de la part du capital public (au sens restreint du capital cessible et marchand) indiquée dans les comptes nationaux officiels sous-estime la gravité des évolutions en cours. En particulier, que le capital public (au sens restreint) soit devenu négatif ou quasi nul dans la plupart des pays capitalistes est extrêmement préoccupant (voir graphique 12.6). Cela réduit en effet considérablement les marges d'action des gouvernements, en particulier pour s'attaquer à des défis majeurs comme le climat, les inégalités ou l'éducation. Précisons en effet ce que signifie un capital public négatif, au sens observé actuellement dans les comptes officiels établis pour les États-Unis, le Royaume-Uni ou l'Italie. Cela veut dire que la mise en vente de l'ensemble des actifs publics cessibles, et en particulier de l'ensemble des bâtiments publics (écoles, hôpitaux, etc.) et des entreprises et actifs financiers publics (quand ils existent), ne serait pas suffisante pour rembourser la totalité des dettes publiques à ceux qui les détiennent (directement ou indirectement). Concrètement, une richesse publique négative correspond à une situation où les propriétaires privés détiennent, au travers de leurs

---

1. Même en s'en tenant à la contribution du capital immatériel, des connaissances scientifiques et techniques et des qualifications individuelles au produit intérieur brut (tel que défini actuellement), on aboutirait à une valeur capitalisée de l'ordre de deux fois plus élevée que pour le total des propriétés privées (compte tenu du fait que la part du travail mesurée par les comptes nationaux est généralement plus de deux fois plus élevée que la part du capital). Un tel calcul, étroit d'esprit, oublie par ailleurs que les expériences presque unanimement considérées comme les plus désirables de l'existence (respirer de l'air pur en montagne, profiter des œuvres léguées par les siècles passés, etc.) ne sont fort heureusement pas prises en compte dans le produit intérieur brut et le revenu national.

actifs financiers, non seulement la totalité des actifs et bâtiments publics, dont ils touchent les intérêts, mais également un droit de tirage futur sur les recettes fiscales versées par les contribuables. Autrement dit, le total des propriétés privées est supérieur à 100 % du capital national, car les propriétaires privés possèdent également les contribuables (ou une partie des contribuables, en quelque sorte). Si la richesse publique poursuivait sa trajectoire et devenait de plus en plus négative, alors les intérêts de la dette pourraient absorber une part croissante et potentiellement considérable des prélèvements obligatoires[1].

Les origines de cette situation et les perspectives qu'elle ouvre peuvent s'analyser de différentes façons. Si le capital public est devenu quasi nul (voire négatif) dans la quasi-totalité des pays riches depuis les années 1980-1990, cela traduit tout d'abord une profonde transformation politico-idéologique par rapport au régime en place dans les années 1950-1980, où la puissance publique détenait autour de 20 %-30 % du capital national. Cette situation exprimait une volonté de reprise en main du capitalisme privé. Dans un contexte marqué par la crise des années 1930, les guerres mondiales et le défi communiste, les gouvernements firent le choix de se débarrasser à vive allure des dettes publiques issues du passé afin de se redonner des marges de manœuvre pour investir dans les infrastructures publiques, l'éducation et la santé, tout en procédant à des nationalisations d'entreprises anciennement privées. À l'inverse, la chute de la richesse publique depuis les années 1980-1990 découle en partie d'un renversement de perspective idéologique avec la montée en puissance de l'idée selon laquelle les actifs publics sont mieux gérés en dehors de la sphère publique et doivent donc être privatisés.

On notera d'ailleurs que la hausse de valeur totale des propriétés privées, qui est passée d'à peine trois années à environ cinq ou six années de revenu national dans les pays riches entre les années 1980 et les années 2010, a été incomparablement plus forte que la baisse de la richesse publique[2].

---

1. D'un strict point de vue théorique, il n'y a pas de limites à la richesse publique négative : dans l'absolu, on pourrait aller jusqu'à un régime où les propriétaires privés détiendraient par leurs titres financiers la totalité des prélèvements obligatoires à venir, voire la totalité des revenus du reste de la population, qui *de facto* serait alors asservie aux propriétaires. Cela s'est produit fréquemment dans l'histoire ancienne (où l'esclavage avait souvent pour origine de forts endettements ou des tributs militaires ; voir chapitre 6). Sans aller jusque-là, il est clair que la situation de capital public négatif pourrait tout à fait s'aggraver à l'avenir.

2. Voir chapitre 10, graphique 10.8, p. 505, et annexe technique, graphique supplémentaire S10.8. Les privatisations et la chute de la richesse publique n'expliquent qu'une partie

Autrement dit, les pays riches sont riches ; ce sont leurs gouvernements qui ont choisi de devenir pauvres, ce qui est très différent. Rappelons également que ce sont bien les propriétaires des pays riches qui détiennent en moyenne les dettes publiques de leurs pays, dans le sens où la position patrimoniale nette des pays riches (États-Unis, Europe, Japon) est positive : les actifs financiers détenus par ces pays dans le reste du monde dépassent nettement ceux détenus par le reste du monde dans ces pays[1].

La fuite en avant de l'endettement, l'impossibilité perçue de l'impôt juste

En ce qui concerne la hausse de l'endettement public, l'analyse des origines de cette évolution est plus complexe. Dans l'absolu, il peut exister toutes sortes de raisons pour accumuler une dette publique, par exemple s'il existe un surplus d'épargne privée mal investi (dans le court terme ou dans le long terme), ou bien si la puissance publique estime disposer d'opportunités d'investissement matériel (infrastructures, transports, énergie, etc.) ou immatériel (éducation, santé, recherche) dont le rendement social semble supérieur à celui des investissements privés ou au taux d'intérêt auquel emprunte la puissance publique. Le problème est avant tout une question de proportions et de taux d'intérêt : si la dette devient trop importante et les intérêts trop élevés, alors cela finit par grever toute possibilité d'action publique[2].

---

de la hausse des patrimoines privés (entre un cinquième et un tiers suivant les pays), le reste s'expliquant par l'accumulation d'épargne dans un contexte de croissance ralentie et surtout de hausses des prix immobiliers et boursiers, elles-mêmes en partie dues à des changements du régime légal et politique favorables aux propriétaires. Voir chapitre 10 et annexe technique pour des décompositions détaillées.

1. Les positions du Japon et de l'Allemagne sont positives, celles des États-Unis et du Royaume-Uni négatives, et celles des autres pays européens proches de l'équilibre. La position officielle de l'ensemble est légèrement négative, mais compte tenu des actifs détenus *via* les paradis fiscaux par les propriétaires privés de ces pays, tout indique que la position réelle est nettement positive. Voir G. ZUCMAN, « The Missing Wealth of Nations. Are Europe and the US Net Debtors or Net Creditors ? », art. cité.

2. En moyenne, sur la période 1970-2015, les intérêts de la dette publique sont équivalents au déficit secondaire dans la quasi-totalité des pays riches (à l'exception de l'Italie, où les intérêts dominent), ce qui correspond à une situation de déficit primaire quasi nul (avec toutefois une forte progression de l'endettement total sur la période, compte tenu de la faiblesse de la croissance). Voir annexe technique. Je reviendrai dans le chapitre 16, p. 1040-1046, sur les règles budgétaires européennes et les notions de déficit primaire et secondaire.

En pratique, la hausse de l'endettement public depuis les années 1980-1990 a été pour partie la conséquence d'une stratégie délibérée visant à réduire le poids de l'État. L'exemple type est la stratégie budgétaire suivie sous Reagan dans les années 1980 : on choisit de réduire fortement les impôts sur les plus hauts revenus, ce qui creuse le déficit, et ce qui conduit ensuite à mettre la pression pour réduire les dépenses sociales. Dans de nombreux cas, les baisses d'impôts sur les plus riches ont ensuite été financées par des privatisations d'actifs publics, ce qui au final revient à un transfert gratuit des titres de propriété (on baisse les impôts de 10 milliards de dollars sur les plus riches, qui ensuite utilisent ces 10 milliards pour acheter les actifs en question). Cette stratégie s'est poursuivie aux États-Unis et en Europe jusqu'à nos jours et est directement liée à une trajectoire d'accroissement des inégalités et de concentration croissante de la propriété privée[1].

Plus généralement, cette évolution peut aussi se voir comme la conséquence de l'impossibilité perçue de l'impôt juste. À partir du moment où l'on ne parvient pas à mettre à contribution les groupes de revenus et de patrimoines les plus élevés, compte tenu de la compétition fiscale entre pays, et où le consentement fiscal des classes moyennes et populaires s'effrite, la fuite en avant vers l'endettement peut apparaître comme une option tentante. En tout état de cause, il reste à savoir à quoi conduit cette évolution. Il existe un précédent historique important en la matière : le Royaume-Uni au XIXᵉ siècle, qui, avec une dette publique dépassant deux années de revenu national à l'issue des guerres napoléoniennes (soit près du tiers des propriétés privées détenues dans le pays), était alors en situation de richesse publique violemment négative. Comme nous l'avons déjà noté, la situation s'est réglée par le paiement régulier de forts excédents budgétaires (environ un quart des recettes fiscales) des contribuables britanniques modestes et moyens au bénéfice des propriétaires, tout cela pendant un siècle, de 1815 à 1914[2]. Cela correspondait cependant à une époque où seuls les propriétaires disposaient du droit de vote et du pouvoir politique (tout du moins au début de la période), et où la capacité de persuasion de l'idéologie propriétariste était plus forte qu'aujourd'hui. Au XXIᵉ siècle, après que de très nombreux pays

---

1. Pour un exemple récent (et vivement contesté), voir le projet de privatisation du groupe ADP (Aéroports de Paris) adopté par le gouvernement français en 2019, qui prévoit de récolter 8 milliards d'euros de cette vente, le tout après s'être privé de 5 milliards d'euros de recettes par an en supprimant l'ISF (impôt sur la fortune) et l'impôt progressif sur les revenus du capital.
2. Voir chapitre 10, p. 521-522.

se sont débarrassés à vitesse accélérée au XXe siècle des dettes issues des guerres mondiales, il paraît peu probable que les contribuables des classes moyennes et populaires auront cette patience. À ce stade, la question est toutefois moins prégnante qu'elle pourrait l'être, compte tenu du niveau inhabituellement bas des taux d'intérêt sur les principales dettes publiques. Il n'est pas sûr cependant que cette situation dure éternellement, auquel cas cette question deviendra très vite un élément majeur de reconfiguration du conflit sociopolitique et électoral, en particulier en Europe. Nous y reviendrons[1].

On notera enfin le contraste frappant entre les trajectoires suivies en Chine et dans les pays occidentaux depuis le milieu des années 2000. Alors que la Chine a stabilisé depuis 2006 la part du capital public dans le capital national autour de 30 %, la crise financière de 2007-2008 (qui avait pour origine un excès de dérégulation de la finance privée, et qui a contribué à de nouveaux enrichissements privés) a au contraire conduit en Occident à un nouvel affaissement de la richesse publique.

Il ne s'agit certes pas d'idéaliser la situation de la propriété publique en Chine, et encore moins de prétendre connaître le niveau « idéal » de la part du capital public dans une société juste. À partir du moment où l'État assure lui-même la production d'un certain nombre de biens et services (notamment dans l'éducation et la santé), il ne serait pas anormal qu'il détienne une part du capital productif qui soit en rapport avec sa part dans l'emploi total (mettons, autour de 20 %). Ce critère reste cependant très insuffisant, par exemple parce qu'il ignore le rôle potentiel de l'État et de l'endettement public pour orienter l'épargne vers la préservation du capital naturel et l'accumulation de capital immatériel. Surtout, la véritable question porte sur les formes de gouvernance et de partage de pouvoir qui servent de soubassement aux différentes formes de propriété publique et de propriété privée, et qui doivent sans cesse être questionnées, réévaluées et réinventées. En l'occurrence, le mode de gouvernance de la propriété étatique chinoise brille par son caractère vertical et autoritaire et peut difficilement tenir lieu de modèle universel.

Il reste que le nouvel affaiblissement de la richesse publique occidentale à la suite de la crise financière a quelque chose de paradoxal. La dérégulation des marchés a contribué à de nombreux enrichissements, la puissance publique s'est endettée pour faire face à la récession et sauver

---

1. Voir chapitre 16, p. 1040-1046.

les banques et les entreprises privées, et au final les patrimoines privés ont poursuivi leur progression, laissant aux contribuables modestes et moyens le soin de régler l'addition pour les décennies suivantes. Nous verrons que ces épisodes ont eu de profondes répercussions sur les perceptions de ce qu'il est possible de faire ou de ne pas faire, notamment en termes de politique économique et de création monétaire, dont nous n'avons sans doute pas vu le bout.

Des limites de la tolérance chinoise pour l'inégalité

Revenons-en à la question des inégalités en Chine, et examinons l'évolution de la répartition des revenus depuis le début du processus de libéralisation économique et de privatisation de la propriété en 1978. Les sources disponibles indiquent une très forte progression des inégalités de revenus depuis le début des réformes, avec semble-t-il une stabilisation depuis le milieu des années 2000. À la fin des années 2010, si l'on en juge par la part du revenu national allant aux 10 % du haut et aux 50 % du bas, la Chine est à peine moins inégalitaire que les États-Unis, et elle l'est nettement plus que l'Europe, alors qu'elle était la plus égalitaire des trois régions-continents au début des années 1980 (voir graphique 12.8).

Graphique 12.8

L'inégalité en Chine, en Europe et aux États-Unis, 1980-2018

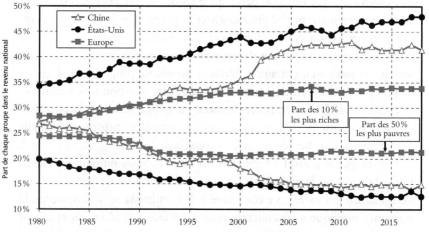

Lecture : les niveaux d'inégalité de revenus ont fortement augmenté en Chine entre 1980 et 2018, mais ils restent d'après les sources disponibles plus faibles qu'aux États-Unis (mais plus élevés qu'en Europe). Sources et séries : voir piketty.pse.ens.fr/ideologie.

Si on la compare à l'autre géant asiatique, l'Inde, alors il apparaît clairement que la Chine a été depuis le début des années 1980 à la fois plus efficace en termes de croissance et plus égalitaire dans sa répartition (ou plutôt moins inégalitaire, dans le sens où la concentration des revenus s'est accrue moins fortement qu'en Inde[1]). Ainsi que nous l'avons déjà noté au sujet de l'Inde (voir chapitre 8), le premier facteur explicatif est que la Chine a réussi à mobiliser des ressources plus importantes permettant d'investir dans les infrastructures publiques, l'éducation et la santé. En particulier, la Chine a réussi à atteindre un niveau de recettes fiscales beaucoup plus élevé que l'Inde (où les services de base de santé et d'éducation restent notoirement sous-financés), et même à se rapprocher dans les années 2010 des niveaux occidentaux : près de 30 % du revenu national en recettes fiscales, et environ 40 % si l'on ajoute les profits des entreprises publiques et les ventes de terrains publics[2].

Ces succès chinois sont bien connus, et il est habituel d'annoncer que le régime restera incontesté tant qu'il pourra s'appuyer sur ses réussites économiques (et aussi sur la peur du séparatisme). Il faut cependant insister sur les limites de la tolérance chinoise pour l'inégalité. Tout d'abord, que la Chine soit devenue si vite beaucoup plus inégalitaire que l'Europe n'avait rien d'évident, et cela représente clairement un échec pour le régime. Dans les années 1980, le niveau d'inégalité des revenus était proche des pays européens les plus égalitaires, comme la Suède ; dans les années 2010, le niveau est plus proche des États-Unis. On retrouve la même conclusion concernant la concentration des patrimoines, ce qui montre au passage à quel point les privatisations ont été inégalitaires. La part du décile supérieur dans le total des propriétés privées était au début des années 1990 d'environ 40 %-50 %, soit un niveau inférieur à la Suède et aux pays européens ; elle avoisine dans les années 2010 les 70 %, soit un niveau proche des États-Unis, et à peine inférieur à celui de la Russie[3].

Or le fait de passer du niveau d'inégalité de la Suède à celui des États-Unis, tout cela en quelques décennies, n'est pas une évolution anodine pour un pays comme la Chine, qui continue officiellement de promouvoir un « socialisme aux caractéristiques chinoises ». Pour une partie des milieux d'affaires,

---

1. Voir chapitre 11, graphique 11.1, p. 574.
2. Voir B. NAUGHTON, « Is China Socialist ? », *Journal of Economic Perspectives*, 2017, fig. 1. Voir aussi T. PIKETTY, G. ZUCMAN, L. YANG, « Capital Accumulation, Private Property and Rising Inequality in China, 1978-2015 », art. cité, table A313.
3. Voir chapitre 13, graphique 13.8, p. 782.

qui considèrent depuis longtemps que ce type de slogan n'a aucune portée réelle en termes d'égalité socio-économique, cela ne pose sans doute aucune difficulté, tant le modèle du capitalisme anglo-saxon a pour eux des attraits évidents. Mais pour les intellectuels « sociaux-démocrates », et pour une large partie de la population, cette montée extrêmement rapide des inégalités pose problème, d'autant plus que personne ne sait jusqu'où ira une telle évolution. À partir du moment où l'Europe démontre la possibilité d'obtenir la prospérité tout en limitant les inégalités, il n'est pas aisé de comprendre pourquoi le socialisme chinois devrait tolérer des niveaux d'inégalité dignes du capitalisme étatsunien[1]. Cela pose des questions sur la façon dont les privatisations ont été menées, sur les politiques de redistribution en Chine, et plus généralement sur la réorientation du processus de réformes.

L'existence d'un passeport intérieur et de restrictions migratoires en Chine, notamment en zones rurales et urbaines, alors que la libre circulation des travailleurs est devenue la norme en Europe, peut également contribuer à expliquer les plus hauts niveaux d'inégalité observés en Chine. Concrètement, les réformes économiques ont surtout bénéficié aux centres urbains, et les ruraux n'ont pu en bénéficier autant qu'ils l'auraient souhaité. Les assouplissements apportés au système au fil du temps ne semblent cependant pas avoir suffi pour réduire le haut niveau des inégalités chinoises qui paraissent liées à des facteurs supplémentaires, d'autant plus qu'on les retrouve également à l'intérieur de la Chine urbaine (et à un degré moindre de la Chine rurale[2]). Ajoutons que l'assouplissement du *hukou*, qui reste un mécanisme très autoritaire, est allé de pair au cours des dernières années avec le développement d'un système de contrôle social potentiellement beaucoup plus intrusif, avec les dispositifs de « notation sociale » et de « crédit social » basés sur la collecte d'informations à grande échelle sur les réseaux sociaux. Des recherches récentes indiquent que les groupes sociaux les moins favorisés semblent avoir une moins grande tolérance que les plus aisés pour ces dispositifs, dont la dimension répressive et les liens avec d'autres politiques d'encadrement de la population doivent également être soulignés[3].

1. Sur les craintes suscitées par l'accroissement des inégalités en Chine, voir par exemple L. SHI, H. SATO, T. SICULAR, *Rising Inequality in China. Challenges to a Harmonious Society*, Cambridge University Press, 2013.

2. Voir T. PIKETTY, G. ZUCMAN, L. YANG, « Capital Accumulation, Private Property and Rising Inequality in China, 1978-2015 », art. cité.

3. Voir G. KOSTKA, « China's Social Credit Systems and Public Opinion : Explaining High Levels of Approval », Freie Universität Berlin, 2018. Voir aussi Y. XIAOJUN, « Engineering Stability : Authoritarian Political Control over University Students in Post-Deng China »,

De l'opacité de l'inégalité en Chine

La stabilisation des inégalités depuis le milieu des années 2000 pourrait laisser penser que le plus fort de la hausse est passé. Il faut toutefois souligner l'extrême opacité qui caractérise l'enregistrement et la mesure des revenus et des patrimoines en Chine. Les estimations indiquées sur le graphique 12.8 sont les plus fiables que nous ayons pu établir avec les sources actuellement disponibles en Chine. Mais compte tenu des fragilités et des lacunes considérables de ces sources, il est tout à fait possible que nous sous-estimions à la fois le niveau et l'évolution des inégalités. En principe, il existe un impôt progressif sur le revenu en Chine. Le système a été mis en place en 1980, peu après le début des réformes économiques, et il comprend des tranches d'imposition et des taux marginaux allant de 5 % pour les plus bas revenus à 45 % pour les plus hauts revenus (ces taux n'ont pas changé depuis 1980[1]). Par comparaison au système de *flat tax* appliqué en Russie postsoviétique, avec un taux proportionnel de seulement 13 % depuis 2001, le système chinois est donc en théorie beaucoup plus progressif.

Le problème est que l'impôt sur le revenu n'a jamais donné lieu en Chine à la publication de données détaillées. Les seules informations régulières rendues publiques sont les recettes totales. Il est impossible de savoir combien de contribuables paient l'impôt chaque année, comment ils se répartissent par tranches de revenus, quelle a été la progression du nombre de contribuables à hauts revenus dans telle ou telle ville ou province, etc. Cela pourrait pourtant permettre de mieux comprendre comment se répartissent année après année les gains de la croissance chinoise ; et cela permettrait peut-être de se rendre compte également que la législation fiscale n'est pas

---

The China Quarterly, vol. 218, n° 1, juin 2014, p. 493-513 ; A. NATHAN, « The Puzzle of the Chinese Middle Class », *Journal of Democracy*, vol. 27, n° 2, avril 2016, p. 5-19. Sur la façon dont l'accumulation massive de données personnelles et de notations individuelles entreprend de se définir comme une forme moralement acceptable d'accumulation capitaliste et d'extraction de valeurs économiques, voir M. FOURCADE, « The Fly and the Cookie : Alignment and Unhingement in 21st-Century Capitalism », *Socio-Economic Review*, vol. 15, n° 3, 2017, p. 661-678 ; M. FOURCADE et K. HEALY, « Seeing Like a Market », *Socio-Economic Review*, vol. 15, n° 1, 2017, p. 9-29.

1. Sur la mise en place et le fonctionnement (extrêmement opaque) de l'impôt sur le revenu en Chine depuis les années 1980, voir T. PIKETTY, N. QIAN, « Income Inequality and Progressive Income Taxation in China and India », *American Economic Journal : Applied Economics*, vol. 1, n° 2, 2009, p. 53-63.

toujours appliquée autant qu'elle le devrait[1]. En 2006, l'administration fiscale chinoise a publié une circulaire exigeant que tous les contribuables disposant de revenus supérieurs à 120 000 yuans (soit en pratique moins de 1 % de la population adulte à l'époque) remplissent une déclaration spéciale, afin que les données correspondantes puissent être utilisées dans la lutte contre la corruption. Les résultats au niveau national ont été publiés de 2006 à 2011, sous une forme rudimentaire : les données indiquent uniquement le nombre total de contribuables au-delà de ce seuil, et parfois le montant total de leurs revenus, sans autre décomposition. Cette publication a été interrompue en 2011. Il a été possible de retrouver des données similaires dans les publications d'administrations fiscales régionales, portant parfois sur les contribuables au-delà de 500 000 yuans ou de 1 million de yuans, pour certaines provinces et villes entre 2011 et 2017, de façon irrégulière et incohérente.

Ce sont ces données, extrêmement parcellaires, que nous avons exploitées. Aussi incomplètes soient-elles, elles nous ont permis de revoir substantiellement à la hausse le niveau et l'évolution des mesures officielles des inégalités en Chine, qui reposaient uniquement sur des enquêtes déclaratives auprès des ménages, et qui ne comprenaient quasiment aucun ménage à ces niveaux de revenus[2]. Les estimations obtenues peuvent ensuite être comparées avec celles disponibles pour l'Europe et les États-Unis (qui reposent sur des données beaucoup plus détaillées, notamment fiscales), d'une façon plus plausible et satisfaisante que ce qui était disponible auparavant (voir graphique 12.8). Mais il est bien évident qu'il s'agit d'estimations extrêmement fragiles, qui peuvent sous-estimer le niveau comme l'évolution des inégalités. Le fait que les données nationales sur les contribuables à hauts revenus ne soient plus publiées depuis 2011 est particulièrement inquiétant. D'une certaine façon, les informations rendues publiques au sujet du fonctionnement de l'impôt sur le revenu sont encore plus pauvres en Chine qu'en Russie, ce qui place la barre assez bas[3]. Même si le manque de transparence au sujet des inégalités est

1. On sait par exemple que certaines provinces et villes obtiennent des régimes dérogatoires pour l'impôt sur le revenu, mais ces pratiques sont extrêmement opaques et mal connues.

2. Pour des comparaisons détaillées entre les séries officielles et les séries corrigées, voir T. PIKETTY, G. ZUCMAN, L. YANG, « Capital Accumulation, Private Property and Rising Inequality in China, 1978-2015 », art. cité. Voir également annexe technique.

3. Les données fiscales rendues publiques en Russie de 2008 à 2017 ont au moins le mérite de comporter un grand nombre de tranches (y compris une tranche pour les revenus au-delà de 10 milliards de roubles), avec toutefois un concept de revenu peu clair et de multiples

un problème mondial (nous y reviendrons dans le prochain chapitre), on ne peut que constater que ces deux pays se caractérisent par une opacité particulièrement forte.

En ce qui concerne l'enregistrement et la mesure des patrimoines en Chine, la situation est pire encore que pour les revenus. En particulier, il n'existe en Chine aucun impôt sur les successions, et par conséquent aucune donnée d'aucune sorte sur les transmissions successorales, ce qui complique singulièrement l'étude de la concentration de la propriété. Il faut souligner à quel point il est paradoxal qu'un pays dirigé par un parti communiste, adepte proclamé du « socialisme à la chinoise », puisse faire un tel choix. Tant que la propriété privée avait une ampleur limitée, l'absence d'impôt successoral n'était guère surprenante. Mais à partir du moment où plus des deux tiers du capital chinois sont détenus par des propriétaires privés (voir graphique 12.6), il est surprenant qu'on laisse ceux qui ont le plus bénéficié des privatisations et de la libéralisation économique transmettre à leurs enfants la totalité de leurs biens, sans aucun impôt, aussi réduit soit-il. Rappelons qu'après bien des variations tout au long du XXe siècle, les taux d'imposition appliqués aux successions les plus élevées se situent dans les années 2000-2020 entre 30 % et 55 % dans les principaux pays capitalistes, aussi bien aux États-Unis qu'au Royaume-Uni, au Japon, en Allemagne ou en France[1]. Au Japon, le taux le plus élevé a même été augmenté de 50 % à 55 % en 2015. En Asie orientale, dans les autres pays capitalistes de la région, il existe des impôts successoraux élevés, par exemple en Corée du Sud (avec un taux de 50 % applicable aux transmissions les plus importantes).

C'est ainsi que l'on se retrouve en ce début de XXIe siècle dans une situation éminemment paradoxale : un milliardaire asiatique qui souhaiterait pouvoir transmettre sa fortune sans aucun impôt aurait intérêt à venir s'établir en Chine communiste. Un cas particulièrement éloquent est celui de Hong Kong, qui avait un impôt successoral à l'époque britannique, et qui l'a aboli en 2005, peu après la rétrocession de 1997 et l'intégration dans la République populaire de Chine. À Taïwan, les milieux d'affaires militent maintenant pour une large part pour l'intégration du pays dans la République populaire, et demandent au passage que l'on supprime l'impôt successoral. Cette concurrence fiscale en Asie orientale, en partie tirée par

_____

incohérences. Voir F. NOVOKMET, T. PIKETTY, G. ZUCMAN, « From Soviets to Oligarchs : Inequality and Property in Russia, 1905-2016 », art. cité.

1. Voir chapitre 10, graphique 10.12, p. 525.

la Chine, contribue à renforcer un mouvement par ailleurs mondial et à accroître la tendance à la montée des inégalités dans la région[1].

De façon générale, le cas de Hong Kong illustre une trajectoire inédite et particulièrement intéressante. Il s'agit tout d'abord du cas unique d'un pays capitaliste qui est devenu encore plus inégalitaire en rejoignant un régime communiste[2]. Surtout, la place financière de Hong Kong joue un rôle central dans le développement de la Chine. Elle semble notamment permettre à de riches Chinois des sorties de capitaux plus difficiles à organiser dans le système bancaire de la République populaire, et aussi aux grandes entreprises et au régime chinois de gérer certains de leurs investissements et transactions extérieurs avec plus de souplesse. Rien n'indique à ce stade que les fuites de capitaux chinois aient pris l'ampleur observée dans le cas russe. Mais compte tenu de l'importance de la corruption dans le pays, et de la fragilité de nombreux droits de propriété acquis lors des privatisations et de la croissance des dernières décennies, il est possible que ces fuites gagnent de l'ampleur à l'avenir et contribuent à miner le régime de l'intérieur[3].

La Chine, entre communisme et ploutocratie

Le système politique appliqué à Hong Kong illustre également les ambiguïtés du régime chinois, théoriquement inspiré du communisme et en pratique parfois plus proche d'une certaine forme de ploutocratie. Jusqu'en 1997, le gouverneur de Hong Kong était nommé par la reine d'Angleterre. La colonie était administrée par un système complexe d'assemblées élues au suffrage indirect et reposait en pratique sur des comités dominés par les élites économiques. Il ne s'agissait pas d'un système explicitement censitaire comme ceux appliqués au Royaume-Uni et en France au XIXe siècle (voire jusqu'en 1911 comme en Suède, avec des droits de vote proportionnels à la fortune[4]), mais l'effet était du même ordre : les milieux d'affaires concentraient l'essentiel des pouvoirs. Ce système de type

1. Voir à ce sujet N. Kim, « Top Incomes in Korea, 1933-2016 », WID.world, Working Paper Series, n° 2018/13 ; C. T. Hung, « Income Inequality in Hong Kong and Singapore, 1980-2016 », WID.world, 2018 ; C. Chu, T. Chou, S. Hu, « Top Incomes in Taiwan, 1977-2013 », WID.world, Working Paper Series, n° 2015/6.

2. Voir C. T. Hung, « Income Inequality in Hong Kong and Singapore, 1980-2016 », art. cité.

3. Voir à ce sujet M. Pei, *China's Crony Capitalism. The Dynamics of Regime Decay*, Harvard University Press, 2016.

4. Voir chapitre 5, p. 229-231.

colonialiste-propriétariste n'a été modifié qu'à la marge lors de la rétrocession à la Chine communiste. En ce début de XXIᵉ siècle, des élections libres sont formellement organisées à Hong Kong, mais uniquement entre un petit nombre de candidats qui doivent au préalable être majoritairement approuvés par un comité de nomination, comité qui est constitué par Pékin et trusté en pratique par les milieux d'affaires hongkongais et autres oligarques prochinois.

Dans l'absolu, on pourrait certes imaginer un monde où la Chine participerait avec l'Europe, les États-Unis et les autres régions du monde à la mise en place coordonnée d'une plus grande transparence financière, et où cette coopération permettrait de mettre fin aux paradis fiscaux des différents continents, qu'ils se situent à Hong Kong, en Suisse ou dans les îles Caïmans. Il n'est pas impossible que cette situation survienne un jour. De larges parties de la population chinoise sont scandalisées par la dérive ploutocratique du pays. Une partie des intellectuels défendent des solutions sociales-démocrates en contradiction directe avec les politiques menées par le régime, alors que d'autres ont développé depuis la répression de Tienanmen (1989) de nouvelles formes d'engagement pour combattre les inégalités[1]. À ce stade, cependant, il est clair que nous en sommes très loin.

Interrogés sur ces questions, les responsables et intellectuels chinois proches du pouvoir expliquent souvent que les autorités sont conscientes des risques de fuites de capitaux à la russe, et que de nouvelles formes d'imposition progressive des revenus, des successions et des patrimoines devraient être instituées très prochainement en Chine. Ces annonces restent cependant sans effet à ce jour. Le second élément de réponse généralement apporté, et sans doute le plus significatif, est que la Chine n'a pas besoin de ces solutions fiscales à l'occidentale, complexes et souvent inefficaces, et que le pays doit inventer ses propres voies, en particulier sous la forme d'une lutte sans merci contre la corruption menée par le PCC et l'appareil d'État.

De fait, dans les nombreux écrits théoriques consacrés par le président chinois Xi Jinping (dont le nom figure depuis 2018 dans le préambule de la Constitution du pays, aux côtés de Mao Zedong et Deng Xiaoping) au « socialisme aux caractéristiques chinoises », on ne trouve nulle référence à des impôts progressifs, pas plus qu'à des systèmes de cogestion, d'autogestion ou de partage du pouvoir dans les entreprises. On trouve en revanche

---

1. Voir S. VEG, *Minjian. The Rise of China's Grassroots Intellectuals*, Columbia University Press, 2019.

de nombreuses références au fait que la « main invisible » du marché doit être puissamment équilibrée par la « main visible » du gouvernement, qui doit permettre de contrôler et de corriger tous les abus. Xi Jinping revient régulièrement sur le risque d'une « dégénérescence potentielle du parti », « du fait de la durée de son exercice du pouvoir », que seule « une lutte implacable contre la corruption » permettra de prévenir[1]. La perspective des « nouvelles routes de la soie » est longuement évoquée, ce qui permet d'exprimer discrètement mais fermement l'idée d'un retour de l'humanité à une mondialisation chinoise, commerçante et bienveillante, connectant les espaces sans volonté d'intrusion politique, et permettant enfin de mettre un terme final au vertige colonialiste des Européens et aux funestes traités inégaux qu'ils imposèrent à la Chine et au monde. L'ensemble permet aussi de promouvoir la vision géopolitique d'un retour à un bloc eurasiatique central (dont la Chine serait le pivot), face à une périphérie américaine enfin renvoyée à sa place.

En ce qui concerne les institutions concrètes permettant de réguler les inégalités et de mettre fin aux injustices et à la corruption, force est cependant de constater que le discours sur le « socialisme aux caractéristiques chinoises » n'est pas très précis. On sait que la « main visible » du gouvernement et du parti sera « implacable », mais il est difficile d'en apprendre davantage. Or il n'est pas sûr du tout que la méthode consistant à mettre en prison les oligarques ou les cadres de l'appareil d'État qui se seraient trop ostensiblement et scandaleusement enrichis soit à la hauteur de l'enjeu. À l'automne 2018, la star de cinéma Fan Bingbing avait été mise en détention après qu'un présentateur vedette de la télévision d'État avait révélé qu'elle bénéficiait d'un contrat non déclaré d'un montant de 50 millions de yuans, alors que la rémunération officielle de la star n'était que de 10 millions. L'affaire a fait grand bruit, et le pouvoir y a vu une occasion rêvée pour montrer qu'il était prêt à s'en prendre aux inégalités excessives et au culte de l'argent. Le cas est certes intéressant. Mais on peut sérieusement douter que l'on puisse efficacement réguler les inégalités dans un pays de 1,3 milliard d'habitants simplement en ayant recours à des dénonciations et à des emprisonnements, tout cela sans aucune forme d'enregistrement et d'imposition systématiques des patrimoines et des successions, et en empêchant les

---

1. Voir Xi Jinping, *La Gouvernance de la Chine* (recueil de textes), Pékin, 2014, p. 137-141, et p. 470-475.

journalistes, les citoyens et les syndicats de développer une capacité autonome d'investigation et de participation, voire en mettant en détention
ceux qui s'intéresseraient de trop près aux fortunes accumulées par les
proches du pouvoir. Rien ne garantit que le régime chinois parvienne à
éviter une évolution kleptocratique à la russe.

De l'effet de la Révolution culturelle
sur la perception des inégalités

Au final, le pouvoir chinois ne semble pas prendre très au sérieux le fait
qu'une société fondée sur la propriété privée, sans garde-fou fiscal et social
suffisant, coure le risque d'une dérive inégalitaire qui peut s'avérer funeste
à long terme, comme le montre également l'expérience de l'Europe au
XIXe siècle et pendant la première moitié du XXe siècle. Sans doute faut-il y
voir une nouvelle manifestation du sentiment d'exceptionnalité qui caractérise tant de sociétés dans l'histoire, et du refus d'apprendre des expériences des autres[1]. Il faut également mentionner un facteur historique et
politico-idéologique plus spécifique à la Chine, à savoir la violence inouïe de
la période du maoïsme et de la Révolution culturelle, qui a profondément
marqué les perceptions de l'inégalité, et en particulier des transmissions
familiales. La Chine sort tout juste d'une expérience traumatique majeure,
où la tentative d'interrompre la reproduction intergénérationnelle de l'inégalité a pris une forme particulièrement radicale, avec l'arrestation et la mise
au ban de la société de tous ceux que les origines familiales rattachaient
de près ou de loin aux anciennes classes propriétaires et intellectuelles
de la société impériale chinoise. Des pans entiers de la société chinoise
actuelle, en particulier au sein de la classe dirigeante, ont eu des parents, des
grands-parents ou des membres de leur famille tués ou très durement traités
pendant la Révolution culturelle. Après une remise à plat aussi violente
du processus de transmission, après un prix aussi chèrement payé par les
familles, l'idée selon laquelle la logique de l'accumulation doit reprendre
ses droits, au moins pour un temps, semble avoir acquis une plausibilité
particulière en Chine.

---

1. Voir par exemple le cas de la France avant 1914, où les élites politiques et économiques
de la IIIe République expliquaient que le pays était tellement égalitaire (grâce à la Révolution)
qu'il n'avait pas besoin des réformes fiscales déjà adoptées par l'Allemagne ou le Royaume-Uni.
Voir chapitre 4, p. 186-188.

Dans *Brothers* (2006), le romancier chinois Yu Hua évoque au travers des destins croisés de deux demi-frères les transformations radicales des valeurs du pays depuis la Révolution culturelle, où l'on fait la chasse aux descendants de propriétaires fonciers et l'on promeut la chasteté, jusqu'aux années 2000, où tout s'achète et se vend. C'est le cas des fabriques et des terrains monnayés avec gourmandise par les responsables locaux du parti comme des faux seins et des faux hymens utilisés pour les concours de fausses vierges, pour le plus grand bonheur des forains et du nouvel homme chinois, enfin prêts à profiter du monde sous toutes ses formes. Avec l'ouverture économique et les privatisations, tout est autorisé pourvu que les statistiques de PIB régional poursuivent leur ascension vers le ciel. Des deux demi-frères, tous deux nés en 1960, Li Guangtou et Song Gang, le premier est sans nul doute le moins honnête, et c'est lui qui deviendra milliardaire. Il commence dans les années 1980 dans la friperie, la récupération de métaux et les fabriques de cartons, fait fortune dans les années 1990 en écoulant des cargos entiers de costumes japonais usagés (en lieu et place des vestes Mao dépassées), et devient multimillionnaire dans les années 2000, habillé en Armani et prêt à s'offrir un voyage privé sur la Lune. Mais pour finir, il apparaît presque plus sympathique que Song Gang, qui se fait broyer sans réagir par le système, quelle que soit l'époque.

La Révolution culturelle (1966-1976), qui frappe les deux demi-frères avec violence, apparaît bien comme une tentative de transformer les consciences et de trouver des coupables, après que les collectivisations agricoles et industrielles des années 1950 et 1960 n'ont pas produit le Grand Bond annoncé. Le père de Son, qui fait la fierté des deux jeunes enfants avec son brassard rouge et son entrain de bon citoyen communiste, se retrouve vite arrêté et perquisitionné. Fils de propriétaire foncier, et lui-même professeur de collège, il incarne les anciennes classes dominantes, qui sans le savoir sabotent la Révolution, car au fond elles ignorent et méprisent le peuple. Les gardes rouges vont se charger de lui rappeler que c'est par la transformation culturelle et idéologique que la Chine expiera son lourd passé inégalitaire. Ils gardent également un certain sens pratique : quand ils viennent fouiller son domicile, ils vident toutes les armoires dans l'espoir d'y retrouver des titres de propriété, « prêts à être ressortis au moindre changement de régime ». Ils ne trouveront rien, mais Song Fanping, le père, finira lynché. Les deux enfants rapporteront son corps sur une charrette au travers du bourg des Liu, aidés par Tao Qing. Au-delà des aspects dramatiques, le texte permet de prendre la mesure d'une transformation politico-idéologique déconcertante, menant en quelques décennies de la Révolution culturelle à l'hypercapitalisme à la chinoise, depuis les caramels « Lapin blanc » de fabrication socialiste qui ravissent les jeunes enfants à la fin des années 1960 et au début des années 1970 (à une époque où seul le chef de l'Armée populaire du district avait droit à une rutilante bicyclette) jusqu'aux envies de tourisme spatial des milliardaires nouveaux riches des années 2000-2010, en passant par le « grand rush national vers les affaires » des années 1990 et ses juteuses bidouilles[1].

Du modèle chinois et du dépassement de la démocratie parlementaire

Concluons en notant que le régime chinois s'appuie également pour perdurer sur les faiblesses des autres modèles. Après avoir tiré les leçons des échecs du soviétisme et du maoïsme, le régime entend maintenant ne pas répéter les erreurs des démocraties électorales et parlementaires occidentales. La lecture du *Global Times* (organe officiel) est de ce point de vue très instructive, notamment depuis le référendum sur le Brexit et l'élection de Donald Trump. On y dénonce à longueur de colonnes les dérives nationalistes, xénophobes et séparatistes qui caractériseraient les pays occidentaux, ainsi que le détonant cocktail de vulgarité, télé-réalité et argent roi, auquel mèneraient inévitablement les prétendues élections libres et les merveilleuses institutions politiques que l'Occident voudrait imposer au monde. On insiste également sur le respect avec lequel les dirigeants chinois s'adressent à la planète, et en particulier aux dirigeants des pays africains, régulièrement qualifiés de *shit countries* par le président des États-Unis, leader supposé du « monde libre ».

La lecture de ces textes est instructive, et elle conduit *de facto* à s'interroger sur la prétendue supériorité civilisationnelle et institutionnelle des démocraties électorales occidentales. L'idée selon laquelle les valeurs et les institutions démocratiques « occidentales » auraient atteint une sorte de perfection unique et indépassable a clairement quelque chose d'absurde.

---

1. On notera aussi l'importance dans *Brothers* (trad. fr. Actes Sud, 2008) du thème des toilettes publiques et de la médiocrité des installations sanitaires pour évoquer la misère communiste des années 1960 et 1970 (et aussi pour permettre au jeune filou Li Guangtou de monnayer ses connaissances de l'anatomie féminine contre des bols de nouilles aux trois fraîcheurs). Ce même thème est également très présent dans *Riaba ma poule*, merveilleux conte postsoviétique réalisé par A. Kontchalovski en 1994.

Le régime parlementaire, avec des élections au suffrage universel direct tous les quatre ou cinq ans permettant de choisir des représentants qui ont ensuite le pouvoir d'écrire la loi, constitue une forme spécifique et historiquement déterminée d'organisation politique. Celle-ci a ses vertus et aussi ses limites, qui doivent être sans cesse réinterrogées et dépassées[1]. Parmi les critiques traditionnellement adressées aux institutions parlementaires occidentales par les régimes communistes, notamment russes et chinois, deux méritent une attention particulière[2]. La première est que l'égalité des droits politiques est une illusion dès lors que les médias d'information sont capturés par les puissances d'argent, qui vont ainsi pouvoir prendre le contrôle idéologique des esprits et permettre aux inégalités de perdurer. La seconde est étroitement liée à la première : l'égalité politique reste théorique si le financement des partis politiques permet aux plus riches d'exercer une influence sur les programmes et les politiques suivies. Cette crainte d'une capture du processus politique par les plus riches s'est exprimée de manière particulièrement forte aux États-Unis depuis les années 1990-2000, dans un contexte où la Cour suprême a fait voler en éclats la quasi-totalité des limites à l'usage de l'argent privé en politique[3]. Mais il s'agit en réalité d'un problème de portée beaucoup plus large.

De façon générale, notons que cette question du financement des médias et des partis politiques n'a jamais été véritablement pensée dans toutes ses implications. La plupart des pays ont certes mis en place diverses législations

1. Voir à ce sujet J. GOODY, *The Theft of History*, Cambridge University Press, 2006, chapitre 9, réimpr. 2012. L'auteur note que l'adoption de ces institutions résulte de trajectoires plus ou moins contingentes et hésitantes, et en aucune façon d'essences civilisationnelles différentes. Par exemple, les États-Unis n'auraient probablement pas accordé le droit de vote aux Noirs dans les années 1960 si ces derniers avaient constitué une majorité de la population (ou une trop forte minorité), et le pays serait peut-être encore aujourd'hui gouverné par un régime proche de l'apartheid sud-africain (voir J. GOODY, *The Theft of History, op. cit.*, p. 252).

2. Il faut ajouter une critique générale, déjà mentionnée et sur laquelle nous reviendrons, selon laquelle l'écriture de la loi se fait dans les régimes parlementaires occidentaux, sous le contrôle d'une Constitution et de juges constitutionnels plus ou moins rigides, ce qui conduit souvent à diverses formes de sanctuarisation des droits de propriété privée établis dans le passé.

3. De nombreux travaux se sont intéressés à cette capture du jeu politique étatsunien. Voir entre autres J. HACKER, P. PIERSON, *Winner-Take-All Politics. How Washington Made the Rich Richer – And Turned its Back on the Middle Class*, Simon & Schuster, 2011 ; K. SCHLOZMAN, S. VERBA, H. BRADY, *The Unheavenly Chorus : Unequal Political Voice and the Broken Promise of American Democracy*, Princeton University Press, 2012 ; T. KUHNER, *Capitalism v. Democracy. Money in Politics and the Free Market Constitution*, Stanford University Press, 2014 ; L. BARTELS, *Unequal Democracy. The Political Economy of the New Gilded Age*, Princeton University Press, 2016.

visant à limiter la concentration des médias ou réguler les financements politiques. Mais ces dispositifs ont généralement été très insuffisants, et très en deçà de ce que l'exigence d'égalité des droits à la participation politique impliquerait, sans compter que les retours en arrière ont été nombreux, notamment au cours des dernières décennies (en particulier aux États-Unis et en Italie). En s'appuyant sur les leçons de l'histoire, il est toutefois possible de dégager des solutions nouvelles, permettant d'une part de développer des médias non lucratifs et participatifs, et d'autre part d'assurer l'égalité des citoyens face au financement des mouvements politiques[1]. Nous y reviendrons[2].

En tout état de cause, il paraît bien difficile d'utiliser l'argument de la capture des médias ou des partis politiques par les forces de l'argent pour justifier la suppression pure et simple des élections, ou bien le contrôle des candidatures par un comité en fonction de leur compatibilité avec le parti au pouvoir. Ce type d'argumentation a notamment été tenu par les dirigeants communistes russes et est-européens pendant toute la durée de leur existence pour se maintenir au pouvoir sans concurrence électorale réelle. Rien dans ces expériences ne permet de penser qu'il faudrait songer à les renouveler.

On trouve également de nombreux régimes dans l'histoire qui utilisent l'argument de la mainmise de l'argent sur le processus démocratique pour brutaliser ce même processus, par exemple en transformant les médias publics en instruments de propagande, officiellement afin de compenser la propagande opposée diffusée par les médias privés, et parfois en refusant les résultats de certaines élections. On pense par exemple au régime « bolivarien » au pouvoir au Venezuela sous la présidence de Chavez de 1998 à 2013 puis de Maduro depuis 2013. Ce régime se présente sous une nouvelle forme de « socialisme » de type plébiscitaire, au sens où il se propose d'utiliser l'argent du pétrole de façon plus sociale et égalitaire que les gouvernements précédents (ce qui n'est pas très difficile, vu les pratiques oligarchiques antérieures, mais tout de même important), tout en reposant sur un pouvoir personnel et étatique hypercentralisé et autoritaire, régulièrement validé par des consultations populaires, et par un dialogue direct avec le « peuple ». On pense à la fameuse émission *Alo presidente* de la télévision publique, où Chavez s'adressait seul chaque dimanche à la

---

1. Voir en particulier J. CAGÉ, *Sauver les médias. Capitalisme, financement participatif et démocratie, op. cit.* ; ID., *Le Prix de la démocratie, op. cit.*
2. Voir chapitre 17, p. 1169-1175.

population du pays pendant la plus grande partie de la journée (le record de durée dépasse huit heures). Après avoir remporté de nombreuses élections et résisté à une tentative de coup d'État en 2002 (au cours de laquelle les putschistes reçurent le soutien des États-Unis), et après de multiples péripéties dont le récit dépasserait de beaucoup le cadre de ce livre, le pouvoir bolivarien finit par perdre sans détour les élections législatives de 2015. Il refusa de s'y soumettre, d'où une crise grave et violente, sur fond d'hyperinflation et d'effondrement économique, toujours en cours en 2019[1].

Le cas de la relation de Chavez avec les médias est intéressant, car il est peu contestable que les médias privés dominants au Venezuela, de même que dans plusieurs pays en Amérique latine et ailleurs dans le monde, ont souvent été biaisés en faveur de la vision du monde défendue par leurs propriétaires (et aussi de leurs intérêts financiers, généralement liés à l'exploitation privée et hyperinégalitaire des ressources pétrolières, en lien avec les grandes compagnies occidentales). Pour autant, s'appuyer sur une telle réalité pour prendre le contrôle des médias publics, puis pour refuser les résultats électoraux quand ils ne conviennent pas, n'est pas une réponse satisfaisante. Outre qu'elle ne peut au final que renforcer l'idéologie propriétariste que l'on prétend combattre, comme cela se produit actuellement, cette réponse par la brutalisation des institutions démocratiques et l'hypercentralisation du pouvoir ne résout rien. Il est plus prometteur de réformer radicalement le système de financement et de gouvernance des médias et des partis politiques, de façon à permettre à chaque sensibilité de s'exprimer sur une base égalitaire (« une personne, une voix », et non pas « un dollar, une voix »), tout en respectant la diversité des points de vue et le besoin de l'alternance. Nous y reviendrons.

---

1. Le pouvoir tenta d'instituer une nouvelle Assemblée constituante en 2017, mais l'opposition refusa de participer à ces nouvelles élections. Le président de l'Assemblée élue en 2015 se proclama président du pays en 2018, avec le soutien des États-Unis et d'autres pays occidentaux (alors que Maduro était soutenu par la Chine et la Russie). De nouvelles élections pourraient avoir lieu en 2019-2020. Pour une analyse de la séquence chaviste, voir K. ROBERTS, *Changing Course in Latin America : Party Systems in the Neoliberal Era*, Cambridge University Press, 2014. Selon l'auteur, la décomposition et la brutalisation du système de partis au Venezuela (relativement stable auparavant) peuvent être rattachées au tête-à-queue spectaculaire consécutif aux élections de 1988 : le parti de centre gauche AD avait remporté le scrutin sur un discours anti-FMI, avant d'appliquer quelques mois plus tard une violente purge budgétaire, d'où des émeutes sanglantes à Caracas en 1989, suivies de la destitution pour corruption en 1993 du président issu du parti AD, et de l'élection en 1998 de Chavez (lui-même auteur d'une tentative de coup d'État en 1992).

La démocratie électorale, la frontière et la propriété

La question du rôle de l'argent dans le financement des médias et des partis, aussi importante soit-elle, n'est pas la seule critique qui peut être adressée aux régimes électoraux et parlementaires occidentaux, tant s'en faut. Supposons que le problème de l'égalité d'accès aux médias et aux financements politiques soit entièrement réglé. La théorie démocratique occidentale serait toujours confrontée à trois limitations conceptuelles majeures. Pour résumer, il lui manquerait toujours une théorie de la frontière, une théorie de la propriété et une théorie de la délibération.

La question de la frontière est évidente : sur quel territoire et au sein de quelle communauté humaine la loi de la majorité est-elle supposée s'appliquer ? Suffit-il qu'une ville, un quartier, une famille décide majoritairement de faire sécession pour s'absoudre de la loi de la majorité et devenir un État souverain et légitime, au sein duquel s'exercera la loi de la majorité de la tribu ? La peur de l'escalade séparatiste sans fin et sans limites a toujours été l'argument principal utilisé par de nombreux régimes politiques autoritaires pour refuser les élections. Cela vaut notamment pour le régime chinois, dont l'identité s'appuie pour une large part sur la capacité à faire cohabiter pacifiquement une vaste communauté de 1,3 milliard d'êtres humains, à l'opposé des haines tribales qui minent l'Europe depuis toujours, ce qui aux yeux du régime de Pékin justifie le refus des prétendues élections « libres », qui ne feraient en réalité qu'aiguiser les passions identitaires et nationalistes. Cette réponse chinoise est intéressante, mais il s'agit là encore d'une réponse fragile à une vraie question. Une réponse plus satisfaisante consisterait à articuler une théorie transnationale de la démocratie, fondée sur un social-fédéralisme démocratique et la construction de normes de justice socio-économique au niveau régional puis mondial. La tâche est tout sauf simple, mais il n'existe pas beaucoup d'autres options[1].

La question de la propriété pose des défis tout aussi redoutables à la théorie démocratique occidentale. La loi de la majorité peut-elle conduire à une redéfinition et une redistribution complète et immédiate des droits de propriété ? Dans l'absolu, il n'est certes pas absurde de fixer des règles et des procédures (par exemple sous forme de majorités qualifiées) permettant d'inscrire dans la durée certains aspects du système légal, social, fiscal et éducatif, et d'éviter des changements trop brutaux, sans pour autant

---

1. Voir chapitres 16-17, p. 1026-1055 et 1176-1189.

bloquer le changement socio-économique lorsque son besoin est largement partagé. Le problème est que cet argument a été abondamment utilisé par les idéologies propriétaristes pour inscrire dans les Constitutions des règles empêchant *de facto* toute possibilité d'une redéfinition des droits de propriété dans un cadre légal et apaisé, y compris dans des situations extrêmes d'hyperconcentration, ainsi d'ailleurs que dans des situations où les modes d'appropriation initiale sont particulièrement douteux, voire totalement indéfendables[1].

On remarquera également que ce même argument de la stabilité a aussi été utilisé par divers régimes à parti unique pour justifier que certaines décisions (en particulier le régime de propriété publique des moyens de production) soient placées en dehors du débat électoral, voire pour supprimer purement et simplement les élections (ou pour soumettre les candidatures à un comité *ad hoc*). Cela va d'ailleurs au-delà des régimes communistes au sens strict. Lors des indépendances africaines, de nombreux pays mirent en place des systèmes de parti unique, au moins provisoirement, parfois pour éviter le séparatisme et la guerre civile, et parfois aussi au prétexte qu'il était impossible de juger des effets de certaines politiques sociales ou économiques au bout de quatre ou cinq ans seulement[2]. Sans aller jusque-là, les systèmes de retraite et d'assurance-maladie mis en place dans la plupart des social-démocraties européennes reposent sur des gouvernances complexes laissant une large place aux caisses de sécurité sociale et aux syndicats. Cela a permis dans une certaine mesure d'immuniser ces systèmes sociaux face aux retournements électoraux : une majorité parlementaire suffisamment importante et durable peut reprendre le contrôle de ces dispositifs, mais cela demande une légitimité électorale et démocratique particulièrement forte. De façon plus générale, il est permis de penser que les réflexions autour de la question de la constitutionnalisation des droits sociaux, de la justice éducative ou encore de la progressivité fiscale mériteraient d'être poussées plus loin.

À toutes ces questions, complexes et légitimes, le régime chinois a une réponse. C'est en s'appuyant sur de solides corps intermédiaires tels que

---

1. On pense aux appropriations nobiliaires débattues lors de la Révolution française ou autour de la question irlandaise au XIXᵉ siècle au Royaume-Uni (voir chapitres 3-5), aux appropriations esclavagistes et coloniales (voir chapitres 6-9) ou bien aux appropriations de ressources naturelles et d'entreprises publiques par des oligarques russes ou chinois évoquées dans le présent chapitre.

2. Voir J. GOODY, *The Theft of History, op. cit.*, p. 251.

le PCC (autour de 90 millions de membres en 2015, soit environ 10 % de la population adulte) qu'il est possible d'organiser la délibération et la prise de décision, et de concevoir un modèle de développement stable, harmonieux et réfléchi, à l'abri des pulsions identitaires et des forces centrifuges du supermarché électoral occidental. Cette position a été par exemple exprimée avec force lors d'un colloque organisé en 2016 par les autorités chinoises sur « le rôle des partis politiques dans la gouvernance économique mondiale », et on la retrouve régulièrement sur le site du *Global Times*[1]. On notera que ces effectifs très importants du PCC correspondent approximativement à la participation totale observée lors des élections primaires permettant de désigner les candidats des partis aux élections présidentielles aux États-Unis et en France (autour de 10 % de la population adulte dans les deux cas lors des dernières élections). Les effectifs de militants dans des partis politiques dans les pays occidentaux sont nettement inférieurs (généralement quelques pourcents de la population tout au plus[2]). La participation aux élections générales, législatives ou présidentielles, est en revanche nettement supérieure (généralement plus de 50 %, même si la chute au cours des dernières décennies est impressionnante, notamment au sein des catégories populaires[3]).

Dans tous les cas, l'argument chinois s'appuie sur l'idée selon laquelle la délibération et la prise de décision au sein d'une organisation telle que le PCC seraient plus profondes et réfléchies que la démocratie de la place publique à l'occidentale. Au lieu de s'appuyer sur quelques minutes d'attention superficielle tous les quatre ou cinq ans de la part de tous les électeurs, comme le pratique la démocratie électorale occidentale, la démocratie partidaire et encadrée à la chinoise reposerait sur une minorité significative constituée des membres du parti (en l'occurrence environ 10 % de la population), pleinement impliqués et informés, et délibérant longuement et collectivement pour le bien du pays. Un tel système serait mieux à même de trouver des compromis raisonnables pour le bien du pays

---

1. Voir annexe technique pour les documents diffusés lors du colloque de 2016. La lecture du *Global Times* est sans doute la façon la plus directe de s'imprégner des arguments chinois sur ces questions.

2. La notion de « militant » est elle-même en voie de redéfinition, tout comme les formes de participation (fréquence en baisse pour les réunions de section, montée du militantisme en ligne), tout cela dans un contexte d'effondrement des partis traditionnels (par exemple en Italie et en France).

3. Voir chapitre 14, graphiques 14.7 et 14.8, p. 860 et 861.

et de la communauté dans son ensemble, en particulier sur les questions de frontière et de propriété.

Une illustration intéressante de la croyance chinoise dans la capacité de la démocratie encadrée à régler les questions de frontière plus efficacement que la démocratie électorale est fournie par le récit que fait de son parcours Hu Xijin, actuel rédacteur en chef du *Global Times*. Jeune étudiant fortement mobilisé lors des rassemblements de Tienanmen en 1989, il raconte avoir été traumatisé par le soudain démantèlement de l'Union soviétique, et davantage encore par les guerres séparatistes et tribales de Yougoslavie, qui auraient démontré à ses yeux la nécessité du rôle apaisant du parti, et l'impossibilité de laisser aux passions électorales le soin de prendre de telles décisions[1].

On notera également qu'une des accusations les plus classiques (et aussi les plus aiguisées) du régime de Pékin à l'encontre des militants prodémocratie de Hong Kong est leur supposé égoïsme, en particulier quand ils manifestent leur opposition (ou tout du moins leurs réticences) vis-à-vis de l'immigration venue de République populaire. Autrement dit, leur prétendu amour de la démocratie et des élections « libres » aurait surtout pour objectif de préserver l'entre-soi au sein de leur cité-État de privilégiés. En l'occurrence, on notera que la revendication indépendantiste est en réalité minoritaire au sein du mouvement hongkongais, et que la demande principale porte avant tout sur la démocratie, au sein d'un ensemble chinois fédéral et démocratique s'appuyant à la fois sur la libre circulation des personnes et le multipartisme, perspective qui est clairement refusée par le PCC[2].

Du parti unique et de la réformabilité de la démocratie encadrée

Un autre argument chinois essentiel consiste à soutenir que le PCC s'appuie sur toutes les couches de la population. Le système permettrait ainsi d'organiser la concertation et la participation au sein d'un ensemble de personnes certes minoritaires au sein de la société chinoise, mais plus

1. Voir entretien avec Hu Xijin, *Le Monde*, 15 octobre 2017.
2. Sur la complexité des évolutions politico-idéologiques caractérisant le mouvement démocratique à Hong Kong, voir S. VEG, « The Rise of "Localism" and Civic Identity in Post-Handover Hong Kong : Questioning the Chinese Nation-State », *The China Quarterly*, vol. 230, juin 2017, p. 323-347.

motivées et déterminées que la moyenne des citoyens (grâce au système de cooptation et d'entretien nécessaire pour être admis dans le parti), et en même temps plus profondément représentatives de la population que ne le sont les partis occidentaux et la démocratie électorale et parlementaire. De fait, d'après les données disponibles, sur les quelque 90 millions de membres du PCC en 2015, environ 50 % sont des ouvriers, employés et paysans, 20 % des retraités et 30 % sont des cadres administratifs et techniques des entreprises et de l'État[1]. La part des cadres est certes supérieure à ce qu'elle est dans la population du pays (entre 20 % et 30 %), mais l'écart n'est pas très élevé, et moins important que dans la plupart des partis occidentaux[2].

Tout cet argumentaire sur les plus grandes qualité et représentativité de la délibération au sein de la démocratie partidaire et encadrée à la chinoise est intéressant et potentiellement convaincant d'un strict point de vue théorique. Mais il se heurte tout de même à de sérieuses difficultés. Tout d'abord, il est bien difficile de connaître la réalité du rôle joué par ces ouvriers, employés et paysans dans le fonctionnement effectif du parti au niveau local. Au niveau le plus élevé, c'est-à-dire celui de l'Assemblée nationale populaire (ANP), qui est la structure législative fondamentale dans la Constitution chinoise, et plus encore au niveau de son Comité permanent, qui exerce la réalité du pouvoir entre les sessions annuelles de l'ANP, on constate une surreprésentation spectaculaire des milieux d'affaires et des milliardaires chinois[3]. La presse occidentale a souvent fait état de ces éléments pour montrer l'hypocrisie du régime chinois,

---

1. Voir C. Lɪ, « China's Communist Party-State : The Structure and Dynamics of Power », in *Politics in China : An Introduction* (W. Josᴇᴘʜ [éd.]), p. 203-205, figure 6.4, Oxford University Press, 2010. Voir également C. Lɪ, *Chinese Politics in the Xi Jinping Era. Reassessing Collective Leadership*, Brookings Institution, 2016, p. 42-44.

2. Les partis socialistes, communistes et sociaux-démocrates occidentaux reposaient sur des bataillons importants de militants issus des classes populaires jusqu'aux années 1970-1980, mais leur composition est devenue depuis lors fortement biaisée en faveur des cadres et des professions intellectuelles, de même que leur électorat. Voir chapitres 14-16.

3. L'ANP comprend environ 3 000 membres et ne se réunit que dix jours par an, alors que le Comité permanent regroupe 175 membres (élus au sein de l'ANP) et se réunit le reste de l'année, dans le cadre du mandat donné lors de sessions annuelles de l'ANP. Suivant les termes de la Constitution chinoise, l'ANP dispose des pouvoirs les plus étendus (elle vote les lois, élit le président de la République populaire, etc.), et elle est élue par l'ensemble des citoyens chinois. En pratique, le mode de scrutin est indirect à plusieurs degrés, et tous les candidats aux différents degrés doivent être approuvés par des comités contrôlés par le PCC.

plus proche de la ploutocratie (le pouvoir de l'argent) que du communisme et de ses cellules délibératives et socialement représentatives. La critique est assez juste. On notera toutefois que les données disponibles restent assez imprécises. D'après les éléments recueillis, la surreprésentation des personnes fortunées au sein de l'Assemblée nationale populaire de Chine, qui est massive et incontestable, n'est peut-être pas beaucoup plus forte qu'au sein du Congrès des États-Unis d'Amérique (ce qui n'est pas particulièrement rassurant). Elle semble en revanche beaucoup plus forte que ce que l'on observe en Europe, où les assemblées brillent pourtant par une sous-représentation extrême des classes populaires, mais où ce sont davantage les professions intellectuelles et libérales que les milieux d'affaires et les hauts patrimoines qui sont surreprésentées[1]. En tout état de cause, l'idée selon laquelle la démocratie encadrée à la chinoise serait parvenue à impliquer toutes les couches de la population d'une façon plus représentative que les démocraties électorales occidentales ne semble guère étayée.

De façon plus générale, l'idée chinoise d'une délibération approfondie au sein d'une minorité éclairée de membres du parti pose en l'état actuel des choses un problème majeur. Elle ne laisse pas de traces, si bien que personne dans le reste du pays (et *a fortiori* dans le reste du monde) ne peut constater par lui-même la réalité de ces délibérations et prises de décision, et ne peut par conséquent se faire une opinion sur l'éventuelle légitimité de modèle délibératif partidaire. Il pourrait en aller autrement : les débats menés entre les membres du parti pourraient être entièrement publics, et, surtout, les décisions et choix de candidats pourraient donner lieu à des votes concurrentiels et ouverts. Mais rien n'indique à ce stade une évolution imminente du régime dans cette direction.

Il existe également d'intéressants exemples historiques où des systèmes à base de parti unique ont progressivement autorisé des candidatures venues d'autres partis et groupes d'opinion. On pense par exemple au Sénégal, qui fonctionnait suivant un système de parti unique depuis l'indépendance, jusqu'à ce que la réforme constitutionnelle de 1976 introduise graduellement la possibilité pour d'autres courants idéologiques (dûment répertoriés) de présenter des candidats. Les premières élections pseudo-libres menées dans les années 1980 étaient largement gagnées d'avance par le parti socialiste (ex-parti unique du président Senghor), mais elles devinrent de

1. Voir annexe technique, et T. Piketty, *Le Capital au XXIᵉ siècle, op. cit.*, p. 872-877.

plus en plus disputées dans les années 1990 et aboutirent finalement à une alternance démocratique avec la victoire du parti démocratique sénégalais (PDS) d'Abdoulaye Wade aux élections de 2000. Sans chercher à idéaliser cette expérience, cette trajectoire illustre la multiplicité des formes que peuvent prendre les transitions politiques[1].

Pour résumer : la démocratie partidaire et encadrée à la chinoise est très loin d'avoir apporté la démonstration de sa supériorité sur la démocratie électorale et parlementaire à l'occidentale, en particulier du fait de son manque flagrant de transparence. La très forte croissance des inégalités en Chine et l'opacité extrême qui les caractérise suscitent également de sérieux doutes quant à la réalité de l'implication des classes populaires chinoises dans le processus délibératif et socialement représentatif que le PCC prétend incarner. Il n'en reste pas moins que les multiples critiques adressées par le modèle chinois aux systèmes politiques occidentaux doivent être prises au sérieux. Outre la mainmise de l'argent sur les médias et les partis, et les difficultés structurelles rencontrées face à la question de la frontière et de la propriété, il est indéniable que les institutions parlementaires tendent de plus en plus à être dominées par diverses formes de huis clos et d'entre-soi, au niveau de l'Union européenne comme aux États-Unis. En tout état de cause, la logique représentative demande à être complétée par des dispositifs de délibération et de participation qui aillent au-delà du simple bulletin de vote tous les quatre ou cinq ans. Les formes concrètes de la démocratie sont encore et toujours à réinventer, et la confrontation sereine des modèles et des expériences historiques peut naturellement y contribuer, à condition de dépasser les crispations identitaires et les arrogances nationalistes.

---

1. Voir à ce sujet R. B. RIEDL, *Authoritarian Origins of Democratic Party Systems in Africa*, Cambridge University Press, 2014. Pour l'auteure, les transitions organisées par l'ex-parti unique (par exemple au Sénégal ou au Ghana) sont généralement plus réussies que celles marquées par son effondrement (comme au Bénin ou en Zambie). On notera que la loi constitutionnelle sénégalaise de 1976 relative aux partis politiques prévoyait dès son article 2 la constitution de trois grands courants : « Les trois partis politiques autorisés par la Constitution doivent représenter respectivement les courants de pensée suivants : libéral et démocratique ; socialiste et démocratique ; communiste ou marxiste-léniniste. » Le courant socialiste et démocratique était déjà occupé par le PS de Senghor, et le courant libéral le fut par le PDS de Wade. En revanche, les courants communistes et marxistes refusèrent leur embrigadement dans cette fort peu révolutionnaire transition démocratique, et restèrent en partie dans la clandestinité.

L'Europe de l'Est : un laboratoire
de la désillusion postcommuniste

Venons-en maintenant au cas des sociétés communistes et postcommunistes d'Europe de l'Est. L'empreinte du communisme y est certes moins forte qu'en Russie, d'une part parce que l'expérience a été moins longue, et d'autre part car leur niveau de développement était dans la majorité des cas sensiblement plus élevé que celui de la Russie au moment de rejoindre le communisme. Par ailleurs, les pays communistes est-européens de la période 1950-1990 ont pour la plupart rejoint l'Union européenne au cours des années 2000-2010. Cette intégration à un espace économique et politique prospère a favorisé un certain rattrapage des niveaux de vie et une forme de stabilisation politique dans le cadre de régimes électifs de type parlementaire. Il reste que ce processus a également généré des frustrations et des incompréhensions de plus en plus fortes à l'intérieur de l'UE, qui font de l'Europe de l'Est un véritable laboratoire de la désillusion postcommuniste.

Commençons par les aspects les plus positifs. Il est tout d'abord particulièrement frappant de constater que si l'on mesure les inégalités de revenus à l'échelle de l'ensemble de l'Europe (Ouest et Est réunis), alors le niveau obtenu est certes plus élevé que si on se limite à la seule Europe de l'Ouest, mais il demeure sensiblement plus faible qu'aux États-Unis (voir graphique 12.9). Les écarts de revenu moyen entre les États membres les plus pauvres et les plus riches de l'Union européenne, par exemple entre la Roumanie ou la Bulgarie et la Suède ou l'Allemagne, restent certes considérables, plus élevés par exemple qu'entre États des États-Unis d'Amérique. Mais ils se sont réduits, et surtout les inégalités à l'intérieur des États européens (à l'Est comme à l'Ouest) sont suffisamment plus faibles qu'à l'intérieur des États étatsuniens pour que l'inégalité totale soit plus faible en Europe. En particulier, la part des 50 % les plus pauvres avoisine les 20 % du revenu total en Europe, contre à peine 12 % aux États-Unis. En outre, il faut préciser que cet écart serait encore plus fort si l'on intégrait le Mexique et le Canada avec les États-Unis. Une telle comparaison serait sans doute davantage justifiée, d'une part parce que les populations totales des deux ensembles seraient ainsi plus proches ; et d'autre part parce que les pays d'Amérique du Nord sont également liés par une union commerciale, avec toutefois une intégration socio-économique et politique plus limitée que l'Union européenne, qui finance des fonds structurels d'investissement en faveur des régions les moins avancées et pratique la libre circulation des travailleurs, ce qui paraît impensable à ce stade au sein de l'ensemble nord-américain.

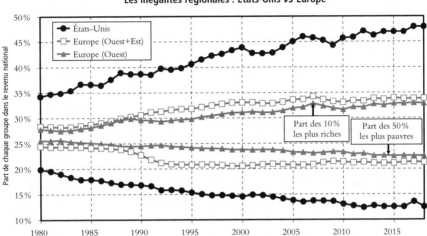

Graphique 12.9
Les inégalités régionales : États-Unis *vs* Europe

Lecture : les niveaux d'inégalité de revenus sont plus élevés lorsque l'on considère l'ensemble des pays d'Europe de l'Ouest et de l'Est (540 millions d'habitants) que lorsque l'on se restreint à l'Europe de l'Ouest (420 millions) et que l'on exclut l'Europe de l'Est (120 millions), compte tenu des écarts persistants de revenu moyen entre ouest et est du continent. Ils restent néanmoins dans tous les cas sensiblement plus faibles qu'aux États-Unis (320 millions d'habitants).
Sources et séries : voir piketty.pse.ens.fr/ideologie.

Que les inégalités de revenus soient moins fortes au sein des ex-pays communistes d'Europe de l'Est qu'aux États-Unis ou en Russie post-soviétique s'explique par plusieurs facteurs, et notamment par l'existence en Europe de l'Est de systèmes d'éducation et de protection sociale relative-ment développés et égalitaires issus de la période communiste. Il faut aussi souligner que la transition postcommuniste a été menée de façon moins inégalitaire et plus gradualiste qu'en Russie. Par exemple, en Pologne, pays pourtant classé avec la République tchèque parmi ceux ayant opté pour la « thérapie de choc » au début des années 1990 au sein des pays d'Europe centrale et orientale, la transition a été en réalité nettement plus graduelle et apaisée qu'en Russie. Le système polonais de *voucher privatization* s'est certes appliqué dès 1990-1992 aux petites entreprises, en particulier dans le commerce et l'artisanat, mais son extension aux grandes entreprises n'a véri-tablement commencé qu'en 1996, et s'est faite progressivement, à mesure que le nouveau système légal et fiscal entrait en fonction, ce qui a permis de limiter dans une certaine mesure les concentrations d'actions au sein d'un petit groupe d'oligarques à la russe. Le report des privatisations des grandes entreprises, initialement prévues pour être réalisées rapidement suivant la loi de 1990, découla notamment de vives oppositions venant du syndicat Solidarność, davantage que de l'ancien parti communiste transformé en parti social-démocrate (SLD) et revenu au pouvoir lors de la transition[1]. Selon des travaux récents, ce gradualisme a contribué au succès de la transition polonaise et à la forte croissance observée entre 1990 et 2018[2].

Les réussites des trajectoires postcommunistes en Europe de l'Est, incontestables si l'on prend comme point de comparaison la dérive oligarchique et kleptocratique russe, doivent toutefois être relativisées. Tout d'abord, même si elles n'ont pas connu la même explosion spectaculaire qu'en Russie, les inégalités ont fortement progressé dans tous les pays d'Europe centrale et orientale. La part du revenu national allant aux 10 % les plus riches était inférieure à 25 % en 1990, et elle avoisine en 2018 les 30 %-35 % en Hongrie, en République tchèque, en Bulgarie et en Roumanie, voire 35 %-40 % en Pologne. La part allant aux 50 % les plus pauvres a baissé dans des proportions similaires[3]. L'ampleur du rattrapage des niveaux de vie sur l'Europe de l'Ouest doit également être ramenée à ses justes proportions. Le revenu moyen en vigueur dans les pays d'Europe de l'Est, exprimé en parité de pouvoir d'achat, est certes passé d'à peine 45 % de la moyenne européenne en 1993 à environ 65 %-70 % en 2018. Mais compte tenu de la chute de la production et des revenus constatée lors de l'effondrement du système communiste en 1989-1993, le niveau observé à la fin des années 2010 reste au final très éloigné de l'Europe de l'Ouest, et peu différent de celui des années 1980 (environ 60 %-65 %, autant que les statistiques disponibles permettent d'en juger[4]).

---

1. Les sociaux-démocrates du SLD, au pouvoir en 1993-1997 et 2001-2005, jouèrent un rôle majeur dans la transition postcommuniste polonaise, avant de s'effondrer lors des élections de 2005 et de céder la place à un affrontement entre les libéraux-conservateurs de la plate-forme civique (PO) et les nationalistes-conservateurs du parti droit et justice (PiS). Voir chapitre 16, p. 1003-1008.

2. Voir M. PIATKOWSKI, *Europe's Growth Champion. Insights from the Economic Rise of Poland*, Oxford University Press, 2018, p. 193-195. L'auteur insiste également sur le rôle positif joué par le système éducatif égalitaire issu de la période communiste, qui a permis de briser les structures sociales hyperinégalitaires encore en place au cours de l'entre-deux-guerres.

3. Voir annexe technique et T. BLANCHET, L. CHANCEL, A. GETHIN, « How Unequal is Europe ? Evidence from Distributional National Accounts, 1980-2017 », WID.world, 2019, fig. 9. Voir également le *Rapport sur les inégalités mondiales 2018* et les travaux de F. Novokmet cités plus bas.

4. Voir annexe technique et T. BLANCHET, L. CHANCEL, A. GETHIN, « How Unequal is Europe ? Evidence from Distributional National Accounts, 1980-2017 », art. cité, fig. 4.

Ces résultats socio-économiques en demi-teinte permettent de mieux comprendre les sentiments de frustration et d'incompréhension qui se sont développés au sein de l'Union européenne au cours des années 2000-2020. L'euphorie consécutive à l'intégration dans l'Europe a rapidement laissé la place à la déception et aux récriminations. Pour les Européens de l'ouest de l'UE, les citoyens de l'est de l'UE n'ont aucune raison de se plaindre. Ils ont notamment bénéficié de leur arrimage à l'UE, qui les a tirés du mauvais pas où ils s'étaient placés à la suite de leurs errements communistes, sans compter qu'ils ont reçu et continuent de recevoir de généreux transferts venus de l'ouest de l'Union. De fait, si l'on examine la différence entre les dépenses reçues (notamment au titre des fonds structurels d'investissement) et les contributions versées, telles qu'enregistrées très officiellement par l'office statistique de l'UE (Eurostat), on constate par exemple que des pays comme la Pologne, la Hongrie, la République tchèque ou la Slovaquie ont reçu des transferts nets compris entre 2 % et 4 % de leur PIB entre 2010 et 2016 (voir graphique 12.10). À l'inverse, les principaux pays ouest-européens, à commencer par l'Allemagne, la France et le Royaume-Uni, ont versé au cours de cette même période des

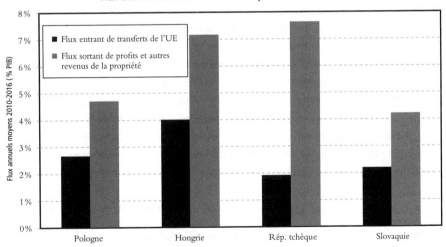

Graphique 12.10

Flux entrants et flux sortants en Europe de l'Est, 2010-2016

Lecture : entre 2010 et 2016, le flux annuel de transferts nets en provenance de l'UE (différence entre la totalité des dépenses reçues et des contributions versées au budget de l'UE) s'est élevé à 2,7 % du PIB par an en moyenne en Pologne ; sur la même période, le flux sortant de profits et autres revenus de la propriété (net du flux sortant correspondant) s'est élevé à 4,7 % du PIB. Pour la Hongrie, ces mêmes chiffres étaient de 4 % et 7,2 %.
Sources et séries : voir piketty.pse.ens.fr/ideologie.

transferts nets de l'ordre de 0,2 %-0,3 % de leur PIB, transferts dont l'évocation par les partisans du Brexit a d'ailleurs joué un rôle considérable outre-Manche lors de la campagne référendaire de 2016[1]. Compte tenu d'un tel accès de générosité, on comprend mal en Europe de l'Ouest la frustration et la rancœur qui s'expriment à l'Est, parfois sous la forme de l'élection de gouvernements nationalistes en rupture ouverte avec Bruxelles, Berlin et Paris, notamment en Pologne et en Hongrie.

Dans la partie est du continent, les perceptions sont totalement différentes. On considère souvent que la stagnation des revenus s'explique parce que les pays périphériques d'Europe de l'Est ont été placés par les puissances dominantes de l'UE dans un état de subordination économique permanente, et leurs habitants continuent d'être traités comme des citoyens de seconde zone. Concrètement, une vision très répandue à Varsovie, à Prague ou Budapest est que les investisseurs venus de l'Ouest (les Allemands et les Français notamment) se sont servis des pays de l'Est comme d'un réservoir de main-d'œuvre à bon marché, où ils ont réalisé d'immenses profits. De fait, après l'effondrement du communisme, les investisseurs occidentaux sont graduellement devenus propriétaires d'une part considérable du capital des ex-pays de l'Est : environ un quart si l'on considère l'ensemble du stock de capital (immobilier inclus), et plus de la moitié si l'on se limite à la détention des entreprises (et plus encore pour les très grandes entreprises).

Les travaux éclairants de Filip Novokmet ont ainsi montré que, si les inégalités ont moins fortement progressé en Europe de l'Est qu'en Russie ou aux États-Unis, c'est largement parce qu'une bonne partie des hauts revenus issus du capital est-européen sont versés à l'étranger (à l'image d'ailleurs de ce qui se produisait avant le communisme, avec des détenteurs du capital qui étaient déjà allemands, français ou autrichiens[2]). Au fond, il n'y a guère que pendant la période communiste que l'Europe de l'Est n'était pas possédée par des propriétaires venus de l'Ouest. Elle était toutefois sous l'emprise militaire et politico-idéologique de son grand voisin

---

1. Le budget total de l'Union européenne est d'environ 1 % du PIB de l'UE. Il est alimenté principalement par des versements proportionnels au RNB (revenu national brut) de chaque État membre. Il est adopté conjointement par le Parlement européen et le Conseil des chefs d'État (statuant à l'unanimité). Voir annexe technique sur ces données budgétaires.

2. Voir F. NOVOKMET, *Between Communism and Capitalism. Essays on the Evolution of Income and Wealth Inequality in Eastern Europe 1890-2015* (*Czech Republic, Poland, Bulgaria, Croatia, Slovenia, Russia*), EHESS, 2017. Les études par pays sont disponibles sur WID.world. Voir annexe technique.

russe, situation encore plus pénible et à laquelle personne ne souhaite revenir. De ces choix cornéliens découle sans doute un certain désarroi.

Les conséquences de ces détentions patrimoniales transfrontalières en termes de flux de revenus sont loin d'être négligeables. Les comptes nationaux indiquent en effet que les flux sortants de profits et autres revenus de la propriété (intérêts, dividendes, etc.), nets des flux entrants correspondants, étaient compris entre 4 % et 7 % du PIB en moyenne entre 2010 et 2016 dans les différents pays d'Europe de l'Est, soit un niveau sensiblement plus élevé que les transferts en provenance de l'Union européenne, aussi bien pour la Pologne et la Hongrie que pour la République tchèque et la Slovaquie (voir graphique 12.10).

De la « naturalisation » des forces de marché en Union européenne

Cette comparaison entre les deux flux n'implique certes pas que l'intégration européenne ait été une mauvaise affaire pour l'Europe de l'Est (contrairement à ce que tentent parfois d'accréditer certains dirigeants nationalistes). Les flux sortants de profits sont en effet la contrepartie d'investissements réalisés dans ces pays (et parfois aussi de privatisations avantageuses), qui, en toute logique, ont pu contribuer à l'amélioration de la productivité d'ensemble et donc du niveau des salaires en Europe de l'Est. Il reste que les progressions salariales ont été bien plus limitées que celles qui étaient espérées, en partie du fait du pouvoir de négociation des propriétaires occidentaux, qui peuvent menacer de retirer leurs capitaux en cas de rentabilité insuffisante, ce qui leur a permis de comprimer les hausses promises.

En tout état de cause, l'ampleur des flux en jeu implique que la question mérite d'être posée. De façon générale, le niveau exact des salaires et des profits ne tombe pas du ciel. Il dépend notamment des institutions et règles sociales et syndicales en vigueur dans chaque pays, ainsi que des régulations légales et fiscales mises en place ou non au niveau européen (d'autant plus importantes qu'il est difficile pour un petit pays d'influer seul sur les mécanismes de fixation des salaires). La question est particulièrement pertinente dans un contexte historique où la part des salaires dans la valeur ajoutée des entreprises manifeste une tendance à la baisse au niveau européen et mondial depuis les années 1980-1990, et la part des profits une tendance symétrique à la hausse, phénomène qui peut en partie être attribué à l'évolution du pouvoir de négociation des action-naires et des syndicats[1]. Concrètement, des institutions collectives et des règles fiscales et salariales européennes différentes auraient pu conduire (et pourraient conduire à l'avenir) à des salaires plus élevés en Europe de l'Est et donc à une réduction significative des flux de profits sortants, avec potentiellement un impact macroéconomique important, du même ordre que les flux entrants en provenance de l'Union européenne[2]. La question peut donc difficilement être évacuée *a priori*. Il est peu contestable que les pays d'Europe de l'Ouest ont tiré des bénéfices commerciaux et financiers substantiels de l'intégration de l'Europe de l'Est dans l'Union européenne (cela vaut notamment pour l'Allemagne, compte tenu de la situation géo-graphique et de la spécialisation industrielle du pays). Par conséquent, la question du partage des gains qui en ont résulté est légitime et importante, d'autant plus qu'ils ont contribué à la formation d'un excédent commercial allemand de dimension inédite[3].

Du point de vue des puissances dominantes du continent européen, et en particulier de l'Allemagne et de la France, on a pourtant tendance à ignorer entièrement cette question des flux de profits privés sortants d'Europe de l'Est. Implicitement, on part du principe que le « marché » et la « libre concurrence » conduisent à une répartition juste des richesses, et on considère les transferts réalisés à partir de cet équilibre « naturel » comme un acte de générosité de la part des gagnants du système (d'où une vision entièrement centrée sur les transferts publics). En réalité, les relations de propriété et de production sont toujours complexes, surtout au sein de communautés humaines de grande taille comme l'UE, et ne peuvent être

---

1. Sur les différents facteurs expliquant la baisse de la part des salaires, voir annexe technique. Voir également T. PIKETTY, *Le Capital au XXIᵉ siècle, op. cit.*, chapitre 6, et L. KARABARBOUNIS, B. NEIMAN, « The Global Decline of the Labor Share », *Quarterly Journal of Economics*, vol. 129, n° 1, 2014, p. 61-103.

2. Par exemple, si les flux de profits sortants de Hongrie ou de République tchèque étaient réduits de 30 %, le gain pour ces pays avoisinerait les 2 %-2,5 % du PIB par an. Voir graphique 12.10.

3. Les flux d'exportations et d'importations étaient à des niveaux similaires en Allemagne et en France jusqu'aux années 1990 (autour de 20 %-25 % du PIB), avant de doubler en Allemagne au cours de la période 1995-2015 (40 %-45 % en 2015) et de connaître une pro-gression plus modérée en France (30 % en 2015), et plus conforme à l'évolution mondiale générale. L'évolution allemande est liée à une très forte intégration des circuits de production avec l'Europe de l'Est et s'est accompagnée de la constitution d'un excédent commercial considérable et de l'accumulation d'importants actifs extérieurs. Voir annexe technique et graphique supplémentaire S12.10. Voir également chapitre 7, graphique 7.9, p. 331.

régulées par la seule grâce du « marché ». L'équilibre de marché n'a rien de particulièrement « naturel ». Il dépend toujours d'institutions et de règles particulières, issues de compromis sociohistoriques spécifiques, et en particulier du système légal, fiscal et social, du droit du travail et des entreprises, et du pouvoir de négociation des salariés. Le fait que l'UE soit fondée principalement sur la libre circulation des capitaux et des biens et la mise en concurrence des territoires, quasiment sans aucune politique fiscale et sociale commune, a inévitablement un impact sur la fixation du niveau des salaires et des profits, et en l'occurrence tend à avantager les acteurs les plus mobiles (donc les investisseurs et les propriétaires plutôt que les salariés).

Cette tendance des acteurs économiques dominants à « naturaliser » les forces de marché et les inégalités qui en résultent s'observe d'ailleurs fréquemment, aussi bien à l'intérieur des pays qu'entre les pays. Ceci est particulièrement frappant au sein de l'Union européenne et a conduit au cours de la période 1990-2020 à des malentendus et des incompréhensions lourds de menaces pour le projet européen, non seulement entre l'est et l'ouest du continent, mais également entre le nord et le sud, à la faveur de la crise de la dette de la zone euro et de la vague spéculative sur les taux d'intérêt. Le traité de Maastricht, qui avait fixé en 1992 les règles de fonctionnement de la monnaie unique, n'avait pas jugé utile d'engager l'unification des dettes publiques ou des fiscalités. Le compromis noué entre les différents pays avait consisté à repousser à plus tard ces questions politiques complexes, et à se concentrer sur de simples règles de déficit à ne pas dépasser, et surtout sur la composition et les pouvoirs de la Banque centrale européenne (BCE), puissante institution fédérale prenant ses décisions à la majorité simple[1]. Lors des premières années suivant la création de l'euro en 1999, l'hypothèse était naturellement que la monnaie unique était là pour durer. Fort logiquement, les taux d'intérêt étaient quasiment

---

1. Le Conseil des gouverneurs de la BCE est composé des gouverneurs des banques centrales des États membres de la zone euro (un siège par pays) et des six membres du directoire (le président, le vice-président et quatre autres membres), nommés pour huit ans par le Conseil des chefs d'État européens statuant à la majorité qualifiée (soit 55 % des États rassemblant 65 % de la population), ce qui permet généralement d'accroître la représentation des grands pays au Conseil des gouverneurs. Début 2019, le directoire compte ainsi un Italien, un Espagnol, un Français, une Allemande, un Belge et un Luxembourgeois. Introduit le 1er janvier 1999 pour les banques et les entreprises comme monnaie de compte, et le 1er janvier 2002 sous forme de billets et pièces pour les particuliers, l'euro concernait 11 pays sur 15 États membres de l'UE début 1999, et 19 pays sur 28 États membres début 2019.

identiques pour tous les États membres de la zone euro. Entre 2002 et 2008, les taux sur la dette publique à dix ans étaient d'environ 4 % par an, aussi bien pour l'Allemagne et la France que pour l'Italie, l'Espagne, le Portugal ou la Grèce. Cette situation, peu surprenante par temps calme, n'allait pas résister longtemps.

De fait, à mesure que s'approfondissait la crise financière déclenchée en 2007-2008 par l'effondrement des *subprimes* et la faillite de Lehman Brothers, et après que la BCE elle-même contribua à créer la panique autour de la dette grecque, de fortes divergences sur les taux d'intérêt commencèrent à apparaître[1]. Les taux demandés aux pays jugés les plus sûrs et les plus solides (en particulier l'Allemagne et la France) s'abaissèrent à moins de 2 % par an, alors que ceux exigés de l'Italie et de l'Espagne montèrent à 6 % (et même 12 % pour le Portugal et 16 % pour la Grèce en 2012). Comme toujours avec les marchés financiers, de tels mouvements spéculatifs prirent une dimension autoréalisatrice extrêmement forte. À partir du moment où l'on anticipe qu'un pays va devoir payer à l'avenir des intérêts aussi élevés sur sa dette, cela le met très rapidement dans une situation d'insolvabilité potentielle, ce qui renforce la détermination des opérateurs à exiger un taux d'intérêt élevé. Compte tenu de l'ampleur inédite prise par la financiarisation de l'économie et les capitaux spécula-tifs, qu'il serait d'ailleurs sage de réguler beaucoup plus strictement, seule une action déterminée des banques centrales et des pouvoirs publics peut apaiser de tels mouvements de panique. C'est ce qui arriva à partir de 2011-2012, quand la BCE et les dirigeants franco-allemands finirent par comprendre qu'il n'existait pas d'autre option pour sauver l'euro. Cette réaction tardive ne permit pas d'éviter une lourde récession en Grèce et dans les pays du sud de l'Europe, et plus généralement une rechute de l'activité économique en zone euro[2].

---

1. Voir annexe technique, graphique supplémentaire S12.11. Les *subprimes* sont des prêts immobiliers hyperrisqués dont le développement avait été favorisé par l'excès de dérégulation financière aux États-Unis. Lehman Brothers était l'une des principales banques d'affaires états-uniennes, et sa faillite en septembre 2008 déclencha une panique financière sans précédent depuis 1929, avant que la Federal Reserve n'intervienne massivement pour éviter les faillites en cascade. Fin 2009, la BCE déclara qu'elle cesserait d'accepter la dette publique grecque en garantie d'emprunt si sa note était dégradée par les agences de notation, ce qui revenait à placer l'avenir de la monnaie commune entre les mains d'acteurs qui n'avaient pourtant guère brillé par leur probité au cours des années précédentes. Cela contribua à doper la vague spéculative sur les taux.

2. Voir annexe technique, graphiques supplémentaires S12.12a-S12.12c. Compte tenu de cette rechute de 2011-2012, il faut attendre 2015 pour que la zone euro retrouve son niveau d'activité

Je reviendrai plus loin sur cette évolution récente du rôle des banques centrales et sur leur place dans le monde hyperfinanciarisé actuel, question qui va bien au-delà du cas de la zone euro[1]. À ce stade, je veux simplement préciser que cette intervention tardive s'accompagna d'un nouveau traité budgétaire durcissant les règles sur les déficits[2] et d'un fonds européen abondé par les États membres en proportion de leur PIB permettant de prêter aux pays attaqués par les marchés[3]. Concrètement, ce fonds permit de faire en sorte que les pays européens les plus riches, à commencer par l'Allemagne et la France, puissent prêter de l'argent à la Grèce, à un taux certes inférieur à celui exigé par les marchés financiers (qui était alors mirobolant), mais nettement supérieur à celui (quasi nul) auquel les deux généreux prêteurs empruntaient eux-mêmes sur les marchés. De la même façon qu'avec les flux de profits sortants d'Europe de l'Est, ces opérations aboutirent à deux lectures diamétralement opposées des événements. En Allemagne et en France, on s'imagine souvent que l'on a aidé les Grecs : on prend comme référence les prix de marché (donc ici les taux d'intérêt), et on considère toute déviation par rapport à cet équilibre comme un acte de générosité. En Grèce, la lecture est très différente : on y voit surtout une juteuse marge financière réalisée par les Franco-Allemands, tout cela après avoir imposé une lourde purge au pays, avec à la clé une montée en flèche du chômage, notamment pour les plus jeunes, et une grande braderie d'actifs publics à bas prix.

La vision consistant à sacraliser les prix de marché et les inégalités qui en découlent a le mérite de la simplicité et d'éviter les incertitudes pandoriennes déjà évoquées à de multiples reprises. Elle a aussi et surtout un intérêt évident pour les acteurs les plus puissants. Elle témoigne cependant d'un égoïsme à courte vue. Comme l'avait déjà noté Polanyi dans *La Grande Transformation*[4], les marchés doivent

---

économique (PIB) de 2007 (à un moment où les États-Unis, pourtant à l'origine de la crise, l'ont déjà dépassé de plus de 10 %), et 2018-2019 pour qu'elle retrouve son niveau de PIB par habitant.

1. Voir en particulier chapitre 13, graphiques 13.13 et 13.14, p. 812 et 817.

2. Le nouveau traité budgétaire européen conclu en 2012 (TSCG, traité sur la stabilité, la coordination et la gouvernance) a fixé à 0,5 % le déficit maximal, contre 3 % dans le cadre du traité de Maastricht (1992), avec en outre la mise en place d'un système de sanctions automatiques en cas de non-respect des règles (qui s'est révélé peu opérant en pratique). Voir annexe technique et chapitre 16.

3. Il s'agit du MES (Mécanisme européen de stabilité), également créé en 2012 par un nouveau traité.

4. K. POLANYI, *La Grande Transformation. Aux origines politiques et économiques de notre temps* (*The Great Transformation. The Political and Economic Origin of our Time*, 1944), Gallimard, coll. « Tel », 2009 – voir *supra* chapitre 10, p. 491 et 548-549.

être encastrés socialement et politiquement, et leur sacralisation ne peut conduire qu'à exacerber les tensions nationalistes et identitaires. Cela vaut particulièrement pour le marché du travail et le marché de la monnaie, et pour les prix qu'ils mettent sur les salariés et sur les pays. Les jeunes Grecs ou les jeunes Hongrois ne sont pas plus responsables du taux d'intérêt de marché et des dettes de leur pays que les jeunes Bavarois ou les jeunes Bretons des intérêts qu'ils touchent. Si l'Europe n'a rien d'autre à offrir que des relations de marché, il n'est pas sûr que l'ensemble tienne éternellement. À l'inverse, si les Grecs, les Hongrois, les Bavarois et les Bretons étaient considérés comme faisant partie d'une même communauté politique, disposant des mêmes droits pour délibérer et mettre en place des règles sociales, légales et fiscales communes, concernant par exemple la fixation des salaires, l'impôt progressif sur les revenus et les propriétés, etc., alors il serait envisageable de dépasser ces clivages identitaires et de les redéfinir sur une base socio-économique postnationale. Je reviendrai plus loin sur les traités européens et la possibilité de les refonder sur une base réellement démocratique et sociale, de façon à pouvoir développer des normes de justice acceptables pour le plus grand nombre[1].

Le postcommunisme et le piège social-nativiste

Revenons-en finalement à la situation politico-idéologique spécifique qui caractérise l'Europe de l'Est postcommuniste, en particulier pour ce qui concerne la montée du social-nativisme. Il ne fait aucun doute qu'il existe une forme générale de désillusion qui frappe l'ensemble des pays postcommunistes face à la question des inégalités socio-économiques et de la redistribution, et plus globalement face à la question de la régulation et du dépassement du capitalisme. En Europe de l'Est comme en Russie ou en Chine, on considère avoir fait les frais des promesses inconsidérées des divers révolutionnaires communistes et socialistes du passé, et on est généralement sceptique envers tous ceux qui pourraient donner l'impression de verser de nouveau dans des chimères du même type. On peut certes regretter que ce type de réactions manque parfois de finesse et de précision, et tende à mélanger des expériences historiques fort différentes. Ainsi que nous l'avons déjà noté, même si le soviétisme russe a échoué

---

1. Voir en particulier chapitre 16, p. 1026-1055.

dramatiquement, cela ne change rien au fait que la social-démocratie sué-doise a été un grand succès, et il est regrettable que la Russie postcommu-niste (ou d'ailleurs l'Europe de l'Est) n'ait pas cherché à mettre en place des institutions de type social-démocrate, plutôt que de se lancer dans une dérive oligarchique et inégalitaire. Il reste que ce sentiment de désillusion est très profondément ancré dans toutes les sociétés postcommunistes et constitue en ce début de XXIᵉ siècle un appui de poids pour l'idéologie néopropriétariste et plus généralement pour une certaine forme de conser-vatisme économique.

Dans le cas particulier de l'Europe de l'Est, ce facteur général est en outre renforcé par la petite taille des pays en question en termes de population comme de ressources naturelles, ce qui limite les possibilités de mener des stratégies de développement autonomes. Par comparaison, la Russie et la Chine ont des dimensions continentales qui leur permettent de se lancer dans des projets politiques qui leur sont propres (pour le meilleur ou pour le pire). Les pays d'Europe de l'Est sont en outre intégrés à l'Union euro-péenne, un espace économique qui ne pratique aucune politique commune en matière de fiscalité ou de réduction des inégalités, et au sein duquel les forces de la concurrence fiscale entre États membres limitent fortement les velléités de redistribution, et où les plus petits pays sont *de facto* incités à devenir des quasi-paradis fiscaux.

Ces différents facteurs concourent à expliquer pourquoi les partis de type socialiste ou social-démocrate ont quasiment disparu de l'échiquier électoral en Europe de l'Est, à l'image de la Pologne, où le conflit poli-tique oppose dorénavant les libéraux-conservateurs de la plate-forme civique (PO) et les nationalistes-conservateurs du parti droit et justice (PiS). Les deux partis sont relativement conservateurs sur le plan écono-mique, et en particulier sur la question de la progressivité fiscale, mais le PO se présente comme pro-européen, alors que le PiS fait vibrer la corde nationaliste. Pour cela, il est offusqué de voir la Pologne constamment traitée selon lui comme un pays de seconde zone. Surtout, le PiS prend la défense de ce qu'il considère être les valeurs polonaises et catholiques traditionnelles, par exemple sur l'interdiction de l'avortement ou du mariage homosexuel, le refus d'admettre la moindre complicité polonaise concernant la Shoah et le moindre antisémitisme polonais (quitte à cri-minaliser les chercheurs rassemblant les preuves du contraire), la reprise en main des médias et de la justice (menacée selon le PiS par les valeurs libérales), et l'opposition intransigeante à toute forme d'immigration extraeuropéenne. De ce point de vue, la crise des migrants de 2015, quand l'Allemagne adopta temporairement une politique relativement ouverte vis-à-vis des réfugiés venus de Syrie, constitue un moment important et révélateur de cette recomposition politique. Elle permit à un courant politique comme le PiS de s'opposer vigoureusement aux quotas de réfugiés envisagés un temps par les dirigeants européens, et par là même l'occasion de stigmatiser le PO (dont l'ancien leader Donald Tusk est devenu président du Conseil européen) comme inféodé aux diktats de Bruxelles, Berlin et Paris[1]. Dans le même temps, le PiS tente non sans succès de se présenter comme un meilleur défenseur des classes populaires et moyennes, en promouvant des politiques sociales redistributrices comme les allocations familiales et en stigmatisant la rigidité des critères budgétaires bruxellois. Au final, le positionnement idéologique du PiS s'apparente par certains côtés à une forme de « social-nativisme », au sens où nous l'avons déjà rencontré avec le parti démocrate dans les États-Unis de la fin du XIXe siècle et au début du XXe siècle[2], même s'il existe de nombreuses différences, à commencer par la désillusion postcommuniste. Ce qui est certain, c'est que ce type d'affrontement entre nationalistes-conservateurs et libéraux-conservateurs, que l'on retrouve dans une large mesure en Hongrie et dans les autres pays d'Europe de l'Est, n'a pas grand-chose à voir avec le conflit électoral gauche-droite « traditionnel » entre sociaux-démocrates et conservateurs observé en Europe occidentale et aux États-Unis pendant une grande partie du XXe siècle.

Nous reviendrons de façon détaillée dans la quatrième partie sur ces transformations politico-idéologiques, qui me semblent essentielles pour comprendre l'évolution des inégalités et les possibilités de reconstitution à l'avenir d'une coalition égalitaire et redistributrice. À ce stade, notons que ce clivage entre libéraux-conservateurs et nationalistes-conservateurs n'est pas simplement une curiosité de l'Europe de l'Est postcommuniste. Il s'agit d'une des trajectoires possibles vers lesquelles la structure du conflit politique et électoral pourrait se diriger à l'avenir dans un grand nombre de démocraties électorales occidentales, comme le suggèrent plusieurs évolutions récentes, aussi bien par exemple en France et aux États-Unis qu'en Italie. De façon générale, il s'agit d'une des formes que peut être amené

1. Sur l'articulation entre le Conseil européen et les autres institutions de l'UE, voir chapitre 16, p. 1026-1028.
2. Voir chapitre 6, p. 289-293.

à prendre le conflit idéologique dans des sociétés où l'on ferme l'horizon de la réduction des inégalités socio-économiques, et où l'on ouvre l'espace des conflits identitaires. Seule la construction d'un nouvel horizon égalitaire à visée universelle et internationaliste peut permettre de sortir de ces contradictions.

Chapitre 13

L'HYPERCAPITALISME :
ENTRE MODERNITÉ ET ARCHAÏSME

Nous venons d'analyser le rôle joué par les sociétés communistes et postcommunistes dans l'histoire des régimes inégalitaires, et en particulier dans le mouvement de retour des inégalités à l'œuvre depuis les années 1980-1990. De façon générale, le monde actuel est directement issu des grandes transformations politico-idéologiques qui ont marqué l'évolution des régimes inégalitaires au cours du XXe siècle. La chute du communisme a conduit au développement d'une forme de désillusion face à toute possibilité d'une économie juste, sentiment qui nourrit en ce début du XXIe siècle les replis identitaires et qui doit être dépassé. La fin du colonialisme a mené au développement de relations économiques et migratoires entre les différentes parties du monde sur une base supposément moins inégalitaire que par le passé. Mais le système mondial reste fortement hiérarchisé et insuffisamment social et démocratique, et ces relations ont engendré de nouvelles tensions, entre les pays comme à l'intérieur des pays. Enfin, le retour d'une forme de néopropriétarisme est patent, même si les différences avec le régime idéologique dominant au XIXe siècle sont nombreuses, et que le régime actuel est plus composite et fragile qu'il n'y paraît.

Nous allons étudier dans ce chapitre plusieurs des grands défis inégalitaires et idéologiques communs auxquels font face en ce début de XXIe siècle les différentes sociétés de la planète, en insistant sur le potentiel de changement et d'évolution. Nous allons d'abord analyser les différentes formes de l'inégalité extrême dans le monde au XXIe siècle, au confluent de logiques anciennes et nouvelles. J'insisterai ensuite sur l'opacité économique et financière croissante qui caractérise le monde actuel, en particulier pour la mesure et l'enregistrement des revenus et des patrimoines financiers. Cela peut surprendre dans une civilisation qui célèbre régulièrement l'avènement de l'âge de l'information et du big data, et témoigne d'une certaine démission des autorités étatiques et statistiques publiques. Surtout, cela complique singulièrement le développement d'un débat mondial informé sur les inégalités et sur les solutions à apporter aux problèmes qui se posent, à commencer par celui du réchauffement climatique, qui pourrait servir de déclencheur du changement. Puis nous passerons en revue plusieurs autres défis inégalitaires globaux fondamentaux : le maintien de fortes disparités hommes-femmes de type patriarcal, auxquelles seules des mesures volontaristes extrêmement fortes pourraient venir à bout ; la paupérisation paradoxale de l'État dans les pays en développement, conséquence d'une libéralisation commerciale imposée et insuffisamment préparée et coordonnée politiquement ; et enfin le nouveau rôle joué par la création monétaire depuis 2008, qui a profondément perturbé les perceptions du rôle respectif de l'État et des banques centrales, de l'impôt et de la monnaie, et plus généralement les représentations de l'économie juste. L'ensemble nous permettra de dresser les contours du néopropriétarisme contemporain et de mieux comprendre les questions posées par son dépassement.

Les formes de l'inégalité dans le monde au XXIe siècle

La caractéristique la plus évidente du régime inégalitaire en vigueur au niveau mondial en ce début de XXIe siècle tient au fait que les différentes sociétés de la planète sont désormais liées les unes aux autres avec une intensité inédite. La mondialisation est certes un processus de très long terme. Les relations entre les différentes parties du monde se sont graduellement multipliées depuis 1500, souvent sous les formes violentes du colonialisme et de l'esclavagisme, mais en impliquant également des formes d'échanges culturels et de brassages humains plus pacifiques. L'intégration commerciale, migratoire et financière de la planète avait déjà atteint une ampleur impressionnante au cours de la Belle Époque (1880-1914). La magnitude des contacts humains et des flux informationnels a toutefois pris une tout autre dimension au cours de la mondialisation digitale et hypercapitaliste des années 1990-2020. L'usage démultiplié des moyens de transport et surtout la diffusion instantanée des textes, des images et des sons aux quatre coins de la planète grâce aux technologiques de l'information ont conduit à des formes d'échanges et d'interdépendance culturelle, socio-économique et politico-idéologique inconnues auparavant.

Ces évolutions ont en outre pris place dans le contexte d'une forte croissance démographique doublée d'un rééquilibrage de grande ampleur. Les Nations unies prévoient ainsi une population mondiale de 9 milliards d'habitants d'ici à 2050, dont 5 milliards pour l'Asie, plus de 2 milliards pour l'Afrique, 1 milliard pour les Amériques et moins de 1 milliard pour l'Europe (voir graphique 13.1).

Graphique 13.1
La population mondiale par continents, 1700-2050

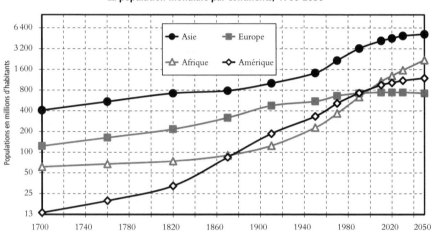

Lecture : autour de 1700, la population mondiale était d'environ 600 millions d'habitants, dont 400 en Asie-Pacifique, 120 en Europe-Russie, 60 en Afrique et 15 en Amérique. En 2050, d'après les prévisions des Nations unies, elle sera d'environ 9,3 milliards d'habitants, dont 5,2 en Asie-Pacifique, 2,2 en Afrique, 1,2 en Amérique et 0,7 en Europe-Russie.
Sources et séries : voir piketty.pse.ens.fr/ideologie.

Cette interconnexion du monde n'interdit toutefois pas une grande diversité des régimes sociopolitiques et inégalitaires. D'après les sources disponibles, la part du décile supérieur dans le revenu total est inférieure à 35 % en Europe et s'approche de 70 % au Moyen-Orient, en Afrique du Sud et au Qatar (voir graphique 13.2).

Si l'on examine les parts du revenu national allant aux 50 % les plus pauvres, aux 40 % suivants et aux 10 % les plus riches (ou encore aux 1 % les plus riches), on constate d'immenses variations entre les pays. Dans les pays les moins inégalitaires, la part du revenu total allant aux 10 % les plus riches est « seulement » 1,5 fois plus forte que celle allant aux 50 % les plus pauvres, contre sept fois plus forte dans les pays les plus inégalitaires (voir graphique 13.3).

Graphique 13.2

Les régimes inégalitaires dans le monde en 2018

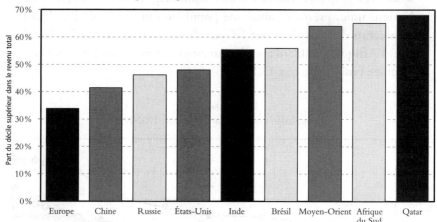

Lecture : en 2018, la part du décile supérieur (les 10 % des revenus les plus élevés) dans le revenu national était de 34 % en Europe, 41 % en Chine, 46 % en Russie, 48 % aux États-Unis, 55 % en Inde, 56 % au Brésil, 64 % au Moyen-Orient, 65 % en Afrique du Sud et 68 % au Qatar.
Sources et séries : voir piketty.pse.ens.fr/ideologie.

Graphique 13.3

L'inégalité en 2018 : Europe, États-Unis, Moyen-Orient

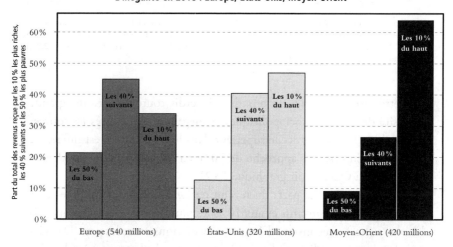

Lecture : la part des 10 % des revenus les plus élevés dans le total des revenus atteint 64 % du revenu total au Moyen-Orient (420 millions d'habitants), contre 9 % pour les 50 % les plus pauvres. En Europe (UE élargie, soit au total 540 millions d'habitants) ces deux parts sont de 34 % et 21 %, et aux États-Unis (320 millions d'habitants) de 47 % et 13 %.
Sources et séries : voir piketty.pse.ens.fr/ideologie.

Quant à la part allant aux 1 % les plus riches, elle est moitié plus faible que celle allant aux 50 % les plus pauvres dans les pays les plus égalitaires (ce qui est déjà considérable, s'agissant d'un groupe cinquante fois moins nombreux). Elle est plus de trois fois plus élevée dans les pays les plus inégalitaires (voir graphique 13.4).

Graphique 13.4

Les régimes inégalitaires dans le monde en 2018 : les 50 % du bas *vs* les 1 % du haut

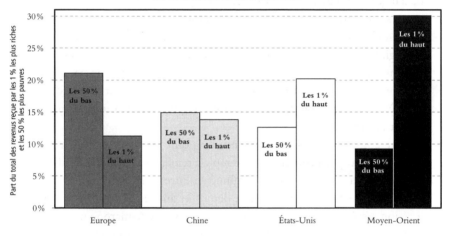

Lecture : la part des 1 % des revenus les plus élevés dans le total des revenus atteint 30 % du revenu total au Moyen-Orient, contre 9 % pour les 50 % les plus pauvres. En Europe ces deux parts sont de 11 % et 21 %, en Chine de 14 % et 15 %, et aux États-Unis de 20 % et 13 %.
Sources et séries : voir piketty.pse.ens.fr/ideologie.

Tout cela démontre à quel point il est erroné de se contenter de moyennes macroéconomiques (comme le PIB par habitant) pour comparer les pays. Une même moyenne peut dissimuler des réalités totalement différentes en fonction de la répartition entre groupes sociaux en vigueur dans le pays considéré.

De façon générale, ces écarts entre régions mondiales sont importants et informatifs, et peuvent aider à mieux comprendre la nature des institutions sociales et fiscales permettant de préserver une inégalité moins forte qu'ailleurs (par exemple en Europe). Il faut cependant garder à l'esprit que les niveaux d'inégalité sont élevés et croissants sur la quasi-totalité de la planète (y compris en Europe[1]). Il serait par conséquent peu pertinent

---

1. Voir Introduction, graphique 0.3, p. 37.

d'instrumentaliser ce type d'informations pour expliquer aux classes populaires et moyennes européennes que leur sort est infiniment enviable et justifierait bien quelques sacrifices. Malheureusement, cette stratégie argumentative est souvent utilisée en ce début de XXIᵉ siècle par les groupes sociaux et politiques généralement situés tout en haut de l'échelle occidentale et mondiale des revenus et de la propriété, le plus souvent pour justifier des sacrifices en leur faveur. Ce type de discours peut avoir son efficacité politique pour les principaux intéressés, mais il n'est pas exempt de dangers. La plupart des Européens sont parfaitement conscients du fait que les inégalités en Europe sont moins fortes qu'en Afrique du Sud, au Moyen-Orient, au Brésil ou aux États-Unis. Leur expliquer que les lois intangibles de la mondialisation et de l'économie impliqueraient nécessairement un alignement sur ces niveaux d'inégalité (affirmation par ailleurs totalement fantaisiste et infondée, et qui n'aide nullement à résoudre les problèmes qui se posent) est sans doute le plus sûr moyen de leur faire rejeter la mondialisation.

Une comparaison plus pertinente du point de vue des habitants du continent européen consiste par exemple à remarquer que les inégalités de revenus, qui avaient fortement diminué en Europe au cours du XXᵉ siècle, ont augmenté de façon significative depuis les années 1980-1990[1]. La progression a été certes moins forte qu'ailleurs, mais elle marque néanmoins une rupture de tendance parfaitement claire et bien documentée. Surtout elle n'admet aucune justification évidente. En particulier, cette hausse des inégalités s'est accompagnée d'un abaissement de la croissance[2]. Il faut en outre préciser que les inégalités sont toujours restées extrêmement fortes en valeur absolue. En particulier, la concentration de la propriété n'a en réalité jamais cessé de se situer à des niveaux impressionnants dans les différents pays européens. Or cette concentration patrimoniale est en progression depuis les années 1980-1990, avec à peine 5 % du patrimoine privé total détenu par les 50 % les plus pauvres, contre 50 %-60 % pour les 10 % les plus riches[3].

Si l'on examine maintenant les régions du monde où les inégalités sont les plus fortes, il est intéressant de constater qu'elles correspondent à plusieurs types distincts de régimes politico-idéologiques

1. Voir chapitre 10, graphiques 10.1-10.5, p. 493-498.
2. Voir chapitre 11, graphique 11.14, p. 635.
3. Voir chapitre 4, graphiques 4.1 et 4.2, p. 161 et 163 ; chapitre 5, graphiques 5.4 et 5.5, p. 237 et 238 ; chapitre 10, graphiques 10.4 et 10.5, p. 497 et 498.

(voir graphique 13.2)[1]. Parmi les pays et régions les plus inégalitaires en ce début de XXIe siècle, on trouve d'une part des pays qui se caractérisent par un lourd héritage en termes d'inégalités statutaires et de discriminations raciales, coloniales et esclavagistes. C'est le cas pour l'Afrique du Sud, qui a supprimé l'apartheid au début des années 1990, ou pour le Brésil, qui est le dernier pays à avoir supprimé l'esclavage à la fin du XIXe siècle[2]. La dimension raciale et le passé esclavagiste peuvent également contribuer à expliquer pourquoi les États-Unis sont plus inégalitaires que l'Europe, et ont eu plus de difficultés à bâtir des institutions de type social-démocrate[3].

Le Moyen-Orient, sommet des inégalités mondiales

On trouve également au sommet de la hiérarchie inégalitaire du monde des régions comme le Moyen-Orient, où les inégalités ont des origines plus « modernes », dans le sens où elles sont liées non pas à des divisions raciales ou esclavagistes anciennes, mais à la concentration des ressources pétrolières sur de petits territoires aux populations limitées par rapport à l'ensemble de la région[4]. Ces ressources pétrolières, exportées sur toute la planète, sont en cours de transformation en richesses financières permanentes, par l'entremise des marchés financiers et du système légal international. Ce mécanisme sophistiqué permet de comprendre le niveau exceptionnel d'inégalités qui caractérise la région. C'est ainsi par exemple que les ressources totales dont dispose le système éducatif d'un pays comme l'Égypte, dont la population atteint les 100 millions d'habitants, sont cent fois plus faibles que les recettes pétrolières dont

---

1. Voir également L. Assouad, L. Chancel, M. Morgan, « Extreme Inequality : Evidence from Brazil, India, the Middle East and South Africa », WID.world, 2018, *AEA Papers and Proceedings*, vol. 108, mai 2018, p. 119-123.

2. Voir chapitres 6-7. Sur l'impact de long terme de l'esclavage sur l'inégalité au Brésil, voir T. Fujiwara, H. Laudares, F. Valencia, « Tordesillas, Slavery and the Origins of Brazilian Inequality », Princeton University Press, 2019.

3. Voir chapitres 10-11. Nous y reviendrons dans la prochaine partie (en particulier chapitre 15).

4. Le Moyen-Orient est ici défini comme la région allant de l'Égypte à l'Iran et de la Turquie à la péninsule arabique, soit environ 420 millions d'habitants. Pour une présentation détaillée de ces estimations, voir F. Alvaredo, L. Assouad, T. Piketty, « Measuring Inequality in the Middle East 1990-2016 : The World's Most Unequal Region ? », WID.world, Working Paper Series, n° 2017/5, *Review of Income and Wealth*, 2019.

bénéficient l'Arabie saoudite, les Émirats ou le Qatar, dont les populations sont souvent minuscules[1].

Les inégalités au Moyen-Orient sont par ailleurs étroitement liées au système de frontières mis en place dans la région par les Franco-Britanniques à la suite de la Première Guerre mondiale, puis à la protection militaire intéressée que les puissances occidentales ont accordée aux pétro-monarchies. Sans cette protection, il est probable que la carte politique de la région aurait connu des transformations importantes, en particulier à la suite de l'invasion du Koweït par l'Irak en 1990[2]. L'intervention militaire de 1991, qui visait à restituer le pétrole du Koweït à ses émirs et à promouvoir les intérêts occidentaux, se déroula en même temps que l'effondrement de l'Union soviétique, ce qui a d'ailleurs facilité l'intervention des Occidentaux (désormais sans rival). Ces événements marquent l'entrée symbolique dans la nouvelle ère politico-idéologique hypercapitaliste. Ils illustrent également la fragilité du compromis trouvé à l'époque. Quelques décennies plus tard, le régime inégalitaire moyen-oriental apparaît véritablement comme un condensé du mélange explosif d'archaïsme, de modernité hyperfinanciarisée et d'irrationalité collective qui caractérise parfois notre époque. On y trouve de fortes traces de logiques coloniales et militaires ; des gisements pétroliers qui feraient mieux de rester dans le sol pour éviter le réchauffement climatique ; et des systèmes légaux et financiers internationaux extrêmement sophistiqués permettant de pérenniser les droits de propriété et de les placer à l'abri des convoitises. On notera également que les pétro-monarchies du golfe Persique sont avec la Russie postcommuniste les pays au monde qui utilisent le plus intensivement les paradis fiscaux[3].

Ajoutons à ce sujet que les estimations indiquées sur le graphique 13.2 concernant les inégalités au Moyen-Orient ou au Qatar doivent être considérées comme des bornes inférieures, compte tenu des limitations des sources disponibles et des hypothèses que nous avons échafaudées. La mesure des

---

1. Voir T. Piketty, *Le Capital au XXIᵉ siècle, op. cit.*, p. 877-879.

2. Voir chapitre 9, p. 477-479.

3. Voir chapitre 12, graphique 12.5, p. 700. Ceci montre au passage que le fait pour des propriétaires de s'inscrire dans des régimes inégalitaires autoritaires et sans fiscalité progressive n'empêche pas de se méfier de possibles retournements de l'opinion publique et des rapports de force sociopolitiques. Les redéfinitions de droits de propriété survenues lors de la séquestration-spoliation des principaux milliardaires saoudiens (famille royale et Premier ministre libanais compris) organisée par le prince héritier Mohamed ben Salman au Ritz-Carlton de Riyad en 2017 viennent d'ailleurs rappeler que les rapports de force entre factions rivales ne sont pas absents de ces régimes propriétaristes.

inégalités à l'intérieur des pays du Moyen-Orient est en effet compliquée par l'extrême opacité de l'accès aux données sur les revenus et les patrimoines, en particulier au sein des pétro-monarchies. Tout laisse pourtant à penser que ces dernières se caractérisent par une très forte concentration des richesses, aussi bien parmi la population nationale qu'entre cette dernière et la main-d'œuvre étrangère (qui atteint 90 % de la population totale au Qatar, aux Émirats et au Koweït, et plus de 40 % en Arabie saoudite, à Oman et à Bahreïn). Faute de données suffisantes, les estimations reprises ici reposent sur des hypothèses minimales sur ces inégalités à l'intérieur des pays du Moyen-Orient, et découlent principalement des très forts écarts entre pays. En adoptant des hypothèses alternatives (et sans doute plus réalistes), on obtiendrait pour les pétro-monarchies, notamment au Qatar et aux Émirats, des parts du revenu total de l'ordre de 80 %-90 % (et non de 65 %-70 %) pour le décile supérieur, soit des niveaux d'inégalité voisins de ceux constatés dans les sociétés esclavagistes les plus inégalitaires observées dans l'histoire[1].

Il ne fait guère de doute que ce niveau extrême d'inégalité observé au Moyen-Orient contribue à aiguiser les tensions et à l'instabilité persistante de la région. En particulier, le grand écart entre les valeurs religieuses officiellement affichées par les régimes en place, fondées sur des principes de partage et d'harmonie sociale à l'intérieur de la communauté des croyants, et la réalité de la situation est particulièrement de nature à exacerber les accusations d'illégitimité et les violences. Dans l'absolu, une organisation régionale fédérale et démocratique, sous la forme de la Ligue arabe ou d'autres organisations politiques, pourrait permettre de partager les richesses et de prendre en charge de vastes projets d'investissement pour la jeunesse de la région. Pour l'instant, on n'en prend guère le chemin[2]. Cela découle des limitations des stratégies déployées par les acteurs politiques régionaux, mais aussi du fait que l'imaginaire politico-idéologique mondial est insuffisamment porté sur des solutions de cette nature. En

---

1. Voir F. Alvaredo, L. Assouad, T. Piketty, « Measuring Inequality in the Middle East 1990-2016 : The World's Most Unequal Region ? », WID.world, Working Paper Series, n° 2017/5, figures 9a-9b, et annexe technique. Sur l'inégalité dans les sociétés esclavagistes et coloniales, voir chapitre 7, graphiques 7.2 et 7.3, p. 312 et 313.

2. Il existe bien des tentatives de redéfinition des frontières et de construction de nouvelles structures étatiques, mais jusqu'ici elles ont pris la forme d'un projet de dictature autoritaire et expansionniste avec Saddam Hussein en 1990-1991, ou bien d'un projet de restauration d'un califat et de pratiques guerrières et misogynes anciennes et brutales avec l'« État islamique » (Daech) en 2014-2019.

particulier, les États occidentaux comme les acteurs privés européens et étatsuniens trouvent souvent des avantages au *statu quo*, notamment quand les pétro-monarchies leur achètent des armes ou financent leurs clubs sportifs ou leurs universités. Pourtant, ici comme ailleurs, le respect absolu des relations de domination et des droits de propriété issus du passé ne suffit pas à définir un modèle viable de développement. Les acteurs occidentaux auraient en réalité tout intérêt à voir plus loin que leurs intérêts financiers de court terme et à promouvoir un agenda fédéraliste, social et démocratique permettant de sortir de ces contradictions. C'est le refus de penser des solutions postnationales et égalitaires nouvelles qui finit par engendrer des projets politiques autoritaires et réactionnaires, dans l'Europe de la première moitié du XXᵉ siècle comme dans le Moyen-Orient de la fin du XXᵉ siècle et du début du XXIᵉ siècle[1].

La mesure des inégalités et la question de la transparence démocratique

La hausse des inégalités est avec le réchauffement climatique l'un des principaux défis auxquels la planète est confrontée en ce début de XXIᵉ siècle. Alors que le XXᵉ siècle avait été marqué par une réduction historique des inégalités, la remontée observée depuis les années 1980-1990 contribue à une profonde remise en cause de la notion même de progrès. Les défis inégalitaires et climatiques sont d'ailleurs étroitement liés, et ne pourront être résolus qu'ensemble. Il est clair en effet que la résolution du problème du réchauffement climatique, ou tout du moins son atténuation, va exiger des transformations substantielles des modes de vie. Pour que celles-ci soient acceptables par le plus grand nombre, il est indispensable que les changements et efforts demandés soient répartis de la façon la plus juste possible. Cette exigence de justice est d'autant plus évidente que les plus riches, aussi bien entre pays qu'à l'intérieur des pays, sont responsables d'une part disproportionnée des émissions de gaz à effet de serre, et que les conséquences du réchauffement vont être autrement plus dures pour les plus pauvres.

Pour ces différentes raisons, la question de la transparence démocratique sur les inégalités et la répartition des richesses est essentielle. Sans indicateurs intelligibles fondés sur des sources fiables et systématiques, il est impossible de développer un débat public serein au niveau national, régional et *a fortiori*

---

1. Voir chapitre 10, p. 559-561, sur les analyses de Hannah Arendt au sujet de l'Europe.

mondial. Les données présentées dans ce livre sont issues pour une part importante de la World Inequality Database (WID.world), un consortium indépendant s'appuyant sur un grand nombre de centres de recherche et d'organisations, et dont le principal objectif est précisément de permettre au débat public sur les inégalités de s'appuyer sur les informations les plus complètes et les plus accessibles possible[1]. Ces travaux reposent sur une confrontation systématique des différentes sources disponibles (comptes nationaux, enquêtes auprès des ménages, données fiscales et successorales, etc.). Elles permettent de dresser une première cartographie des régimes inégalitaires dans le monde et de leur évolution. Il faut cependant souligner que les sources actuellement disponibles, malgré tous les efforts des chercheurs, restent parcellaires et insuffisantes. Cela tient notamment aux limitations considérables des données rendues publiques par les gouvernements et les administrations. Le monde actuel se caractérise même par certains côtés par une opacité économique et financière accrue, en particulier pour ce qui concerne la mesure et l'enregistrement des revenus et des patrimoines financiers. Cela peut sembler paradoxal à une époque où les technologies de l'information devraient permettre en principe une plus grande transparence sur ces questions. Cela traduit dans certains cas une véritable démission des administrations étatiques, fiscales et statistiques concernées, et surtout un refus politico-idéologique de prendre au sérieux la question des inégalités, et notamment des inégalités de propriété.

Commençons par la question des indicateurs utilisés pour décrire et analyser la répartition des richesses. Il est essentiel qu'ils soient aussi intuitifs que possible, afin de permettre une large appropriation citoyenne. C'est pourquoi il est préférable d'avoir recours à des indicateurs comme la part du revenu total (ou du patrimoine total) allant aux 50 % les plus pauvres, aux 40 % suivants et aux 10 % les plus riches. De cette façon, chacun peut se faire une idée relativement concrète de ce à quoi correspondent les différentes répartitions (voir graphiques 13.2-13.4).

Pour comparer les niveaux d'inégalité entre pays, un indicateur particulièrement simple et expressif fondé sur ces données consiste à calculer le

---

1. Voir la discussion dans l'Introduction. Initialement lancé au début des années 2000, le réseau WID.world regroupe actuellement plus de 100 chercheurs couvrant plus de 70 pays sur tous les continents et travaille en collaboration étroite avec de multiples autres centres et organisations spécialisés dans l'étude des inégalités comme le CEG, le CEQ, le LIS ou le programme des Nations unies pour le développement. Voir le site WID.world et le *Rapport sur les inégalités mondiales 2018* (wir2018.wid.world).

rapport entre le revenu moyen des 10 % les plus riches et celui des 50 % les plus pauvres, ou bien entre le revenu moyen des 1 % les plus riches et celui des 50 % les plus pauvres. On obtient alors des écarts entre pays extrêmement significatifs. Par exemple, on constate que le rapport entre le revenu moyen des 10 % les plus riches et celui des 50 % les plus pauvres est égal à environ 8 en Europe, 19 aux États-Unis et 35 en Afrique du Sud ou au Moyen-Orient (voir graphique 13.5).

Graphique 13.5

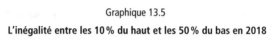

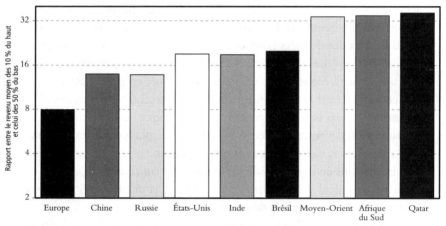

Lecture : en 2018, le rapport entre le revenu moyen du décile supérieur (les 10 % des revenus les plus élevés) et de la moitié inférieure (les 50 % les plus bas) était égal à 8 en Europe, 14 en Chine et en Russie, 19 aux États-Unis et en Inde, 20 au Brésil, 34 au Moyen-Orient, 35 en Afrique du Sud et 36 au Qatar.
Sources et séries : voir piketty.pse.ens.fr/ideologie.

Quant au rapport entre le revenu moyen des 1 % les plus riches et celui des 50 % les plus pauvres, il est actuellement d'environ 25 en Europe, 80 aux États-Unis et 160 au Moyen-Orient (voir graphique 13.6).

L'avantage de ce type d'indicateur est double : il peut être compris très simplement, et il peut être relié directement à des questions de politique fiscale ou sociale. En particulier, chacun peut se faire son opinion sur la façon dont différents taux d'imposition permettent de modifier la répartition des revenus[1]. Il en va de même si l'on examine la concentration de la

1. En l'occurrence, les répartitions indiquées sur les graphiques 13.2-13.6 portent sur les revenus après prise en compte des retraites et des allocations-chômage (et après déduction des cotisations et prélèvements correspondants), mais avant prise en compte des autres transferts

propriété et sa possible redistribution : les parts allant aux différents groupes permettent immédiatement de comprendre comment une redistribution des droits de propriété pourrait affecter ce que détiennent les uns et les autres (nous y reviendrons plus loin).

Graphique 13.6

L'inégalité entre les 1 % du haut et les 50 % du bas en 2018

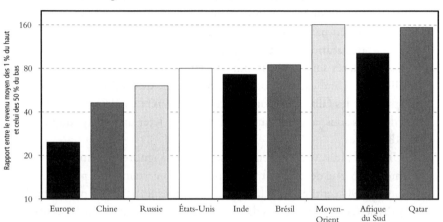

Lecture : en 2018, le rapport entre le revenu moyen du centile supérieur (les 1% des revenus les plus élevés) et de la moitié inférieure (les 50 % les plus bas) était égal à environ 25 en Europe, 46 en Chine, 61 en Russie, 80 aux États-Unis, 72 en Inde, 85 au Brésil, 161 au Moyen-Orient, 103 en Afrique du Sud et 154 au Qatar.
Sources et séries : voir piketty.pse.ens.fr/ideologie.

À l'inverse, les indicateurs tels que le coefficient de Gini, souvent utilisé dans les mesures officielles des inégalités, sont beaucoup plus difficiles à interpréter. En particulier, ce type de coefficient, compris entre 0 (égalité complète) et 1 (inégalité complète), ne permet pas de savoir quels groupes sociaux ont causé telle ou telle variation de l'indicateur au cours du temps ou entre pays. Par exemple, les inégalités ont fortement augmenté entre le milieu et le haut de la répartition mondiale des revenus depuis 1980, alors qu'elles diminuaient nettement entre le bas et le milieu de la distribution,

---

et des impôts directs et indirects. La prise en compte des autres impôts et transferts réduit d'environ 20 %-30 % les inégalités (telles que mesurées par exemple par le rapport entre le revenu moyen des 10 % les plus riches et les 50 % les plus pauvres) en Europe et aux États-Unis. Voir chapitre 11, graphique 11.9. La redistribution fiscale est plus faible en Afrique du Sud ou au Moyen-Orient (où les inégalités seraient réduites d'à peine 10 %, voire pas du tout, compte tenu de la faiblesse ou de l'inexistence des impôts progressifs et de la prépondérance des impôts indirects) et conduirait donc à accroître les écarts entre pays indiqués sur les graphiques 13.5-13.6. Voir annexe technique.

si bien qu'un indicateur synthétique de type Gini pourrait à tort donner l'impression d'une totale stabilité et d'une croissance équilibrée[1]. Plus généralement, le coefficient de Gini donne une vision exagérément apaisée et aseptisée des inégalités. Il tend à masquer les conflits entre les groupes sociaux en chair et en os qui composent la hiérarchie des revenus et des patrimoines, et il conduit souvent à aplatir les évolutions en cours[2]. Ajoutons que le calcul de ce coefficient se fonde généralement sur des données qui tendent elles-mêmes à sous-estimer structurellement l'ampleur des inégalités, et en particulier sur les enquêtes auprès des ménages fondées sur l'autodéclaration, au sein desquelles les plus hauts revenus et patrimoines déclarés sont souvent ridiculement faibles. Dans ces conditions, l'utilisation d'indicateurs comme le coefficient de Gini revient souvent à dissimuler les faiblesses (voire parfois le caractère totalement aberrant) des données sous-jacentes, ou tout du moins à jeter un voile pudique sur ces difficultés[3].

Un autre indicateur souvent utilisé consiste à ignorer purement et simplement la partie de la répartition au-delà d'un certain seuil, par exemple au-delà du 90e centile (au-delà duquel se situent les 10 % les plus riches), et à diviser ce seuil par la médiane (le seuil correspondant au 50e centile, partageant la population en deux moitiés de taille égale) ou par le seuil du 10e centile (au-dessous duquel se trouvent les 10 % les plus pauvres[4]). Le problème d'une telle approche est que cela revient à oublier une part considérable des richesses totales : la part du décile supérieur dans le revenu total est généralement comprise entre 30 % et 70 %, et celle du décile supérieur dans le total des propriétés s'échelonne généralement entre 50 % et 90 %. Si l'on choisit de passer sous le tapis une telle proportion des richesses, il est peu probable que l'on parvienne à contribuer à la transparence du

---

1. Voir la discussion dans l'Introduction au sujet de la « courbe de l'éléphant » (graphique 0.5, p. 41).

2. Voir également T. PIKETTY, *Le Capital au XXIe siècle, op. cit.*, p. 417-425.

3. Par définition, les données par déciles et percentiles présentées ici peuvent être utilisées pour calculer les coefficients de Gini, qui sont également disponibles dans la base de données WID.world (mais qui sont moins expressifs que les parts des déciles et centiles). Par contre, les coefficients de Gini ne permettent pas seuls de faire apparaître les parts des déciles et centiles, qui ne sont souvent pas publiées dans les analyses centrées sur ces coefficients ou les indicateurs du même type (Theil).

4. Ce type de ratio, parfois désigné P90/P50 ou P90/P10, serait donc égal à 1 (égalité complète) dans une société où les 5 % du haut détiendraient la totalité des revenus ou des propriétés, et où les 95 % du bas seraient tous approximativement au même niveau.

débat démocratique ou à rehausser la crédibilité des statisticiens et des institutions publiques.

Du manque de transparence fiscale des États

Au-delà du choix des indicateurs, la question la plus importante pour la mesure des inégalités est évidemment celle des sources disponibles. La seule façon de parvenir à une vision d'ensemble des inégalités consiste à confronter l'ensemble des sources disponibles (comptes nationaux, enquêtes, données fiscales), qui apportent des éclairages complémentaires sur différents segments de la répartition. L'expérience indique que les données fiscales, bien que très imparfaites, conduisent généralement à améliorer substantiellement la qualité de la mesure, et en particulier à corriger fortement les données d'enquêtes concernant le haut de la distribution (que ces dernières sous-estiment toujours massivement), y compris dans des pays où l'administration fiscale manque de moyens pour effectuer les contrôles et lutter contre la fraude et où les données issues de l'impôt sur le revenu sont rudimentaires. Par exemple, nous avons vu dans le précédent chapitre que les données fiscales disponibles pour la Russie et la Chine, bien que particulièrement incomplètes et insatisfaisantes pour ces deux pays, nous ont néanmoins permis de corriger substantiellement à la hausse les mesures officielles des inégalités (à base exclusivement d'enquêtes) et d'aboutir à des résultats plus plausibles (bien que probablement sous-estimés). En Inde et au Brésil, grâce notamment au soutien de nombreux chercheurs, citoyens et journalistes, les gouvernements et administrations ont accepté de nous ouvrir au cours des dernières années des données fiscales auparavant inaccessibles, ce qui a permis d'améliorer notre connaissance des inégalités de revenus dans ces pays[1]. De même, des travaux récents portant sur le

---

1. Sur le cas de l'Inde, voir L. CHANCEL, T. PIKETTY, « Indian Income Inequality 1922-2015 : From British Raj to Billionaire Raj ? », WID.world, Working Paper Series, n° 2017/11. L'Inde comporte la particularité d'avoir totalement interrompu la publication de ses statistiques fiscales entre 2002 et 2016, en plein « âge de l'information ». Sur le Brésil, voir M. MORGAN, « Falling Inequality Beneath Extreme and Persistent Concentration : New Evidence on Brazil Combining National Accounts, Surveys and Fiscal Data, 2001-2015 », WID.world, Working Paper Series, n° 2017/12. Ces travaux ont permis dans ces deux pays de révéler une forte croissance de la part des hauts revenus au cours de la période récente. Dans le cas des États-Unis, c'est aussi l'utilisation des données fiscales et administratives qui a permis de mettre en évidence la hausse historique des inégalités des décennies récentes. Voir T. PIKETTY, E. SAEZ, « Income Inequality in the US, 1913-1998 », *Quarterly Journal of*

Liban, la Côte d'Ivoire et la Tunisie ont montré que les données fiscales permettaient une amélioration significative par comparaison aux mesures précédemment disponibles[1]. Dans tous ces pays, les données issues des différents systèmes d'impôts sur les revenus actuellement en vigueur, en dépit de leurs insuffisances et du fait que de nombreux revenus échappent sans doute à ces impôts, ont conduit à revoir substantiellement à la hausse les mesures officielles des inégalités. Cela donne une idée de l'ampleur de la sous-estimation des mesures officielles généralement utilisées, qui se contentent souvent d'utiliser les enquêtes fondées sur l'autodéclaration, ce qui peut biaiser considérablement le débat public[2].

Le fait d'utiliser les sources fiscales, aussi imparfaites soient-elles, permet également de constater le cas échéant la mauvaise application de la loi fiscale et l'administration défaillante de l'impôt, et d'apporter des outils permettant à la société de se mobiliser pour exiger une amélioration et contrôler les progrès réalisés au cours du temps. Par exemple, dans le cas de la Chine, la publication année après année et ville par ville du nombre de contribuables figurant dans les tranches des revenus les plus élevés et d'informations détaillées sur la composition de leurs revenus permettrait sans doute de lutter beaucoup plus efficacement contre la corruption que les roulements de tambour du régime actuel. Il en va de même dans tous les pays. La transparence fiscale permet de relier la question de l'observation des inégalités à celle de la transformation de l'État et de la mobilisation politique.

Malheureusement, la pression mise sur les gouvernements nationaux et leurs administrations pour ouvrir les données fiscales ne suffit pas à résoudre tous les problèmes. Une difficulté supplémentaire provient du fait que l'évolution du système fiscal et légal international tend également

---

Economics, vol. 118, n° 1, février 2003, p. 1-39 ; T. PIKETTY, E. SAEZ, G. ZUCMAN, « Distributional National Accounts : Methods and Estimates for the United States », *Quarterly Journal of Economics,* vol. 133, n° 2, mai 2018, p. 553-609.

1. Voir L. ASSOUAD, « Rethinking the Lebanese Economic Miracle : The Concentration of Income and Wealth in Lebanon 2005-2014 », WID.world, Working Paper Series, n° 2017/13 ; L. CZAJKA, « Income Inequality in Cote d'Ivoire 1985-2014 », WID.world, Working Paper Series, n° 2017/8 ; R. ZIGHED, « Income Inequality in Tunisia : An Application of Pareto Interpolations to Labor Income in Tunisia over the Period 2003-2016 », PSE, 2018.

2. Par mesures « officielles » je désigne ici les mesures publiées par les instituts statistiques gouvernementaux. Il convient de préciser que la responsabilité pour ce manque de transparence incombe aux autorités politiques et aux insuffisances des données fiscales disponibles, et non aux personnes travaillant dans ces organismes, qui sont souvent les premières à demander un meilleur accès aux sources.

à diminuer la qualité des données disponibles. La libre circulation des capitaux, doublée de l'absence de coordination internationale suffisante sur les questions fiscales, et en particulier de l'absence de transmission automatique d'informations au sujet des détentions patrimoniales transfrontalières, a ainsi conduit un certain nombre de pays, en particulier en Europe, à créer des régimes fiscaux dérogatoires pour les revenus du capital. En pratique, cela a également eu pour conséquence une détérioration des sources permettant de relier les revenus du travail et du capital d'une même personne. On peut imaginer que l'appauvrissement des sources dans les pays européens augure mal de l'évolution dans les pays moins riches. Ces difficultés de mesure des inégalités de revenus deviennent encore plus problématiques quand il s'agit d'estimer la répartition de la propriété, qui est encore plus mal connue que celle des revenus, ainsi que nous le verrons plus loin.

Justice sociale, justice climatique

Examinons tout d'abord de plus près les limites de la notion de revenu dont on cherche à mesurer l'inégalité, et en particulier les difficultés rencontrées pour prendre pleinement en compte la dégradation environnementale et climatique. De façon générale, il est hautement préférable pour mesurer le bien-être économique d'un pays et de ses habitants d'utiliser la notion de revenu national plutôt que celle de produit intérieur brut (PIB). Rappelons les deux différences essentielles : le revenu national est égal au PIB diminué de la dépréciation du capital (aussi appelée la consommation de capital fixe, c'est-à-dire l'usure des équipements, machines, bâtiments, etc.) et augmenté des revenus nets en provenance de l'étranger (ou diminué des revenus nets à destination de l'étranger, suivant la situation du pays). Par exemple, un pays où toute la population serait occupée à reconstruire le capital détruit par un ouragan pourrait avoir un PIB élevé mais un revenu national nul. Il en irait de même dans un pays dont toute la production partirait à l'étranger pour rémunérer les propriétaires de son capital. La notion de PIB traduit une vision centrée sur la production, sans souci pour la dégradation du capital (en particulier celle du capital naturel) ni pour la répartition des revenus et de la propriété. Pour ces différentes raisons, le revenu national est une notion nettement plus satisfaisante. Il s'agit aussi d'une notion plus intuitive : le revenu national par habitant correspond au revenu moyen dont disposent réellement les habitants du pays en question[1].

Le problème est que les estimations disponibles ne permettent pas de mesurer correctement la dépréciation du capital naturel[2]. En pratique, les comptes nationaux officiels enregistrent certes une hausse tendancielle de la dépréciation du capital. Au niveau mondial, la consommation de capital fixe représentait à peine plus de 10 % du produit intérieur brut dans les années 1970, et elle atteint près de 15 % du produit intérieur brut à la fin des années 2010[3]. Autrement dit, le revenu national représentait en moyenne environ 90 % du PIB dans les années 1970, et 85 % du PIB actuellement[4]. Cette dépréciation en hausse correspond à une obsolescence accélérée de certains équipements, machines ou ordinateurs,

1. Le revenu national est aussi appelé « produit national net » ou « revenu national net » (par opposition au « produit national brut » ou « revenu national brut », qui prend en compte les revenus étrangers mais ne déduit pas la consommation de capital). Pour une brève histoire de ces catégories et de la comptabilité nationale, voir T. PIKETTY, *Le Capital au XXIe siècle*, chapitre 1. Le revenu national par habitant correspond au revenu moyen du pays avant impôts et transferts. Il est aussi égal au revenu moyen après impôts et transferts, mais à condition de prendre en compte l'ensemble des dépenses publiques comme des transferts en nature : éducation, santé, sécurité, etc. Voir annexe technique.

2. Il s'agit du problème le plus grave, mais il en existe bien d'autres sur lesquels je ne peux pas m'étendre ici. En particulier la question de la frontière entre la consommation privée des ménages et la consommation dite « intermédiaire » réalisée au sein des entreprises (qui en pratique peut s'apparenter à un surplus de consommation privée pour les dirigeants et les propriétaires des entreprises, ce qui n'est pas pris en compte dans le calcul du revenu national et des inégalités, bien que ce phénomène puisse prendre des proportions massives au sommet de la répartition) mériterait beaucoup plus d'attention à l'avenir. Il est fort possible que ce biais nous conduise à sous-estimer les inégalités de façon significative.

3. Cette tendance s'observe dans toutes les régions, et particulièrement dans les pays riches. Voir T. BLANCHET, L. CHANCEL, « National Accounts Series Methodology », WID.world, Working Paper Series, n° 2016/1, figure 2.

4. Par définition, les revenus nets en provenance de l'étranger et à destination de l'étranger s'équilibrent au niveau mondial (à condition toutefois de bien réintégrer les flux transitant par les paradis fiscaux). En pratique, ces flux de revenus nets étrangers (qui sont principalement des flux de revenus du capital, et à titre secondaire des flux de revenus du travail temporaire à l'étranger) sont moins importants que la dépréciation : ils sont généralement compris entre -2 % et +2 % du PIB, et le plus souvent entre -1 % et +1 %. Il existe cependant des pays massivement détenus par des investisseurs étrangers où le flux sortant peut atteindre 5 %-10 % du PIB, voire davantage (il s'agit généralement de pays pauvres, par exemple en Afrique subsaharienne ; il peut aussi s'agir de pays qui ont beaucoup misé sur les investissements étrangers, comme l'Irlande, où le flux sortant dépasse 20 % du PIB), et à l'inverse des pays où le flux entrant peut atteindre 5 %-10 % du PIB, comme la France et le Royaume-Uni à la Belle Époque, ou des pays pétroliers comme la Norvège aujourd'hui. Voir annexe technique.

qui ont besoin d'être remplacés plus régulièrement aujourd'hui que dans le passé[1].

En principe, ces estimations devraient également inclure la consommation de capital naturel. En pratique, cela pose plusieurs séries de difficultés. Si l'on examine tout d'abord les estimations disponibles sur l'ampleur des extractions annuelles de ressources naturelles des années 1970 aux années 2010, en particulier sous forme d'hydrocarbures (pétrole, gaz, charbon), de ressources minérales (fer, cuivre, zinc, nickel, or, argent, etc.) et de bois, on constate d'une part que ces flux sont très substantiels (généralement entre 2 % et 5 % du PIB mondial suivant les années), et d'autre part qu'ils varient énormément dans le temps (en fonction notamment de l'évolution des prix) et suivant les pays. Précisons que ces calculs portent sur la valeur annuelle des extractions réalisées, nette de la reconstitution des différentes ressources (très lente pour les hydrocarbures et les richesses minérales, un peu moins lente pour les forêts) et comportent de nombreuses incertitudes[2].

Le premier problème est que les valeurs de marché utilisées pour évaluer ces flux ne sont probablement pas les plus pertinentes. En toute logique, il faudrait prendre en compte le coût social de ces extractions, et en particulier l'impact des émissions carbone (et autres gaz à effet de serre) sur le réchauffement climatique. De telles estimations sont par nature très incertaines. La *Stern Review* avait évalué en 2007 que le réchauffement climatique pourrait entraîner à terme des pertes annuelles comprises entre 5 % et 20 % du PIB mondial[3]. L'accélération du réchauffement diagnostiqué au cours des dix dernières années ouvre la possibilité de trajectoires comprenant des formes d'emballement et d'effets en chaîne

---

1. Pour un stock de capital de l'ordre de 500 % de PIB, une consommation de capital fixe de 10 % correspond à une dépréciation moyenne de 2 % par an, alors qu'une consommation de capital fixe de 15 % par an correspond à une dépréciation moyenne de 3 % par an. En pratique, la dépréciation varie énormément suivant les types d'actifs : elle peut être inférieure à 1 % par an pour des immeubles ou des entrepôts et supérieure à 20 %-30 % par an pour certains équipements.

2. Les extractions annuelles nettes peuvent atteindre 10 %-20 % du PIB pour les pays pétroliers et de nombreux pays pauvres (en particulier en Afrique). Voir annexe technique sur les séries disponibles et les incertitudes qui les entourent. Voir également E. B. BARBIER, « Natural Capital and Wealth in the 21st Century », *Eastern Economic Journal*, 2016 ; ID., *Nature and Wealth : Overcoming Environmental Scarcity and Inequality*, Palgrave Macmillan, 2015. Voir aussi G. M. LANGE, Q. WODON, K. CAREY, *The Changing Wealth of Nations 2018. Building a Sustainable Future*, World Bank, 2018, p. 66, fig. 2B3.

3. Voir N. STERN, *The Stern Review : The Economics of Climate Change*, Cambridge University Press, 2007.

encore plus importantes[1]. Ainsi que nous l'avons déjà noté, il n'est pas certain que cela ait toujours un sens de vouloir tout ramener à une quantification en termes monétaires[2]. En l'occurrence, il peut être plus pertinent de fixer des cibles à ne pas dépasser en termes de réchauffement, puis de traduire les conséquences sur les émissions maximales envisageables et les différentes politiques à mettre en œuvre, en particulier (mais pas seulement) en termes de « prix du carbone » et de taxe à imposer sur les émissions carbone les plus importantes. En tout état de cause, il est indispensable de raisonner à l'avenir en termes de croissance du revenu national et non du produit intérieur brut, et de prendre en compte dans le calcul de la consommation de capital fixe des estimations plausibles du véritable coût social des extractions de ressources naturelles (quitte à proposer plusieurs variantes[3]).

La seconde difficulté est que les comptes nationaux, tels qu'ils ont été développés jusqu'à présent, ne commencent à prendre en compte les ressources naturelles qu'à partir du moment où elles font l'objet d'une exploitation économique. Autrement dit, si une compagnie ou un pays commence l'exploitation d'un gisement en 2000 ou 2010, la valeur des réserves en question n'apparaîtra généralement dans les estimations du total des propriétés privées ou publiques figurant dans ses comptes nationaux officiels qu'à partir de 2000 ou 2010[4]. En revanche, elle n'apparaîtra pas dans les estimations de 1970 ou 1980, alors même que ces gisements étaient de toute évidence déjà présents sur la planète à ces dates. Cela peut potentiellement biaiser fortement des évolutions telles que la supposée progression du total des propriétés privées (en pourcentage du revenu national

1. Voir par exemple « Global Warming of 1,5 °C », IPCC (Intergovernmental Panel on Climate Change), 2018, et tous les rapports de l'IPCC/GIEC sur www.ipcc.ch.

2. Voir chapitre 12, p. 711-713.

3. Favoriser dans le débat public l'utilisation du revenu national plutôt que celle du PIB était l'une des recommandations du rapport Stiglitz (*Report by the Commission on the Measurement of Economic Performance and Social Progress*, 2009), mais elle n'a à ce jour guère été suivie d'effets.

4. Précisons que la notion de comptes nationaux patrimoniaux (permettant de faire apparaître les stocks d'actifs et de passifs des différentes catégories d'acteurs économiques, par opposition aux comptes nationaux traditionnels centrés sur les flux annuels de production et de revenus) est elle-même relativement récente et rapidement évolutive. Elle a été généralisée au niveau international par les nouvelles normes SNA (System of National Accounts) adoptées en 1993 et 2008. Elle est encore en cours d'application dans de nombreux pays et évoluera à l'avenir, en fonction notamment des mobilisations des différents acteurs sociaux, économiques et politiques. Voir annexe technique.

ou du produit intérieur brut) observée depuis les années 1970-1980[1]. Des recherches en cours pour des pays riches en ressources naturelles (comme le Canada) montrent que cela peut suffire à totalement inverser les tendances longues, et que les différentes séries mériteraient d'être reprises de façon rétrospective[2]. Cela illustre de nouveau une conclusion sur laquelle nous avons déjà insisté à plusieurs reprises, à savoir que la progression de la valeur totale des propriétés privées traduit souvent une augmentation du pouvoir accordé à la propriété privée en tant qu'institution sociale, et non pas une augmentation du « capital de l'humanité » en un sens général.

On retrouve la même problématique avec l'appropriation privée des connaissances. Si une compagnie obtient un jour le droit de s'approprier le théorème de Pythagore, et de facturer des droits financiers à tout écolier utilisant ledit théorème, alors il est probable que sa capitalisation boursière sera substantielle, et par conséquent que le total des propriétés privées sur la planète s'accroîtra de façon significative, surtout si l'on étend l'opération à d'autres pans du savoir. Pourtant, le capital de l'humanité ne se sera pas accru d'un pouce, puisque le théorème en question est connu depuis plusieurs millénaires. Le cas peut sembler extrême, mais il n'est pas sans rapport avec la situation de compagnies privées comme Google se lançant dans la numérisation-appropriation de bibliothèques et collections publiques, avec la possibilité de facturer ensuite l'accès à des ressources qui étaient auparavant publiques et gratuites, et de générer ainsi des gains considérables (et potentiellement sans rapport avec les investissements réalisés). Plus généralement, la capitalisation boursière des entreprises technologiques inclut des brevets et des savoir-faire qui n'auraient pas pu voir le jour sans les connaissances et les recherches fondamentales financées sur fonds publics et accumulées par l'humanité depuis des dizaines d'années. Ces appropriations privées de connaissances communes pourraient fort bien prendre une ampleur décuplée au cours du XXIe siècle. Tout dépendra notamment de l'évolution du système légal et fiscal, et des mobilisations sociales et politiques à ce sujet[3].

1. Voir chapitre 10, graphique 10.8, p. 505, et annexe technique.
2. Voir annexe technique. Voir également E. B. BARBIER, « Natural Capital and Wealth in the 21st Century », art. cité, 2016.
3. Voir A. KAPCZYNSKI, « Four Hypotheses on Intellectual Property and Inequality », Yale Law School, 2015 ; G. KRIKORIAN, A. KAPCZYNSKI, *Access to Knowledge in the Age of Intellectual Property*, Mit Press, 2010. Voir également J. BOYLE, « The Second Enclosure Movement and the Construction of the Public Domain », *Law and Contemporary Problems*, hiver 2003, p. 33-74 ; D. KOH, R. SANTAEULÀLIA-LLOPIS, Y. ZHENG, « Labor Share Decline

De l'inégalité des émissions carbone
entre pays et entre individus

Enfin, la troisième difficulté, et sans doute la plus importante, est qu'il est impératif de prendre en compte les inégalités environnementales, à la fois en termes de dommages causés et de dommages subis. En particulier, les émissions carbone ne sont pas simplement de la responsabilité des pays producteurs d'hydrocarbures ou des pays qui accueillent les usines intensives en émissions. Elles sont également de la responsabilité des consommateurs dans les pays importateurs, et particulièrement des plus riches d'entre eux. En utilisant les données disponibles sur les répartitions de revenus dans les différents pays, ainsi que les enquêtes permettant de relier les niveaux de revenus et les profils de consommation, il est possible d'estimer comment se répartissent les habitants de la planète. Les principaux résultats obtenus sont résumés sur le graphique 13.7. Ces estimations prennent en compte à la fois les émissions directes (par exemple au travers des transports et du chauffage individuels) et indirectes, c'est-à-dire au travers des biens consommés par les uns et les autres, et des émissions nécessitées par leur production et leur transport vers le lieu de consommation[1]. Si l'on prend en compte la totalité des émissions carbone au cours de la période 2010-2018, on constate que l'Amérique du Nord et la Chine sont chacune responsables d'environ 22 % des émissions mondiales, l'Europe de 16 %, et le reste du monde d'environ 40 %. Mais si l'on se concentre sur les émissions individuelles les plus importantes, alors la répartition change complètement. Parmi les émissions supérieures à 2,3 fois la moyenne mondiale, ce qui correspond aux 10 % des émissions les plus élevées (qui regroupent environ 45 % du total des émissions mondiales), l'Amérique du Nord représente 46 % du total, l'Europe 16 % et la Chine 12 %. Si l'on examine les émissions supérieures à 9,1 fois la moyenne mondiale, c'est-à-dire les 1 % des émissions les plus élevées (qui concentrent 14 % des émissions totales, soit davantage que les 50 % des habitants de la planète qui émettent le moins), alors l'Amérique

---

and the Capitalization of Intellectual Property Products », School of Economic and Finance, Working Paper, n° 873, 2018.

    1. Pour une présentation détaillée des méthodes et résultats, voir L. CHANCEL, T. PIKETTY, « Carbon and Inequality : From Kyoto to Paris. Trends in the Global Inequality of Carbon Emissions (1998-2013) and Prospects for an Equitable Adaptation Fund », WID.world, Working Paper Series, n° 2015/7. Voir aussi L. CHANCEL, *Insoutenables inégalités. Pour une justice sociale et environnementale*, Les Petits Matins, 2017.

du Nord (en pratique essentiellement les États-Unis) regroupe 57 % du total, contre 15 % en Europe, 6 % en Chine et 22 % dans le reste du monde (dont près de 13 % pour le Moyen-Orient et la Russie, et à peine 4 % en Inde, Asie du Sud-Est et Afrique subsaharienne[1]).

Graphique 13.7

La répartition mondiale des émissions carbone, 2010-2018

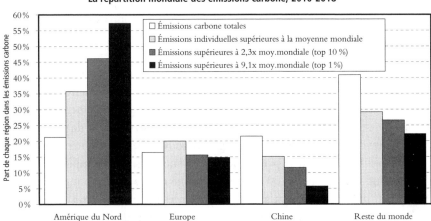

Lecture : la part de l'Amérique du Nord (États–Unis-Canada) dans les émissions carbone totales (directes et indirectes) est de 21 % en moyenne en 2010-2018 ; elle passe à 36 % des émissions individuelles supérieures à la moyenne mondiale (6,2t CO_2 par an), 46 % des émissions supérieures à 2,3 fois la moyenne mondiale (soit le top 10 % des émissions individuelles mondiales, responsables de 45 % des émissions totales, vs 13 % pour les 50 % les moins émetteurs), et 57 % des émissions supérieures à 9,1 fois la moyenne (soit le top 1 % des émissions individuelles mondiales, responsables de 14 % des émissions).
Sources et séries : voir piketty.pse.ens.fr/ideologie.

Cette concentration extrêmement élevée des plus fortes émissions aux États-Unis résulte à la fois de la plus forte inégalité des revenus et des modes de vie particulièrement énergivores (habitats espacés, véhicules polluants, etc.). Ces résultats ne suffiront certes pas à faire en sorte que la planète s'accorde sur la répartition des efforts. Dans l'absolu, compte tenu de la réalité des responsabilités, il ne serait pas illogique que les États-Unis compensent le reste de la planète pour les dommages infligés au bien-être mondial, qui sont potentiellement considérables (si l'on songe au fait que les dégâts causés par le réchauffement climatique peuvent atteindre de l'ordre de 5 %-20 % du PIB mondial, voire davantage). En pratique, il est peu

1. Pour les résultats par pays, voir L. CHANCEL, T. PIKETTY, « Carbon and Inequality : From Kyoto to Paris. Trends in the Global Inequality of Carbon Emissions (1998-2013) and Prospects for an Equitable Adaptation Fund », art. cité, table E4.

probable que cela vienne spontanément des États-Unis. Par contre, il n'est pas extravagant d'imaginer que le reste du monde puisse un jour demander des comptes et imposer au pays des sanctions permettant de compenser les dommages subis. L'ampleur des dégâts entraînés par le réchauffement climatique est telle que cela pourrait naturellement entraîner de violentes tensions politiques entre les États-Unis et le reste du monde[1]. En tout état de cause, la recherche de compromis et de normes de justice acceptables par le plus grand nombre devra s'appuyer sur une connaissance partagée de la répartition des émissions au niveau mondial.

La très forte inégalité des émissions individuelles a également des conséquences pour les politiques climatiques à mener au niveau national. La logique souvent défendue pour lutter contre le réchauffement est celle d'une taxe carbone proportionnelle aux émissions, en complément à toute une série de mesures concernant les normes de construction et de pollution et les investissements dans les énergies renouvelables. Autrement dit, on fixe un montant de taxe par tonne de carbone émis, par exemple avec un montant allant jusqu'à 100 dollars par tonne d'ici à 2030, comme le préconisait un rapport récent afin de respecter les accords de Paris de 2015[2]. Puis chaque pays met en place un système de taxes afin de faire en sorte que toutes les émissions, quelle que soit leur origine, acquittent en coût additionnel l'équivalent de 100 dollars par tonne[3]. Le problème d'un tel système de taxation proportionnelle du carbone est qu'il peut être socialement très injuste, à la fois entre pays et à l'intérieur des pays. En pratique, de nombreux ménages à revenus modestes ou moyens peuvent en effet se

---

1. En particulier, il serait naïf d'imaginer que les rapports de force purs et durs (y compris dans leur dimension militaire) ne joueront aucun rôle. Le président étatsunien Donald Trump explique régulièrement que le réchauffement est une invention destinée à rançonner son pays, et exige par ailleurs que ses « alliés » paient un prix plus élevé au titre du bouclier militaire généreusement apporté par les États-Unis. Il reste que le poids des États-Unis (actuellement environ 4 % de la population mondiale et 15 % du PIB mondial) ne va que décliner au cours des décennies à venir, d'où l'importance croissante des règles économiques et commerciales définies par le reste du monde.

2. Voir N. STERN, J. STIGLITZ, *Report of the High-Level Commission on Carbon Prices*, Banque mondiale, 2017.

3. En pratique, une confusion importante est liée au fait que cette taxe carbone est souvent censée s'ajouter aux taxes déjà existantes sur l'énergie (en particulier sur l'essence), qui sont parfois réputées corriger d'autres effets négatifs liés à l'usage de l'énergie (comme la pollution de l'air ou les embouteillages). Le problème est que tout ceci est généralement assez opaque et conduit souvent au soupçon à l'encontre de l'État qui se servirait de l'excuse environnementale pour prélever des taxes afin de financer des priorités d'une tout autre nature (ce qui malheureusement est fréquemment le cas).

retrouver à consacrer une plus forte proportion de leurs revenus à leur transport ou à leur chauffage que des ménages plus riches, en particulier en cas d'absence de transports collectifs adéquats ou si leur logement est mal isolé. Une meilleure solution consisterait à taxer à des taux plus élevés les émissions les plus importantes. On pourrait par exemple avoir une exemption pour les émissions inférieures à la moyenne mondiale, et une taxe de 100 dollars par tonne pour les émissions supérieures à la moyenne, puis 500 dollars au-delà de 2,3 fois la moyenne et 1 000 dollars au-delà de 9,1 fois la moyenne (voire davantage).

Nous reviendrons sur cette question de la taxe carbone progressive quand nous étudierons les contours d'un impôt juste (voir chapitre 17). À ce stade, notons simplement qu'aucune politique ne parviendra à lutter efficacement contre le réchauffement climatique si l'on ne place pas au cœur de la réflexion la question de la justice sociale et fiscale. Il existe plusieurs façons d'aller vers une taxe carbone progressive, durable et collectivement acceptable. Au minimum, il faut commencer par affecter intégralement les recettes de la taxe carbone à la transition écologique, en particulier pour compenser les ménages modestes les plus touchés. On peut également exonérer explicitement une première tranche de consommation minimale sur les factures d'électricité et de gaz, et imposer plus fortement les tranches plus élevées. On peut aussi taxer à des taux plus hauts le contenu carbone de certains biens et services particulièrement associés à des émissions importantes, comme les billets d'avion[1]. Ce qui est certain, c'est que, si l'on ne prend pas au sérieux la question des inégalités, alors on court le risque d'une incompréhension majeure et d'un blocage complet de toute politique climatique.

De ce point de vue, la révolte des Gilets jaunes survenue en France à la fin de l'année 2018 est particulièrement emblématique. Le gouvernement avait prévu de fortes hausses de la taxe carbone en 2018-2019, auxquelles il a finalement choisi de renoncer à la suite d'un violent mouvement de protestation. Il faut dire que l'affaire avait été particulièrement mal menée,

---

1. Compte tenu de l'usage observé de l'avion dans les différents pays et groupes de revenus, une taxe proportionnelle sur les billets d'avion conduirait à une répartition par pays proche de celle obtenue avec une taxe carbone s'appliquant uniquement aux émissions supérieures à la moyenne mondiale. Pour un résultat plus progressif, il faudrait taxer davantage les multi-voyageurs. Voir L. CHANCEL, T. PIKETTY, « Carbon and Inequality : From Kyoto to Paris. Trends in the Global Inequality of Carbon Emissions (1998-2013) and Prospects for an Equitable Adaptation Fund », art. cité, table E4, et annexe technique.

d'une façon presque caricaturale. Seule une part minoritaire (moins de 20 %) des nouvelles recettes de la taxe carbone était affectée à la transition écologique et aux mesures de compensation, le reste finançant d'autres priorités, et notamment d'importantes baisses d'impôts pour les groupes sociaux disposant des revenus et patrimoines les plus élevés[1].

Il faut également noter que les différentes formes de taxe carbone actuellement appliquées en France et en Europe contiennent de nombreuses exemptions. Cela concerne notamment le kérosène, qui dans le cadre des règles européennes et de la concurrence entre pays est totalement exonéré de taxe carbone. Concrètement, les ménages modestes ou moyens prenant leur voiture chaque matin pour aller travailler paient la taxe carbone à plein taux sur leur essence, mais les ménages les plus aisés qui prennent l'avion pour partir en week-end ne paient rien. Autrement dit, la taxe carbone dont il est question ici n'est même pas proportionnelle : elle est massivement et clairement régressive, avec des taux plus faibles sur les émissions carbone les plus élevées. Ce type d'exemple, abondamment repris dans le contexte des protestations de l'hiver 2018-2019 en France, a joué un rôle important pour convaincre les manifestants que cette politique était avant tout un prétexte pour leur faire payer davantage, et que les autorités françaises et européennes se souciaient avant tout des groupes sociaux les plus favorisés[2]. Certes, quelle que soit la politique climatique mise en œuvre, il y aura toujours des personnes exprimant leur opposition. Mais il paraît évident que les oppositions ne peuvent que se durcir si l'on ne tente même pas de se donner une chance d'adopter une taxe carbone juste. Cet épisode souligne de nouveau le rôle crucial de la mise en place de nouvelles formes de fiscalité transnationale, et en l'occurrence d'une véritable fiscalité européenne. Si les États européens continuent de fonctionner comme ils l'ont toujours fait, c'est-à-dire en partant du principe que les bienfaits de la concurrence fiscale l'emportent sur les complications et les coûts liés à une fiscalité commune (qui sont réels mais surmontables), alors il est probable qu'ils s'exposent à de nouvelles révoltes fiscales à l'avenir, et que par la même occasion ils compromettent durablement leur stratégie climatique. À l'inverse, les mobilisations climatiques, qui commencent à prendre de l'ampleur parmi les jeunes générations, pourraient contribuer à changer

---

1. Avec en particulier la suppression de l'impôt sur la fortune (ISF) et son remplacement par un impôt sur la fortune immobilière (IFI). Je reviendrai sur cet épisode dans le chapitre 14, p. 922-925.

2. L'autre exemple souvent cité était l'exonération du fioul utilisé dans le fret maritime international.

la donne de façon décisive sur les questions de transparence démocratique et de justice fiscale transnationale.

De la mesure de l'inégalité et de la démission des États

Il peut sembler paradoxal que l'époque actuelle, qui est souvent décrite comme l'âge de l'information et du big data, soit si lacunaire en statistiques publiques sur les inégalités. C'est pourtant la réalité, comme le montrent de façon extrême les problèmes posés par la mesure et l'enregistrement de la propriété et de sa répartition. Nous avons déjà noté plus haut les insuffisances des données disponibles concernant les revenus. Or il se trouve que la situation est bien pire encore en ce qui concerne les patrimoines, et en particulier les actifs financiers. Pour résumer : les administrations statistiques, les administrations fiscales et surtout les autorités politiques n'ont toujours pas pris la mesure de l'internationalisation des portefeuilles financiers, et ne se sont pas donné les moyens d'enregistrer efficacement l'évolution de la propriété financière et de sa répartition. Précisons d'emblée qu'il ne s'agit en aucune façon d'une impossibilité technique, mais bien d'un choix politique et idéologique, que nous allons tenter de mieux comprendre.

Il est certes possible, en exploitant et en confrontant de façon systématique l'ensemble des sources actuellement disponibles (comptes nationaux, enquêtes, données fiscales), de dresser les lignes essentielles de l'évolution de la concentration de la propriété dans les grandes régions du monde. Les principaux résultats obtenus sont indiqués sur les graphiques 13.8 et 13.9, qui décrivent l'évolution de la part du décile supérieur (les 10 % les plus riches) et du centile supérieur (les 1 % les plus riches) dans le total des propriétés privées en France, au Royaume-Uni, aux États-Unis, en Inde, en Chine et en Russie. Les séries les plus anciennes portent sur la France, où les très riches données successorales permettent de remonter jusqu'à l'époque de la Révolution française[1]. Les sources disponibles pour le Royaume-Uni et d'autres pays européens (comme la Suède) sont moins précises mais permettent également de remonter au début du XIXe siècle[2]. Pour les États-Unis, les données permettent de commencer à la fin du XIXe siècle et au début du XXe siècle, à la suite notamment de la création

---

1. Voir chapitre 4, p. 160-163.
2. Voir chapitre 5, p. 237-238.

d'un impôt fédéral sur les successions en 1916. En Inde, les sources disponibles (en particulier sous forme d'enquêtes sur les patrimoines) débutent dans les années 1960. En Chine et en Russie, ce n'est que depuis les vagues de privatisations des années 1990 qu'il est possible d'analyser l'évolution de la répartition de la propriété privée.

Graphique 13.8

Décile supérieur et propriété : pays riches et émergents

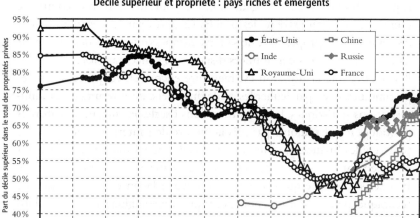

Lecture : la part du décile supérieur (les 10 % les plus riches) dans le total des propriétés privées (actifs immobiliers, professionnels et financiers, nets de dettes) a fortement progressé en Chine, en Russie, en Inde et aux États-Unis depuis les années 1980-1990, et à un degré moindre au Royaume-Uni et en France.
Sources et séries : voir piketty.pse.ens.fr/ideologie.

Les grandes lignes d'évolution obtenues sont relativement claires. Dans les pays occidentaux, la concentration de la propriété s'est fortement réduite depuis la Première Guerre mondiale jusqu'aux années 1970-1980, puis est nettement repartie à la hausse depuis les années 1980-1990[1]. La remontée des inégalités de patrimoines a été plus forte aux États-Unis ou en Inde qu'en France ou au Royaume-Uni, de la même façon d'ailleurs que pour les inégalités de revenus. La hausse de la concentration de la propriété privée a été particulièrement forte en Chine et en Russie, à la suite des privatisations. Si ce schéma général d'évolution paraît bien établi, il faut toutefois

---

1. Rappelons que la concentration de la propriété était très élevée en Europe tout au long du XIXe siècle et avait même tendance à s'accroître dans les décennies précédant le premier conflit mondial. Voir chapitre 4, graphiques 4.1 et 4.2, et chapitre 5, graphiques 5.4 et 5.5.

souligner les multiples imprécisions entourant les estimations disponibles pour les décennies récentes. Paradoxalement, les séries indiquées pour les années 1990-2020 sur les graphiques 13.8-13.9 sont sans nul doute les plus fragiles et imprécises de l'ensemble de la période 1900-2020. Cela tient d'une part à la dégradation des sources anciennement disponibles, et d'autre part au fait que les autorités publiques n'ont pas développé les nouveaux outils permettant de s'adapter à l'internationalisation des patrimoines.

Graphique 13.9

Centile supérieur et propriété : pays riches et émergents

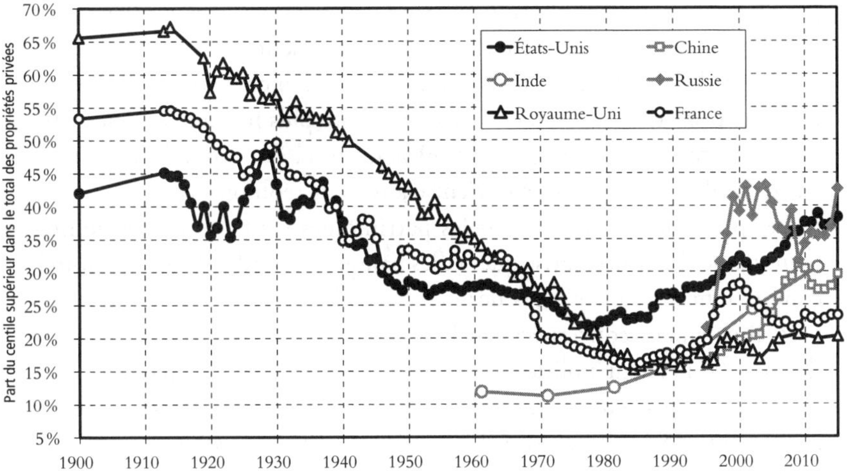

Lecture : la part du centile supérieur (les 1 % les plus riches) dans le total des propriétés privées (actifs immobiliers, professionnels et financiers, nets de dettes) a fortement progressé en Chine, en Russie, en Inde et aux États-Unis depuis les années 1980-1990, et à un degré moindre au Royaume-Uni et en France.
Sources et séries : voir piketty.pse.ens.fr/ideologie.

De même que pour les revenus, les sources permettant de connaître les patrimoines sont de plusieurs ordres. Il y a tout d'abord les comptes nationaux : en combinant les bilans des entreprises et de multiples enquêtes et recensements sur la production, les salaires, les logements, etc., les instituts statistiques aboutissent à des estimations du produit intérieur brut, du revenu national et des actifs et passifs financiers et non financiers détenus par les ménages, les gouvernements et les entreprises. Outre les problèmes liés à la prise en compte de la dégradation du capital naturel, la principale limitation des comptes nationaux est qu'ils ne se soucient par définition que d'agrégats et de moyennes, et non de répartition. Ils fournissent toutefois les estimations les plus complètes et les plus comparables entre pays du total des revenus comme du total des propriétés privées et publiques, et il est naturel de partir de ces totaux avant d'étudier leur répartition. Les enquêtes auprès des ménages constituent l'une des principales sources permettant d'étudier la répartition. L'avantage est que les enquêtes donnent l'occasion de poser des dizaines de questions sur les différents éléments de revenus et d'actifs détenus, mais également sur d'autres caractéristiques individuelles qui ne sont généralement pas disponibles dans les données fiscales (comme les diplômes ou le parcours professionnel ou familial). L'inconvénient est que les montants déclarés dans les enquêtes, en l'absence de toute sanction et de tout contrôle, sont souvent imprécis, particulièrement s'agissant des parties hautes de la distribution, qui sont généralement massivement sous-déclarées dans les enquêtes. Cela est déjà fortement problématique pour la mesure des inégalités de revenus. Mais en ce qui concerne la mesure de la répartition des patrimoines, qui sont encore plus fortement concentrés (avec généralement entre 50 % et 90 % du total des propriétés détenues par le décile supérieur), cela devient clairement rédhibitoire.

Les principales enquêtes sur les patrimoines sont menées conjointement par les instituts statistiques et les banques centrales. Cela est naturel, compte tenu du fait que ces dernières sont les institutions publiques les plus directement concernées par l'évolution de la structure des actifs et des passifs. Par leur politique monétaire et financière, les banques centrales ont en particulier un impact majeur sur l'évolution des prix et des rendements des actifs, ainsi que sur leur répartition, aussi bien au niveau individuel qu'à celui des entreprises et des gouvernements. L'enquête sur les patrimoines la plus ancienne et la plus complète est le *Survey of Consumer Finances* (SCF) mené aux États-Unis tous les trois ou quatre ans depuis les années 1960 auprès de plusieurs dizaines de milliers de ménages. En Europe, la BCE coordonne depuis 2006 les enquêtes sur les patrimoines menées dans les différents pays de la zone euro afin en particulier d'homogénéiser les méthodes et les questionnaires, qui, avant la création de l'euro en 1999-2002, étaient totalement disparates[1]. Les efforts faits aux États-Unis et en Europe par les statisticiens des banques centrales pour améliorer la fiabilité de ces enquêtes sont réels. Il reste que la tâche n'est pas à échelle humaine. Il est malheureusement impossible de mesurer correctement la répartition des patrimoines, et en particulier des portefeuilles

1. La première vague d'enquêtes dites HFCS (*Household Finance and Consumption Survey*) coordonnées par la BCE a été menée en 2010 et la seconde en 2014 (auprès de plus de 80 000 ménages issus des différents pays).

financiers, en s'appuyant uniquement sur une enquête déclarative. Malgré les efforts réalisés, la totalité des patrimoines déclarés dans les enquêtes HFCS coordonnées par la BCE ne dépasse pas souvent 50 %-60 % des totaux estimés dans les comptes nationaux. Cela découle notamment de la sous-déclaration au sommet de la répartition, et cela concerne particulièrement les actifs financiers. Pour résumer : la BCE imprime des centaines de milliards d'euros (ou même des milliers de milliards, comme nous le verrons plus loin) pour influer sur l'économie européenne et la formation du prix des actifs, mais elle ne sait pas mesurer correctement la répartition des patrimoines.

Sortir de l'opacité : un cadastre financier public

Une telle situation est d'autant plus ennuyeuse que la tâche n'a rien d'insurmontable, pourvu que l'on se donne de meilleurs outils. Il suffirait en effet de croiser de façon systématique les données d'enquêtes avec des données issues de l'enregistrement des patrimoines et des portefeuilles auprès des institutions financières et des administrations fiscales. Les propriétés immobilières sont enregistrées depuis très longtemps, non seulement auprès d'intermédiaires privés (comme les notaires), mais également auprès des administrations fiscales, en particulier dans le cadre des impôts pesant sur ces propriétés (comme la *property tax* aux États-Unis ou la taxe foncière en France). La mise en place d'un cadastre public couvrant l'ensemble des actifs fonciers et immobiliers de toute nature (terres agricoles et non agricoles, maisons, immeubles, entrepôts, fabriques, boutiques, bureaux, etc.), utilisés aussi bien pour le logement que pour les activités professionnelles les plus diverses, est d'ailleurs l'une des principales innovations institutionnelles introduites par la Révolution française. Des réformes similaires furent menées dans la plupart des pays, et constituent dans une large mesure l'acte de naissance des sociétés de propriétaires. L'État centralisé prit à sa charge l'enregistrement et la protection du droit de propriété, en lieu et place des classes nobiliaires et ecclésiastiques qui régulaient les relations de pouvoir et de propriété au niveau local dans le cadre des sociétés trifonctionnelles anciennes[1]. Ce processus alla de pair avec le développement d'infrastructures légales permettant d'organiser les relations d'échange et de production sur des échelles plus vastes qu'auparavant.

---

1. Voir chapitres 3-4.

Or, fort logiquement, les propriétés financières font également l'objet de diverses formes d'enregistrement permettant leur identification. Le problème est que cette fonction a dans une large mesure été abandonnée par les États à des intermédiaires financiers privés. Dans chaque pays, ou parfois au niveau continental, il existe ainsi des institutions privées jouant le rôle de dépositaire central des titres (*custodian bank*), dont la fonction est précisément de garder la trace des titres de propriété dématérialisés émis par les différentes compagnies (actions, obligations, parts et titres de toute nature). Cela permet notamment d'éviter que plusieurs personnes sur la planète revendiquent la propriété des mêmes actifs financiers, ce qui pour des raisons évidentes compliquerait considérablement l'organisation de la vie économique. Les dépositaires centraux les plus connus sont la Depository Trust Company aux États-Unis et Clearstream et Eurostream en Europe[1]. Mais le fait que de telles fonctions soient remplies par des établissements privés, qui ont par ailleurs fait l'objet de plaintes pour leur opacité dans le passé récent, pose de multiples problèmes. Les autorités publiques aux États-Unis et en Europe pourraient très bien décider de les nationaliser, ou au minimum de les réguler beaucoup plus fortement, de façon à constituer un véritable cadastre public des titres financiers. Cela permettrait notamment aux États de fixer des obligations plus strictes permettant de remonter aux détenteurs finaux des titres (c'est-à-dire aux personnes physiques qui en ont le contrôle effectif, par-delà les montages financiers et les structures imbriquées), ce qui n'est pas toujours le cas actuellement, compte tenu de la façon dont fonctionnent les dépositaires centraux[2].

S'il est souhaitable qu'un tel cadastre financier public soit mis en place au niveau le plus large possible, par exemple au niveau européen, euro-américain, euro-africain et à terme au niveau mondial, il est important d'insister sur le fait que chaque État peut avancer dans cette direction

---

1. Le rôle de dépositaire est parfois rempli en même temps que celui de chambre de compensation (*clearing house*), qui vise notamment à sécuriser les transactions lors des échanges de titres.

2. Sur les aspects techniques (importants mais surmontables) liés à la mise en place d'un tel cadastre financier public (ou Global Financial Register, GFR), voir le *Rapport sur les inégalités mondiales 2018*, Seuil, p. 467-476. Voir également D. NOUGAYRÈDE, « Towards a Global Financial Register ? Account Segregation in Central Securities Depositories and the Challenge of Transparent Securities Ownership in Advanced Economies », Columbia Law School, 2017. Voir aussi T. PIKETTY, *Le Capital au XXIe siècle, op. cit.*, p. 840-852 ; G. ZUCMAN, *The Hidden Wealth of Nations, op. cit.* ; T. POGGE, K. MEHTA, *Global Tax Fairness*, Oxford University Press, 2016.

sans attendre les autres. En particulier, chaque pays impose d'ores et déjà de multiples régulations aux compagnies développant des activités économiques sur son territoire. Parmi ces obligations, chaque État pourrait parfaitement décider de demander à chacune de ses entités de lui fournir des informations détaillées sur leurs actionnaires. Des règles de cette nature existent d'ailleurs déjà, aussi bien pour les sociétés cotées et non cotées, mais elles pourraient être considérablement renforcées et systématisées, compte tenu des possibilités nouvelles offertes par les technologies de l'information.

Par ailleurs, les administrations fiscales ont depuis toujours imposé des obligations aux banques, compagnies d'assurances et institutions financières, notamment afin que ces dernières transmettent au fisc les informations adéquates concernant les intérêts, dividendes et autres revenus financiers reçus par les contribuables. Dans de nombreux pays, ces informations sur les revenus financiers figurent désormais automatiquement dans les déclarations de revenus préremplies envoyées par l'administration fiscale aux contribuables pour vérification, de même d'ailleurs que les informations sur les autres revenus versés par des tiers (et notamment les salaires et pensions de retraite). Ces nouvelles possibilités ouvertes par la technologie ont permis de systématiser considérablement des procédures de contrôle autrefois parcellaires. Plus généralement, ces innovations devraient en principe permettre une connaissance extrêmement fine des revenus financiers ainsi que des actifs et portefeuilles dont ils sont issus. Ces informations pourraient être mobilisées à la fois pour administrer l'impôt plus efficacement et pour produire des informations statistiques sur la répartition de la propriété et de son évolution.

Les choix politiques faits jusqu'à présent ont toutefois fortement amoindri ces potentiels effets positifs. D'une part, l'obligation faite aux banques omet souvent de multiples formes de revenus financiers bénéficiant d'un régime dérogatoire[1]. Or ce type de régime a eu tendance à se multiplier au cours des dernières décennies, en particulier en Europe, allant parfois jusqu'à la décision d'une imposition séparée pour les revenus financiers à

---

1. Par exemple, les déclarations préremplies appliquées en France depuis le début des années 2010 omettent de multiples formes d'intérêts et de dividendes versés dans le cadre de contrats dits d'assurance-vie (une catégorie de placement financier à long terme qui s'est fortement développée en France depuis des décennies, précisément du fait de ces exonérations, et qui n'a plus grand-chose à voir avec l'assurance-vie proprement dite), dès lors que certaines conditions portant notamment sur la durée de détention sont satisfaites. Ces conditions sont elles-mêmes fortement variables dans le temps, si bien que cette source d'informations potentiellement précieuse perd beaucoup de sa valeur.

taux proportionnel, en lieu et place du barème à taux progressif applicable aux autres revenus (en particulier aux salaires[1]). En théorie, il serait tout à fait possible de dissocier cette question du mode d'imposition de celle de la transmission d'informations. En pratique, dès lors qu'une forme de revenu financier bénéficie d'un régime dérogatoire, et en particulier d'un régime d'imposition proportionnelle, on constate généralement que les informations disparaissent des déclarations de revenus et des données statistiques disponibles, conduisant *de facto* à une détérioration de la statistique publique et de la transparence démocratique sur les revenus du capital, alors même que les nouvelles technologies de l'information auraient dû permettre le contraire[2]. Si l'on ajoute à cela une très nette dégradation des données successorales (voire parfois une disparition), il n'est pas exagéré de parler d'un véritable appauvrissement de la statistique publique sur les patrimoines.

D'autre part, il faut ajouter que la transmission automatique d'informations des banques vers les administrations fiscales a généralement été limitée aux revenus financiers, alors qu'elle pourrait sans difficulté être étendue aux actifs eux-mêmes. Autrement dit, sur la base des informations transmises par les institutions financières et par le système de cadastre immobilier, les administrations publiques pourraient très bien établir des déclarations de patrimoines préremplies, de la même façon que pour les déclarations de revenus. Au lieu de cela, la BCE et les instituts statistiques européens organisent des enquêtes purement déclaratives sur les patrimoines et se retrouvent dans une situation où il est totalement impossible de suivre de façon fiable l'évolution de la structure des patrimoines (notamment financiers) dans la zone euro, et donc d'étudier les effets de leur propre politique. On observe le même archaïsme statistique aux États-Unis. L'enquête sur

1. Le régime de « taxation duale » des revenus du travail et du capital (avec une taxation séparée à taux proportionnel pour les revenus du capital) a été mis en place tout d'abord en Suède en 1991 à la suite de la crise bancaire (voir chapitre 11, p. 670), avant d'être étendu en Allemagne en 2009 puis en France en 2018. En pratique, ces réformes s'accompagnent souvent du maintien d'exonérations anciennes pour certains revenus financiers non soumis au nouveau taux proportionnel de droit commun (comme pour l'assurance-vie en France).

2. La réforme allemande de 2009 a ainsi eu pour conséquence la perte de données fiscales sur les revenus du capital et de grandes difficultés pour les chercheurs tentant de mesurer l'évolution de l'inégalité totale des revenus du travail et du capital. Voir à ce sujet C. BARTELS, K. JENDERNY, « The Role of Capital Income for Top Income Shares in Germany », WID.world, Working Paper Series, n° 2015/2, et C. BARTELS, « Top Incomes in Germany, 1871-2014 », WID.world, 2017, *Journal of Economic History*, 2018.

les patrimoines, réalisée par la Federal Reserve, malgré une plus grande homogénéité et une meilleure qualité d'ensemble, repose exclusivement sur l'autodéclaration, sans aucune utilisation des données bancaires et administratives, ce qui pose de sérieux problèmes de précision, notamment pour la mesure des plus hauts portefeuilles financiers.

De l'appauvrissement de la statistique publique à l'âge de l'information

Cette situation est d'autant plus étonnante que l'utilisation de données fiscales et administratives est devenue pratique courante pour la mesure de la répartition des revenus. Aux États-Unis, il existe un très large consensus pour estimer que les données sur les revenus à base d'autodéclarations sont insuffisamment précises et qu'elles doivent impérativement être complétées par les données fiscales issues des déclarations de revenus. En particulier, ce sont les données fiscales qui ont permis d'établir la très forte hausse des inégalités depuis les années 1980 (hausse qui est sous-estimée dans les enquêtes). En Europe, constatant les limites des informations sur les revenus recueillies par autodéclarations, de nombreux instituts statistiques ont décidé depuis des décennies de développer un modèle mixte. On part de données d'enquêtes, qui permettent de recueillir des informations sociodémographiques, professionnelles ou éducatives indisponibles dans les données fiscales, puis on obtient *via* l'administration fiscale les déclarations de revenus des ménages interrogés dans l'enquête. Ces déclarations étant elles-mêmes directement alimentées par les transmissions automatiques d'informations de la part des entreprises, des administrations et des institutions financières versant les différentes catégories de revenus, ce modèle mixte est largement reconnu comme plus fiable et satisfaisant que le modèle autodéclaratif[1]. Pourtant, s'agissant des patrimoines, les pays européens ainsi que les États-Unis font comme si les enquêtes pouvaient se suffire à elles-mêmes, alors que tous les éléments disponibles indiquent que l'autodéclaration est encore plus problématique pour les patrimoines que pour les revenus.

---

1. Ce modèle mixte est par exemple la méthode utilisée en France par l'INSEE depuis 1996 dans le cadre des enquêtes dites ERFS (enquêtes emploi appariées avec les revenus fiscaux et sociaux). Les pays nordiques ont également une longue tradition d'utilisation des registres administratifs et fiscaux sur les revenus comme composante centrale de leur système d'enquêtes.

Comment expliquer cet état de fait, et plus généralement comment expliquer que l'entrée dans l'âge du big data et des technologies de l'information puisse s'accompagner par certains aspects d'un appauvrissement de la statistique publique, notamment en ce qui concerne la mesure de la propriété et de sa répartition ?

Précisons qu'il s'agit d'une évolution complexe, dont les causes sont multiples. Par exemple, la numérisation des administrations fiscales à partir des années 1980-1990 a paradoxalement conduit dans certains cas à une véritable perte de mémoire statistique[1]. Il me semble toutefois qu'une partie de l'explication est directement liée à une certaine crainte politique de la transparence et de la demande de redistribution qui pourrait en résulter. De fait, afin de crédibiliser le système de cadastre financier public et de déclarations de patrimoines préremplies que je viens de décrire, il serait préférable de mettre en place par la même occasion un système d'imposition sur ces patrimoines. Dans l'absolu il pourrait s'agir dans un premier temps d'un simple droit d'enregistrement à très faible taux (0,1 % par an ou moins, par exemple), que chaque propriétaire devrait obligatoirement acquitter afin de faire valoir son droit de propriété et bénéficier de la protection du système légal national et international. La puissance publique pourrait ainsi mettre en place une véritable transparence sur la répartition de la propriété, et ces informations nourriraient le débat public et la délibération démocratique, ce qui pourrait conduire (ou non) à l'adoption de barèmes progressifs beaucoup plus substantiels et à différentes formes de redistribution de la propriété[2]. La crainte politique d'une telle évolution me semble constituer l'une des raisons susceptibles d'expliquer le refus de la transparence sur les patrimoines.

Un tel refus me semble extrêmement dangereux, en Europe comme aux États-Unis et dans le reste du monde. En particulier, il conduit à se priver

1. En France et dans de nombreux pays, les administrations ont ainsi cessé de publier les volumineux bulletins statistiques qu'elles éditaient soigneusement depuis le XIXᵉ siècle, mais dont elles considéraient ne plus avoir besoin pour leurs propres chiffrages, compte tenu de la disponibilité nouvelle de fichiers informatiques. Malheureusement, les conditions de la conservation de ces fichiers ont été totalement négligées, si bien que les traces laissées par la fiscalité sont souvent plus réduites pour les périodes postérieures à 1980-1990 que pour les périodes antérieures. Voir annexe.

2. Il serait également indispensable de rendre public le montant des impôts réellement acquittés (sur les patrimoines comme sur les revenus issus de ces patrimoines) au sein des différentes tranches de détention. En principe, si les échanges automatiques d'informations bancaires étaient correctement appliqués, il devrait être possible de diffuser ce type d'informations au niveau international.

d'un outil essentiel pour connaître la réalité des inégalités et pour mettre en place des politiques de réduction de la concentration des revenus et de la propriété. Ces choix antidémocratiques empêchent la constitution de plates-formes politiques égalitaires et internationalistes ambitieuses, et contribuent *in fine* à exacerber le mouvement de repli sur l'État-nation et de montée des replis identitaires et des conflits migratoires. Pour résumer : si l'on ne se donne pas les moyens de réduire les inégalités socio-économiques, et en particulier les inégalités de propriété, alors presque inévitablement le conflit politique va avoir tendance à se focaliser sur les questions portant sur les identités et les frontières entre communautés. Nous y reviendrons largement dans la quatrième partie de ce livre.

Pour dépasser ce refus de la transparence, il importe toutefois de mieux comprendre les racines politico-idéologiques de cette attitude. De façon générale, l'idéologie sous-jacente est relativement proche de l'idéologie propriétariste dominante au XIXe siècle et jusqu'au début du XXe siècle, caractérisée notamment par le refus absolu d'ouvrir la « boîte de Pandore » des droits de propriété et de leur répartition, de peur de ne pas savoir où la refermer. L'une des principales nouveautés, dans le cadre du néopropriétarisme en vigueur à la fin du XXe siècle et en ce début de XXIE siècle, est que les grandes expériences redistributrices du XXe siècle sont passées par là. En particulier, les échecs du communisme sont régulièrement évoqués dans les pays postcommunistes comme dans les pays capitalistes pour dénoncer à l'avance tout projet redistributif ambitieux. Ce faisant, on oublie de se souvenir que les succès économiques et sociaux des pays capitalistes au XXe siècle se sont appuyés sur des politiques ambitieuses et largement réussies de réduction des inégalités, et en particulier sur une très forte progressivité fiscale (voir chapitres 10-11). L'insuffisance de la mémoire historique et la division des savoirs et des disciplines ont probablement contribué à ces oublis, qui pour autant ne sont sans doute pas éternels. Au XXe siècle, des prélèvements exceptionnels sur les plus hauts patrimoines immobiliers et surtout financiers ont joué un rôle essentiel pour éponger les dettes publiques du passé et se tourner vers l'avenir, notamment en Allemagne et au Japon. Il peut être tentant, après une telle expérience fondatrice, de se convaincre que les circonstances étaient uniques et que ces pratiques ne devront jamais être renouvelées. Mais la réalité est que les inégalités excessives reviennent encore et toujours, et que les sociétés humaines ont besoin d'institutions permettant de redéfinir régulièrement les droits de propriété et leur répartition. Le refus de le faire de façon aussi transparente et apaisée que possible ne peut qu'exacerber les tentations en faveur de solutions beaucoup plus violentes, et aussi moins efficaces.

Le néopropriétarisme, l'opacité patrimoniale et la concurrence fiscale

Le refus néopropriétariste de la transparence patrimoniale s'appuie sur un régime institutionnel et légal spécifique : la libre circulation des capitaux, doublée de l'absence de tout système commun d'enregistrement et d'imposition de la propriété. Au XIXe siècle, le propriétarisme s'est longtemps appuyé sur le suffrage censitaire. Seuls les propriétaires les plus aisés disposaient du droit de vote, si bien que le risque d'une redistribution des biens était fort limité. En ce début de XXIe siècle, personne ne propose d'en revenir explicitement au vote censitaire. D'une certaine façon, le régime légal néopropriétariste établi au niveau international complète les protections constitutionnelles et tient lieu de système censitaire de substitution. Le refus de la transparence sur les propriétés s'appuie également parfois sur l'idée selon laquelle ces informations pourraient être mal utilisées par des gouvernements dictatoriaux. Cet argument paraît toutefois peu convaincant s'agissant des États européens. Ces derniers pratiquent depuis longtemps en leur sein les transmissions automatiques d'informations bancaires à leurs administrations fiscales, qui ont établi une réputation de neutralité, tout cela dans le cadre de systèmes d'États de droit dont l'indépendance n'est contestée par personne. L'argument fait penser à celui de Montesquieu, heureux propriétaire de la charge fort lucrative de président du parlement de Bordeaux, et qui militait pour le maintien des privilèges juridictionnels de la noblesse, en faisant valoir qu'une trop forte centralisation de la justice mènerait inévitablement au despotisme[1].

Un argument potentiellement plus convaincant, et qui joue d'ailleurs un rôle central dans le refus d'une fiscalité commune en Europe, est que les systèmes fiscaux européens seraient déjà trop lourds, et que seul le maintien d'une concurrence fiscale acharnée entre États permettrait d'éviter qu'ils ne grossissent sans limites. Outre son caractère antidémocratique, cet argument pose de multiples difficultés. Tout d'abord, il n'est pas du tout certain que les Européens se mettraient à voter des hausses fiscales sans limites s'ils pouvaient adopter des impôts communs dans le cadre

---

1. Voir chapitre 3, p. 144-146.

d'une assemblée démocratique commune. Une hypothèse au moins aussi probable est qu'ils voteraient d'autres impôts, par exemple plus lourds sur les hauts revenus et les hauts patrimoines européens, afin d'alléger ceux pesant sur les classes modestes et moyennes (comme les taxes indirectes ou les prélèvements sur les salaires et les retraites). Rappelons par ailleurs que ces mêmes États européens ont eu suffisamment confiance entre eux pour mettre en place une monnaie commune et une puissante Banque centrale européenne, compétente pour décider à la majorité simple de créer des milliers de milliards d'euros, tout cela avec un contrôle démocratique minimal. Dans ces conditions, le refus de la transparence patrimoniale et d'impôts démocratiques communs paraît d'autant plus dangereux qu'il implique aussi que la BCE elle-même se retrouve à devoir mener sa politique monétaire sur une base hasardeuse, faute d'informations de qualité suffisante sur les patrimoines européens, leur répartition et leur évolution[1].

On notera également que les multiples annonces faites dans divers sommets internationaux (en particulier dans le cadre du G8 et du G20) à la suite de la crise financière de 2008 concernant la lutte contre les paradis fiscaux et l'opacité financière auraient dû en principe permettre d'avancer dans cette direction. Certaines mesures ont été prises comme la loi dite Fatca (*Foreign Account Tax Compliance Act*) adoptée par les États-Unis en 2010 et obligeant en principe les institutions financières du monde entier à transmettre à leur administration fiscale toutes les informations dont elles disposent sur les comptes bancaires et portefeuilles financiers de leurs ressortissants. En pratique, ces mesures restent très incomplètes, et aucune véritable tentative de constituer un cadastre financier public en lieu et place des dépositaires privés n'a eu lieu. Ces épisodes ont au moins permis de montrer que des sanctions adéquates, comme la menace de retirer aux banques suisses la licence leur permettant d'opérer aux États-Unis, étaient une condition évidente pour espérer faire des progrès (et en l'occurrence pour atténuer certains des abus les plus criants). Malheureusement, la réalité est que sur ces questions l'Europe a brillé davantage par des déclarations d'intention que par des actions réelles. Cela s'explique notamment parce que toutes les décisions en matière fiscale sont bloquées par la règle de l'unanimité.

---

1. Nous reviendrons plus loin sur l'action des banques centrales (et en particulier la BCE), dont la première fonction est d'assurer la solvabilité et la stabilité du système bancaire, et non d'influer sur la répartition des patrimoines des ménages. Il reste que leur action affecte profondément les prix des actifs et leur répartition, et qu'il n'est pas satisfaisant de mener une telle politique avec des outils aussi défectueux d'observation des patrimoines.

Au cours des dernières années, les scandales financiers et fiscaux se sont multipliés en Europe. Il s'agit d'abord du scandale dit LuxLeaks (Luxembourg Leaks), révélé par un consortium international de journalistes en novembre 2014, au moment même où Jean-Claude Juncker prenait ses fonctions comme président de la Commission européenne. Les documents, qui portaient notamment sur la période 2000-2012, montraient comment le gouvernement luxembourgeois avait pratiqué à grande échelle un système d'accords confidentiels entreprise par entreprise (les « récrits fiscaux ») permettant à des grandes compagnies de négocier en toute opacité des taux d'imposition inférieurs aux taux officiels (pourtant déjà fort réduits au Luxembourg). Or il se trouve que le Premier ministre du Luxembourg entre 1995 et 2013 n'était autre que Jean-Claude Juncker, période au cours de laquelle il cumulait également ces fonctions avec celles de ministre des Finances du Grand-Duché et de président de l'Eurogroupe (le Conseil des ministres des Finances de la zone euro).

Personne ne fut vraiment surpris d'apprendre que le Luxembourg pratiquait l'évasion fiscale (ce qui n'avait d'ailleurs pas empêché le parti populaire européen – l'alliance des partis chrétiens-démocrates et de centre droit – de désigner Juncker comme candidat à la présidence de la Commission), mais l'ampleur prise par ces pratiques surprit. Dans le chapitre précédent, j'ai noté les étonnantes pratiques de l'administration fiscale chinoise, qui est supposée appliquer un barème fiscal précis pour son impôt sur le revenu, avec des taux et des tranches, mais qui ne laisse aucune trace écrite précise permettant de s'assurer que les règles ont bien été appliquées. À dire vrai, les pratiques luxembourgeoises paraissent peu différentes. Acculé, Juncker reconnut les faits. Il expliqua en substance que ces pratiques étaient certes peu satisfaisantes sur le plan moral mais se situaient dans un cadre parfaitement légal du point de vue du droit fiscal de son pays. Dans plusieurs interviews dans la presse européenne, il se justifia en expliquant que le Luxembourg avait été durement touché par la désindustrialisation à partir des années 1980-1990 (chose, à dire vrai, assez commune en Europe), et qu'il lui avait fallu trouver une nouvelle stratégie de développement pour son pays, s'appuyant *in fine* sur le secteur bancaire, le dumping fiscal, l'opacité financière et le siphonnage des recettes fiscales des voisins[1]. Il promit cependant que tout cela ne se reproduirait plus, et

---

1. Voir l'interview de J.-C. Juncker, « Le Luxembourg n'avait pas le choix, il fallait diversifier notre économie », *Le Monde*, 28 novembre 2014.

les principales forces politiques au Parlement européen (non seulement son propre parti, celui du centre droit, mais également les libéraux et le parti socialiste européen, regroupant les partis sociaux-démocrates et du centre gauche) choisirent de lui renouveler leur confiance.

D'autres scandales révélés par des consortiums de journalistes marquèrent les années suivantes, comme les SwissLeaks en 2015 et les Panama Papers en 2016-2017, et démontrèrent l'ampleur de l'utilisation des paradis fiscaux et des pratiques opaques. Ces révélations ont au moins eu un mérite : celui d'établir l'étendue des détournements, y compris dans des pays réputés efficaces dans leur administration fiscale, comme la Norvège. En utilisant les données issues des SwissLeaks et des Panama Papers, en les appariant avec les déclarations fiscales norvégiennes (exceptionnellement ouvertes dans le cadre de cette étude), et en exploitant de surcroît des données issues de contrôles fiscaux aléatoires, des chercheurs ont ainsi pu montrer que l'évasion fiscale en Norvège était négligeable pour les patrimoines faibles et moyens mais atteignait en moyenne près de 30 % des impôts dus au niveau des 0,01 % des patrimoines les plus importants[1].

Au final, il est difficile de savoir quel a été l'impact de ces différentes affaires sur l'opinion européenne, et en particulier de l'affaire Juncker, président de la plus haute instance politique de l'Union européenne de 2014 à 2019. Ce qui est certain, c'est qu'aucune décision ne fut prise entre 2014 et 2019 pour développer un cadastre financier public, mettre en place des impôts européens unifiés sur les contribuables les plus mobiles, et plus généralement éviter que ce type de scandales ne se reproduise. On peut raisonnablement penser que cette séquence a surtout donné l'impression que la lutte pour la justice fiscale et l'imposition accrue des acteurs économiques dominants n'était pas véritablement la priorité de l'Union européenne. Cette trajectoire me semble dangereuse, car elle ne peut que nourrir un profond sentiment antieuropéen parmi les classes moyennes et populaires, et les pousser vers les voies du repli nationaliste et identitaire, qui est lui-même sans issue positive.

1. Voir A. Alstadsæter, N. Johannesen, G. Zucman, « Who Owns the Wealth in Tax Havens ? Macro Evidence and Implications for Global Inequality », art. cité ; Id., « Tax Evasion and Inequality », *American Economic Review*, 2019 ; Id., « Tax Evasion and Tax Avoidance », Berkeley, 2019. Voir également le *Rapport sur les inégalités mondiales 2018*, fig. 5.3.1, et G. Zucman, « Global Wealth Inequality », *Annual Review of Economics*, 2019, fig. 8-9.

De la persistance de l'hyperconcentration patrimoniale

Revenons-en à la mesure et à l'évolution de la concentration de la propriété. Ne disposant pas encore d'un cadastre financier public ou de déclarations de patrimoines préremplies par les institutions financières, nous devons nous contenter de sources beaucoup plus incomplètes. La meilleure solution consiste à combiner les enquêtes auprès des ménages avec les données fiscales provenant à la fois des déclarations de revenus et des déclarations de successions. Les évolutions présentées sur les graphiques 13.8-13.9 pour les États-Unis, la France et le Royaume-Uni sont issues de ces méthodes mixtes (enquêtes et données fiscales). Afin de tester la cohérence des résultats obtenus, nous avons également comparé les évolutions avec celles observées au sommet de la distribution dans le cadre des classements de fortunes publiés par les magazines, et en particulier dans les listes mondiales de milliardaires publiées chaque année depuis 1987 par *Forbes*.

En ce qui concerne les États-Unis, la méthode fondée sur les déclarations de revenus montre une progression très proche de celle observée dans *Forbes*, alors que la méthode fondée sur les données successorales présente une progression inférieure (tout en indiquant elle aussi une forte hausse de la concentration des patrimoines, comme d'ailleurs les enquêtes déclaratives, y compris en l'absence de toute correction[1]). Cela semble s'expliquer par le fait que l'impôt successoral est moins bien contrôlé que l'impôt sur le revenu aux États-Unis depuis les années 1980-1990[2], et plus généralement parce que la méthode successorale (dite du « multiplicateur de mortalité ») perd de sa précision et de sa représentativité au fur et à mesure du temps et du vieillissement de la population[3]. La méthode fondée sur les revenus (dite

---

1. Pour une analyse détaillée, voir E. SAEZ, G. ZUCMAN, « Wealth Inequality in the United States since 1913 : Evidence from Capitalized Income Tax Data », *Quarterly Journal of Economics*, vol. 131, n° 2, 2016, p. 519-578.

2. En particulier, il semble exister une grande tolérance pour diverses formes de contournement de l'impôt successoral, en particulier au travers de *family trusts* et de diverses structures permettant de minorer la valeur des héritages ou de les dissimuler dans des entités pseudophilanthropiques. La plus grande attention apportée par l'administration fiscale au contrôle des déclarations de revenus peut aussi s'expliquer par le rôle joué par les recettes de l'impôt sur le revenu au niveau fédéral.

3. La méthode du multiplicateur de mortalité consiste à pondérer les données successorales par l'inverse du taux de mortalité de la tranche d'âge considérée, tout en corrigeant pour les différentiels de mortalité par classes de patrimoine. Cette méthode fonctionne de moins en moins bien à mesure que la mortalité se concentre aux âges élevés. Voir annexe technique.

« par capitalisation ») souffre cependant elle aussi de multiples limitations, et les résultats obtenus ne sauraient être considérés comme parfaitement satisfaisants[1]. De façon générale, ces deux méthodes (par le multiplicateur de mortalité et par capitalisation) constituent clairement un pis-aller : il serait hautement préférable de disposer directement d'informations bancaires et fiscales sur les patrimoines des vivants, plutôt que d'essayer de les deviner à partir des patrimoines des morts ou des revenus produits par les patrimoines des vivants. En ce qui concerne le Royaume-Uni, les données fiscales sur les revenus du capital sont devenues tellement pauvres et incomplètes depuis les années 1980-1990 qu'il faut se contenter de la méthode successorale, alors qu'il était possible jusqu'aux années 1970 d'appliquer les deux méthodes et de constater la cohérence des résultats[2]. Enfin, pour ce qui est de la France, les deux méthodes donnent des évolutions proches et globalement cohérentes avec celles des classements *Forbes*[3]. Il faut toutefois souligner une dégradation spectaculaire de la qualité des données successorales produites par l'administration française au cours des dernières décennies[4]. Il est vrai que la situation est pire dans les pays

---

1. La méthode par capitalisation consiste à diviser les données sur les revenus du capital (intérêts, dividendes, etc.) par le taux de rendement moyen de l'actif en question. Cette méthode a le mérite d'utiliser les données fiscales disponibles sur les très hauts revenus du capital (et très mal mesurés par les enquêtes déclaratives), mais ne permet de prendre en compte que très imparfaitement les différentiels de rendements à l'intérieur d'une même classe d'actifs. Voir annexe technique.

2. Pour une analyse détaillée, voir F. ALVAREDO, A. ATKINSON, S. MORELLI, « Top Wealth Shares in the UK over more than a Century (1895-2014) », WID.world, Working Paper Series, n° 2017/2. Pour une comparaison méticuleuse des résultats obtenus avec les deux méthodes au cours de la période 1920-1975, voir A. ATKINSON, A. HARRISON, *The Distribution of Personal Wealth in Britain*, Cambridge University Press, 1978.

3. Pour une analyse détaillée, voir B. GARBINTI, J. GOUPILLE-LEBRET, T. PIKETTY, « Accounting for Wealth Inequality Dynamics : Methods and Estimates for France (1800-2014) », art. cité. Les données issues de l'impôt sur la fortune (ISF) indiquent des tendances similaires. Voir chapitre 14.

4. Cette source a longtemps été l'une des plus riches du monde et nous a permis d'étudier l'évolution de la concentration de la propriété depuis l'époque de la Révolution française, en collectant les données individuelles dans les archives successorales (voir chapitre 4). À la suite de la transformation de l'impôt successoral en impôt progressif en 1901, l'administration se mit à publier de 1902 à 1964 des dépouillements détaillés par taille de succession, catégorie d'actifs, âge, lien de parenté, etc. Depuis les années 1970-1980, ces données annuelles ont disparu, et l'administration se contente de constituer tous les quatre ou cinq ans des fichiers de taille insuffisante et de qualité médiocre, à tel point que l'on sait actuellement moins de choses sur les successions et leur répartition en France qu'il y a un siècle. Voir annexe technique.

qui ont supprimé leur impôt successoral, et dans lesquels ces données ont totalement disparu[1].

Au final, malgré ces difficultés, les tendances indiquées sur les graphiques 13.8-13.9 pour les États-Unis, le Royaume-Uni et la France au cours des dernières décennies peuvent être considérées comme relativement cohérentes et fiables, tout du moins en première approximation. Pour les autres pays représentés (Chine, Russie, Inde), il n'existe ni données successorales ni données fiscales suffisamment détaillées sur les revenus du capital, et nous en sommes donc réduits à utiliser les classements *Forbes* pour corriger les données d'enquêtes portant sur le haut de la répartition.

Les résultats obtenus entretiennent sans doute un certain rapport avec la réalité, mais il faut souligner à quel point il est peu satisfaisant de devoir utiliser une « source » aussi nébuleuse. Ces classements de fortunes indiquent certes dans tous les pays des progressions spectaculaires au cours des dernières décennies, et ces progressions paraissent globalement cohérentes avec celles que nous mesurons avec les autres sources disponibles. On notera que les rythmes annuels de progression des plus hautes fortunes mondiales atteignent d'après *Forbes* des rythmes de l'ordre de 6 %-7 % par an (en sus de l'inflation) entre 1987 et 2017, soit une croissance trois à quatre fois plus rapide que le patrimoine moyen au niveau mondial, et environ cinq fois plus rapide que le revenu moyen (voir tableau 13.1).

Par définition, une telle divergence ne peut pas se prolonger indéfiniment, sauf à supposer que la part du patrimoine mondial allant aux milliardaires tende progressivement vers 100 %, ce qui n'est ni souhaitable ni réaliste : il est probable qu'une réaction politique se fera sentir bien avant. Cet envol spectaculaire a pu être accéléré par le mouvement de privatisation de nombreux actifs publics qui a eu lieu entre 1987 et 2017, non seulement en Russie et en Chine mais également dans les pays occidentaux et sur l'ensemble de la planète, auquel cas cette évolution pourrait s'infléchir à l'avenir (dans la mesure où il reste de moins en moins d'actifs à privatiser). L'imagination légale étant ce qu'elle est, il n'est pas sûr cependant qu'il faille se reposer sur cet espoir. Les données disponibles suggèrent en outre que le décrochage a été tout aussi fort au cours des deux

---

1. C'est le cas notamment en Suède depuis 2007 et en Norvège depuis 2014. De façon générale, le système nordique d'enregistrement des patrimoines, naguère particulièrement avancé, a été en partie démantelé à la suite de ces évolutions politico-fiscales. Il est possible que les récents scandales financiers infléchissent cette évolution, mais nous en sommes encore loin. Je reviendrai dans le chapitre 16, p. 1061-1064, sur cette situation paradoxale des pays nordiques.

sous-périodes 1987-2002 et 2002-2017, malgré la crise financière, ce qui laisse à penser que des forces structurelles extrêmement puissantes sont en jeu. Il est possible que le fonctionnement des marchés financiers soit structurellement biaisé en faveur des portefeuilles les plus importants, qui parviennent à obtenir des rendements réels beaucoup plus élevés que les autres, avoisinant même les 8 %-10 % par an pour les portefeuilles des plus importantes dotations universitaires étatsuniennes au cours des dernières décennies[1]. Tous les éléments disponibles suggèrent que les fortunes les plus importantes du monde ont également bénéficié de stratégies de contournement fiscal particulièrement avantageuses leur permettant d'accroître l'écart avec les patrimoines moins élevés.

Tableau 13.1
L'envol des plus hauts patrimoines mondiaux, 1987-2017

Taux de croissance réel moyen annuel 1987-2017 (après déduction de l'inflation)	Monde	États-Unis-Europe-Chine
Les un cent-millionièmes les plus riches (Forbes)	6,4 %	7,8 %
Les un vingt-millionièmes les plus riches (Forbes)	5,3 %	7,0 %
Les 0,01 % les plus riches (WID.world)	4,7 %	5,7 %
Les 0,1 % les plus riches (WID.world)	3,5 %	4,5 %
Les 1 % les plus riches (WID.world)	2,6 %	3,5 %
Patrimoine moyen par adulte	1,9 %	2,8 %
Revenu moyen par adulte	1,3 %	1,4 %
Population adulte totale	1,9 %	1,4 %
PIB ou revenu total	3,2 %	2,8 %

Lecture : de 1987 à 2017, le patrimoine moyen des un cent-millionièmes les plus riches du monde (soit environ 30 personnes sur 3 milliards d'adultes en 1987, et 50 sur 5 milliards en 2017) a progressé de 6,4 % par an au niveau mondial ; les 0,01 % les plus riches (environ 300 000 personnes en 1987, 500 000 en 2017) ont progressé de 4,7 % par an, et le patrimoine moyen mondial de 1,9 % par an. L'envol des plus hauts patrimoines a été encore plus marqué si l'on se restreint à l'ensemble États-Unis-Europe-Chine.
Sources : voir piketty.pse.ens.fr/ideologie.

1. Voir chapitre 11, p. 627.

Les concepts et les méthodes utilisés par les magazines pour établir ces classements de fortunes sont cependant tellement flous et imprécis qu'il est totalement impossible d'utiliser une telle « source » pour répondre plus avant à ces questions[1]. Que le débat mondial sur les inégalités se fonde pour partie sur de telles données, et parfois même que les administrations publiques se retrouvent à y faire appel, est symptomatique d'une forme de démission des États face à l'enregistrement et à la mesure des inégalités de patrimoines[2]. On notera toutefois le début d'une certaine prise de conscience sur le besoin d'un réinvestissement public sur ces questions démocratiques essentielles, y compris aux États-Unis, où nous avons déjà noté que la montée des inégalités avait commencé à engendrer un mouvement en faveur d'une plus grande progressivité fiscale[3], qui s'est aussi accompagné de demandes pour une meilleure transparence statistique[4].

Résumons. Le retour d'une très forte concentration de la propriété, doublée d'une grande opacité financière, est l'une des caractéristiques majeures du régime inégalitaire néopropriétariste mondial en ce début de XXIe siècle. De façon générale, si la déconcentration observée au XXe siècle a permis l'émergence d'une classe moyenne patrimoniale, il n'en reste pas moins que la propriété n'a jamais cessé d'être très inégalement répartie, avec une part du patrimoine total insignifiante pour les 50 % les plus pauvres (voir graphique 13.10). La forte hausse de la part allant aux 10 % les plus riches, notamment aux États-Unis, signifie un effritement graduel et inquiétant de la part allant au reste de la population. L'absence de diffusion de la propriété est une question centrale pour le XXIe siècle, et pourrait contribuer à miner la confiance que les classes moyennes et

---

1. Voir T. PIKETTY, *Le Capital au XXIe siècle, op. cit.*, p. 701-708. Pour les milliardaires dont la fortune se résume à une participation importante dans une grande compagnie, les estimations publiées par les magazines sont sans doute proches de la réalité. Les choses sont beaucoup plus complexes et incertaines pour ce qui concerne les portefeuilles plus diversifiés, dont l'importance est sans doute sous-estimée.

2. Certains travaux réalisés par la BCE tentent de corriger les enquêtes HFCS à partir des classements de milliardaires publiés dans les magazines. Voir par exemple P. VERMEULEN, « How Fat is the Top Tail of the Wealth Distribution ? », Banque centrale européenne, 2014. La tentative est intéressante mais peu satisfaisante. Il serait préférable que les États européens et leurs administrations fiscales et statistiques fournissent à leurs services des sources d'informations plus fiables et systématiques que des enquêtes de presse.

3. Voir chapitre 11, p. 664-665.

4. Par exemple, le projet de loi Schumer-Heinrich déposé au Congrès en 2018 vise à contraindre l'État fédéral à établir des « comptes nationaux distributifs ».

populaires accordent au système économique, dans les pays riches comme dans les pays pauvres et émergents.

Graphique 13.10

De la persistance de l'hyperconcentration de la propriété

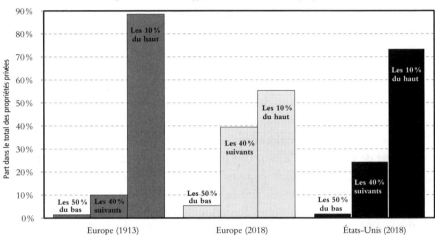

Lecture : la part des 10 % les plus riches dans le total des propriétés privées atteignait 89 % en Europe (moyenne Royaume-Uni-France-Suède) en 1913 (contre 1 % pour les 50 % les plus pauvres), 55 % en Europe en 2018 (contre 5 % pour les 50 % les plus pauvres), et 74 % aux États-Unis en 2018 (contre 2 % pour les 50 % les plus pauvres). Sources et séries : voir piketty.pse.ens.fr/ideologie.

De la persistance du patriarcat au XXIᵉ siècle

Les sociétés hypercapitalistes de ce début du XXIᵉ siècle sont très diverses. Elles sont certes connectées les unes aux autres par un système capitaliste mondialisé et digital. Mais les sociétés de la planète portent également la trace des multiples trajectoires politico-idéologiques qu'elles ont traversées, avec par exemple des éléments sociaux-démocrates, postcommunistes ou pétro-monarchiques. De façon générale, les différents régimes inégalitaires actuels combinent des éléments de modernité et d'archaïsme, des institutions et discours inédits et d'autres qui représentent des formes de retour à des croyances anciennes, comme la quasi-sacralisation de la propriété privée.

Parmi les éléments les plus archaïques ou traditionalistes figure notamment une forme de persistance du patriarcat. La plupart des sociétés dans l'histoire se caractérisent par diverses formes de domination masculine, en particulier concernant le pouvoir politique et économique. C'était évidemment le cas dans le cadre des sociétés trifonctionnelles anciennes, où les élites guerrières et cléricales étaient toujours des élites mâles, quelles que soient la civilisation ou la religion. C'était également le cas au sein des sociétés de propriétaires du XIXᵉ siècle. Compte tenu de l'emprise nouvelle de l'État centralisé, de ses codes et de ses lois dans les sociétés propriétaristes, la domination masculine prit même d'une certaine façon une nouvelle ampleur, ou tout du moins une systématicité inédite dans son application. Les revendications féministes qui s'exprimèrent au cours de la Révolution française furent rapidement tues et oubliées, et le Code civil napoléonien de 1804 consacra la toute-puissance juridique du chef de famille et de l'homme propriétaire, dans tout le territoire du pays et dans toutes les familles, des plus riches aux plus modestes[1]. Dans de nombreux pays occidentaux, dont la France, il fallut attendre les années 1960 et 1970 pour que les femmes mariées disposent par exemple du droit de signer un contrat de travail ou d'ouvrir un compte en banque sans l'accord de leur mari, ou pour que cessent les asymétries dans le traitement des adultères masculins et féminins en matière de droit du divorce. La lutte pour le droit de vote des femmes a été un processus long, conflictuel et toujours en cours. Il fut obtenu en 1893 en Nouvelle-Zélande, en 1928 au Royaume-Uni, en 1930 en Turquie, en 1932 au Brésil, en 1944 en France, en 1971 en Suisse et en 2015 en Arabie saoudite[2].

Au sein de cette longue histoire, on s'imagine parfois en ce début de XXIᵉ siècle, particulièrement dans les pays occidentaux, qu'il existerait désormais un consensus en faveur de l'égalité hommes-femmes et que la question du patriarcat et de la domination masculine serait derrière nous. La réalité est plus complexe. Si l'on examine la proportion de femmes parmi les revenus du travail (salaires et revenus d'activité des professions non salariées) les plus élevés, on constate certes une progression au cours du temps. En France, la part des femmes au sein des 1 % des revenus du travail les plus élevés est ainsi passée de 10 % en 1995 à 16 % en 2015. Le problème est que cette évolution est extrêmement lente. Concrètement, si

1. Au Royaume-Uni, la loi électorale de 1832 (voir chapitre 5) consacra le fait que le droit de vote était une affaire exclusivement masculine, alors qu'il pouvait exister des cas (fort rares en pratique) de femmes propriétaires (en particulier veuves ou non mariées) inscrites sur les listes d'électeurs au cours des siècles précédents, en fonction des usages et des rapports de force locaux.

2. Le suffrage féminin fut parfois étendu par étapes, par exemple au Royaume-Uni : en 1918 pour les femmes de plus de 30 ans satisfaisant à une condition de propriété, puis en 1928 sous les mêmes conditions que les hommes (personnes âgées de plus 21 ans et sans condition de propriété).

cette hausse se poursuit dans les décennies à venir au même rythme qu'au cours de la période 1995-2015, alors les femmes devraient représenter la moitié des effectifs au sein du centile supérieur d'ici à 2102. Si l'on fait le même calcul pour le millime supérieur (les 0,1 % des revenus les plus élevés), la conclusion est que la parité devrait être atteinte d'ici à 2144 (voir graphique 13.11).

Graphique 13.11
De la persistance du patriarcat en France au XXIe siècle

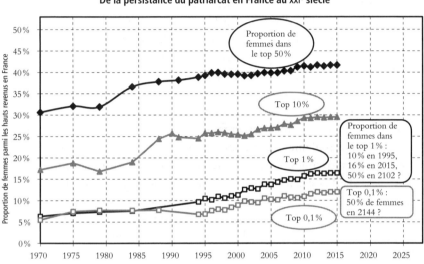

Lecture : la proportion de femmes au sein du centile supérieur (top 1%) de la distribution des revenus du travail (salaires et revenus d'activités non salariées) est passée de 10% en 1995 à 16% en 2015, et devrait atteindre 50% d'ici à 2102 si la tendance se poursuit au même rythme qu'entre 1994 et 2015. Pour le millime supérieur (top 0,1%), la parité pourrait être atteinte en 2144.
Sources et séries : voir piketty.pse.ens.fr/ideologie.

Il est frappant de constater que les chiffres sont presque exactement les mêmes aux États-Unis, à la fois en niveau et en évolution. Concrètement, les hommes représentaient environ 90 % des 1 % des rémunérations les plus élevées dans les années 1990, et ils en représentent toujours autour de 85 % au milieu des années 2010[1]. Autrement dit, la très forte élévation de la part du revenu national allant au centile supérieur est avant tout une évolution qui concerne les hommes. En ce sens, la domination masculine a encore de beaux jours devant elle. Pour tous les pays pour lesquels nous

---

1. Voir T. Piketty, E. Saez, G. Zucman, « Distributional National Accounts : Methods and Estimates for the United States », fig. 7, art. cité.

disposons de données similaires, on constate cette prédominance masculine très marquée au sein des revenus les plus élevés et un mouvement relativement lent vers la parité[1].

Cette lenteur peut s'expliquer de plusieurs façons. Tout d'abord, la force des préjugés historiques à l'encontre des femmes est considérable, particulièrement dans les fonctions de responsabilité et de pouvoir. Nous avons déjà évoqué les expériences menées en Inde consistant à faire lire les mêmes discours politiques par des voix d'hommes et de femmes : les voix féminines rendent systématiquement les discours moins crédibles, mais ce biais diminue dans les municipalités qui ont fait l'expérience d'une femme à leur tête, à la suite d'un dispositif obligatoire de tirage au sort et de « réservations » de ce poste électif pour les femmes[2].

Il faut également insister sur le fait que la période 1950-1980 correspond dans la culture occidentale à une forme d'âge d'or du patriarcat. L'idéal de la femme au foyer, renonçant à une carrière professionnelle et lucrative pour s'occuper des enfants et de la maison, est alors devenu l'objectif non seulement des classes bourgeoises, mais aussi des classes modestes et moyennes. Or il est évident que nous sortons tout juste de cette période. Par exemple, en France, les revenus monétaires tirés d'activités professionnelles étaient en 1970 près de quatre fois plus élevés pour les hommes que pour les femmes en moyenne entre 30 et 55 ans. Autrement dit, près de 80 % de la masse salariale était touchée par des hommes. Cela provenait à la fois d'une faible participation des femmes au marché du travail et des revenus très faibles qu'elles y obtenaient[3]. Il s'agissait d'un monde où les femmes étaient chargées du travail domestique et d'apporter de la tendresse et de la chaleur à l'âge industriel, mais

---

1. Malheureusement, les limitations en termes d'accès aux sources font que nous ne disposons pas de données parfaitement comparables pour tous les pays. Il est possible que des données plus précises conduisent à mettre en évidence des différences importantes et révélatrices. Par exemple, des estimations récemment réalisées pour le Brésil montrent que la part des femmes parmi les 1 % des revenus les plus élevés pourrait avoir atteint dans les années 2000-2015 un niveau de l'ordre de 25 %-30 %, donc significativement plus élevé qu'en France et aux États-Unis. Voir M. MORGAN, *Essays on Income Distribution Methodological, Historical and Institutional Perspectives with Applications to the Case of Brazil (1926-2016)*, PSE et EHESS, 2018, p. 314, fig. 3.8.

2. Voir les travaux d'Esther Duflo et de ses collègues cités dans le chapitre 8.

3. Au sein des professions non salariées (paysans, artisans, commerçants), il a longtemps été courant de ne pas déclarer le travail de l'épouse, y compris lorsque celle-ci faisait les mêmes horaires que le mari (auxquels il fallait souvent ajouter le travail ménager), avec pour conséquence l'absence d'une pension de retraite et de droits sociaux de plein droit.

étaient *de facto* exclues des questions d'argent. Les femmes étaient certes dotées de nombreuses missions (en particulier s'occuper des enfants), mais la maîtrise du portefeuille n'en faisait clairement pas partie. La situation a changé de façon importante depuis cette période, mais l'écart de revenu monétaire moyen entre hommes et femmes reste très élevé. En 2015, il est certes de « seulement » 25 % lors de l'entrée dans la vie active (autour de 25 ans), mais compte tenu des différences de trajectoire professionnelle et des chances de promotion, il dépasse 40 % à l'âge de 40 ans et 65 % à 65 ans, ce qui implique aussi d'énormes inégalités en termes de pensions de retraite[1].

Afin d'accélérer le processus de convergence, il paraît nécessaire d'adopter des mesures volontaristes. On peut par exemple penser à des dispositifs de quotas ou de « réservations » à l'indienne concernant non seulement les postes électifs, comme cela est déjà le cas dans de très nombreux pays, mais également les postes les plus élevés dans les entreprises, les administrations et les universités. Il paraît également nécessaire de repenser l'organisation du temps de travail et la relation entre la vie professionnelle et la vie familiale et personnelle. Une part importante des hommes disposant des rémunérations les plus élevées passent une bonne partie de leur vie en voyant à peine leurs enfants, leur famille, leurs amis, et le monde extérieur (y compris quand ils auraient les moyens d'agir autrement, contrairement aux travailleurs moins bien rémunérés). Résoudre le problème des inégalités hommes-femmes en incitant les femmes à faire de même n'est pas nécessairement la meilleure solution. Des travaux ont ainsi montré que les professions où l'égalité hommes-femmes avait le plus progressé sont celles où l'organisation du travail a permis une meilleure maîtrise des horaires[2].

---

1. Les estimations souvent diffusées selon lesquelles l'écart de salaires hommes-femmes pour un poste donné serait en moyenne de l'ordre de 15 %-20 % tendent à sous-évaluer l'ampleur de ces inégalités, car par définition elles ne prennent pas en compte le fait que les hommes et les femmes n'accèdent pas aux mêmes postes. Pour les profils d'inégalités hommes-femmes par âge de 1970 à 2015, voir annexe technique, graphique supplémentaire S13.11. Voir également B. Garbinti, J. Goupille-Lebret, T. Piketty, « Income Inequality in France : Evidence from Distributional National Accounts », WID.world, Working Paper Series, n° 2017/4, *Journal of Public Economics*, 2018, pour des résultats détaillés.

2. Voir par exemple C. Goldin, L. Katz, « The Most Egalitarian of All Professions : Pharmacy and Evolution of a Family-Friendly Occupation », NBER, 2012. Sur le rôle des interruptions familiales dans les trajectoires salariales, voir H. Kleven, C. Landais, « Gender Inequality and Economic Development : Fertility, Education and Norms », *Economica*, vol. 84, n° 334, 2017, p. 180-209.

Mentionnons enfin que la remontée du niveau et de la concentration des propriétés privées entraîne également des conséquences spécifiques pour les inégalités femmes-hommes. Cette remontée implique tout d'abord que les questions de partage d'actifs, que ce soit à l'intérieur d'une fratrie ou d'un couple, prennent une importance particulière. Or les règles théoriques visant à l'égalité des partages entre frères et sœurs ou entre maris et femmes peuvent faire l'objet de multiples contournements, par exemple au travers de la valorisation de biens professionnels[1]. La propension des couples à se former entre personnes disposant d'apports patrimoniaux comparables (et non seulement de niveaux de salaires ou de diplômes comparables) s'est également accrue de façon significative au cours des dernières décennies dans un pays comme la France[2]. Cela représente une forme de retour à un monde balzacien et austenien, même si les niveaux d'homogamie patrimoniale restent en ce début de XXIe siècle moins élevés que les sommets observés au XIXe siècle[3]. Compte tenu de l'accroissement très rapide de l'homogamie professionnelle au cours des dernières décennies, phénomène qui a joué un rôle important dans la montée des inégalités de revenus entre couples, aux États-Unis comme en Europe, il est tout à fait possible cependant que l'homogamie patrimoniale poursuive sa marche en avant au XXIe siècle[4].

On observe en parallèle au cours des dernières décennies un développement très important des séparations de biens au sein des couples, à la fois parmi les couples mariés et au travers de nouvelles formes d'unions civiles hors mariage. En théorie, cette évolution pourrait être le complément logique d'un mouvement vers une plus grande égalité professionnelle hommes-femmes, doublé d'une évolution vers une plus grande individualisation des trajectoires[5]. En pratique, compte tenu du fait que l'inégalité

---

1. Voir C. Bessière, S. Gollac, « Un entre-soi de possédant(e)s. Le genre des arrangements patrimoniaux dans les études notariales et cabinets d'avocat(e)s », *Sociétés contemporaines*, n° 108, 2017, p. 69-95 ; C. Bessière, « Reversed Accounting. Legal Professionals, Families and the Gender Wealth Gap in France », *Socio-Economic Review*, 2019.

2. Voir N. Frémeaux, « The Role of Inheritance and Labor Income in Marital Choices », *Population*, vol. 69, n° 4, 2014, p. 495-530.

3. Voir P. Mary, « Inheritance and Marriage in Paris : An Estimation of Homogamy (1872-1912) », PSE et EHESS, 2018.

4. Voir D. Yonzan, « Assortative Mating over Labor Income and Its Implication on Income Inequality : A US perspective 1970-2017 », CUNY, 2018 ; B. Milanovic, *Capitalism Alone*, Harvard University Press, 2019, fig. 2.4, p. 40.

5. En France, le régime matrimonial par défaut pour les couples mariés (et en perte de vitesse au sein de l'ensemble des couples) est la communauté des biens réduite aux acquêts : les biens acquis pendant l'union sont possédés à parts égales (de même que les revenus), alors

salariale demeure très forte, notamment du fait des interruptions de carrières féminines consécutives aux naissances, cette évolution vers la séparation de biens a surtout bénéficié aux hommes. Ce phénomène a contribué à une progression paradoxale des inégalités patrimoniales entre hommes et femmes (notamment à la suite de divorces et de séparations) depuis les années 1990-2000, à rebours des évolutions salariales[1]. Ces évolutions, trop peu étudiées, illustrent de nouveau le rôle central du régime légal et fiscal dans la structuration des régimes inégalitaires. Elles montrent également à quel point il serait faux de s'imaginer que le mouvement vers l'égalité hommes-femmes aurait quelque chose de « naturel » et d'irréversible. Nous reviendrons dans la prochaine partie sur le rôle joué par les inégalités de genres dans l'évolution de la structure des clivages politiques.

De la paupérisation des États pauvres et de la libéralisation commerciale

Venons-en maintenant à une question particulièrement centrale pour l'évolution du régime inégalitaire mondial en ce début de XXIe siècle : la relative et paradoxale paupérisation des États les plus pauvres de la planète au cours des dernières décennies, particulièrement en Afrique subsaharienne et en Asie du Sud et du Sud-Est. De façon générale, le rythme du rattrapage économique entre les pays pauvres et les pays riches a beaucoup varié depuis les années 1970-1980. Nous avons déjà largement évoqué la comparaison entre la Chine et l'Inde. Si la Chine a réussi à obtenir une croissance à la fois plus forte et moins inégalitaire depuis les années 1980, c'est sans doute en grande partie parce que le pays a mieux réussi que l'Inde à mobiliser des ressources publiques importantes pour investir dans l'éducation, la santé et les infrastructures indispensables pour le développement[2]. Plus globalement, nous avons vu que l'histoire du développement était intimement liée au processus de construction de l'État. La constitution d'une puissance publique

---

que les biens hérités ou détenus avant l'union restent séparés. Cette asymétrie peut notamment se justifier par une forte séparation des tâches et de faibles revenus professionnels pour les conjointes.

1. Sur ces évolutions de long terme, voir N. FRÉMEAUX, M. LETURQ, « Prenuptial Agreements and Matrimonial Property Regimes in France (1855-2010) », *Explorations in Economic History*, 2018 ; ID., « The Individualization of Wealth in France », Paris 2 Panthéon Assas et INED, 2018.

2. Voir en particulier chapitre 8, p. 419-420.

légitime, capable de mobiliser des ressources importantes et de les allouer en bénéficiant de la confiance du plus grand nombre, est sans nul doute l'enjeu le plus essentiel et le plus complexe pour un développement réussi.

De ce point de vue, il est frappant de constater que les États les plus pauvres du monde se sont appauvris des années 1970-1980 aux années 1990-2000, avant de se redresser très légèrement dans les années 2000-2010, sans pour autant retrouver leur point de départ (pourtant fort bas). Plus précisément, si l'on classe les pays du monde en trois tiers, et que l'on examine la moyenne des recettes fiscales au sein du tiers des pays les plus pauvres, qui regroupe essentiellement des pays d'Afrique subsaharienne et d'Asie du Sud, on constate que les recettes fiscales sont passées de près de 16 % du produit intérieur brut au cours de la période 1970-1979 à moins de 14 % en 1990-1999 puis 14,5 % en 2010-2018 (voir graphique 13.12).

Graphique 13.12
Recettes fiscales et libéralisation des échanges, 1970-2018

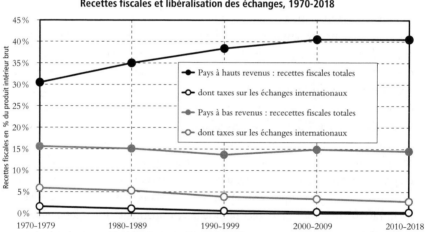

Lecture : dans les pays à bas revenus (tiers des pays les plus pauvres : Afrique, Asie du Sud, etc.), les recettes fiscales sont passées de 15,6 % du produit intérieur brut en 1970-1979 à 13,7 % en 1990-1999 et 14,5 % en 2010-2018, en partie du fait de la chute non compensée des droits de douane et autres taxes sur les échanges internationaux (qui rapportaient 5,9 % du PIB en 1970-1979, 3,9 % en 1990-1999 et 2,8 % en 2010-2018). Dans les pays à hauts revenus (tiers le plus riche : Europe, Amérique du Nord, etc.), les droits de douane étaient déjà très faibles en début de période et les recettes fiscales ont continué de progresser, avant de se stabiliser.
Sources et séries : voir piketty.pse.ens.fr/ideologie.

Il s'agit là de niveaux de recettes extrêmement bas, qui dissimulent en outre de fortes disparités. Dans de nombreux pays africains, comme au Nigeria, au Tchad ou en République centrafricaine, les recettes fiscales sont comprises entre 6 % et 8 % du PIB. Or comme nous l'avons noté en analysant la formation de l'État centralisé dans les pays aujourd'hui développés, de telles recettes sont tout juste suffisantes pour maintenir l'ordre et les infrastructures de base et ne permettent pas d'envisager le financement d'un investissement significatif en éducation et en santé[1]. Dans le même temps, on observe que les recettes fiscales au sein du tiers des pays les plus riches (essentiellement en Europe, en Amérique du Nord et au Japon) ont continué de progresser, passant d'environ 30 % du PIB en moyenne dans les années 1970 à 40 % dans les années 2010.

Pour expliquer la trajectoire particulière des pays les plus pauvres, il faut certes prendre en compte que le processus de la construction de l'État est long et complexe. À la fin des années 1960 et au début des années 1970, la plupart des pays africains sortaient tout juste de la colonisation. Les États nouvellement indépendants faisaient face à des défis considérables en termes de consolidation interne et externe, parfois avec des conflits séparatistes, le tout avec des rythmes de croissance démographique auxquels aucun pays occidental n'a jamais eu à faire face. Les tâches étaient immenses, et personne ne pouvait s'attendre à ce que les recettes fiscales bondissent en quelques années à 30 % ou 40 % du PIB, ce qui aurait d'ailleurs pu avoir des effets indésirables. Il reste que la nette baisse observée entre les années 1970-1980 et 1990-2000 (près de 2 % du PIB de recettes en moins) constitue une anomalie historique qui a profondément handicapé au cours de ces décennies cruciales le développement d'un État social efficace au service du développement. Cette anomalie mérite une explication particulière.

Des travaux récents ont montré que cette baisse était intimement liée à un processus de libéralisation commerciale inhabituellement rapide et en partie imposé par les pays riches et les organisations internationales, sans que les pays pauvres disposent du temps ou du soutien nécessaires pour remplacer les recettes anciennement perçues sous forme de droits de douane par de nouvelles recettes fiscales (issues par exemple d'impôts sur les revenus ou les propriétés[2]). Dans les années 1970, les droits de douane et autres taxes sur les échanges internationaux représentaient une très forte part des recettes totales des pays pauvres : près de 6 % du PIB. Une telle situation n'est pas inhabituelle et se retrouve au XIXe siècle dans les pays européens : les droits de douane sont les impôts les plus faciles à prélever,

---

1. Voir chapitre 10, graphiques 10.14 et 10.15, p. 536 et 537.
2. Voir J. CAGÉ, L. GADENNE, « Tax Revenues and the Fiscal Cost of Trade Liberalization, 1792-2006 », *Explorations in Economic History*, vol. 70, octobre 2018, p. 1-24.

et il est naturel qu'ils soient surutilisés lors des premières phases de développement. La différence est que les pays occidentaux ont pu réduire ces droits de douane très graduellement, à leur rythme, au fur et à mesure qu'ils développaient d'autres formes d'imposition venant se substituer aux anciennes recettes et leur permettant d'accroître le total. Les pays les plus pauvres de la planète, en particulier en Afrique, ont fait face à une situation très différente : les droits de douane sont subitement passés à moins de 4 % du PIB dans les années 1990 et à moins de 3 % dans les années 2010, sans que les États parviennent dans un premier temps à compenser ces pertes.

Il ne s'agit pas de mettre l'entière responsabilité de tout ce qui arrive en Afrique sur le dos des ex-puissances coloniales. Le développement d'un système fiscal dépend aussi et surtout des conflits sociopolitiques nationaux et de leur structuration. Il reste qu'il est très difficile pour les pays les plus pauvres de résister à une pression des pays riches pour une libéralisation commerciale accélérée, tout cela dans une atmosphère idéologique caractérisée à partir des années 1980-1990 par un certain dénigrement de l'État et de l'impôt progressif, particulièrement aux États-Unis et au sein des organisations internationales basées à Washington (FMI et Banque mondiale).

Plus généralement, il est indéniable que toutes les questions précédemment évoquées sur le manque de transparence économique et financière dans les pays riches ont des conséquences plus graves encore dans les pays pauvres. En particulier, le régime de concurrence fiscale exacerbée et de libéralisation des flux des capitaux sans coordination politique et sans échange automatique d'informations bancaires, mis en place sur l'initiative de l'Europe et des États-Unis depuis les années 1980-1990, a eu des conséquences extrêmement indésirables et dommageables pour les pays pauvres, notamment en Afrique. D'après les estimations disponibles, les actifs détenus au travers de paradis fiscaux représentent au moins 30 % des actifs financiers totaux détenus en Afrique, soit trois fois plus qu'en Europe[1]. Il n'est pas simple de développer le consentement à l'impôt et de construire de nouvelles normes collectives de justice fiscale dans un environnement où une bonne partie des contribuables les plus riches peuvent y échapper en localisant leurs avoirs à l'étranger et se réfugier à Paris ou à Londres en cas de besoin. À l'inverse, une coopération légale et fiscale ambitieuse avec les pays riches et une transparence internationale accrue sur les actifs financiers et les profits des multinationales pourraient permettre

1. Voir chapitre 12, graphique 12.5, p. 700.

aux pays les plus pauvres de développer dans de bien meilleures conditions leur capacité fiscale et étatique.

La création monétaire va-t-elle nous sauver ?

L'une des évolutions les plus spectaculaires observées depuis la crise financière de 2008 est le nouveau rôle joué par la création monétaire et les banques centrales. Cette transformation a profondément perturbé les perceptions des rôles respectifs de l'État et des banques centrales, de l'impôt et de la monnaie, et plus généralement les représentations de l'économie juste. Avant la crise de 2008, la représentation dominante de la monnaie était qu'il était impossible, ou tout du moins peu recommandé, de demander aux banques centrales de créer autant de monnaie aussi vite. C'est notamment sur cette base que les Européens avaient validé la création de l'euro dans les années 1990. Après la « stagflation » des années 1970 (mélange de stagnation, ou tout du moins de ralentissement de la croissance, et d'inflation), il n'avait pas été trop difficile de les convaincre dans le cadre du traité de Maastricht adopté en 1992 que l'euro devait s'appuyer sur une banque centrale aussi indépendante que possible, avec pour mandat prioritaire une cible d'inflation positive mais faible (2 %), et une interférence minimale dans la vie économique. Le nouveau rôle soudainement pris par les banques centrales depuis 2008 a créé un sentiment de grande confusion, en Europe et ailleurs, qu'il est important de mieux comprendre.

Afin de préciser les termes de la discussion, commençons par examiner l'évolution de la taille du bilan des principales banques centrales de 1900 à 2018 (voir graphique 13.13). Le bilan d'une banque centrale désigne tous les prêts qu'elle a consentis à l'économie, en général au travers du système bancaire, et tous les titres financiers (principalement des obligations) achetés sur les marchés. La plupart de ces prêts et de ces achats de titres se font par une création monétaire purement électronique de la part des banques centrales, sans fabrication de billets et de pièces. Pour simplifier la discussion et la compréhension de ces mécanismes, il est d'ailleurs préférable de se placer d'emblée dans le cadre d'une économie monétaire entièrement digitalisée, c'est-à-dire où la monnaie existerait uniquement en tant que signe virtuel dans les ordinateurs des banques et où toutes les dépenses des entreprises comme des particuliers seraient réglées électroniquement et par carte de crédit (ce qui n'est pas loin d'être déjà le cas, et ne changerait rien aux opérations décrites ici).

Graphique 13.13
La taille de bilan des banques centrales, 1900-2018

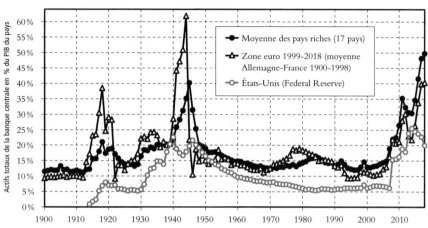

Lecture : les actifs totaux de la Banque centrale européenne (BCE) sont passés de 11 % du PIB de la zone euro au 31/12/2004 à 41 % au 31/12/2018. La courbe 1900-1998 indique la moyenne obtenue pour les bilans des banques centrales allemande et française (avec des pics de 39 % en 1918 et 62 % en 1944). Les actifs totaux de la Federal Reserve (créée en 1913) sont passés de 6 % du PIB des États-Unis en 2007 à 26 % fin 2014.
Note : la moyenne des pays riches est la moyenne arithmétique des 17 pays suivants : Allemagne, Australie, Belgique, Canada, Danemark, Espagne, États-Unis, France, Finlande, Pays-Bas, Italie, Japon, Norvège, Portugal, Suède, Suisse, Royaume-Uni.
Sources et séries : voir piketty.pse.ens.fr/ideologie.

Au milieu des années 2000, à la veille de la crise financière de 2007-2008, le bilan de la Federal Reserve représentait l'équivalent d'un peu plus de 5 % du PIB des États-Unis, alors que celui de la BCE avoisinait les 10 % du PIB de la zone euro. Il s'agissait principalement de prêts à très court terme faits aux banques, souvent à l'horizon de quelques jours, ou tout au plus de quelques semaines. Il s'agit là de la fonction traditionnelle d'une banque centrale par temps calme. Les opérations d'entrées et de sorties de fonds au sein des comptes de chaque banque privée prise individuellement dépendent des décisions de millions de personnes et d'entreprises, et elles ne peuvent jamais s'équilibrer au dollar ou à l'euro près au quotidien. Les banques se font donc des prêts entre elles à très court terme pour équilibrer le système de paiement, et la banque centrale assure la stabilité de l'ensemble et apporte la liquidité nécessaire. Ces prêts entre banques et entre la banque centrale et les banques privées s'équilibrent le plus souvent en quelques jours ou quelques semaines et ne laissent pas de trace durable. Il s'agit au fond d'une fonction financière purement technique, essentielle pour la stabilité de l'ensemble, mais qui intéresse généralement assez peu les observateurs extérieurs[1].

À la suite de la panique financière de septembre 2008, consécutive notamment à la mise en faillite de Lehman Brothers, la situation changea du tout au tout. Les principales banques centrales de la planète se mirent à développer des opérations de création monétaire de plus en plus complexes, désignées par le nom énigmatique de *quantitative easing* (« assouplissement quantitatif »). Concrètement, ces opérations reviennent à faire des prêts au secteur bancaire sur des durées de plus en plus longues (trois mois, six mois, voire douze mois, et non plus quelques jours ou semaines) et à acheter des titres émis par les entreprises privées et les gouvernements à des horizons encore plus lointains (plusieurs années) et dans des proportions beaucoup plus massives qu'auparavant. La réaction la plus rapide fut celle de la Federal Reserve. En septembre-octobre 2008, la taille de son bilan passa de l'équivalent de 5 % du PIB à 15 % du PIB, soit une création monétaire équivalant à 10 % du PIB des États-Unis en quelques semaines. Cet activisme s'est poursuivi au cours des années suivantes et ce bilan a atteint 25 % du PIB fin 2014, avant de décliner légèrement depuis lors, tout en restant substantiellement plus élevé qu'avant la crise (20 % du PIB fin 2018, contre 5 % du PIB mi-septembre 2008). En Europe, la réaction a été plus lente. La BCE et les autorités européennes ont mis plus de temps à comprendre que seule une intervention puissante de la banque centrale pouvait stabiliser les marchés financiers et réduire les écarts de taux sur les dettes publiques des différents pays[2]. Mais les programmes d'achats d'obligations privées et publiques se sont par la suite accélérés, et le bilan de la BCE atteignait 40 % du PIB de la zone euro à la fin de l'année 2018 (voir graphique 13.13)[3].

1. En particulier, le fait que la taille du bilan de la BCE était deux fois plus forte que celle de la Fed à la veille de la crise (écart qui s'est largement maintenu jusqu'aujourd'hui) témoigne principalement d'une plus grande importance des banques et des prêts bancaires aux entreprises dans le financement de l'économie européenne (alors que les États-Unis reposent davantage sur les marchés financiers).

2. Cette lenteur explique d'ailleurs dans une large mesure la crise des dettes de la zone euro à partir de 2009-2010, et la rechute de l'activité économique européenne en 2011-2012, alors que les États-Unis poursuivaient leur sortie de crise. Voir chapitre 12, p. 745-749, et annexe technique, graphiques supplémentaires S12.11-S12.12.

3. Le bilan de la BCE se montait à quelque 4 700 milliards d'euros fin 2018 (soit 40 % du PIB de la zone euro, qui s'élevait à environ 11 600 milliards d'euros). Par comparaison, le bilan de la BCE était de 1 500 milliards d'euros début 2008, soit une création monétaire de 3 200 milliards d'euros en moins de dix ans. Voir annexe technique pour des séries détaillées.

Il existe un assez large consensus pour considérer que cette intervention massive des banques centrales a permis d'éviter que la « grande récession » de 2008-2009, qui, avec une chute moyenne d'activité d'environ 5 % aux États-Unis et en Europe, fut la plus importante de l'après-guerre dans les pays riches, ne se transforme en une « grande dépression » comparable à la crise des années 1930 (avec des chutes d'activité de l'ordre de 20 %-30 % dans les principales économies entre 1929 et 1932). En évitant les faillites bancaires en cascade et en assumant leur rôle de « prêteurs de dernier ressort », la Fed et la BCE n'ont pas répété les erreurs des banques centrales de l'entre-deux-guerres, dont les doctrines orthodoxes et « liquidationnistes » (autrement dit, les mauvaises banques doivent faire faillite et l'économie repartira) avaient contribué à précipiter le monde vers l'abîme.

Ce faisant, le risque est que ces politiques monétaires, en permettant d'éviter le pire, aient contribué à donner l'impression qu'aucun changement structurel plus profond des politiques sociales, fiscales et économiques n'était nécessaire. Or, les banques centrales ne sont pas équipées pour résoudre tous les problèmes du monde et pour proposer une régulation d'ensemble du capitalisme (sans parler de son dépassement[1]). Pour lutter contre l'excès de dérégulation financière, la montée des inégalités ou le réchauffement climatique, il faut d'autres institutions publiques : des lois, des impôts, des traités internationaux, le tout construit par des parlements s'appuyant sur la délibération collective et des procédures démocratiques. La force des banques centrales est leur capacité d'action extrêmement rapide. À l'automne 2008, aucune autre institution n'aurait pu mobiliser aussi vite des ressources aussi importantes. En cas de panique financière, ou bien d'une guerre ou d'une catastrophe naturelle d'une gravité exceptionnelle, seule la

---

1. Il est intéressant de noter que le consensus anti-liquidationniste de 2008 vient pour partie de la relecture « monétariste » de la crise de 1929. En dénonçant la politique restrictive et la déflation causée par la Fed au début des années 1930, Friedman aboutit à la conclusion qu'une politique monétaire adaptée (assurant une inflation modérée et régulière) aurait suffi pour éviter la dépression et faire repartir l'économie. Autrement dit, nul besoin de New Deal, de sécurité sociale ou d'impôt progressif pour réguler le capitalisme : une bonne Fed suffit. Dans les États-Unis des années 1960-1970, où une partie des démocrates rêvaient de parachever le New Deal, mais où l'opinion commençait à s'inquiéter du déclin relatif des États-Unis au regard d'une Europe en pleine croissance, ce message politique simple et fort eut un énorme impact. Les travaux de Friedman et de l'École de Chicago contribuèrent à développer un climat de méfiance face au rôle croissant de l'État, et à forger le contexte intellectuel menant à la « révolution conservatrice » de 1980. Voir M. Friedman, A. Jacobson Schwartz, *A Monetary History of the United States, 1857-1960*, Princeton University Press, 1963, réimpr. 1992 ; et T. Piketty, *Le Capital au XXIᵉ siècle, op. cit.*, p. 896-906.

création monétaire peut fournir à la puissance publique les moyens d'une intervention immédiate. Par comparaison, les impôts, les budgets, les lois et les traités demandent parfois des mois de délibérations parlementaires, sans compter que la recherche de majorités politiques adéquates peut exiger de nouvelles élections, sans garantie de résultat.

En même temps, cette force des banques centrales est aussi leur principale faiblesse : elles ne disposent pas de la légitimité démocratique suffisante pour s'aventurer trop au-delà de leur sphère d'expertise étroitement bancaire et financière.

Dans l'absolu, rien n'empêcherait les banques centrales de décupler leur taille, voire davantage. Rappelons par exemple que le total des propriétés privées (immobilières, professionnelles et financières, nettes de dettes) détenues par les ménages atteint dans les années 2010 environ 500 %-600 % du revenu national dans la plupart des pays riches (contre à peine 300 % dans les années 1970-1980[1]). D'un point de vue strictement technique, il serait possible pour la Fed ou la BCE de créer l'équivalent de 600 % du PIB ou du revenu national en dollars et en euros et de tenter de racheter la totalité du capital privé des États-Unis et de l'Europe de l'Ouest[2]. Le problème est que cela poserait de sérieux problèmes de gouvernance : les banques centrales et leur conseil d'administration ne sont pas mieux outillés pour administrer la totalité des propriétés d'un pays que ne l'était le système de planification centralisé en Union soviétique.

Le néopropriétarisme et le nouveau régime monétaire

Sans aller jusque-là, il est tout à fait possible que le bilan des banques centrales continue de croître à l'avenir, en particulier en cas de nouvelle crise financière. Il faut notamment insister sur le fait que la financiarisation de l'économie a atteint des proportions phénoménales au cours des dernières décennies. En particulier, l'ampleur des détentions financières croisées entre entreprises et entre pays a progressé à des rythmes sensiblement plus rapides que la taille de l'économie réelle et du capital net. En zone euro, la totalité des actifs et passifs financiers détenus par les différents acteurs

---

1. Voir chapitre 10, graphique 10.8, p. 505, et annexe technique, graphique supplémentaire S10.8.

2. En pratique, une partie des propriétaires privés voudraient garder leurs biens, si bien que cette politique conduirait à une énorme augmentation du prix des actifs, avec pour conséquence qu'une création monétaire encore plus élevée serait nécessaire pour acquérir la totalité du capital privé.

institutionnels (entreprises financières et non financières, ménages et gouvernement) a dépassé 1 100 % du PIB en 2018, contre à peine 300 % dans les années 1970-1980. Autrement dit, même si le bilan de la BCE atteint maintenant 40 % du PIB de la zone euro, cela ne représente finalement que moins de 4 % des actifs financiers en circulation. D'une certaine façon, les banques centrales n'ont fait que s'adapter à la financiarisation rampante, et la hausse de la taille de leurs bilans leur a simplement permis de préserver une certaine capacité d'action sur les prix des actifs financiers, devenus eux-mêmes tentaculaires. Si les circonstances l'exigent, la BCE et la Fed pourraient être amenées à aller encore plus loin. On remarquera d'ailleurs que la Banque du Japon et la Banque nationale suisse viennent de dépasser fin 2018 les 100 % du PIB en taille de bilan (voir graphique 13.14). Dans les deux cas, cela découle des particularités de la situation financière du pays[1]. On ne peut toutefois pas exclure la possibilité que des évolutions similaires se produisent un jour en zone euro ou aux États-Unis. La mondialisation financière a pris de telles proportions qu'elle peut conduire de proche en proche à mener des politiques monétaires proprement impensables peu de temps auparavant.

Ces évolutions posent toutefois de multiples problèmes. Tout d'abord, la réelle priorité serait sans doute de faire diminuer la taille des bilans privés, plutôt que de se livrer à une course-poursuite avec eux. Une situation où tous les acteurs sont de plus en plus endettés les uns vis-à-vis des autres et où la taille totale de la sphère financière (actifs et passifs financiers réunis) croît structurellement plus vite que l'économie réelle n'est pas tenable éternellement, et met l'ensemble de l'économie et de la société dans un état de grande fragilité[2].

Ensuite, les effets réels à long terme de ces politiques monétaires « non conventionnelles » sont mal connus, et il est fort possible qu'elles contribuent à un accroissement de l'inégalité des rendements financiers et de la concentration des patrimoines. Lorsque les bilans des banques centrales

---

1. Au Japon, la dette publique dépasse 200 % du PIB, mais fait l'objet de détentions croisées avec plusieurs entités publiques (en particulier des caisses de retraite) et la banque centrale. En Suisse, la banque centrale a choisi de faire face à l'énorme demande internationale de francs suisses comme actifs de réserve (sans rapport avec la taille réelle de l'économie suisse) par une importante création monétaire, afin d'éviter une appréciation excessive du taux de change.

2. Voir A. TURNER, *Between Debt and the Devil. Money, Credit, and Fixing Global Finance*, Princeton University Press, 2016. Voir également C. DURAND, *Le Capital fictif. Comment la finance s'approprie notre avenir*, Les Prairies ordinaires, 2014 ; A. TOOZE, *Crashed. How a Decade of Financial Crisis Changed the World*, Viking (Penguin), 2018.

Graphique 13.14
Banques centrales et mondialisation financière

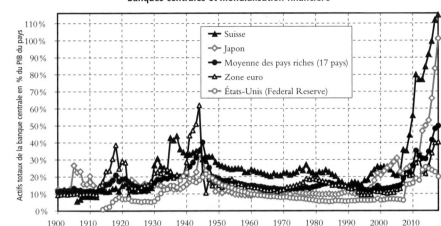

Lecture : les actifs totaux des banques centrales des pays riches sont passés de 13 % du PIB en moyenne au 31/12/2000 à 51 % au 31/12/2018. Les actifs des banques centrales du Japon et de la Suisse ont dépassé 100 % du PIB en 2017-2018.

Note : la moyenne des pays riches est la moyenne arithmétique des 17 pays suivants : Allemagne, Australie, Belgique, Canada, Danemark, Espagne, États-Unis, France, Finlande, Pays-Bas, Italie, Japon, Norvège, Portugal, Suède, Suisse, Royaume-Uni.

Sources et séries : voir piketty.pse.ens.fr/ideologie.

avaient atteint des sommets comparables aux lendemains de la Seconde Guerre mondiale (entre 40 % et 90 % du PIB suivant les pays), cette forte création monétaire s'était accompagnée d'une inflation importante. Les économies étaient alors prises dans des spirales prix-salaires auxquelles les gouvernements concouraient en augmentant les salaires publics, et ce processus inflationniste contribua à réduire à peu de chose la valeur des dettes publiques, ce qui eut au moins le mérite de faciliter les investissements et la reconstruction au cours des décennies de l'après-guerre[1]. Rien de tel dans la période actuelle. Les salaires sont quasiment gelés, dans le secteur public comme dans le secteur privé, et l'inflation sur les prix à la consommation

---

1. La courbe indiquée avant 1999 pour la zone euro sur le graphique 13.13 correspond à la moyenne France-Allemagne. Celle-ci est décomposée sur le graphique supplémentaire S13.13 (voir annexe technique). En 1945-1946, la taille du bilan atteignait 80 %-90 % du PIB pour la Banque de France et 40 %-50 % du PIB pour la Bundesbank. Pendant chacune des deux guerres mondiales, les prêts directs aux gouvernements pour financer la guerre jouèrent un rôle central dans l'évolution des bilans des banques centrales. Voir par exemple E. MONNET, *Controlling Credit. Central Banking and the Planned Economy in Postwar France 1948-1973*, Cambridge University Press, 2018, p. 67, fig. 1. La différence centrale avec la période actuelle est que ces prêts alimentèrent immédiatement des dépenses nouvelles.

a été extrêmement faible depuis la crise de 2008, notamment en zone euro (à peine 1 % par an), où elle serait sans doute devenue négative sans les interventions monétaires.

Si la création monétaire ne nourrit pas d'augmentation des prix à la consommation, elle contribue en revanche à la hausse du prix de certains actifs, créant ainsi de forts différentiels de rendements. Sur les dettes publiques de l'Allemagne et de la France, les rendements nominaux actuels sont certes presque nuls, et les rendements réels sont négatifs. Cela s'explique à la fois par les importants rachats de dettes publiques effectués par la BCE, visant à réduire les écarts de taux entre pays, et au fait que les nouvelles normes prudentielles contraignent les banques à détenir une partie importante de leur portefeuille dans les actifs les plus sûrs. Cela provient également du fait que de nombreux acteurs financiers mondiaux trouvent dans les dettes publiques occidentales l'épargne de précaution dont ils pensent avoir besoin, dans un climat général où chaque pays craint d'être la cible d'une panique financière (d'où une surabondance de réserves).

D'une certaine façon, on peut dire que ces taux proches de zéro correspondent à une situation où il est impossible de « s'enrichir en dormant » (tout du moins avec ce type d'actifs très sûr), ce qui marque une différence claire avec les périodes précédentes, ainsi qu'avec le propriétarisme classique du XIXe siècle, du temps de l'étalon-or, où le rendement réel des dettes publiques était généralement d'au moins 3 %-4 % (avec une baisse toutefois dans les dernières décennies d'avant 1914, traduction d'une certaine suraccumulation du capital, d'où une quête effrénée de rendements étrangers et coloniaux). Dans la situation actuelle, les taux d'intérêt de la dette publique sont proches de zéro, mais cela ne signifie pas que les rendements sont devenus nuls pour tout le monde. En pratique, ce sont surtout les patrimoines petits et moyens qui se retrouvent avec cette situation de rendement quasi nul (voire négatif) répercuté par les banques, alors que des portefeuilles plus élevés et mieux informés des mouvements de certains prix d'actifs (en partie entretenus par les banques centrales, et surtout par l'hypertrophie des bilans privés) parviennent toujours à faire des affaires intéressantes. Par exemple, les rendements observés sur les dotations financières les plus importantes (comme les dotations universitaires) ou les rythmes de progression des plus hautes fortunes semblent peu concernés par ces rendements quasi nuls : on continue d'observer dans les deux cas des croissances de l'ordre de 6 %-8 % par an, en partie alimentés par des produits financiers sophistiqués inaccessibles aux porte-feuilles moins importants[1].

Enfin et surtout, cet activisme monétaire témoigne avant tout des multiples blocages auxquels font face les autres politiques publiques, aussi bien du point de vue de la régulation financière que sur le plan fiscal et budgétaire. Cela est vrai dans le cas des États-Unis, où la structure du conflit partisan et le fonctionnement défaillant du Congrès rendent de plus en plus compliquées l'adoption des lois, voire la simple adop-tion d'un budget (d'où les *shutdowns* à répétition du gouvernement fédéral). C'est encore plus évident dans le cas de l'Europe, dont les ins-titutions fédérales sont encore plus dysfonctionnelles qu'aux États-Unis. Dans une situation où il est impossible d'adopter le moindre impôt en commun (compte tenu du droit de veto de chaque État membre), la capacité d'action budgétaire de l'Union européenne est naturellement très limitée. Le budget de l'UE est adopté à l'unanimité des États par périodes de sept ans, avec une confirmation par un vote majoritaire du Parlement européen. Il est alimenté principalement par des contributions des États en proportion de leur revenu national brut (RNB). Le budget de l'UE appliqué au cours de la période 2014-2020 s'élève à tout juste 1 % du PIB de l'UE par an[2]. Par comparaison, les budgets publics gérés par les États membres atteignent environ 30 %-50 % du PIB suivant les pays. Le budget de l'État fédéral étatsunien représente quant à lui près de 20 % du PIB, contre moins de 10 % pour ceux des États fédérés et des autres collectivités locales[3].

Pour résumer : l'Union européenne est un nain financier, paralysé par la règle de l'unanimité en matière fiscale et budgétaire. Dans un tel contexte, la BCE apparaît comme la seule institution fédérale puissante. Elle prend ses décisions à la majorité simple, et c'est sur cette base qu'elle a augmenté la taille de son bilan de l'équivalent de près de 30 % du PIB européen entre 2008 et 2018. Autrement dit, la création monétaire de la

---

1. Voir chapitre 11, p. 627, sur les rendements des dotations universitaires.

2. Soit approximativement le même niveau que celui des budgets précédents et que celui envisagé dans les négociations en cours sur le budget 2021-2027. Le budget de l'UE est aussi financé à titre secondaire par un prélèvement sur les recettes de TVA de chaque pays et sur les maigres droits de douane auxquels sont soumis les biens et services entrant dans l'UE.

3. Voir chapitre 10. Au XIXe siècle et au début du XXe siècle, le budget de l'État fédéral était d'environ 2 % du PIB aux États-Unis (donc plus proche de l'UE actuelle que de l'État fédéral étatsunien actuel).

BCE a représenté chaque année en moyenne près de 3 % du PIB européen, c'est-à-dire trois fois plus que le budget total de l'UE. Ces chiffres disent assez clairement l'importance du régime politique et institutionnel pour les dynamiques économiques et financières. Surtout, ils montrent comment l'hypertrophie monétaire est alimentée par la peur de la démocratie et de l'impôt juste. Autrement dit, faute de parvenir à se mettre d'accord sur des impôts communs, des budgets communs, une dette commune et un taux d'intérêt commun, ce qui nécessiterait une union parlementaire beaucoup plus ambitieuse que les simples accords entre chefs d'État qui tiennent lieu de gouvernance à l'Europe, on pratique une fuite en avant vers l'arme monétaire. Ce faisant, on demande à la BCE, et à son Conseil de gouverneurs, de régler des problèmes pour lesquels elle n'est pas outillée.

Cette dérive est inquiétante et ne pourra durer très longtemps. Car même s'il s'agit de questions financières qui sont réputées techniques et hors de portée de l'appropriation citoyenne, les montants sont tels qu'ils ont commencé à profondément affecter les perceptions de l'économie et de la finance. Fort naturellement, de nombreux citoyens se demandent pourquoi de telles sommes ont été créées pour venir en aide aux institutions financières, avec des effets peu probants sur le redémarrage de l'économie européenne, et pourquoi il serait impossible de mobiliser des ressources similaires pour venir en aide aux catégories populaires, développer les infrastructures publiques ou encore financer un plan massif d'investissements dans la transition énergétique. De fait, cela n'aurait rien d'absurde que la puissance publique européenne utilise les bas taux d'intérêt actuels pour emprunter et financer des investissements utiles. À deux conditions toutefois. D'une part, cela doit se faire dans le cadre d'une architecture démocratique, parlementaire et contradictoire, et non d'un Conseil de gouverneurs délibérant à huis clos. D'autre part, il serait dangereux d'accréditer l'idée selon laquelle tout peut être réglé par la création monétaire et l'endettement. L'instrument principal permettant à une collectivité de mobiliser des ressources en vue d'un projet politique commun reste et demeure l'impôt, collectivement débattu et établi, prélevé en fonction des richesses et de la capacité contributive de chacun, en toute transparence.

En juillet 2013, les rockers britanniques de Muse donnent un concert au stade olympique de Rome. Le titre *Animals* fait explicitement référence au fait que le *quantitative easing* a été inventé pour sauver les banquiers. Le chanteur évoque tous ces maîtres du monde qui spéculent sur la vie des gens ordinaires. Il dédie le morceau « à tous les Fred Goodwin de la terre » (du nom du banquier jugé responsable de la faillite de la Royal Bank of Scotland en 2008, ce qui ne l'a pas empêché de partir avec un parachute doré). Arrive sur scène un horrible banquier aux traits effrayants, distribuant des billets à la foule. Le chanteur expliqua dans un entretien : « We don't take stance, we express the confusion of our time[1]. » De fait, la confusion est considérable. La fuite en avant vers la création monétaire et l'hypertrophie du secteur financier contribuent à nourrir le sentiment de désillusion face à toute possibilité d'une économie juste. Il s'agit là d'une des principales contradictions du régime néopropriétariste actuel, et il est urgent de la dépasser.

Néopropriétarisme et ordolibéralisme : de Hayek à l'UE

Récapitulons. L'idéologie néopropriétariste s'appuie en ce début de XXIe siècle sur de grands récits et des institutions solides, parmi lesquels l'échec communiste, le refus « pandorien » de la redistribution des propriétés, et un régime de libre circulation des capitaux sans régulation, sans information partagée ou fiscalité commune. Mais il faut aussi et surtout insister sur les multiples fragilités de ce régime politico-idéologique, qui sont autant de forces poussant au changement et à son dépassement. L'opacité financière et la montée des inégalités compliquent considérablement la résolution du défi climatique, et plus généralement conduisent à des insatisfactions sociales dont la solution passe par une plus grande transparence et une plus forte redistribution, sauf à vouloir laisser monter des tensions identitaires de plus en plus fortes. Comme tous les régimes inégalitaires, celui-ci est instable et évolutif.

De façon générale, il me semble important de ne pas surestimer la cohérence interne du néopropriétarisme et de sa matrice politico-idéologique, en particulier dans le contexte de l'Union européenne. On associe souvent l'UE à l'ordolibéralisme, doctrine selon laquelle le rôle essentiel de l'État est de garantir les conditions d'une concurrence « libre et non faussée », ou encore au libéralisme constitutionnel et volontiers autoritaire de Friedrich Hayek. De fait, le contournement de la démocratie parlementaire, le gouvernement par les règles automatiques et le principe de l'unanimité des

---

1. Voir *Evening Standard*, 24 mai 2013, « This Is Going to Be our Zoo TV » (interview avec Muse). Le chanteur Matt Bellamy déclara en 2017 avoir voté pour le Brexit.

États en matière fiscale (empêchant *de facto* tout impôt commun) expriment une parenté évidente avec les idées ordolibérales et hayekiennes. Il me semble toutefois important de relativiser le rôle de ces influences, et de ne pas exagérer la cohérence intellectuelle et politique de la construction européenne, qui se situe au carrefour de multiples influences et ne suit pas un plan préconçu et déterminé à l'avance. La structuration institutionnelle et politico-idéologique de l'UE est encore largement inachevée. Elle est susceptible d'emprunter de multiples trajectoires à l'avenir, et possiblement de se recomposer en plusieurs noyaux ou cercles concentriques plus ou moins intégrés sur le plan politique, social et fiscal, en fonction des rapports de force, des crises sociopolitiques et financières et des débats qui les auront précédées.

Pour voir tout ce qui différencie l'UE actuelle (ou plus généralement le monde actuel) d'un néopropriétarisme systématique et cohérent, il n'est pas inutile de se pencher sur le traité publié par Hayek entre 1973 et 1982 sous le titre *Law, Legislation and Liberty*, et qui constitue sans doute l'expression la plus claire d'un propriétarisme triomphant et assumé[1]. Nous avons déjà rencontré Hayek au moment des débats de 1938-1940 autour du projet d'union franco-britannique et du mouvement Federal Union, et au sujet de son livre *The Road to Serfdom* de 1944, dans lequel il mettait en garde contre le risque de dérive totalitaire que comportait selon lui tout projet basé sur l'illusion de la justice sociale et s'écartant des principes du libéralisme pur et dur[2]. Il visait alors notamment les travaillistes britanniques et les sociaux-démocrates suédois de l'époque, qu'il suspectait de vouloir remettre en cause les libertés individuelles, ce qui rétrospectivement peut surprendre, surtout s'agissant de quelqu'un qui fut par la suite un soutien actif de la dictature militaire ultralibérale de Pinochet au Chili dans les années 1970 et 1980 (en même temps qu'il soutenait et conseillait Thatcher au Royaume-Uni). La lecture de *Law, Legislation and Liberty* est instructive, car elle permet de mieux comprendre la cohérence d'ensemble. Après s'être installé à Londres en 1931, Hayek rejoint l'université de Chicago en 1950 (temple des *Chicago Boys*, les jeunes économistes qui allaient conseiller plus tard le dictateur chilien), puis retourna en Europe

---

1. Les trois volumes ont d'abord été publiés en 1973 (*Rules and Order*), 1976 (*The Mirage of Social Justice*), 1979 (*The Political Order of a Free People*), avant d'être révisés et rassemblés en un seul volume en 1982 (*Law, Legislation and Liberty. A New Statement of the Liberal Principles of Justice and Political Economy*). Je cite ici l'édition de 1982.

2. Voir chapitre 10, p. 548 et 562-564.

en 1962, où il enseigna aux universités de Fribourg (cœur historique de l'ordolibéralisme) et de Salzbourg jusqu'à sa disparition en 1992, à l'âge de 93 ans. À partir des années 1950 et 1960, il s'oriente vers la philosophie politique et légale, point d'entrée pour défendre les valeurs menacées du libéralisme économique.

Dans son imposant traité de 1973-1982, Hayek exprime clairement la crainte propriétariste de toute forme de redistribution : si l'on commence à remettre en cause les droits de propriété issus du passé et à mettre la main dans l'engrenage de l'impôt progressif, alors on ne saura jamais où s'arrêter. Il attribue au Florentin Francesco Guicciardini, confronté à des propositions fiscales de ce type en 1538, la première expression claire de cette réflexion « pandorienne » et du refus absolu de l'impôt progressif. Affolé par les taux marginaux supérieurs à 90 % appliqués aux États-Unis et au Royaume-Uni, et effrayé par la perspective d'une victoire finale du collectivisme, Hayek avait déjà proposé en 1960 dans un précédent ouvrage d'inscrire dans les Constitutions une interdiction intangible du principe même de l'impôt progressif. Selon les termes de sa proposition, le taux appliqué aux revenus les plus élevés ne devrait en aucun cas dépasser le taux moyen de recettes fiscales du pays considéré, ce qui revenait à dire que l'impôt pouvait être régressif (avec un taux plus faible au sommet que pour le reste de la population) mais en aucune façon progressif[1]. De façon générale, Hayek est convaincu que le libéralisme a fait fausse route en acceptant au fil des XVIIIe et XIXe siècles de confier autant de pouvoir législatif à des assemblées parlementaires élues, au détriment des droits (et en particulier des droits de propriété) patiemment bâtis dans le passé. Il s'oppose au rationalisme constructiviste, qui prétend pouvoir redéfinir les droits et les relations sociales à partir de rien, et défend un rationalisme évolutionniste, basé sur le respect des droits et des relations qui préexistent aux assemblées. Il insiste notamment sur l'idée que le droit précède la législation (*law precedes legislation*), et que l'oubli de ce sage principe conduit presque inévitablement à la création d'une sorte de législateur suprême et à des dérives totalitaires[2].

Dans le dernier volume de *Law, Legislation and Liberty*, il pousse le raisonnement plus loin et propose de refonder entièrement les principes

---

1. Voir F. HAYEK, *The Constitution of Liberty*, 1960, in *Collected Works*, vol. 7, p. 430-450. Hayek précise que l'impôt sur le revenu peut être légèrement progressif afin de compenser l'éventuelle régressivité des taxes indirectes, mais pas davantage, faute de quoi on ne saurait où s'arrêter.

2. Voir ID., *Law, Legislation and Liberty*, Routledge, vol. 1, 1982, p. 83-144.

de la démocratie parlementaire en restreignant drastiquement les pouvoirs des majorités politiques à venir. Il envisage un vaste ensemble politique fédéral fondé sur le respect absolu du droit de propriété. Des « assemblées gouvernementales » seraient certes élues au niveau local au suffrage universel, en excluant toutefois du droit de vote les fonctionnaires, les retraités et plus généralement toutes les personnes recevant des transferts publics. Surtout, ces assemblées auraient uniquement le pouvoir d'administrer les services étatiques au niveau local, et ne pourraient en aucune façon modifier le système légal, c'est-à-dire le droit de la propriété, le droit civil et commercial, ou le droit fiscal. Cette législation fondamentale et quasi sacrée devrait selon Hayek être fixée par une « assemblée législative » compétente au niveau fédéral et composée d'une façon telle qu'elle ne puisse être soumise aux caprices du suffrage universel. Selon lui, cette assemblée suprême devrait être constituée de personnes âgées d'au moins 45 ans, choisies pour quinze ans après avoir déjà fait preuve de leurs capacités et de leur réussite professionnelle. Il semble hésiter sur l'opportunité de réintroduire explicitement le suffrage censitaire, et opte finalement pour une étrange formule d'élection par des clubs professionnels « comme les clubs Rotary » permettant à des hommes sages de se rencontrer régulièrement avant de pouvoir élire les plus sages d'entre eux à l'âge de 45 ans. La Cour suprême serait composée d'anciens membres de cette assemblée, et elle disposerait de tous les pouvoirs pour arbitrer les conflits de compétence avec les assemblées gouvernementales locales et pour décréter l'état d'urgence en cas de troubles sociaux[1]. L'objectif d'ensemble est clairement de réduire autant que possible le pouvoir du suffrage universel et de ses caprices, et en particulier de museler la jeunesse et ses lubies socialisantes, particulièrement inquiétantes aux yeux de Hayek dans le contexte des années 1970-1980, au Chili comme en Europe ou aux États-Unis[2].

---

1. Voir ID., *Law, Legislation and Liberty*, Routledge, vol. 3, 1982, p. 109-132. Il est à noter que les assemblées gouvernementales locales pourraient modifier le niveau général des impôts, mais uniquement en appliquant un coefficient proportionnel aux règles et barèmes fiscaux adoptés par l'assemblée législative, et donc sans pouvoir modifier la composition entre groupes sociaux.

2. Dans de multiples interviews données à l'époque, Hayek explique qu'il préfère un régime autoritaire de type « pinochetien » respectant les règles du libéralisme économique et du droit de propriété plutôt qu'un prétendu régime démocratique piétinant les règles en question. Voir par exemple l'interview donnée à *El Mercurio* en avril 1981 : « Personnellement, je préfère un dictateur libéral à un gouvernement démocratique sans libéralisme. »

Cette proposition est intéressante, car elle illustre le point extrême du néopropriétarisme et de ses contradictions. Au fond, le seul régime politique pleinement cohérent avec le propriétarisme est le régime censitaire (c'est-à-dire un régime où le pouvoir politique repose explicitement sur les propriétaires, qui seuls ont la sagesse et la capacité de voir loin et d'établir la législation de façon responsable). Hayek fait preuve d'une certaine imagination pour aboutir au même résultat sans passer par une formulation explicitement censitaire, mais en réalité c'est bien de cela qu'il s'agit. On voit aussi tout ce qui sépare la construction institutionnelle et politico-idéologique européenne d'un néopropriétarisme assumé. Les institutions de l'UE peuvent et doivent être profondément transformées, en particulier pour sortir de la règle de l'unanimité en matière fiscale. Mais pour y parvenir il faut dépasser l'idée d'un complot ordolibéral ou néopropriétariste cohérent et invincible, et accepter de voir l'organisation actuelle de l'Europe comme un compromis instable, précaire et évolutif. En particulier, l'Union européenne est toujours à la recherche d'une forme parlementaire adaptée à son histoire. La règle de l'unanimité fiscale n'est pas satisfaisante : les chefs d'État ou les ministres des Finances siégeant dans les Conseils européens sont certes issus d'élections au suffrage universel, mais leur donner à chacun un droit de veto conduit au blocage perpétuel. Pour autant, le passage à la règle de la majorité qualifiée et le renforcement du pouvoir du Parlement européen (qui constitue la solution fédéraliste traditionnellement envisagée) ne règlent pas tous les problèmes, tant s'en faut. Nous y reviendrons[1].

L'invention de la méritocratie et du néopropriétarisme

L'idéologie néopropriétariste qui s'est développée à la fin du XXᵉ siècle et au début du XXIᵉ siècle est plus complexe qu'un simple retour au propriétarisme du XIXᵉ siècle et du début du XXᵉ siècle. Elle est notamment liée à une idéologie méritocratique exacerbée. De façon générale, le discours méritocratique vise à glorifier les gagnants et à stigmatiser les perdants du système économique pour leur manque supposé de mérite, de vertu et de diligence. Il s'agit naturellement d'une idéologie ancienne à laquelle toutes

---

Voir G. CHAMAYOU, *La Société ingouvernable. Une généalogie du libéralisme autoritaire*, La Fabrique, 2018, p. 219-220.

1. Voir chapitre 16, p. 1033-1036.

les élites ont eu recours d'une façon ou d'une autre pour justifier leur position, sous toutes les latitudes. Cette culpabilisation des plus pauvres a toutefois pris une ampleur croissante au fil de l'histoire, et constitue l'un des principaux traits distinctifs du régime inégalitaire actuel.

Pour Giacomo Todeschini, la figure du « pauvre peu méritant » a des origines que l'on peut même faire remonter jusqu'au Moyen Âge, et peut-être plus généralement à la fin de l'esclavage, du travail forcé et de la possession pure et simple des classes pauvres par les classes riches. Dès lors que le pauvre devient sujet et non seulement objet, il convient de le posséder par d'autres moyens, et en particulier dans l'ordre du discours et du mérite[1]. Cette nouvelle vision de l'inégalité, qui devient alors courante, serait liée à une autre innovation médiévale étudiée par Todeschini : l'invention de nouvelles formes de propriété et de placement, validées par la doctrine chrétienne[2]. Autrement dit, ces deux aspects de la « modernité » se répondraient l'un à l'autre : à partir du moment où les règles de l'économie et de la propriété suivent des principes de justice, les pauvres deviennent en quelque sorte responsables de leur sort, et il importe de le leur faire comprendre.

Tant que l'ordre propriétariste reposait sur le régime trifonctionnel, puis sur le régime censitaire, le discours méritocratique jouait toutefois un rôle limité. Avec l'arrivée dans l'âge industriel, et les nouvelles menaces que la lutte des classes et le suffrage universel font planer sur les élites, le besoin de justifier les différences sociales en faisant appel aux capacités individuelles devient plus prégnant. Charles Dunoyer, économiste libéral et préfet sous la monarchie de Juillet, écrivait ainsi en 1845 dans son livre intitulé *De la liberté du travail* (dans lequel il s'oppose vigoureusement à toute législation sociale contraignante) : « L'effet du régime industriel est de détruire les inégalités factices ; mais c'est pour mieux faire ressortir les inégalités naturelles. » Pour Dunoyer, ces inégalités naturelles comprennent les différences de capacités physiques, intellectuelles et morales, et se trouvent au cœur de la nouvelle économie de l'innovation qu'il voit un peu partout autour de lui, et qui fait qu'il refuse toute intervention de l'État : « Les supériorités sont la source

---

1. Voir G. Todeschini, « Servitude et travail à la fin du Moyen Âge : la dévalorisation des salariés et les pauvres "peu méritants" », *Annales. Histoire Sciences sociales*, 2015. Voir aussi Id., *Au pays des sans-nom. Gens de mauvaise vie, personnes suspectes ou ordinaires du Moyen Âge à l'époque moderne*, Verdier, 2015.

2. Voir chapitre 2, p. 120-125.

de tout ce qu'il y a de grand et d'utile. Réduisez tout à l'égalité et vous aurez tout réduit à l'inaction[1]. »

Mais c'est surtout avec l'entrée dans l'âge de l'enseignement supérieur que l'idéologie méritocratique prend une ampleur décisive. En 1872, Émile Boutmy créait l'École libre des sciences politiques (Sciences Po) en lui donnant une claire mission : « Contraintes de subir le droit du plus nombreux, les classes qui se nomment elles-mêmes les classes élevées ne peuvent conserver leur hégémonie politique qu'en invoquant le droit du plus capable. Il faut que, derrière l'enceinte croulante de leurs prérogatives et de la tradition, le flot de la démocratie se heurte à un second rempart fait de mérites éclatants et utiles, de supériorité dont le prestige s'impose, de capacités dont on ne puisse pas se priver sans folie[2]. » Cette incroyable déclaration mérite d'être prise au sérieux : elle signifie que c'est par instinct de survie que les classes élevées quittent l'oisiveté et inventent la méritocratie, faute de quoi le suffrage universel risquerait de les déposséder. Sans doute peut-on la mettre sur le compte du contexte de l'époque : la Commune de Paris vient d'être réprimée, et le suffrage universel masculin est tout juste rétabli. Elle a cependant le mérite de rappeler une vérité essentielle : donner du sens aux inégalités, et justifier la position des gagnants, est une question d'importance vitale. L'inégalité est avant tout idéologique. Le néopropriétarisme actuel se veut d'autant plus méritocratique qu'il ne peut plus être explicitement censitaire, à la différence du propriétarisme de l'âge classique, celui du début du XIXe siècle.

Dans *Les Héritiers*, Pierre Bourdieu et Jean-Claude Passeron analysaient en 1964 les mécanismes de légitimation de l'ordre social à l'œuvre dans le système d'enseignement supérieur de l'époque. Sous les atours du « mérite » et des « dons » personnels, les privilèges sociaux se perpétuent, car les groupes défavorisés ne disposent pas des codes et des clés par lesquels se joue la reconnaissance. Les effectifs étudiants ont explosé, et la reconnaissance par le diplôme joue un rôle croissant dans la structuration des inégalités sociales. Mais les classes populaires en sont presque totalement exclues : moins de 1 % des fils d'ouvriers agricoles deviennent étudiants,

---

1. Voir C. DUNOYER, *De la liberté du travail, ou Simple Exposé des conditions dans lesquelles les forces humaines s'expriment avec le plus de puissance*, Guillaumin, 1845, p. 382-383.

2. Voir É. BOUTMY, *Quelques idées sur la création d'une faculté libre d'enseignement supérieur*, 1871. Voir aussi P. FAVRE, « Les sciences d'État entre déterminisme et libéralisme. Émile Boutmy (1835-1906) et la création de l'École libre des sciences politiques », *Revue française de sociologie*, vol. 22, n° 3, 1981, p. 429-465.

contre 70 % des fils d'industriels et 80 % des fils des professions libérales. Un système explicitement ségrégationniste, comme celui qui disparaît aux États-Unis en cette même année 1964, ne ferait guère mieux. Sauf que la domination culturelle et symbolique a ceci de plus sournois qu'elle se présente comme le fruit d'un processus librement choisi où chacun a théoriquement les mêmes chances. C'est pourquoi Bourdieu et Passeron préfèrent la comparaison avec les mécanismes de reproduction de la caste des sorciers chez les Indiens Omaha étudiés par l'anthropologue Margaret Mead, où les jeunes hommes de toutes les origines pouvaient en principe tenter leur chance. Il leur fallait alors « se retirer dans la solitude, jeûner, revenir et raconter leurs visions aux anciens, cela pour se voir annoncer, s'ils n'étaient pas membres des familles de l'élite, que leur vision n'était pas authentique[1] ».

Cette question de l'injustice éducative et de l'hypocrisie méritocratique n'a fait que gagner en importance depuis les années 1960. L'enseignement supérieur s'est considérablement étendu, mais il est resté fortement stratifié et inégalitaire, et on ne s'est jamais posé sérieusement la question des ressources réellement allouées aux uns et aux autres, ni de la réforme des méthodes pédagogiques permettant une réelle égalité d'accès à l'éducation. Aux États-Unis, en France et dans la plupart des pays, les discours à la gloire du modèle méritocratique national sont rarement fondés sur un examen attentif des faits. Il s'agit le plus souvent de justifier les inégalités existantes, sans considération pour les échecs parfois patents du système en place, et la triste réalité de la situation des classes populaires et moyennes, qui n'ont pas accès aux mêmes moyens et aux mêmes filières que les classes supérieures[2]. Nous verrons dans la prochaine partie que l'inégalité éducative constitue l'un des principaux facteurs qui ont conduit à l'éclatement de la coalition électorale « sociale-démocrate » au cours des dernières décennies. Les divers partis socialistes, travaillistes et sociaux-démocrates ont progressivement été perçus comme de plus en plus favorables aux gagnants de la compétition socio-éducative, et ont perdu le soutien dont ils bénéficiaient parmi les groupes sociaux les moins diplômés dans l'après-guerre[3].

1. Voir P. BOURDIEU, J.-C. PASSERON, *Les Héritiers. Les étudiants et la culture*, Éditions de Minuit, 1964, p. 10.
2. Voir Introduction, graphique 0.8, p. 53, et chapitre 11. Voir également chapitre 17, graphique 17.1, p. 1161.
3. Voir chapitres 14-16.

Il est intéressant de noter que le sociologue britannique Michael Young avait mis en garde dès 1958 contre une évolution de cette nature. Après avoir participé à la rédaction et la mise en place de la plate-forme travailliste de 1945, il s'était éloigné du Labour dans les années 1950, considérant que le parti ne renouvelait pas assez son programme, en particulier sur les questions d'éducation. Young s'inquiétait notamment de l'extrême stratification du système britannique d'enseignement secondaire. Il publia alors un étonnant récit d'anticipation intitulé *The Rise of the Meritocracy 1870-2033. An Essay on Education and Equality*[1]. Il imagine une société britannique et mondiale de plus en plus stratifiée en fonction des capacités cognitives, en pratique étroitement reliées aux origines sociales (quoique non systématiquement). Le parti Tory serait devenu le parti des plus hauts diplômés et aurait réussi à redonner le pouvoir à la Chambre des lords sur la base de cette nouvelle domination des intellectuels. Le Labour serait devenu le parti des « techniciens », et s'affronterait aux « populistes ». Ces derniers regroupent les couches populaires furieuses de leur relégation socio-économique, dans un monde où la science aurait décrété que seul un tiers de la population était employable. Les populistes réclament en vain l'égalité éducative et l'unification du système d'enseignement, avec des *comprehensive schools* offrant enfin la même formation et les mêmes moyens à tous les jeunes Britanniques. Mais ils se heurtent au refus conjoint des tories et des techniciens, qui ont abandonné depuis longtemps toute ambition égalitaire. Le Royaume-Uni sombre finalement dans une révolution populiste en 2033. Le récit s'interrompt, car le sociologue-reporter qui nous livre ce témoignage périt dans les violentes émeutes qui ravagent alors le pays. Young lui-même disparut en 2002 et n'eut pas le temps de constater que son récit allait être débordé par la réalité, au moins sur un point : dans les années 2000 et 2010, le Labour devint le premier parti des diplômés, devant les tories[2].

---

1. On considère généralement que c'est dans cette fable à la fois drôle et profonde que le terme « méritocratie » a été utilisé pour la première fois.

2. Voir chapitre 15. L'ironie est que Young fut nommé à la Chambre des lords par le gouvernement travailliste en 1978, et y siégea jusqu'en 2002 (tout en marquant son opposition au blairisme).

De l'illusion philanthropique
à la sacralisation des milliardaires

Concluons en précisant que l'idéologie méritocratique actuelle va de pair avec un discours de glorification des entrepreneurs et des milliardaires. Cette idéologie paraît parfois sans limites. Certains semblent considérer que Bill Gates, Jeff Bezos et Mark Zuckerberg ont inventé à eux seuls les ordinateurs, les livres, les amis. On a l'impression qu'ils ne seront jamais assez riches, et que le bas peuple de la planète ne pourra jamais les remercier suffisamment pour tous leurs bienfaits. Pour mieux les défendre, on tente même de dresser des murs entre les méchants oligarques russes et les gentils entrepreneurs californiens, en feignant d'oublier tout ce qui les rapproche : des situations de quasi-monopole très favorables, des systèmes légaux et fiscaux avantageant les plus gros acteurs, des appropriations privées de ressources publiques, et ainsi de suite.

Les milliardaires sont tellement présents dans l'imaginaire contemporain qu'ils ont également fait une entrée remarquée dans le roman et la fiction, fort heureusement avec plus d'ironie et de distance que dans les magazines. Dans *La Volonté et la Fortune*, publié en 2008, Carlos Fuentes dresse le tableau du capitalisme mexicain et des violences qui traversent son pays. On y croise des personnages hauts en couleur, avec un président pétri de communication Coca-Cola, qui n'est finalement que le piteux locataire du pouvoir politique face à celui, éternel, du capital, incarné par un milliardaire tout-puissant, qui ressemble fort au magnat des télécommunications Carlos Slim, première fortune du pays, et première fortune mondiale de 2010 à 2013 (devant Bill Gates). Des jeunes gens hésitent entre résignation, sexe et révolution. Ils finiront assassinés par une belle ambitieuse qui veut leur héritage, et qui n'a pas besoin de l'aide d'un Vautrin pour commettre son forfait, preuve s'il en est que la violence a monté d'un cran depuis 1820. La transmission patrimoniale, objet de toutes les convoitises pour ceux qui sont extérieurs au cercle familial privilégié, et en même temps destructrice des personnalités individuelles pour ceux qui y appartiennent, est au cœur de la méditation du romancier. On voit aussi ici et là l'influence néfaste des gringos, ces Étatsuniens qui possèdent « trente pour cent du territoire mexicain » et de son capital, et rendent l'inégalité un peu plus insupportable encore.

Dans *L'Empire du ciel*, publié en 2016 par Tancrède Voituriez, une milliardaire chinoise a une idée de génie pour changer le climat. Il suffirait de couper quelques milliers de mètres en haut de l'Himalaya pour que la mousson indienne vienne bercer la Chine et mette fin à ce méchant manteau de pollution qui a enseveli Pékin. Communistes ou pas, les milliardaires se croient tout permis, raffolent de géo-ingénierie, et ne détestent rien tant que les solutions simples et rébarbatives (payer des impôts, vivre sobrement[1]). Dans *Tout l'argent du monde* (2017), Ridley Scott met en scène J. Paul Getty, première fortune mondiale en 1973, tellement radin qu'il prend le risque que son petit-fils se fasse couper une oreille par la mafia italienne, dans l'espoir d'éviter de devoir débourser une rançon trop importante (déduction fiscale comprise). Voici un milliardaire profondément mesquin et antipathique, à tel point que le spectateur des années 2010, plus habitué à assister à une célébration perpétuelle de la fortune méritée et de l'entrepreneur aimable et méritant, à longueur de magazines et de discours politiques stéréotypés, se sent un peu gêné.

Plusieurs facteurs peuvent contribuer à expliquer la force de l'idéologie actuelle. Il y a d'abord, comme toujours, la peur du vide. Si l'on commence à admettre l'idée que Bill, Jeff et Mark pourraient se contenter de ne posséder que 1 milliard de dollars chacun (au lieu de 300 milliards à eux trois), et qu'ils auraient sans doute mené leur vie de la même façon s'ils l'avaient su à l'avance (ce qui paraît plus que plausible), alors on craint de ne pas savoir où s'arrêter. Les expériences historiques dont nous disposons permettent pourtant de cadrer l'exercice et d'expérimenter avec méthode. Mais rien n'y fait : certains resteront toujours convaincus qu'il est trop risqué d'ouvrir cette boîte de Pandore. Il y a aussi l'effet de la chute du communisme. Les oligarques russes ou tchèques qui investissent dans les clubs sportifs et les médias ne sont certes pas toujours très reluisants, mais il fallait bien sortir du soviétisme. On commence cependant à mesurer que la mainmise des milliardaires a pris des proportions inquiétantes pour les institutions démocratiques, par ailleurs menacées par la montée des

---

1. On remarquera qu'à l'époque du *Transperceneige*, magnifique bande dessinée publiée par Jacques Lob et J.-M. Rochette en 1984, et adaptée au cinéma par Bong Joon-ho en 2013 (*Snowpiercer*), les cataclysmes climatiques se réglaient plutôt par la lutte des classes : le prolétariat du fond du train doit se débarrasser des privilégiés en tête de convoi pour sauver l'humanité. Dans *La Servante écarlate*, roman publié par Margaret Atwood en 1985, et adapté en série en 2017, c'est par une dictature théocratique que les Étatsuniens entendent organiser la société après que la pollution et les déchets toxiques ont fait chuter la fertilité. Les Mexicains et les Canadiens, qui savaient de longue date que leurs voisins pouvaient être dévots et parfois oppresseurs, ne s'attendaient pas à ce qu'ils aillent si loin.

inégalités et du « populisme » (sans même attendre les émeutes promises par Young pour 2033).

L'autre facteur important contribuant à légitimer les milliardaires est ce que l'on peut appeler « l'illusion philanthropique ». Autrement dit, à une époque où la taille de l'État et les prélèvements obligatoires ont atteint depuis les années 1980-1990 des niveaux inconnus dans le passé, l'idée selon laquelle la philanthropie (c'est-à-dire le financement privé et désintéressé du bien commun) devrait jouer un rôle accru a quelque chose de naturel. De fait, à partir du moment où la puissance publique a pris une ampleur nouvelle, il est légitime que l'on demande une plus grande transparence dans l'organisation du système de prélèvements et de dépenses (ce qui n'est pas toujours le cas). Dans de nombreux secteurs, comme la culture, les médias et la recherche, il peut par ailleurs être adapté d'avoir recours à une diversité de financements, publics et privés, dans le cadre de structures associatives décentralisées et participatives. Le problème est que le discours philanthropique est parfois mis au service d'une idéologie anti-État particulièrement dangereuse. C'est notamment le cas dans les pays pauvres, où le contournement de l'État par la philanthropie (et parfois par l'aide au développement des pays riches) participe de sa paupérisation. Or, à l'évidence, les États des pays pauvres sont tout sauf omnipotents : dans la plupart des cas, ils disposent de recettes fiscales extrêmement limitées, et en particulier beaucoup plus réduites que celles dont les pays riches ont disposé au cours de leur propre trajectoire de développement[1]. Du point de vue d'un milliardaire, ou parfois aussi d'un donateur moins riche, il est certes plaisant de pouvoir définir les priorités sanitaires et éducatives d'un pays. Pour autant, rien dans l'histoire des pays riches n'indique que c'est la meilleure méthode.

Le second aspect de l'illusion philanthropique est sa faible dimension participative et démocratique. En pratique, les dons sont extrêmement concentrés parmi les plus riches, qui bénéficient souvent de surcroît d'avantages fiscaux exceptionnellement importants. Cela aboutit *de facto* à ce que les classes populaires et moyennes subventionnent par leurs impôts les préférences des plus riches, ce qui s'apparente à une nouvelle forme de confiscation du bien public et de dérive censitaire[2]. Un modèle fondé sur une participation égalitaire des citoyens à la définition sociale et collective

---

1. Voir graphique 13.12, p. 808, et chapitre 10, graphique 10.14, p. 536.
2. Voir par exemple R. REICH, *Just Giving. Why Philanthropy Is Failing Democracy and How It Can Do Better*, Princeton University Press, 2018.

du bien public, à la façon du modèle égalitaire de financement des partis politiques déjà évoqué, pourrait jouer un rôle extrêmement utile et contribuer au dépassement de la démocratie parlementaire[1]. Avec l'égalité éducative et la diffusion de la propriété, une telle perspective fera partie des éléments pour un socialisme participatif que je présenterai dans le dernier chapitre de ce livre.

---

1. Voir J. CAGÉ, *Le Prix de la démocratie, op. cit.*, et chapitre 12, p. 729-731.

QUATRIÈME PARTIE

Repenser les dimensions du conflit politique

Chapitre 14

LA FRONTIÈRE ET LA PROPRIÉTÉ : LA CONSTRUCTION DE L'ÉGALITÉ

Nous avons étudié dans les trois premières parties de ce livre les transformations des régimes inégalitaires, depuis les sociétés trifonctionnelles et esclavagistes anciennes jusqu'aux sociétés hypercapitalistes et postcommunistes actuelles, en passant par les sociétés propriétaristes, coloniales, sociales-démocrates et communistes. J'ai notamment insisté sur les dimensions politico-idéologiques de ces évolutions. Chaque régime inégalitaire repose au fond sur une théorie de la justice. Les inégalités doivent être justifiées et s'appuyer sur une vision plausible et cohérente de l'organisation sociale et politique idéale. Dans toutes les sociétés, cela implique de régler une série de questions conceptuelles et pratiques concernant les frontières de la communauté, l'organisation des rapports de propriété, ainsi que l'accès à l'éducation et la répartition de l'impôt. Les réponses apportées par les sociétés du passé avaient leurs fragilités. Pour la plupart, elles n'ont pas résisté au temps et ont été remplacées par d'autres. On aurait tort cependant de s'imaginer que les idéologies du présent, fondées notamment sur diverses formes de sacralisation de l'opacité financière et de la fortune méritée, soient moins folles ou plus durables.

À l'âge de la démocratie électorale et du suffrage universel, les conflits politico-idéologiques autour de la justice sociale et de l'économie juste continuent de s'exprimer dans les manifestations et les révolutions, dans les brochures et dans les livres. Mais ils s'expriment également dans les urnes, au travers des partis et des coalitions politiques auxquels les uns et les autres accordent leurs suffrages, en fonction notamment de leur propre vision du monde et de leur position socio-économique individuelle. Certains choisissent également de ne pas voter, ce qui est en soi informatif. Dans tous les cas, ces opérations électorales laissent des traces au sujet des croyances politiques et de leur évolution, des traces qui sont certes imparfaites et complexes à interpréter, mais qui sont néanmoins plus riches et systématiques que dans les sociétés non électorales.

Ce sont ces traces que nous allons étudier dans cette quatrième partie. En particulier, nous allons analyser la façon dont la structure « classiste » des clivages politiques et électoraux s'est radicalement transformée entre l'âge social-démocrate des années 1950-1980 et celui de la mondialisation hypercapitaliste et postcoloniale des années 1990-2020. Au cours de la première période, les classes populaires se reconnaissaient dans les divers partis socialistes, communistes, travaillistes, démocrates et sociaux-démocrates composant la gauche électorale de l'époque. Ce n'est plus le cas au cours de la seconde période, où ces partis et mouvements politiques sont devenus le parti des plus diplômés, et sont parfois en passe de devenir le parti des plus hauts revenus et patrimoines[1]. Cette évolution témoigne notamment de l'échec de la coalition sociale-démocrate de l'après-guerre à renouveler sa plate-forme programmatique, en particulier sur les questions fiscales, éducatives et internationales. Ces transformations montrent également que la constitution d'une coalition égalitaire est le fruit d'une construction politico-idéologique complexe. L'électorat est toujours traversé par un grand nombre de clivages sociaux et idéologiques, à commencer par les conflits au sujet de la frontière et de la propriété, et seuls des processus sociohistoriques et politico-idéologiques spécifiques peuvent permettre de les dépasser et d'unir dans une même coalition les classes populaires issues de différentes trajectoires et origines (urbaines et rurales, salariées et non salariées, nationales et étrangères, et ainsi de suite).

Nous allons commencer par étudier dans ce chapitre le cas de la France. Nous étendrons ensuite l'analyse dans les chapitres suivants aux États-Unis et au Royaume-Uni, puis aux autres démocraties électorales occidentales et est-européennes, ainsi qu'à plusieurs démocraties électorales non occidentales comme l'Inde et le Brésil. La comparaison de ces différentes trajectoires nous permettra de mieux comprendre les raisons de ces transformations et leurs possibles dynamiques futures. Nous tenterons d'analyser à quelles conditions il est possible de dépasser le redoutable piège social-nativiste qui se dessine en ce début de XXIe siècle, conséquence à la fois de la désillusion postcommuniste, d'une réflexion insuffisante sur l'organisation de la mondialisation et du difficile apprentissage postcolonial de la diversité. Nous

---

1. Ainsi que nous l'avons déjà noté dans l'Introduction, graphique 0.9, p. 56.

verrons ensuite dans quelle mesure il est possible de dessiner les contours d'une forme de social-fédéralisme et de socialisme participatif permettant de faire face à cette nouvelle menace identitaire.

Déconstruire la gauche et la droite : les dimensions du conflit sociopolitique

Il existe de multiples raisons pour lesquelles les clivages électoraux et politiques ne peuvent jamais se réduire à un conflit unidimensionnel, qui opposerait par exemple les « pauvres » et les « riches ». Tout d'abord, le conflit politique est avant tout idéologique et non « classiste ». Il oppose des visions du monde, des systèmes de croyances au sujet de la société juste, des processus de mobilisation collective, qui ne peuvent être réduits aux caractéristiques socio-économiques individuelles ou à la classe sociale de chacun. Pour des attributs individuels donnés, il existera toujours une grande diversité d'opinions possibles, en fonction des trajectoires familiales et personnelles, des rencontres et des échanges, des lectures, des réflexions et des cheminements propres à chaque subjectivité. La question de l'organisation idéale de la société est trop incertaine pour qu'il puisse exister une relation déterministe entre la « position de classe » et les croyances politiques. Il ne s'agit certes pas de relativiser ici toutes les croyances. Je suis au contraire convaincu qu'il est possible de mobiliser les leçons de l'histoire et de comparer minutieusement les différentes expériences historiques pour mieux appréhender les contours du régime de propriété idéal ou du régime fiscal ou éducatif idéal. Simplement, ces questions sont tellement complexes que seule une vaste délibération collective peut permettre d'espérer des progrès réels et durables, en s'appuyant sur la diversité des expériences individuelles et des représentations de la société juste, que l'on ne peut jamais réduire à la position de classe. Surtout, la façon dont les organisations collectives (partis et mouvements politiques, syndicats, associations de diverses natures) traduisent ces représentations et ces aspirations à l'égalité et à l'émancipation en plates-formes programmatiques joue un rôle crucial pour déterminer les différentes formes d'adhésion individuelle et d'engagement politique.

Ensuite, la notion de classe sociale doit elle-même être envisagée comme une notion profondément multidimensionnelle. Elle met d'abord en jeu tout ce qui concerne la profession, le secteur et le statut d'activité, le salaire ou les autres formes de revenu du travail, les qualifications, l'identité professionnelle, la position de direction ou d'encadrement, la possibilité de participer aux décisions et à l'organisation de la production. Elle comprend également le niveau de formation et de diplôme, qui conditionne en partie l'accès aux professions, les formes de la participation politique et des interactions sociales, et qui contribue à déterminer avec les réseaux familiaux et personnels le capital culturel et symbolique individuel. Enfin, la classe sociale est étroitement déterminée par la propriété. Aujourd'hui comme hier, la détention d'un patrimoine immobilier, professionnel ou financier a des conséquences multiples. Elle implique par exemple que certains doivent verser pendant leur vie entière une part importante de leur salaire sous forme de loyer, alors que d'autres perçoivent des loyers. Au-delà de son impact sur le pouvoir d'achat, c'est-à-dire le pouvoir d'acheter les biens et services produits par les uns et les autres, et donc de disposer du temps des autres, ce qui n'a rien de négligeable, la propriété est également un déterminant du pouvoir social en général. Elle a par exemple un impact direct sur la capacité à créer une entreprise et à mettre d'autres personnes au service de son projet, dans le cadre de relations fortement hiérarchisées et asymétriques. Elle donne également la possibilité de soutenir les projets des autres, et parfois d'avoir une influence particulière sur la vie politique, notamment au travers du financement de partis ou de médias d'information.

Outre la profession, le diplôme et la propriété, la classe sociale à laquelle chacun s'identifie peut également être déterminée par l'âge, le genre, les origines nationales ou ethniques (ou perçues comme telles) et les orientations religieuses, philosophiques, alimentaires ou sexuelles. La position de classe se caractérise aussi par le niveau de revenu, qui est un attribut particulièrement complexe et composite, puisqu'il dépend de toutes les autres dimensions. En particulier, le revenu comprend les revenus du travail (salaires et autres revenus d'activité) et du capital (loyers, intérêts, dividendes, plus-values, profits, etc.). Il dépend donc à la fois de la profession, du niveau d'éducation et de l'ampleur du patrimoine, d'autant plus que la détention patrimoniale contribue à déterminer l'accès à certaines activités professionnelles et donc aux revenus du travail, à la fois par la possibilité de financer une formation ou un investissement professionnel.

Nous allons voir que cette multidimensionnalité des clivages sociaux est essentielle pour comprendre la structure et l'évolution des clivages politiques et électoraux (voir en particulier graphiques 14.1-14.2). Si l'on examine tout d'abord la répartition des votes à l'âge social-démocrate, c'est-à-dire approximativement la période 1950-1980, on constate dans tous les pays occidentaux que les différentes dimensions des clivages sociaux étaient politiquement alignées. Autrement dit, les personnes qui occupaient des positions moins élevées dans la hiérarchie sociale avaient tendance à voter pour les partis et mouvements socialistes, communistes, démocrates et sociaux-démocrates (au sens large), quelle que soit la dimension considérée (diplôme, revenu ou patrimoine), et le fait d'être mal placé dans plusieurs dimensions produisait des effets cumulatifs sur le vote. Ceci était vrai non seulement pour ce qui concerne les partis explicitement sociaux-démocrates comme le SPD allemand ou le SAP suédois, mais également pour le vote pour le parti travailliste au Royaume-Uni, le parti démocrate aux États-Unis, ou les partis de gauche de diverses dénominations (socialistes, communistes, radicaux, écologistes) dans les pays où ces mouvements étaient historiquement divisés en plusieurs structures partisanes, comme en France[1]. À l'inverse, le vote pour le parti républicain aux États-Unis, le parti conservateur au Royaume-Uni, ou les divers partis de centre droit et de droite dans les autres pays était plus important parmi les plus diplômés comme parmi les plus hauts revenus et patrimoines, avec des effets cumulatifs pour les électeurs haut placés sur chaque dimension.

La structure du conflit politique en vigueur au cours des années 1950-1980 était « classiste », dans le sens où il opposait les classes sociales les plus modestes aux classes sociales les plus élevées, quelle que soit la dimension retenue pour définir l'identité de classe. À l'inverse, le conflit politique des années 1990-2020 s'apparente à un système d'élites multiples, dans le sens où l'une des coalitions s'appuie sur les plus diplômés, alors que l'autre s'appuie sur les hauts revenus et patrimoines (de moins en moins nettement il est vrai, à mesure que les élites transitent vers la première coalition). On notera également que l'on observe dans tous les pays à l'âge classiste une gradation très nette dans l'ampleur des clivages politiques associés aux différentes dimensions de la stratification sociale. La propriété est la dimension la plus clivante : les personnes qui ne possèdent rien votent massivement pour les partis sociaux-démocrates (ou équivalents), et à l'inverse ceux qui possèdent beaucoup votent très rarement pour eux. Le diplôme a un effet qui va dans le même sens que la propriété au cours de la période 1950-1980, mais qui est nettement

1. Le mot « gauche » est ici utilisé pour se référer à des partis qui utilisent ce terme pour se désigner eux-mêmes, et en aucune façon comme une essence supposée éternelle et inaltérable. J'y reviendrai.

moins prononcé : les personnes moins diplômées votent plus souvent pour les partis sociaux-démocrates (ou équivalents), et inversement pour les personnes plus diplômées, mais l'écart est plus réduit que pour la propriété. Quant au niveau de revenu, il est assez logiquement dans une position intermédiaire : moins clivant que l'ampleur de la propriété, mais plus clivant que le niveau de diplôme.

Cette gradation dans le degré de politisation des différents clivages sociaux s'illustre par exemple très clairement dans le cas de la France (voir graphique 14.1), et se retrouve dans tous les autres pays étudiés.

Graphique 14.1

Clivages sociaux et conflit politique en France, 1955-2020

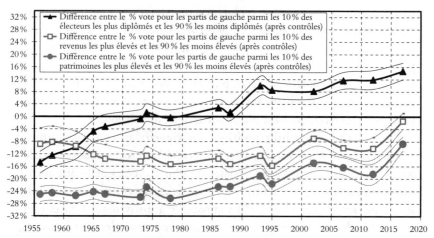

Lecture : dans les années 1950-1970, le vote pour les partis de gauche (socialistes–communistes–radicaux–écologistes) était associé aux électeurs ayant les niveaux de diplôme, de revenu et de patrimoine les moins élevés ; dans les années 1990-2010 il est devenu associé aux électeurs les plus diplômés.
Note : les traits fins indiquent les intervalles de confiance à 90 %.
Sources et séries : voir piketty.pse.ens.fr/ideologie.

En ce qui concerne la France, si l'on examine le pourcentage d'électeurs votant pour les partis de gauche parmi les 10 % des électeurs ayant les patrimoines les plus élevés et parmi les 90 % les moins élevés, on constate au cours de la période 1950-1980 un écart très marqué, de l'ordre de -25 points de pourcentage, ce qui est considérable. Considérons par exemple le cas de l'élection présidentielle de 1974. Au terme d'une campagne extrêmement serrée, dans un climat social en pleine ébullition, le candidat de l'union de la gauche (Mitterrand), soutenu notamment par les partis socialistes et communistes, avait été battu de peu au second tour avec 49 % des voix, contre 51 % pour son adversaire de droite (Giscard). Le score obtenu par Mitterrand parmi les 90 % des électeurs les moins riches en termes de patrimoine avoisinait alors les 52 %, contre à peine 27 % parmi les 10 % les plus riches, d'où un écart de 25 points.

Si l'on examine maintenant le pourcentage d'électeurs votant pour ces mêmes partis parmi les 10 % des électeurs ayant les revenus les plus élevés et les 90 % les moins élevés, on observe un écart généralement compris entre -10 et -15 points au cours de la période 1950-1980. Il s'agit d'un effet important dans l'absolu, néanmoins significativement plus faible que l'effet du patrimoine[1].

La gauche électorale depuis 1945 : du parti des travailleurs au parti des diplômés

Quant à l'effet du diplôme, il est extrêmement frappant de constater qu'il s'est totalement renversé au cours du temps. Dans les années 1950 et 1960, le vote pour les partis de gauche était nettement plus faible parmi les 10 % des électeurs les plus diplômés que parmi les 90 % les moins diplômés, avec un écart voisin de celui constaté pour le revenu. Puis cet écart s'est réduit régulièrement à partir de la fin des années 1960 et au cours des années 1970 et 1980, avant de changer de sens[2]. À partir des années 1990 et 2000, le vote pour les partis de gauche est devenu significativement plus élevé parmi les 10 % les plus diplômés qu'au sein des 90 % les moins diplômés, avec de nouveau un écart de l'ordre de 10-15 points, mais dans l'autre sens (voir graphique 14.1).

Pour résumer : dans l'après-guerre, la gauche électorale s'apparentait au parti des travailleurs, et en particulier des salariés peu diplômés ; au cours du dernier demi-siècle, elle est graduellement devenue le parti des diplômés, et notamment des cadres et des professions intellectuelles.

Nous allons tenter dans ce chapitre et dans les suivants de documenter plus précisément cette transformation radicale, et surtout de mieux comprendre ses origines, sa signification et ses conséquences. À ce stade, plusieurs points importants méritent d'être précisés. Tout d'abord, nous retrouvons cette même structure fondamentale du conflit politique (avec une gradation identique entre les effets de la propriété, du revenu

---

1. Pour les résultats détaillés par décile de revenu et de patrimoine, voir *infra*, graphiques 14.12-14.13.

2. Pour les résultats détaillés par niveau d'éducation, voir *infra*, graphiques 14.9-14.11.

et de l'éducation) et cette même évolution depuis l'après-guerre dans l'ensemble des démocraties électorales occidentales, et en particulier aux États-Unis, au Royaume-Uni, en Allemagne et en Suède (avec des variantes que nous étudierons). Par exemple, si l'on examine l'écart entre le vote pour le parti démocrate parmi les 10 % des électeurs les plus diplômés et parmi les 90 % les moins diplômés aux États-Unis, on observe sensiblement la même évolution que pour le vote pour les partis de gauche en France (voir graphique 14.2). Il en va de même pour le vote travailliste au Royaume-Uni. L'évolution britannique semble légèrement en retard sur les tendances observées en France et aux États-Unis (nous y reviendrons), mais pour finir la transformation d'ensemble est identique. Après s'être longtemps défini comme le parti du travail et des travailleurs, le Labour est *de facto* devenu le parti des diplômés, qu'il parvient à séduire en plus grand nombre que les tories. Même Michael Young, pourtant imaginatif dans son livre d'anticipation *The Rise of the Meritocracy* publié en 1958, n'avait pas été aussi loin dans ses prédictions[1].

Graphique 14.2

**La gauche électorale en Europe et aux États-Unis,
1945-2020 : du parti des travailleurs au parti des diplômés**

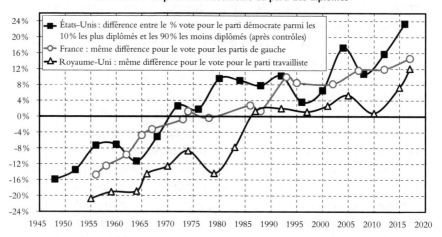

Lecture : dans les années 1950-1970, le vote pour le parti démocrate aux États-Unis, pour les partis de gauche (socialistes-communistes-radicaux-écologistes) en France et pour le parti travailliste au Royaume-Uni était associé aux électeurs les moins diplômés ; dans les années 1990-2010, il est devenu associé aux électeurs les plus diplômés.
Sources et séries : voir piketty.pse.ens.fr/ideologie.

1. Voir chapitre 13, p. 829.

Il est particulièrement frappant de constater la similarité des évolutions observées aux États-Unis et en Europe, compte tenu du fait que les systèmes de partis ont des origines politico-idéologiques totalement différentes. Aux États-Unis, le parti démocrate était le parti de l'esclavage et de la ségrégation, avant de devenir celui du New Deal, de la réduction des inégalités socio-économiques et des droits civiques, le tout de façon graduelle et continue, sans rupture majeure, au terme d'une évolution qui débute dès les lendemains de la guerre civile[1]. À l'inverse, en Europe, les partis considérés ici sont issus des diverses traditions et idéologies socialistes, communistes et sociales-démocrates, s'appuyant à des degrés divers sur la collectivisation des moyens de production, dans des contextes socio-économiques où les clivages raciaux et ethniques étaient quasiment absents (tout du moins à l'intérieur des territoires européens). À l'intérieur de la scène européenne, la diversité des systèmes de partis est également de mise. On rencontre le cas d'une coupure forte entre un parti socialiste antisoviétique et un parti communiste prosoviétique (comme en France), celui d'un parti travailliste unifié et longtemps attaché aux nationalisations (au Royaume-Uni) et enfin celui de partis sociaux-démocrates précocement convertis à la cogestion (en Allemagne et en Suède, où nous retrouverons les mêmes évolutions[2]). Que l'on observe malgré cela les mêmes évolutions d'ensemble mérite des explications cohérentes.

En particulier, la similitude des trajectoires invite au scepticisme quant à des hypothèses étroitement nationales. Des explications plus globales, portant en particulier sur les raisons qui ont conduit une part croissante des groupes sociaux défavorisés à se sentir mal représentés (voire parfois abandonnés) par la gauche électorale, paraissent *a priori* plus plausibles. On pense notamment à l'incapacité de la coalition sociale-démocrate de l'après-guerre (au sens large) à renouveler suffisamment son programme, et en particulier à développer des normes de justice convaincantes et adaptées à l'âge de la mondialisation et de la tertiarisation éducative. L'évolution idéologique mondiale, à la suite notamment de l'échec du communisme soviétique et est-européen, semble également avoir contribué de façon décisive à cette évolution, au travers d'une certaine forme de désillusion face à la possibilité même d'une économie juste et d'une réduction réelle et durable des inégalités. S'agissant d'évolutions aussi complexes, il est

---

1. Voir chapitre 6, p. 289-294.
2. Voir chapitre 11, p. 568-598, et chapitre 16, p. 994-999.

toutefois impossible d'évacuer *a priori* de multiples autres facteurs explicatifs de prime abord recevables, et notamment la montée en puissance de nouveaux clivages culturels, raciaux ou migratoires au sein des sociétés postcoloniales. Seul un examen minutieux des différentes trajectoires peut permettre de faire quelques progrès dans la direction d'une meilleure compréhension de ces transformations.

Vers une étude globale des clivages électoraux et politico-idéologiques

Avant d'aller plus loin, il convient toutefois d'en dire un peu plus sur les sources permettant ce type d'analyse, leurs limites et aussi leurs atouts. Tous les résultats présentés sur les graphiques 14.1-14.2, ainsi que sur l'ensemble des graphiques analysés dans ce chapitre et les suivants, sont issus d'un projet de recherche collectif reposant sur une exploitation originale et systématique des enquêtes postélectorales menées dans les différents pays au cours des dernières décennies. Ces enquêtes, organisées généralement par des consortiums regroupant des universités et des centres de recherche, parfois en lien avec des médias d'information, ont été conçues afin d'étudier les comportements électoraux. Elles consistent à interroger des échantillons représentatifs de la population au sujet de leurs votes et de leurs motivations, en général dans les jours qui suivent les élections. Ces enquêtes incluent également des dizaines de questions au sujet des caractéristiques sociodémographiques et économiques individuelles : âge, sexe, lieu d'habitation, profession, secteur d'activité, diplômes, revenus, éléments de patrimoine et d'actifs détenus, pratique religieuse, origines, etc. Elles constituent la façon la plus directe d'étudier la structure socio-économique des électorats et leur transformation.

Cette source compte toutefois plusieurs insuffisances. Tout d'abord, les enquêtes postélectorales sont relativement récentes. En particulier, elles ne permettent pas d'étudier les élections antérieures au second conflit mondial. Nous allons commencer par traiter de façon détaillée du cas des États-Unis, de la France et du Royaume-Uni, où des enquêtes relativement élaborées ont été menées de manière continue depuis la fin des années 1940 et le début des années 1950. Les fichiers ont été bien conservés et permettent d'étudier de façon satisfaisante les transformations de la structure des électorats pour la quasi-totalité des scrutins depuis l'élection présidentielle étatsunienne de 1948 et les élections législatives britanniques et françaises de 1955 et 1956[1]. Des enquêtes comparables ont également été menées en Allemagne et en Suède depuis les années 1950, ainsi que dans la plupart des démocraties électorales européennes et non européennes (en particulier en Inde et au Japon, au Canada ou en Australie) depuis les années 1960 ou 1970. Dans les nouvelles démocraties électorales d'Europe de l'Est, il est possible d'étudier l'évolution des clivages électoraux depuis les années 1990 et 2000. Au Brésil, on peut faire de même à partir de la chute de la dictature militaire et du retour des élections à la fin des années 1980. Il en va pareillement en Afrique du Sud à partir du milieu des années 1990 et de la chute de l'apartheid. On voit donc qu'il est possible avec cette source de faire un vaste tour du monde[2]. Toutefois, ces enquêtes ne permettent pas d'étudier les élections du XIXe siècle et des premières décennies du XXe siècle, pour lesquelles d'autres méthodes et matériaux devraient être mobilisés[3].

1. Aux États-Unis, les enquêtes postélectorales ont notamment été menées par le consortium ANES (American National Elections Studies) depuis 1948. Au Royaume-Uni, les enquêtes les plus complètes sont issues de la série BES (British Election Study). En France, la plupart des enquêtes ont été menées depuis 1958 en partenariat avec la FNSP et ses différents centres de recherche (en particulier le Cevipof). Les fichiers sont archivés et diffusés par différents portails, en particulier ICPSR, NES, ADISP-CDSP et CSES. Ces enquêtes postélectorales ne doivent pas être confondues avec les sondages de sortie des urnes, qui reposent généralement sur des questionnaires plus courts et rudimentaires (mais parfois des échantillons de plus grande taille, comme la série NEP [National Exit Polls] menée aux États-Unis depuis 1972, que j'ai également utilisée afin de m'assurer de la robustesse des résultats obtenus avec les enquêtes ANES). Voir annexe technique.

2. Tous les résultats détaillés issus de l'exploitation de ces enquêtes, ainsi que les codes informatiques permettant de passer des fichiers bruts aux séries présentées ici, sont disponibles en ligne dans l'annexe technique. Voir également T. PIKETTY, « Brahmin Left vs Merchant Right. Rising Inequality and the Changing Structure of Political Conflict (Evidence from France, Britain and the US, 1948-2017) », WID.world, Working Paper Series, n° 2018/7 ; A. GETHIN, C. MARTINEZ-TOLEDANO, T. PIKETTY, « Political Cleavages and Inequality. Evidence from Electoral Democracies, 1950-2018 », EHESS, mars 2019 ; A. BANERJEE, A. GETHIN, T. PIKETTY, « Growing Cleavages in India ? Evidence from the Changing Structure of the Electorates 1962-2014 », WID.world, Working Paper Series, n° 2019/05 ; F. KOSSE, T. PIKETTY, « Changing Socioeconomic and Electoral Cleavages in Germany and Sweden 1949-2017 », WID.world, 2019 ; A. LINDNER, F. NOVOKMET, T. PIKETTY, T. ZAWISZA, « Political Conflict and Electoral Cleavages in Central-Eastern Europe, 1992-2018 », WID.world, 2019.

3. En pratique, pour les périodes antérieures au second conflit mondial, on peut confronter les résultats électoraux au niveau local (communes, cantons, etc.) avec des données issues des recensements ou de sources administratives ou fiscales également disponibles au niveau local. Cette méthode géo-électorale a ses limites (liées notamment au fait qu'elle ne repose sur aucune observation du vote au niveau individuel), mais elle seule permet de remonter dans

L'autre limite importante de la méthode à base d'enquêtes est que ces dernières reposent sur des échantillons de taille réduite (généralement autour de 4 000-5 000 personnes interrogées). Cet aspect technique est essentiel, car il implique que cette source ne permet pas d'étudier les variations de faible ampleur d'une élection à l'autre, compte tenu du fait que ces fluctuations sont pour la plupart trop réduites pour être statistiquement significatives. En revanche, les évolutions de long terme sur lesquelles nous allons nous concentrer sont très significatives, comme le montrent les intervalles de confiance indiqués sur le graphique 14.1[1]. En particulier, le renversement complet du clivage éducatif caractérisant la gauche électorale entre les périodes 1950-1980 et 1990-2020 (du vote des moins diplômés au vote des plus diplômés) est extrêmement significatif, en France comme dans tous les autres pays. Les échantillons sont également suffisamment importants pour pouvoir raisonner « toutes choses égales par ailleurs », c'est-à-dire, par exemple, pour isoler les effets du diplôme, en contrôlant ceux des autres attributs individuels qui vont souvent (mais non systématiquement) avec le diplôme[2]. On notera également que ces enquêtes, comme toutes les sources déclaratives, peuvent souffrir de divers biais dans les réponses données par les enquêtés. En particulier, on observe souvent une légère surdéclaration du vote en faveur des partis et coalitions qui ont remporté les élections, ainsi qu'une sous-déclaration des votes pour des mouvements politiques minoritaires et stigmatisés (ou se percevant comme tels)[3]. Rien ne permet cependant de penser que ces biais affectent

---

le temps. J'évoquerai plus loin des exemples de cette méthode, inaugurée magistralement par André Siegfried en 1913.

1. Les intervalles de confiance sont légèrement plus larges en début de période du fait de tailles d'échantillons plus réduites (2 000-3 000 et non 4 000-5 000 observations). Ils seront omis des graphiques suivants afin de ne pas les surcharger, mais il convient de garder présent à l'esprit que les variations de faible ampleur (2-3 points ou moins) sont généralement non significatives.

2. Par exemple, les effets du diplôme indiqués sur les graphiques 14.1-14.2 sont les effets mesurés après prise en compte des variables de contrôle, en particulier le sexe, l'âge, la situation de famille, le revenu et le patrimoine. De même, les effets du revenu indiqués sur le graphique 14.1 sont mesurés après prise en compte du sexe, de l'âge, de la situation de famille, du diplôme et du patrimoine (et ainsi de suite pour les effets du patrimoine). Les évolutions seraient similaires en l'absence de contrôle, mais sont renforcées par la prise en compte des variables de contrôle. Voir annexe technique, graphiques supplémentaires S14.1a et S14.2a, et discussion plus loin.

3. Par exemple, le vote communiste était sous-déclaré dans les enquêtes françaises des années 1950 et 1960, principalement au profit du vote socialiste, avec un total pour les partis de gauche quasi identique au vote observé. Le vote pour le Front national a longtemps été

les différentiels de vote entre groupes sociaux, et encore moins l'évolution de ces différentiels dans le temps, qui se répètent enquête après enquête dans les différents pays et qui, en ce sens, paraissent bien établis[1].

Signalons aussi que les graphiques 14.1-14.2 se focalisent sur un indicateur particulier (à savoir la différence de vote entre les 10 % du haut et les 90 % du bas), mais que les évolutions seraient similaires si l'on mesurait les clivages avec d'autres indicateurs, par exemple en comparant les 50 % des électeurs les plus diplômés et les 50 % les moins diplômés (et ainsi de suite pour les revenus et les patrimoines), ou encore si l'on examinait l'écart de vote entre les diplômés du supérieur et les non-diplômés du supérieur, ou entre les diplômés du secondaire et les non-diplômés du secondaire[2]. Autrement dit, malgré leurs limitations, les enquêtes post-électorales permettent d'établir la robustesse des résultats résumés sur les graphiques 14.1-14.2. Nous y reviendrons plus loin en examinant de façon détaillée les résultats obtenus pour la France, puis pour les États-Unis, le Royaume-Uni et les autres pays.

Ces enquêtes et ces résultats permettent également de constater à quel point les différentes dimensions de la stratification sociale sont corrélées les unes aux autres, sans pour autant que cette corrélation soit systématique. Par exemple, il existe toujours des personnes disposant d'un diplôme élevé et d'un patrimoine faible, et d'autres qui ont un diplôme faible et un patrimoine élevé. L'espace des classes sociales est un espace multidimensionnel. Il comporte certes une diagonale centrale comprenant des groupes socialement défavorisés ou socialement favorisés suivant toutes les dimensions en même temps (dans la mesure où les attributs individuels en question peuvent s'ordonner verticalement, ce qui est loin d'être toujours le cas). Mais il inclut également des situations plus complexes résultant de trajectoires multiples et variées, et impliquant que les individus occupent des positions différentes suivant les axes considérés (souvent légèrement différentes, et parfois plus nettement décalées). Mais

---

sous-déclaré dans les enquêtes et sondages des années 1990 et 2000 et ne l'est plus guère dans les années 2010.

1. Les fichiers d'enquête sont généralement pondérés de façon à reproduire les résultats exacts du vote (tout en préservant la représentativité nationale de la structure socio-démographique de l'échantillon), et ce sont ces fichiers qui ont été utilisés pour estimer les résultats présentés ici. Les tendances observées sur les différentiels par diplôme, revenu, patrimoine, etc., sont identiques si l'on utilise les fichiers bruts (sans nouvelle pondération). Voir annexe technique.

2. Voir annexe technique, graphiques supplémentaires S14.1b-S14.1c et S14.2b-S14.2c.

il est patent que ces différences de positions, auxquelles s'ajoutent des différences de trajectoires, de croyances et de représentations pour des positions sociales données, dessinent dans toutes les sociétés un espace sociopolitique complexe et multidimensionnel. De fait, si les différentes dimensions considérées ici (diplôme, revenu, patrimoine) étaient parfaitement corrélées, alors par définition il aurait été impossible de mettre en évidence des résultats tels que ceux observés sur le graphique 14.1 : les trois courbes auraient été parfaitement confondues. D'après les enquêtes postélectorales, la corrélation entre ces trois dimensions semble être restée approximativement au même niveau des années 1950 aux années 2010 (avec peut-être même une légère progression en fin de période, autant que cette source imparfaite permette d'en juger)[1]. Autrement dit, ces évolutions ne s'expliquent pas parce que les hiérarchies du diplôme, du revenu et du patrimoine seraient subitement devenues moins corrélées que par le passé. Le changement important qui a eu lieu est donc avant tout de nature politico-idéologique (et non pas socio-économique). Il concerne en premier lieu la capacité des organisations et coalitions politiques et électorales en présence à unir ou au contraire à opposer ces différentes dimensions de l'inégalité sociale.

Internationaliser l'étude des clivages ethno-raciaux et du social-nativisme

Précisons enfin que les résultats présentés ici s'inscrivent dans la lignée de nombreux travaux de sciences politiques. En particulier, les politistes Lipset et Rokkan ont proposé dès les années 1960 d'analyser les systèmes de partis et leur évolution au travers d'une vision multidimensionnelle des clivages électoraux. Leur classification reposait sur l'idée selon laquelle les sociétés

---

1. Concrètement, les coefficients de corrélation entre diplôme, revenu et patrimoine apparaissent relativement stables dans les enquêtes postélectorales françaises, étatsuniennes et britanniques au cours de la période 1948-2017 (avec des coefficients autour de 0,3-0,4 pour le diplôme et le revenu, 0,2-0,3 pour le revenu et le patrimoine, et 0,1-0,2 pour le diplôme et le patrimoine ; un coefficient égal à 0 indique une absence de corrélation, et un coefficient égal à 1 une corrélation parfaite). Voir annexe technique. Le nombre limité d'observations et l'imperfection des variables disponibles pour les différentes dimensions impliquent cependant que cette source tend à sous-estimer légèrement ces corrélations et surtout ne permet pas de repérer d'éventuelles inflexions au sein de cette stabilité d'ensemble. Des sources plus fines (mais ne comprenant pas les variables électorales) indiquent une possible progression de ces corrélations depuis 1980-1990. J'y reviendrai plus loin.

modernes étaient marquées par deux grandes révolutions, la révolution nationale (au travers de la construction d'un pouvoir étatique centralisé et de l'État-nation) et la révolution industrielle, qui avaient donné lieu à quatre grands clivages politiques, avec une importance variable suivant les pays : le clivage entre le centre et la périphérie (les régions centrales ou proches de la capitale et les régions se percevant comme périphériques) ; le clivage entre l'État centralisé et les Églises ; le clivage entre les secteurs agricoles et industriels ; et enfin le clivage autour de la propriété des moyens de production opposant les travailleurs aux employeurs et aux propriétaires[1].

Lipset et Rokkan ont notamment mobilisé ces notions pour rendre compte du premier système partisan opposant les tories (conservateurs) et les whigs (libéraux) au Royaume-Uni autour de 1750, caractérisé par une opposition entre élites terriennes et rurales attachées à leur pouvoir local et élites urbaines et commerciales s'appuyant davantage sur l'État central. Tout ceci se déroulait à une époque où seuls quelques pourcents de la population avaient le droit de vote, si bien que le conflit politique et électoral ne pouvait être autre chose qu'un conflit entre élites. La montée en puissance du suffrage universel et du clivage industriel conduisit au remplacement du parti whig (devenu parti libéral en 1859) par le parti travailliste entre 1900 et 1950[2]. Lipset et Rokkan insistent également sur l'importance de la question religieuse et scolaire dans la constitution des différents systèmes de partis européens au cours du XIXᵉ siècle et de la première moitié du XXᵉ siècle, avec des affrontements souvent violents entre les tenants d'un État laïc et les défenseurs d'un rôle maintenu pour les institutions ecclésiastiques (en particulier en France, en Italie et en Espagne), et avec dans la plupart des pays un impact durable sur les structures partidaires (y compris parfois avec des partis constitués pour promouvoir séparément les sensibilités confessionnelles protestantes et catholiques, comme aux Pays-Bas et en Allemagne). Les clivages étudiés par Lipset et Rokkan continuent de jouer un rôle important et ont laissé des traces significatives jusqu'à nos jours.

---

1. Voir S. Lipset, S. Rokkan, « Cleavage Structures, Party Systems and Voter Alignments : An Introduction », *in* S. Lipset, S. Rokkan (éd.), *Party Systems and Voter Alignments : Cross-National Perspectives*, The Free Press, 1967.

2. Sur le rôle joué par le parti libéral, l'impôt progressif et la question irlandaise dans la transformation du régime politique britannique à la fin du XIXᵉ siècle et au début du XXᵉ siècle, voir chapitre 5, p. 217-225.

Par comparaison à cette grille de lecture, l'approche développée ici a deux particularités essentielles. D'une part, le recul et les sources dont nous disposons aujourd'hui permettent d'identifier des transformations profondes dans la structure des clivages électoraux et sociopolitiques depuis la période des années 1950-1960. Pour repérer ces mutations, je propose de classer les électeurs en fonction de leur position dans la hiérarchie des diplômes, des revenus et des patrimoines, et d'exploiter de façon systématique l'ensemble des enquêtes postélectorales disponibles depuis 1945. Certes, les identités et les classes sociales, dans leur manifestation politique et historique concrète, ne se définissent jamais directement en termes de déciles d'éducation, de revenu ou de propriété, ou tout du moins pas de façon aussi crue et explicite, d'autant plus que les visions du monde et les systèmes de croyances sur les enjeux politiques décisifs ne sont que partiellement reliés à ces attributs individuels. Mais ce langage, de la même manière que pour la mesure des inégalités, a le mérite de pouvoir comparer la structure des clivages électoraux sur longue période et au sein de sociétés très éloignées les unes des autres. Autrement dit, les déciles de diplôme, de revenu et de patrimoine permettent de faire des comparaisons historiques précises, ce que les professions permettent difficilement (tant les classifications professionnelles évoluent dans le temps)[1].

D'autre part, une limitation du cadre proposé par Lipset et Rokkan est qu'il ignore complètement la question des clivages ethno-raciaux. Cela peut sembler paradoxal, dans la mesure où ces travaux ont été publiés dans les années 1960, en pleine bataille des droits civiques aux États-Unis. Or cette dimension du conflit politique n'a pas disparu, contrairement peut-être à ce que l'on imaginait à l'époque[2]. Elle s'est en réalité renforcée, aussi bien outre-Atlantique (où le facteur racial est souvent évoqué pour expliquer

1. En particulier, les notions de « classe ouvrière » ou de *working class*, souvent utilisées pour étudier l'évolution des clivages politiques à partir des enquêtes postélectorales, n'ont clairement pas le même sens dans des sociétés où la part de l'emploi industriel dépasse 40 % et dans des sociétés où cette part est inférieure à 10 %. Les déciles de diplôme, de revenu et de patrimoine ont moins de sens social et politique dans l'instant présent que les grilles de profession utilisées par la société considérée, mais ils permettent de comparer des sociétés qui seraient autrement incomparables. Idéalement les deux formes de langage devraient être mobilisées de concert.

2. L'approche introduite par Lipset et Rokkan dans les années 1960 est dans une large mesure centrée sur les systèmes de partis européens (tels qu'ils se sont développés au XIXᵉ siècle et lors de la première moitié du XXᵉ siècle), voire nord-européens, en partie sous l'influence du Norvégien Rokkan, et sans doute aussi car l'Étatsunien Lipset espérait une atténuation graduelle des clivages raciaux.

le passage graduel d'une partie des classes populaires blanches du vote démocrate vers le vote républicain depuis le virage des années 1960 et tout au long du dernier demi-siècle) qu'en Europe, où les conflits autour des questions identitaires et migratoires ont pris une importance nouvelle avec la montée en puissance des partis anti-immigrés depuis les années 1980-1990. Trop souvent, ces questions sont étudiées séparément sur les deux continents. Les travaux consacrés au système de partis aux États-Unis tendent à s'intéresser exclusivement aux évolutions étatsuniennes (ce qui est malheureusement devenu une attitude assez générale dans ce pays[1]). Les recherches portant sur l'Europe ont tendance à faire de même, sans doute en partie car le système partisan étatsunien paraît radicalement différent et indéchiffrable, ou tout du moins difficilement comparable[2]. En particulier, les observateurs européens ne cessent de s'étonner que le parti de l'esclavage au XIXᵉ siècle ait pu graduellement devenir celui du New Deal et de Roosevelt au XXᵉ siècle, puis celui d'Obama au début du XXIᵉ siècle, et s'inquiètent peut-être de la portée d'une telle comparaison et de ses potentielles implications.

Nous verrons qu'une analyse comparative du rôle joué par les clivages ethno-raciaux en Europe et aux États-Unis (ainsi que dans plusieurs démocraties électorales non occidentales) permet pourtant de mieux comprendre les évolutions en cours de la structure des clivages politiques dans les deux pays, ainsi que la diversité des possibles trajectoires à venir. En particulier, une telle démarche permet d'analyser les risques d'une dérive sociale-nativiste dans les différents pays, et d'étudier les conditions sous lesquelles les clivages socio-économiques sont susceptibles de retrouver leur ascendant sur les conflits ethno-raciaux.

---

1. Par exemple, la numérotation par la science politique étatsunienne des différents systèmes de partis qui se sont succédé depuis l'indépendance est un exercice spécifiquement étatsunien, non d'ailleurs sans quelques bonnes raisons, compte tenu des particularités évidentes de cette trajectoire. Voir chapitre 6, p. 290, pour une rapide présentation de ces différents systèmes.

2. En particulier, les très intéressants travaux consacrés à la montée des partis anti-immigrés et des clivages identitaires et migratoires en Europe (allant parfois jusqu'à proposer d'introduire cette nouvelle dimension de clivage systémique dans le cadre Lipset-Rokkan) ne font généralement pas référence au rôle joué par les clivages raciaux dans le développement du système de partis aux États-Unis. Voir par exemple S. Bornshier, *Cleavage Politics and the Populist Right*, Temple University Press, 2010. Voir également H. Kitschelt, *The Transformation of European Social Democracy*, *op. cit.* ; Id., *The Radical Right in Western Europe*, University of Michigan Press, 1995.

Renouvellement des partis politiques, chute de la participation électorale

Revenons tout d'abord au cas de la France, et à la transformation de la structure des électorats observée dans ce pays depuis le second conflit mondial. Précisons que nous allons nous intéresser à la fois aux élections législatives et présidentielles. Des élections législatives ont été conduites approximativement tous les cinq ans depuis 1871 en France, d'abord sous le régime du suffrage masculin, puis du suffrage universel masculin et féminin à partir de 1944. Par comparaison aux États-Unis et au Royaume-Uni, la France se caractérise depuis le XIXe siècle par un très grand nombre de partis politiques et par un renouvellement quasi permanent des structures partisanes. Aux États-Unis, le paysage politique se structure depuis le milieu du XIXe siècle autour du bipartisme démocrates-républicains, avec toutefois de multiples tendances à l'intérieur de chaque parti, des systèmes de primaires généralisées permettant de départager les candidats, et des transformations profondes et permanentes des orientations idéologiques des deux blocs. Au Royaume-Uni, le bipartisme libéraux-conservateurs en vigueur au XIXe siècle et au début du XXe siècle a été remplacé depuis 1945 par un bipartisme travaillistes-conservateurs, avec là aussi de multiples complications sur lesquelles nous reviendrons, et de profonds renouvellements idéologiques et programmatiques. En pratique, le contraste entre le multipartisme français et le bipartisme anglo-saxon relève donc souvent davantage d'une différence institutionnelle (davantage que d'une diversité idéologique supposément plus étendue en France). Cette différence institutionnelle s'explique classiquement par les systèmes électoraux, dont on peut toutefois considérer qu'ils reflètent eux-mêmes différentes conceptions du pluralisme politique et de sa structuration partisane[1].

Dans le cadre de cette enquête, dont le premier objectif est de replacer l'évolution des clivages électoraux et politico-idéologiques dans une perspective comparative et historique de long terme, je vais commencer par

---

1. Le système anglo-étatsunien (scrutin uninominal à un tour) pousse à la concentration des voix sur les deux partis placés en tête, alors que le système français (scrutin uninominal à deux tours) permet de faire émerger et perdurer un plus grand nombre de partis. Pour des études classiques du lien entre système électoral et système de partis, voir M. DUVERGER, *Les Partis politiques, op. cit.* ; A. LIJPHARD, *Electoral Systems and Party Systems. A Study of 27 Democracies, 1945-1990,* Oxford University Press, 1994.

me concentrer sur la répartition des votes entre deux grands groupes de partis présents aux élections législatives françaises tout au long de la période 1945-2017, que pour simplifier je propose d'appeler la « gauche électorale » et la « droite électorale » (voir graphique 14.3).

Graphique 14.3

Les élections législatives en France, 1945-2017

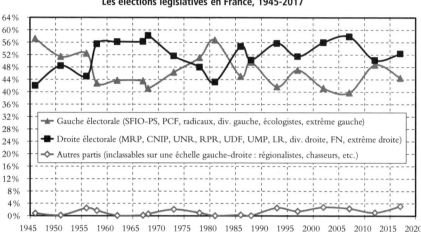

Lecture : les scores obtenus par les partis de gauche (socialistes, communistes, radicaux, écologistes, et autres partis de centre gauche, gauche et extrême gauche) et les partis de droite (tous partis de centre droit, droite et extrême droite confondus) ont oscillé entre 40 % et 58 % des voix au 1ᵉʳ tour des élections législatives françaises au cours de la période 1945-2017.
Note : le score obtenu par la coalition LREM-Modem en 2017 (32 % des voix) a été divisé 50-50 entre centre gauche et centre droit (voir graphiques 14.4-14.5).
Sources et séries : voir piketty.pse.ens.fr/ideologie.

Au cours de cette période, la gauche électorale inclut principalement en France le parti socialiste, le parti communiste, les radicaux, les écologistes et les autres petits partis classés au centre gauche, à gauche ou à l'extrême gauche (voir graphique 14.4).

De même, la droite électorale inclut notamment les partis gaullistes et l'ensemble des partis classés au centre droit, à droite et à l'extrême droite (voir graphique 14.5).

Ces regroupements se justifient essentiellement par l'objectif de comparaison avec la structure des votes observés dans le cadre des bipartismes démocrates-républicains et travaillistes-conservateurs en vigueur aux États-Unis et au Royaume-Uni. J'ai simplement classé les différents partis en fonction de la façon dont les électeurs les placent sur une échelle gauche-droite dans les enquêtes postélectorales, ce qui paraît dans un premier temps

Graphique 14.4

La gauche électorale en France (législatives 1945-2017)

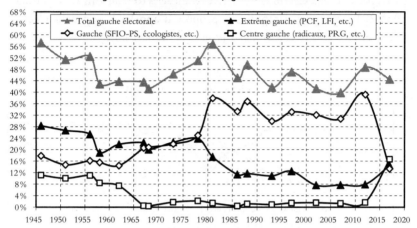

Lecture : le score total obtenu par les partis de gauche (socialistes, communistes, radicaux, écologistes, et autres partis de centre gauche, gauche et extrême gauche) a oscillé entre 40 % et 57 % des voix au 1er tour des élections législatives françaises au cours de la période 1945-2017.

Note : le score obtenu par la coalition LREM-Modem en 2017 (32 % des voix) a été divisé 50-50 entre centre gauche et centre droit.

Sources et séries : voir piketty.pse.ens.fr/ideologie.

Graphique 14.5

La droite électorale en France (législatives 1945-2017)

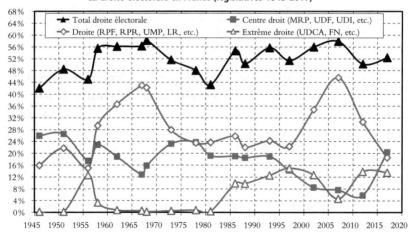

Lecture : le score total obtenu par les partis de droite (tous partis de centre droit, droite et extrême droite confondus) a oscillé entre 40 % et 58 % des voix au 1er tour des élections législatives françaises au cours de la période 1945-2017.

Note : le score obtenu par la coalition LREM-Modem en 2017 (32 % des voix) a été divisé 50-50 entre centre gauche et centre droit.

Sources et séries : voir piketty.pse.ens.fr/ideologie.

la façon la moins arbitraire de procéder pour ordonner l'électorat en deux moitiés approximativement égales[1]. Les résultats obtenus sont par ailleurs conformes à la façon dont les partis se décrivent eux-mêmes. Les seuls partis exclus de cette classification sont ceux que les électeurs refusent de classer sur une échelle gauche-droite, ou qui font l'objet d'un classement incohérent. Il s'agit en pratique de petits partis régionalistes ou centrés sur la défense de causes spécifiques (comme la chasse), regroupant toujours moins de 4 % des voix aux législatives, alors que les deux blocs de gauche et de droite regroupent chacun entre 40 % et 58 % des voix suivant les élections (voir graphique 14.3)[2].

Il convient toutefois d'insister sur le caractère largement artificiel de ces catégorisations, et sur la très grande diversité d'opinions et de sensibilités qui a toujours existé au sein de chacun de ces deux groupes de partis (de même d'ailleurs qu'au sein des partis anglo-saxons). De fait, la structure du conflit politico-idéologique est en règle générale fortement multidimensionnelle. Les désaccords portent notamment sur la question de la propriété (ce qui comprend en particulier la politique fiscale et la réduction des inégalités) et sur la question de la frontière (ce qui inclut par exemple la politique migratoire). Il arrive certes que l'une des dimensions prenne une importance primordiale pour structurer la compétition électorale, et contribue par là même à déterminer comment les électeurs perçoivent le positionnement relatif des forces en présence. Mais il s'agit généralement d'un équilibre précaire, instable et provisoire, car la réalité sous-jacente du conflit politico-idéologique recouvre toujours des dimensions multiples et imparfaitement corrélées.

C'est notamment le cas en France à la fin des années 2010. Comme nous le verrons plus loin, nous sommes clairement dans une période où l'axe principal du conflit électoral et politique est en cours de redéfinition, comme en témoigne d'ailleurs le violent rejet dont font l'objet les clivages anciens (et en particulier les termes de « gauche » et de « droite », qui sont encore

---

1. Toutes les enquêtes postélectorales menées en France depuis les années 1950 incluent des questions sur la position gauche-droite des différents partis politiques (en général sur une échelle allant de 1 à 7 ou de 1 à 10). Le score moyen attribué par les électeurs place sans ambiguïté le parti communiste à gauche du parti socialiste, suivi des partis du centre, du centre droit et de droite, puis des partis d'extrême droite. L'autopositionnement des électeurs suit également ce schéma : les électeurs communistes se placent plus à gauche que les électeurs socialistes, qui se placent eux-mêmes plus à gauche que ceux votant pour le centre, et ainsi de suite. Voir annexe technique.

2. Le score obtenu par la coalition LREM-Modem aux législatives de 2017 (32 % au 1er tour), classée au centre par les électeurs (relativement aux autres partis), a été réparti sur les graphiques 14.3-14.5 à 50-50 entre le centre gauche et le centre droit. J'y reviendrai plus loin.

plus durement repoussés qu'à l'accoutumée, ce qui est le signe que leur signification est en cours de redéfinition). Mais pour comprendre comment nous en sommes arrivés là, il est utile de commencer par étudier l'évolution de la structure des clivages entre les deux blocs gauche-droite depuis les années 1950, en comparaison avec les blocs démocrates-républicains et travaillistes-conservateurs des pays anglo-saxons.

De façon générale, il est également important de préciser que ces dénominations de « gauche » et de « droite » ont toujours été le lieu d'intenses conflits politico-linguistiques, propres à chaque société et à chaque époque. Ces mots sont alternativement utilisés par les différents locuteurs pour définir leur identité de façon positive, ou au contraire pour disqualifier celle des autres de façon péjorative, ou parfois aussi pour les récuser entièrement et annoncer leur disparition (ce qui n'empêche pas le conflit politique et électoral de se reconfigurer suivant de nouveaux axes de désaccords, d'une façon ou d'une autre). Mon projet ici n'est pas de trancher ces débats terminologiques, d'instituer la police du langage ou de définir la nature profonde de la « gauche véritable » de la « droite authentique ». Cela aurait d'autant moins de sens que ces notions n'ont de toute évidence pas une signification éternelle et absolue. Il s'agit de constructions sociohistoriques permettant de structurer et d'organiser les conflits politico-idéologiques et la compétition électorale dans un contexte historique donné. Utilisées pour la première fois lors de la Révolution française pour désigner les groupes politiques situés dans les parties gauche et droite des hémicycles parlementaires, en fonction notamment de la position des uns et des autres sur la question du régime monarchique, les notions de gauche et de droite ont depuis lors suscité, dans tous les pays, des luttes incessantes et des redéfinitions permanentes, en particulier dans le cadre de stratégies politiques visant à annoncer le dépassement des conflits du passé et l'avènement de nouveaux clivages. Dans un premier temps, mon objectif est simplement d'étudier l'évolution de la gauche et de la droite au sens électoral, c'est-à-dire telles qu'elles se sont incarnées dans des élections particulières et des partis spécifiques depuis 1945, et de comparer les structures des électorats dans le temps et entre pays.

Je vais également utiliser les comportements électoraux observés lors des seconds tours « gauche-droite » qui se sont déroulés dans le cadre des élections présidentielles françaises entre 1965 et 2012 (voir graphique 14.6). Ces confrontations obligent les uns et les autres à se positionner face à un choix binaire, ce qui est à la fois réducteur et expressif. En l'occurrence, les résultats obtenus concernant la structure des électorats et leur évolution sont identiques à ceux observés pour les élections législatives[1]. Ces dernières ont l'avantage de porter sur des périodes plus longues, et de donner une expression plus exacte de la pluralité politique et du multipartisme qui caractérisent la vie politique française[2].

Graphique 14.6

Les élections présidentielles en France, 1965-2012

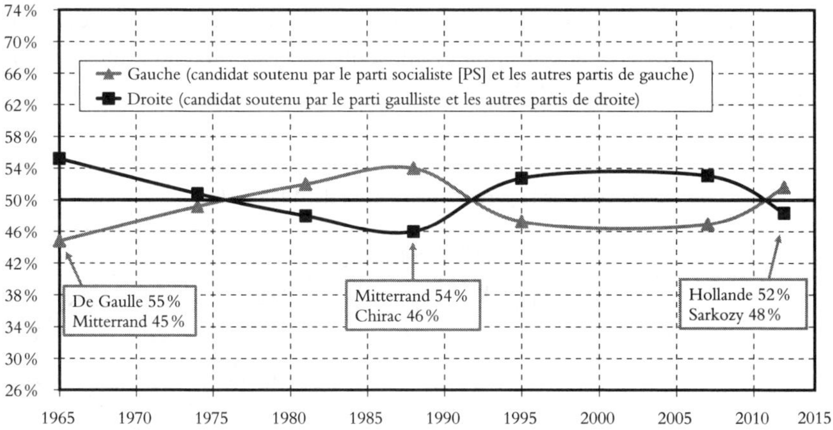

Lecture : les scores obtenus lors des 2ⁿᵈˢ tours gauche-droite des présidentielles françaises représentés ici sont les suivants : 1965 (de Gaulle 55 %, Mitterrand 45 %), 1974 (Giscard 51 %, Mitterrand 49 %), 1981 (Mitterrand 52 %, Giscard 48 %), 1988 (Mitterrand 54 %, Chirac 46 %), 1995 (Chirac 53 %, Jospin 47 %), 2007 (Sarkozy 53 %, Royal 47 %), 2012 (Hollande 52 %, Sarkozy 48 %). Les autres 2ⁿᵈˢ tours (opposant la droite, le centre et l'extrême droite) n'ont pas été représentés ici : 1969 (Pompidou 58 %, Poher 42 %), 2002 (Chirac 82 %, J.-M. Le Pen 18 %), 2017 (Macron 66 %, M. Le Pen 34 %).
Sources et séries : voir piketty.pse.ens.fr/ideologie.

1. J'ai utilisé principalement les résultats des premiers tours des élections législatives (compte tenu du fait que certaines circonscriptions sont pourvues dès le premier tour et que les électeurs concernés ne votent pas au second tour) et des seconds tours des élections présidentielles (où la participation est généralement la plus forte). Lorsque des élections législatives et présidentielle ont lieu la même année et que la présidentielle se conclut par un duel gauche-droite, les résultats présentés sur les graphiques 14.1-14.2 et suivants portent sur le second tour de la présidentielle (par exemple en 2012, avec des résultats quasi identiques pour les législatives). Pour 2017, élection charnière sur laquelle je reviendrai plus loin, j'ai utilisé les votes observés lors du premier tour de la présidentielle.

2. Une première élection présidentielle au suffrage universel (masculin) eut lieu en France en 1848, mais son vainqueur décida de se faire couronner empereur et de mettre fin aux élections. Entre 1871 et 1962 le président était élu par le Parlement et avait des pouvoirs limités. L'élection du président au suffrage universel a été rétablie par le général de Gaulle en 1962 par référendum et appliquée depuis 1965, avec à la clé un renforcement de ses pouvoirs. Contrairement aux élections législatives (où tous les candidats obtenant les voix de plus de 12,5 % des inscrits au premier tour peuvent se maintenir), seuls les deux candidats arrivés en tête peuvent se maintenir au second tour d'une élection présidentielle.

Précisons enfin que le renouvellement important des partis, qui caractérise le paysage politique français, en particulier en fin de période, n'a pas empêché la baisse de la participation électorale, bien au contraire. En ce qui concerne les élections présidentielles, la baisse de la participation est restée limitée : la participation avoisinait les 80 %-85 % entre 1965 et 2012, et elle est tombée à 75 % en 2017. La chute a été beaucoup plus forte au niveau des élections législatives, où la participation était d'environ 75 %-80 % dans la France des années 1950 aux années 1980, avant de s'effondrer au cours des dernières décennies, passant à 60 %-65 % dans les années 2000 et à moins de 50 % en 2017 (voir graphique 14.7)[1].

Graphique 14.7

L'évolution de la participation électorale, 1945-2020

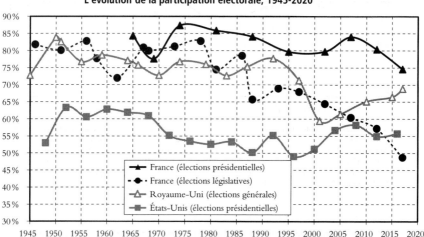

Lecture : la participation électorale a été relativement stable autour de 80 %-85 % aux élections présidentielles depuis 1965 (avec toutefois une légère baisse à 75 % en 2017). La chute a été beaucoup plus forte pour la participation aux élections législatives, qui était de 80 % jusqu'aux années 1970, et qui est inférieure à 50 % en 2017. La participation électorale a baissé au Royaume-Uni avant de remonter depuis 2010. Aux États-Unis, elle a généralement fluctué autour de 50 %-60 %.
Sources et séries : voir piketty.pse.ens.fr/ideologie.

On remarquera que la participation aux élections générales au Royaume-Uni se situait également autour de 75 %-80 % des années 1950 aux années 1980, avant de chuter très rapidement au cours des années 1990 (environ 60 % au début des années 2000), puis de remonter dans

1. Les participations indiquées sont celles observées au premier tour des législatives et au second tour des présidentielles (qui sont généralement les plus élevées, pour les raisons indiquées plus haut).

les années 2010 (près de 70 % en 2017). Aux États-Unis, la participation électorale a toujours été relativement faible, si bien que la baisse a été moins marquée : elle se situait autour de 60 %-65 % dans les années 1950 et 1960, et elle a généralement fluctué autour de 50 %-55 % des années 1970 aux années 2010[1].

Du retrait électoral des classes populaires

Ensuite et surtout, il est frappant de constater que les participations électorales les plus élevées sont associées à une certaine égalité sociale face à la participation, et à l'inverse que les participations plus faibles correspondent à une très forte inégalité sociale face au vote, avec un maintien d'une participation relativement élevée parmi les électeurs socialement les plus favorisés et une chute parmi les classes populaires (voir graphique 14.8).

Graphique 14.8

Participation électorale et clivages sociaux, 1945-2020

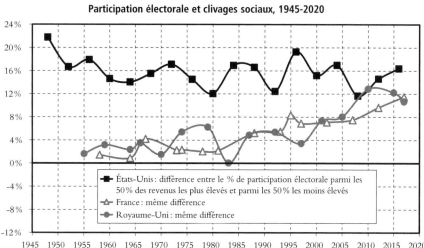

Lecture : dans les années 1950-1970, la participation électorale en France et au Royaume-Uni était à peine 2 %-3 % plus élevée parmi les 50 % des électeurs ayant les revenus les plus élevés que parmi les 50 % les moins élevés. Cet écart s'est accru par la suite et a atteint 10 %-12 % dans les années 2010, s'approchant ainsi du niveau observé aux États-Unis.
Sources et séries : voir piketty.pse.ens.fr/ideologie.

1. On notera un sommet à 58 % lors de la première élection d'Obama en 2008. Les participations indiquées sur le graphique 14.7 pour les États-Unis sont celles constatées lors des élections présidentielles. La participation aux élections parlementaires (Chambre des représentants et Sénat) est généralement sensiblement plus faible (en particulier lors des élections de mi-mandat).

Concrètement, les enquêtes postélectorales menées tout au long de la période 1948-2017 aux États-Unis, au Royaume-Uni et en France permettent de mesurer les taux de participation en fonction des caractéristiques socio-économiques individuelles. Aux États-Unis, où la participation d'ensemble est faible, on constate que la participation a toujours été beaucoup plus forte parmi les électeurs disposant des 50 % des revenus les plus élevés que parmi les 50 % les plus bas, avec un écart qui a généralement oscillé entre 12 % et 20 % au cours des soixante dernières années. On retrouve un biais du même ordre si l'on utilise le diplôme, la profession ou le patrimoine. Quel que soit le critère utilisé, on constate une abstention beaucoup plus forte parmi les catégories populaires.

Au Royaume-Uni et en France, la participation électorale était au cours de la période 1950-1980 quasiment aussi forte parmi les classes populaires, moyennes et supérieures. Concrètement, l'écart de taux de participation entre les 50 % des revenus les plus élevés et les 50 % les moins élevés était d'à peine 2 %-3 %. Autrement dit, toutes les catégories sociales votaient pratiquement dans les mêmes proportions (avec des participations avoisinant les 80 %). En revanche, à partir des années 1990, à mesure que la participation d'ensemble s'abaisse, on constate qu'un biais social de plus en plus fort se met en place. Dans les années 2010, en France comme au Royaume-Uni, l'écart de participation entre les 50 % des revenus les plus élevés et les 50 % des revenus les plus faibles atteint environ 10 %-12 %, soit un niveau s'approchant des écarts observés aux États-Unis (voir graphique 14.8). On constate là encore des écarts similaires si l'on raisonne en termes de diplôme, de profession ou de patrimoine[1].

Nous reviendrons plus loin sur ce phénomène de « retrait électoral » des classes populaires, qui a une importance centrale pour notre enquête. Ce retrait a été quasi permanent aux États-Unis au cours du dernier demi-siècle. Ce phénomène est apparu au cours de la période 1990-2020 en France et au Royaume-Uni, alors que la participation politique dans ces pays était

---

1. Plus précisément, les tailles d'échantillons et les limites des données disponibles font que les écarts de taux de participation apparaissent similaires en termes de revenu, diplôme et patrimoine. Des données plus complètes feraient peut-être apparaître des biais plus prononcés suivant certaines dimensions. Précisons également que les écarts de taux de participation indiqués pour la France portent sur les élections présidentielles et montent à des niveaux plus élevés encore pour les élections législatives (avec un écart atteignant 12 %-15 % en 2012-2017 entre les 50 % des revenus les plus élevés et les 50 % les plus faibles, soit un niveau quasi identique à celui observé aux États-Unis, et supérieur à celui observé au Royaume-Uni). Voir annexe technique.

relativement égalitaire au cours des années 1950-1980. L'interprétation naturelle pour cette évolution est que les classes populaires se sont senties moins bien représentées par les mouvements politiques et les plates-formes programmatiques qui leur étaient proposées lors de la seconde période. De ce point de vue, il est frappant de constater que le passage au pouvoir du New Labour de Tony Blair en 1997-2007 et des socialistes français en 1988-1993 et 1997-2002 semble s'être accompagné d'une chute particulièrement forte de la participation parmi les catégories les plus modestes.

Il faut ajouter que les participations indiquées ici sont calculées en proportion des populations inscrites sur les listes électorales (les personnes non inscrites sur les listes étant généralement non couvertes par les enquêtes). Or la non-inscription peut atteindre ou parfois dépasser 10 % des personnes qui ont théoriquement le droit de vote, et ce phénomène est particulièrement marqué parmi les classes populaires, et notamment au sein des électeurs noirs aux États-Unis, parfois du fait de restrictions et procédures appliquées par certains États (en lien notamment avec la détention de certains papiers d'identité ou un passage par la prison)[1]. En France, les enquêtes postélectorales menées en 2012 et 2017 permettent de mesurer la non-inscription et conduisent à constater l'existence de très forts biais sociaux[2].

Au final, le retrait des classes populaires observé au cours de la période 1990-2020 illustre une rupture fondamentale entraînée par la chute du système de clivages « classistes » de la période 1950-1980. Dans l'absolu, le fait que le conflit politique s'organise sur une base classiste, avec d'un côté un parti ou une coalition attirant les votes des plus modestes (quelle que soit la dimension retenue : éducation, revenu, propriété), et de l'autre un parti ou une coalition s'appuyant sur les votes des plus aisés (là encore quelle que soit la dimension considérée), n'est ni une bonne ni

1. Jusqu'au milieu des années 1960, il était quasiment impossible pour les Noirs d'être inscrits sur les listes électorales dans les États du Sud (du fait notamment des prétendus critères éducatifs, appliqués en pratique de façon totalement biaisée par les administrations blanches). Les lois fédérales de 1964-1965 ont mis fin aux biais les plus grossiers, tout en permettant aux États de garder la main sur les listes et d'affecter leur composition sociale et raciale de façon plus indirecte.

2. On constate en effet dans ces deux enquêtes que la non-inscription sur les listes électorales concerne en moyenne 6 % des personnes de nationalité française résidant en France, et que ce pourcentage passe de 4 % parmi les cadres et les plus diplômés à 10 % parmi les ouvriers et les moins diplômés (et de 11 % parmi les 18-25 ans à 2 % parmi les plus de 65 ans). Voir annexe technique. Ce biais supplémentaire n'a pas été pris en compte sur le graphique 14.8 (qui porte uniquement sur les personnes inscrites sur les listes), car cette information n'est pas disponible pour les autres années.

une mauvaise chose. On pourrait même considérer qu'un conflit électoral trop fortement clivé sur une base purement classiste serait le signe d'un certain échec démocratique. La confrontation électorale se réduirait alors à une opposition d'intérêts antagonistes et ne mettrait plus en jeu les échanges de points de vue et d'expériences pourtant indispensables pour donner du sens au régime électoral dans son ensemble[1]. En l'occurrence, on remarquera cependant que les clivages classistes de la période 1950-1980 laissaient une large place à la diversité des trajectoires et des subjectivités individuelles : les niveaux de diplôme, de revenu et de patrimoine les plus bas étaient en moyenne associés à des votes un peu plus importants pour les partis de gauche, mais la relation était loin d'être systématique.

Le conflit électoral de type classiste avait au moins un mérite : il s'accompagnait d'une forte mobilisation de toutes les catégories sociales dans des proportions comparables[2]. La confrontation politique accordait alors une large place aux questions de redistribution, avec la mise en place des divers systèmes d'assurances sociales et la montée en puissance de l'État fiscal et social. Chaque coalition apportait à ces débats ses expériences et ses aspirations contradictoires, et de ces contradictions émergeaient des choix qu'il serait naïf de qualifier de pleinement démocratiques, tant les asymétries dans la répartition du pouvoir et de l'influence politique étaient nombreuses, mais qui s'appuyaient néanmoins sur une participation sociale équilibrée. À l'inverse, le régime électoral à base d'élites multiples en vigueur dans les années 1990-2020 met toujours en scène les clivages sociaux (puisqu'une coalition politique attire notamment les suffrages des plus diplômés, alors que l'autre recueille ceux des plus hauts revenus et patrimoines), mais il oblitère pour une large part le débat sur la redistribution et s'accompagne du retrait du jeu politique des catégories populaires, ce qui peut difficilement être considéré comme positif.

---

1. Dans son *Essai sur l'application de l'analyse à la probabilité des décisions rendues à la pluralité des voix* (1785), Condorcet avait bien résumé cette ambiguïté du régime électoral : si chaque participant a des informations ou des expériences d'intérêt commun à apporter au débat, alors la règle de la majorité peut permettre d'agréger utilement ces informations, et personne n'a intérêt à substituer la dictature à l'élection, envisagée comme un « jury » ; à l'inverse, si l'élection se réduit à la confrontation d'intérêts antagoniques, alors elle peut sombrer dans de chaotiques cycles de majorité (chaque décision possible pouvant être majoritairement préférée par une autre). Voir annexe technique.

2. Tout du moins en Europe. Le fait que le régime électoral étatsunien n'a jamais permis une mobilisation sociale aussi forte peut être relié à la moindre ambition sociale du New Deal par comparaison aux expériences sociales-démocrates européennes (voir chapitre 11).

Du renversement du clivage éducatif :
l'invention du parti des diplômés

Venons-en maintenant à ce qui constitue sans doute l'évolution la plus frappante sur longue période, à savoir la transformation du parti des travailleurs en parti des diplômés. Avant d'en venir aux explications, il convient tout d'abord de constater que le renversement du clivage éducatif est un phénomène extrêmement général. En particulier, il s'agit d'un renversement complet, visible à tous les niveaux de la hiérarchie des diplômes. Considérons par exemple les élections législatives de 1956, particulièrement réussies pour les partis de gauche (socialistes, communistes et radicaux), qui réunirent ensemble près de 54 % des suffrages. Ils réussirent même à obtenir la confiance de 57 % des électeurs sans diplôme ou dont le plus haut niveau de diplôme était le certificat d'études primaires, soit au total 72 % de l'électorat de l'époque (voir graphique 14.9). Au sein des diplômés du secondaire, soit 23 % de l'électorat en 1956, leur score fut de 49 %. En revanche, parmi les diplômés du supérieur, soit à peine 5 % de l'électorat de l'époque, ils ne réunirent que 37 % des suffrages.

Graphique 14.9

Le vote à gauche par diplôme en France, 1956-2012

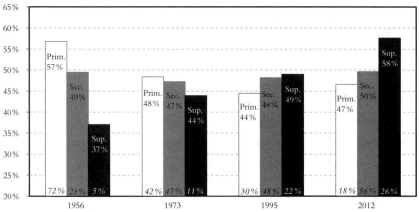

Lecture : lors des élections législatives de 1956, les électeurs sans diplôme ou dont le plus haut diplôme était le certificat d'études primaires (soit 72 % de l'électorat) votèrent à 57 % pour les partis de gauche (socialistes-communistes-radicaux), contre 50 % parmi les diplômés du secondaire (23 % de l'électorat) et 37 % pour les diplômés du supérieur (5 % de l'électorat). Lors de l'élection présidentielle de 2012, le clivage éducatif s'était totalement renversé : le candidat de gauche obtenait 58 % des voix au second tour parmi les diplômés du supérieur, contre 47 % des voix parmi les personnes sans diplôme ou diplômées du primaire (18 % de l'électorat).
Sources et séries : voir piketty.pse.ens.fr/ideologie.

On pourrait s'imaginer qu'il s'agit d'un hasard statistique, lié à la taille limitée de l'enquête ou aux spécificités de cette élection. En réalité, il n'en est rien. D'une part, même si la taille de l'échantillon n'est pas aussi élevée que ce que l'on souhaiterait, l'écart est très fortement significatif. D'autre part, nous retrouvons exactement ce même profil décroissant avec l'éducation pour toutes les élections de l'époque, enquête après enquête, sans exception, quels que soient par ailleurs les événements politiques. En particulier, on retrouve le profil observé en 1956 lors des élections de 1958, 1962, 1965 et 1967. Il faut attendre les années 1970 et 1980 pour que le profil commence à s'aplatir, puis à s'inverser progressivement. À partir des années 1990, le profil du vote à gauche devient nettement croissant avec le niveau de diplôme. Cette nouvelle norme apparaît de plus en plus claire au fur et à mesure que l'on avance dans les années 2000 et 2010.

Par exemple, lors de l'élection présidentielle de 2012, remportée par le candidat du parti socialiste François Hollande face au candidat de droite Nicolas Sarkozy, avec 52 % des voix contre 48 %, on constate que la gauche doit entièrement sa victoire aux plus diplômés. Parmi les personnes sans diplôme ou diplômées du primaire, soit seulement 18 % des électeurs en 2012, le candidat socialiste réunit seulement 47 % des suffrages (voir graphique 14.9). Son score fut de 50 % au sein des diplômés du secondaire (56 % de l'électorat) et il atteint 58 % des voix parmi les diplômés du supérieur (26 % de l'électorat en 2012). Là encore, on pourrait s'imaginer qu'il s'agit d'une coïncidence, liée par exemple à la personnalité des candidats. Il n'en est rien : on retrouve exactement ce même profil de vote pendant toutes les élections de la période, en particulier en 2002, 2007, 2012 et 2017[1].

De façon générale, si l'on examine les profils du vote à gauche par diplôme en France pour l'ensemble des élections de la période 1956-2017, il est frappant de constater le caractère extrêmement graduel et progressif de la transformation observée au cours de ces six décennies. Le profil est systématiquement décroissant au début de la période, dans les années 1950 et 1960, s'aplatit au milieu, dans les années 1970, 1980 et 1990, et est devenu systématiquement croissant en fin de période, dans les années 2000 et 2010 (voir graphique 14.10).

---

1. Je reviendrai plus loin sur les particularités du scrutin de 2017, qui du point de vue du clivage éducatif se situe dans la droite ligne des scrutins précédents.

Graphique 14.10

Le renversement du clivage éducatif en France, 1956-2017

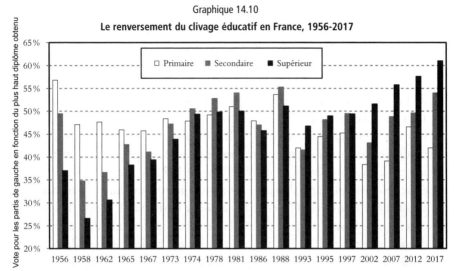

Lecture : dans les années 1950 et 1960, le vote pour les partis de gauche (socialistes-communistes-radicaux-écologistes) était le plus élevé parmi les électeurs sans diplôme (ou dont le plus haut diplôme était de niveau primaire), puis s'abaissait parmi les diplômés du secondaire et du supérieur. Dans les années 2000 et 2010, la situation est rigoureusement inverse.
Sources et séries : voir piketty.pse.ens.fr/ideologie.

Plusieurs points méritent d'être précisés. Tout d'abord, tous les résultats présentés ici sur la décomposition du vote concernent uniquement les votants. Si l'on ajoute à cela le fait que la participation électorale a chuté en fin de période parmi les moins diplômés, alors cela rend l'évolution encore plus spectaculaire. En particulier, cela signifie que le soutien obtenu par les partis de gauche parmi les moins diplômés a baissé encore plus fortement que ce qui est indiqué sur le graphique 14.10.

Ensuite, il faut ajouter que ce renversement complet du clivage éducatif se retrouve non seulement entre les niveaux de diplôme primaire, secondaire et tertiaire, mais également au sein de chaque catégorie de diplôme. Par exemple, parmi les diplômés du secondaire, on constate en début de période que les titulaires du baccalauréat (secondaire long) votent moins fortement à gauche que les titulaires du brevet des collèges (secondaire court)[1]. À la fin de la période, c'est l'inverse : les bacheliers votent plus souvent à gauche que ceux dont les études secondaires se sont arrêtées plus

1. Le brevet des collèges (ou diplôme équivalent comme le BEPC) est obtenu à l'issue de la scolarité au collège (en principe à 15 ans), alors que le baccalauréat sanctionne la fin de la scolarité au lycée (en principe à 18 ans) et permet l'accès à l'enseignement supérieur.

tôt. Il en va de même parmi les diplômés du supérieur, que les enquêtes postélectorales permettent de décomposer plus finement à partir des années 1970, à mesure que l'enseignement universitaire s'étend et se diversifie. En particulier, on peut distinguer les titulaires de diplômes courts (en deux ou trois ans après le bac) et les diplômés du supérieur long (maîtrise, diplôme d'études approfondies, grandes écoles commerciales et scientifiques, etc.). Lors des élections de 1973, 1974 et 1978, où les diplômés du supérieur dans leur ensemble tendent à voter pour les partis et candidats de droite, cette tendance est particulièrement prononcée parmi les diplômés du supérieur long. Il en va de même lors des élections de 1981 et 1988, mais avec un écart moins important. À partir des années 1990, et de façon plus nette encore dans les années 2000 et 2010, le clivage s'est inversé. Plus le diplôme obtenu dans le supérieur est élevé, plus le vote pour les candidats et partis de gauche est élevé. Ceci est vrai non seulement pour l'élection de 2012, où le candidat socialiste fait ses plus hauts scores parmi les diplômés du supérieur long, mais également pour toutes les autres élections de la période[1].

De la robustesse du retournement du clivage éducatif

Il faut également préciser que ce retournement complet du clivage éducatif se retrouve à l'intérieur de chaque groupe d'âge, et plus généralement en raisonnant au sein de groupes disposant de caractéristiques sociodémographiques et économiques semblables. Commençons par l'effet de l'âge. On pourrait penser par exemple que le vote particulièrement élevé des diplômés du supérieur en faveur du candidat socialiste en 2012 s'explique non pas par l'effet du diplôme en tant que tel, mais parce que les plus diplômés sont souvent des jeunes, et que les jeunes votent plus souvent à gauche. C'est en partie le cas, et cela contribue à expliquer pourquoi l'écart de vote à gauche entre les diplômés du supérieur et les non-diplômés du supérieur diminue légèrement lorsque l'on raisonne à âge donné. Mais on peut montrer que le biais est relativement faible. Il existe en effet de nombreux jeunes non diplômés, et de nombreux diplômés parmi les personnes les plus âgées, ce qui permet de

---

1. Voir annexe technique, graphique S14.10. Si l'on pouvait distinguer entre les filières et disciplines universitaires ou entre les différentes grandes écoles, il serait sans doute possible de mettre en évidence d'intéressantes variations et évolutions. Malheureusement, les tailles d'échantillons disponibles autant que les questionnaires utilisés dans les enquêtes postélectorales (qui regroupent tous les diplômés du supérieur long dans une même catégorie) interdisent ce type de décomposition.

séparer nettement les deux effets. Au final, les données disponibles montrent sans ambiguïté, enquête après enquête, que l'effet du diplôme à l'intérieur de chaque groupe d'âge a quasiment la même ampleur qu'au niveau de la population prise dans son ensemble. Par ailleurs, ce léger biais a toujours été présent : les jeunes ont toujours eu tendance à voter plus fortement à gauche, et les jeunes ont toujours été plus diplômés que la moyenne de la population, dans les années 1950 et 1960 comme dans les années 2000 et 2010. Techniquement, la courbe obtenue après avoir introduit l'âge comme variable de contrôle est toujours un peu plus basse qu'en l'absence de variable de contrôle (car une petite partie de l'effet du diplôme est liée à l'âge), mais cet effet est en première approximation constant au cours du temps, si bien que la prise en compte de l'âge n'a quasiment aucun effet sur l'ampleur de la tendance observée au cours du dernier demi-siècle, qui, en ce sens, paraît très robuste (voir graphique 14.11)[1].

Graphique 14.11

La gauche et les diplômés en France, 1955-2020

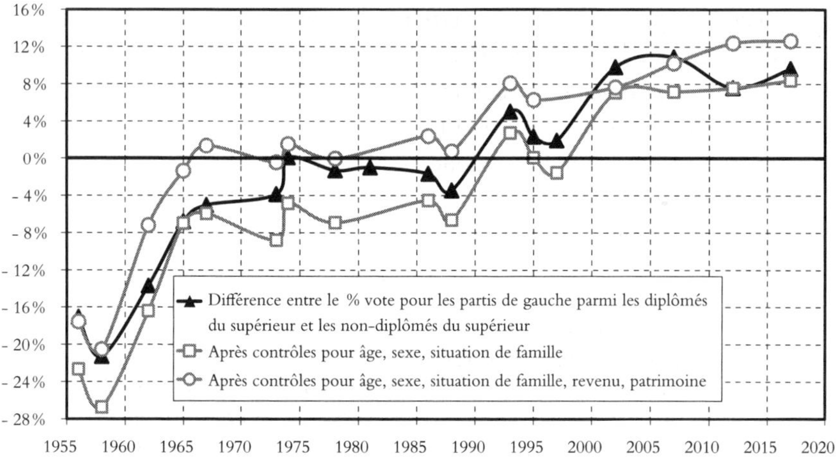

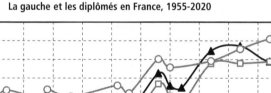

Lecture : en 1956, les partis de gauche (socialistes-communistes-radicaux) obtiennent un scrore qui est 17 points plus faible parmi les diplômés du supérieur que parmi les non-diplômés du supérieur ; en 2012, ce sore est 8 points plus élevé parmi les diplômés du supérieur. La prise en compte des variables de contrôle n'affecte par la tendance (seulement le niveau).
Sources et séries : voir piketty.pse.ens.fr/ideologie.

1. Tous les détails techniques sur les régressions statistiques réalisées, ainsi que les codes informatiques permettant de reproduire ces résultats à partir des fichiers bruts, sont disponibles en ligne dans l'annexe technique. Voir également T. PIKETTY, « Brahmin Left *vs* Merchant Right. Rising Inequality and the Changing Structure of Political Conflict (Evidence from France, Britain and the US, 1948-2017) », art. cité.

On notera également que cet effet général de l'âge sur le vote se retrouve dans les autres démocraties électorales, sans pour autant affecter les tendances observées concernant le renversement du clivage éducatif. Concrètement, on constate par exemple des années 1950 aux années 2010 que les électeurs âgés de 18 à 34 ans ont généralement voté plus fortement que les électeurs de plus de 65 ans pour les partis de gauche en France, pour le parti démocrate aux États-Unis ou pour le parti travailliste au Royaume-Uni. Cela peut s'expliquer par le fait que le positionnement idéologique de ces partis a été en règle générale plus favorable aux aspirations de la jeunesse (notamment en matière de mœurs et de religion), alors que les partis de droite défendaient des options plus conformes aux dispositions des électeurs plus âgés. On remarquera toutefois que cet écart de vote entre les électeurs les plus jeunes et les plus âgés manifeste dans tous les pays une très grande volatilité : il est particulièrement fort aux États-Unis dans les années 1960, en France dans les années 1970 et au Royaume-Uni à la fin des années 2010 ; à l'inverse, il est souvent plus faible (voire quasi nul) à d'autres périodes, en particulier après les passages prolongés des partis de gauche au pouvoir[1]. Quoi qu'il en soit, cette intéressante volatilité de la jeunesse est sans effet sur la tendance de fond qui nous intéresse principalement ici, à savoir le retournement complet du clivage éducatif.

J'ai également inclus le genre et la situation de famille dans les variables de contrôle utilisées sur le graphique 14.11. Cela n'a que peu d'impact sur l'effet du diplôme : le retournement du clivage éducatif se retrouve aussi bien parmi les femmes que parmi les hommes, et il est tout aussi marqué

---

1. Voir annexe technique, graphique S14.11a. L'écart devient même légèrement négatif aux États-Unis en 1980 et 1984 : les électeurs âgés de 18 à 34 ans votent un peu plus pour Reagan que les plus de 65 ans, ce qui constitue le seul exemple d'un retournement de ce type pour toutes les élections étatsuniennes, françaises et britanniques de la période 1948-2017. À l'inverse, l'écart de vote des 18-34 ans (relativement aux plus de 65 ans) en faveur du parti travailliste atteint presque 40 points en 2015-2017, contre 25-30 points pour la gauche française dans les années 1970 et 15-20 points pour les démocrates dans les années 1960 (ainsi qu'en 2008-2012). Ces écarts se retrouvent avec approximativement la même ampleur après prise en compte des variables de contrôle socio-économiques (sexe, diplôme, revenu, patrimoine, profession des parents, etc.), mais diminuent très fortement si l'on contrôle pour la religion et la pratique religieuse, voire changent de signe dans certains cas, comme par exemple en France au cours des décennies récentes : parmi les catholiques déclarés, les plus jeunes (assez rares il est vrai) votent davantage à droite que les plus âgés. Voir sur ce point T. PIKETTY, « Brahmin Left *vs* Merchant Right. Rising Inequality and the Changing Structure of Political Conflict (Evidence from France, Britain and the US, 1948-2017) », art. cité, figure 2.2g.

parmi les personnes seules que parmi celles vivant en couple. On notera à ce sujet que les enquêtes utilisées confirment le glissement à gauche de l'électorat féminin sur longue période. Dans les années 1950 et 1960, les femmes votaient beaucoup plus souvent à droite que les hommes, en particulier en France et au Royaume-Uni, et à un degré moindre aux États-Unis. Ce biais s'est amoindri au cours des années 1970 et 1980, avant de s'inverser légèrement en France et au Royaume-Uni (où les femmes votent généralement un peu plus à gauche que les hommes dans les années 1990, 2000 et 2010), et plus nettement aux États-Unis[1]. Pour rendre compte de cette évolution, des travaux ont insisté sur l'importance de la montée du divorce, des séparations et des situations de fragilité économique des femmes, en particulier dans le cas de mères isolées[2]. Plus généralement, cette évolution témoigne de transformations socio-économiques et politico-idéologiques profondes concernant les structures familiales et la montée en puissance de la question de l'égalité hommes-femmes. En particulier, l'objectif d'égalité professionnelle a progressivement remplacé le modèle patriarcal et l'idéologie de la mère au foyer (largement dominants dans les années 1950-1960, et fortement intériorisés par une partie importante des femmes), et les revendications féministes ont été principalement portées par la gauche électorale[3]. Ainsi que nous l'avons déjà vu, les inégalités de revenus et de patrimoines liées au genre restent cependant très marquées[4].

Enfin, j'ai aussi inclus le revenu et le patrimoine dans les variables de contrôle. De la même façon qu'avec l'âge, la prise en compte des effets du revenu et du patrimoine modifie légèrement le niveau de la courbe, mais

1. Voir annexe technique, graphique S14.11b.

2. Voir L. EDLUND, R. PANDE, « Why Have Women Become Left-Wing ? The Political Gender Gap and the Decline in Marriage », *Quarterly Journal of Economics*, vol. 117, n° 3, août 2002, p. 917-961. Voir également R. INGLEHART, P. NORRIS, « The Developmental Theory of the Gender Gap : Women's and Men's Voting Behavior in Global Perspective », *International Political Science Review*, vol. 21, n° 4, 2000, p. 441-463.

3. On notera que la prise en compte des variables de contrôle socio-économiques (diplôme, revenu, patrimoine, profession des parents, etc.) affecte très peu la nette tendance droitière du vote féminin dans les années 1950 et 1960, qui se retrouvait alors dans toutes les catégories. En revanche, la prise en compte de la religion et la pratique religieuse annule entièrement cet effet : parmi les croyants déclarés, les femmes ne votaient pas plus à droite que les hommes. On peut toutefois considérer que la plus grande religiosité affichée par une partie des femmes dans les années 1950-1960 était elle-même liée à un système de croyances au sujet du rôle maternel dans les familles et l'éducation des enfants. Voir T. PIKETTY, « Brahmin Left *vs* Merchant Right. Rising Inequality and the Changing Structure of Political Conflict (Evidence from France, Britain and the US, 1948-2017) », art. cité, figure 2.2c.

4. Voir chapitre 13, p. 801-806.

ne change rien à la tendance générale (voir graphique 14.11). Autrement dit, le retournement du clivage éducatif, c'est-à-dire le fait que le vote à gauche soit progressivement devenu celui des plus diplômés dans les années 1990-2020 est un phénomène que l'on retrouve à l'intérieur d'un groupe de revenu et de patrimoine donné[1]. J'ai également inclus de très nombreuses autres variables de contrôle, comme la profession des parents, la localisation géographique, la taille de l'agglomération. Aucune de ces variables n'affecte la tendance au retournement du clivage éducatif. On retrouve également le même résultat si l'on compare non pas les diplômés du supérieur et les non-diplômés du supérieur, mais les diplômés du supérieur et du secondaire et les autres, ou bien les 10 % les plus diplômés et les 90 % les moins diplômés, ou encore les 50 % les plus diplômés et les 50 % les moins diplômés[2]. Compte tenu du fait que c'est le clivage politico-éducatif dans son ensemble qui a changé de sens (le vote à gauche était décroissant tout au long de la hiérarchie des diplômes, des plus bas aux plus élevés, et il est devenu croissant tout au long de cette même hiérarchie), peu importe la façon dont on découpe la répartition des niveaux d'éducation : on constate dans tous les cas le même retournement.

Retournement du clivage éducatif, redéfinition des clivages professionnels

Si l'on examine maintenant les différentes professions et les secteurs d'activité concernés, on constate que le retournement du clivage éducatif a été particulièrement frappant pour certaines catégories. Parmi les catégories faiblement diplômées qui votaient fortement pour les partis de la gauche électorale dans les années 1950-1960 et qui, pour une large part, ont cessé de voter pour ces partis dans les années 1990-2020, on trouve notamment les ouvriers du secteur industriel. Cet effondrement du vote ouvrier pour les partis socialistes, communistes, sociaux-démocrates, démocrates et travaillistes pendant les décennies de l'après-guerre est un phénomène bien

---

1. On remarquera que la prise en compte du revenu et du patrimoine conduit cette fois-ci à rehausser le niveau de la courbe, ce qui est logique, étant donné le fait que les plus hauts niveaux de diplôme sont en moyenne associés à de plus hauts niveaux de revenu et de patrimoine, et que les plus hauts revenus et les plus importants patrimoines renforcent en général la tendance au vote à droite. Il s'agit du même effet que celui lié à l'âge, mais allant dans l'autre sens (voir graphique 14.11).

2. Voir annexe technique, graphiques S14.11c-S14.11d.

connu que l'on retrouve dans tous les pays occidentaux[1]. L'explication la plus évidente est la perception croissante au sein des ouvriers que les partis qui étaient supposés les défendre sont de moins en moins parvenus à le faire, en particulier dans un contexte de chute de l'emploi industriel et d'une mondialisation sans régulation collective suffisante.

À l'inverse, parmi les catégories fortement diplômées en pleine expansion et qui ont maintenu leur vote à gauche (ou parfois accru leur vote à gauche), il faut notamment citer les enseignants, les professions intermédiaires et les cadres du secteur public, ainsi que les métiers de la santé et de la culture. Autrement dit, le renversement du clivage éducatif ne s'est pas produit dans le vide ou dans un monde stationnaire. Il s'est produit dans le contexte de sociétés rapidement évolutives, marquées par un accroissement inédit des niveaux de formation et de l'accès à l'enseignement secondaire et supérieur et par une expansion elle aussi inédite des emplois de services.

Il serait cependant erroné de réduire le retournement du clivage éducatif à quelques professions particulières (les ouvriers, les enseignants, etc.). On retrouve également l'inversion de l'effet du diplôme à l'intérieur des professions et des secteurs d'activité. Par exemple, au sein des salariés du secteur privé (ou bien à l'intérieur des salariés non industriels du secteur privé, ou à l'intérieur des salariés du secteur public), on constate que les moins diplômés votaient plus fortement pour les partis de gauche que les plus diplômés pendant les années 1950-1970, et que le contraire est vrai dans les années 1990-2020. En particulier, ce ne sont pas seulement les ouvriers de l'industrie qui ont cessé de voter pour les partis de gauche : on

---

1. En particulier, l'indice d'Alford mesure classiquement la différence entre le vote pour les partis sociaux-démocrates (ou bien travaillistes, démocrates ou socialistes, suivant les contextes nationaux étudiés) parmi les ouvriers et parmi le reste de la population. L'indice d'Alford était très élevé dans tous les pays occidentaux dans les années 1950-1960 (jusqu'à 40-50 points dans les pays nordiques comme la Suède ou la Norvège, où le vote social-démocrate parmi les ouvriers atteignait parfois 70 %-80 %). Il s'est graduellement abaissé dans les années 1980-1990 et est devenu proche de zéro dans les années 2000-2010 (voire négatif dans certains cas). Voir R. ALFORD, « A Suggested Index of the Association of Social Class and Voting », *Public Opinion Quarterly*, vol. 26, n° 3, automne 1962 ; S. BARTOLINI, *The Political Mobilization of the European Left, 1860-1980. The Class Cleavage*, Cambridge University Press, 2000 ; G. EVANS, *The End of Class Politics ? Class Voting in Comparative Context*, Oxford University Press, 2000 ; R. INGLEHART, P. NORRIS, « Trump, Brexit and the Rise of Populism : Economic Have-Nots and Cultural Backlash », Harvard Kennedy School of Government, 2016, fig. 7. La limite de ce type de mesure est que la notion d'ouvrier utilisée varie fortement suivant les pays et les époques, et que la part de la population active concernée évolue elle-même substantiellement au cours du temps.

retrouve une désaffection tout aussi marquée parmi les salariés peu diplômés des services. Les limitations des données disponibles ne permettent malheureusement pas de décomposer les effets croisés des professions et des diplômes aussi finement qu'il serait souhaitable[1]. Mais elles sont suffisantes pour constater que le retournement du clivage éducatif est un phénomène d'ordre général, qui ne se limite pas à un secteur particulier, ni d'ailleurs à un parti politique particulier[2].

La gauche électorale et les classes populaires : anatomie d'un divorce

Comment expliquer que la gauche électorale, qui dans les années 1950 et 1960 était le parti des travailleurs et des salariés socialement les plus défavorisés, soit devenue dans les années 1990 et 2000 le parti des diplômés ? Nous ne pourrons répondre pleinement à cette question qu'après avoir examiné les trajectoires observées aux États-Unis, au Royaume-Uni et dans les autres pays, et après avoir analysé les multiples processus qui ont pu contribuer à cette évolution complexe. Pour simplifier, on peut dire qu'il existe deux grandes catégories d'explications : une hypothèse sociale et une hypothèse nativiste, qui ne sont pas mutuellement exclusives. L'hypothèse sociale, qui me semble de loin la plus importante et la plus convaincante, est que les catégories populaires se sont graduellement senties abandonnées par les partis de gauche, qui se seraient progressivement tournés vers d'autres catégories sociales (et notamment vers les plus diplômés). L'hypothèse

---

1. Concrètement, les tendances indiquées sur le graphique 14.11, p. 869, et les graphiques S14.11c-S14.11d ne sont pas affectées par l'inclusion de variables de contrôle sur le secteur d'activité (salarié du secteur public, salarié du secteur privé, indépendant) et la catégorie professionnelle (ouvrier, employé, cadre, autres actifs). Il faut toutefois signaler que les catégories professionnelles disponibles dans les enquêtes changent fréquemment des années 1950 aux années 2010, et que les tailles d'échantillons limitent sérieusement les possibilités d'examiner les différents effets croisés. Voir annexe technique.

2. Au sein de la gauche française, le vote communiste a toujours été plus populaire et moins diplômé que le vote socialiste. Mais les deux électorats se sont déplacés en direction des plus diplômés avec une ampleur comparable (tout du moins en première approximation, et compte tenu là encore des tailles limitées d'échantillons, qui limitent ce qu'il est possible de dire), et l'évolution d'ensemble a été accélérée par l'abaissement de la part du vote communiste dans le total. En tout état de cause, le fait central est que l'on observe ce même retournement du clivage éducatif dans les pays où la gauche électorale n'a jamais été structurée de cette façon (en particulier dans les pays anglo-saxons). Il s'agit donc d'une évolution dont les racines politiques et intellectuelles sont plus générales.

nativiste est que ce sont au contraire les partis de gauche qui auraient été abandonnés par une partie des catégories populaires, happées par les sirènes du vote raciste et anti-immigrés. Cette seconde hypothèse est particulièrement répandue aux États-Unis, où l'on insiste souvent (non sans raison) sur le fait que les classes populaires blanches du sud du pays ont commencé leur lente transition vers le parti républicain dès après que les démocrates ont épousé la cause de l'égalité raciale et de la déségrégation dans les années 1960. Plus généralement, de multiples travaux ont insisté sur la montée en puissance depuis les années 1980 et 1990, en Europe comme aux États-Unis, de nouveaux clivages autour des enjeux migratoires et de la question du multiculturalisme, qui auraient contribué à éloigner les catégories populaires de la gauche électorale[1]. Cette hypothèse mérite d'être prise au sérieux, et elle sera examinée de près. En particulier, il est peu contestable que les thèmes nativistes, racistes et anti-immigrés ont été surexploités au cours des dernières décennies au sein des partis de droite traditionnels (à commencer par le parti républicain aux États-Unis et le parti conservateur au Royaume-Uni) aussi bien que dans de nouveaux mouvements d'extrême droite centrés sur ces questions (dont l'archétype est le Front national en France).

Cette hypothèse nativiste pose cependant de multiples problèmes et ne me semble pas en mesure de rendre compte correctement des évolutions observées. En particulier, le fait central est que le retournement du clivage éducatif est un phénomène de long terme qui a débuté dès les années 1960 et 1970, aussi bien aux États-Unis qu'en France et au Royaume-Uni, c'est-à-dire bien avant que le clivage migratoire ne devienne véritablement prégnant en Europe. Par ailleurs, il est très commode de tout expliquer en stigmatisant le supposé racisme des classes populaires, qui en réalité n'a rien de plus spontané que celui des élites. Si les catégories populaires étaient pleinement convaincues par les mouvements anti-immigrés, alors leur participation électorale devrait être à son zénith. Que cette participation se situe actuellement à des niveaux très bas montre clairement que ces électeurs ne se sont pas satisfaits des choix proposés. Enfin, nous verrons en examinant l'ensemble des pays pour lesquels nous disposons de données

---

1. Voir H. KITSCHELT, *The Radical Right in Western Europe*, University of Michigan Press, 1995 ; S. BORNSHIER, *Cleavage Politics and the Populist Right*, *op. cit.* Voir également R. INGLEHART, *Modernization and Postmodernization : Cultural, Economic and Political Change in 43 Societies*, Princeton University Press, 1997 ; R. INGLEHART, P. NORRIS, « Trump, Brexit and the Rise of Populism : Economic Have-Nots and Cultural Backlash », art. cité.

comparables que le retournement du clivage éducatif s'est également produit dans des contextes où le clivage migratoire ne jouait quasiment aucun rôle. Tout cela plaide pour l'hypothèse sociale et le sentiment d'abandon des catégories populaires par les partis du centre gauche, mécanisme sur lequel s'est par ailleurs greffé le discours nativiste visant à récupérer une partie des électeurs abandonnés.

La « gauche brahmane »
et la question de la justice sociale et éducative

Essayons de mieux comprendre l'hypothèse sociale et sa signification dans le contexte français. Reprenons tout d'abord l'évolution observée des élections législatives de 1956 à l'élection présidentielle de 2012 (voir graphique 14.9). En 1956, 72 % des électeurs n'avaient aucun diplôme (ou avaient pour seul diplôme le certificat d'études primaires). En 2012, seuls 18 % des électeurs étaient dans cette situation. Autrement dit, la grande majorité des enfants et des petits-enfants des électeurs sans diplôme de 1956 ont pu accéder à des niveaux de formation plus élevés, pour certains à des diplômes du secondaire, et pour d'autres à des diplômes du supérieur. Or le fait frappant est que, parmi ces enfants et ces petits-enfants, ce sont ceux qui ont pu se hisser jusqu'au niveau de l'enseignement supérieur (et tout particulièrement ceux qui ont atteint les diplômes les plus avancés du supérieur) qui ont continué de voter pour les partis de gauche avec la même ampleur que les électeurs sans diplôme de 1956. Ceux qui se sont contentés d'atteindre les diplômes du secondaire (et notamment ceux qui n'ont obtenu qu'un diplôme court du secondaire et qui n'ont pas été jusqu'au baccalauréat) sont nettement moins enthousiastes à l'idée de voter pour ces mêmes partis. Quant à ceux qui sont « restés » au niveau primaire ou sans diplôme, ils les ont massivement désertés.

Une explication naturelle pour cette désaffection vis-à-vis de la gauche électorale est la perception que cette dernière a totalement changé de nature et de plate-forme programmatique. Pour résumer, l'hypothèse sociale est que les catégories les plus populaires, au sens du niveau de diplôme, ont pu avoir l'impression que la gauche électorale s'intéressait désormais davantage aux nouvelles classes favorisées et diplômées et à leurs enfants, bien davantage qu'à ceux des milieux modestes. De multiples éléments plaident en faveur de cette interprétation et suggèrent qu'il ne s'agit pas seulement d'une impression. J'insiste sur le fait que cette grande transformation politico-idéologique et programmatique s'est réalisée de façon graduelle, continue et largement imprévue, au fur et à mesure de l'expansion éducative. Autrement dit, la gauche électorale est passée de parti des travailleurs en parti des diplômés (ce que je propose d'appeler la « gauche brahmane ») sans l'avoir vraiment voulu et sans que personne ait véritablement été en position de le décider[1]. En particulier, on peut comprendre que ceux qui ont réussi leur ascension éducative, en particulier dans le cadre du système public, en soient d'une certaine façon reconnaissant aux partis de gauche, qui ont toujours mis l'accent sur l'émancipation et la promotion sociale par l'éducation[2]. Le problème est que ces personnes ont également pu se retrouver dans certains cas à nourrir diverses formes d'autosatisfaction et de condescendance vis-à-vis du reste de la population, ou tout du moins à ne pas prêter une grande attention au fait de savoir si les proclamations « méritocratiques » officielles se traduisaient ou non dans la réalité. C'est ainsi que l'ancien parti des travailleurs est devenu celui des gagnants du système éducatif, se séparant progressivement des catégories populaires, à l'image de la coupure entre les techniciens et les populistes imaginée par Young dans son récit prémonitoire de 1958[3].

Concrètement, les conflits entre les catégories populaires qui ont progressivement déserté la gauche électorale et les nouvelles classes diplômés de la « gauche brahmane » se sont incarnés au cours des dernières décennies (et continuent de se manifester aujourd'hui) dans de multiples enjeux de politiques publiques. Cela peut concerner différentes questions concernant l'organisation des services publics, l'aménagement du territoire, les équipements culturels ou les infrastructures de transport. Cela peut également s'incarner dans le conflit entre d'une part les grandes agglomérations, à commencer par l'agglomération parisienne, où sont « montés » vivre et travailler une large part des plus diplômés, et les villes de taille moyenne et

---

1. Il va de soi que certains acteurs politiques individuels ont eu plus d'occasions d'influer sur cette trajectoire que la plupart des électeurs et citoyens. J'insiste simplement ici sur le fait que cette évolution de long terme est due à une multiplicité d'acteurs et n'obéit pas à un plan préétabli.

2. Les enquêtes postélectorales ne permettent pas de connaître le caractère public ou privé des formations suivies, pas plus que le détail des filières et des diplômes. On observe toutefois le même renversement du clivage éducatif dans les pays où l'enseignement supérieur privé joue un plus grand rôle, comme aux États-Unis, ce qui montre la plasticité de la nouvelle idéologie méritocratique.

3. Voir chapitre 13, p. 829.

les territoires ruraux, moins intégrés dans la mondialisation[1]. La question du financement du train à grande vitesse (TGV), tellement coûteux qu'il n'est réellement accessible qu'aux classes les plus favorisées des grandes villes, et de la fermeture concomitante des petites lignes locales entre villes secondaires, fournit par exemple une illustration claire de ce type de clivage. Le sujet de l'impôt et de la répartition de la charge fiscale est également extrêmement sensible, dans un contexte où la gauche au pouvoir a joué un rôle pour mettre en place la libéralisation des flux de capitaux dans les années 1980 et 1990, sans échange d'informations ni coordination sociale et fiscale, ce qui a fortement contribué à accélérer le processus de concurrence au profit des plus aisés et des plus mobiles, et d'alourdissement d'impôts pour les classes perçues comme immobiles (notamment sous forme de taxes indirectes et de prélèvements accrus sur les salaires bas et moyens[2]).

Enfin, les conflits entre catégories populaires et « gauche brahmane » s'incarnent également dans l'organisation du système éducatif lui-même. Il convient de rappeler ici à quel point le système scolaire et universitaire français est resté extrêmement stratifié et inégalitaire. Les cursus primaires et secondaires ont été graduellement unifiés, au sens où tous les enfants ont en principe eu accès depuis le début des années 1970 aux mêmes cursus jusqu'à l'âge de 15 ans, avec des programmes et financements identiques pour toutes les écoles primaires et les collèges d'enseignement secondaire, tout du moins en théorie[3]. Les lycées sont en revanche restés séparés en trois types d'établissements (lycées généraux, technologiques et professionnels),

---

1. Le fait même que la ville capitale a basculé nettement « à gauche » sur le plan électoral depuis les années 1990-2000 (en particulier avec l'élection d'une majorité socialiste à la mairie en 2001, constamment réélue depuis lors), alors que Paris votait fortement à droite jusqu'aux années 1970-1980, constitue en soi un symbole important et aisément repérable. On observe des évolutions similaires avec un grand nombre des métropoles prospères comme Londres ou New York.

2. Voir chapitre 11, p. 643-649.

3. L'âge de la scolarité obligatoire a été porté de 14 à 16 ans en 1967 (avec application à partir de la génération née en 1953), mais il fallut attendre 1973 pour la mise en place du collège unique (c'est-à-dire la possibilité pour tous les enfants de 11 à 15 ans d'accéder en principe à un même cursus au sein d'un collège d'enseignement général). Auparavant, les enfants des classes populaires, une fois leur certificat d'études primaires obtenu à l'âge de 11 ou 12 ans, se retrouvaient souvent à attendre la fin de la scolarité obligatoire au sein de sections aménagées à cet effet dans les écoles primaires. Voir les travaux éclairants de J. GRENET, Démocratisation scolaire, politiques éducatives et inégalités, EHESS, 2008 ; ID., « Is Extending Compulsory Schooling Alone Enough to Raise Earnings ? Evidence from French and British Compulsory Schooling Laws », Scandinavian Journal of Economics, vol. 115, n° 1, 2013, p. 176-210.

qui, en pratique, reproduisent fortement les clivages sociaux. Surtout, le système français d'enseignement supérieur est extrêmement hiérarchisé. Il comprend d'une part les grandes écoles scientifiques, commerciales et administratives, ainsi que les classes préparatoires conduisant aux examens permettant d'accéder à ces écoles. Ce sont des filières fortement sélectives et élitistes, menant aux principaux postes de direction des secteurs public et privé, ainsi qu'aux emplois de cadres supérieurs, d'ingénieurs et d'administrateurs[1]. Le système comprend d'autre part les universités, qui, historiquement, n'ont pas le droit de pratiquer la sélection (tous les bacheliers sont en principe admis automatiquement), ainsi que des instituts technologiques offrant des formations en deux ou trois ans.

En pratique, les enfants issus des classes favorisées sont surreprésentés dans les classes préparatoires et les grandes écoles, qui bénéficient d'un financement public par étudiant entre deux et trois fois plus élevé, selon le cas, que le financement correspondant pour les filières universitaires où se concentrent les enfants issus des classes moins favorisées. Pour justifier ce système, une expression qui se veut positive a été forgée : « l'élitisme républicain ». Autrement dit, il s'agit d'un système dont l'élitisme est reconnu, mais qui se justifie par le fait qu'il est « républicain », ce qui dans le contexte français signifie qu'il s'agit d'un élitisme justifié, au service de l'intérêt général, fondé sur le mérite et l'égalité des chances, sans rapport avec les privilèges héréditaires qui caractérisaient les élites de l'Ancien Régime. Comme tous les systèmes idéologiques, celui-ci a sa part de plausibilité. Toutes les sociétés ont besoin de sélectionner les personnes qui occuperont les différents postes de responsabilité, et le faire au moyen de concours anonymes et de ressources publiques importantes peut apparaître comme plus juste que des modes de sélection fondés sur des droits d'inscription élevés et des dons parentaux[2]. Il reste que le régime éducatif français apparaît comme particulièrement inégalitaire et hypocrite. La foi infinie accordée aux concours comme source d'une inégalité juste peut conduire à

---

1. Les classes préparatoires aux grandes écoles scientifiques et commerciales sont basées depuis le XIXe siècle dans les meilleurs lycées d'enseignement général, si bien que l'ensemble se déroule en dehors du système universitaire. Les cursus de Sciences Po (école à laquelle j'ai fait référence dans le chapitre 13 au sujet de l'affirmation hyperméritocratique décomplexée de son fondateur Boutmy en 1872) jouent en pratique le rôle de quasi-classe préparatoire pour accéder à l'ENA (École nationale d'administration), dont la création en 1945 est venue compléter le système de grandes écoles (et dont sont issus quatre des six présidents de la République qui se sont succédé depuis 1974).

2. Comme cela se pratique aux États-Unis. Voir chapitre 11, p. 627-630.

surdéterminer les trajectoires individuelles sur la base de résultats scolaires obtenus à l'âge de 18 ou 20 ans. Surtout, il paraît difficile de justifier que l'on se retrouve à investir au bénéfice des étudiants socialement les plus favorisés des ressources publiques structurellement plus élevées que pour les étudiants moins favorisés, opération qui revient *in fine* à exacerber les inégalités familiales initiales au moyen de la puissance publique.

Or, la gauche électorale, en devenant le parti des diplômés, est *de facto* devenue la garante et la meilleure avocate de cet élitisme républicain, plus encore que les partis « bourgeois » auxquels elle s'opposait à l'époque où elle était le parti des travailleurs. Sous la conduite du parti socialiste, la gauche électorale a occupé le pouvoir à de multiples reprises depuis le début des années 1980 (un peu plus de la moitié du temps). Elle disposait à chaque fois des majorités parlementaires qui lui auraient permis de transformer le système français d'enseignement supérieur[1]. En particulier, ces gouvernements et ces majorités auraient pu choisir de modifier la structure de son financement, et d'investir dans les filières universitaires des moyens équivalant à ceux consacrés aux élèves des grandes écoles et des classes préparatoires. S'ils ne l'ont pas fait, c'est sans doute parce qu'ils ont considéré que la structure élitiste du financement de l'enseignement supérieur se justifiait, ou bien que les ressources fiscales méritaient d'être affectées à d'autres priorités (y compris dans certains cas sous la forme de baisses d'impôts bénéficiant aux plus favorisés[2]).

Au total, si l'on considère la répartition de l'ensemble de la dépense éducative (primaire, secondaire, tertiaire) en France, on constate que le système en place actuellement investit près de trois fois plus d'argent public par enfant pour les 10 % de chaque génération bénéficiant de la dépense éducative la plus importante que pour les 50 % bénéficiant de l'investissement le moins important[3]. Ces fortes inégalités face à l'éducation, qui coïncident pour une large part avec les inégalités d'origines sociales, sont dues à la fois aux différences d'accès au secondaire et au supérieur et aux inégalités de dépenses à l'intérieur du supérieur. Encore faut-il préciser

1. Le parti socialiste a dirigé le gouvernement et disposé d'une majorité absolue de députés à l'Assemblée nationale (parfois seul, parfois avec ses alliés communistes, radicaux et verts) en 1981-1986, 1988-1993, 1997-2002 et 2012-2017.

2. On pense notamment aux baisses de l'impôt sur les bénéfices des sociétés en 1988-1993, de l'impôt sur le revenu en 2000-2002, et de divers prélèvements sur les employeurs en 2012-2017.

3. Voir chapitre 7, graphique 7.8, p. 327. Voir également chapitre 17, graphique 17.1, p. 1161.

que ces estimations, faute de données adéquates, sous-évaluent l'ampleur de ces inégalités. En particulier, elles reposent sur l'hypothèse que tous les enfants bénéficient d'une même dépense moyenne par année passée dans le primaire ou le secondaire. Or tous les éléments disponibles suggèrent que les groupes sociaux les plus défavorisés bénéficient dans certains cas de dépenses inférieures.

En particulier, de nombreux travaux ont montré que les écoles, collèges et lycées socialement les plus défavorisés bénéficiaient d'enseignants moins expérimentés, et en particulier d'un plus grand nombre d'enseignants vacataires et d'absences non remplacées, en dépit du fait que les effets négatifs sur la réussite des élèves sont bien établis et significativement plus élevés pour les élèves plus défavorisés[1]. Par exemple, si l'on examine les collèges publics de région parisienne, on constate que le pourcentage d'enseignants contractuels (non titulaires) ou débutants est d'à peine 10 % à Paris et dans les départements les plus favorisés comme les Hauts-de-Seine, et qu'il atteint 50 % dans les départements les plus défavorisés comme le Val-de-Marne ou la Seine-Saint-Denis[2]. On retrouve dans la plupart des pays de l'OCDE (ce qui n'est guère rassurant) cette constante selon laquelle les élèves issus de milieux favorisés ont plus de chances d'avoir en face d'eux des enseignants titulaires et expérimentés que ceux issus de milieux défavorisés, qui ont plus souvent des enseignants remplaçants ou contractuels. Des travaux ont toutefois montré que les écarts observés étaient particulièrement élevés en France[3].

Du besoin de bâtir de nouvelles normes de justice éducative

L'hypocrisie est ici particulièrement extrême, puisque d'un côté on crée des dispositifs dits d'éducation prioritaire (mis en place en France au début des années 1980) consistant à désigner des établissements scolaires comme particulièrement défavorisés et nécessitant un soutien appuyé des pouvoirs publics, et, de l'autre, on continue en réalité d'allouer *de facto* des moyens

---

1. Voir par exemple A. BENHENDA, J. GRENET, « Teacher Turnover, Seniority and Quality in French Disadvantaged Schools », Paris School of Economics (PSE), 2016 ; A. BENHENDA, « Absence, Sustituability and Productivity : Evidence from Teachers », Paris School of Economics (PSE), 2017.

2. Voir H. BOTTON, V. MILETTO, *Quartiers, égalité, scolarité. Des disparités territoriales aux inégalités scolaires en Île-de-France*, Cnesco, 2018. Voir également P. CARO, *Inégalités scolaires d'origine territoriale en France métropolitaine*, Cnesco, 2018.

3. Voir *Effective Teacher Policies. Insights from PISA*, OCDE, 2018.

publics plus importants aux territoires les plus favorisés. Des systèmes de primes ont certes été mis en place dans certaines zones prioritaires. Mais tout laisse à penser que ces dispositifs (au demeurant peu transparents) ne permettent de compenser qu'une petite partie des énormes écarts de moyens liés au fait que ces établissements comptent des proportions incomparablement plus élevées d'enseignants contractuels et inexpérimentés. Si l'on examinait la totalité des moyens dont bénéficient les élèves en fonction de la position sociale des parents, il est fort probable que l'on trouverait dans de nombreux cas que les moyens les plus importants sont ceux alloués aux établissements et aux élèves socialement les plus favorisés, et en particulier aux lycées les plus prestigieux du centre-ville des grandes agglomérations, où l'on trouve par exemple le plus grand nombre de professeurs agrégés et expérimentés.

Une recherche récente a permis de lever une partie du voile et de confirmer ces craintes. Si l'on calcule le salaire moyen des enseignants en fonction dans les différents écoles, collèges et lycées, en prenant en compte les primes appliquées en zone prioritaire mais aussi tous les autres éléments de rémunération (liés notamment à l'ancienneté et au diplôme, et au fait d'être titulaire ou contractuel), on constate que la rémunération moyenne est d'autant plus élevée que le pourcentage d'élèves issus de classes sociales favorisées inscrits dans l'établissement est important. La relation est rigoureusement croissante, au collège comme au lycée. Les effectifs moyens par classe ayant également tendance à être plus élevés dans les établissements plus favorisés, les deux effets se compensent et la dépense moyenne par élève est presque exactement constante. On peut cependant penser que les élèves des collèges et lycées les plus favorisés sont au final les mieux traités par la puissance publique : ils sont certes un peu plus nombreux par classe, mais le niveau moyen des élèves est plus élevé, et surtout ils bénéficient d'enseignants plus expérimentés, mieux formés et mieux rémunérés[1]. En

---

1. Au collège, la rémunération moyenne des enseignants (toutes primes comprises) est inférieure à 2 400 euros par mois dans les 10 % des établissements comprenant le plus faible pourcentage d'élèves socialement favorisés, puis augmente régulièrement pour atteindre près de 2 800 euros dans les 10 % des établissements les mieux placés. Dans les lycées, cette même rémunération moyenne passe de moins de 2 700 euros par mois dans les 10 % des lycées les plus défavorisés (toujours suivant le même critère) à près de 3 200 euros par mois dans les 10 % les plus favorisés. Au collège, l'effet lié aux effectifs l'emporte pour les 10 % des établissements les plus défavorisés, puis la dépense par élève est presque exactement constante pour les 90 % suivants. Voir A. BENHENDA, « Teaching Staff Characteristics and Spendings per Student in French Disadvantaged Schools », Paris School of Economics (PSE), 2019.

tout état de cause, le fait même que de telles informations ne soient pas rendues publiques de façon annuelle et systématique et ne servent pas d'appui à une politique évolutive et vérifiable pose de sérieux problèmes. Ceci est d'autant plus regrettable qu'une politique assumée et transparente de ciblage réel des moyens en faveur des établissements les plus défavorisés (en particulier au niveau du primaire) pourrait permettre de réduire substantiellement les inégalités sociales de réussite scolaire[1].

Au-delà de la question des inégalités de moyens, il faut également signaler que la ségrégation sociale a atteint des niveaux extrêmement élevés dans le système éducatif français. Parmi les 85 000 élèves inscrits dans les 175 collèges parisiens, on compte 16 % d'élèves issus des catégories sociales les plus défavorisées. Mais si l'on examine la répartition géographique, on constate que certains collèges comptent moins de 1 % d'élèves défavorisés, alors que d'autres en comptent plus de 60 %. Parmi les collèges presque entièrement fermés aux catégories les plus populaires, on trouve une grande majorité de collèges privés, qui regroupent plus du tiers des collégiens à Paris, et qui ont l'étonnante particularité en France d'être financés presque entièrement sur fonds publics, tout en conservant la possibilité de choisir leurs élèves comme ils l'entendent, sans aucune obligation de suivre la moindre règle commune[2]. Mais on trouve également de nombreux collèges publics comptant à peine quelques pourcents d'élèves défavorisés, alors que d'autres collèges publics situés une ou deux stations de métro plus

1. Voir T. Piketty, M. Valdenaire, *L'Impact de la taille des classes sur la réussite scolaire dans les écoles, collèges et lycées français. Estimations à partir du panel primaire 1997 et du panel secondaire 1995*, ministère de l'Éducation nationale, *Les Dossiers évaluations et statistiques*, n° 173, mars 2006. De ce point de vue, les dédoublements de CP mis en place en zone prioritaire à la rentrée 2017 vont clairement dans la bonne direction. Il faut toutefois préciser que cette mesure a été calibrée pour coûter le moins possible (environ 200 millions d'euros, soit 0,4 % du budget total de l'Éducation nationale ; voir annexe technique) et n'est aucunement susceptible de compenser à elle seule les écarts de moyens actuellement en place au détriment des élèves les plus défavorisés au niveau de l'ensemble du système éducatif (voir chapitre 17, graphique 17.1, p. 1161).

2. Une autre particularité étonnante de l'équilibre scolaire public/privé en vigueur en France (pays pourtant prompt à donner des leçons de laïcité à la terre entière) est que l'école primaire publique s'interrompt un jour par semaine (le jeudi de 1882 à 1972, et le mercredi depuis 1972) pour laisser la place au catéchisme. Outre que l'absence de service public scolaire le mercredi nuit particulièrement aux enfants les plus défavorisés, ce système a des effets très négatifs sur l'égalité professionnelle hommes-femmes. Voir C. Van Effenterre, *Essais sur les normes et les inégalités de genre*, EHESS et PSE, 2017. Une timide tentative pour mettre en place le service public du lundi au vendredi (comme partout ailleurs) a eu lieu de 2012 à 2017, mais le mercredi sans école a été rétabli en 2017.

loin en comptent plus de la moitié[1]. Cette situation s'explique par la très forte ségrégation résidentielle, par le contournement de la carte scolaire par le recours au privé, et plus encore par l'absence d'une véritable politique publique visant à changer cette situation. Des expériences récentes ont pourtant montré que des algorithmes d'affectation plus transparents et mieux conçus pourraient permettre d'aboutir à une réelle mixité sociale[2].

Il ne s'agit pas de prétendre ici que ces différents éléments expliquent à eux seuls le retournement du clivage éducatif observé au cours des dernières décennies, et que les catégories sociales les plus défavorisées se soient senties de plus en plus mal représentées par les partis de gauche. Mais il paraît clair que des inégalités éducatives aussi criantes ont pu contribuer à une certaine défiance vis-à-vis des gouvernements socialistes au pouvoir, et à forger l'impression selon laquelle ces derniers se souciaient davantage des couches les plus diplômées et de leurs enfants que de ceux des catégories modestes.

Depuis la crise financière de 2008, la stagnation des budgets éducatifs a fortement contribué à accroître les frustrations, en particulier au sein des jeunes issus des classes populaires, auxquels on avait laissé entendre que les efforts scolaires et l'obtention du baccalauréat ouvriraient rapidement les portes de l'enseignement supérieur et de l'emploi. De fait, la proportion d'une génération atteignant le baccalauréat, qui était d'à peine 30 % dans les années 1980, a atteint 60 % en 2000 et près de 80 % en 2018, en particulier du fait de la très forte croissance du nombre de bacheliers technologiques. Le nombre d'étudiants a augmenté de 20 % de 2008 à 2018, passant d'à peine 2,2 millions à près de 2,7 millions d'étudiants. Le problème est que les ressources investies n'ont pas suivi : elles ont progressé d'à peine 10 % en termes réels (en sus de l'inflation entre ces deux dates), ce qui signifie que le budget par étudiant a diminué de 10 %[3]. Les moyens disponibles pour les étudiants admis dans les filières élitistes et sélectives, le plus souvent issus de catégories favorisées, ont certes été préservés. En revanche, les étudiants des filières universitaires se sont retrouvés avec des conditions d'études peu conformes aux promesses qui leur avaient été

---

1. Voir J. GRENET, « Renforcer la mixité sociale dans les collèges parisiens », Paris School of Economics (PSE), 2016.

2. Voir G. FACK, J. GRENET, A. BENHENDA, *L'Impact des procédures de sectorisation et d'affectation sur la mixité sociale et scolaire dans les lycées d'Île-de-France*, rapport n° 3 de l'IPP (Institut des politiques publiques), juin 2014.

3. Voir annexe technique, graphique S14.11e.

faites. Par exemple, en dépit de la très rapide croissance du nombre de bacheliers technologiques et professionnels, le nombre de places dans les instituts universitaires de technologie (IUT) n'a quasiment pas augmenté, faute de moyens. Les tensions créées par cette situation sont d'autant plus vives que les places dans ces formations sont également demandées par des bacheliers généraux, souvent issus de milieux plus favorisés, mais qui faute de pouvoir tous accéder aux filières bien dotées des classes préparatoires préfèrent souvent aller en IUT plutôt que dans les filières universitaires générales (où l'encadrement est particulièrement faible et les débouchés professionnels parfois incertains).

Le caractère explosif d'une telle situation ainsi que le retournement du clivage politique qu'il met en jeu ont récemment été croqués par la fiction. La série *Baron noir* (2016) met ainsi en scène un peu reluisant président socialiste, aidé par un député du Nord légèrement corrompu, Philippe Rickwaert, qui tente de redorer le blason social du gouvernement de gauche à l'aide d'une mesure emblématique de justice éducative. Il soutient pour cela la revendication d'un groupe de bacheliers professionnels issus de banlieue parisienne, qui souhaitent obtenir des quotas de places dans les IUT, où ils se sentent injustement évincés par les bacheliers généraux. Rickwaert ira même jusqu'à défendre la mesure, vêtu d'un bleu de travail à l'Assemblée nationale, en expliquant que c'est l'honneur de la gauche de retrouver le sens du social et des catégories populaires. Mais tout ceci n'est pas du tout du goût de la jeunesse dorée du parti, et en particulier des militants du MJS (Mouvement des jeunes socialistes), qui comme il se doit sont issus des lycées généraux les plus huppés du centre de la capitale, et vont jusqu'à infiltrer les AG des lycéens professionnels de banlieue afin de faire capoter leur mouvement. Un peu plus tard, le leader des lycéens professionnels sera définitivement compromis par des photos indiquant qu'il n'était pas loin d'accepter de figurer sur une liste du parti de droite aux futures élections européennes. C'est bien la preuve que seuls d'authentiques bacheliers généraux sont à même de défendre les valeurs de la gauche brahmane, loin des compromissions des parvenus de l'enseignement professionnel.

Cette fiction a également le mérite de mettre en scène un acteur qui est sans nul doute appelé à jouer un rôle croissant à l'avenir dans les débats autour de la justice éducative : les algorithmes d'affectation des élèves et étudiants dans les différentes filières. Par rapport à une situation pas si ancienne (et encore répandue dans de nombreux pays) où chacun utilisait ses relations personnelles pour faire admettre ses enfants dans le lycée ou l'université de son choix, il est difficile de nier que ces algorithmes anonymes peuvent représenter un progrès social et démocratique. À condition toutefois qu'ils fassent l'objet d'une appropriation citoyenne et d'un débat transparent, ce qui n'est absolument pas le cas actuellement. Par exemple, la réforme de l'algorithme national d'affectation des bacheliers dans l'enseignement supérieur, avec le remplacement d'APB par Parcoursup en 2018, a conduit à l'introduction de quotas sociaux dans les classes préparatoires, ce qui potentiellement peut être une mesure utile de justice sociale. Mais le paramétrage de ces quotas reste totalement obscur et ne concerne que les bacheliers boursiers, soit moins de 20 % des élèves, avec de fortes discontinuités vis-à-vis des élèves dont les revenus parentaux sont légèrement supérieurs (de même d'ailleurs que les plates-formes Affelnet d'affectation des élèves dans les lycées). Si l'on souhaite bâtir des normes de justice acceptables par le plus grand nombre, il est sans doute préférable d'envisager un système prenant en compte les origines sociales d'une façon plus graduelle et continue, et surtout d'une façon plus transparente. Il est intéressant de noter que l'Inde, qui utilise à grande échelle ces mécanismes de quotas et de « réservations » depuis des décennies, est d'une certaine façon plus avancée que les pays occidentaux sur ces questions[1]. Convenablement utilisés, ces outils démocratiques pourraient permettre de dépasser les impasses des débats éducatifs des dernières décennies.

De la propriété, de la gauche et de la droite

Venons-en maintenant à l'évolution des clivages électoraux et politiques vis-à-vis des inégalités de revenus et de patrimoines. Commençons par examiner le profil du vote pour la gauche électorale en fonction du revenu et de son évolution des années 1950 aux années 2010 (voir graphique 14.12).

Il est frappant de constater que ce profil a toujours été relativement plat parmi les 90 % des revenus les moins élevés (avec peu de variations dans le soutien moyen apporté aux partis de gauche), mais fortement décroissant au sein des 10 % les plus élevés, particulièrement des années 1950 aux années 1970. Par exemple, lors des législatives de 1978, la gauche électorale dépasse nettement 50 % des voix au sein de la plupart des déciles de revenus, mais chute brutalement dans le décile supérieur, et tombe à moins de

---

1. Voir chapitre 8, p. 410-427.

20 % des voix au sein des 1 % des revenus les plus élevés[1]. À partir des années 1990 et 2000, la pente devient de moins en moins marquée. Lors de la présidentielle de 2012, le candidat socialiste obtient quasiment 50 % des voix parmi les 10 % des revenus les plus élevés, et près de 40 % des voix au sein du centile supérieur.

Graphique 14.12

Conflit politique et revenu en France, 1958-2012

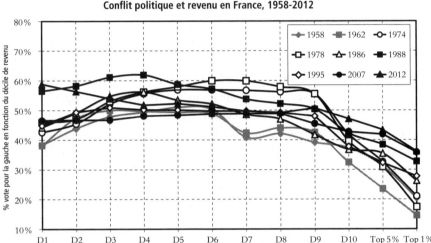

Lecture : en 1978, les partis de gauche (socialistes-communistes-radicaux-écologistes) obtiennent 46 % des voix parmi les 10 % des revenus les plus bas, 38 % parmi les 10 % les plus élevés, et 17 % parmi les 1 % les plus élevés. De façon générale, le profil du vote à gauche est relativement plat au sein des 90 % des revenus les moins élevés, et fortement décroissant au sein des 10 % les plus élevés, surtout en début de période.
Note : D1 désigne les 10 % des revenus les plus bas, D2 les 10 % suivants..., et D10 les 10 % du haut.
Sources et séries : voir piketty.pse.ens.fr/ideologie.

Cet aplatissement de la courbe est la conséquence logique du fait que le vote à gauche est alors devenu nettement dominant parmi les plus diplômés. On notera toutefois que les plus hauts revenus continuent jusqu'aux années 2010 de favoriser les partis de droite, contrairement aux plus hauts diplômés. Autrement dit, la structure des clivages partisans a basculé à

---

1. Les questionnaires utilisés dans les enquêtes postélectorales comprennent généralement au moins 10-15 tranches de revenus, avec des tranches détaillées pour les hauts revenus, ce qui permet de mettre en évidence un gradient très significatif au sommet de la répartition. La méthode utilisée, qui consiste à estimer les déciles et centiles en supposant des structures de vote fixes au sein des tranches de revenus (de même d'ailleurs qu'au sein des tranches de patrimoines et des groupes de diplômes), et donc à ignorer le gradient à l'intérieur des tranches, conduit pourtant à minimiser les pentes et leurs retournements. Voir annexe technique.

partir des années 1990-2000 dans un système d'élites multiples : les plus hauts diplômés votent à gauche, alors que les plus hauts revenus votent à droite (voir graphique 14.1)[1]. Toute la question est de savoir combien de temps durera une telle situation. Par exemple, on peut penser que les plus diplômés finiront par obtenir les plus hauts revenus et par accumuler les plus hauts patrimoines, et peut-être aussi par attirer dans leur coalition politique les plus hauts revenus et patrimoines qui n'ont pas les plus hauts diplômes, si bien que les élites multiples finiront par se réunir dans un même parti. Une telle hypothèse est loin d'être exclue, et nous verrons qu'elle n'est pas loin d'être réalisée, notamment en France et aux États-Unis. Les choses sont cependant plus complexes. En particulier, deux raisons centrales contribuent à expliquer pourquoi les hauts diplômés et les hauts revenus ne votent pas nécessairement pour les mêmes partis, par exemple lors de l'élection présidentielle et des élections législatives de 2012, et pourraient continuer d'occuper des terrains différents à l'avenir (ce qui ne les empêche pas de s'accorder le cas échéant sur de nombreux points, en particulier sur le fait que la réduction des inégalités n'est pas la priorité).

D'une part, pour un niveau de diplôme donné, les personnes qui parviennent à mieux monétiser leur diplôme avec un salaire plus élevé, soit parce qu'elles ont choisi des carrières plus rémunératrices (par exemple dans le secteur privé plutôt que dans le secteur public, ou bien dans des métiers plus rémunérateurs à l'intérieur de chaque secteur), soit parce qu'elles ont eu davantage de succès dans leurs promotions et dans leur trajectoire (les données disponibles ne permettent pas de séparer ces différentes situations), ont clairement tendance à voter plus souvent à droite. Cela peut être dû à un intérêt bien compris, dans la mesure où les partis de droite proposent généralement des impôts moins élevés sur les plus hauts revenus, ou plus généralement à une vision du monde mettant davantage l'accent sur le poids de l'effort individuel dans la réussite monétaire. Autrement dit, la « gauche brahmane » et la « droite marchande » sont porteuses d'expériences et d'aspirations qui ne sont pas exactement les mêmes. La première valorise la réussite scolaire, le goût du travail intellectuel, l'acquisition de diplômes et de connaissances ; la seconde s'appuie davantage sur la motivation professionnelle, le sens des affaires, les négociations rondement menées. Chacune s'appuie à sa façon sur une idéologie du mérite et de

---

1. Ceci est vrai si l'on examine les profils bruts (avant tout contrôle), et l'est encore davantage après prise en compte des variables de contrôle. Voir annexe technique et graphiques S14.1a-S14.1c.

l'inégalité juste, mais la forme des efforts demandés et des récompenses accordées n'est pas exactement la même dans les deux cas[1].

D'autre part, toujours pour un niveau de diplôme donné, certaines personnes ont des revenus plus élevés car elles disposent d'un patrimoine plus élevé, ce qui leur apporte des revenus issus de leur capital (loyers, intérêts, dividendes, etc.), ou bien leur permet de monétiser plus efficacement leur diplôme en exerçant une profession non salariée exigeant un investissement important ou en dirigeant une entreprise (familiale ou non). De fait, de façon générale, la détention d'un patrimoine apparaît pour toutes les périodes et tous les pays pour lesquels des données adéquates sont disponibles comme un déterminant du vote beaucoup plus puissant que le revenu ou le diplôme. En particulier, la courbe du vote pour les partis de gauche en fonction du décile de patrimoine apparaît beaucoup plus pentue que celle vis-à-vis du décile de revenu (voir graphique 14.13). Par exemple, lors des élections législatives de 1978, le vote à gauche tombe à guère plus de 10 % parmi les électeurs disposant des 1 % des patrimoines les plus élevés (soit près de 90 % de vote à droite au sein de ce groupe), alors qu'il est de près de 70 % parmi les électeurs disposant des 10 % des patrimoines les plus faibles. Autrement dit, la détention patrimoniale apparaît comme un déterminant quasiment implacable de l'attitude politique : les plus riches en patrimoines ne votent presque jamais à gauche, et les plus pauvres en patrimoines votent très rarement à droite. Ce lien s'est amoindri entre les années 1970 et les années 2010, tout en restant beaucoup plus marqué que pour le revenu[2].

1. Pour un modèle théorique analysant comment les croyances en l'effort s'adaptent aux trajectoires individuelles, et permettant ainsi de rendre compte de l'effet des mobilités sur les attitudes politiques, voir T. PIKETTY, « Social Mobility and Redistributive Politics », *Quarterly Journal of Economics*, vol. 110, n° 3, 1995, p. 551-584. Ce cadre peut être étendu à une situation où il existe deux mécanismes de promotion sociale (effort professionnel, effort scolaire), ce qui peut conduire à deux systèmes de croyances méritocratiques et rendre compte d'un régime politique à élites multiples. Voir T. PIKETTY, « Brahmin Left *vs* Merchant Right. Rising Inequality and the Changing Structure of Political Conflict (Evidence from France, Britain and the US, 1948-2017) », section 5, art. cité.

2. Les courbes indiquées sur le graphique 14.13 débutent dans les années 1970, car c'est à partir de l'enquête postélectorale de 1978 que nous disposons de questionnaires détaillés sur la détention des différents types d'actifs. Sur cette enquête très innovante, voir J. CAPDEVIELLE, E. DUPOIRIER, « L'effet patrimoine », in *France de gauche, vote à droite ?*, Presses de la FNSP, 1981. Parmi les travaux soulignant le rôle du patrimoine comme déterminant du vote, voir aussi M. PERSSON, J. MARTINSSON, « Patrimonial Economic Voting and Asset Value : New Evidence from Taxation Register Data », *British Journal of Political Science*, vol. 48, n° 3, 2016, p. 825-842 ; M. FOUCAULT, R. NADEAU, M. LEWIS-BECK, « Patrimonial Voting :

Graphique 14.13

Conflit politique et propriété en France, 1974-2012

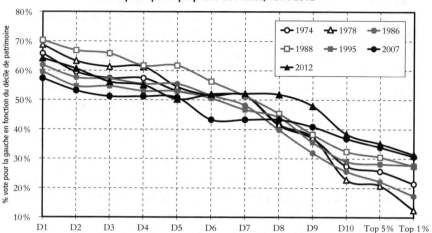

Lecture : en 1978, les partis de gauche (socialistes-communistes-radicaux-écologistes) obtiennent 69 % des voix parmi les 10 % des patrimoines les plus bas, 23 % parmi les 10 % les plus élevés, et 13 % parmi les 1 % les plus élevés. De façon générale, le profil du vote à gauche vis-à-vis du patrimoine est très fortement décroissant (beaucoup plus que vis-à-vis du revenu), notamment en début de période.
Note : D1 désigne les 10 % des patrimoines les plus bas, D2 les 10 % suivants…, et D10 les 10 % du haut.
Sources et séries : voir piketty.pse.ens.fr/ideologie.

Ce rôle déterminant de la propriété dans la structure des attitudes politiques ne saurait surprendre. La question du régime de propriété a constitué aux XIXe et XXe siècles le sujet central du conflit politico-idéologique, et ce n'est qu'à partir de la fin du XXe siècle que la question du diplôme et du régime éducatif a pris une importance comparable. Historiquement, c'est autour de la défense de la propriété privée (et d'une façon limitée autour de sa redistribution) que s'est bâti au XIXe siècle le régime politique issu de la Révolution française, que nous avons déjà largement étudié[1]. Dans son *Tableau politique de la France de l'Ouest sous la Troisième République*, publié en 1913, le politiste et géographe André Siegried entreprit une étude systématique et minutieuse des votes observés des législatives de 1871 à

Refining the Measures », *Electoral Studies*, vol. 32, n° 3, 2013, p. 557-562 ; M. Foucault, « La France politique des possédants et des non-possédants », *in* P. Perrineau, L. Rouban, *La Démocratie de l'entre-soi*, Presses de la FNSP, 2017. Les résultats présentés sont parfaitement cohérents avec ces travaux, à la différence près que je cherche à comparer l'ampleur de l'effet patrimoine avec celui de l'effet revenu et de l'effet diplôme, et surtout à replacer ces questions dans une perspective historique et comparative.
    1. Voir en particulier les chapitres 3 et 4.

celles de 1910, canton par canton, en fonction notamment des données issues de la contribution foncière portant sur la répartition des surfaces agricoles, et des résultats d'une vaste enquête ministérielle sur la scolarisation des jeunes filles dans les écoles publiques et privées. Ses conclusions sont parfaitement claires. Dans les cantons où les redistributions opérées pendant la Révolution ont permis la constitution d'une petite propriété terrienne, les paysans votent pour les partis républicains, qui à l'époque constituent la gauche de l'échiquier politique (le parti radical étant le plus convaincu d'entre eux, le plus radicalement républicain).

À l'inverse, dans les cantons où la propriété terrienne est restée concentrée entre les mains de grands propriétaires, souvent d'origine noble, et où l'Église a conservé son influence, notamment au travers de sa mainmise sur les institutions scolaires, les électeurs plébiscitent les candidats monarchiques et conservateurs. On observe même dans les cantons les plus conservateurs, par exemple dans le Léon, en Bretagne du Nord-Ouest, d'étonnantes compétitions législatives entre des curés et des aristocrates, par exemple entre l'abbé Gayrault et le comte de Blois en 1897. Les représentants de l'ancienne classe cléricale sortent souvent vainqueurs de ces compétitions, tant l'attachement des populations à ses élites locales et religieuses traditionnelles est profond. Siegfried décrit un monde où l'emprise rassurante de l'ordre trifonctionnel ancien reste très forte, et où les électeurs continuent de s'en remettre au château et au presbytère, ne sachant pas trop ce que les républicains de la capitale comptent faire d'eux, tant qu'ils n'ont pas fait une expérience pratique et concrète de leur pouvoir[1].

La gauche et les indépendants : chronique d'une méfiance au XXᵉ siècle

Le monde évoqué par Siegfried est cependant sur le point de disparaître au moment où il le décrit. En bon républicain du centre gauche, Siegfried

---

1. Siegfried évoque aussi les moyens de pression dont disposent les propriétaires sur les fermiers et métayers et les curés sur les parents : l'ordre trifonctionnel sait se montrer oppresseur si besoin. Comme Arnoux (voir chapitre 2, p. 91-96), Siegfried ne dissimule pas que les curés, leurs écoles et leurs œuvres sociales lui inspirent plus de tendresse que les nobles. Il note d'ailleurs qu'ils sont plus nombreux à avoir soutenu l'impôt sur le revenu à la Chambre des députés (et plus nombreux aussi que nombre de républicains du centre droit, adeptes du laisser-faire intégral). Voir A. SIEGFRIED, *Tableau politique de la France de l'Ouest sous la Troisième République*, Armand Colin, 1913, p. 89-92 et p. 240-251, réimp. Imprimerie nationale Éditions, 1995.

s'inquiète des timides percées que font les « collectivistes » dans les régions de l'Ouest, en particulier auprès des ouvriers des arsenaux de Brest et des sardiniers de Concarneau. Mais ailleurs dans le pays, les candidats socialistes font des progrès autrement plus décisifs. Au cours de l'entre-deux-guerres, les députés socialistes et communistes, nouvellement séparés après la scission du congrès de Tours en 1920, prennent progressivement l'ascendant sur les radicaux et les repoussent vers le centre. Ils les détrônent définitivement après le second conflit mondial. Or l'idéologie des socialo-communistes vis-à-vis de la propriété privée est autrement plus subversive que celle des radicaux et des républicains du centre gauche. Alors que les radicaux sont les apôtres des petits propriétaires, paysans, commerçants et indépendants de toute nature, et de la « réforme sociale dans le respect de la propriété privée », notamment au travers de l'impôt sur le revenu porté par Caillaux, les socialistes et les communistes prônent la collectivisation des moyens de production, notamment dans le secteur industriel, et s'appuieront d'ailleurs jusqu'aux années 1980 sur des plates-formes programmatiques fondées sur les nationalisations. Ils tenteront certes de convaincre tout au long du XXe siècle les petits indépendants qu'ils ne leur veulent pas de mal, et que les propriétés privées d'ampleur raisonnable n'ont rien à craindre. Mais faute d'un programme précis permettant de fixer à ce sujet des limites et des bornes parfaitement rassurantes, les indépendants continueront pratiquement jusqu'à nos jours de se méfier de la gauche socialiste et communiste.

Cette méfiance des petits indépendants (paysans, commerçants, artisans) explique d'ailleurs pour une large part le profil relativement plat du vote à gauche en fonction du revenu observé en France parmi les 90 % des revenus les moins élevés (voir graphique 14.12). Des années 1950 jusqu'aux années 1970-1980, les bas déciles de revenu sont en effet constitués pour une part importante de travailleurs indépendants, qui ne sont certes pas très riches en termes de revenus, mais qui néanmoins possèdent un peu de patrimoine (un champ, une ferme, une échoppe), et se méfient plus que tout au monde des projets des collectivistes. Le poids des indépendants et notamment des paysans explique d'ailleurs le profil particulièrement plat du vote à gauche en fonction du revenu en France au cours de la période 1950-1980, alors que ce même profil a toujours été nettement plus décroissant parmi les 90 % des revenus les moins élevés aux États-Unis et au Royaume-Uni[1].

1. Voir chapitre 15, graphiques 15.5, p. 940, et 15.14, p. 974.

Ces craintes vis-à-vis des partis de gauche peuvent faire sourire. Les socialo-communistes en France n'ont jamais eu ni le pouvoir ni l'intention de transformer l'agriculture et le commerce en kolkhozes, sovkhozes et autres magasins Gastronom (du nom de la chaîne d'État de magasins alimentaires fort peu gastronomiques qui disposait du monopole sur cette activité à l'époque soviétique). Mais ils n'ont jamais eu l'occasion non plus d'indiquer de façon claire et précise quelles étaient leurs intentions à long terme à l'égard de la petite propriété privée, et comment ils concevaient le rôle de cette dernière dans la société idéale qu'ils envisageaient. Cette ambiguïté et ces incertitudes sur la question de la propriété sont tout sauf secondaires. Elles sont à l'origine de schismes majeurs entre socialistes et communistes, et entre les socialo-communistes et le reste de la société (à commencer par les indépendants). Elles expliquent pour une large part l'incapacité du SPD et du KPD de s'allier en Allemagne face aux nationaux-socialistes dans les années 1930, et des radicaux, socialistes et communistes de constituer des coalitions durables en France dans l'entre-deux-guerres (en dehors de l'important mais éphémère épisode du Front populaire en 1936-1938). Ce conflit lourd autour du régime de propriété et du soutien au modèle soviétique (ainsi qu'au sujet du colonialisme) explique aussi en grande partie pourquoi les socialistes gouvernent souvent avec les radicaux et le centre droit entre 1947 et 1958, dans le cadre des coalitions dites de « troisième force » (ce qui revenait à gouverner au centre, en excluant à la fois les communistes et les gaullistes)[1].

Au-delà de la crainte existentielle portant sur une possible expropriation de la petite propriété privée, il faut souligner que les partis de gauche ont fortement contribué à attiser les méfiances et les conflits, notamment autour des débats concernant la fiscalité, et tout particulièrement l'impôt sur le revenu, en défendant des positions beaucoup plus favorables aux salariés qu'aux indépendants. Rappelons que le système d'impôt sur le revenu adopté en 1914-1917 comportait d'une part un impôt général sur le revenu (portant sur le revenu global, c'est-à-dire la somme de tous

---

1. On notera toutefois que la brève présence commune au gouvernement et à l'Assemblée des socialistes et des communistes en 1945-1946 eut un impact décisif sur la mise en place de la Sécurité sociale et sur la suppression du veto sénatorial dans la Constitution de la IVᵉ République (veto qui avait bloqué de nombreuses réformes fiscales et sociales sous la IIIᵉ République). Les députés communistes jouèrent également un rôle central pour renforcer la progressivité réelle de l'impôt sur le revenu, avec la suppression de la déduction de l'impôt de l'année précédente. Sur ces débats de 1945, voir T. PIKETTY, *Les Hauts Revenus en France au XXᵉ siècle, op. cit.*, p. 302-305.

les revenus du contribuable), et d'autre part des impôts cédulaires pesant séparément sur chaque catégorie de revenus (salaires, revenus des indépendants, profits, intérêts, etc.)[1]. Or l'impôt cédulaire concernant les salariés était beaucoup plus favorable que celui touchant les indépendants. Alors que les premiers bénéficiaient d'importants abattements (de telle sorte que seuls les 10 %-15 % des salariés les mieux rémunérés payaient cet impôt), les indépendants étaient censés payer l'impôt cédulaire dès le premier franc de revenus, qui devaient être déclarés avec soin. Face à une injustice aussi flagrante, les petits indépendants (paysans, artisans, commerçants) se mobilisèrent avec énergie et obtinrent un certain nombre de régimes dérogatoires et de mesures compensatoires dans les années 1920 et 1930. Mais les salariés, défendus notamment par les partis socialistes et communistes, qui refusaient l'idée d'un alignement pur et simple sur le régime des indépendants (car cela aurait impliqué des hausses fiscales inacceptables à leurs yeux pour les petits et moyen salaires), conservèrent un traitement nettement privilégié[2].

Cette situation se prolongea après le second conflit mondial. Les réformes fiscales de 1948 et 1959 étaient supposées unifier le système avec des règles communes pour tous les revenus, mais en réalité des abattements spéciaux furent institués pour les seuls salariés, qui bénéficiaient en outre d'une exonération de la « taxe proportionnelle »[3]. Cette question fut d'ailleurs dans une large mesure à l'origine d'un violent mouvement de protestation anti-impôts et de défense des petits indépendants qui conduisit à la percée poujadiste lors des législatives de 1956[4]. Du point de vue des socialistes et

1. Voir chapitre 4, p. 182-185.

2. Cette question faisait partie des conflits récurrents opposant les socialistes-communistes et les radicaux, traditionnellement plus favorables à la petite propriété privée et aux indépendants. Lors des débats parlementaires de 1907-1908, Caillaux avait longuement défendu l'idée d'un impôt neutre pesant sur le revenu global, de façon que les « directeurs des grosses sociétés anonymes » ne bénéficient d'aucun traitement privilégié par rapport aux revenus des « petits industriels » et des « petits commerçants », allant jusqu'à déclarer que « l'instituteur, le receveur des contributions et l'employé du chemin de fer sont souvent des riches au regard du petit cultivateur ou du petit paysan patenté ». Voir T. PIKETTY, *Les Hauts Revenus en France au XXe siècle, op. cit.*, p. 218-219.

3. Pour une analyse détaillée de ces évolutions législatives et des conflits politiques correspondants, voir T. PIKETTY, *Les Hauts Revenus en France au XXe siècle, op. cit.*, p. 305-319. Voir également N. MAYER, *La Boutique contre la gauche*, Presses de Sciences Po, 1986. Sur la structuration des conflits politiques autour de la propriété (notamment de la propriété immobilière), voir aussi H. MICHEL, *La Cause des propriétaires. État et propriété en France, fin XIXe siècle-XXe siècle*, Belin, 2006.

4. C'est en juillet 1953 que Pierre Poujade, papetier à Saint-Céré, dans le Lot, mobilisa pour la première fois les artisans et les commerçants de sa petite ville contre les agents du fisc,

des communistes, les avantages dont bénéficiaient les salariés se justifiaient en raison de la fâcheuse tendance qu'avaient les indépendants à sous-déclarer leurs revenus, alors que les titulaires de salaires n'avaient pas une telle possibilité. L'argument peut se comprendre, et en même temps il est clairement voué à l'échec. Ce n'est pas en instituant un abattement spécial visant à compenser les salariés de la fraude supposée des indépendants que l'on va mettre fin à cette dernière, et plus généralement que l'on va parvenir à développer des normes de justice fiscale acceptables par les différents groupes. Ces discussions d'apparence technique ont joué un rôle central dans la structuration des clivages électoraux entre salariés et indépendants au cours du XXᵉ siècle[1]. Les antagonismes fiscaux entre mondes rural et urbain étaient également très présents dans les processus d'identification politique à l'œuvre au XIXᵉ siècle[2]. Ces conflits montrent à quel point la question de la justice fiscale et sociale ne peut être traitée de façon abstraite, indépendamment de son incarnation institutionnelle et administrative. L'impôt juste doit être construit historiquement et politiquement, en fonction des dispositifs que l'on se donne pour comparer les capacités des uns et des autres à contribuer aux charges communes, et notamment pour mesurer et enregistrer le revenu et la propriété de catégories sociales par ailleurs très différentes (voire totalement incomparables) sur le plan de leur statut et de leur activité économique.

---

avant de fonder quelques mois plus tard l'« Union de défense des commerçants et artisans » (UDCA). Le sommet de l'agitation poujadiste fut atteint en 1954-1955, avec de multiples « opérations commandos » destinées à venir en aide à des petits commerçants ou des petits artisans acculés à la faillite par la voracité du fisc. L'UDCA décréta la « grève de l'impôt » en janvier 1955, et c'est aux élections de janvier 1956 que le mouvement réalisa sa grande percée électorale (avec l'élection d'un groupe parlementaire poujadiste comprenant Jean-Marie Le Pen). Les poujadistes stigmatisaient les mesures prises en faveur des salariés, et notamment des « cadres parisiens », qui à leurs yeux démontraient à quel point le pouvoir central « modernisateur » et ses « technocrates sans cœur », quelle que soit d'ailleurs leur étiquette politique, se moquaient du devenir des petits producteurs indépendants. Ceci n'enlève rien au très réel antisémitisme de Poujade, croqué notamment sur la couverture « Poujadolf » de *L'Express*, hebdomadaire attitré des cadres parisiens de l'époque.

1. L'abattement de 20 % en faveur des salariés (en sus des 10 % pour « frais professionnels »), qui entre-temps avait été étendu aux indépendants, fut finalement supprimé et intégré au barème en 2005.

2. Par exemple, en 1848, les petits paysans propriétaires avaient peu apprécié les hausses d'impôt foncier décidées au début de l'année par le nouveau régime républicain, ce qui contribue à expliquer pourquoi le monde rural a plébiscité Louis-Napoléon Bonaparte, qui s'était opposé à ces hausses et entendait s'appuyer sur les taxes indirectes pesant sur les urbains. Voir à ce sujet G. NOIRIEL, *Une histoire populaire de la France, op. cit.*, p. 353-354.

Forces et fragilités de la « gauche brahmane » et de la « droite marchande »

Avec la fin du communisme soviétique et des affrontements bipolaires autour de la propriété privée, et avec la montée en puissance de l'expansion éducative et de la « gauche brahmane », le paysage politico-idéologique s'est totalement transformé. Le programme des partis de gauche à base de nationalisations (notamment en France et au Royaume-Uni), qui effrayait tant les indépendants, a disparu en quelques années, sans pour autant être remplacé par un programme alternatif clairement assumé[1]. Le système d'élites multiples s'est mis en place, avec d'un côté une « gauche brahmane » attirant les suffrages des plus hauts diplômés et de l'autre une « droite marchande » toujours en tête parmi les plus hauts revenus et patrimoines (voir graphique 14.1). Nous retrouverons cette même structure aux États-Unis, au Royaume-Uni et dans les autres pays occidentaux. Cet équilibre a ses éléments de force, mais il est aussi et surtout traversé par des lignes de fragilité qui le rendent extrêmement instable.

Les éléments de force tiennent au fait que la « gauche brahmane » et la « droite marchande » incarnent toutes deux des valeurs et des expériences complémentaires. Elles partagent aussi de nombreux éléments communs, à commencer par un certain conservatisme face au régime inégalitaire en place. La « gauche brahmane » croit dans l'effort et le mérite scolaire ; la « droite marchande » insiste sur l'effort et le mérite dans les affaires. La « gauche brahmane » vise à l'accumulation de diplômes, de connaissances et de capital humain ; la « droite marchande » s'appuie surtout sur l'accumulation de capital monétaire et financier. Elles peuvent avoir des différends sur certains points. La « gauche brahmane » peut vouloir un peu plus d'impôts que la « droite marchande », par exemple pour financer les lycées, les grandes écoles et les institutions culturelles et artistiques auxquels elle est attachée[2]. Mais les deux camps partagent un attachement fort au système économique actuel et à la mondialisation telle qu'elle est présentement organisée, et qui, au fond, bénéficie assez bien aux élites intellectuelles comme aux élites économiques et financières.

---

1. Voir chapitre 11, p. 588-590.

2. Faire bénéficier les prestigieux lycées privés et leurs classes préparatoires des mêmes fonds publics que leurs homologues publics crée toutefois une solidarité entre ceux dont les enfants vont à Sainte-Geneviève et à Louis-le-Grand, et se retrouvent souvent dans les mêmes grandes écoles.

La « gauche brahmane » et la « droite marchande » incarnent deux formes de légitimité à gouverner. Ce système d'élites multiples représente d'ailleurs une sorte de retour à la logique profonde des sociétés trifonctionnelles anciennes, fondées sur un partage des rôles entre élites intellectuelles et élites guerrières, à la différence près que ces dernières ont été remplacées par les élites marchandes (compte tenu du fait que la sécurité des biens et des personnes est désormais assurée par l'État centralisé). « Gauche brahmane » et « droite marchande » peuvent alterner au pouvoir, ou bien gouverner ensemble dans le cadre d'une coalition regroupant les différentes élites. La tentative de constitution d'une alliance regroupant le centre gauche et le centre droit en France aux élections de 2017, sur laquelle nous reviendrons plus loin, relève du second cas de figure. Dans la mesure où les plus diplômés finiront par devenir les plus riches, on peut aussi penser que la fusion socio-économique des élites sera telle que l'hypothèse d'un parti politique unique deviendra la plus logique. En Inde, à la fin du XIXᵉ siècle, nous avons vu que les brahmanes étaient à la fois les plus grands lettrés et les plus grands propriétaires[1]. Les différents choix de carrière (par exemple dans le secteur public ou les métiers culturels et intellectuels pour les uns, et le secteur privé et les métiers financiers et marchands pour les autres) laissent cependant ouverte la possibilité que les deux élites ne fusionnent jamais complètement.

Malgré ses forces évidentes, cet équilibre politique n'en est pas moins extrêmement précaire. Le premier symptôme, déjà évoqué, est le phénomène de retrait électoral des catégories populaires (voir graphiques 14.7-14.8). Une lecture cynique consisterait pour les élites à y voir leur assurance-vie : moins les classes populaires participeront aux élections, plus les classes élevées pourront se maintenir au pouvoir. Le risque est cependant que cela mine à terme la légitimité même du régime électoral et politique, ouvrant la voie à des révolutions violentes et des pouvoirs autoritaires. Plus généralement, il est clair que c'est l'ensemble du système de clivages politiques et de coalitions électorales de l'après-guerre qui est menacé d'effondrement. Ce qui reste de la « gauche électorale » est traversé par des fractures de plus en plus vives entre un centre gauche promarché et une gauche proredistribution plus radicale, à la recherche de nouvelles réponses face à la montée des inégalités. Nous reviendrons plus loin sur les formes

---

1. Voir chapitre 8, p. 396-404. Nous y reviendrons dans le chapitre 16, p. 1067-1094, quand nous étudierons les clivages électoraux en fonction de la caste et de la classe dans l'Inde actuelle.

de socialisme participatif et de social-fédéralisme en cours de développement et susceptibles de répondre à ces attentes et à ces défis. La « droite électorale » est également écartelée entre un centre droit promarché et une droite nativiste et nationaliste, qui voit dans le repli identitaire et le social-nativisme anti-immigrés la solution aux défis posés par les dérives du système économique mondial. Ce sont ces nouveaux clivages identitaires que nous allons maintenant étudier, ce qui nous amènera à la division de l'électorat en quatre quarts, observée lors des élections de 2017.

Du retour des clivages identitaires et religieux en France

Il convient tout d'abord d'insister sur le fait que l'existence de clivages identitaires et religieux importants est loin d'être une chose nouvelle en France. Les clivages entre catholiques et laïcs, en partie superposés aux conflits autour de la propriété et aux oppositions entre les mondes rural et paysan et les secteurs urbain et ouvrier, ont joué un rôle central au XIXe siècle et pendant une large partie du XXe siècle[1]. Cette frontière intérieure entre croyants et non-croyants, y compris à l'intérieur des classes populaires, a longtemps compliqué encore un peu plus la constitution de coalitions politiques cohérentes sur le plan socio-économique. Si un système de clivages de type classiste a pu se mettre en place dans l'après-guerre, c'est en partie parce que ces clivages religieux et identitaires s'étaient estompés, et aussi parce que les défis posés par les guerres, la crise des années 1930 et le communisme avaient imposé l'idée d'un plus grand interventionnisme sur le plan économique et social, et avaient donné aux socialistes et aux communistes la légitimité que les radicaux leur contestaient encore dans l'entre-deux-guerres. C'est ainsi que les affrontements socio-économiques au sujet du régime de propriété ont pu prendre le pas sur les questions de frontière et d'identité.

Au cours des dernières décennies, des clivages identitaires et religieux d'un type nouveau se sont développés en France et dans de nombreux

---

1. Les travaux de Siegfried rappellent que la sensibilité catholique a longtemps été associée à la défense de l'ordre trifonctionnel ancien (ou tout du moins à un plus grand attachement au rôle des élites locales symbolisées par le château et le presbytère) qui était dans une large mesure l'ordre propriétariste local précédant la formation de l'État centralisé. Le point important est qu'il s'agit d'un attachement politico-idéologique, c'est-à-dire reposant sur des croyances plausibles en une organisation sociale, propriétariste et éducative idéale, en partie liée à des intérêts socio-économiques, mais qui ne peut se réduire à cela.

pays européens, en lien avec le développement de mouvements politiques anti-immigrés, et en particulier de mouvements opposés à l'immigration d'origine extra-européenne et notamment arabo-musulmane. Si l'on examine tout d'abord l'évolution de la structure de la pratique religieuse en France, telle qu'elle est déclarée par les personnes interrogées dans les enquêtes postélectorales menées depuis 1967[1], on constate que la proportion de personnes se déclarant « sans religion » a beaucoup progressé. Elle est passée de 6 % en 1967 à 36 % en 2017 (voir graphique 14.14).

Graphique 14.14
La structure religieuse de l'électorat en France, 1967-2017

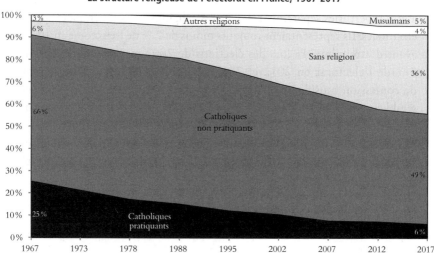

Lecture : de 1967 à 2017, la proportion de l'électorat se déclarant comme catholique pratiquant (au moins une fois par mois à l'église) est passée de 25 % à 6 %. Les catholiques non pratiquants sont passés de 66 % à 49 %, les personnes se déclarant sans religion de 6 % à 36 %, les autres religions (protestantisme, judaïsme, bouddhisme, etc., à l'exception de l'islam) de 3 % à 4 %, et les personnes se déclarant comme musulmanes de moins de 1 % à 5 % de l'électorat.
Sources et séries : voir piketty.pse.ens.fr/ideologie.

Une majorité de l'électorat continue de se déclarer comme catholique, mais elle s'est fortement réduite : de 91 % en 1967 à 55 % en 2017. Autrement dit, la majorité catholique était autrefois écrasante, elle n'est plus que relative. Si l'on se limite aux électeurs âgés de moins de 50 ans, les personnes sans religion ont même dépassé les catholiques dès l'enquête

---

1. Les enquêtes menées en 1958 et 1962 ne comprennent pas de question sur la pratique religieuse.

de 2012 (44 % contre 42 %[1]). Par ailleurs, les catholiques pratiquants (au sens où ils déclarent aller à l'église au moins une fois par mois) ont presque totalement disparu : à peine 6 % en 2017. Les 49 % restants déclarent avoir une identité catholique mais ne pratiquent pas ou peu[2].

Outre la forte croissance de la population se déclarant sans religion, on assiste également entre 1967 et 2017 à un développement moins important mais toutefois significatif des pratiques religieuses non catholiques. En 1967, moins de 3 % des personnes interrogées déclaraient une autre religion, principalement le protestantisme (environ 2 %), le judaïsme (autour de 0,5 %), et moins de 0,5 % pour toutes les autres religions réunies (islam, bouddhisme, hindouisme, etc.). Les électeurs musulmans représentaient toujours moins de 1 % de l'électorat en 1988, quand ils commencèrent à être répertoriés séparément des autres religions dans les enquêtes post-électorales. Ils représentaient toujours moins de 2 % de l'électorat en 1997, avant d'atteindre 3 % lors des élections de 2002 et 2007, puis environ 5 % de l'électorat en 2012 et 2017[3]. Parmi ces électeurs se déclarant de confession musulmane, la grande majorité des personnes concernées semblent avoir une pratique religieuse faible, de même d'ailleurs que parmi les catholiques[4].

Précisons qu'il s'agit là de données portant sur les personnes inscrites sur les listes électorales, ce qui implique d'une part d'avoir la nationalité

1. Les résultats obtenus atteignent 55 % contre 24 % si on se limite aux électeurs de moins de 35 ans dans cette même enquête. Ces résultats sont cohérents avec ceux obtenus avec des enquêtes de plus grande taille sur les pratiques religieuses. Voir par exemple l'enquête TeO citée plus loin.

2. Les questionnaires permettent parfois de préciser ceux qui ne pratiquent pas du tout et ceux qui participent à des cérémonies lors de grandes fêtes religieuses (Pâques, Noël, etc.) ou familiales (mariages, baptêmes, décès, etc.), mais de façon relativement discontinue et imprécise, d'où le critère homogène dans le temps retenu ici.

3. Au sein des autres religions, le poids du protestantisme (environ 1,5 %-2 % de l'électorat) et du judaïsme (à peine 0,5 %) est resté relativement stable, alors que celui du bouddhisme, de l'hindouisme, etc., a légèrement progressé, passant de moins de 0,5 % à 1-1,5 %, avec des variations suivant les enquêtes qui ne sont pas toujours significatives, compte tenu des effectifs limités. La hausse de la part des électeurs musulmans, d'à peine 0,5 % dans l'enquête de 1988 à environ 5 % dans celles de 2012 et 2017, est très significative.

4. Si l'on applique le même critère (participation à une cérémonie religieuse au moins une fois par mois), on constate que la proportion de musulmans pratiquants se situe autour de 15 %-25 % des musulmans entre 1995 et 2017 (avec de légères variations suivant les enquêtes), soit une proportion plus élevée que celle de catholiques pratiquants (environ 10 %-15 % du total des catholiques sur la même période), mais qui fait néanmoins apparaître 75 %-85 % de musulmans non pratiquants (contre environ 85 %-90 % de catholiques non pratiquants).

française, qui est généralement obtenue lors de la seconde génération, et d'autre part de s'inscrire sur les listes en question[1]. Les données issues d'autres enquêtes suggèrent que le nombre total de personnes se considérant comme musulmanes représente à la fin des années 2010 environ 6 %-8 % de la population résidant en France[2]. On retrouve des niveaux comparables dans les autres pays ouest-européens, en particulier au Royaume-Uni et en Allemagne. Il s'agit d'un niveau inférieur mais pas incomparable à la proportion de musulmans en Inde (10 % au recensement de 1951, 14 % au recensement de 2011), à la différence importante près que la pluralité religieuse hindous-musulmans est présente en Inde depuis le XIIIᵉ siècle, alors qu'elle n'est devenue une réalité qu'au cours des toutes dernières décennies en Europe occidentale[3]. Par comparaison, la proportion de musulmans est infime en Pologne, en Hongrie ou encore aux États-Unis (moins de 1 % de la population).

Si l'on examine maintenant comment les clivages religieux se traduisent sur le plan électoral, deux faits principaux méritent d'être notés. Tout d'abord, si l'on omet pour commencer la question des autres religions, on constate que le clivage entre électeurs catholiques et électeurs sans religion n'a jamais cessé de jouer un rôle extrêmement important sur le plan électoral et politique en France. C'était évidemment le cas sous la IIIᵉ République, en particulier dans le cadre des élections de la période 1871-1910 étudiées par Siegfried, en reliant par exemple au

1. Les enquêtes postélectorales les plus récentes (comme celle de 2012) portent sur l'ensemble de la population résidente (ce qui permet de constater que le sous-enregistrement sur les listes électorales varie fortement avec l'âge et la profession), mais les questions les plus détaillées (en particulier sur la religion et les origines) ne sont posées qu'au sous-échantillon inscrit sur les listes électorales.

2. L'enquête « Trajectoires et Origines » (TeO) réalisée en 2008-2009 comptabilise 8 % de personnes de confession musulmane parmi la population résidente âgée de 18 à 50 ans. Voir C. Beauchemin, C. Hamel, P. Simon, *Trajectoires et Origines. Enquête sur la diversité des populations en France*, INED Éditions, 2015, tableau 1, p. 562. D'après une enquête réalisée en 2016, environ 6 % de la population résidente âgée de 15 ans et plus se déclarerait de « confession musulmane ». Ce chiffre monterait à 7 % si l'on inclut les personnes de « culture musulmane », voire 8,5 % si l'on inclut les enfants (compte tenu de tailles moyennes de familles plus importantes). Voir H. El Karoui, *L'Islam, une religion française*, Gallimard, 2018, p. 20-26. Ces différentes notions sont toutefois poreuses et incertaines, et les résultats obtenus dépendent du questionnaire utilisé et de la façon dont les identités individuelles, qui sont multiples et complexes, se reconnaissent dans les questions posées et les termes employés (de même que pour les personnes se rattachant à une identité juive ou catholique).

3. Sur l'évolution de la structure religieuse de l'Inde, voir chapitre 8, graphique 8.2, p. 367.

niveau cantonal la fréquentation des écoles privées, la structure de la propriété terrienne et le vote pour les candidats catholiques[1]. On retrouve un impact massif de la religion sur le vote dans les années 1960-1980 : seuls 10 %-20 % des catholiques pratiquants votaient alors pour les partis de gauche (socialistes-communistes-radicaux-écologistes), contre 70 %-80 % des électeurs sans religion votant pour ces mêmes partis (voir graphique 14.15). Les catholiques non pratiquants ont quant à eux toujours été dans une position politique intermédiaire entre ces deux groupes. Pour trouver des effets aussi massifs avec des déterminants socio-économiques, il faut comparer à la même époque les 10 % des électeurs les plus pauvres en patrimoine et les 1 % des électeurs les plus riches en patrimoine (voir graphique 14.13). Or tous les électeurs sans religion ne font pas partie du premier groupe ni les catholiques pratiquants du second, tant s'en faut.

Graphique 14.15

Conflit politique et catholicisme en France, 1967-2017

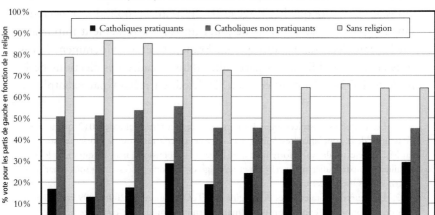

Lecture : les électeurs se déclarant catholiques pratiquants et non pratiquants ont toujours voté moins fortement à gauche que les électeurs se déclarant sans religion en France, mais l'écart s'est réduit au cours du temps. Sources et séries : voir piketty.pse.ens.fr/ideologie.

Si l'on considère l'ensemble des catholiques (pratiquants et non pratiquants), leur propension à voter pour les partis de droite était dans les années 1960-1980 d'environ 40 points plus élevée que celle des électeurs

1. Voir A. SIEGFRIED, *Tableau politique de la France de l'Ouest...*, op. cit.

sans religion. Il s'agit d'un effet considérable et hautement significatif. Si l'on raisonne toutes choses égales par ailleurs, c'est-à-dire si l'on prend en compte les caractéristiques socio-économiques des électeurs catholiques, cet écart tombe à environ 30 points. Cela découle notamment du fait que les catholiques sont en moyenne plus âgés et disposent de revenus et surtout de patrimoines sensiblement plus importants que les électeurs sans religion[1]. Il reste que la majeure partie de l'écart (environ les trois quarts) apparaît bien de nature politico-idéologique et non seulement socio-économique[2]. Cet écart d'environ 30-40 points (après ou avant variables de contrôle) observé au cours de la période 1960-1980 s'est progressivement abaissé à 20-25 points dans les années 1990-2010. Cela reste toutefois un écart considérable, si l'on a en tête les écarts d'environ 10-20 points généralement associés aux variables socio-économiques et éducatives (voir graphiques 14.1-14.2).

La montée du nativisme et la grande perturbation politico-religieuse

Venons-en maintenant à la grande perturbation politico-idéologique engendrée par la découverte récente de la diversité religieuse en France (et plus généralement en Europe occidentale, comme nous le verrons). Historiquement, la diversité religieuse a généralement été associée à un vote plus important pour les partis de gauche. Dans les années 1960 et 1970, on constate par exemple que les électeurs protestants et juifs ont une propension à voter pour les partis de gauche qui est intermédiaire entre celle des catholiques non pratiquants et celle des électeurs sans religion (voir graphique 14.16). On retrouve ce même positionnement politique intermédiaire de ces deux minorités religieuses des années 1960 aux années 2010[3].

---

1. Voir annexe technique, graphiques S14.15a-S14.15b pour les résultats complets.

2. Cela correspond par exemple dans l'analyse de Siegfried aux paysans peu fortunés votant pour des candidats catholiques dans les cantons conservateurs.

3. Les données disponibles indiquent également que le vote des électeurs protestants est généralement plus proche de celui des catholiques non pratiquants, alors que celui des électeurs juifs est historiquement plus proche des électeurs sans religion (même si cela semble moins vrai en fin de période). Les nombres limités d'observations interdisent d'aller au-delà de ce constat général (valable en première approximation des années 1960 aux années 2010) et d'étudier les variations fines de cet écart entre les deux groupes au cours du temps.

Graphique 14.16

Conflit politique et diversité religieuse en France, 1967-1997

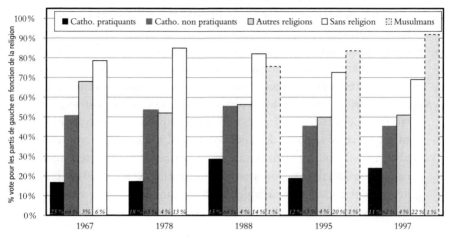

Lecture : les électeurs se déclarant comme musulmans votent significativement plus fortement pour les partis de gauche que les électeurs sans religion à partir de 1997. Avant 1988, les musulmans sont classés avec les autres religions (protestantisme, judaïsme, bouddhisme, hindouisme, etc.) et représentent moins de 1 % de l'électorat.

Sources et séries : voir piketty.pse.ens.fr/ideologie.

En ce qui concerne les électeurs de confession musulmane, que les enquêtes permettent de suivre séparément à partir de 1988, on observe un positionnement à gauche beaucoup plus net. Lors des élections de 1988 et 1995, ces électeurs votent pour environ 70 %-80 % d'entre eux pour les partis de gauche, soit approximativement le même niveau qu'au sein des électeurs sans religion, sans que l'on puisse ordonner les deux groupes de façon statistique significative, compte tenu des effectifs limités du premier. À partir des élections de 1997, et de façon systématique lors des élections de 2002, 2007, 2012 et 2017, on constate que les électeurs se déclarant de confession musulmane votent massivement pour les partis de gauche : autour de 80 %-90 % des voix, enquête après enquête (voir graphiques 14.16-14.17). Les échantillons sont certes de taille limitée, mais les effets sont extrêmement significatifs, et ils se retrouvent élection après élection. L'écart entre le vote pour les partis de gauche entre les électeurs musulmans et non musulmans atteint environ 40-50 points tout au long de la période 1995-2017, avec un intervalle de confiance d'environ 5 points en fin de période. Cet écart massif ne s'explique que pour une faible part (à peine un dixième de l'effet total) par la prise en compte des autres caractéristiques de ces électeurs qui peuvent les conduire à voter davantage pour les partis de gauche (en particulier leurs plus faibles revenus et patrimoines)[1].

Graphique 14.17

Conflit politique et diversité religieuse en France, 2002-2017

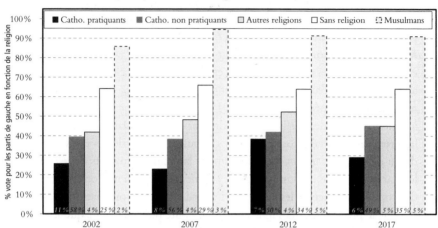

Lecture : les électeurs se déclarant comme musulmans votent à 80 %-90 % pour les partis de gauche à toutes les élections en France depuis les années 1990. Avant 1988, les musulmans sont classés avec les autres religions (protestantisme, judaïsme, bouddhisme, hindouisme, etc.) et représentent moins de 1 % de l'électorat. Sources et séries : voir piketty.pse.ens.fr/ideologie.

Ces résultats conduisent à plusieurs remarques. Tout d'abord, il n'existe aucun critère socio-économique qui génère un vote aussi clivé que ce vote à 80 %-90 % des électeurs musulmans pour les partis de gauche (à l'exception peut-être du vote à 80 %-90 % des électeurs à très hauts patrimoines pour les partis de droite dans les années 1970 ; voir graphique 14.13). Nous verrons toutefois que les électeurs noirs aux États-Unis votent également à 80 %-90 % pour le parti démocrate de façon systématique depuis les années 1960, et que les électeurs de confession musulmane au Royaume-Uni votent à 80 %-90 % pour le parti travailliste de façon systématique depuis les années 1980-1990. Nous reviendrons dans le prochain chapitre sur les

1. Voir annexe technique, graphiques S14.17-S14.18 pour les résultats complets. En 2017, le score de 91 % obtenu par les candidats de la gauche et du centre parmi les électeurs de confession musulmane se répartit en 66 % pour le bloc Mélenchon/Hamon et 25 % pour le bloc Macron, ce qui paraît cohérent avec les attitudes des deux blocs face à l'immigration et à la redistribution (voir *infra*, tableau 14.1, p. 917). Ce fort vote à gauche, en particulier pour LFI, est également observé en 2017 dans la magnifique enquête ethnographique réalisée par S. Beaud (*La France des Belhoumi. Portraits de famille [1977-2017]*, La Découverte, 2018), en particulier parmi les jeunes femmes issues de l'immigration maghrébine, alors que les hommes apparaissent moins politisés et plus désabusés.

similitudes et les différences entre ces différentes formes de politisation des clivages ethno-religieux (ou perçus comme tels).

À ce stade, notons simplement que l'explication principale pour ce vote à 80 %-90 % des électeurs de confession musulmane pour les partis de gauche est relativement évidente : ces électeurs perçoivent une immense hostilité à leur égard de la part des partis de droite. Cette hostilité à l'immigration extraeuropéenne s'exprime de façon ouverte depuis plusieurs décennies au sein du Front national, parti qui a regroupé environ 10 %-15 % des voix aux élections législatives et 15 %-20 % aux élections présidentielles depuis la fin des années 1980 jusqu'aux années 2010 (et même jusqu'à 25 %-30 % aux élections régionales et européennes de 2014-2015), mais également au sein des franges les plus droitières des partis de centre droit et de droite. Dans les années 1980, les premiers succès électoraux du FN s'appuient sur un slogan nativiste sans détour, inauguré dans un tract utilisé pour la première fois lors des élections législatives de 1978 : « Un million de chômeurs, c'est un million d'immigrés de trop ! La France et les Français d'abord ! Votez Front national ! » Le tract ne le précise pas, mais il ne fait aucun doute pour personne que seuls les immigrés extraeuropéens sont visés et non l'immigration blanche européenne.

Au cours des dernières décennies, le cœur du programme du FN a toujours consisté à défendre la fin de l'immigration, la fermeture des frontières et la réforme du Code de la nationalité, de façon que les enfants issus de l'immigration non européenne cessent d'obtenir la nationalité française[1]. Par ailleurs, le FN laisse clairement entendre qu'il lui sera possible une fois parvenu au pouvoir de « renvoyer chez eux » ces immigrés indésirables et leurs descendants, quitte à décréter rétrospectivement des déchéances de nationalité pour les personnes dont le comportement n'aurait pas donné satisfaction (à charge pour les nouveaux gouvernants de fixer les critères). Il est important de souligner la violence inouïe de l'opération, qui consiste à redessiner rétrospectivement la frontière de la communauté et à en exclure des personnes qui ne connaissent d'autre vie qu'en son sein. Or, des politiques massives de déchéances de nationalité et de déportations ont déjà été menées dans le passé, non seulement en France et en Europe pendant la Seconde

---

1. Depuis la loi de 1889, la règle générale en France est qu'une personne née en France de parents étrangers acquiert la nationalité française à l'âge de 18 ans, à la condition toutefois de respecter un certain nombre de conditions (notamment en termes de durée de résidence, de scolarisation et parfois de manifestation de la volonté de devenir français), qui ont fait l'objet de nombreux débats et réformes. L'autre pilier est le « double droit du sol » mis en place en 1851 (toute personne née en France de parents nés en France est automatiquement française à la naissance). Voir P. WEIL, *Qu'est-ce qu'un Français ? Histoire de la nationalité française depuis la Révolution*, Grasset, 2002.

Guerre mondiale[1], mais également aux États-Unis pendant les années 1930[2]. Il est donc historiquement démontré que des opinions chauffées à blanc en arrivent parfois à donner les clés de leur pays à des gouvernants prêts à se lancer dans des politiques de ce type, y compris dans des régimes électoraux « démocratiques ». Ajoutons que les risques d'escalade consécutifs à l'éventuelle arrivée au pouvoir de tels partis sont d'autant plus forts que les promesses faites au reste de la population quant aux bénéfices qu'elle retirerait de ces attaques anti-immigrés ne reposent sur aucune base factuelle solide[3]. Compte tenu de l'absence prévisible de résultats sur le plan social et économique, la surenchère sur le front identitaire serait la suite la plus logique d'une telle expérience politique, avec à la clé des violences civiles inimaginables.

Face à de tels discours et de telles menaces, il n'est guère étonnant que les personnes les plus directement visées (c'est-à-dire les électeurs de confession musulmane) choisissent de voter pour les partis qui s'opposent le plus frontalement à l'extrême droite, à savoir les partis de gauche. On voit cependant à quel point l'arrivée de la diversité ethno-religieuse en France, à la suite de l'immigration postcoloniale des années 1960 et 1970, suivie de près par le développement d'une idéologie nativiste s'opposant violemment à cette diversité à partir des années 1980-1990, a totalement bouleversé la structure habituelle du conflit politique. Dans le schéma traditionnel, les catholiques les plus croyants votaient le plus à droite, suivis des catholiques non pratiquants et des personnes issues des religions minoritaires (protestantisme et judaïsme), suivies des personnes sans religion, qui, depuis le XVIIIe siècle et l'époque de la Révolution française, votaient le plus à gauche. Que les croyants de confession musulmane, pour certains très conservateurs sur le plan par exemple des

---

1. Avec la loi du 22 juillet 1940, l'État français entreprit de réviser la naturalisation de tous les Français naturalisés depuis 1927, soit au total près de 1 million de personnes, et notamment des Français de confession juive. Voir C. ZALC, *Dénaturalisés. Les retraits de nationalité sous Vichy*, Seuil, 2016.

2. Le nombre de Mexicains-Américains expulsés de force entre 1929 et 1936 lors d'expéditions de déportations aux États-Unis (souvent avec le soutien des autorités publiques) est estimé entre 1 et 1,5 million de personnes (dont environ 60 % avaient la nationalité états-unienne). Voir chapitre 6, p. 275.

3. En particulier, l'idée selon laquelle « l'immigration » coûterait des fortunes à la France (affirmation qui n'a par ailleurs aucun sens à l'échelle de quelques générations, compte tenu de l'importance de la population qui a pour partie des origines étrangères) ne repose sur rien : les impôts acquittés par les immigrés récents équilibrent les dépenses reçues ou les dépassent même légèrement. Voir par exemple E. M. MOUHOUD, *L'Immigration en France. Mythes et réalités*, Fayard, 2017, p. 72-76. Pour une série d'études internationales, voir aussi A. BANERJEE, E. DUFLO, *Good Economics for Hard Times*, Public Affairs, 2019, p. 18-50.

normes familiales, votent désormais plus souvent pour les partis de gauche que les personnes sans religion, en dit long sur l'ampleur du bouleversement.

On notera également que le gouvernement socialiste a mis en place entre 2012 et 2017 le mariage pour les couples homosexuels, dont toutes les enquêtes indiquent qu'il n'a guère les faveurs des croyants des différentes confessions, qu'ils soient catholiques ou musulmans. Cela n'a pas empêché les électeurs de confession musulmane de voter à plus de 90 % pour les candidats de gauche et du centre en 2017, de même qu'en 2012 et qu'au cours des élections précédentes[1]. L'interprétation évidente est que cette question du mariage homosexuel, pourtant importante, n'a finalement que peu de poids face à la menace existentielle que le FN et son idéologie nativiste représentent aux yeux de ces électeurs[2].

Clivages religieux, clivages liés aux origines : le piège discriminatoire

Précisons enfin que les enquêtes postélectorales comprennent à partir de 2007 des questions portant sur les origines étrangères des personnes interrogées. Cela permet de distinguer les clivages électoraux liés aux identités religieuses de ceux liés aux trajectoires familiales et migratoires, qui correspondent en pratique à des réalités très différentes, mais qui ne peuvent être distinguées dans les enquêtes précédentes. Considérons par exemple les résultats obtenus lors de l'enquête menée en 2012. Les personnes interrogées devaient déclarer si elles avaient « un ou plusieurs parents ou grands-parents étrangers ou d'origine étrangère[3] ». À cette question, 72 % des personnes inscrites sur les listes électorales répondirent qu'elles n'avaient aucun grand-parent étranger, et 28 % répondirent qu'elles en avaient au moins un. Sur ces 28 %, 19 %

---

1. Je reviendrai plus loin sur la décomposition du vote de 2017.

2. Dans les enquêtes postélectorales consécutives aux élections présidentielles de 2002 et 2017, les électeurs de confession musulmane ont voté à 100 % pour les candidats opposés au second tour au candidat FN. Les échantillons sont certes d'une taille limitée (entre 100 et 300 électeurs musulmans suivant les enquêtes et les tailles d'échantillons). Il n'en reste pas moins que ne pas trouver un seul électeur de cette confession votant pour Jean-Marie Le Pen comme pour Marine Le Pen au cours de ces deux élections en dit long sur l'ampleur du conflit. Voir annexe technique pour les résultats complets.

3. Sans autre précision sur la signification exacte de ces termes et des attributs visés concernant les parents et les grands-parents (nationalité à la naissance ou en cours de vie, lieu de naissance ou de résidence, etc.), et à charge pour chacun de se reconnaître et d'interpréter la question comme il l'entend.

déclarent une ascendance européenne (qui correspond pour près des deux tiers des cas à trois pays seulement : Espagne, Italie et Portugal) et 9 % déclarent une ascendance extraeuropéenne. En pratique, il s'agit des pays du Maghreb (Algérie, Tunisie, Maroc) pour près de 65 % des cas, et des pays d'Afrique subsaharienne pour environ 15 % des cas, soit au total près de 80 % des origines extraeuropéennes en provenance du continent africain[1].

Si l'on examine maintenant la structure des votes, on constate que les électeurs ayant une origine étrangère européenne votent exactement de la même façon en moyenne que les électeurs sans origine étrangère, soit en l'occurrence 49 % des voix en faveur du candidat socialiste lors du second tour de l'élection présidentielle de 2012, alors que les électeurs ayant une origine extraeuropéenne votent pour 77 % d'entre eux pour ce même candidat (voir graphique 14.18).

Graphique 14.18
Attitudes politiques et origines en France, 2007-2012

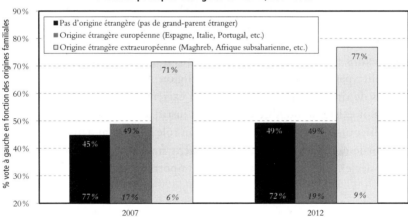

Lecture : en 2012, le candidat socialiste obtient 49 % des voix parmi les électeurs sans origine étrangère (pas de grand-parent étranger), 49 % des voix parmi les électeurs d'origine étrangère européenne (en pratique principalement Espagne, Italie, Portugal) et 77 % parmi les électeurs d'origine extraeuropéenne (en pratique principalement Maghreb et Afrique subsaharienne).
Sources et séries : voir piketty.pse.ens.fr/ideologie.

1. Les enquêtés ont la possibilité de déclarer deux origines étrangères différentes, ce que font près de 10 % des personnes concernées, avec toutes les combinaisons possibles. Les résultats décrits ici portent sur la première réponse et seraient similaires si l'on prenait en compte toutes les réponses. Ces résultats sont cohérents avec ceux obtenus dans l'enquête TeO, sans être exactement comparables, compte tenu des différences de champ et de questionnaire. Voir C. BEAUCHEMIN, C. HAMEL, P. SIMON, *Trajectoires et Origines. Enquête sur la diversité des populations en France, op. cit.,* tableaux 1-3, p. 37-41.

On observe également que cet effet opère indépendamment de la religion, ce qui est d'autant plus important que le lien entre origine extraeuropéenne et identité religieuse est plus complexe que ce que l'on imagine parfois. Par exemple, parmi les personnes déclarant une origine maghrébine, moins de 60 % se déclarent comme étant de confession musulmane[1]. Cela permet de constater que les personnes ayant des origines en Afrique du Nord ou en Afrique subsaharienne votent massivement pour les partis de gauche, y compris lorsqu'elles sont de confession chrétienne ou sans religion. On note toutefois que l'effet est d'autant plus fort que les différentes dimensions se combinent. Autrement dit, un électeur d'origine maghrébine sans religion vote beaucoup plus fortement pour les partis de gauche qu'un électeur sans origine étrangère (ou avec une origine européenne), pour des caractéristiques socio-économiques équivalentes. Mais cette propension au vote à gauche est encore plus forte si l'électeur en question est également de confession musulmane[2].

Cet effet cumulatif n'aurait rien d'évident sur la seule base des préférences politiques des électeurs concernés (par exemple sur le sujet des normes familiales et du mariage pour tous) et ne peut raisonnablement s'expliquer que par la perception parmi ces électeurs d'une hostilité particulière vis-à-vis de la religion musulmane de la part des partis de droite et particulièrement d'extrême droite. Or, indéniablement, il existe de nombreuses raisons justifiant ce type de perception. Les discours antimusulmans ont joué un rôle important dans l'idéologie coloniale européenne et particulièrement française depuis le début du XIXe siècle[3]. Plus généralement, il est important de rappeler les racines

1. Plus précisément, parmi les enquêtés déclarant une origine étrangère en Afrique du Nord, 58 % se déclarent comme musulmans, 6 % comme juifs, 10 % comme catholiques, 2 % comme protestants ou d'une autre religion et 24 % sans religion. Parmi ceux rapportant une origine étrangère en Afrique subsaharienne, 40 % se déclarent comme musulmans, 30 % comme catholiques, 10 % comme protestants ou d'une autre religion et 20 % sans religion.

2. Concrètement, en 2012, le candidat socialiste a obtenu un score de 42 points plus élevé parmi les électeurs musulmans que parmi les autres électeurs. Cet écart tombe à 38 points si l'on contrôle pour l'âge, le sexe, la situation de famille, le diplôme, le revenu, le patrimoine et la profession des parents, et à 26 points si l'on contrôle également pour les origines étrangères (décomposées en zones géographiques détaillées : Italie, Espagne, Portugal, autre Europe, Maghreb, Afrique subsaharienne, autre hors Europe). Voir annexe technique, graphique S14.18. Il faut toutefois souligner que la taille limitée des échantillons ne permet pas d'approfondir ce type d'analyse.

3. L'antagonisme entre christianisme et islam a des origines beaucoup plus anciennes encore, puisqu'il remonte notamment aux croisades et aux Grandes Découvertes, qui furent en

anciennes des idéologies nativistes actuelles. Dans l'entre-deux-guerres, la peur du grand remplacement était exprimée de façon très claire dans l'idéologie hitlérienne[1]. Dès avant la Première Guerre mondiale, les idéologues du colonialisme (à l'image de Paul Leroy-Beaulieu en France) avaient abondamment propagé l'idée que la prééminence historique de la « race blanche » et de la « civilisation chrétienne » exigeait le maintien d'un fort excédent démographique européen se déversant dans le reste du monde, faute de quoi c'est l'Europe qui risquerait à son tour de se retrouver envahie et abâtardie[2]. L'extrême droite française, telle qu'elle s'est redéfinie depuis les années 1950-1980, s'est notamment développée autour du refus de la décolonisation. Elle compte parmi ses fondateurs de nombreuses personnes qui étaient des soutiens inconditionnels du maintien de la domination coloniale française en Algérie (à commencer par Jean-Marie Le Pen). Le FN a d'ailleurs enregistré depuis ses débuts des scores particulièrement élevés parmi les colons français rapatriés d'Algérie, notamment dans le sud de la France[3]. L'hostilité aux « musulmans », qui venaient d'obtenir l'indépendance algérienne en 1962 et de mettre un terme à près d'un siècle et demi de présence française (1830-1962), était pour des raisons évidentes particulièrement vive au sein de ce groupe.

Des travaux ont également montré que les personnes de confession musulmane font face actuellement à des discriminations particulières, en France et en Europe, notamment sur le marché de l'emploi[4]. De façon générale, il est bien établi que, pour un niveau de diplôme donné, les personnes

---

partie motivées par une stratégie de contournement et d'encerclement de l'ennemi musulman. Voir chapitre 8, p. 385-387.

1. Le fondateur du IIIe Reich était particulièrement marqué par l'image de troupes noires stationnant au bord du Rhin et pouvant s'étendre un jour au cœur de l'Europe. Voir chapitre 10, p. 555-557.

2. Voir H. Le Bras, *L'Invention de l'immigré. Le sol et le sang*, Éditions de l'Aube, 2014. Rappelons également que les élites esclavagistes des États-Unis au début du XIXe siècle (à commencer par Jefferson) n'envisageaient la fin de l'esclavage qu'à la condition de renvoyer les esclaves en Afrique, tant l'idée d'une cohabitation pacifique et égalitaire sur un même sol leur paraissait inenvisageable. Voir chapitre 6, p. 288-289.

3. D'après une enquête réalisée auprès des colons rapatriés, le vote FN aurait par exemple atteint 55 % des voix parmi les pieds-noirs installés dans les Alpes-Maritimes dès les années 1980-1990. Voir E. Comtat, « "Traumatisme historique" et vote Front national : l'impact de la mémoire de la guerre d'Algérie sur les opinions politiques des rapatriés », *Cahiers Mémoire et Politique*, Cahier n° 5, *Varia*, 2018, tableau 2.

4. Ainsi d'ailleurs que sur celui du logement.

issues de l'immigration maghrébine et africaine font face à des difficultés particulières d'accès à l'emploi, avec des taux de chômage plus élevés et des salaires plus bas[1]. D'autres recherches récentes ont montré que la probabilité de décrocher un entretien d'embauche s'effondre dès lors que le prénom indiqué sur le curriculum vitæ a une consonance musulmane, pour un même niveau de diplôme et d'expérience professionnelle, et également pour une même origine étrangère[2]. Pour vaincre ce type de préjugés, comparables à ceux dont sont victimes les femmes ou divers groupes sociaux dans d'autres pays, on peut penser *a priori* à différentes solutions, y compris des systèmes de quotas et de « réservations », comme cela a pu se faire en Inde pour les catégories historiquement discriminées[3]. L'expérience indienne montre cependant que de telles politiques courent le risque de figer les contours de certaines catégories, si l'on ne parvient à prévoir dès l'origine les conditions de leur évolution. Dans le contexte français et européen, le risque que de telles politiques ne contribuent qu'à exacerber les tensions identitaires et l'hostilité anti-islam est réel[4]. Il peut être plus adapté de sanctionner beaucoup plus sévèrement les comportements discriminatoires en fonction de la religion et des origines, et de se donner les moyens d'identifier ces cas au moyen de tests appropriés. En tout état de cause, on voit comment l'apprentissage de la diversité postcoloniale et le développement d'idéologies nativistes d'un nouveau type ont conduit

1. Voir par exemple Y. Brinbaum, D. Meurs, J.-L. Primon, « Situation sur le marché du travail : statuts d'activité, accès à l'emploi et discrimination », *in* C. Beauchemin, C. Hamel, P. Simon, *Trajectoires et Origines. Enquête sur la diversité des populations en France, op. cit.*

2. Par exemple, pour une même origine libanaise, un prénom « Mohammed » est disqualifiant par comparaison à un prénom « Michel ». L'effet est massif : pour un même CV, moins de 5 % des jeunes avec un prénom musulman obtiennent un entretien d'embauche, contre 20 % pour les autres. La mention d'une participation aux scouts musulmans fait chuter les taux de réponse, alors qu'une expérience avec les scouts catholiques ou protestants les fait monter. Les noms juifs sont également discriminés, mais beaucoup moins massivement que les noms musulmans. L'étude repose sur plus de 6 000 offres d'emplois représentatifs des petites et moyennes entreprises. Voir M. A. Valfort, *Discriminations religieuses à l'embauche : une réalité*, Institut Montaigne, 2015.

3. Voir chapitre 8, p. 410-420.

4. En Inde, les quotas ont en outre été mis en place dans un premier temps au seul bénéfice des catégories discriminées à l'intérieur de l'hindouisme (*scheduled castes* et *scheduled tribes*), et en excluant les musulmans (pourtant tout aussi pauvres et discriminés dans de nombreuses régions, mais dont l'inclusion aurait sans doute suscité des oppositions virulentes). Ce n'est que dans un second temps qu'ils ont été étendus aux *other backward classes*, y compris aux musulmans. Voir chapitre 8. Cette évolution a d'ailleurs eu un impact décisif sur la transformation des clivages politiques et du système des partis en Inde. Voir chapitre 16, p.1082-1089.

à l'émergence de configurations et de conflits inégalitaires inconnus en Europe quelques décennies auparavant.

La frontière et la propriété : un électorat divisé en quatre quarts

Résumons. Au cours des dernières décennies, la gauche électorale est devenue la « gauche brahmane » et est de plus en plus divisée entre un centre gauche promarché et une gauche proredistribution plus « radicale » (ou simplement moins droitière, suivant les perceptions). La « droite électorale » est quant à elle écartelée entre un centre droit promarché et une droite nativiste et nationaliste. Au final, il est clair que c'est l'ensemble du système de clivages « classistes » et de structure politique gauche-droite de la période 1950-1980 qui s'est graduellement effondré, et qui est en phase de recomposition. Or nous allons voir en examinant le cas des différents pays que cette redéfinition des dimensions du conflit politique peut prendre différentes formes. On aurait bien tort d'interpréter ces évolutions de façon déterministe. Suivant les stratégies des acteurs, et en particulier en fonction des capacités de mobilisation politico-idéologique des différents discours, groupes sociaux et organisations politiques en présence, le système de clivages et les axes principaux le caractérisant pourraient évoluer de façon totalement différente.

L'état du conflit politico-idéologique en France à la fin des années 2010 illustre à la perfection cette indétermination et cette profonde instabilité du système. Pour résumer, on peut dire que l'électorat est partagé en quatre quarts de tailles approximativement équivalentes : un bloc idéologique que l'on peut qualifier d'internationaliste-égalitaire, un bloc internationaliste-inégalitaire, un bloc nativiste-inégalitaire, et un bloc nativiste-égalitaire. Cette décomposition est grossière, d'une part, parce que la réalité du conflit politique porte sur beaucoup plus que deux dimensions, et, d'autre part, car chacun des multiples axes de désaccord comprend des positions et sous-positions subtiles qui ne peuvent se réduire à un point sur une droite. Cette catégorisation en deux axes principaux, la question de la frontière et la question de la propriété, permet néanmoins de clarifier les idées.

Pour répartir l'électorat suivant les deux axes, on peut utiliser les réponses aux deux questions suivantes. La première question concerne l'affirmation : « Il y a trop d'immigrés en France. » En 2017, 56 % des électeurs se disaient en accord avec cette opinion (et 44 % pensaient le contraire[1]). Au cours de la période 2000-2020, cette proportion a varié autour de 50 %-60 % de personnes considérant qu'il y a trop d'immigrés en France depuis le début des années 2000 (contre 40 %-50 % pensant qu'il n'y a pas trop d'immigrés), en fonction notamment du cycle économique. Ainsi, la proportion d'électeurs anti-immigrés était de 61 % en 2002, avant de s'abaisser à 49 % en 2007, quand le chômage et le vote FN étaient au plus bas, puis de remonter à 51 % en 2012 et 56 % en 2017[2].

La seconde question concerne la réduction de l'inégalité entre les riches et les pauvres. En l'occurrence, l'affirmation est formulée de façon délibérément agressive : « Pour établir la justice sociale, il faut prendre aux riches pour donner aux pauvres. » Par comparaison à une formulation plus douce, qui aurait recueilli l'approbation d'une vaste majorité d'électeurs, l'avantage de cette question est qu'elle découpe elle aussi l'électorat en deux moitiés de tailles comparables. En 2017, 52 % des électeurs considéraient qu'il fallait « prendre aux riches pour donner aux pauvres » (contre 48 % qui pensaient le contraire). La proportion d'électeurs pro-pauvres (au sens de cette question) était de 56 % en 2007 et de 60 % en 2012. La baisse observée entre 2012 et 2017 peut s'interpréter comme le signe de la montée en puissance du discours sur la concurrence fiscale rendant impossible la redistribution, ou bien comme celui de la déception face au bilan du président socialiste[3].

1. Pour simplifier, j'ai regroupé les réponses « tout à fait d'accord » et « plutôt d'accord » d'un côté et « plutôt en désaccord » et « tout à fait en désaccord » de l'autre, en excluant les électeurs sans réponse (moins de 5 % des cas).

2. Cette question figure dans les enquêtes postélectorales depuis 1988. À la fin des années 1980 et dans les années 1990 (quand le chômage était à son zénith), la proportion d'électeurs anti-immigrés (au sens de cette question) atteignait 70 %-75 %. Voir annexe technique, graphique S14.19a. La baisse observée du sentiment anti-immigrés entre les années 1985-2000 (environ 70 %-75 %) et 2000-2020 (autour de 50 %-60 %) correspond pour partie au renouvellement des générations et à la montée en puissance des mouvements antiracistes. On aurait tort de penser que cela correspond à une prégnance réduite de la question migratoire. Cela peut au contraire se voir comme une conflictualité en hausse, avec deux camps de tailles comparables mobilisés autour de positions opposées.

3. Voir annexe technique, graphique S14.19b. En 2002, la formulation était différente, puisqu'elle portait sur l'importance de « réduire l'écart entre les pauvres et les riches » (63 % jugeant que cela est « extrêmement important » ou « très important », et 37 % « plutôt important » ou « pas très important »). De façon générale, il faut souligner qu'il n'existe aucune question politique utilisant des formulations identiques des années 1950-1970 aux années 2000-2020, ce qui pose des limites évidentes à l'analyse des sys-

Pour résumer : à la fin des années 2010, les questions sur l'immigration, d'une part, et sur les riches et les pauvres, d'autre part, découpent chacune l'électorat en deux moitiés de tailles comparables. Si ces deux dimensions du conflit politique étaient alignées, c'est-à-dire si les réponses à ces deux questions étaient parfaitement corrélées, l'électorat se découperait lui aussi en deux moitiés approximativement égales qui structureraient alors la confrontation électorale[1].

Or tel n'est pas le cas : les réponses à ces questions ne sont quasiment pas corrélées du tout, si bien que l'électorat se partage approximativement en quatre quarts autour de ces deux questions (voir graphique 14.19). En 2017, 21 % des électeurs peuvent être classés comme

Graphique 14.19
**La frontière et la propriété :
les quatre quarts idéologiques de l'électorat en France**

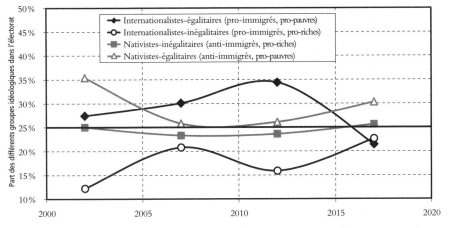

Lecture : en 2017, 21 % des électeurs peuvent être classés comme « internationalistes-égalitaires » (ils considèrent qu'il n'y a pas trop d'immigrés, et qu'il faut réduire les inégalités entre les riches et les pauvres) ; 26 % sont « nativistes-inégalitaires » (ils considèrent qu'il y a trop d'immigrés et qu'il ne faut pas réduire les inégalités entre les riches et les pauvres) ; 23 % sont « internationalistes-inégalitaires » (pro-immigrés, pro-riches) et 30 % sont « nativistes-égalitaires » (anti-immigrés, pro-pauvres).
Sources et séries : voir piketty.pse.ens.fr/ideologie.

tèmes de croyances (d'où également l'attention particulière portée aux transformations des clivages en termes de diplôme, revenu et patrimoine, qui ont au moins le mérite d'être comparables dans le temps et l'espace). Idéalement, il serait évidemment préférable de disposer de questions précises et continues sur les inégalités, la propriété, la fiscalité, le système éducatif, et ainsi de suite.

1. Ceci pourrait prendre *a priori* deux formes : un camp internationaliste-égalitaire contre un camp nativiste-inégalitaire ; ou bien un camp internationaliste-inégalitaire contre un camp nativiste-égalitaire.

« internationalistes-égalitaires » (pro-immigrés, pro-pauvres) ; 26 % sont « nativistes-inégalitaires » (anti-immigrés, pro-riches); 23 % sont « internationalistes-inégalitaires » (pro-immigrés, pro-riches) et 30 % sont « nativistes-égalitaires » (anti-immigrés, pro-pauvres). On notera que le poids relatif de ces quatre quarts peut évoluer rapidement en l'espace de quelques années, en fonction notamment de l'état du débat politique, des événements marquants de la période et de leur représentation médiatique. Par ailleurs l'imprécision des questions ne permet de dessiner que de grandes familles idéologiques aux contours flous et non des positions parfaitement précises ou structurées. Soulignons enfin que la taille limitée des échantillons implique que les légers écarts entre les quatre quarts ne sont pas statistiquement significatifs, en particulier en 2007 et 2017[1].

Il se trouve que ces quatre quarts idéologiques se sont incarnés en quatre quarts électoraux presque parfaits lors du premier tour de l'élection présidentielle qui a eu lieu en 2017 (voir tableau 14.1). Le bloc internationaliste-égalitaire a regroupé 28 % des voix au premier tour, tiré par la candidature de « gauche radicale » de Jean-Luc Mélenchon et de son mouvement LFI (La France insoumise) (20 %), complétée par celle du candidat issu de l'aile gauche du parti socialiste Benoît Hamon (6 %) et de deux candidats d'extrême gauche (2 %[2]). Il est justifié de décrire ce bloc comme internationaliste-égalitaire, dans le sens où ce groupe composé de 28 % des électeurs est par comparaison aux trois autres groupes à la fois celui qui considère avec le plus de conviction que la France pourrait être plus ouverte aux immigrés (seuls 32 % pensent qu'ils sont trop nombreux, contre 56 % en moyenne) et celui qui est le plus favorable à la redistribution des riches vers les pauvres (69 % la jugent souhaitable, contre 52 % en moyenne). On remarquera qu'il s'agit d'un groupe relativement diplômé (seul l'électorat Macron le dépasse d'une courte tête), mais disposant de faibles revenus (seul l'électorat Le Pen est plus pauvre) et de patrimoines encore plus faibles (inférieurs même à ceux de l'électorat Le Pen).

---

1. Voir annexe technique, graphique S14.19c.
2. Les candidatures Arthaud (Lutte ouvrière, LO) et Poutou (Nouveau Parti anticapitaliste, NPA) étaient en 2017 à la fois plus radicales sur la question de la redistribution riches-pauvres et sur l'internationalisme et la défense des immigrés. Lors des élections européennes de 2019, la liste présentée par ces deux partis prônait la mise en place des États-Unis socialistes d'Europe, comme première étape vers une République socialiste universelle.

Tableau 14.1

Le conflit politico-idéologique en France en 2017 : un électorat divisé en quatre quarts

Élection présidentielle 2017 (1er tour)	Ensemble des votants	Mélenchon /Hamon (vote « égalitaire-internationaliste »)	Macron (vote « inégalitaire-internationaliste »)	Fillon (vote « inégalitaire-nativiste »)	Le Pen /Dupont-Aignan (vote « égalitaire-nativiste »)
	100 %	**28 %**	**24 %**	**22 %**	**26 %**
« Il y a trop d'immigrés en France » (% d'accord)	**56 %**	32 %	39 %	62 %	91 %
« Pour établir la justice sociale, il faut prendre aux riches et donner aux pauvres » (% d'accord)	**51 %**	67 %	46 %	27 %	61 %
Diplômés du supérieur (%)	**33 %**	39 %	41 %	36 %	16 %
Revenu mensuel > 4 000 € (%)	**15 %**	9 %	20 %	26 %	8 %
Propriétaires de leur logement (%)	**60 %**	48 %	69 %	78 %	51 %

Lecture : en 2017, 28 % des électeurs du premier tour ont voté pour Mélenchon/Hamon ; 32 % d'entre eux considèrent qu'il y a trop d'immigrés en France (contre 56 % en moyenne pour l'ensemble des votants), et 67 % qu'il faut prendre aux riches pour donner aux pauvres (contre 51 % en moyenne). En ce sens cet électorat est idéologiquement « égalitaire-internationaliste » (pro-immigrés, pro-pauvres), alors que l'électorat Macron est « inégalitaire-internationaliste » (pro-immigrés, pro-riches), l'électorat Fillon « inégalitaire-nativiste » (anti-immigrés, pro-riches), l'électorat Le Pen/Dupont-Aignan « égalitaire-nativiste » (anti-immigrés, pro-pauvres).
Note : les votes pour Arthaud/Poutou (2 %) et Asselineau/Cheminade/Lassalle (2 %) ont été ajoutés respectivement aux votes Mélenchon/Hamon et Fillon.
Sources et séries : voir piketty.pse.ens.fr/ideologie.

Le bloc internationaliste-inégalitaire a regroupé 24 % des voix autour de la candidature d'Emmanuel Macron, qui était issu de l'aile la plus promarché du gouvernement socialiste de François Hollande (dont il était entre 2012 et 2016 le principal conseiller économique puis le ministre de l'Économie). Sa candidature s'est appuyée sur son mouvement LREM (La République en marche), qui a reçu le soutien d'un mouvement de centre droit (le Modem) et de la fraction la plus centriste et la plus aisée de l'ancien électorat socialiste. Ce bloc est internationaliste-inégalitaire, dans le sens où il est moins fermé à l'immigration que la moyenne du pays, et qu'il n'est absolument pas convaincu par l'idée de prendre aux riches pour donner aux pauvres. On notera qu'il s'agit d'un groupe à la fois très diplômé et disposant de plus hauts revenus et patrimoines que la moyenne. Sur le plan économique et fiscal, sa principale politique en 2017-2018 a consisté à supprimer l'ISF (impôt sur la fortune) et l'impôt progressif sur les revenus du capital, le tout financé par une augmentation des taxes indirectes sur les carburants, à laquelle il a dû renoncer à la suite du mouvement des Gilets jaunes à la fin de l'année 2018 (voir chapitre 13[1]).

Le bloc nativiste-inégalitaire a rassemblé 22 % des voix autour de la candidature de François Fillon (20 %), auquel ont été ajoutés trois petits candidats de droite (2 %)[2]. Il s'agit du bloc de droite bourgeoise et catholique traditionnelle, hostile à l'immigration (pour 62 % de ces électeurs) et surtout violemment opposée à toute redistribution des riches vers les pauvres (73 % n'en veulent pas). Ses électeurs sont un peu moins diplômés que ceux du bloc LREM-Modem, mais ils ont des revenus et des patrimoines encore plus élevés. Promis à la victoire avant de sombrer dans une affaire de corruption, Fillon a été dépassé par Macron. Une partie importante de l'électorat Fillon soutient depuis 2017 le gouvernement Macron, d'autant plus que la suppression de l'ISF est la mesure emblématique à laquelle une large fraction de la droite aspirait depuis longtemps sans parvenir à la mettre en place[3].

Enfin, le bloc nativiste-égalitaire a regroupé 26 % des voix autour de la candidature de Marine Le Pen au nom du Front national (21 %) et du candidat de la droite nationaliste et souverainiste Dupont-Aignan (5 %), qui s'est rallié à la première lors du second tour. Cet électorat est plus

1. Nous reviendrons sur le caractère supposément « moins fermé » de la politique migratoire (et en réalité extrêmement restrictive et conservatrice) menée en France depuis 2017. Voir chapitre 16, p. 1014-1016.

2. Les candidatures Asselineau-Cheminade-Lassalle sont difficiles à classer et n'ont qu'un impact limité sur la structure d'ensemble.

3. La droite supprima en 1986 l'IGF (impôt sur les grandes fortunes) établi par la gauche en 1981. Mais la défaite aux élections de 1988 convainquit les partis de droite de ne pas s'en prendre à cet impôt populaire, recréé par la gauche en 1990 sous la forme de l'ISF (impôt sur la fortune). Sarkozy mit toutefois en place en 2007 un système de bouclier fiscal (plafonnement de l'impôt total en fonction du revenu) qui revenait *de facto* à supprimer une bonne partie de l'ISF pour les plus riches. Mais il dut supprimer ce dispositif impopulaire quelques mois avant les élections de 2012, tout en décidant de réduire massivement les taux de l'ISF (le taux le plus élevé, applicable au-delà de 17 millions d'euros de patrimoine, fut abaissé de 1,8 % à 0,5 %). Cette mesure n'eut pas le temps de s'appliquer : le gouvernement socialiste issu des élections de 2012 rétablit partiellement les taux à leurs niveaux antérieurs. Le taux supérieur fut toutefois réduit à 1,5 % au-delà de 10 millions d'euros, au motif que les taux d'intérêt auraient baissé. L'argument est curieux dans la mesure où les plus hauts patrimoines financiers ne sont pas placés en bons du Trésor, et que leur rythme de progression indique des rendements moyens autrement plus élevés (voir chapitre 13, tableau 13.1, p. 799.).

favorable à la redistribution riches-pauvres que la moyenne (61 % contre 51 %), mais il se caractérise surtout par sa très violente hostilité aux immigrés (91 % pensent qu'ils sont trop nombreux en France). Cet électorat est massivement moins diplômé que les trois autres (le pourcentage de diplômés du supérieur y est plus de deux fois plus faible), et ses revenus sont également les plus faibles des quatre quarts. En revanche, il dispose de patrimoines un peu plus élevés que ceux de l'électorat Mélenchon/Hamon (mais beaucoup plus faibles que ceux des électorats Macron et Fillon).

Il faut également ajouter que l'électorat comprend également un « cinquième quart » non représenté sur le tableau 14.1 : celui des abstentionnistes (22 % des inscrits au premier tour). Ce groupe dispose de faibles diplômes et revenus, et surtout de patrimoines beaucoup plus faibles que les quatre quarts de votants[1]. D'un point de vue idéologique, il est de loin le moins politisé et répond peu aux questions sur la redistribution et l'immigration[2].

De l'instabilité de l'électorat en quatre quarts

Plusieurs remarques doivent être faites concernant cet électorat en quatre quarts. Tout d'abord, l'élection présidentielle de 2017 est clairement l'aboutissement d'un long processus de décomposition du système de clivages classistes et des catégories gauche-droite de la période 1950-1980. Les deux coalitions traditionnelles, la gauche électorale et la droite électorale, sont désormais divisées par des clivages sociaux et idéologiques profonds. Pour représenter cette complexité, une structuration de l'électorat en quatre quarts paraît plus adaptée qu'une vision binaire ou unidimensionnelle.

On notera d'ailleurs qu'il est extrêmement inhabituel de compter quatre candidats obtenant chacun entre 20 % et 24 % au premier tour d'une

---

1. La proportion de personnes propriétaires de leur logement est de seulement 41 % au sein des abstentionnistes, contre 48 % pour l'électorat Mélenchon/Hamon, 51 % pour l'électorat Le Pen/Dupont-Aignan, 69 % pour l'électorat Macron et 78 % pour l'électorat Fillon. Par ailleurs les abstentionnistes comptent 19 % de diplômés du supérieur et 8 % de revenus supérieurs à 3 000 euros par mois, ce qui les place au niveau de l'électorat Le Pen/ Dupont-Aignan. Voir annexe technique.

2. Les taux de non-réponse à ces deux questions avoisinent les 50 % parmi les abstentionnistes, contre moins de 10 % pour les votants. Ceux qui répondent sont plus fortement pro-pauvres (54 %) et anti-immigrés (64 %) que la moyenne, mais de façon moins marquée que les quatre groupes de votants.

élection où seuls les deux premiers candidats sont qualifiés pour le second. En règle générale, le principe du vote utile pousse les électeurs à concentrer leurs suffrages sur les deux candidats placés en tête dans les intentions de vote. On observe parfois des courses à trois, mais des courses à quatre aussi serrées sont rarissimes[1]. Cela suggère que les divisions sociales et idéologiques de l'électorat en quatre quarts étaient tellement fortes qu'aucun des quarts n'était prêt à laisser sa place au nom d'une logique d'efficacité électorale. Au final, Macron et Le Pen sont arrivés très légèrement en tête du premier tour, et le second tour a donc opposé le bloc internationaliste-inégalitaire au camp nativiste-égalitaire[2]. Mais il est bien évident que les scores étaient tellement proches que n'importe lesquels des quatre premiers candidats du premier tour auraient pu se retrouver au second tour.

Ce système en quatre quarts pourrait aussi évoluer en une structure en trois tiers. Cela serait le cas si la fraction la plus libérale économiquement de l'électorat Fillon était happée par le pôle Macron, alors que la fraction la plus anti-immigrés dérivait vers le pôle Le Pen, évolutions qui ont déjà commencé lors des élections européennes de 2019[3]. Ce système en trois tiers serait alors structuré pour simplifier autour de trois grandes familles idéologiques : le libéralisme, le nationalisme, et le socialisme[4]. Lors de l'élection de 2017, cependant, on voit que les frontières idéologiques entre les quatre quarts étaient suffisamment tranchées pour trouver des débouchés politiques qui leur étaient propres.

On voit donc que le système de clivages politiques est actuellement dans une situation de très grande instabilité. L'axe principal du conflit politico-idéologique est en cours de redéfinition, et plusieurs trajectoires et bifurcations possibles sont *a priori* envisageables, en fonction notamment

---

1. Les intentions de vote entre les deux principaux candidats du bloc égalitaire-internationaliste étaient équilibrées deux mois avant le scrutin, avant de se concentrer sur Mélenchon, plus radical et plus pugnace lors des débats. Le principe du vote utile a donc joué son rôle pour réduire de cinq à quatre le nombre de candidats ayant une chance de se qualifier pour le second tour, mais pas davantage.

2. Avec une nette victoire pour le premier (66 % contre 34 %), tant les positions anti-immigrés du FN paraissent extrêmes à une large majorité de l'électorat français.

3. Et si la fraction la plus nettement issue de la gauche du pôle Macron y retournait, ce qui dans une certaine mesure est également déjà en cours.

4. Pour une analyse de la tripartition libéralisme-nationalisme-socialisme de l'espace politico-idéologique, voir par exemple B. KARSENTI, C. LEMIEUX, *Socialisme et Sociologie*, Éditions de l'EHESS, 2017. Pour résumer, le libéralisme sacralise le marché et le désencastrement de l'économie, le nationalisme y répond par la réification de la nation et des solidarités ethno-nationales, alors que le socialisme promeut l'émancipation par l'éducation et le savoir.

de la capacité de mobilisation et de conviction des différents groupes et discours en présence. Nous retrouverons une situation comparable dans le prochain chapitre avec les États-Unis. Par exemple, lors de l'élection présidentielle de 2016, le duel final aurait été fort différent si la primaire démocrate avait tourné à l'avantage de Sanders (proredistribution) et non de Clinton (centriste ou probusiness, suivant la perception de chacun). De même que dans le cas de l'élection française de 2017, il est difficile de dire quelle aurait été l'issue de ces duels et de ces délibérations qui n'ont pas eu lieu, et qui en tout état de cause auraient profondément affecté les développements politico-idéologiques ultérieurs.

Le point important est que l'élection française de 2017 constitue une sorte de point de rupture de l'ancien système de clivages, et en même temps que cette rupture se situe dans la continuité des évolutions antérieures, et en particulier dans la lignée de la montée en puissance de la « gauche brahmane » et du système d'élites multiples. De fait, sur les graphiques présentés dans ce chapitre concernant l'évolution à long terme de la structure socio-économique des électorats, j'ai défini la « gauche électorale » pour l'année 2017 comme les 52 % de l'électorat qui ont accordé leur suffrage aux blocs Mélenchon/Hamon et Macron, par opposition à la « droite électorale » regroupant les 48 % qui ont voté pour Fillon et Le Pen/Dupont-Aignan. Ces coalitions sont totalement artificielles : la confrontation de 2017 est beaucoup mieux décrite comme une structure en quatre quarts (voir tableau 14.1). Mais cette représentation permet précisément de constater que les 52 % qui ont voté Mélenchon/Hamon/Macron en 2017 ne sont finalement que légèrement plus biaisés en termes de diplômes élevés (et un peu plus nettement en termes de revenus et de patrimoines élevés) que la gauche électorale de 2012 et des élections précédentes (voir graphiques 14.1 et 14.10-14.11)[1]. Il ne s'agit donc que d'un prolongement d'une tendance longue en cours depuis plusieurs décennies, sauf que cet ultime prolongement a fini par mettre en évidence à quel point la nouvelle configuration à base d'élites multiples était instable. La partie la plus aisée de la « gauche brahmane » a opté pour le vote Macron, consommant ainsi la rupture avec la fraction moins aisée de l'ancienne gauche électorale, qui s'est orientée vers le vote Mélenchon/Hamon. L'ancienne droite électorale,

---

1. Concrètement, ces 52 % qui ont voté Mélenchon/Hamon/Macron en 2017 sont très proches des 53 % qui ont voté au premier tour de l'élection présidentielle de 2012 pour les candidats de gauche (44 %) ou pour le candidat de centre droit Bayrou (9 %), et ne sont pas très différents des 52 % qui ont voté Hollande au second tour de 2012.

qui, en réalité, n'a jamais constitué une coalition électorale viable depuis l'émergence du FN et l'arrivée au premier plan de l'idéologie nativiste, apparaît quant à elle fracturée comme jamais entre un camp promarché et un bloc anti-immigrés.

Gilets jaunes, carbone et ISF : le piège social-nativiste en France

Fort naturellement, il existe plusieurs récits contradictoires permettant de décrire les recompositions en cours et les développements à venir. Le nouveau bloc électoral formé autour de Macron et des partis LREM et Modem au centre du jeu politique peut se voir comme une tentative de constituer un « bloc bourgeois » permettant de réconcilier la gauche brahmane et la droite marchande[1]. De fait, d'un point de vue sociologique, il est peu contestable que cette coalition regroupe à la fois les plus diplômés, les plus hauts revenus et les plus hauts patrimoines, issus à la fois du centre gauche et du centre droit. Aux yeux des acteurs et des électeurs concernés, cette nouvelle coalition se présente volontiers comme celle des « progressistes ». Il s'agit de s'opposer aux « nationalistes » et plus généralement aux archaïques de tout poil, ceux qui refusent à la fois la mondialisation et l'Europe, et dont la hargne et les « passions tristes » conduiraient à s'en prendre aussi bien aux immigrés qu'aux « entrepreneurs » (ces derniers étant sottement caricaturés par les archaïques en « riches » à qui il faudrait demander des comptes, alors même qu'ils servent avec application le bien commun).

Il est intéressant de voir que cette nouvelle grille d'analyse du conflit politique fondée sur l'opposition entre progressistes et nationalistes est également promue par le camp nativiste, qui se contente d'en retourner les termes[2]. Pour Marine Le Pen et le Font national, le nouveau conflit oppose les globalistes aux patriotes. Les premiers seraient les élites nomades et sans attaches, toujours prêtes à mettre les salariés sous pression et à prendre à leur service de nouvelles vagues d'immigrés à bon marché ; alors que les patriotes défendraient les intérêts des classes populaires face aux menaces de la mondialisation hypercapitaliste et métissée, sans frontière et sans

---

1. Je reprends ici l'expression utilisée par B. AMABLE et S. PALOMBARINI, *L'Illusion du bloc bourgeois. Alliances sociales et avenir du modèle français*, Raisons d'agir, 2017.
2. Cette opposition est également assez proche de celle entre société ouverte et société fermée promue par le New Labour de Tony Blair à la fin des années 1990 et au début des années 2000.

patrie. Le problème est que cette vision binaire du conflit politique, qui arrange bien ceux qui se mettent ainsi au centre du jeu, est à la fois fausse et dangereuse.

Elle est fausse, car la réalité du conflit politico-idéologique actuel en France comme dans la plupart des pays est profondément multidimensionnelle. En particulier, l'électorat comprend un bloc internationaliste-égalitaire, dont la taille et les contours peuvent varier suivant les contextes, mais qui se caractérise par le fait qu'il est le plus attaché à la fois à l'internationalisme et à l'égalité, en particulier à la défense des travailleurs immigrés de toutes origines et à la redistribution des richesses entre les riches et les pauvres. La question de savoir dans quelle mesure ce camp parviendra à former une majorité autour de lui est une question ouverte, en ce début de XXIᵉ siècle comme à toutes les époques. Sa réponse dépend notamment de la capacité à développer une plate-forme que l'on peut qualifier de sociale-fédéraliste, c'est-à-dire fondée sur l'idée que la redistribution et l'internationalisme peuvent se renforcer mutuellement. Mais ignorer cette possibilité et s'imaginer que le conflit politique opposerait désormais les progressistes aux nationalistes (ou les globalistes aux patriotes) reviendrait à oublier que l'électorat est souvent divisé en quatre quarts (ou parfois en trois tiers), comme en France en 2017-2019. Cependant, une telle structure peut naturellement donner lieu à de multiples trajectoires et bifurcations possibles, sans compter que les frontières entre ces quarts sont poreuses et changeantes.

Surtout, la simplification binaire sur le mode progressistes-nationalistes ou globalistes-patriotes est dangereuse, car elle revient à placer l'idéologie nativiste et son cortège de violences potentielles comme seule alternative possible. Cette stratégie rhétorique vise certes à maintenir éternellement au pouvoir les « progressistes ». Mais en réalité elle court le risque de précipiter le succès électoral des « nationalistes », surtout si ces derniers parviennent à développer une forme de social-nativisme, c'est-à-dire une idéologie conjuguant des objectifs sociaux et égalitaires au sein des « natifs » et des formes violentes d'exclusion vis-à-vis des « non-natifs » (à la façon du parti démocrate aux États-Unis à la fin du XIXᵉ siècle et au début du XXᵉ siècle)[1]. Une telle évolution est déjà en cours dans l'idéologie

1. Les « non-natifs » peuvent être les immigrés extraeuropéens (et en particulier musulmans) dans le contexte français et européen, ou bien les Noirs dans le contexte étatsunien, où le parti démocrate (ex-esclavagiste) est parvenu à se redéfinir à la fin du XIXᵉ siècle et pendant la première moitié du XXᵉ siècle comme un parti social-nativiste : plus social et égalitaire que

du Front national depuis plusieurs décennies, et le risque est que les événements de 2017-2019 (et en particulier la crise des Gilets jaunes) accélèrent cette transformation. Dans les années 1980-1990, le FN avait déjà un discours violemment anti-immigrés, mais le reste de son idéologie était relativement élitiste sur le plan social et économique, ce qui limitait sa dangerosité. En particulier, le parti gardait encore la trace d'un vieux fond poujadiste anti-impôts, et continuait à la fin des années 1980 de réclamer par exemple la suppression complète de l'impôt sur le revenu. Puis le FN a commencé à amorcer à partir des années 1990 et 2000 un tournant social, en prenant de plus en plus la défense des bas salaires et du système de protection sociale (à partir du moment où ce dernier était réservé aux natifs). Ce tournant, à un moment où la « gauche brahmane » donnait l'impression d'abandonner les classes populaires, a contribué à élargir et à diversifier la base électorale du parti[1]. En 2017-2019, le FN put ainsi demander le maintien puis le rétablissement de l'ISF, alors même qu'il défendait lui-même la suppression de toute forme d'impôt progressif quelques décennies auparavant.

Il ne faut certes pas surestimer la sincérité et la profondeur de cette conversion sociale et fiscale, qui doit beaucoup à l'opportunisme. Au fond, le discours programmatique du FN repose en premier lieu sur l'exclusion des immigrés et les bénéfices considérables qu'il espère en retirer, et il est probable que le repli national qu'il préconise ne ferait qu'exacerber la tendance au dumping fiscal en faveur des plus riches, comme cela a pu se voir aux États-Unis depuis l'arrivée de Trump au pouvoir (nous y reviendrons). Il reste que ce discours peut s'avérer payant et que le risque d'un piège social-nativiste attisé par la politique pro-riches sans complexe menée par le gouvernement Macron correspond à une réalité en France. Le fait que les augmentations de la taxe carbone mises en place en 2017-2018 (et finalement annulées en 2019) ont *de facto* servi à financer la suppression de l'ISF (et d'autres impôts en faveur des plus riches) et non pas la transition écologique constitue de ce point de vue le scénario idéal pour valider les

---

les républicains vis-à-vis de la population blanche (en particulier des nouveaux migrants blancs européens, par exemple irlandais ou italiens), mais violemment ségrégationniste vis-à-vis des Noirs. Voir chapitre 6, p. 289-293. Je reviendrai plus loin sur les risques d'une telle évolution en Europe en ce début de XXIᵉ siècle. Voir chapitre 16, p. 1017-1019.

1. Parmi les nombreux travaux consacrés aux mutations des discours et de la structure sociale et géographique du vote frontiste, voir notamment G. MAUGER, W. PELLETIER (éd.), *Les Classes populaires et le FN. Explications de vote*, Éditions du Croquant, 2016. Voir aussi H. LE BRAS, *Le Pari du FN*, Autrement, 2015.

accusations d'hypocrisie traditionnellement adressées par les nativistes aux « globalistes ».

L'Europe et les classes populaires : la construction d'un divorce

Les orientations mises en place depuis 2017, et en particulier la façon dont le thème de l'Europe et de la construction européenne a été instrumentalisé pour justifier les baisses d'impôts aux plus riches, font également courir le risque que se constitue un front antieuropéen de plus en plus fort parmi les classes moyennes et populaires en France au cours des années à venir. Cette instrumentalisation de l'Europe au bénéfice des plus aisés n'est certes pas nouvelle. Nous avons déjà largement évoqué comment la mise en place de la libéralisation complète des flux de capitaux, sans régulation fiscale commune et sans échange automatique d'informations sur les actifs financiers détenus par les uns et les autres, avait contribué depuis les années 1980-1990 à l'escalade de la concurrence fiscale au profit des plus mobiles[1]. Cette perception d'une Union européenne fondée sur la concurrence de tous contre tous et fonctionnant avant tout au service des classes socialement les plus favorisées contribue d'ailleurs à expliquer la désaffection populaire vis-à-vis de la construction européenne, telle qu'elle s'est notamment exprimée en France lors du référendum sur le traité de Maastricht en 1992, puis de nouveau avec le référendum sur le traité constitutionnel européen (TCE) en 2005.

Ces deux consultations sont importantes, car elles permettent de prendre conscience de l'ampleur du divorce. Lors du référendum de 1992, qui avait pour objet principal la mise en place de l'euro, le « oui » l'emporta d'une courte tête, avec 51 % contre 49 %, grâce notamment à une mobilisation de dernière minute du président socialiste, après que plusieurs sondages avaient annoncé la victoire du « non ». Mais le fait est que cette victoire fut acquise uniquement grâce aux catégories sociales les plus favorisées. Les données disponibles, issues elles aussi des enquêtes postélectorales, montrent sans ambiguïté que les 30 % des électeurs disposant des diplômes, des revenus et des patrimoines les plus élevés votèrent massivement pour le « oui », alors que les 60 % du bas votèrent nettement pour le « non » (voir graphique 14.20).

---

1. Voir en particulier chapitres 11, p. 643-649 et 13, p. 792-795.

Graphique 14.20

Le clivage européen en France : les référendums de 1992 et 2005

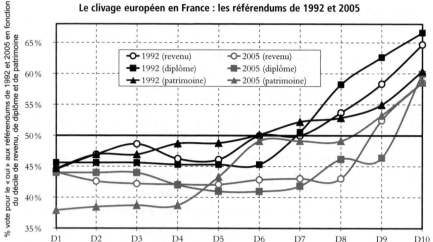

% vote pour le « oui » aux référendums de 1992 et 2005 en fonction du décile de revenu, de diplôme et de patrimoine

Légende :
- ○ 1992 (revenu)
- ○ 2005 (revenu)
- ■ 1992 (diplôme)
- ■ 2005 (diplôme)
- ▲ 1992 (patrimoine)
- ▲ 2005 (patrimoine)

Lecture : lors du référendum de 1992 sur le traité de Maastricht (victoire du « oui » avec 51 %) comme du référendum de 2005 sur le traité constitutionnel européen (défaite du « oui » avec 45 %), le vote est fortement clivé socialement : les hauts déciles de revenu, diplôme et patrimoine votent fortement pour le « oui », alors que les bas déciles votent pour le « non ».
Note : D1 désigne les 10 % du bas (pour la répartition du revenu, du diplôme ou du patrimoine, suivant le cas), D2 les 10 % suivants..., et D10 les 10 % du haut.
Sources et séries : voir piketty.pse.ens.fr/ideologie.

Le référendum de 2005 visait quant à lui à regrouper les différents traités européens dans un traité à valeur constitutionnelle. Le TCE comportait peu d'innovations substantielles, et aucune avancée sociale. Il revenait à sanctuariser le fonctionnement de l'Union européenne autour des principes de la « concurrence libre et non faussée », de la libre circulation des capitaux, des biens et des personnes, et du maintien de la règle de l'unanimité en matière fiscale (qui obtenait ainsi une consécration constitutionnelle). Il fut sèchement rejeté par les électeurs français, avec 55 % de « non » contre 45 % de « oui ». Si l'on examine les données disponibles, on constate que seuls les 20 % (et surtout les 10 %) des diplômes, des revenus et des patrimoines les plus élevés ont voté « oui » en 2005, alors que les 80 % les moins favorisés soutenaient massivement le « non ».

Ces deux votes de 1992 et 2005 sont révélateurs, car la structure très nettement « classiste » des suffrages exprimés, quelle que soit la dimension de stratification sociale considérée (diplôme, revenu, patrimoine), était différente de celle des blocs gauche-droite tels qu'ils existaient encore à l'époque. Ce sont les classes aisées du centre gauche et du centre droit, venues de la « gauche brahmane » et de la « droite marchande », qui se sont *de facto* rassemblées pour faire avancer la construction européenne, bien avant la tentative de constitution d'une telle alliance au niveau politique sous la forme du « bloc bourgeois » de 2017.

Comment expliquer un tel divorce entre les classes populaires (au sens le plus large) et la construction européenne ? Il me semble que l'explication la plus plausible est la perception (en grande partie justifiée) que le grand marché unique européen bénéficie avant tout aux acteurs économiques les plus puissants et aux groupes sociaux les plus favorisés. De fait, il est peu contestable que la concurrence fiscale entre pays européens conduit ces derniers à déformer la structure de leurs impôts au bénéfice des acteurs les plus mobiles et au détriment des plus modestes[1]. L'idée selon laquelle les groupes sociaux plus modestes seraient spontanément et irrationnellement nationalistes (voire racistes), hypothèse bien commode permettant aux élites « progressistes » de justifier leur mission civilisatrice, ne résiste guère à l'analyse. Par exemple, nous disposons dans l'enquête postélectorale menée en 1958 de questions au sujet du maintien de la domination coloniale française en Algérie et en Afrique de l'Ouest. Or on constate dans les deux cas que ce sont les ouvriers qui sont les plus favorables à l'indépendance immédiate, suivant d'ailleurs en cela l'internationalisme égalitaire défendu à l'époque par le mouvement communiste et socialiste. Les groupes les plus diplômés sont dans une position d'attente, alors que les indépendants sont les plus favorables au maintien de l'Algérie française et de la tutelle coloniale en Afrique (peut-être parce qu'ils s'identifient davantage au sort des colons rapatriés et de leurs biens)[2]. Le nationalisme des pauvres n'est pas plus spontané que celui des riches : il se construit et se déconstruit, historiquement, socialement et politiquement.

---

1. Des travaux récents ont montré que la concurrence fiscale entraîne à elle seule une perte de niveau de revenu et de bien-être très substantielle (comprise entre 10 % et 20 % suivant les estimations) pour les 50 % les plus pauvres en Europe. Voir M. MUNOZ, « How Much Are the Poor Loosing from Tax Competition ? Estimating the Welfare Effects of Fiscal Dumping in Europe », WID.world, 2019. Il est très difficile (sinon impossible) de dire dans quelle mesure cette perte est supérieure ou inférieure aux gains apportés par l'intégration commerciale, d'autant plus que ces derniers varient beaucoup suivant les secteurs et la position de chacun comme travailleur et comme consommateur. Quant aux possibles gains apportés par l'intégration financière, les études disponibles suggèrent des bénéfices beaucoup plus réduits (moins de 1 % du revenu national). Voir P. O. GOURINCHAS, O. JEANNE, « The Elusive Gains from International Financial Integration », *Review of Economic Studies*, vol. 73, n° 3, 2006, p. 715-743.

2. Soulignons toutefois que les réponses à ces questions sur les indépendances sont dans leur ensemble assez peu clivées d'un point de vue socio-économique. Voir annexe technique.

Toujours est-il qu'après des votes aussi clivés socialement, et surtout après une telle défaite du « oui » lors du référendum de 2005, on aurait pu penser que cela allait conduire à un changement d'orientation politique en France et en Europe. De fait, tant que l'Union européenne n'aura pas été mise au service d'une politique de justice sociale et fiscale claire et visible (comme un impôt européen sur les plus hauts revenus et les patrimoines), on voit mal ce qui pourrait mettre fin à ce violent divorce entre les classes populaires et la construction européenne[1].

De l'instrumentalisation néopropriétariste de l'Europe

Malheureusement, aucune réorientation de cette nature n'a eu lieu. Les principales dispositions contenues dans le traité constitutionnel européen de 2005 ont été reprises dans le traité de Lisbonne en 2007, qui a été ratifié par la voie parlementaire afin d'éviter l'écueil référendaire. Certes, le front du « non » n'apportait pas une proposition alternative précise qui aurait pu servir de base à l'adoption d'un autre texte. Il n'en reste pas moins qu'il est dangereux de choisir d'ignorer à ce point les insatisfactions exprimées dans les urnes et de se refuser à leur donner des débouchés politiques constructifs (comme la possibilité d'une fiscalité juste). Lors des élections françaises de 2012, le candidat socialiste avait évoqué la possibilité de renégocier le nouveau traité budgétaire (TSCG) négocié quelques mois auparavant, et qui aboutissait à un durcissement considérable des règles en matière de déficit[2]. Mais faute de proposition précise, cela n'aboutit sur rien.

Les évolutions observées au cours des dernières années ne font qu'aggraver le gouffre entre l'UE et les classes populaires. En particulier, le pouvoir politique issu des élections françaises de 2017 se prétend proeuropéen, tout en instrumentalisant une fois de plus la construction européenne au service d'une politique pro-riches, d'une façon particulièrement grossière. Les deux mesures fiscales centrales votées dès l'automne 2017, à savoir la transformation de l'ISF (impôt sur la fortune) en IFI (impôt sur la fortune immobilière) et la mise en place d'un taux d'imposition proportionnel sur les revenus du capital (en lieu et place de l'impôt progressif de droit

---

1. Je précise avoir voté pour le « oui » en 1992 (mon premier vote) et en 2005, comme ma classe de diplôme, dans l'espoir que l'Europe sociale et fiscale finirait par venir. Cette posture d'attente béate me semble toutefois de plus en plus dangereuse et difficile à tenir.

2. Voir chapitre 12, p. 748-749. Je reviendrai sur la réforme des traités dans le chapitre 16, p. 1026-1059.

commun applicable aux salaires et aux autres revenus), ont été adoptées dans une large mesure au nom de la concurrence européenne. Ces mesures ont certes également été justifiées au nom de l'idéologie des « premiers de cordée », selon laquelle l'ensemble de la population bénéficierait des allègements fiscaux accordés aux plus riches (ici considérés comme les plus méritants et les plus utiles). Proche en esprit de l'idéologie du *trickle-down* (« ruissellement ») utilisée par Ronald Reagan dans les années 1980 et de celle des *job creators* développée par Donald Trump et les républicains étatsuniens des années 2010, on peut toutefois douter que l'idéologie des « premiers de cordée » aurait pu conduire seule à ces mesures fiscales dans le contexte français de 2017 (très différent du contexte étatsunien sur ces questions) sans l'argument de la concurrence fiscale européenne[1].

Il faut ajouter à cela que malgré les discours du pouvoir en place ces deux mesures sont fortement impopulaires en France. En particulier, toutes les enquêtes d'opinion menées en 2018-2019 montrent que les personnes interrogées sont très majoritairement favorables au rétablissement de l'ISF. En refusant de répondre à cette demande de justice fiscale et en maintenant ses choix fiscaux, le gouvernement prend donc clairement et explicitement le risque d'instrumentaliser l'Europe et d'exacerber les sentiments négatifs face au type d'intégration européenne qu'il défend.

S'agissant de l'ISF, un autre argument a aussi été évoqué selon lequel les actifs financiers conduiraient par leur nature à davantage de créations d'emplois que les actifs immobiliers. Le problème est que cette justification n'a clairement aucun sens : un portefeuille financier investi aux quatre coins du monde ne crée aucun emploi en France, alors que la construction d'une maison ou d'un immeuble en crée immédiatement. La justification évoquée n'aurait d'ailleurs pas plus de sens si les deux placements avaient lieu en France : il n'existe en règle générale aucun lien entre la forme juridique d'un placement (financier ou immobilier) et l'efficacité sociale ou économique de l'investissement en question[2]. En revanche, il existe un lien très clair avec le montant de la fortune : la quasi-totalité des patrimoines les plus importants prend la forme d'actifs financiers, si bien que l'exonération

---

1. Nous reviendrons sur les similarités frappantes entre idéologies et politiques fiscales trumpistes et macronistes. Voir en particulier chapitre 16, p. 1023-1025.

2. Le fait de racheter un appartement à un autre détenteur ne produit certes aucun investissement nouveau ; mais le fait de racheter un portefeuille financier à un autre détenteur n'en produit pas davantage. Le lien établi entre la nature immobilière ou financière du placement et le fait qu'il génère ou non un nouvel investissement est logiquement et empiriquement intenable.

de ces derniers a surtout permis une suppression quasi complète de l'ISF pour les plus riches, sans l'assumer clairement, et en feignant de croire que cela découlait d'un objectif d'investissements et de créations d'emplois[1].

En réalité, la seule justification possible pour l'exonération des portefeuilles financiers est d'une tout autre nature, et c'est d'ailleurs cette seconde justification qui a été principalement utilisée. Il s'agit de l'idée selon laquelle il serait rigoureusement impossible de mettre à contribution les actifs financiers, car ces derniers auraient la possibilité de disparaître et de se soustraire à l'impôt, comme par magie. On n'aurait donc d'autre choix que d'avoir un impôt régressif sur le patrimoine, mettant uniquement à contribution le patrimoine immobilier des classes moyennes, et exonérant les plus riches détenteurs d'actifs financiers, qu'il serait par hypothèse impossible d'imposer. Une telle assertion, profondément nihiliste et pessimiste quant à notre capacité collective à construire des institutions et des règles justes, pose deux problèmes majeurs. Tout d'abord, l'idée selon laquelle les actifs financiers auraient massivement fui la France pour échapper à l'ISF ne repose sur aucune base sérieuse. Malgré l'administration défaillante de cet impôt, les nombres et les montants des patrimoines déclarés ont fortement progressé depuis le début des années 1990. En particulier, les patrimoines financiers déclarés dans les plus hautes tranches ont progressé encore plus fortement que les patrimoines immobiliers, qui ont eux-mêmes progressé beaucoup plus vite que le produit intérieur brut et les revenus au cours des décennies récentes[2]. Au total, les recettes de l'ISF ont été multipliées par plus de quatre entre 1990 et 2018, alors que le PIB nominal n'a fait que doubler[3]. Cette progression reflète certes un phénomène général de

---

1. Voir chapitre 11, graphique 11.17, p. 647. Rappelons également que le principal impôt sur le patrimoine, en France comme dans la plupart des pays, est l'impôt proportionnel sur le patrimoine immobilier, sous la forme de la taxe foncière ou de diverses formes de *property tax*.

2. Pour une analyse détaillée des différentes sources permettant de mesurer l'évolution de la répartition des patrimoines en France, voir B. GARBINTI, J. GOUPILLE-LEBRET, T. PIKETTY, « Accounting for Wealth Inequality Dynamics : Methods and Estimates for France », art. cité. Les données issues des déclarations de fortunes indiquent des tendances similaires aux données issues des déclarations de revenus et de successions. Il faut toutefois signaler l'indigence extrême des données rendues publiques sur l'ISF depuis sa création, qui s'explique par une volonté politique et administrative de se préserver un monopole sur une information jugée sensible, ainsi que par une certaine hostilité de principe de la haute administration des finances à l'égard de cet impôt.

3. Voir annexe technique, graphique S14.20. La transformation de l'ISF en IFI a conduit à diviser les recettes par quatre en 2018-2019, soit approximativement un retour au niveau de 1990.

remontée du niveau et de la concentration des patrimoines (et notamment des plus hauts portefeuilles financiers) observé sur le plan mondial depuis les années 1980-1990[1]. Il reste que l'hypothèse d'une fuite massive entraînée par l'ISF ne résiste pas à l'analyse.

Ensuite et surtout, même en supposant que la fuite des actifs financiers hors de France soit avérée (ce qui n'est absolument pas le cas), la conséquence logique est que le gouvernement français devrait s'ingénier à mettre fin à de telles pratiques, sauf à supposer que rien ne peut être fait en ce sens. Or l'idée selon laquelle il serait impossible de faire quoi que ce soit pour améliorer le contrôle et l'enregistrement des actifs financiers ne repose sur rien. Les intermédiaires financiers sont légalement tenus de transmettre automatiquement au fisc les informations sur les intérêts et dividendes versés aux uns et aux autres. Si le système de déclarations préremplies applicable pour les revenus n'a jamais été étendu aux déclarations de patrimoines (et en particulier aux actifs financiers détenus dans les banques françaises), cela relève d'un choix politique et en aucune façon d'une impossibilité technique[2]. Rien n'interdit d'appliquer ce système immédiatement au niveau français (ce qui aurait déjà permis un bien meilleur recouvrement de l'ISF et des recettes encore plus fortement en hausse), tout en œuvrant avec énergie pour son extension au niveau international. Il suffit pour cela de dénoncer et de réécrire les traités organisant la libre circulation des capitaux en imposant une obligation de transmission automatique d'informations aux administrations fiscales, comme l'ont par exemple imposée les États-Unis en 2010 à la Suisse et aux autres pays[3]. Pour ce qui concerne les actifs résidentiels et professionnels localisés en France, et

1. Voir chapitre 13, graphiques 13.8-13.9, p. 782-783, et tableau 13.1, p. 799.

2. On notera que le gouvernement Hollande issu des élections de 2012 rétablit (partiellement) les taux de l'ISF, mais ne revint pas sur la décision du précédent gouvernement de relever le seuil d'entrée dans l'ISF de 0,8 à 1,3 million d'euros de patrimoine et de supprimer la déclaration détaillée au-dessous de 3 millions d'euros : depuis cette date, les patrimoines entre 1,3 et 3 millions d'euros (soit les trois quarts des déclarations) se contentent d'indiquer un chiffre global, sans possibilité pour l'administration de contrôle systématique. Le contraste avec le régime de déclaration préremplie en place pour les revenus (et en particulier les salaires) est frappant. Le refus de mettre en œuvre la déclaration préremplie entre 2012 et 2017 est d'autant plus surprenant que le pouvoir en place s'est presque immédiatement retrouvé confronté à l'affaire Cahuzac, du nom du ministre socialiste chargé du Budget qui croyait pouvoir éviter de payer ses impôts en omettant de déclarer ses comptes en Suisse (découverts grâce à la diligence des journalistes et non de l'administration). On aurait pu penser qu'un effort de transparence et d'automatisation des déclarations de patrimoines suivrait.

3. Voir chapitre 13, p. 793.

plus généralement toutes les entreprises qui ont une activité ou un intérêt économique en France, il n'appartient qu'au gouvernement français de décider que leurs propriétaires soient systématiquement et immédiatement enregistrés auprès de l'administration fiscale, de façon à pouvoir faire figurer automatiquement ces informations sur les déclarations préremplies et améliorer ainsi le recouvrement de l'impôt[1]. Le gouvernement français ne s'est lancé dans aucune de ces réformes – démontrant assez clairement que son objectif n'est pas celui-là – pour des raisons qui sont avant tout politiques et idéologiques, même si elles sont dissimulées derrière des considérations techniques (ce qui ne peut qu'exacerber la suspicion).

Rappelons enfin que de multiples impôts lourdement progressifs sur les plus hauts patrimoines financiers ont été appliqués au XXe siècle, par exemple en Allemagne, au Japon et dans de nombreux autres pays à l'issue du second conflit mondial, ce qui permit d'alléger les dettes publiques et de reconstituer des marges de manœuvre pour investir dans l'avenir[2]. Tout cela se déroula à une époque où les administrations ne disposaient pas des technologies de l'information existant actuellement. Expliquer aujourd'hui qu'il n'existe d'autre choix que d'exonérer les plus hauts patrimoines financiers car ces derniers refusent de payer l'impôt et qu'il est trop difficile de les contraindre d'accepter, au moment où la montée des inégalités et le changement climatique posent des défis planétaires redoutables, relève d'une forme d'inconscience (et sans doute aussi d'ignorance historique). Quoi qu'il en soit, cette façon d'instrumentaliser l'Europe, la concurrence européenne et les traités européens et internationaux pour mener une politique biaisée en faveur des plus favorisés est extrêmement dangereuse, car elle ne peut conduire qu'à attiser les sentiments antieuropéens et antimondialisation, et plus généralement à exacerber un sentiment de désillusion face à toute possibilité d'une économie juste. Or c'est précisément ce nihilisme qui nourrit les replis identitaires et le piège social-nativiste. Avant d'étudier les conditions de son dépassement, il nous faut d'abord sortir du cadre français et analyser dans quelle mesure les transformations de la structure des clivages politiques observées dans l'Hexagone se retrouvent dans les autres pays.

---

1. Je reviendrai sur ce point dans le chapitre 17, p. 1140-1145.
2. Voir chapitre 10, p. 517-521.

Chapitre 15

GAUCHE BRAHMANE :
LES NOUVEAUX CLIVAGES
EURO-AMÉRICAINS

Nous venons d'étudier la transformation des clivages politiques et électoraux en France depuis l'après-guerre. En particulier, nous avons analysé la façon dont la structure « classiste » de la période 1950-1980 a graduellement laissé la place dans les années 1990-2020 à un système d'élites multiples, au sein duquel le parti des plus diplômés (la « gauche brahmane ») et celui des plus hauts revenus et patrimoines (la « droite marchande ») alternent au pouvoir. La toute fin de la période est marquée par la tentative de constitution en France d'un nouveau bloc électoral rassemblant ces différentes élites, dont il est trop tôt pour juger de la pérennité.

Afin de mieux comprendre ces dynamiques et la multiplicité des bifurcations possibles, nous allons maintenant analyser dans ce chapitre le cas des États-Unis et du Royaume-Uni. Il est frappant de constater à quel point ces deux pays, en dépit de tout ce qui les différencie du cas français, ont suivi des évolutions globalement similaires à celles observées en France depuis 1945, avec toutefois des différences importantes et révélatrices. Nous poursuivrons ces comparaisons dans le prochain chapitre, en examinant le cas des autres démocraties électorales occidentales et est-européennes, ainsi que celui de plusieurs démocraties électorales non occidentales comme l'Inde et le Brésil. La comparaison de ces différentes trajectoires nous permettra de mieux comprendre les raisons de ces transformations et leurs possibles évolutions futures. En particulier, nous tenterons dans le dernier chapitre d'analyser à quelles conditions il est possible de dépasser le piège social-nativiste et de dessiner les contours d'une forme de social-fédéralisme et de socialisme participatif permettant de faire face à cette nouvelle menace identitaire.

Les transformations du système de partis aux États-Unis

Commençons par le cas des États-Unis. Nous allons procéder de la même façon que pour la France et examiner comment la structure socio-économique du vote pour les partis démocrates et républicains s'est transformée depuis 1945. Dans le cas étatsunien, nous disposons d'enquêtes postélectorales à partir des élections de 1948. Ces enquêtes permettent une analyse relativement détaillée, dont nous allons présenter ici les principales conclusions[1]. Nous allons nous concentrer sur la structure des votes exprimés lors des élections présidentielles menées de 1948 à 2016. Il s'agit en effet des scrutins au cours desquels la dimension nationale du conflit politique s'exprime le plus clairement[2]. Rappelons également que les candidats des partis démocrates et républicains ont généralement obtenu des scores compris entre 40 % et 60 % des voix au niveau national lors des élections présidentielles des années 1948-2016, le plus souvent avec des compétitions relativement serrées entre les deux partis (voir graphique 15.1).

Les scores obtenus par les autres candidats ont en règle générale été très faibles (moins de 10 % des voix), avec toutefois l'exception du démocrate sudiste et ségrégationniste et ancien gouverneur de l'Alabama George Wallace en 1968 (14 % des voix au niveau national) et de l'homme d'affaires Ross Perot en 1992 et 1996 (20 % et 10 % des voix). Dans ce qui suit, nous allons nous concentrer sur l'évolution du clivage démocrates-républicains et exclure les votes pour les autres candidats.

Le premier résultat obtenu est le renversement complet du clivage éducatif. Lors de l'élection présidentielle de 1948, les choses étaient parfaitement claires : plus les électeurs étaient diplômés, plus ils votaient républicain. En particulier, les électeurs de niveau d'éducation primaire et ceux qui n'ont pas terminé leur scolarité secondaire, soit au total 63 %

---

1. De même que pour la France, les résultats complets issus de l'exploitation de ces enquêtes, ainsi que les codes informatiques permettant de passer des fichiers bruts aux séries présentées ici, sont disponibles en ligne dans l'annexe technique. Voir également T. PIKETTY, « Brahmin Left *vs* Merchant Right. Rising Inequality and the Changing Structure of Political Conflict (Evidence from France, Britain and the US, 1948-2017) », art. cité.

2. Les élections à la Chambre des représentants et au Sénat ont souvent une dimension locale beaucoup plus forte. En outre la participation est généralement plus faible lors de ces élections (en particulier lors des élections de mi-mandat) que lors des élections présidentielles.

Graphique 15.1

Les élections présidentielles aux États-Unis, 1948-2016

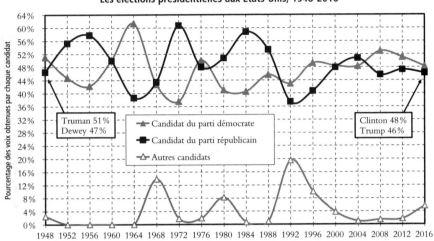

Lecture : les scores obtenus par les candidats des partis démocrates et républicains lors des élections présiden-tielles menées aux États-Unis de 1948 à 2016 ont généralement oscillé entre 40 % et 60 % des suffrages exprimés (vote populaire, tous États confondus). Les scores obtenus par les autres candidats ont le plus souvent été relativement faibles (moins de 10 % des voix), à l'exception de Wallace en 1968 (14 %) et Perot en 1992 et 1996 (20 % et 10 %).

Sources et séries : voir piketty.pse.ens.fr/ideologie.

de l'électorat aux États-Unis à l'époque, ont voté pour 62 % d'entre eux pour le candidat démocrate Truman (voir graphique 15.2).

Parmi les diplômés du secondaire (soit 31 % de l'électorat), le score obtenu est d'à peine 50 %. Quant aux diplômés du supérieur (6 % de l'électorat), guère plus de 30 % d'entre eux ont voté démocrate, et encore moins parmi les titulaires d'un master et de diplômes avancés (qui votent alors à plus de 70 % pour le candidat républicain Dewey). On retrouve la même situation dans les années 1960 : le vote démocrate chute quand le niveau de diplôme s'élève. Le clivage éducatif commence à s'aplatir dans les années 1970 et 1980. Puis à partir des années 1990 et 2000, le profil du vote démocrate devient de plus en plus nettement croissant en fonction du niveau de diplôme, en particulier au niveau des diplômés élevés du supérieur.

Lors de l'élection présidentielle de 2016, on constate par exemple que les titulaires d'un doctorat (soit 2 % de l'électorat pour eux tout seuls) ont voté à plus de 75 % pour la candidate démocrate Hillary Clinton, et à moins de 25 % pour le candidat républicain Donald Trump. Or le point important est qu'il ne s'agit pas d'un caprice d'intellectuels qui auraient soudainement quitté le parti républicain car ce dernier n'aurait pas su

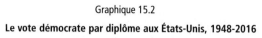

Graphique 15.2

Le vote démocrate par diplôme aux États-Unis, 1948-2016

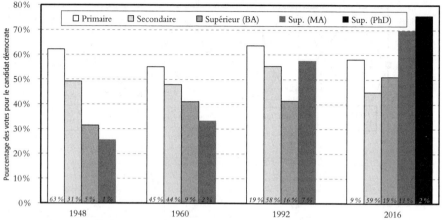

Lecture : en 1948, le candidat démocrate (Truman) a obtenu 62 % des voix parmi les électeurs de niveau d'éducation primaire (sans diplôme du secondaire) (soit 63 % de l'électorat à l'époque) et 26 % des voix parmi les électeurs diplômés du supérieur avancé (soit 1 % de l'électorat). En 2016, la candidate démocrate (Clinton) a obtenu 45 % des voix parmi les diplômés du secondaire (59 % de l'électorat) et 75 % des voix parmi les titulaires d'un doctorat (2 % de l'électorat). De même qu'en France, le clivage éducatif s'est totalement retourné entre 1948 et 2016.
Note : BA : *bachelor degree* ou équivalent (licence). MA : supérieur avancé (master, *law/medical school*). PhD : doctorat.
Sources et séries : voir piketty.pse.ens.fr/ideologie.

choisir un candidat raisonnable. Il s'agit au contraire de l'aboutissement d'une évolution structurelle entamée un demi-siècle plus tôt. De fait, si l'on examine l'écart entre le score obtenu par les démocrates parmi les diplômés du supérieur et les non-diplômés du supérieur, on constate qu'il n'a cessé de se creuser depuis les années 1950 et 1960, de façon graduelle et continue. L'écart était nettement négatif dans la période 1950-1970, avant de devenir proche de zéro en 1970-1990, puis de devenir franchement positif au cours des années 1990-2020 (voir graphique 15.3).

L'évolution est encore plus spectaculaire si l'on compare l'écart de vote entre les 10 % des électeurs les plus diplômés et les 90 % les moins diplômés (voir graphique 15.4). Cela est dû au fait que le clivage s'est également entièrement retourné au sein des diplômés de l'enseignement supérieur. Dans les années 1950 et 1960, plus le diplôme était avancé, plus le vote républicain était marqué. Dans les années 2000 et 2010, c'est l'inverse : les titulaires de *bachelor degree* (premier diplôme universitaire, en trois ou quatre ans) votent certes plus souvent pour le parti démocrate que ceux qui sont simplement diplômés de l'enseignement secondaire (*high school degree*), mais ils le font avec moins d'enthousiasme que ceux qui ont atteint un *master degree* ou un diplôme

Graphique 15.3

Le parti démocrate et les diplômés : États-Unis 1948-2016

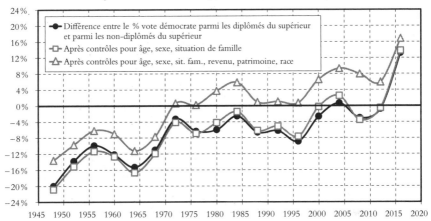

Lecture : en 1948, le candidat démocrate a obtenu un score qui était de 20 points plus faible parmi les diplômés du supérieur que parmi les non-diplômés ; en 2016, ce score était de 14 points plus élevé parmi les diplômés du supérieur. Le fait de prendre en compte les variables de contrôle (et donc de raisonner « toutes choses égales par ailleurs ») affecte les niveaux mais ne change rien à la tendance.
Sources et séries : voir piketty.pse.ens.fr/ideologie.

Graphique 15.4

**Le vote démocrate aux États-Unis, 1948-2016 :
du parti des travailleurs au parti des diplômés**

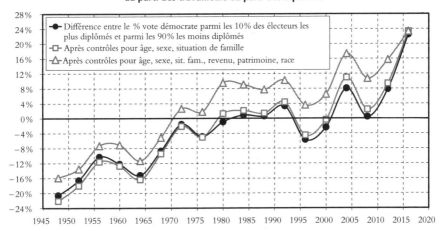

Lecture : en 1948, le candidat démocrate a obtenu un score qui était de 21 points plus faible parmi les 10% des électeurs les plus diplômés que parmi les 90% les moins diplômés ; en 2016, ce score était de 23 points plus élevé parmi les 10% les plus diplômés. Le fait de prendre en compte les variables de contrôle affecte les niveaux mais ne change rien à la tendance.
Sources et séries : voir piketty.pse.ens.fr/ideologie.

937

avancé de *medical school* ou de *law school*, qui eux-mêmes le font de façon moins marquée que les titulaires d'un PhD (doctorat)[1]. On trouve également la même évolution si l'on examine l'écart entre le vote démocrate parmi les 50 % les plus diplômés et les 50 % les moins diplômés[2].

De la même façon que pour la France, on constate aussi que le fait de raisonner « toutes choses égales par ailleurs », c'est-à-dire de prendre en compte les effets des autres caractéristiques socio-économiques individuelles, n'affecte pas cette tendance lourde, qui de ce fait apparaît extrêmement robuste. Dans le cas des États-Unis, on constate que la prise en compte des autres variables conduit à rehausser le niveau général de la courbe, ce qui s'explique principalement par le facteur racial (voir graphiques 15.3-15.4)[3]. Ce facteur étant approximativement du même ordre tout au long du dernier demi-siècle, cela n'a aucun effet sur la tendance[4].

De façon générale, il est frappant de constater la très grande similitude avec les résultats obtenus pour la France. De même que les partis socialistes-communistes-radicaux en France, le parti démocrate aux États-Unis est passé en un demi-siècle d'une situation où il était le parti des travailleurs les plus modestes à un nouvel équilibre où il est devenu le parti des plus diplômés. Nous retrouverons des résultats similaires avec le parti travailliste au Royaume-Uni et les divers partis sociaux-démocrates en Europe (en particulier en Allemagne et en Suède). Dans tous les pays, l'expansion éducative est allée de pair avec un retournement du clivage éducatif sur le plan électoral. Dans le cas des États-Unis, le niveau général d'éducation était certes plus avancé qu'en Europe dans les années 1950, mais l'immense majorité de l'électorat était néanmoins peu diplômée. En 1948, 63 % des électeurs n'avaient pas terminé leur scolarité secondaire, et 94 % de l'électorat était non diplômé du supérieur. Ces électeurs se reconnaissaient alors principalement dans le parti démocrate. Par définition, une grande partie des enfants et des petits-enfants de ces personnes

---

1. De même que pour la France, il serait intéressant de distinguer plus précisément les résultats par filière et discipline, mais ni les tailles d'échantillons ni les questionnaires utilisés ne le permettent.

2. Voir annexe technique pour les séries détaillées.

3. Voir chapitre 14, graphique 14.11, p. 869, pour le cas de la France.

4. Les électeurs noirs ont une plus forte propension au vote démocrate tout au long de la période étudiée (nous y reviendrons plus loin). Comme ils sont également moins diplômés (en moyenne), cela tend à réduire l'effet estimé du diplôme sur la propension à voter démocrate. Dès lors que l'on raisonne « toutes choses égales par ailleurs » (parmi les électeurs blancs et parmi les électeurs noirs), l'effet du diplôme sur le vote démocrate apparaît plus nettement positif.

ont réalisé une mobilité ascendante dans la hiérarchie des diplômes. Or le fait frappant est que, de la même façon qu'en France, seuls ceux qui ont connu une trajectoire très fortement ascendante ont continué de voter démocrate, alors que ceux qui ont eu moins de réussite dans le système éducatif ont eu tendance à se reconnaître davantage dans le parti républicain (voir graphique 15.2)[1].

Le parti démocrate va-t-il devenir celui des gagnants de la mondialisation ?

Pourquoi le parti démocrate est-il ainsi devenu le parti des diplômés ? Avant de tenter de répondre à cette question, il est intéressant d'examiner aussi l'évolution de la structure de l'électorat démocrate en termes de niveau de revenu. Compte tenu du rôle essentiel du niveau de diplôme dans la formation des revenus, il est naturel de s'attendre à ce que le parti des hauts diplômés finisse par devenir également et graduellement le parti des hauts revenus. De fait, on observe pour partie une évolution de cette nature. Au cours de la période 1950-1980, le profil du vote démocrate en fonction du revenu était nettement décroissant. Puis la courbe est devenue de moins en moins fortement décroissante dans les années 1990 et 2000. Finalement, en 2016, pour la première fois dans l'histoire des États-Unis, on constate que le parti démocrate a fait un meilleur score que le parti républicain parmi les 10 % des électeurs ayant les revenus les plus élevés (voir graphique 15.5).

Peut-on pour autant en conclure que le parti démocrate est irrémédiablement en train de devenir le parti des gagnants de la mondialisation, à la façon de la nouvelle coalition internationaliste-inégalitaire au pouvoir en France ? Il s'agit sans aucun doute d'une évolution possible. Les choses sont cependant plus complexes, et il me semble important d'insister sur la diversité des trajectoires possibles et la multiplicité des points de bifurcations à venir. Ces transformations politico-idéologiques dépendent avant tout des rapports de force et des capacités de mobilisation des différents groupes en présence, et rien ne justifie de les analyser comme des processus

1. Voir chapitre 14, graphique 14.9-14.10, p. 865-867, pour le cas de la France. On notera dans le cas des États-Unis que ceux qui n'ont pas terminé leur scolarité secondaire (les *high-school dropouts*) votent plus souvent démocrate que les diplômés du secondaire en 2016. Mais il s'agit d'un mince groupe (9 % de l'électorat) et cet effet est dû principalement au fait que ce sont des électeurs issus des minorités.

Graphique 15.5

Conflit politique et revenu aux États-Unis, 1948-2016

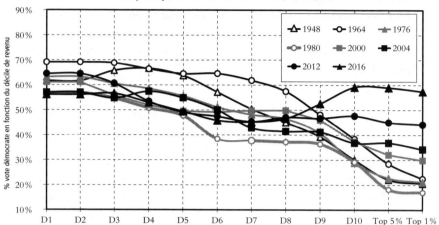

Lecture : en 1964, le candidat démocrate a obtenu 69 % des voix parmi les 10 % des électeurs ayant les revenus les plus faibles, 37 % des voix parmi les 10 % des revenus les plus élevés, et 22 % parmi les 1 % des revenus les plus élevés. De façon générale, le profil du vote démocrate est généralement décroissant avec le revenu, particulièrement en début de période. En 2016, pour la première fois, le profil se retourne : les 10 % des revenus les plus élevés votent démocrate à 59 %.
Sources et séries : voir piketty.pse.ens.fr/ideologie.

déterministes. De façon générale, nous avons vu dans le cas de la France que les classes les plus diplômées et les classes aux plus hauts revenus ne coïncident qu'imparfaitement, d'une part parce que de mêmes niveaux de diplôme peuvent conduire à des choix de carrière plus ou moins lucratifs (ou à une réussite plus ou moins prononcée sur le plan professionnel et monétaire), et d'autre part parce que l'obtention d'un revenu élevé dépend aussi de la possession d'un patrimoine, et que cette dernière dimension n'est qu'imparfaitement corrélée à celle du diplôme.

De fait, les données disponibles suggèrent que la détention d'un patrimoine élevé a depuis toujours été fortement associée au vote républicain, et l'est restée en 2016 avec la candidature Trump, même si le lien s'est amoindri (voir graphique 15.6)[1].

1. Les effets du diplôme, du revenu et du patrimoine indiqués sur le graphique 15.6 sont les effets après prise en compte des variables de contrôle (« toutes choses égales par ailleurs »). Les évolutions brutes vont dans le même sens, mais il faut attendre les années 2000 pour que le signe de l'effet du diplôme devienne positif (pour les raisons déjà expliquées dans le cas de la France, les variables de contrôle conduisent à séparer plus nettement les effets du diplôme des effets du revenu et du patrimoine). Rappelons par ailleurs que les tailles d'échantillons rendent peu significatives les variations d'une année sur l'autre, mais que les évolutions de

Graphique 15.6

Clivages sociaux et conflit politique : États-Unis, 1948-2016

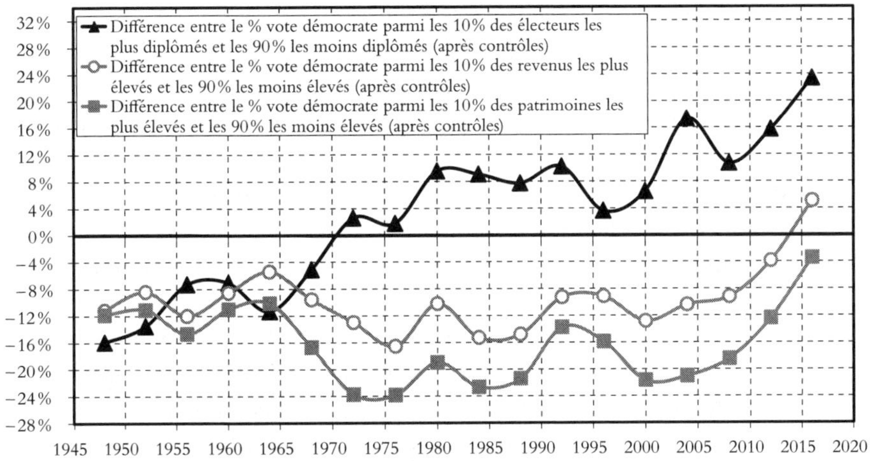

Lecture : dans les années 1950-1970, le vote démocrate était associé aux électeurs ayant les niveaux de diplôme, de revenu et de patrimoine les moins élevés. Dans les années 1980-2010, il est devenu associé aux électeurs les plus diplômés. Dans les années 2010-2020, il est peut-être en passe de devenir associé aux électeurs ayant les plus hauts revenus et patrimoines.

Sources et séries : voir piketty.pse.ens.fr/ideologie.

Autrement dit, le système de partis aux États-Unis s'apparente nettement au cours de la période 1990-2020 à un système d'élites multiples, avec une élite à hauts diplômes plus proche des démocrates (la « gauche brahmane ») et une élite à hauts patrimoines et à hauts revenus plus proche des républicains (la « droite marchande »). Ce régime est peut-être en cours de basculement vers un système classiste où les élites des différentes dimensions seraient réunifiées au sein du parti démocrate, mais ce processus est encore loin d'être arrivé à son terme, et il peut encore changer de direction pour de multiples raisons.

Il faut également souligner que les limitations des données font qu'il est difficile de connaître avec précision la structure exacte du vote aux États-Unis. D'après les données disponibles, les 1 % des revenus les plus élevés ont voté un peu moins fortement pour Hillary Clinton que les 10 % des revenus les plus élevés dans leur ensemble (voir graphique 15.5). Mais les tailles d'échantillons et les questionnaires utilisés sont tels qu'il est impossible d'être parfaitement précis à ce sujet. De même, les informations

---

long terme sont amplement significatives. Voir annexe technique, graphiques S15.6a-S15.6d pour les différentes variantes avec intervalles de confiance.

dont nous disposons sur la détention de patrimoines dans les enquêtes post-électorales sont extrêmement rudimentaires aux États-Unis (beaucoup plus limitées qu'en France), si bien que les estimations indiquées ici doivent être considérées avec prudence. Il semble que les plus hauts patrimoines aient continué de manifester une légère préférence pour le candidat républicain en 2016, mais les écarts sont tellement réduits que ceci reste relativement incertain (voir graphique 15.6)[1].

Parmi les facteurs qui peuvent conduire à une poursuite de cette évolution politico-idéologique et à une unification politique graduelle des élites, il faut mentionner l'évolution de la structure socio-économique des inégalités aux États-Unis. D'une part, la forte croissance des très hautes rémunérations depuis les années 1980-1990 implique que les détenteurs de ces rémunérations, souvent issus de niveaux de diplôme élevés et de choix de carrière adéquats, ont pu accumuler des patrimoines importants en un temps limité. Cela a contribué à un rapprochement des élites à haute rémunération et des élites à haut patrimoine aux États-Unis depuis les années 1980-1990[2]. D'autre part, le fait que le système d'enseignement supérieur soit devenu extrêmement coûteux pour les étudiants (sans compter que les dons parentaux permettent parfois de forcer l'admission) est un facteur structurel qui contribue à l'unification des élites « brahmanes » et « marchandes ». Nous avons déjà noté à quel point les chances d'accès à l'enseignement supérieur en général étaient fortement déterminées par le revenu parental aux États-Unis[3]. Des travaux récents consacrés à l'admission dans les meilleures universités ont montré qu'un grand nombre d'entre elles recrutent une plus grande proportion de leurs étudiants au sein des 1 % des familles

1. Les enquêtes françaises comprennent depuis celle de 1978 des questionnaires détaillés sur la détention de différents types d'actifs (immobilier, actions, biens professionnels, portefeuilles financiers, etc.). Aux États-Unis, en dehors de quelques enquêtes et années particulières où des données plus précises sur les patrimoines ont été collectées (ce qui permet au passage de constater que l'effet du patrimoine sur le vote républicain est tout aussi marqué que l'effet sur le vote à droite en France), les questionnaires disponibles dans la plupart des enquêtes postélectorales se cantonnent souvent à la détention immobilière, ce qui limite la précision des estimations indiquées sur le graphique 15.6.

2. Par exemple, d'après des estimations récentes, 30 % des personnes faisant partie du décile supérieur des revenus du travail faisaient également partie du décile supérieur des revenus du capital en 2017, contre seulement 15 % en 1980. Voir B. MILANOVIC, *Capitalism Alone*, Harvard University Press, 2019, p. 37, fig. 2.3. On notera cependant que la corrélation entre les deux dimensions reste partielle.

3. Voir Introduction, graphique 0.9, p. 56.

aux plus hauts revenus que parmi les 60 % des familles ayant les plus bas revenus (ce qui signifie donc que les enfants du premier groupe ont soixante fois plus de chances d'être admis dans ces universités que ceux du second[1]). La fusion des élites éducatives et patrimoniales ne sera certes jamais complète au niveau individuel, ne serait-ce que du fait de la diversité des aspirations et des choix de carrière. Il reste que, par comparaison à des pays où la marchandisation de l'enseignement supérieur est moins avancée, les États-Unis sont dans une situation où le système d'élites multiples a sans doute plus de chances qu'ailleurs de basculer vers une unification politique des élites[2].

Il faut également souligner le rôle joué par le financement de la vie politique aux États-Unis. Dans un contexte où l'argent privé finance les partis et les campagnes et où la Cour suprême a mis fin à tous les plafonds et règles antérieurs, il existe un risque évident que les candidats représentent les intérêts des élites financières[3]. Ceci concerne d'ailleurs aussi bien le parti républicain que le parti démocrate. On notera en outre que c'est le parti démocrate (avec la candidature Obama en 2008) qui, pour la première fois, a choisi de renoncer aux fonds publics afin de pouvoir dépenser sans limites les fonds obtenus sous forme de dons privés[4].

---

1. C'est notamment le cas dans 38 universités étatsuniennes parmi les plus sélectives. Voir R. Chetty, J. Friedman, E. Saez, N. Turner, D. Yagan, « Mobility Report Cards : The Role of Colleges in Intergenerational Mobility », Working Paper, 2017/59, Human Capital and Economic Opportunity Working Group.

2. En France, la corrélation entre salaire et patrimoine ne semble pas avoir augmenté au cours du temps : elle est restée globalement stable, avec même une baisse au sommet de la répartition, compte tenu de la remontée du rôle de l'héritage. Voir annexe technique.

3. Voir les nombreux travaux cités dans le chapitre 12, p. 730. Des recherches ont documenté le fait que les responsables politiques étatsuniens des deux partis tendent à répondre principalement aux préférences des élites au détriment de celles des plus modestes. Voir M. Gilens, *Affluence and Influence*, Princeton University Press, 2012 ; B. Page, M. Gilens, *Democracy in America ? What Has Gone Wrong and What Can Be Done about It*, University of Chicago Press, 2017. Thomas Frank parle quant à lui d'abandon du conflit de classe par les démocrates. Voir T. Frank, *What's the Matter with Kansas ? How Conservatives Won the Hearth of America*, Holt Paperbacks, 2005. C'est cet abandon qui nourrit chez les électeurs plus modestes ce que Katherine J. Cramer appelle la « politique du ressentiment ». Voir K. Cramer, *The Politics of Resentment. Rural Consciousness in Wisconsin and the Rise of Scott Walker*, University of Chicago Press, 2016.

4. Dans le système étatsunien de financement public des campagnes présidentielles, mis en place en 1976, les candidats qui acceptent les fonds doivent s'engager à ne pas dépasser un certain plafond de dépenses. Ils peuvent aussi décider de ne pas bénéficier du financement public (comme l'a fait Obama pour la première fois en 2008), auquel cas ce plafond ne s'applique plus. Voir J. Cagé, *Le Prix de la démocratie, op. cit.*

D'autres facteurs permettent cependant de douter de la viabilité à long terme d'une évolution qui verrait le parti démocrate devenir le parti des gagnants de la mondialisation dans toutes ses dimensions, aussi bien éducatives que patrimoniales. D'une part, les débats présidentiels étatsuniens de 2016 ont montré à quel point il existait des différences culturelles et idéologiques persistantes entre les élites « brahmanes » et « marchandes ». Là où les élites intellectuelles insistent sur des valeurs de pondération et d'ouverture et sur le rôle de la délibération et de la culture, à l'image de ce que Barack Obama et Hillary Clinton entendaient représenter, les élites du monde des affaires insistent sur les deals rondement menés, la débrouillardise et l'efficacité virile (dont Donald Trump se veut l'incarnation[1]). Autrement dit, le système d'élites multiples est sans doute loin d'avoir dit son dernier mot, car il repose au fond sur deux idéologies méritocratiques différentes et complémentaires. D'autre part, l'élection présidentielle étatsunienne de 2016 a montré les dangers de se laisser décrire trop ouvertement comme le parti des gagnants de la mondialisation. Le risque est de se placer à la merci d'idéologies antiélites de toute nature, et en l'occurrence de l'idéologie marchande-nativiste développée par Donald Trump, sur laquelle nous reviendrons.

Enfin, et surtout, cette évolution à long terme du parti démocrate est fragilisée par le fait qu'elle ne correspond pas aux valeurs égalitaires d'une partie importante de l'électorat démocrate et des États-Unis dans leur ensemble. Cette insatisfaction s'est exprimée de façon très claire lors des primaires démocrates de 2016, où le sénateur « socialiste » du Vermont Bernie Sanders a fait presque jeu égal avec Hillary Clinton, en dépit du fait que cette dernière disposait de soutiens médiatiques autrement plus importants. Les débats en cours en vue de l'élection présidentielle de 2020, auxquels j'ai déjà fait allusion avec les propositions de création d'un impôt fortement progressif sur les plus hauts patrimoines (notamment financiers), montrent à quel point rien n'est écrit d'avance[2]. Toute l'histoire des régimes inégalitaires étudiée dans ce livre le démontre : les systèmes de justification de l'inégalité doivent avoir un minimum de plausibilité pour perdurer. Compte tenu de la très

---

1. On notera que le fait de se donner des leaders ouvertement anti-intellectuels et anti-« brahmanes » de type Donald Trump n'est pas propre au parti républicain étatsunien : on retrouve cette tendance dans la droite européenne, par exemple avec Silvio Berlusconi en Italie ou Nicolas Sarkozy en France.
2. Voir chapitre 11, p. 664-665.

forte croissance des inégalités observée aux États-Unis et de la stagnation salariale constatée au niveau de la majorité de la population, il est peu probable qu'une plate-forme politico-idéologique centrée sur la défense du *statu quo* néopropriétariste et la célébration des gagnants de la mondialisation puisse l'emporter durablement. De même qu'en France et que dans les autres parties du monde, la question à venir aux États-Unis est plutôt celle de la compétition entre les diverses alternatives possibles au *statu quo*, et en particulier entre les idéologies de type nationaliste et nativiste et celles qui relèvent du socialisme démocratique, égalitaire et internationaliste.

De l'exploitation politique du clivage racial aux États-Unis

Pour des raisons évidentes, la question de l'exploitation politique du clivage racial a une longue tradition aux États-Unis. La République état-sunienne est dans une large mesure née avec l'esclavage : rappelons que 11 des 15 premiers présidents du pays étaient des propriétaires d'esclaves. Le parti démocrate était historiquement le parti de l'esclavage et du droit des États à maintenir et étendre le système esclavagiste. Jefferson n'envisageait l'abolition qu'à la condition de pouvoir renvoyer les esclaves en Afrique, car une cohabitation pacifique sur le sol étatsunien lui semblait impossible. Les principaux théoriciens de l'esclavage, à l'image du sénateur démocrate de Caroline du Sud John Calhoun, dénonçaient sans relâche l'hypocrisie des industriels et les financiers du Nord qui prétendaient se soucier du sort des Noirs, mais dont le seul objectif était selon eux d'en faire des prolétaires afin de pouvoir les exploiter comme les autres. La victoire électorale du républicain Lincoln sur une plate-forme abolitionniste lors de l'élection présidentielle de 1860 mena à la tentative de sécession sudiste, à la guerre civile puis à l'occupation du Sud par les troupes fédérales. Mais les démocrates ségrégationnistes reprirent dès les années 1870 le contrôle des États du Sud et y imposèrent une stricte séparation raciale aux Noirs (à défaut de les renvoyer en Afrique). Le parti démocrate parvint également à s'imposer dans le Nord en prenant la défense des catégories modestes et des nouveaux immigrants blancs face aux élites républicaines, et c'est ainsi qu'il réussit à reconquérir la présidence des États-Unis dès 1884 et à y alterner régulièrement avec les républicains au cours des décennies suivantes, sur la base d'une plate-forme de type social-nativiste (violemment ségrégationniste et différentialiste vis-à-vis des Noirs, mais plus sociale et égalitaire que les républicains vis-à-vis des Blancs)[1].

Les choses en étaient encore à peu près dans cet état quand le démocrate Roosevelt fut élu président en 1932. Au niveau fédéral, les nouvelles politiques économiques et sociales menées dans le cadre du New Deal bénéficiaient certes autant aux classes populaires noires qu'aux classes populaires blanches. Mais Roosevelt continuait de s'appuyer sur les démocrates ségrégationnistes dans les États du Sud, où les Noirs n'avaient pas le droit de vote. Les premières enquêtes postélectorales menées lors des élections présidentielles de 1948, 1952, 1956 et 1960 montrent que les électeurs noirs installés au Nord votaient à ce moment-là un peu plus fortement pour les démocrates que pour les républicains[2]. Mais c'est surtout à partir du moment où les administrations Kennedy et Johnson épousèrent la cause des droits civiques en 1963-1964, en grande partie contre leur gré et sous la pression des militants africains-américains, que l'électorat noir se rallia massivement au parti démocrate. Dans toutes les élections présidentielles menées de 1964 à 2016, on constate que les Noirs ont voté à environ 90 % en faveur du candidat démocrate (voir graphique 15.7).

On observe même des pointes au-delà de 95 % en 1964 et 1968, en plein cœur de la bataille pour les droits civiques, ainsi qu'en 2008, lors de la première élection de Barack Obama. C'est ainsi que le parti démocrate,

1. Voir chapitre 6, p. 286-293, pour une analyse plus détaillée.

2. Nous ne disposons pas d'enquêtes postélectorales pour les années 1870-1940, mais il ne fait aucun doute au vu des résultats électoraux observés au niveau local que l'électorat noir (quand il avait le droit de vote) s'est parfois porté majoritairement sur les candidats républicains au cours de cette période. Par exemple, un gouverneur républicain élu avec des voix noires officia brièvement en Louisiane au début des années 1870, avant que les démocrates ségrégationnistes reprennent rapidement le contrôle de la situation (voir chapitre 6, p. 293). Il faut toutefois souligner que les démocrates nordistes adoptèrent vite une identité et des plates-formes très différentes de celles de leurs alliés sudistes ségrégationnistes, ce qui leur permit de faire jeu égal ou de battre les républicains au sein de l'électorat noir (d'autant plus que les républicains n'étaient pas très portés sur ce segment électoral). Les fichiers des sondages Gallup qui ont été conservés pour les présidentielles de 1932, 1936, 1940 et 1944, et qui sont malheureusement beaucoup plus rudimentaires que les enquêtes postélectorales réalisées à partir de 1948, permettent de constater une structure des électorats démocrates-républicains très proche de celle observée de 1948 à 1960, avec un vote Roosevelt concentré au sein des catégories modestes et moyennes-inférieures (blanches et noires), et nettement minoritaire parmi les catégories aisées. Voir annexe technique.

après avoir été celui de l'esclavage jusqu'aux années 1860 puis celui de la ségrégation raciale jusqu'aux années 1960, est devenu le parti préféré de la minorité noire (avec l'abstention).

Graphique 15.7

Conflit politique et identité ethnique : États-Unis, 1948-2016

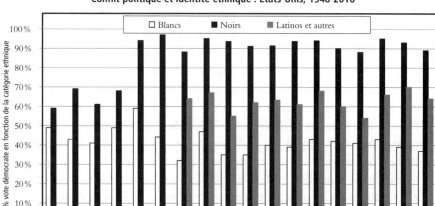

Lecture : en 2016, la candidate démocrate a obtenu 37 % des voix parmi les électeurs blancs (70 % de l'électorat), 89 % des voix parmi les électeurs noirs (11 % de l'électorat), et 64 % des voix parmi les latinos et ceux déclarant une autre catégorie ethnique (19 % de l'électorat, dont 16 % pour les latinos). En 1972, le candidat démocrate avait obtenu 32 % des voix parmi les Blancs (89 % de l'électorat), 82 % parmi les Noirs (10 % de l'électorat) et 64 % parmi les latinos et autres catégories (1 % de l'électorat).
Sources et séries : voir piketty.pse.ens.fr/ideologie.

À l'inverse, le parti républicain, après avoir été celui de l'abolition de l'esclavage, est devenu à partir des années 1960 le refuge de tous ceux qui avaient du mal à accepter la fin de la ségrégation et la diversité ethno-raciale croissante des États-Unis. Après la candidature infructueuse de Wallace en 1968, les démocrates sudistes les plus proches des positions ségrégationnistes entamèrent une lente migration vers le parti républicain. Il ne fait aucun doute que ces voix « racistes » (ou « nativistes », pour employer un terme plus neutre) ont joué un rôle important dans la plupart des victoires républicaines ultérieures, en particulier dans celles de Nixon en 1968 et 1972, Reagan en 1980 et 1984 et Trump en 2016.

Il faut également souligner que la structure ethno-raciale du pays, telle qu'elle est déclarée et mesurée par les recensements des États-Unis et dans les enquêtes postélectorales, s'est considérablement transformée au cours du dernier demi-siècle. De la présidentielle de 1948 à celle de 2016, les Noirs ont toujours représenté autour de 10 % de l'électorat. Les autres « minorités ethniques » représentaient à peine plus de 1 % de l'électorat en 1968 avant de connaître une forte croissance à partir des années 1970 et d'atteindre 5 % de l'électorat en 1980, 14 % en 2000 et 19 % en 2016. Il s'agit principalement de personnes qui se déclarent comme « hispaniques ou latinos » dans les recensements et les enquêtes[1]. Au total, lors de l'élection de Trump en 2016, les « minorités » représentaient 30 % de l'électorat (11 % pour les Noirs, 19 % pour les latinos et autres minorités), contre 70 % pour les Blancs, dont la part est appelée à diminuer au cours des décennies à venir. On remarquera également que les latinos et les autres minorités ont toujours voté fortement en faveur des candidats démocrates (55 %-70 % des voix suivant les élections), mais de façon moins extrême que les Noirs (90 %). Quant aux Blancs, on constate qu'ils ont toujours voté très majoritairement pour les candidats républicains depuis 1968 : s'ils étaient les seuls à voter, il n'y aurait eu aucun président démocrate au cours du dernier demi-siècle (voir graphique 15.7).

On notera aussi que le vote massif des minorités en faveur des candidats démocrates depuis les années 1960 ne s'est jamais expliqué que pour une part relativement faible par les caractéristiques socio-économiques de cet électorat. On remarquera que cet écart d'environ 40 points entre le vote démocrate des minorités et celui des électeurs blancs se réduit très légèrement au cours du temps, du fait de l'augmentation de la part relative des latinos, tout en restant extrêmement important (voir graphique 15.8). L'explication évidente pour ce comportement électoral très marqué est la perception parmi les minorités, et particulièrement parmi la minorité noire, d'une très grande hostilité du parti républicain à leur égard.

---

1. Les Latino-Américains représentent environ 16 % de l'électorat en 2016, contre environ 3 % pour les autres minorités (notamment asiatiques). Les recensements des États-Unis ont longtemps été fondés sur l'assignation identitaire (notamment à l'époque esclavagiste), et ils sont graduellement devenus basés sur l'autodéclaration de l'identité, avec la possibilité de choisir plusieurs des catégories proposées. Voir P. Schor, *Compter et Classer. Histoire des recensements américains*, Éditions de l'EHESS, 2009.

Graphique 15.8

Conflit politique et clivage racial aux États-Unis, 1948-2016

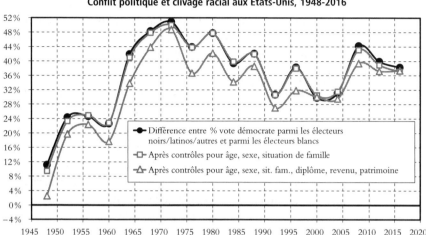

Lecture : en 1948, le vote démocrate était de 11 points plus élevé parmi les électeurs noirs et les autres minorités (9 % de l'électorat) que parmi les électeurs blancs (91 % de l'électorat). En 2016, le vote démocrate est de 39 points plus élevé parmi les électeurs noirs et les autres minorités (30 % de l'électorat) que parmi les électeurs blancs (70 % de l'électorat). La prise en compte des variables de contrôle socio-économiques a un impact limité sur cet écart.
Sources et séries : voir piketty.pse.ens.fr/ideologie.

Welfare queens *et « quotas raciaux » : la stratégie sudiste des républicains*

Certes, les candidats républicains, de Nixon à Trump en passant par Reagan, n'ont jamais proposé de rétablir explicitement la ségrégation raciale. Mais ils ont ouvertement admis dans leurs rangs les anciens partisans des thèses ségrégationnistes. Ils ont continué de manifester jusqu'à nos jours leur tolérance pour les mouvements suprémacistes blancs, et parfois de s'afficher avec certains de leurs responsables. Cela est encore apparu clairement lors des événements de Charlottesville (Virginie) en 2017, quand Trump a choisi de renvoyer dos à dos les militants d'extrême droite et ceux qui s'opposaient à cette démonstration de force des néonazis et des restes du Ku Klux Klan[1].

De façon générale, de nombreux démocrates ségrégationnistes sont graduellement passés avec leurs partisans chez les républicains à partir des

---

1. Le fait que Trump a immédiatement manifesté son soutien en 2018 aux fermiers blancs sud-africains après des rumeurs de réforme agraire en Afrique du Sud (voir chapitre 7, p. 353) est également un message parfaitement clair à l'intention des suprémacistes blancs.

années 1960, à l'image de Strom Thurmond, sénateur de Caroline du Sud sous l'étiquette démocrate de 1954 à 1964, puis sous l'étiquette républicaine de 1964 à 2003. Grand avocat de la cause des *states' rights*, c'est-à-dire le droit des États du Sud de continuer de pratiquer la ségrégation, et plus généralement de ne pas appliquer les injonctions du gouvernement fédéral en matière de politiques sociales jugées trop favorables aux Noirs et aux minorités, Thurmond symbolise le passage de cette thématique du parti démocrate (qui en avait fait son étendard depuis le début du XIXe siècle jusqu'au milieu du XXe siècle) vers le parti républicain. Dès 1948, inquiet de l'influence que les démocrates nordistes pro-*Civil Rights* commençaient déjà à exercer sur le parti démocrate, Thurmond avait d'ailleurs présenté sa candidature démocrate ségrégationniste dissidente à l'élection présidentielle face à Truman, sous les couleurs de l'éphémère States, Rights Democratic Party (plus communément appelé les « Dixiecrats »)[1].

À partir de 1964-1965, la situation va se tendre de plus en plus, à mesure que l'administration Johnson tente d'imposer la déségrégation dans les États du Sud, et particulièrement dans les écoles. Le candidat républicain Goldwater s'engage contre le *Civil Rights Act* de 1964. Il perd l'élection face à Johnson, mais il prend fait et cause pour les Sudistes dans leur opposition au gouvernement fédéral. Face à l'hostilité des États sudistes et des *county school boards*, l'administration Johnson se retrouve à développer des programmes fédéraux (comme *Headstart*) consistant à passer par des organisations et associations non étatiques pour distribuer les fonds fédéraux dans des écoles maternelles et centres de santé déshérités des quartiers noirs[2]. Nixon remporte l'élection de 1968 en s'opposant à ces ingérences

---

1. En 2002, à l'occasion du 100e anniversaire de Thurmond (toujours sénateur), le sénateur républicain du Mississippi Trend Lott, leader des républicains au Sénat, n'hésita pas à déclarer publiquement : « I want to say this about my state. When Strom Thurmond ran for president, we voted for him. We're proud of it. And if the rest of our country had followed our lead, we wouldn't have had all these problems over all these years. » Face au scandale provoqué par cette référence aux élections de 1948 et ces propos ouvertement proségrégationnistes, Lott dut finalement démissionner de ses fonctions de chef de groupe, tout en restant sénateur républicain. Voir S. ENGEL, « History of Racial Politics in the United States », *in* J. ROEMER, W. LEE, K. VAN DER STRAETEN, *Racism, Xenophobia and Distribution. Multi-Issue Politics in Advanced Democracies*, Harvard University Press, 2007, p. 41-43.

2. Voir M. BAILEY, S. DANZIGER, *Legacies of the War on Poverty*, Russell Sage Foundation (RSF), 2013. Voir aussi E. CASCIO, N. GORDON, S. REBER, « Paying for Progress : Conditional Grants and the Desegregation of Southern Schools », *Quarterly Journal of Economics*, vol. 125, n° 1, 2010, p. 445-482 ; ID., « Local Responses to Federal Grants : Evidence from the Introduction of Title I in the South », *American Economic Journal : Economic Policy*,

fédérales. Il dénonce notamment les risques de généralisation des timides expériences de *busing* visant à mélanger les enfants des quartiers noirs et blancs dans les mêmes écoles, et brandit la menace de *racial quotas* qui auraient permis aux Noirs de prendre des places aux Blancs dans les universités et les emplois publics[1]. Cette *southern strategy* des républicains s'avère particulièrement payante lors de l'élection présidentielle de 1972, où Nixon parvient à capter les voix qui s'étaient portées sur Wallace en 1968. Il est triomphalement réélu face au démocrate McGovern, fortement opposé à la guerre du Vietnam et partisan du développement de nouvelles politiques sociales afin de parachever le New Deal de Roosevelt et la War on Poverty de Johnson, perspective à laquelle Nixon s'oppose avec succès.

De façon plus subtile, mais parfaitement explicite pour les électeurs, les candidats républicains à partir de Nixon ont également eu recours à de multiples expressions codées permettant de faire référence aux aides sociales abusives dont bénéficieraient les populations noires (sans le dire directement). L'une des stratégies les plus communes consiste par exemple à stigmatiser les *welfare queens* (les « reines de la sécurité sociale »), terme péjoratif régulièrement employé pour désigner les mères noires célibataires. Il fut notamment utilisé par Ronald Reagan lors des primaires républicaines de 1976, puis de nouveau pendant la campagne de 1980. Fervent soutien de Goldwater lors de la campagne de 1964, qui lui permit de donner ses premiers grands discours et de se lancer en politique, Reagan s'était également opposé au *Civil Rights Act* de 1964 et avait attaqué le *Voting Rights Act* de 1965, qu'il considérait comme inutilement humiliant pour les Sudistes et excessivement intrusif[2]. De façon générale, l'exploitation de la thématique raciale joua un rôle important dans le mouvement conduisant au triomphe de la « révolution conservatrice » dans les années 1980[3]. La nouvelle

---

vol. 5, n° 3, 2013, p. 126-159 ; M. Bailey, S. Sun, B. Timpe, « PrepSchool for Poor Kids : The Long-Run Impact of HeadStart on Human Capital and Economic Self-Sufficiency », University of Michigan, 2018.

1. De telles mesures n'ont en réalité jamais été mises en place aux États-Unis. L'hostilité d'une part importante des Blancs sudistes et l'absence d'une mobilisation adéquate dans l'autre sens expliquent également qu'il n'y a eu aucun dédommagement ni aucune redistribution des terres pour les discriminations subies et les siècles de travail non rémunérés sous l'esclavage, en dépit des acres et de la mule évoqués à la fin de la guerre civile (voir chapitre 6).

2. Voir S. Engel, « History of Racial Politics in the United States », *in* J. Roemer, W. Lee, K. van der Straeten, *Racism, Xenophobia and Distribution. Multi-Issue Politics in Advanced Democracies, op. cit.*

3. Dans le cas de Ronald Reagan, on notera également que son passé d'acteur lui avait donné l'occasion d'incarner des rôles conformes à la vision sudiste de l'histoire. Dans *La Piste*

idéologie conservatrice qui s'est développée autour de Goldwater en 1964, Nixon en 1972 et Reagan en 1980 se fonde à la fois sur un anticommunisme virulent et un discours violemment opposé au New Deal et à la montée en puissance de l'État fédéral et de ses politiques sociales. Ces dernières sont accusées de favoriser les moins travailleurs et la tendance à l'oisiveté des populations de couleur (thème classique depuis l'abolition de l'esclavage). Les dépenses sociales occasionnées par le modeste *welfare state* mis en place aux États-Unis des années 1930 aux années 1960 sont dénoncées comme à la fois intrusives, coûteuses et de surcroît non prioritaires par comparaison aux enjeux de la guerre froide et de la sécurité nationale, que les démocrates socialisants sont accusés de négliger gravement, alors que les républicains promettent de rétablir la grandeur du pays.

Ces épisodes sont importants, car ils permettent de réaliser à quel point l'attitude de Donald Trump sur les questions raciales (par exemple lors des manifestations suprémacistes blanches de Charlottesville de 2017 ou au sujet des statues de généraux confédérés) doit être replacée dans une longue tradition républicaine remontant aux années 1960. La principale nouveauté est que les autres minorités ont pris une importance nouvelle dans les années 1990-2020. Trump s'en prend donc aux latinos, dont il parle en des termes particulièrement peu amènes, et qui lui ont inspiré son combat en faveur de la construction d'un vaste mur, symbole de l'importance qu'il accorde à la question de la frontière. Plus généralement, il s'est attaqué pendant la campagne de 2016 et depuis son élection à quasiment toutes les populations non blanches présentes aux États-Unis, en particulier à la minorité musulmane (pourtant quasiment absente du pays).

Clivages électoraux et conflits identitaires : regards transatlantiques

Les pays européens, et notamment la France, ont longtemps regardé avec curiosité et distance les clivages raciaux en vigueur aux États-Unis et leur

---

de Santa Fe, film tourné en 1940 avec Errol Flynn et Olivia de Havilland, l'action se déroule en 1854 au Kansas, où un militant abolitionniste fanatique et impitoyable sème la terreur, prêt à sacrifier ses propres enfants pour assouvir ses passions politiques. La conclusion coule de source : dans un monde où les Sudistes ne traitent pas si mal leurs esclaves, il fallait trouver un compromis gradualiste pour faire évoluer le système. Heureusement de jeunes officiers pragmatiques issus de West Point (parmi eux Reagan) l'ont compris et ne cèdent pas aux sirènes de ce dangereux John Brown.

rôle dans les dynamiques politiques et partidaires exotiques observées outre-Atlantique. En particulier, les observateurs européens ont toujours eu du mal à comprendre comment le parti démocrate a pu passer de son ancien statut de parti esclavagiste et ségrégationniste à celui de parti des minorités, alors que le parti républicain autrefois abolitionniste devenait un parti doté d'une forte idéologie racialiste et nativiste, et de ce fait massivement rejeté par les minorités. En réalité, ces transformations imprévues et ces comparaisons sont riches d'enseignements pour comprendre les transformations actuellement à l'œuvre et la multiplicité des trajectoires politico-idéologiques possibles en ce début de XXIᵉ siècle, aussi bien d'ailleurs en Europe qu'aux États-Unis et dans les autres parties du monde.

Il est particulièrement frappant de constater que les clivages électoraux induits par les conflits identitaires ont aujourd'hui une ampleur comparable des deux côtés de l'Atlantique. Aux États-Unis, l'écart entre le vote pour le parti démocrate parmi les minorités noires et latinos et la majorité blanche se situe aux alentours de 40 points depuis un demi-siècle, et il n'est que peu affecté par la prise en compte des autres caractéristiques individuelles (voir graphique 15.7-15.8). En France, nous avons constaté que l'écart entre le vote pour les partis de gauche (eux-mêmes en cours de redéfinition) parmi les électeurs de confession musulmane et les autres se situait également autour de 40 points depuis maintenant plusieurs décennies, et n'était que légèrement diminué par la prise en compte des attributs socio-économiques des uns et des autres[1]. Il s'agit dans les deux cas d'un effet d'une ampleur massive, beaucoup plus important par exemple que l'écart de vote entre les 10 % des électeurs ayant les diplômes ou les revenus les plus élevés et les 90 % les moins élevés, qui dans les deux pays est généralement de l'ordre de 10-20 points. Aux États-Unis, on constate que les électeurs noirs votent élection après élection depuis les années 1960 pour 90 % d'entre deux pour le parti démocrate (et à peine 10 % pour le parti républicain). En France, les électeurs musulmans votent élection après élection depuis le début des années 1990 pour 90 % d'entre deux pour les partis de gauche (et à peine 10 % pour les partis de droite et d'extrême droite).

Au-delà de ces similitudes formelles, qui auraient étonné un observateur français si on les lui avait annoncées il y a quelques décennies, il faut toutefois insister sur les multiples différences entre les deux situations. Aux

---

1. Voir chapitre 14, graphiques 14.16-14.17, p. 904-905, et annexe technique, graphiques S14.17a-S14.17b.

États-Unis, la minorité noire est issue de l'esclavage, et la minorité latino de l'immigration en provenance notamment du Mexique et d'Amérique latine. En France, la minorité musulmane est issue de l'immigration postcoloniale, en provenance principalement d'Afrique du Nord et, à un degré moindre, d'Afrique subsaharienne. Il existe certes un point commun important. Il s'agit dans les deux cas d'une situation où une population majoritaire blanche d'origine européenne, qui a longtemps exercé une domination sans partage sur les populations issues d'autres parties du monde (par le biais de l'esclavage, de la ségrégation ou de la domination coloniale), se retrouve à cohabiter avec elles au sein d'une même société et d'une même communauté politique, et à tenter de régler ses différends par la voie de la compétition électorale, en principe sur la base de l'égalité des droits, tout du moins d'un point de vue formel. À l'échelle de l'histoire de l'humanité, il s'agit clairement d'une innovation radicale. Les relations entre les populations issues des différentes régions de la planète se sont limitées pendant des siècles à des rapports fondés pour l'essentiel sur la domination militaire et la force brute, ou sur des échanges commerciaux fortement structurés par les rapports de force. Le développement aujourd'hui au sein de mêmes sociétés de relations d'une tout autre nature, fondées sur des niveaux de dialogues, d'échanges culturels, d'intermariages et de redéfinitions des identités inconnus dans le passé, constitue un progrès civilisationnel peu contestable. L'exploitation politique et électorale des conflits identitaires qui en découlent pose des défis considérables qui méritent d'être examinés de près. Pour autant, une comparaison même rapide avec les relations observées au cours des siècles précédents conduit à relativiser l'ampleur de ces difficultés, et surtout à ne pas idéaliser le passé.

Mais au-delà de cette similitude générale entre les situations observées aux États-Unis et en France, il est bien clair que les catégories et les conflits identitaires en jeu prennent des formes spécifiques dans chaque pays. Du point de vue de la structure d'ensemble des clivages électoraux, la différence la plus frappante est que les latinos et les autres minorités, qui regroupent au total environ 20 % de l'électorat aux États-Unis actuellement, ont un positionnement politique intermédiaire entre les Blancs et les Noirs. Par exemple, ils ont voté à 64 % pour la candidate démocrate en 2016, contre 37 % parmi les Blancs et 89 % parmi les Noirs. Cette position intermédiaire a peu changé depuis 1970 (voir graphique 15.7). Son évolution future aura une importance décisive pour le devenir de la structure du conflit électoral aux États-Unis, compte tenu du poids croissant des minorités en général (30 % de l'électorat en 2016 si l'on regroupe les Noirs, les Latino-Américains et les autres minorités) et de l'importance déclinante de la majorité blanche (70 % en 2016)[1].

À l'inverse, en France, on constate par exemple que la population d'origine étrangère européenne vote en moyenne de la même façon que la population sans origine étrangère déclarée. Par exemple, lors de l'élection présidentielle de 2012, ces deux groupes ont voté à 49 % pour le candidat socialiste au second tour, contre 77 % pour les électeurs d'origine étrangère extraeuropéenne (voir graphique 15.9).

Graphique 15.9

Conflit politique et origines : France et États-Unis

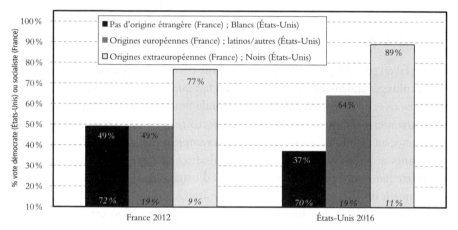

Lecture : en 2012, le candidat socialiste au second tour de l'élection présidentielle française a obtenu 49 % des voix parmi les électeurs sans origine étrangère (pas de grand-parent étranger) et parmi les électeurs ayant des origines étrangères européennes (principalement Espagne, Italie, Portugal) et 77 % des voix parmi les électeurs ayant des origines extraeuropénnes (principalement Afrique du Nord et subsaharienne). En 2016, la candidate démocrate à l'élection présidentielle aux États-Unis a obtenu 37 % des voix parmi les électeurs blancs, 64 % parmi les latinos et les autres catégories, et 89 % parmi les électeurs noirs. Sources et séries : voir piketty.pse.ens.fr/ideologie.

On notera aussi que la population déclarant une origine étrangère (au moins un grand-parent d'origine étrangère) représentait de l'ordre de 30 % de l'électorat en France dans les années 2010, soit approximativement

---

1. L'augmentation du poids des latinos et des autres minorités est allée de pair avec la montée du clivage démocrate/républicain autour de la question migratoire depuis le début des années 2000, alors que les deux électorats avaient des positions voisines sur le sujet jusqu'aux années 1980-1990. Voir R. EATWELL, M. GOODWIN, *National Populism. The Revolt Against Liberal Democracy*, Penguin, 2018, fig. 4.2, p. 150.

autant que les « minorités » aux États-Unis. Mais cette analogie est purement formelle. En particulier, les électeurs déclarant une origine étrangère européenne (principalement en provenance d'Espagne, du Portugal et d'Italie), soit environ 20 % de la population, ne se perçoivent pas et ne sont pas perçus comme une « minorité », et encore moins comme une minorité « latino ». De même, les électeurs déclarant une origine étrangère extraeuropéenne (en pratique principalement en provenance du Maghreb et d'Afrique subsaharienne), soit environ 10 % de la population, ne constituent en aucune façon un groupe homogène, et encore moins une catégorie ethnique ou religieuse. Beaucoup ne déclarent d'ailleurs aucune religion, si bien que ce groupe ne coïncide que très partiellement avec celui des personnes se déclarant de confession musulmane[1].

De la fluidité des identités et du danger des catégories figées

De façon générale, une différence essentielle entre les États-Unis et la France (et plus généralement l'Europe) tient au fait que les clivages ethno-religieux français se caractérisent par une plus grande fluidité que les clivages raciaux étatsuniens. D'après l'enquête « Trajectoires et Origines » menée en France en 2008-2009, on constate par exemple que plus de 30 % des personnes qui ont un parent d'origine nord-africaine sont issues d'un couple mixte (au sens où l'autre parent n'a pas d'origine étrangère)[2]. À partir du moment où les processus d'intermariage atteignent des niveaux de ce type, on voit que la notion même d'identité « ethnique » doit être envisagée de façon extrêmement souple. Les origines et les identités se mélangent en permanence, comme le montre par exemple le très rapide renouvellement des prénoms au travers des générations[3]. Cela n'aurait pas beaucoup de

---

1. Les électeurs se déclarant de confession musulmane représentent environ 5 % de l'électorat dans les années 2010. Voir chapitre 14, graphique 14.17, p. 905.

2. Cette proportion de couples mixtes atteint 30 % pour les personnes ayant une origine au Maroc ou en Tunisie et 35 % dans le cas de l'Algérie, soit approximativement le même niveau que pour le Portugal. La même proportion dépasse 60 % s'agissant des personnes ayant une origine en Espagne ou en Italie, et n'est que de 10 % s'agissant de la Turquie. Voir C. BEAUCHEMIN, B. LHOMMEAU, P. SIMON, « Histoires migratoires et profils socio-économiques », in *Trajectoires et Origines. Enquête sur la diversité de la population française*, INED Éditions, coll. « Grandes Enquêtes », 2015, p. 54, fig. 6. Sur la progression des unions mixtes impliquant des origines maghrébines entre les années 1970 et 1990, voir. E. TODD, *Le Destin des immigrés. Assimilation et ségrégation dans les démocraties occidentales*, Seuil, 1994, p. 302-304.

3. À partir de l'enquête TeO, on constate par exemple que 23 % seulement des personnes ayant une origine maghrébine portent un prénom arabo-musulman traditionnel à la troisième

sens de demander aux personnes en question de se déclarer comme faisant partie de façon pleine et entière de telle ou telle catégorie « ethnique ». Cela explique d'ailleurs pourquoi il existe un assez large consensus en France, et dans une certaine mesure en Europe (même si nous allons voir plus loin que le Royaume-Uni est dans une situation intermédiaire), pour considérer qu'il ne serait pas adapté de demander aux uns et aux autres de désigner la catégorie « ethnique » à laquelle ils s'identifient. Une telle injonction d'assignation identitaire serait de fait d'une grande violence vis-à-vis de toutes les personnes qui considèrent que leurs origines et leur identité sont mélangées et multidimensionnelles, et qui aspirent simplement à mener leur vie, et non à montrer en permanence leurs papiers et déclarer leur appartenance « ethnique ». Cela n'empêche pas par ailleurs de poser dans diverses enquêtes non obligatoires des questions sur les origines et les lieux de naissance des parents ou grands-parents, ou encore sur les croyances religieuses, philosophiques et politiques des uns et des autres. Mais il s'agit clairement d'une opération très différente de celle consistant à demander de désigner dans un recensement ou dans des processus administratifs obligatoires une ou plusieurs catégories de type ethno-racial.

Aux États-Unis, le processus d'assignation identitaire a des origines historiques très différentes. À l'âge esclavagiste et jusqu'au début du XXe siècle, les agents recenseurs assignent une identité « noire » aux esclaves et à leurs descendants, et la règle générale est la *one-drop rule* : dès lors qu'un seul ancêtre est noir, aussi lointain soit-il, la personne est considérée comme « noire ». Jusqu'aux années 1960, de nombreux États sudistes interdisent les unions entre races différentes. Depuis 1967, à la suite d'un arrêt de la Cour suprême des États-Unis, les États ne peuvent plus interdire les unions interraciales. L'intermariage a fortement progressé, y compris pour les Noirs, avec plus de 15 % d'unions mixtes parmi les personnes s'autodéclarant comme Noires dans les années 2010 (contre à peine 2 % en 1967)[1]. Il reste que l'obligation de déclaration de l'identité ethno-raciale aux États-Unis, dans les recensements comme dans

---

génération. On constate également que la convergence entre population majoritaire et descendants d'immigrés se fait non pas autour de prénoms français traditionnels mais autour du développement de nouveaux prénoms internationaux auxquels des groupes aux origines multiples peuvent s'identifier (Mila, Louna, Sarah, Inès, Yanis, Nael, Liam, Ethan, Adam, Rayan, etc.). Voir B. COULMONT, P. SIMON, « Quels prénoms les immigrés donnent-ils à leurs enfants en France ? », *Populations et Sociétés*, n° 565, avril 2019.

1. La proportion d'unions mixtes (parmi les nouveaux mariés de 2015) atteint 25 %-30 % pour les Latino-Américains et les minorités d'origine asiatique, et est d'environ 10 % pour les

les enquêtes, contribue probablement à un durcissement des frontières entre groupes, alors même que la réalité des identités est le plus souvent beaucoup moins tranchée.

Malgré ces différences importantes entre les contextes nationaux, les questions identitaires nourrissent actuellement des exploitations politiques et des clivages électoraux d'une ampleur comparable aux États-Unis et en France (et plus généralement en Europe, comme nous le verrons plus loin). Les préjugés et stéréotypes culturels utilisés ne sont pas exactement semblables dans les deux cas, même s'il existe des points communs évidents. Aux États-Unis, les références aux *welfare queens* visent à stigmatiser l'oisiveté présumée des mères célibataires noires aussi bien que l'absence des pères. En France, les discours racistes attribuent volontiers aux personnes d'origine maghrébine ou africaine une propension naturelle et irrépressible qui les pousserait vers la délinquance et la prison. Les soupçons de recours abusifs aux transferts sociaux ainsi que les références plus désobligeantes encore à d'autres attributs associés aux immigrés, comme « le bruit et l'odeur », sont également monnaie courante, y compris parmi des responsables politiques positionnés officiellement au centre droit et non à l'extrême droite[1].

Face à ce type de discours, plusieurs types de réponses sont nécessaires. Il existe tout d'abord de nombreux travaux montrant que les soupçons visant à insinuer que les immigrés ou les minorités lesteraient les finances publiques de leurs abus ne reposent sur rien. À l'inverse, de multiples recherches ont établi les discriminations professionnelles dont font l'objet

---

Blancs. Voir G. LIVINGSTON, A. BROWN, « Intermarriage in the US 50 Years after Loving v. Virginia », Pew Research Center, 2017.

1. Dans son tristement célèbre discours tenu le 19 juin 1991 à Orléans, Jacques Chirac s'exprima ainsi : « Notre problème, ce n'est pas les étrangers, c'est qu'il y a overdose. C'est peut-être vrai qu'il n'y a pas plus d'étrangers qu'avant la guerre, mais ce ne sont pas les mêmes et ça fait une différence. Il est certain que d'avoir des Espagnols, des Polonais et des Portugais travaillant chez nous, ça pose moins de problèmes que d'avoir des musulmans et des Noirs [...] Comment voulez-vous que le travailleur français qui habite à la Goutte-d'Or où je me promenais avec Alain Juppé il y a trois ou quatre jours, qui travaille avec sa femme et qui, ensemble, gagnent environ 15 000 francs, et qui voit sur le palier à côté de son HLM, entassée, une famille avec un père de famille, trois ou quatre épouses, et une vingtaine de gosses, et qui gagne 50 000 francs de prestations sociales, sans naturellement travailler ! [applaudissements nourris] Si vous ajoutez à cela le bruit et l'odeur [rires nourris], eh bien le travailleur français sur le palier, il devient fou. Il devient fou. C'est comme ça. Et il faut le comprendre, si vous y étiez, vous auriez la même réaction. Et ce n'est pas être raciste que de dire cela » (extraits disponibles sur le site de l'Institut national de l'audiovisuel). Ce discours a donné lieu à la chanson *Le Bruit et l'Odeur* du groupe toulousain Zebda en 1995.

les personnes issues de l'immigration extraeuropéenne et de minorités, et qui compliquent considérablement l'accès à l'emploi pour un même diplôme initial[1]. Même s'ils ne suffiront sans doute jamais pour emporter l'adhésion de tous, ces travaux peuvent et doivent être mieux mobilisés et diffusés dans le débat public[2].

Il est clair – j'insiste sur ce point – que le durcissement des conflits identitaires se nourrit également du sentiment de désillusion et de fatalisme face à toute possibilité d'une économie juste et d'une véritable justice sociale. Nous avons vu par exemple dans le chapitre précédent que l'électorat français était divisé en quatre quarts de tailles presque exactement égales autour de deux questions : l'immigration et la redistribution riches-pauvres[3]. Si l'on ferme toute perspective d'action (voire parfois de débat) au sujet de la redistribution et de la justice sociale, par exemple en expliquant que les lois de la mondialisation et de l'économie empêchent rigoureusement et éternellement toute redistribution véritable, alors il est presque inévitable que le conflit politique se concentre sur le seul terrain d'action qu'on laisse aux États, à savoir le contrôle de leurs frontières, et parfois l'invention de frontières intérieures. Autrement dit, la montée des clivages identitaires ne doit pas être vue comme la conséquence (certes regrettable, mais au final inévitable) de l'entrée dans le monde postcolonial. Il me semble qu'on peut aussi et surtout voir cette évolution comme la conséquence de la chute du communisme, de la montée du fatalisme identitaire et de la perte de tout espoir de transformation socio-économique fondamentale. Seule une réouverture du débat sur la justice et le modèle économique peut permettre à la question de la propriété et de l'inégalité de reprendre le dessus sur celle de la frontière et de l'identité. Nous y reviendrons.

---

1. Voir notamment les travaux cités dans le chapitre 14, p. 912.

2. Par exemple, il paraît raisonnable d'établir un lien entre les discriminations professionnelles dont font l'objet certains groupes minoritaires sur le marché du travail légal et leur plus forte participation à des activités lucratives illicites (comme le trafic de drogue, dans certains cas). En tout état de cause, cela paraît plus raisonnable que de leur attribuer une propension éternelle et innée à la criminalité. Il est probable malheureusement que cela ne suffira jamais pour emporter la conviction de ceux qui ne veulent pas être convaincus (et surtout de tous ceux qui tirent un bénéfice moral ou matériel de leurs croyances culturalistes, essentialistes ou franchement racistes). Sur la surreprésentation carcérale en France des populations d'origine maghrébine et africaine, voir F. HÉRAN, *Avec l'immigration. Mesurer, débattre, agir*, La Découverte, 2017, p. 221-231. Cette surreprésentation est massive, même si elle paraît un peu moins extrême que celle de la population noire aux États-Unis (dans un contexte où le taux global d'emprisonnement est par ailleurs dix fois plus élevé qu'en Europe ; voir chapitre 12, p. 677).

3. Voir chapitre 14, tableau 14.1, p. 917.

Le parti démocrate, la « gauche brahmane »
et la question raciale

Venons-en maintenant à une question particulièrement importante et complexe. Dans le contexte des États-Unis, il pourrait être tentant d'expliquer la « brahmanisation » du parti démocrate par la montée en puissance des clivages raciaux et identitaires depuis les années 1960. Autrement dit, les classes populaires blanches auraient progressivement quitté le parti démocrate parce qu'elles n'auraient pas accepté que ce dernier prenne fait et cause pour les Noirs. Selon cette théorie, il serait au final presque impossible pour les classes populaires blanches et noires de figurer durablement dans la même coalition politique aux États-Unis. Tant que le parti démocrate était ouvertement raciste et ségrégationniste, ou tout du moins tant que les désaccords à ce sujet entre démocrates sudistes et nordistes étaient tus, c'est-à-dire *grosso modo* jusqu'aux années 1950-1960, alors il était possible de rassembler les classes populaires blanches et noires. Mais dès lors qu'il cessa d'être anti-Noirs, alors il était presque inévitable qu'il perde les classes populaires blanches, aimantées par le parti républicain, qui lui-même ne pouvait faire autrement que de reprendre le créneau raciste laissé vacant par les démocrates. La seule exception à cette loi d'airain de la politique étatsunienne serait finalement la courte parenthèse de la période 1930-1960, où la coalition rooseveltienne parvint tant bien que mal à faire tenir les classes populaires blanches et noires dans un même parti, au prix de contorsions délicates et d'un équilibre précaire, dans le cadre de circonstances exceptionnelles (la crise des années 1930, la Seconde Guerre mondiale).

Cette théorie me semble excessivement déterministe, et, au final, peu convaincante. Le problème n'est pas seulement que cette hypothèse repose sur une vision essentialiste et statique du racisme des classes populaires, qui comme nous l'avons déjà noté dans le cas de la France n'est pas plus naturel ou éternel que celui des classes moyennes, des travailleurs indépendants ou des élites. Ce qui rend cette théorie peu convaincante, c'est aussi et surtout qu'elle ne permet pas de rendre compte de l'ensemble des faits observés. Tout d'abord, s'il est incontestable que les questions raciales ont joué un rôle essentiel dans la fuite d'une partie des électeurs blancs sudistes du parti démocrate à partir de 1963-1964[1], le point impor-

---

1. Voir I. Kuziemko, E. Washington, « Why Did the Democrats Lose the South ? Bringing New Data to an Old Debate », *American Economic Review*, 2018. Les auteurs

tant est que le retournement du clivage éducatif observé depuis les années 1950-1960 est un phénomène que l'on retrouve au niveau de l'ensemble des États-Unis, aussi bien au Nord qu'au Sud, indépendamment des attitudes sur les questions raciales. Il s'agit également d'une évolution qui se déroule de façon continue et graduelle, depuis les années 1950-1960 jusqu'aux années 2000-2020 (voir graphiques 15.2-15.4). Il paraît difficile d'expliquer une évolution aussi longue et structurelle en évoquant le changement de positionnement du parti démocrate, qui s'est fait de façon très rapide, au cours des années 1960, et dont les effets sur le vote noir et sur le différentiel entre le vote des minorités et le vote blanc ont d'ailleurs été immédiats (voir graphiques 15.7-15.8).

Enfin, et surtout, le point essentiel est que ce retournement du clivage éducatif se retrouve également en France, avec une ampleur et une périodisation presque identiques aux États-Unis[1]. Nous allons également retrouver cette même tendance lourde au Royaume-Uni, en Allemagne, en Suède et dans la quasi-totalité des démocraties électorales occidentales. Or ces pays n'ont aucunement connu le mouvement des droits civiques et le retournement complet du positionnement racial du parti démocrate dans les années 1960. On pourrait certes évoquer le rôle joué par la montée en puissance du clivage migratoire et identitaire en France, au Royaume-Uni et dans d'autres pays européens. Mais ce clivage ne commence à jouer un rôle central que de façon beaucoup plus tardive, à partir des années 1980 et 1990, et ne permet pas de comprendre pourquoi le retournement du clivage éducatif commence beaucoup plus tôt, dès les années 1960. Enfin, nous verrons que l'on retrouve ce même retournement dans des pays où le clivage migratoire n'a jamais joué de rôle central.

Il me semble donc plus prometteur de chercher des explications plus directes. Si le parti démocrate est devenu le parti des plus diplômés, et que les personnes les moins diplômées ont fui le vote démocrate, cela doit être parce que ces dernières ont l'impression que les politiques portées par ce parti correspondaient de moins en moins à leurs aspirations. En outre, si une telle impression se prolonge pendant un demi-siècle et se retrouve dans de si nombreux pays, il ne peut pas s'agir d'un simple malentendu. Il me semble que l'explication la plus probable est celle que j'ai commencé

---

montrent que les changements d'affiliation dans les États du Sud au cours des années 1960 s'expliquent avant tout par les attitudes sur les questions raciales, indépendamment d'ailleurs du niveau de revenu ou de diplôme.

1. Voir chapitre 14, graphiques 14.2, p. 844, et 14.9-14.11, p. 865-869.

à développer dans le cas de la France. Pour résumer : le parti démocrate – de même que les partis de la gauche électorale en France – a cessé de s'intéresser prioritairement aux groupes sociaux les plus défavorisés, et s'est consacré de plus en plus prioritairement aux gagnants de la compétition éducative et universitaire. Au début du XXᵉ siècle, et jusqu'aux années 1950-1960, le parti démocrate avait une ambition égalitaire forte pour les États-Unis, non seulement sur le plan fiscal, mais également sur celui du système éducatif. En particulier, l'objectif était d'assurer que la totalité d'une classe d'âge accède non seulement à l'éducation primaire mais également à l'enseignement secondaire. Sur ce terrain comme sur l'ensemble des questions sociales et économiques, les démocrates apparaissaient clairement comme moins élitistes et plus soucieux des classes populaires (et au final de la prospérité du pays) que les républicains.

Or c'est cette perception qui s'est totalement transformée entre les années 1950-1970 et 1990-2010. Le parti démocrate est devenu le parti des plus diplômés, au sein d'un système universitaire hautement stratifié et inégalitaire, où les classes populaires n'ont quasiment aucune chance d'entrer dans les meilleures filières. Dans une telle situation, et en l'absence de réforme structurelle de ce système, il n'est pas anormal que les catégories les plus modestes se sentent délaissées par les démocrates. L'habileté des républicains à exploiter les questions raciales et surtout à jouer de la peur du déclassement du pays explique certes en partie leurs succès électoraux. Quand McGovern propose en 1972 la création d'un système fédéral de revenu minimum, financé par une nouvelle augmentation de la progressivité de l'impôt successoral, il est en partie victime des préjugés raciaux face à ce qui est dénoncé à demi-mot par les républicains nixoniens comme un nouveau transfert social aux Afro-Américains. De même, le refus de payer pour les minorités fait incontestablement partie des raisons expliquant une part de l'hostilité au programme de santé Obamacare adopté en 2010. De façon plus générale, le poids du facteur racial a souvent été cité (avec raison) parmi les causes structurelles expliquant la plus faible solidarité sociale et fiscale et l'absence d'un *welfare state* aux États-Unis d'ampleur comparable à son équivalent en Europe[1]. Mais tout réduire à ce facteur racial serait erroné, et

---

1. Voir J. ROEMER, W. LEE, K. VAN DER STRAETEN, *Racism, Xenophobia and Distribution. Multi-Issue Politics in Advanced Democracies, op. cit.* Voir aussi A. ALESINA, E. GLAESER, B. SACERDOTE, « Why Doesn't the United States Have a European-Style Welfare State ? », *Brookings Papers on Economic Activity*, n° 2, 2001 ; A. ALESINA, E. GLAESER, *Fighting Poverty in the US and Europe : A Word of Difference*, Oxford University Press, 2004.

en particulier ne permet pas de comprendre pourquoi le retournement du clivage éducatif s'est produit quasiment de la même façon des deux côtés de l'Atlantique. Si les démocrates sont maintenant perçus comme étant davantage au service des plus diplômés que des classes populaires, c'est aussi et surtout parce qu'ils n'ont pas suffisamment renouvelé leur programme et leurs pratiques depuis la « révolution conservatrice » des années 1980.

Occasions manquées et bifurcations inachevées : de Reagan à Sanders

Lors de l'élection de 1980, Reagan a réussi à imposer un nouveau narratif aux Étatsuniens sur leur propre histoire. Dans un pays en proie aux doutes après la guerre du Vietnam, le Watergate, la révolution en Iran, Reagan promet le retour de la grandeur du pays, et propose pour cela un programme simple : la baisse du poids de l'État fédéral et le démantèlement de l'impôt progressif. Autrement dit, c'est le New Deal et son cortège de taxes spoliatrices et de mesures socialisantes qui ont ramolli les entrepreneurs anglo-saxons et qui expliquent le rattrapage du pays par les vaincus de la guerre. Reagan avait déjà rodé ce discours pendant la campagne Goldwater de 1964, ainsi qu'en 1966 lors des élections pour le poste de gouverneur de Californie, où il avait longuement expliqué que le *Golden State* devrait cesser d'être la « capitale mondiale de la sécurité sociale » (*the welfare capital of the world*), et qu'aucun pays au monde n'avait jamais survécu avec un tiers de son produit intérieur brut en prélèvements obligatoires. En 1980 et en 1984, dans un pays obnubilé par la peur du déclin, la guerre froide et la forte croissance du Japon, de l'Allemagne et du reste de l'Europe, Reagan parvient à faire triompher ce discours au niveau fédéral. Le taux supérieur de l'impôt fédéral sur le revenu, qui avait été en moyenne de 81 % de 1932 à 1980, tombe à 28 % à l'issue de la réforme fiscale de 1986, qui est la réforme emblématique et fondatrice du reaganisme[1].

Avec le recul dont nous disposons en 2019, les effets de ces politiques apparaissent relativement douteux. La croissance du revenu national par habitant a été divisée par deux au cours des trois décennies qui ont suivi ces réformes (par comparaison aux trois ou quatre décennies qui les avaient précédées). S'agissant de politiques qui étaient destinées à booster la productivité et la croissance, ce n'est pas très satisfaisant. Par ailleurs, les inégalités

---

1. Voir chapitre 10, graphique 10.11, p. 525.

ont explosé, à tel point que les 50 % des revenus les plus bas n'ont connu aucune croissance depuis le début des années 1980, ce qui est totalement inédit dans l'histoire des États-Unis (et relativement peu commun pour un pays par temps de paix)[1].

Pourtant les administrations démocrates qui ont fait suite à la décennie reaganienne, c'est-à-dire les présidences Clinton (1992-2000) et Obama (2008-2016), n'ont jamais véritablement tenté d'inverser le narratif et les politiques issus des années 1980. En particulier, sur le démantèlement de l'impôt progressif sur le revenu (dont le taux supérieur est passé à 39 % en moyenne entre 1980 et 2018, soit un niveau plus de deux fois plus bas qu'entre 1932 et 1980) comme sur la désindexation du salaire minimum fédéral (avec à la clé des pertes nettes de pouvoir d'achat depuis 1980[2]), les administrations Clinton et Obama n'ont fait au fond que valider et pérenniser les orientations fondamentales prises sous Reagan. Cela peut s'expliquer parce que ces administrations étaient en partie convaincues par le narratif reaganien, faute par exemple du recul dont nous disposons aujourd'hui. On peut cependant penser que cette acceptation du nouveau cours fiscal et social s'explique en partie par les transformations de l'électorat démocrate, et par un choix politique et stratégique visant à s'appuyer de plus en plus sur ce nouvel électorat très diplômé, et qui pouvait trouver des avantages à cette nouvelle donne politique peu redistributive. Autrement dit, la « gauche brahmane » qu'était devenu le parti démocrate dans les années 1990-2010 avait au fond des intérêts communs avec la politique de la « droite marchande » au pouvoir sous Reagan et Bush[3].

Un autre facteur politico-idéologique qui a joué un rôle essentiel aux États-Unis comme en Europe et dans le reste du monde au cours de cette

1. Voir chapitre 11, graphiques 11.5, p. 611, et 11.12-11.13, p. 633-634.
2. Voir chapitre 11, graphique 11.10, p. 619.
3. Il faut à ce sujet rappeler que de nombreux représentants et sénateurs démocrates avaient voté le *Tax Reform Act* de 1986, ce qui témoigne d'un certain opportunisme et aussi d'un attachement relativement limité à l'idée même d'impôt progressif. Dans ces conditions, il est peu surprenant que la progressivité fiscale n'ait été que très partiellement rétablie sous l'administration Clinton (1992-2000). La série *West Wing*, diffusée de 1999 à 2006, exprime avec gourmandise cette patte clintonienne : le président est progressiste à souhait, doté d'un prix Nobel d'économie, mais n'a qu'un goût très limité pour les hausses d'impôt pour les plus riches. Il acceptera tout de même de mettre son veto quand les républicains tenteront d'abolir l'impôt sur les successions (caricaturé en *death tax*, à l'image de ce que font les républicains bushistes en cet automne 2001 où est diffusé l'épisode en question).

période est évidemment la chute de l'Union soviétique en 1990-1991. Cela validait d'une certaine façon la stratégie reaganienne basée sur la restauration de la puissance étatsunienne et du modèle capitaliste. L'effondrement du contre-modèle communiste a sans nul doute puissamment contribué à l'émergence à partir du début des années 1990 d'une nouvelle phase de foi parfois sans limites dans l'autorégulation du système de marché et de propriété privée. Cela explique aussi en partie pourquoi les démocrates étatsuniens comme les socialistes, travaillistes et sociaux-démocrates européens ont, dans une large mesure, cessé de penser l'encastrement et le dépassement du capitalisme au cours de la période 1990-2010.

Comme toujours, il serait cependant erroné de relire ces trajectoires de façon déterministe. Les logiques intellectuelles et idéologiques de long terme sont importantes, mais il existe également de multiples points de bifurcations qui auraient pu donner lieu à des trajectoires différentes. Par exemple, la révolte fiscale qui éclate en 1978 en Californie, et qui est d'une certaine façon prémonitoire du succès de Reagan au niveau fédéral quelques années plus tard[1], a pour origine une très forte inflation des prix immobiliers californiens pendant les années 1970, avec pour conséquence des augmentations considérables et largement imprévues de *property tax*. Ces hausses souvent brutales posaient de nombreux problèmes, dans la mesure où elles n'avaient pas été annoncées et assumées comme telles, et où une augmentation des prix immobiliers n'implique pas forcément une augmentation correspondante des revenus nécessaires pour payer la taxe en question. Ces hausses furent ressenties comme d'autant plus injustes que la *property tax* est un impôt proportionnel qui frappe toutes les propriétés immobilières au même taux, sans prise en compte des actifs financiers et des dettes, si bien que ces hausses peuvent concerner des personnes endettées disposant de revenus minuscules[2]. Ce mécontentement fut habilement exploité par des militants conservateurs anti-impôts et déboucha en juin 1978 sur un référendum inscrivant dans la Constitution un plafonnement permanent de la *property tax* à un maximum égal à 1 % de la valeur des propriétés (la fameuse *Proposition 13*). Cette disposition, toujours en vigueur aujourd'hui, a eu pour conséquence une limitation des

---

1. Reagan obtiendra d'ailleurs de très larges victoires en Californie en 1980 et 1984.
2. Rappelons que la *property tax* aux États-Unis (et son équivalent la taxe foncière en France) n'a pratiquement pas été réformée et modernisée depuis le début du XIXᵉ siècle. Voir chapitres 4, p. 179-182, et 11, p. 658-660.

ressources disponibles pour les écoles et l'irruption de crises budgétaires à répétition en Californie.

Outre son importance dans la montée du reaganisme, cet épisode est intéressant car il illustre le croisement entre des logiques événementielles de très court terme (la hausse des prix immobiliers dans les années 1970, une mobilisation réussie pour un référendum anti-impôts) et des insuffisances intellectuelles et idéologiques de plus long terme, et en l'occurrence une absence de réflexion et de réforme de fond concernant la transformation de la *proprerty tax* en un véritable impôt progressif sur la propriété immobilière et financière nette de dettes. De même que pour l'impôt progressif sur le revenu, il est important de se donner la possibilité de demander des taux d'imposition différents à des personnes dont le patrimoine net est de 10 000 dollars, 100 000 dollars, 1 million ou 10 millions de dollars[1]. Toutes les enquêtes montrent que les citoyens sont favorables à une telle progressivité[2]. Il est également essentiel d'indexer les tranches et les taux d'un impôt sur la propriété sur l'évolution du prix des actifs, afin d'éviter que l'impôt augmente mécaniquement avec la hausse de ces derniers, sans que cela ait été préalablement débattu, justifié et arbitré. Dans le cas de la révolte de 1978, le gâchis est d'autant plus considérable que le référendum a *de facto* également mis fin aux mécanismes de partage des recettes de *property tax* entre districts scolaires riches et pauvres que la Cour suprême californienne avait validés en 1971 et 1976 (arrêts dits « Serrano »), et qui pour leur part étaient populaires au sein de l'opinion de l'époque[3].

1. En l'occurrence, le fonctionnement actuel de la *property tax* (ou de la taxe foncière) est encore pire, puisqu'une personne avec un patrimoine net de 10 000 dollars (une maison de 500 000 dollars et un emprunt de 490 000 dollars) et une autre avec un patrimoine de 10 millions de dollars (une maison de 500 000 dollars et un portefeuille financier de 9,5 millions de dollars) se retrouvent à payer non seulement le même taux mais le même montant de *property tax* (puisque les actifs financiers et les dettes sont ignorés).

2. Voir R. Fisman, K. Gladstone, I. Kuziemko, S. Naidu, « Do Americans Want to Tax Capital ? Evidence from Online Surveys », Washington Center for Equitable Growth, 2017. Les enquêtes d'opinion montrent également dans la plupart des pays un soutien très fort à diverses formes d'impôt progressif sur la fortune.

3. Voir à ce sujet I. Martin, « Does School Finance Litigation Cause Taxpayer Revolt ? Serrano and Proposition 13 », *Law & Society Review*, vol. 40, n° 3, 2006 ; Id., *The Permanent Tax Revolt : How the Property Tax Transformed American Politics*, Stanford University Press, 2008. Voir aussi J. Citrin, I. Martin, *After the Tax Revolt : California's Proposition 13 Turns 30*, IGS Press, 2009. De façon plus générale, l'impact des réformes visant à réduire les inégalités de moyens scolaires alloués aux établissements primaires et secondaires à l'intérieur des États qui ont eu lieu aux États-Unis depuis les années 1970-1980 a été contrebalancé par l'augmentation des inégalités de revenus et de propriété entre districts et entre États, si

Graphique 15.10

Les élections législatives au Royaume-Uni, 1945-2017

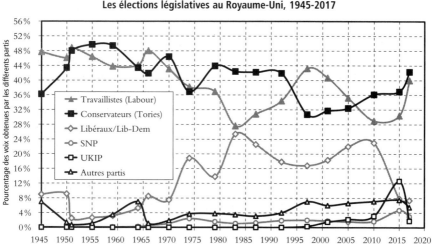

Lecture : lors des élections législatives de 1945, le parti travailliste a obtenu 48 % des voix, et le parti conservateur 36 % des voix (soit au total 84 % des voix pour les deux principaux partis). Lors des législatives de 2017, le parti conservateur a obtenu 42 % des voix, et le parti travailliste 40 % des voix (soit au total 82 % des voix).

Note : Libéraux/Lib-Dem : Liberals, Liberals-democrats, SDP Alliance. SNP : Scottish National Party. UKIP : UK Independance Party. Les autres partis incluent des partis écologistes et régionalistes.

Sources et séries : voir piketty.pse.ens.fr/ideologie.

partis. Malgré le prestige lié à la victoire lors du second conflit mondial, les conservateurs emmenés par Winston Churchill sont sèchement battus, et le travailliste Clement Attlee devient Premier ministre. Cette élection de 1945 joue un rôle fondamental dans l'histoire électorale britannique et européenne. Il s'agit en effet de la première fois que les travaillistes à eux seuls obtiennent la majorité des sièges aux Communes, ce qui leur permet d'accéder au gouvernement et d'appliquer leur programme, avec notamment la mise en place du National Health Service (NHS) et d'un ambitieux système d'assurances sociales et une augmentation importante de la progressivité fiscale sur les revenus et les successions les plus élevés. Cette élection marque également le complet bouleversement du bipartisme britannique, qui, tout au long du XVIIIe et du XIXe siècle, s'était appuyé sur l'affrontement entre les tories (conservateurs) et les whigs (renommés officiellement les libéraux à partir de 1859). À peine plus de trente ans après le *People's Budget*, qui avait permis aux libéraux d'avoir raison de la Chambre des lords en 1909-1911, les travaillistes arrivent au pouvoir en 1945 et remplacent définitivement les libéraux comme principal parti d'alternance face aux conservateurs, après plusieurs décennies de compétition acharnée. Le pays qui avait été le plus aristocratique jusqu'au début du XXe siècle, celui où l'ancien schéma trifonctionnel et la logique propriétariste étaient entrés en symbiose, devient aussi celui où un parti qui se veut authentiquement populaire arrive au pouvoir[1].

Par la suite, les libéraux ne réussiront jamais à retrouver leur rôle. Ils se redéfiniront comme libéraux-démocrates, puis comme l'alliance libéraux-SDP dans les années 1980 à la suite d'une scission du parti travailliste[2]. Après avoir réalisé des scores compris entre 10 % et 25 % au cours de la période 1980-2010, ils sont retombés nettement au-dessous de 10 % lors des élections de 2015 et 2017. Lors des élections législatives de 2017, les conservateurs emmenés par May ont obtenu 42 % des voix et les travaillistes dirigés par Corbyn en ont rassemblé 40 %, soit au total 82 % des voix pour les deux principaux partis, le reste se partageant entre les Lib-Dem, l'UKIP (United Kingdom Independance Party), le SNP (Scottish National Party) et d'autres partis verts et régionalistes. De la même façon que pour les États-Unis, nous allons nous concentrer ici sur l'évolution de la structure des votes en faveur des deux principaux partis, travailliste et conservateur, à l'exclusion des autres partis, au cours de la période 1955-2017[3].

Le premier résultat est que le parti travailliste est lui aussi devenu le parti des diplômés au cours du dernier demi-siècle. Dans les années 1950, le vote travailliste était de l'ordre de 30 points plus faible parmi les diplômés du supérieur que parmi le reste de la population. Dans les années 2010, c'est l'inverse : il est près de 10 points plus élevé parmi les diplômés du supérieur. De la même façon que pour la France et les États-Unis, on constate que ce retournement du clivage éducatif se retrouve à tous les niveaux de diplôme (entre primaire, secondaire et supérieur, mais aussi à l'intérieur du secondaire et à l'intérieur du supérieur). On observe également que le phénomène se déroule de façon graduelle et continue, au cours des six dernières décennies, et que la tendance de fond n'est guère affectée par la prise en compte des effets de l'âge, du sexe et autres caractéristiques socio-économiques individuelles (voir graphiques 15.11-15.12).

1. Sur le *People's Budget* et la fin de la Chambre des lords, voir chapitre 5, p. 217-220.
2. Le SDP (Social-Democratic Party) est créé en 1981 par des dissidents centristes du Labour et rejoint les libéraux-démocrates en 1988.
3. La première enquête postélectorale de grande taille et dont le fichier a été correctement archivé date de 1963 au Royaume-Uni (contre 1948 aux États-Unis et 1958 en France), mais cette enquête de 1963 comprend aussi des questions rétrospectives sur les élections de 1955 et 1959 que nous présentons ici (de même que l'enquête française de 1958 comprend des questions rétrospectives sur les élections de 1956). Tous les détails sur ces enquêtes, ainsi que les codes informatiques permettant de passer des fichiers bruts aux résultats finaux, sont disponibles en ligne.

Graphique 15.11

Le parti travailliste et les diplômés, 1955-2017

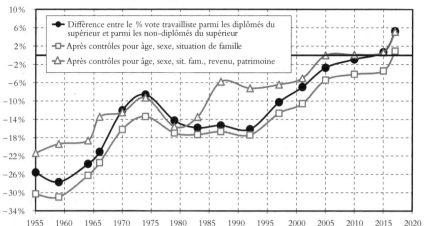

Lecture : en 1955, le parti travailliste a obtenu un score de 26 points plus faible parmi les diplômés du supérieur que parmi les non-diplômés du supérieur ; en 2017, le score du parti travailliste est de 6 points plus élevé parmi les diplômés du supérieur. La prise en compte des variables de contrôle affecte les niveaux mais ne modifie pas la tendance.

Sources et séries : voir piketty.pse.ens.fr/ideologie.

Graphique 15.12

**Du parti des travailleurs au parti des diplômés :
le vote travailliste, 1955-2017**

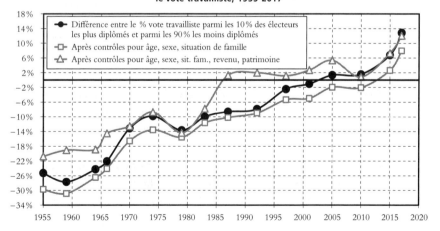

Lecture : en 1955, le parti travailliste a obtenu un score de 25 points plus faible parmi les 10% des électeurs les plus diplômés que parmi les 90% les moins diplômés ; en 2017, le score du parti travailliste est de 13 points plus élevé parmi les 10% les plus diplômés. La prise en compte des variables de contrôle affecte les niveaux mais ne modifie pas la tendance.

Sources et séries : voir piketty.pse.ens.fr/ideologie.

Par rapport à la France et aux États-Unis, on notera toutefois que l'évolution observée au Royaume-Uni est légèrement décalée dans le temps. Autrement dit, par comparaison aux deux autres pays, le vote travailliste est particulièrement centré sur les non-diplômés en début de période, et il faut attendre la toute fin de la période pour que les plus diplômés basculent clairement du côté des travaillistes (voir graphique 15.13)[1].

Graphique 15.13

La gauche électorale en Europe et aux États-Unis, 1945-2020 : du parti des travailleurs au parti des diplômés

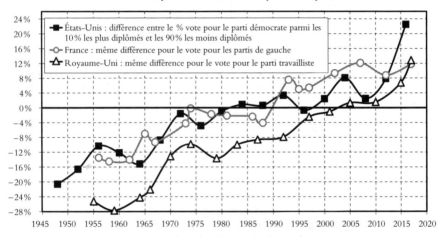

Lecture : dans les années 1950-1970, le vote pour le parti démocrate aux États-Unis, pour les partis de gauche (socialistes-communistes-radicaux-écologistes) en France et pour le parti travailliste au Royaume-Uni était associé aux électeurs les moins diplômés ; dans les années 1990-2010, il est devenu associé aux électeurs les plus diplômés. L'évolution britannique est légèrement en retard sur les évolutions française et étatsunienne mais va dans la même direction.
Sources et séries : voir piketty.pse.ens.fr/ideologie.

Ce décalage exprime une réalité importante. Par comparaison aux démocrates étatsuniens, mais aussi aux socialistes et communistes français, le vote travailliste est encore plus fortement issu des classes populaires et des travailleurs les moins qualifiés.

Il est d'ailleurs intéressant de noter que ce parti authentiquement populaire a longtemps effrayé une partie des élites intellectuelles. L'exemple le plus fameux est celui de John Maynard Keynes, qui dans un article publié

1. Voir chapitre 14, graphique 14.2, p. 844, pour le retournement du clivage éducatif britannique après prise en compte des variables de contrôle, et annexe technique, graphiques S14.2a-S14.2c pour diverses variantes. Ce léger décalage temporel se retrouve dans tous les cas.

en 1925 expliqua les raisons pour lesquelles il ne pourrait jamais voter travailliste et continuerait quoi qu'il arrive à voter pour les libéraux. Pour résumer, il s'inquiète du manque d'intellectuels dignes de ce nom (et sans doute tout particulièrement d'économistes) pour encadrer les masses : « I do not believe that the intellectual elements in the Labour Party will ever exercise adequate control ; too much will always be decided by those who do not know at all what they are talking about. [...] I incline to believe that the Liberal Party is still the best instrument of future progress[1]. » On notera que Hayek, avec un point de vue politique différent, se méfiait également beaucoup de l'arrivée au pouvoir des travaillistes britanniques, comme d'ailleurs des sociaux-démocrates suédois, qui risquaient selon lui de basculer très vite vers un pouvoir autoritaire et une remise en cause des libertés individuelles, ce dont il se faisait fort d'alerter ses amis intellectuels qui avaient cédé à ces sirènes dangereuses[2].

À l'inverse, rappelons que le sociologue travailliste Michael Young s'inquiétait dès les années 1950 que son parti, faute de mettre en place des réformes suffisamment égalitaires et ambitieuses dans le système éducatif, violemment stratifié au Royaume-Uni, ne finisse par s'aliéner les classes populaires les moins formées et ne devienne un parti de « techniciens » (qui auraient alors à affronter des « populistes »). Mais il n'allait toutefois pas jusqu'à s'imaginer que le parti travailliste finisse par dominer les conservateurs au sein des plus hauts diplômés du supérieur[3].

De la « gauche brahmane » et de la « droite marchande » au Royaume-Uni

Avec retard sur les évolutions similaires observées en France et aux États-Unis, le parti travailliste est donc lui aussi devenu à sa façon une « gauche brahmane », réalisant ses meilleurs scores parmi les plus diplômés. Examinons maintenant l'évolution des clivages électoraux

---

1. Voir « Am I a Liberal ? », *The Nation & Athenaeum*, 8 et 15 août 1925. Il s'agit du texte d'un discours prononcé par Keynes à Cambridge à la Liberal Summer School (également republié dans ses *Essays in Persuasion*, Harcourt Brace, 1931, chap. IV.3, p. 323-338). Keynes disparaît en 1946, à peu près en même temps que le parti libéral ; il est donc difficile de savoir si et quand il aurait fini par rejoindre les travaillistes.

2. Voir chapitre 10, p. 562-564. À la différence de Keynes, Hayek se méfiait aussi des libéraux, dont il trouvait qu'ils étaient devenus dangereusement gauchistes et interventionnistes, en particulier sous l'influence d'économistes et d'intellectuels comme Keynes.

3. Voir chapitre 13, p. 829.

vis-à-vis du niveau de revenu. Au cours de la période 1950-1980, on constate un clivage très marqué en fonction du revenu au Royaume-Uni : les plus bas déciles votent fortement pour le parti travailliste, mais cette propension à voter travailliste s'abaisse régulièrement avec le décile de revenu, et les plus hauts déciles votent massivement pour les conservateurs. Ceci est par exemple particulièrement net lors de l'élection de 1979, qui voit la victoire de Margaret Thatcher sur la base d'un programme reposant sur des mesures antisyndicats, des privatisations et des baisses d'impôts pour les plus hauts revenus, le tout dans un contexte de crise économique et d'inflation élevée. D'après les données disponibles, moins de 20 % des électeurs du décile supérieur votèrent travaillistes en 1979 et en 1983, et environ 25 % en 1955 ou en 1970, soit dans tous les cas environ 75 %-80 % de vote conservateur pour les électeurs les plus riches (voir graphique 15.14).

Graphique 15.14

Conflit politique et revenu au Royaume-Uni, 1955-2017

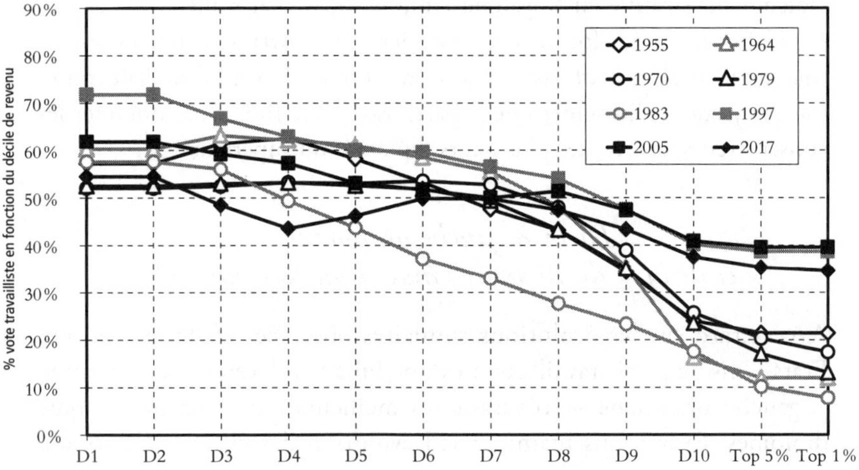

Lecture : le profil du vote pour le parti travailliste en fonction du décile de revenu est fortement décroissant, en particulier au niveau des 10 % des revenus les plus élevés, et notamment des années 1950 aux années 1980.
Sources et séries : voir piketty.pse.ens.fr/ideologie.

Par comparaison à la France, le clivage vis-à-vis du revenu est historiquement plus marqué au Royaume-Uni. En France, le profil du vote pour les partis de gauche (socialistes-communistes-radicaux-écologistes) est relativement plat au sein des 90 % des revenus les plus bas, et ne s'abaisse nettement qu'au niveau du décile supérieur[1]. Si l'on examine les données d'enquêtes détaillées par secteur d'activité, on constate que cette différence s'explique essentiellement par le nombre plus élevé d'indépendants et particulièrement d'agriculteurs en France, dont les revenus ne sont pas toujours très élevés, mais qui possèdent souvent des biens professionnels, et qui se méfient des partis de gauche. Au Royaume-Uni, le secteur agricole et indépendant a été réduit à peu de chose beaucoup plus tôt qu'en France et la main-d'œuvre est massivement salariée, avec pour conséquence un clivage classiste plus marqué, notamment en termes de revenu. Cela contribue également à expliquer pourquoi le clivage éducatif est historiquement moins marqué et s'est retourné plus rapidement en France qu'au Royaume-Uni : les indépendants (et notamment les indépendants agricoles) constituent un groupe important et relativement peu diplômé qui n'a jamais voté fortement à gauche.

Concernant les effets du revenu, on constate également une évolution temporelle assez nette au Royaume-Uni à partir des années 1980-1990, de la même façon qu'en France et aux États-Unis. En particulier, les revenus les plus élevés votent plus fortement pour le New Labour de Tony Blair entre 1997 et 2005 qu'ils ne votaient travailliste dans le passé. Cela peut sembler logique dans la mesure où le New Labour attire également de plus en plus de diplômés du supérieur, et où ses politiques fiscales sont relativement favorables aux hauts revenus. De même que les administrations Clinton (1992-2000) et Obama (2008-2016) vis-à-vis des réformes reaganiennes des années 1980, les gouvernements New Labour (1997-2010) ont, dans une large mesure, choisi de valider et de pérenniser les réformes fiscales de l'ère thatchérienne[2]. À la différence des gouvernements conservateurs Thatcher et Major, les gouvernements travaillistes Blair et Brown ont toutefois consacré davantage de ressources publiques pour investir dans le système éducatif. Mais ils ont également choisi d'augmenter fortement les droits d'inscription à l'université lors de leur passage au pouvoir, ce qui n'est guère favorable aux étudiants issus de catégories modestes[3]. Au final,

1. Voir chapitre 14, graphique 14.12, p. 887.

2. Par exemple, les taux supérieurs de l'impôt sur le revenu et de l'impôt sur les successions passent tous deux de 75 % en 1979 à 40 % dans les années 1980, puis restent à ce niveau jusqu'à nos jours pour les successions, et jusqu'en 2009 pour le revenu (après quoi il est remonté à 50 % en 2010 puis 45 % depuis 2013). Voir chapitre 10, graphique 10.11-10.12, p. 525.

3. Les droits maximaux que peuvent faire payer les universités britanniques ont ainsi été portés à 1 000 livres en 1998 puis à 3 000 livres en 2004, avant de poursuivre leur progression jusqu'à 9 000 livres en 2012. La part des droits d'inscription dans les ressources

ces politiques signent une forme de rapprochement entre la « gauche brahmane » et la « droite marchande » au Royaume-Uni.

Le changement de leadership à la tête du parti travailliste va cependant contribuer à modifier la donne. Lors des élections législatives de 2015 et 2017, on constate que les électeurs à plus hauts revenus tendent à repartir fortement du côté des conservateurs, si bien que l'écart entre l'effet du diplôme et l'effet du revenu tend à s'élargir (voir graphique 15.15)[1].

Graphique 15.15

Clivages sociaux et conflit politique : Royaume-Uni, 1955-2017

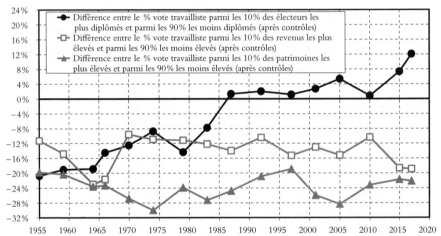

Lecture : le vote travailliste était associé dans les années 1950-1980 aux niveaux de diplôme, de revenu et de patrimoine les moins élevés ; depuis les années 1990, il est devenu associé aux niveaux de diplôme les plus élevés. Sources et séries : voir piketty.pse.ens.fr/ideologie.

---

totales des universités britanniques semble en passe de retrouver dans les années 2010 son niveau des années 1920 et d'égaler le niveau américain. Voir les intéressantes séries historiques établies par V. CARPENTIER, « Public-Private Substitution in Higher Education : Has Cost-Sharing Gone Too Far », *Higher Education Quarterly*, vol. 66, n° 4, 20 septembre 2012, p. 363-390.

1. Voir annexe technique, graphiques S15.15a-S15.15d pour les différentes variantes (en particulier avant et après contrôles) et les intervalles de confiance. Les données britanniques sur les patrimoines sont plus précises que les données étatsuniennes. En particulier, on sait si les ménages propriétaires de leur logement ont encore un emprunt ou non, et on sait pour certaines enquêtes s'ils possèdent des portefeuilles en actions, en particulier pour celles menées à la suite des privatisations des années 1980. Cela permet de constater que les effets du patrimoine vont systématiquement dans le sens du vote conservateur (plus fortement que le revenu, et beaucoup plus fortement que le diplôme), de la même façon qu'en France. Ces données patrimoniales restent toutefois fragiles (et moins précises que les données françaises), et les variations doivent être interprétées avec précaution.

Cela peut s'expliquer de différentes façons, sans que les données disponibles permettent de trancher. Tout d'abord, les politiques défendues par les travaillistes ont sensiblement évolué depuis l'élection de Corbyn à la tête du parti en 2015. Par comparaison à la période du New Labour, les travaillistes envisagent des mesures fiscales plus redistributives, et plus généralement un virage à gauche qui a pu effrayer les électeurs les plus aisés. À l'inverse, la nouvelle plate-forme travailliste comprend des éléments qui ont pu faire revenir des électeurs issus des catégories de revenus plus modestes. Il s'agit en particulier de mesures favorables aux syndicats et donnant plus de pouvoir aux représentants des salariés, avec la mise en place d'un partage des droits de vote entre salariés et actionnaires dans les conseils d'administration, de façon comparable à la cogestion germanique et nordique, ce qui n'a jamais été fait au Royaume-Uni[1]. Enfin, les travaillistes défendent désormais la gratuité complète de l'enseignement supérieur (comme cela existe en Allemagne et en Suède), ce qui constitue un changement complet de perspective par rapport aux hausses de droits d'inscription mises en place par le New Labour entre 1997 et 2010. Pour des raisons évidentes, cette proposition semble avoir rencontré un succès particulier parmi la jeunesse populaire lors de l'élection de 2017[2].

Il faut également prendre en compte l'effet du référendum sur le Brexit mené en 2016 (au cours duquel la sortie de l'Union européenne a été approuvée par 52 % des électeurs) sur les élections législatives de 2017. Même si la position personnelle de Corbyn pouvait paraître ambiguë ou insuffisamment enthousiaste, la position officielle du parti travailliste lors du référendum était d'appeler à voter pour le « Remain ». C'était également la position de plus de 90 % des députés travaillistes, contre environ la moitié des députés conservateurs. En tout état de cause, le vote travailliste est associé à une position qui est globalement plus favorable à l'Europe que le vote du parti conservateur (qui était à l'initiative du référendum de 2016). Cela a pu contribuer à un vote travailliste particulièrement élevé en 2017 parmi les diplômés du supérieur, qui sont très majoritairement

---

1. Voir chapitre 11, p. 590-595, pour une analyse de ces questions.

2. La différence entre le niveau du vote travailliste parmi les électeurs âgés de moins de 35 ans et ceux âgés de 65 ans et plus a atteint 40 points lors des législatives britanniques de 2017, soit l'écart le plus élevé jamais observé depuis 1945, non seulement au Royaume-Uni, mais également si l'on examine les écarts équivalents pour le vote pour les partis de gauche en France et le parti démocrate aux États-Unis depuis le second conflit mondial. Voir annexe technique, graphique S14.11b.

hostiles au Brexit. On notera que les plus hauts revenus, qui sont également inquiets du Brexit, ont cependant fui le vote travailliste en 2017, ce qui laisse penser que le virage à gauche pris par Corbyn les inquiète encore plus que le Brexit. Au final, le vote travailliste a été maximal parmi les diplômés à revenus moyens. Je reviendrai plus loin sur la structure des votes observée lors du référendum sur le Brexit, et plus généralement sur la question du futur de l'Union européenne, qui est en passe de devenir la question politico-idéologique centrale au Royaume-Uni comme sur le continent.

Pour résumer, si l'on compare l'évolution générale des clivages observés dans les différents pays en fonction du diplôme, du revenu et du patrimoine, on constate des points communs frappants, mais également des différences significatives, notamment en toute fin de période. Au Royaume-Uni, l'écart entre l'effet du diplôme et celui du revenu et du patrimoine tend à s'accroître en 2015-2017 (voir graphique 15.15). À l'inverse, aux États-Unis, on observe lors des élections de 2016 que l'effet du revenu et du patrimoine tend à rejoindre celui du diplôme. Autrement dit, les plus hauts revenus et patrimoines tendent à rejoindre les plus diplômés dans le vote pour le parti démocrate (voir graphique 15.6). De toute évidence, le contraste entre les deux pays dans les différences affichées de stratégies joue un rôle important. Le tournant proredistribution du parti travailliste sous Corbyn a fait fuir les plus hauts revenus et attiré les groupes plus modestes, alors que l'inverse s'est produit avec la ligne centriste affichée par le parti démocrate avec la candidature de Hillary Clinton. Si les électeurs du parti démocrate avaient sélectionné une candidature de type Sanders, on peut imaginer que la structure des votes aurait été plus proche de celle observée au Royaume-Uni. La France représente quant à elle un troisième cas de figure. Compte tenu notamment du système électoral et de la fragmentation historique de son système de partis, on a assisté en 2017 à l'arrivée au pouvoir d'une coalition rassemblant à la fois les plus hauts diplômés et les plus hauts revenus et patrimoines, rassemblant les segments les plus aisés des anciens partis de la gauche électorale et de la droite électorale[1].

Ces trois situations très contrastées sont intéressantes, car elles illustrent à quel point rien n'est écrit d'avance. Tout dépend notamment des stratégies de mobilisation et des rapports de force politico-idéologiques en présence. Il existe certes dans les trois pays des tendances lourdes communes, liées au fait que le système de partis gauche-droite de type classiste dans l'après-guerre

1. Voir chapitre 14, graphique 14.1, p. 842, et tableau 14.1, p. 917.

a été progressivement remplacé par un système d'élites multiples constitué par une « gauche brahmane » attirant les plus diplômés et une « droite marchande » attirant les plus hauts revenus et patrimoines. Mais au sein de ce schéma général, de multiples évolutions et trajectoires sont possibles, d'autant plus que le nouveau système est extrêmement fragile et instable. La « gauche brahmane » est tiraillée entre une aile proredistribution et une aile promarché, et la « droite marchande » l'est tout autant entre une faction tentée par une ligne nationaliste ou nativiste et une autre préférant maintenir une orientation principalement probusiness et promarché. Suivant la tendance qui l'emporte au sein de chaque camp ou les nouvelles synthèses qui s'esquissent, différentes trajectoires et bifurcations aux effets potentiellement durables peuvent survenir. Nous y reviendrons dans le prochain chapitre, quand nous aurons terminé l'examen des différents pays et configurations électorales.

La montée des clivages identitaires dans le Royaume-Uni postcolonial

Venons-en maintenant à la question des clivages identitaires au Royaume-Uni. De prime abord, les données dont nous disposons et les réalités qu'elles nous permettent de voir sont relativement proches du cas français. Commençons par les données portant sur les religions déclarées par les électeurs, qui sont disponibles dans toutes les enquêtes postélectorales menées au Royaume-Uni depuis les années 1950 et permettent de suivre l'évolution des clivages électoraux en fonction de la religion depuis les élections législatives de 1955 jusqu'à celles de 2017.

On constate tout d'abord que le Royaume-Uni (de même que la France) était dans une large mesure monoreligieux et monoethnique jusqu'aux années 1960 et 1970. Lors des élections législatives de 1964, 96 % de l'électorat se déclarait comme faisant partie des différentes confessions chrétiennes, 3 % comme n'ayant aucune religion, et seulement 1 % pour toutes les autres religions réunies (en particulier le judaïsme, et de façon très minoritaire l'islam, l'hindouisme et le bouddhisme)[1]. La proportion

---

1. Les 96 % d'électeurs chrétiens déclarés de 1964 se décomposaient en 65 % d'anglicans, 22 % d'autres protestants et 9 % de catholiques. Au sein des électeurs se décrivant comme chrétiens, les électeurs anglicans ont toujours le plus fortement voté pour les conservateurs, suivis des autres protestants, suivis des catholiques (qui votent pour les travaillistes dans des proportions comparables aux électeurs sans religion). On retrouve ces clivages des élections de

de personnes se déclarant sans religion va cependant croître de façon spectaculaire à partir de la fin des années 1960 et 1970, pour passer de 3 % de l'électorat en 1964 à 31 % en 1979 et 48 % en 2017. La progression est encore plus rapide qu'en France, où la proportion d'électeurs sans religion déclarée passe de 6 % en 1967 à 36 % en 2017[1]. Elle est surtout beaucoup plus forte qu'aux États-Unis, où de façon générale la religiosité est restée sensiblement plus forte qu'en Europe[2].

S'agissant des autres religions, on constate que la proportion d'électeurs se déclarant de confession musulmane était inférieure à 1 % au Royaume-Uni en 1979, avant de passer à 2 % en 1997, 3 % en 2010 et environ à 5 % en 2017. La progression est quasiment identique à celle observée en France, où cette proportion est passée d'à peine 1 % de l'électorat en 1988 à 2 % en 2002, 3 % en 2007 et 5 % en 2017. Les populations de confession musulmane ont certes des origines géographiques très différentes au Royaume-Uni (où elles viennent principalement d'Asie du Sud, et notamment du Pakistan, de l'Inde et du Bangladesh) et en France (où elles sont arrivées pour l'essentiel d'Afrique du Nord : Algérie, Tunisie, Maroc). Cela reflète des histoires coloniales et postcoloniales différentes. Cependant, ces deux pays, qui étaient à la tête des deux principaux empires coloniaux de la planète au XIXᵉ siècle et jusqu'aux années 1950-1960, qui n'avaient jamais connu jusqu'aux années 1970-1980 de cohabitation substantielle sur leur territoire entre des personnes de confessions chrétienne et musulmane[3], ont vu au cours de la période 1990-2020 la proportion

---

1955 à celles de 2017, et des clivages équivalents entre protestants et catholiques pour les votes républicains et démocrates aux États-Unis. Voir annexe technique pour les résultats détaillés.

1. Voir chapitre 14, graphique 14.14, p. 899.

2. Dans les enquêtes postélectorales étatsuniennes, la proportion d'électeurs sans religion était inférieure à 5 % jusqu'aux années 1960 et se situe aux environs de 20 % dans les années 2010. Les 80 % restants se partagent entre les différentes dénominations chrétiennes, si l'on excepte environ 1,5 % de personnes se déclarant comme juifs et moins de 1 % pour les autres religions. D'autres indicateurs attestent de la plus grande religiosité (chrétienne) aux États-Unis. Par exemple, 80 % de la population adulte dit croire en Dieu en 2015, contre 51 % en moyenne dans l'Union européenne (avec de très fortes variations : 18 % en Suède, 27 % en France, 37 % au Royaume-Uni, 44 % en Allemagne, 74 % en Italie, 79 % en Pologne), 88 % au Brésil et 94 % en Turquie. Voir M. JOUET, *Exceptional America. What Divides America from the World and from Each Other*, University of California Press, 2017, table 3, p. 90.

3. Il existe des minorités musulmanes et africaines dans les sociétés européennes depuis des époques beaucoup plus lointaines, mais leur importance numérique est longtemps restée minuscule (moins de 0,1 % de la population totale). On dénombre par exemple environ 2 000-3 000 musulmans à Berlin dans l'entre-deux-guerres. Voir D. MOTADEL, « Worlds of a Muslim Bourgeoisie : The Socio-Cultural Milieu of the Islamic Minority in Interwar

d'électeurs de confession musulmane s'élever graduellement à un niveau de l'ordre de 5 % (ce qui n'est pas très élevé dans l'absolu, mais un peu plus substantiel que les niveaux inexistants d'interactions et de mélanges observés auparavant).

De la même façon que pour la France, il s'agit ici de données portant sur les électeurs. Si l'on considère la population résidente au Royaume-Uni, indépendamment de la nationalité et de l'inscription sur les listes électorales, la proportion de musulmans déclarés avoisine les 7 %-8 % suivant les sources à la fin des années 2010, soit approximativement le même niveau qu'en France. Dans le cas du Royaume-Uni, on notera que les électeurs déclarant une religion autre que le christianisme et l'islam ont également progressé, pour atteindre 3 %-4 % dans les années 2010 (dont près de 2 % au titre de l'hindouisme, moins de 1 % pour le judaïsme et moins de 1 % pour le bouddhisme et les autres religions).

Si l'on examine maintenant la façon dont les comportements électoraux varient en fonction de la religion déclarée au Royaume-Uni (voir graphique 15.16), on constate des résultats extrêmement proches de ceux observés dans le cas de la France[1]. Historiquement, les personnes sans religion votent plus fortement pour les travaillistes que les électeurs de confession chrétienne, avec toutefois un écart moins marqué qu'en France. Quant aux électeurs de confession musulmane, on constate qu'ils ont systématiquement voté à 80 %-90 % pour le parti travailliste depuis les années 1980-1990, de la même façon qu'en France ils ont voté pour les partis de gauche[2]. L'écart avec le vote des autres électeurs avoisine les 40 points. De même qu'en

---

Germany », *in* C. DEJUNG, D. MOTADEL, J. OSTERHAMMEL, *The Global Bourgeoisie. The Rise of the Middle Classes in the Age of Empire*, Princeton University Press, 2019. Voir également D. MOTADEL, *Islam in the European Empires*, Oxford University Press, 2014. On notera également que le recensement de la population de couleur mené en France en 1777 aboutit à un total de 5 000 personnes. L'inquiétude était toutefois vive, puisque des ordonnances furent prises en 1763 pour empêcher les mariages mixtes, puis en 1777 pour interdire en principe les personnes de couleur (y compris libres) de toute présence en métropole. Voir G. NOIRIEL, *Une histoire populaire de la France, op. cit.*, p. 182-185.

1. Voir chapitre 14, graphiques 14.15-14.17, p. 902-905.

2. Au sein des électeurs des autres religions, on constate que ceux se déclarant comme hindous votent approximativement comme les musulmans (autour de 70 %-90 % de vote travailliste) alors que ceux se déclarant des autres religions (judaïsme, bouddhisme, etc., sans décomposition disponible) sont proches de la moyenne de la population. Les effectifs limités interdisent d'aller plus loin. L'islam et l'hindouisme sont séparés des autres religions dans les questionnaires des enquêtes postélectorales à partir de l'enquête de 1983 (qui comprend aussi des informations rétrospectives sur le vote de 1979). Voir annexe technique pour les résultats complets.

France, cet écart ne s'explique que très partiellement par les caractéristiques socio-économiques des électeurs[1].

Graphique 15.16

Conflit politique et diversité religieuse au Royaume-Uni, 1964-2017

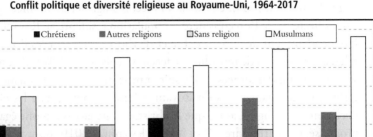

Lecture : en 2017, le parti travailliste a obtenu 39 % des voix parmi les électeurs se déclarant de religion chrétienne (anglicans, autres protestants, catholiques), 56 % parmi les électeurs d'autres religions (judaïsme, hindouisme, etc., sauf islam), 54 % parmi les électeurs sans religion et 96 % parmi les électeurs musulmans.
Sources et séries : voir piketty.pse.ens.fr/ideologie.

Une particularité des données britanniques est que les enquêtes post-électorales menées au Royaume-Uni depuis 1983 incluent également des questions sur l'auto-identification ethnique. En revanche, les enquêtes britanniques n'incluent jamais de question sur les pays d'origine des grands-parents, si bien qu'il n'est pas possible de faire une comparaison avec les résultats obtenus pour la France pour la période récente. Concrètement, les catégories ethniques utilisées dans les enquêtes postélectorales britanniques donnent la possibilité aux individus enquêtés de se classer comme « Blancs », « Africains-Caribéens », « Indiens-Pakistanais » et « autres » (catégorie qui regroupe notamment les individus se décrivant comme ethniquement « Chinois », « Arabes », « autres Asiatiques », etc.)[2]. Par exemple, lors de

1. Voir annexe technique.
2. La question est posée de la façon suivante : « Please choose one option that best describes your ethnic group or background. » La liste des réponses possibles évolue légèrement au cours du temps. La catégorie « Blancs » utilisée ici regroupe les réponses *English/British/White*. Les personnes enquêtées peuvent aussi se déclarer comme *Mixed/Multiple ethnic groups* en précisant *White and Black Caribbean* ou *White and Black African* (catégories ici classées avec

l'enquête postélectorale de 2017, parmi les électeurs acceptant de répondre à cette question, 89 % des électeurs se sont déclarés comme Blancs, 3 % comme Africains-Caribéens, 6 % comme Indiens-Pakistanais et 2 % comme autres. Alors que les Blancs ont voté à 41 % pour le parti travailliste, les Africains-Caribéens ont soutenu le Labour à 81 %, les Indiens-Pakistanais à 82 % et les autres groupes ethniques à 68 % (voir graphique 15.17).

Graphique 15.17

Conflit politique et catégories ethniques au Royaume-Uni, 1979-2017

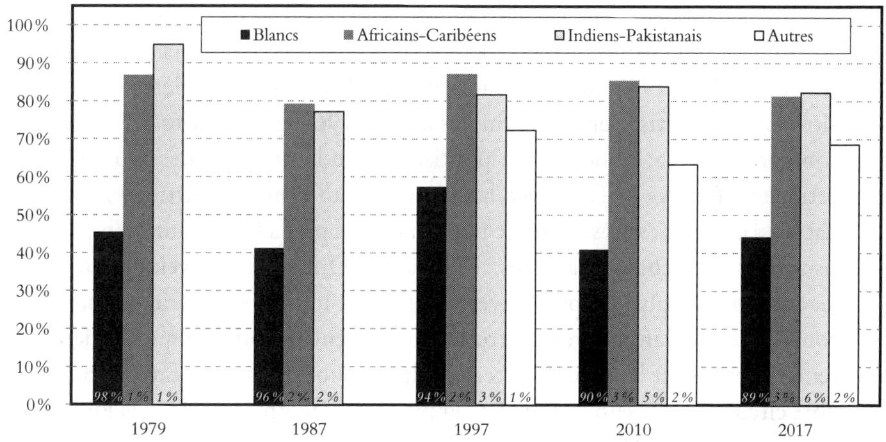

Lecture : en 2017, le parti travailliste a obtenu 44 % des voix parmi les électeurs se déclarant comme «Blancs», 81 % parmi les «Africains-Caribéens», 82 % parmi les «Indiens-Pakistanais-Bengladeshis» et 69 % parmi les «autres» (y compris «Chinois», «Arabes», etc.). En 2017, 5 % de l'électorat refuse de répondre à la question ethnique, et 77 % d'entre eux ont voté travailliste.

Sources et séries : voir piketty.pse.ens.fr/ideologie.

On observe donc de nouveau que les votes exprimés sont extrêmement clivés, dans des proportions similaires à celles observées en France pour les personnes déclarant un ou plusieurs grands-parents d'origine maghrébine ou africaine[1]. On notera également qu'une proportion significative de l'électorat britannique refuse de répondre à la question. C'est par exemple le cas de 5 % de l'électorat en 2017, soit près d'un tiers de l'électorat qui ne se déclare pas comme Blancs. Il peut s'agir de personnes qui ont des origines étrangères, métissées ou non, qui ne se reconnaissent pas dans les catégories proposées, ou plus généralement d'électeurs qui ne s'identifient pas à

African-Caribbean, sans effet sur les résultats présentés, compte tenu des faibles effectifs), ou bien *White and Asian* (catégorie ici classée avec « autres »). Voir annexe technique.

1. Voir chapitre 14, graphique 14.18, p. 909.

une catégorie ethnique particulière ou qui trouvent la question déplacée. Quoi qu'il en soit, on constate que ce groupe vote à 77 % pour le parti travailliste, sans que cela puisse s'expliquer par ses caractéristiques socio-économiques. Il me semble que cela illustre les difficultés posées par ces catégorisations ethniques, qui obligent les uns et les autres à se mettre dans des boîtes auxquelles ils ne s'identifient pas, ce qui peut conduire à durcir les frontières entre les groupes[1].

Dans le cas britannique, on notera également que 98 % de l'électorat se déclarait comme Blanc au début des années 1980, et que les 2 % des non-Blancs votaient déjà travailliste à 80 %-90 %[2]. De façon générale, même si le clivage migratoire ne devient véritablement prégnant qu'à partir des années 1980 et 1990 au Royaume-Uni, on observe des premières formes violentes de politisation dès la fin des années 1960 et les années 1970. Par comparaison à la France, où la politisation de la question des immigrés extraeuropéens va se faire avec la création d'un nouveau parti (le Front national), le processus se déroule pour une large part à l'intérieur du bipartisme conservateurs-travaillistes au Royaume-Uni, avec le développement de courants de plus en plus ouvertement anti-immigrés au sein du parti conservateur[3]. Dans l'après-guerre, les gouvernements britanniques avaient tenté de préserver les liens à l'intérieur du Commonwealth en favorisant la libre circulation au sein de l'ancien empire colonial. En particulier, la loi sur la nationalité de 1948 donnait en principe la possibilité à tous les ressortissants des pays du Commonwealth de venir s'installer au Royaume-Uni et de bénéficier de la nationalité britannique. La libre circulation fait également ment partie des principes fondateurs des diverses formes de Communauté française puis d'Union française que la France va tenter de développer pour

---

1. Il ne s'agit évidemment pas de glorifier ici le traitement français de la diversité : les travaux portant sur les discriminations devraient être multipliés (en particulier avec des enquêtes régulières de type TeO recueillant des informations sur les lieux de naissance des parents et grands-parents), et surtout les sanctions antidiscriminatoires devraient être considérablement durcies (en s'appuyant sur des dispositifs permettant d'établir les discriminations, en lien avec les enquêtes). Il reste que demander à chacun son identité « ethnique » dans des enquêtes ou recensements conduit à figer les frontières entre groupes, ce qui ne semble pas de nature à régler le problème posé, bien au contraire.

2. Les résultats indiqués pour 1979 sur le graphique 15.17 correspondent au vote rétrospectif déclaré lors de l'enquête postélectorale de 1983 ; ils sont similaires pour le vote de 1983.

3. Divers partis se sont formés pour capter le vote anti-immigrés : le British National Front dès les années 1960 et 1970, le British National Party dans les années 1990 et 2000, et plus récemment l'UKIP (avec toutefois un recentrage sur la question européenne), mais sans jamais remporter de succès tangible aux élections législatives, compte tenu du mode de scrutin.

transformer l'ancien empire colonial en une fédération supposément démocratique et égalitaire entre 1946 et 1962[1]. En pratique, on constate dans les deux cas la mise en place dès le début des années 1960 de restrictions visant à réguler les flux migratoires en provenance des ex-colonies. Dans le cas du Royaume-Uni, ces flux proviennent notamment des Caraïbes, de l'Inde et du Pakistan (et à un degré moindre d'Afrique de l'Est) dans les années 1950 et 1960. Il s'agit de flux d'ampleur modérée, mais qui représentent néanmoins une nouveauté importante par comparaison à l'entre-deux-guerres et aux époques antérieures. De premières restrictions sont établies en 1961, avant d'être durcies en 1965 et 1968.

La politisation de l'immigration au Royaume-Uni, de Powell à l'UKIP

La politisation de la question des immigrés extraeuropéens prend une tournure nouvelle en 1968 avec les diatribes du député conservateur Enoch Powell. Dans des discours abondamment repris et diffusés, Powell annonce que des « fleuves de sang » vont se répandre dans le Royaume-Uni si les flux migratoires se poursuivent. Il évoque les émeutes raciales aux États-Unis et s'inquiète que son pays connaisse le même sort si l'on continue dans cette voie[2]. Lors de la campagne électorale de 1979, le thème de l'immigration jouera également un rôle significatif. De même que l'exploitation du clivage racial et identitaire a été aux États-Unis l'un des éléments de la stratégie républicaine menant au succès électoral de Nixon en 1968 et 1972 et de Reagan en 1980, l'utilisation du clivage migratoire et identitaire a fait partie de la stratégie de mobilisation conduisant à la victoire de Thatcher au Royaume-Uni.

Les questions posées lors de l'enquête postélectorale de 1979 au sujet des « relations raciales » dans le pays expriment d'ailleurs de façon parfaitement claire la perception qu'ont les électeurs de la politisation de la question. Les électeurs conservateurs interrogés considèrent pour près de 70 % d'entre eux que seule la fin de l'immigration peut permettre « d'améliorer les relations raciales », et pour guère plus de 30 % que la solution serait de créer davantage d'emplois et de logements. À l'inverse, près de

---

1. Voir chapitre 7, p. 354-359.
2. Voir R. DANCIGYER, « History of Racism and Xenophobia in the United Kingdom », *in* J. ROEMER, W. LEE, K. VAN DER STRAETEN, *Racism, Xenophobia and Distribution. Multi-Issue Politics in Advanced Democracies*, *op. cit.*, p. 130-165.

60 % des électeurs travaillistes mettent en avant les créations d'emplois et de logements[1]. Lorsqu'on leur demande lequel des deux partis est le plus susceptible de réduire les flux migratoires, 35 % des électeurs ne répondent pas. Mais parmi ceux qui répondent les choses sont parfaitement claires : 63 % citent le parti conservateur, et 2 % seulement le parti travailliste.

Au cours des années 1980 et 1990, les espoirs des électeurs travaillistes (et d'une partie également des électeurs tories) en des politiques sociales et économiques permettant de concilier harmonie sociale et ouverture à l'immigration vont être mis à rude épreuve. Margaret Thatcher, qui avait durci le ton sur l'immigration lors de la campagne de 1979, va se lancer dans des coupes dans les budgets sociaux, tout en fermant un peu plus les frontières. Le New Labour au pouvoir en 1997 reprendra en partie ce double héritage. Après les attentats du 11 septembre 2001, alors que le gouvernement de Tony Blair s'apprête à rejoindre les États-Unis pour aller envahir l'Irak en 2003-2004, la majorité travailliste vote des lois d'exception visant à combattre le terrorisme, mais qui en pratique permettent également d'accélérer les arrestations et les expulsions de centaines de milliers de sans-papiers. Dans *Americanah*, roman publié en 2013 par Chimamanda Ngozi Adichie, c'est précisément le moment où Obinze, sans nouvelles d'Ifemelu partie aux États-Unis, décide de tenter sa chance au Royaume-Uni. Diplômé du supérieur au Nigeria, il se retrouve à nettoyer des toilettes en Angleterre. Pour avoir le droit de travailler, il emprunte le numéro de Sécurité sociale de son compatriote aux origines modestes, Vincent Obi, à qui, en contrepartie, il doit reverser 35 % de ses gains. Le renversement de la hiérarchie sociale nigériane est total. Face aux nouvelles traques anti-immigrés organisées par le ministre travailliste de l'Intérieur David Blunkett, il se résout à tenter la voie du mariage blanc en ayant

---

1. La question exacte était la suivante : « In order to improve race relations in this country, should we stop immigration, or have more jobs/housing in large cities ? » Cette question ne sera pas reposée sous cette forme par la suite, si bien qu'il est impossible de dire comment les réponses ont évolué. De façon générale, il faut souligner à quel point l'analyse des transformations politico-idéologiques est limitée par la nature des matériaux disponibles dans les enquêtes postélectorales. Pour étudier l'évolution des idéologies, il est également possible de mobiliser les manifestes et programmes des partis, tels que rassemblés par exemple dans le cadre du *Comparative Manifesto Project*, et d'y constater une nette « droitisation » à partir des années 1980-1990, aussi bien sur les questions économiques et migratoires, et y compris au sein des partis sociaux-démocrates, travaillistes et socialistes. Voir à ce sujet A. GETHIN, *Cleavage Structures and Distributive Politics, op. cit.*, p. 12, fig. 1.2. Toutefois ces matériaux sont eux-mêmes relativement imprécis et imparfaitement comparables dans le temps et l'espace.

recours aux services d'avides Angolais. Mais il néglige les injonctions de Vincent, qui exige maintenant un reversement de 45 % de ses salaires. Furieux, Vincent le dénonce à son employeur. Obinze sera arrêté le jour de son mariage et expulsé vers le Nigeria, meurtri par les regards condescendants des Européens face aux Africains qui prétendent choisir leur vie autant que par la bassesse dans laquelle leurs lois plongent les migrants.

Rappelons que cette période des années 1990 et 2000, en particulier les années du New Labour au pouvoir (1997-2010), correspond également à la période où s'effondre le niveau de participation électorale au Royaume-Uni, particulièrement au sein des classes populaires[1]. Manifestement, une large part des électeurs ne se satisfait pas du choix limité entre le Labour et les tories, qui comme il se doit promettent une surenchère sécuritaire et anti-immigration et critiquent le laxisme supposé des travaillistes.

À partir du début des années 2010, la politisation de l'immigration prend un nouveau tour au Royaume-Uni et se déplace pour partie vers la question européenne. La crise financière de 2008 accroît un peu partout en Europe les ressentiments et les frustrations. En France, alors que le Front national était au plus bas lors des élections de 2007, il remonte en flèche à celles de 2012 et 2017. Au Royaume-Uni, l'UKIP dénonce pêle-mêle l'immigration et l'Union européenne avec une ardeur renouvelée, d'autant plus que les pays d'Europe de l'Est viennent de rejoindre l'UE en 2004 (en particulier la Pologne, la Hongrie, la République tchèque et la Slovaquie) et en 2007 (Roumanie, Bulgarie), ce qui a provoqué un afflux de migrants venus de l'Est bénéficiant dorénavant du régime de libre circulation, à la façon des travailleurs du Commonwealth dans l'après-guerre[2].

Le divorce européen et les classes populaires

Le parti conservateur jugea alors utile de lancer le pays dans un mouvement de sortie de l'Union européenne. Cela répondait certes en partie à la pression croissante exercée par une partie des tories et de l'électorat. Le score

---

1. Voir chapitre 14, graphique 14.7-14.8, p. 860-861.
2. Les traités d'élargissement de 2004 et 2007 (qui ont fait passer l'Union européenne de 15 États membres en 2003 à 25 membres en 2004 puis 27 en 2007) prévoyaient que des restrictions temporaires à la libre circulation des travailleurs issus des nouveaux entrants pouvaient être appliquées par les anciens membres, mais que toutes ces restrictions devaient être levées au plus tard en 2011. En pratique, les restrictions furent levées graduellement entre 2004 et 2011 par les différents pays.

obtenu par l'UKIP était de 2 % lors des législatives de 2005 et de 3 % lors de celles de 2010 ; il bondit à 13 % lors des législatives de 2015. Entre-temps, il a réussi une percée spectaculaire lors des élections européennes de 2014 (27 % des voix au Royaume-Uni) et arrive en masse au Parlement européen. Compte tenu du mode de scrutin appliqué aux législatives britanniques, la pression reste cependant limitée : l'UKIP n'obtient qu'un seul siège à Westminster lors des élections de 2015. Mais pour assurer sa réélection face aux travaillistes, le Premier ministre David Cameron décide de faire adopter dans la plate-forme de son parti en vue des élections la promesse d'un référendum sur la sortie de l'Union européenne. Sa victoire électorale acquise, il organise donc ledit référendum sur le Brexit, qui a lieu en 2016. Cameron annonce qu'il a obtenu de la part des autres États membres les concessions qu'il souhaitait, demandes qu'il n'avait d'ailleurs jamais véritablement explicitées, ni avant ni après les élections de 2015, jugeant habile de conserver ses revendications secrètes afin d'obtenir le maximum. Satisfait des résultats obtenus, il appelle finalement à voter pour le « Remain ». Peu convaincus, les électeurs votent à 52 % pour le « Leave ».

C'est ainsi que, entre 2016 et 2019, le Royaume-Uni et l'Union européenne sont entrés dans d'interminables négociations sur l'adoption de nouveaux traités visant à organiser les relations futures entre le continent et les îles Britanniques (ou plutôt une partie d'entre elles, car la République irlandaise reste dans l'UE, tandis que l'Écosse envisage l'organisation d'un nouveau référendum visant à sortir du Royaume-Uni et à entrer dans l'UE). S'il semble acquis que la libre circulation intégrale des travailleurs ne fera pas partie de l'accord, cela n'apporte aucune solution pour autant à la question des règles régissant les déplacements futurs, ni à celle du statut des Britanniques installés dans l'UE (et des Européens vivant et travaillant au Royaume-Uni). Quant au libre mouvement des biens, des services et des capitaux, il s'agit de savoir dans quelle mesure le Royaume-Uni devra appliquer les réglementations européennes et pourra signer ses propres accords avec le reste du monde. La difficulté vient du fait que ces complexités ont été largement ignorées lors des débats référendaires. La nature exacte de l'accord envisagé en cas de victoire du « Leave » n'avait pas été précisée, pas plus que celle de l'accord justifiant le « Remain ».

Il est impossible à ce stade de prévoir l'évolution des relations entre le Royaume-Uni et l'Union européenne, pas plus d'ailleurs que les transformations à venir des traités régissant le fonctionnement intérieur de l'UE. Il est important cependant d'insister sur la multiplicité des trajectoires possibles, et sur le sentiment que l'organisation actuelle de l'Union européenne pourrait faire l'objet de profonds changements. De façon générale, il serait trop facile de se contenter de stigmatiser les stratégies politiques opportunistes et inconséquentes qui ont conduit au Brexit, ou le nationalisme supposé des électeurs britanniques. Cette séquence événementielle aurait pu se dérouler différemment, et pourrait se retourner à l'avenir. Mais si elle a été rendue possible, c'est aussi et surtout du fait des profondes insuffisances de la construction européenne, telle qu'elle a été développée dans le passé par les responsables politiques des différents pays (y compris par les travaillistes et les conservateurs britanniques, mais les responsabilités vont bien au-delà et se trouvent également en France, en Allemagne et dans tous les pays).

Si l'on examine la structure du vote pour le Brexit en 2016 en fonction du niveau de diplôme, de revenu et de patrimoine, les résultats sont extrêmement clairs. Quelle que soit la dimension retenue, les catégories les plus modestes ont massivement voté pour le « Leave », et seuls les 30 % les plus favorisés ont soutenu le « Remain » (voir graphique 15.18).

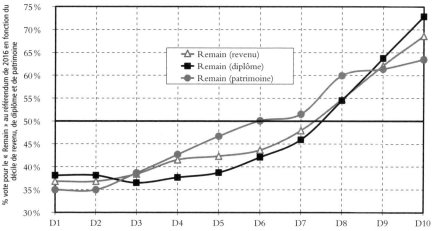

Graphique 15.18
**Le clivage européen au Royaume-Uni :
le référendum sur le Brexit de 2016**

Lecture : lors du référendum de 2016 sur le Brexit (victoire du « Leave » avec 52 % des voix), le vote est fortement clivé socialement : les hauts déciles de revenu, diplôme et patrimoine votent fortement pour le « Remain », alors que les bas déciles votent pour le « Leave ».
Note : D1 designe les 10 % du bas (pour la répartition du revenu, du diplôme ou du patrimoine, suivant le cas), D2 les 10 % suivants..., et D10 les 10 % du haut.
Sources et séries : voir piketty.pse.ens.fr/ideologie.

Les plus diplômés semblent avoir exprimé un attachement encore plus marqué à l'Union européenne que les plus hauts patrimoines, ce qui peut s'expliquer par le fait qu'une partie de ces derniers pense pouvoir tirer parti de la possible transformation du Royaume-Uni en paradis fiscal (perspective brandie par une partie des Brexiters tories)[1]. Au final, le plus frappant est surtout que la question européenne a provoqué un clivage considérable entre classes populaires, moyennes et supérieures, quelle que soit la dimension de stratification sociale considérée (diplôme, revenu et patrimoine). Ce résultat est d'autant plus spectaculaire que cette structure classiste du vote a depuis longtemps cessé d'être celle caractérisant le système de partis, qui est devenu au cours de la période 1990-2020 un système à base d'élites multiples (avec un vote travailliste attirant les plus diplômés, et un vote conservateur regroupant les plus hauts revenus et patrimoines).

Surtout, ce résultat extrêmement clivé socialement observé lors du référendum britannique de 2016 est d'autant plus frappant que l'on a constaté exactement le même profil de vote lors des référendums français de 1992 et de 2005 sur l'Europe[2]. Autrement dit, à plusieurs décennies de distance, dans des pays européens différents, on constate un divorce complet entre les classes populaires et la construction européenne. Au Royaume-Uni comme en France, l'enjeu européen est devenu au cours de la période 1990-2020 le sujet qui fédère d'un côté les élites éduquées et financières de la « gauche brahmane » et de la « droite marchande » (en gros autour du maintien de l'organisation actuelle de l'Europe), et de l'autre les catégories modestes et moyennes (soudées autour du rejet de l'Europe actuelle, sans pour autant que cela implique l'approbation d'un projet alternatif précis). Comme je l'ai déjà noté en examinant le cas français, expliquer cet état de fait simplement en évoquant la tendance irrépressible au nationalisme et au racisme qui animerait les classes populaires paraît particulièrement court et peu convaincant. Le racisme des catégories modestes n'est pas plus spontané que celui des élites : tout dépend du contenu du projet sociopolitique sur lequel s'appuie l'internationalisme.

Or, le projet européen est basé principalement sur la mise en concurrence généralisée des territoires et des personnes, et sur la libre circulation des biens, des capitaux et des travailleurs, sans tentative de mise en place d'outils communs visant à assurer une plus grande justice sociale et fiscale.

1. Les insuffisances des données disponibles dans les enquêtes postélectorales concernant les patrimoines ne permettent cependant pas d'étudier ce point avec une précision satisfaisante.
2. Voir chapitre 14, graphique 14.20, p. 926.

En ce sens, l'Union européenne fonctionne différemment des autres grands ensembles régionaux et fédéraux de la planète, qu'il s'agisse par exemple des États-Unis d'Amérique ou de l'Union indienne. On observe dans ces deux cas des formes de budgets ou d'impôts progressifs au niveau fédéral qui pourraient certes être améliorées mais qui sont autrement plus ambitieuses que celles observées au niveau de l'Union européenne[1]. Dans le cas de l'UE, le budget fédéral est minuscule : environ 1 % du PIB européen, contre 15 %-20 % du PIB en Inde et aux États-Unis. Il n'existe aucun impôt fédéral, alors que les impôts pesant sur les acteurs économiques les plus importants, et en particulier l'impôt progressif sur les revenus et les successions et l'impôt sur les bénéfices des sociétés, sont systématiquement centralisés au niveau fédéral en Inde comme aux États-Unis. L'Union européenne offre au contraire l'exemple d'une organisation politique régionale au sein de laquelle le principe de la concurrence pure et parfaite tient lieu de ciment unificateur quasi unique.

Or le problème est que la concurrence fiscale et sociale entre États membres bénéficie avant tout aux acteurs les plus puissants. En particulier, le Brexit illustre les limites d'un modèle basé sur la libre circulation des travailleurs sans règle sociale et fiscale commune véritablement contraignante. À leur façon, les expériences limitées de libre circulation expérimentées par le Royaume-Uni et la France avec leurs anciennes colonies dans les années 1950 et 1960 illustrent également le besoin de régulation sociale et politique commune qui doit accompagner la liberté de mouvement. Si l'UE ne parvient pas à se transformer pour incarner un projet alternatif, bâti autour de mesures de justice sociale et fiscale simples et lisibles, il est peu probable que les classes populaires et moyennes revoient leur opinion à son sujet. Les risques de nouvelles sorties, ou bien de prise de contrôle du projet européen par les idéologies nativistes et identitaires, seraient alors considérables. Avant d'examiner plus avant les trajectoires possibles visant à sortir de ces impasses, il nous faut d'abord poursuivre notre passage en revue des transformations de la structure des clivages électoraux dans les différents pays, au-delà du cas du Royaume-Uni, des États-Unis et de la France, en examinant maintenant le cas d'autres démocraties électorales occidentales et non occidentales, en particulier en Europe et en Inde.

---

1. On pourrait citer le cas de la République populaire de Chine, qui irait dans le même sens, mais qui fonctionne suivant un régime politique ne reposant pas sur les élections, si bien que la comparaison avec les États-Unis et l'Inde (ou encore le Brésil) est plus naturelle.

Chapitre 16

SOCIAL-NATIVISME :
LE PIÈGE IDENTITAIRE
POSTCOLONIAL

Nous venons d'étudier la transformation des clivages politiques et électoraux au Royaume-Uni, aux États-Unis et en France depuis l'après-guerre. En particulier, nous avons observé dans ces trois pays comment la structure « classiste » du système de partis de la période 1950-1980 avait graduellement laissé la place dans les années 1990-2020 à un système d'élites multiples, au sein duquel le parti des plus diplômés (la « gauche brahmane ») et celui des plus hauts revenus et patrimoines (la « droite marchande ») alternent au pouvoir. La toute fin de la période est marquée par des conflits croissants autour de l'organisation de la mondialisation et de la construction européenne, opposant des classes favorisées globalement favorables à la continuation de l'organisation actuelle et des classes défavorisées qui y sont de plus en plus opposées, et dont le légitime sentiment d'abandon est habilement exploité par diverses idéologies nationalistes et anti-immigrés.

Dans ce chapitre, nous allons d'abord constater que les évolutions observées dans les trois pays étudiés jusqu'ici se retrouvent aussi en Allemagne, en Suède et dans la quasi-totalité des démocraties électorales européennes et occidentales. Nous analyserons également la structure singulière des clivages politiques observée en Europe de l'Est (en particulier en Pologne). Celle-ci illustre l'importance de la désillusion postcommuniste dans la transformation du système de partis et dans l'émergence du social-nativisme, qui apparaît comme le produit d'un monde à la fois postcommuniste et postcolonial. Nous analyserons dans quelle mesure il est possible de dépasser le piège social-nativiste et de dessiner les contours d'une forme de social-fédéralisme adaptée à la configuration européenne. Nous étudierons ensuite la transformation de la structure des clivages politiques dans les démocraties électorales non occidentales, et notamment en Inde et au Brésil. Nous verrons dans les deux cas des exemples de développement incomplet de clivages de type classiste, qui nous aideront à mieux comprendre les trajectoires occidentales et la dynamique des inégalités mondiales. Ces différents enseignements nous conduiront enfin à examiner dans le prochain et dernier chapitre les éléments programmatiques susceptibles d'alimenter en ce début de XXIe siècle de nouvelles formes de socialisme participatif, dans une perspective transnationale.

Du parti des travailleurs à celui des diplômés : similarités et variantes

Précisons tout d'abord que nous n'allons pas pouvoir traiter du cas de chaque pays de façon aussi détaillée que ce que nous avons fait pour le cas de la France, des États-Unis et du Royaume-Uni, d'une part, parce que cela dépasserait de beaucoup le cadre de ce livre, et, d'autre part, car les sources n'ont pas encore été rassemblées de façon systématique pour tous les pays. Dans ce chapitre, nous allons commencer par présenter de façon relativement succincte les principaux résultats actuellement disponibles pour les autres démocraties électorales européennes et occidentales. Nous analyserons de façon plus détaillée les résultats obtenus dans le cas de l'Inde (et à un degré moindre dans celui du Brésil). Outre que la démocratie indienne comprend plus d'habitants et d'électeurs que toutes les démocraties électorales occidentales réunies, l'examen de la structure des électorats et de la transformation des clivages sociopolitiques en Inde depuis les années 1950 et 1960 jusqu'aux années 2010 illustre le besoin impérieux de sortir du cadre occidental pour mieux comprendre les déterminants politico-idéologiques des inégalités, tout comme les conditions de formation de coalitions redistributives.

En ce qui concerne les démocraties électorales occidentales, la principale conclusion est que les résultats obtenus pour le Royaume-Uni, les États-Unis et la France sont représentatifs d'une évolution beaucoup plus générale. Tout d'abord, on constate que le retournement du clivage éducatif s'est produit non seulement dans les trois pays déjà étudiés, mais également dans les pays d'Europe qui constituent le cœur historique de la social-démocratie, notamment l'Allemagne, la Suède et la Norvège (voir graphique 16.1). Dans ces trois pays, la coalition politique qui s'apparentait dans les décennies de l'après-guerre au parti des travailleurs (avec des scores particulièrement élevés au sein des catégories plus modestes) est devenue à la fin du xxᵉ siècle et au début du xxiᵉ siècle le parti des diplômés, réalisant ses meilleurs scores dans les groupes les mieux formés.

Graphique 16.1

**Le retournement du clivage éducatif, 1950-2020 :
États-Unis, France, Royaume-Uni, Allemagne, Suède, Norvège**

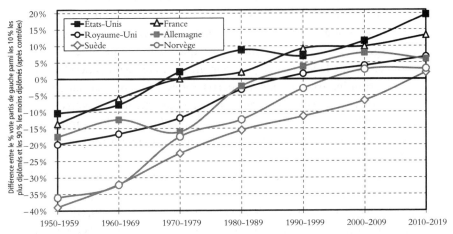

Lecture : dans les années 1950-1970, le vote démocrate aux États-Unis et pour les divers partis de gauche en Europe (travaillistes-sociaux-démocrates-socialistes-communistes-radicaux-écologistes) était plus élevé parmi les électeurs les moins diplômés ; dans les années 2000-2020, il est devenu associé aux électeurs les plus diplômés. La tendance se fait avec retard en Europe nordique mais va dans la même direction.
Note : « 1950-1959 » inclut les élections menées de 1950 à 1959, « 1960-1969 » celles menées de 1960 à 1969, etc.
Sources et séries : voir piketty.pse.ens.fr/ideologie.

En Allemagne, on observe par exemple que le vote pour le parti social-démocrate (SPD) et les autres partis de gauche et écologistes (Die Linke et Die Grünen en particulier) est dans les années 1990-2020 entre 5 et 10 points plus élevé parmi les électeurs les plus diplômés que parmi les moins diplômés, alors qu'il était autour de 15 points plus faible parmi les premiers dans les années 1950-1980. Afin d'assurer la plus grande comparabilité possible dans le temps et entre les pays, je me concentre ici sur la différence entre les votes observés parmi les 10 % des électeurs les plus diplômés et les 90 % les moins diplômés (après prise en compte des variables de contrôle, c'est-à-dire en raisonnant « toutes choses égales par ailleurs »). Il faut toutefois préciser que, de la même façon que pour la France, les États-Unis et le Royaume-Uni, les tendances observées sont similaires si l'on compare les diplômés du supérieur et les non-diplômés du supérieur, ou bien les 50 % les plus diplômés et les 50 % les moins diplômés, avant ou après prise en compte des variables de contrôle[1]. Dans le cas de l'Allemagne, on remarquera que l'ampleur du retournement du clivage éducatif est quasiment identique à celle observée pour le vote travailliste au Royaume-Uni (voir graphique 16.1). On notera aussi le rôle joué dans la trajectoire allemande par l'émergence de Die Grünen. À partir des années 1980 et 1990, le parti écologiste a attiré une part importante du vote des catégories les plus diplômées. Il faut toutefois souligner que l'on observe également un retournement du clivage éducatif (quoique moins marqué en fin de période) si l'on se concentre sur le vote SPD proprement dit[2]. De façon générale, si la structuration institutionnelle des partis et des différents courants politiques varie considérablement entre les pays, comme nous l'avons vu en comparant le cas de la France à ceux des États-Unis et du Royaume-Uni, il est surprenant de constater que cela semble avoir un impact limité sur les grandes tendances étudiées ici.

S'agissant de la Suède et de la Norvège, il est frappant de voir à quel point la politisation du clivage de classe était forte dans l'après-guerre. Concrètement, le vote social-démocrate parmi les 10 % les plus diplômés était de l'ordre de 30-40 points plus faible que parmi les 90 % les moins diplômés entre 1950 et 1970. Par comparaison, cet écart était de l'ordre de 15-20 points en Allemagne et au Royaume-Uni et de 10-15 points en France et aux États-Unis (voir graphique 16.1). Ceci exprime à quel point les partis sociaux-démocrates nordiques ont été bâtis autour d'une mobilisation exceptionnellement forte de la classe ouvrière et des travailleurs manuels[3]. Ceci a d'ailleurs permis de venir à bout d'une inégalité propriétariste particulièrement extrême jusqu'au début du XXe siècle

---

1. Pour une analyse détaillée des résultats obtenus dans le cas de l'Allemagne et de la Suède, voir annexe technique et F. KOSSE, T. PIKETTY, « Changing Socioeconomic and Electoral Cleavages in Germany and Sweden 1949-2017 », art. cité.

2. Voir annexe technique, graphique S16.1.

3. De même que pour l'Allemagne et la France, nous avons pris en compte pour la Suède et la Norvège sur le graphique 16.1 à la fois le principal parti social-démocrate ou travailliste (le SAP en Suède, et l'Arbeiderpartiet en Norvège) et les autres partis de gauche (socialistes, communistes ou assimilés) ou écologistes. Si l'on se concentre sur le vote SAP, on observe également un renversement extrêmement clair du clivage éducatif. Voir annexe technique, graphique S16.1.

(en particulier en Suède, avec un système de votes proportionnels à la fortune) et de mettre en place des sociétés inhabituellement égalitaires dans l'après-guerre[1]. Il reste que l'on observe dans ces deux pays une érosion graduelle de cette base électorale, qui commence à se faire sentir dès les années 1970 et 1980 et se prolonge au cours de la période 1990-2020. Les classes d'électeurs les moins diplômés ont peu à peu cessé d'accorder leur confiance aux sociaux-démocrates, qui, en fin de période, font leurs plus hauts scores parmi les plus diplômés. Par comparaison à ce que l'on observe aux États-Unis et en France, et à un degré moindre au Royaume-Uni et en Allemagne, le vote social-démocrate au sein de l'électorat populaire s'est certes maintenu à un niveau plus important en Suède et en Norvège. Mais la tendance de fond, qui, dans tous les pays, s'étale maintenant sur plus d'un demi-siècle, va clairement dans la même direction.

Les enquêtes postélectorales disponibles dans les différents pays ne permettent pas toujours de remonter jusqu'aux années 1950. Le type des enquêtes menées et l'état des fichiers conservés ne permettent souvent de commencer l'analyse de la structure des électorats sur une base systématique et comparable que dans les années 1960, voire dans les années 1970 ou 1980. Les matériaux rassemblés permettent toutefois de constater que le retournement du clivage éducatif est un phénomène extrêmement général au sein des démocraties électorales occidentales. Dans la quasi-totalité des pays étudiés, on constate que le profil du vote pour les partis de gauche (travaillistes, sociaux-démocrates, socialistes, communistes, radicaux, etc., avec des variantes suivant les pays) s'est renversé durant le dernier demi-siècle. Au cours de la période 1950-1980, ce profil était décroissant avec le niveau du diplôme : plus les électeurs étaient diplômés, moins ils votaient pour ces partis. Au terme d'une évolution graduelle, ce profil est devenu de plus en plus nettement croissant au cours de la période 1990-2020 : plus les électeurs sont diplômés, plus ils votent pour ces mêmes partis (qui de toute évidence ont changé de nature). On retrouve par exemple cette même évolution dans des pays aussi différents que l'Italie, les Pays-Bas ou la Suisse, ainsi qu'en Australie, au Canada et en Nouvelle-Zélande (voir graphique 16.2)[2].

---

1. Sur le cas de la Suède, voir chapitre 5, p. 229-231.
2. Pour une analyse comparative des résultats obtenus dans 21 pays, voir annexe technique et A. GETHIN, C. MARTINEZ-TOLEDANO, T. PIKETTY, « Political Cleavages and Inequality. Evidence from Electoral Democracies, 1950-2018 », art. cité.

Graphique 16.2

Clivage politique et diplôme, 1960-2020 :
Italie, Pays-Bas, Suisse, Canada, Australie, Nouvelle-Zélande

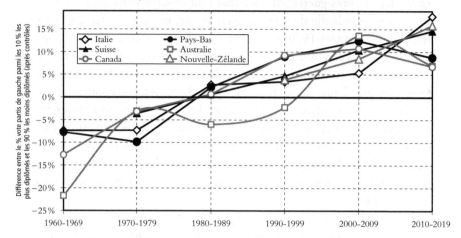

Lecture : dans les années 1960-1980, le vote pour les partis de gauche (travaillistes-sociaux-démocrates-socialistes-communistes-radicaux-écologistes) était associé aux électeurs les moins diplômés ; dans les années 2000-2020, il est devenu associé aux électeurs les plus diplômés. On retrouve ce résultat aux États-Unis et en Europe, ainsi qu'au Canada, en Australie et en Nouvelle-Zélande.
Note : « 1960-1969 » inclut les élections menées de 1960 à 1969, « 1970-1979 » celles menées de 1970 à 1979, etc.
Sources et séries : voir piketty.pse.ens.fr/ideologie.

Lorsque les questionnaires des enquêtes le permettent, nous retrouvons également pour les différents pays des résultats comparables à ceux obtenus pour la France, les États-Unis et le Royaume-Uni concernant l'évolution du profil du vote en fonction du revenu et du patrimoine[1].

À l'intérieur de ce schéma général, chaque pays présente des particularités importantes, en fonction de sa configuration socio-économique et politico-idéologique propre. Ces différentes trajectoires mériteraient des analyses approfondies, qui dépasseraient de beaucoup le cadre de ce livre[2]. Je reviendrai toutefois plus loin sur le cas de l'Italie, qui présente

---

1. En particulier, contrairement au profil de vote en fonction du diplôme, qui s'est retourné dans la quasi-totalité des pays, le profil de vote en fonction du revenu est généralement resté décroissant (quoique de moins en moins nettement décroissant), donnant lieu à un système d'élites multiples de type « gauche brahmane » et « droite marchande ». Voir annexe technique, graphique S16.2.

2. La très grande similarité des évolutions de la structure des clivages électoraux observée dans les différents pays montre que certains facteurs communs sont finalement plus importants que les particularités nationales souvent évoquées. Mais ce schéma général, aussi important soit-il, ne doit pas masquer les multiples variantes politico-idéologiques nationales et régionales au sein de cette tendance générale. Par exemple, les variations de comportement électoral liées

un exemple emblématique de la décomposition avancée du système de partis de l'après-guerre et de l'émergence d'un pôle idéologique de type social-nativiste.

La seule véritable exception à cette évolution générale de la structure des clivages politiques au sein des démocraties électorales des pays développés semble concerner le Japon, qui n'a jamais véritablement connu de système de partis de type classiste comparable à ceux observés dans les pays européens et occidentaux au cours de l'après-guerre. Le parti libéral-démocrate (PLD) a été au pouvoir de façon quasi permanente au Japon depuis 1945. Historiquement, ce parti conservateur quasi hégémonique a réalisé ses meilleurs scores au sein du monde rural et agricole et parmi la bourgeoise urbaine. Le PLD a ainsi réussi à faire la synthèse entre les élites économiques et industrielles et le Japon traditionnel, autour d'un projet de reconstruction du pays, dans un contexte complexe marqué par l'occupation étatsunienne et un anticommunisme exacerbé par la proximité russo-chinoise. À l'inverse, le parti démocrate (principal parti d'opposition) a généralement réalisé ses meilleurs scores parmi les salariés urbains modestes et moyens et parmi les plus diplômés, volontiers contestataires face à la présence étatsunienne et le nouvel ordre moral et social incarné par le PLD, mais sans parvenir à rassembler durablement une majorité alternative[1]. Plus généralement, la structure spécifique du conflit politique au Japon doit être reliée à la forme particulière prise par les clivages nippons autour du nationalisme et des valeurs traditionnelles[2].

---

aux différentes structures familiales peuvent expliquer de multiples variations locales, sans pour autant remettre en cause les similarités d'ensemble. Sur les liens entre structures familiales et idéologies politiques, voir les études classiques de H. LE BRAS, E. TODD, *L'Invention de la France*, Hachette, 1981 ; E. TODD, *L'Invention de l'Europe*, Seuil, 1990 ; ID., *L'Origine des systèmes familiaux*, Gallimard, 2011.

1. Voir A. GETHIN, *Cleavages Structures and Distributive Politics*, *op. cit.*, p. 89-100. Voir également K. MORI MCELWAIN, « Party System Institutionalization in Japan », *in* A. HICKEN, E. MARTINEZ KUHONTA, *Party System Institutionalization in Asia*, Cambridge University Press, 2015, p. 74-107.

2. Dans *Le Jeu du siècle* (1967), Kenzaburô Ôé évoque magnifiquement la complexité et la violence des relations entre les élites intellectuelles et les classes populaires au Japon, en particulier autour du clivage urbain-rural, des valeurs traditionnelles et de la question de la modernisation du pays depuis le début de l'ère Meiji (1868), sans oublier le rôle joué par le positionnement géopolitique de l'archipel, la relation avec les États-Unis et les antagonismes suscités par la présence de la main-d'œuvre coréenne.

Repenser l'effondrement du système
gauche-droite de l'après-guerre

Récapitulons. Par comparaison à la très forte concentration des revenus et de la propriété observée au XIXᵉ siècle et jusqu'en 1914, les inégalités de revenus et de patrimoines se sont situées à des niveaux historiquement bas dans la plupart des pays au cours la période 1950-1980. Cette chute de l'inégalité est due pour partie aux chocs et aux destructions des années 1914-1945. Mais elle s'explique aussi et surtout par une remise en cause profonde de l'idéologie propriétariste dominante au XIXᵉ siècle et au début du XXᵉ siècle, et par la mise en place au cours des années 1950-1980 de nouvelles institutions et politiques sociales et fiscales visant explicitement à réduire les inégalités (propriété mixte, assurances sociales, impôt progressif, etc.)[1]. Dans l'ensemble des démocraties électorales occidentales, le système politique se structurait au cours de la période 1950-1980 autour d'un conflit gauche-droite de type classiste, au sein duquel s'organisait le débat concernant la redistribution. Les partis sociaux-démocrates (au sens large : parti démocrate aux États-Unis et diverses coalitions de partis sociaux-démocrates, travaillistes, socialistes et communistes en Europe) s'appuyaient sur les électeurs socialement les plus défavorisés, alors que les partis de droite et de centre droit (parti républicain aux États-Unis et diverses coalitions de partis chrétiens-démocrates, conservateurs et libéraux-conservateurs en Europe) attiraient davantage de suffrages parmi les électeurs socialement favorisés. Il en allait de même quelle que soit la dimension de la stratification sociale envisagée (revenu, diplôme, patrimoine). Cette structure classiste du conflit politique a connu une extension géographique tellement générale au cours des décennies de l'après-guerre que l'on s'est souvent pris à penser qu'elle était la seule possible, et que toute déviation par rapport à celle-ci ne pouvait être que temporaire et anormale. En réalité, cette structure gauche-droite de type classiste correspondait à un moment historique particulier et était le produit de conditions socio-économiques et politico-idéologiques spécifiques.

Dans l'ensemble des pays étudiés, ce système gauche-droite s'est graduellement décomposé au cours du dernier demi-siècle. Les noms des partis sont parfois restés les mêmes, à l'image des partis démocrates et républicains aux États-Unis, inusables malgré leurs multiples métamorphoses. Ils ont, dans

1. Voir chapitres 10-11.

d'autres cas, accéléré leur processus de renouvellement terminologique, comme en France et en Italie au cours des dernières décennies. Mais dans tous les cas, que les noms des partis soient restés les mêmes ou non, la structure du conflit politique dans les démocraties électorales occidentales au cours de la période 1990-2020 n'a plus grand-chose à voir avec celle de la période 1950-1980. Dans l'après-guerre, la gauche électorale était dans tous les pays le parti des travailleurs ; au cours des décennies récentes, elle est devenue un peu partout le parti des diplômés, avec des niveaux de soutien d'autant plus fort que le diplôme est élevé. Dans tous les pays étudiés, les électeurs les moins diplômés ont peu à peu cessé de voter pour ces partis, provoquant un retournement complet du clivage éducatif, tout en réduisant fortement leur participation électorale[1]. Quand un divorce d'une telle ampleur se produit dans tant de pays, au cours d'un processus de long terme s'étalant sur plus de six décennies, il ne peut pas s'agir d'un malentendu.

La décomposition du système gauche-droite de l'après-guerre, et en particulier le fait que les classes populaires ont graduellement retiré leur confiance aux partis qui avaient leur soutien dans les années 1950-1980, peut s'expliquer parce que ces partis et mouvements politiques n'ont pas su renouveler leur plate-forme idéologique et programmatique et l'adapter aux nouveaux défis socio-économiques qui sont apparus au cours du dernier demi-siècle. Parmi ceux-ci figurent notamment l'expansion éducative et la mondialisation économique. Avec l'expansion éducative et le développement sans précédent de l'enseignement supérieur, la gauche électorale est peu à peu devenue le parti des plus diplômés et des gagnants du système éducatif (la « gauche brahmane »), alors que la droite électorale restait celui des plus hauts revenus et patrimoines (la « droite marchande »), bien que de moins en moins nettement. Cela a conduit à rapprocher les politiques sociales et fiscales des deux coalitions alternant au pouvoir. Par ailleurs, avec le développement des échanges commerciaux, financiers et culturels à l'échelle de l'économie-monde, les différents pays se sont retrouvés sous la pression d'une concurrence sociale et fiscale de plus en plus forte, au bénéfice des groupes disposant du capital éducatif ou financier le plus élevé. Or les partis sociaux-démocrates (au sens large) n'ont jamais véritablement cherché à développer leur programme de redistribution à l'échelle internationale, au-delà de l'État-nation. D'une certaine façon, ils n'ont jamais répondu à la critique que leur adressait déjà Hannah Arendt en 1951, quand

---

1. Voir graphiques 16.1-16.2 et chapitre 14, graphiques 14.8-14.9, p. 861-865.

elle notait que la régulation des forces débridées de l'économie-monde ne pouvait se faire qu'au moyen du développement de formes politiques transnationales nouvelles[1]. Ils ont au contraire puissamment contribué à lancer à partir des années 1980-1990 le mouvement de libéralisation généralisée des flux de capitaux, sans échange d'informations et sans régulation ni fiscalité communes (pas même au niveau intra-européen)[2].

La fin des empires coloniaux, l'accroissement des échanges et de la concurrence entre anciennes puissances industrielles et pays pauvres et émergents à main-d'œuvre bon marché et la montée en puissance de nouveaux flux migratoires ont également contribué au développement au cours des dernières décennies de clivages électoraux de type identitaire et ethno-religieux inconnus auparavant, en particulier en Europe. Cela a notamment pris la forme de nouveaux partis anti-immigrés à la droite de la droite, ainsi que du durcissement des positions des partis de la droite électorale sur ces questions (qu'il s'agisse des républicains aux États-Unis, des conservateurs au Royaume-Uni ou des autres partis de droite en Europe continentale). Deux points méritent toutefois d'être soulignés. D'une part, le processus de décomposition de la structure gauche-droite classiste de l'après-guerre prend place de façon graduelle, au fil d'un mouvement qui débute dès les années 1960 et 1970, c'est-à-dire bien avant que le clivage migratoire ne devienne véritablement prégnant dans la plupart des pays occidentaux (généralement à partir des années 1980 et 1990, voire beaucoup plus récemment dans certains cas). D'autre part, si l'on examine les différents pays occidentaux, il est frappant de constater que le retournement du clivage éducatif s'est produit un peu partout au même rythme au cours du dernier demi-siècle, sans relation apparente avec l'importance des clivages raciaux ou migratoires (voir graphiques 16.1-16.2).

Autrement dit, s'il est bien évident que les clivages identitaires ont été exploités de plus en plus durement par les partis anti-immigrés (ou les franges anti-immigrés des partis anciens) au cours des dernières décennies, il apparaît tout aussi clairement que ce n'est pas ce facteur qui a causé le retournement initial. Une interprétation plus satisfaisante est que le sentiment d'abandon des classes populaires face aux partis sociaux-démocrates (au sens large) a constitué un terreau fertile pour les discours anti-immigrés et les idéologies nativistes. Tant que le manque d'ambition redistributive

---

1. Voir chapitre 10, p. 559-564.
2. Voir chapitre 11, p. 643-650.

qui est à l'origine de ce sentiment d'abandon n'aura pas été corrigé, on voit mal ce qui empêcherait ce terreau d'être exploité toujours davantage.

Enfin, le dernier facteur expliquant l'effondrement du système gauche-droite de l'après-guerre est sans nul doute la chute du communisme soviétique et les profondes transformations des rapports de force politico-idéologiques induites par cet événement fondamental. L'existence même du contre-modèle communiste a longtemps constitué une force contribuant à mettre la pression sur les élites des pays capitalistes et les forces politiques initialement hostiles à la redistribution. Mais il a également contribué à limiter les ambitions redistributives des partis sociaux-démocrates, qui étaient, de fait, intégrés dans le camp anticommuniste et n'avaient guère d'incitations à se lancer dans le développement d'un modèle alternatif de socialisme internationaliste et de dépassement du capitalisme et de la propriété privée. Surtout, l'effondrement du contre-modèle communiste en 1990-1991 a contribué à convaincre de nombreux acteurs politiques, en particulier au sein de la mouvance sociale-démocrate, qu'une telle ambition redistributive n'était au fond pas nécessaire, et que l'autorégulation des marchés et leur extension maximale à l'échelle européenne et mondiale suffisaient à définir un nouvel horizon politique. C'est à ce moment charnière des années 1980 et 1990 que furent mises en place un grand nombre de mesures clés, à commencer par la libéralisation complète des flux de capitaux (sans régulation), en particulier par des gouvernements sociaux-démocrates, et sur lesquelles ces derniers ne savent plus bien comment revenir.

L'émergence du social-nativisme en Europe de l'Est postcommuniste

Le cas des pays d'Europe de l'Est illustre clairement le rôle joué par la désillusion postcommuniste et l'idéologie concurrentialiste européenne dans l'effondrement du système gauche-droite de clivages politiques issu de l'après-guerre. Lors de la transition vers la démocratie électorale qui a suivi la chute des régimes communistes est-européens, les anciens partis uniques au pouvoir se sont souvent transformés en partis de type social-démocrate, parfois en fusionnant ou en se recomposant avec divers mouvements politiques en formation. Malgré l'hostilité d'une part importante de l'opinion, qui pour des raisons compréhensibles n'a jamais cessé de leur reprocher leurs errements passés, ces partis regroupant de nombreux cadres des administrations d'État et des grandes entreprises industrielles exercèrent souvent des responsabilités importantes lors de la première phase de la transition.

C'est le cas par exemple du SLD (alliance de la gauche démocratique), au pouvoir en Pologne de 1993 à 1997 puis de nouveau de 2001 à 2005. Ces mouvements politiques, désireux de tourner au plus vite la page du communisme et de se rapprocher de l'Union européenne, adoptèrent des plates-formes programmatiques qui n'avaient souvent de « sociales-démocrates » que le nom. La priorité absolue était de privatiser les entreprises et d'ouvrir les marchés à la concurrence et aux investissements venus d'Europe de l'Ouest, afin de satisfaire à marche forcée aux critères permettant d'obtenir l'entrée tant espérée dans l'UE. Afin d'attirer les capitaux, et faute de la moindre harmonisation fiscale au niveau européen, plusieurs pays est-européens (dont la Pologne) mirent également en place dans les années 1990 et au début des années 2000 des taux d'imposition hyperréduits sur les bénéfices des sociétés et les plus hauts revenus.

Le problème est que les résultats obtenus à la suite de la transition postcommuniste et de l'entrée dans l'UE n'ont pas toujours été à la hauteur des espoirs placés en elles. Compte tenu de la très forte progression des inégalités de revenus, de larges segments de la population se sont sentis tenus à l'écart. Les investissements allemands et français ont souvent généré des profits importants pour les actionnaires, sans que les augmentations de salaires annoncées soient toujours au rendez-vous. Cela a contribué à nourrir un ressentiment important face aux puissances dominantes de l'UE, toujours prêtes à rappeler leur supposée générosité concernant les transferts publics, en oubliant au passage que les flux sortants de profits privés qu'elles réalisent en Pologne et dans les autres pays est-européens excèdent nettement les flux entrants de transferts publics[1]. Ajoutons que la vie politique en Europe de l'Est a été marquée par de très nombreux scandales financiers depuis les années 1990, notamment en lien avec les privatisations, et impliquant souvent des proches des partis au pouvoir. Plusieurs affaires de corruption exposèrent également les liens supposés entre médias et élites politiques et économiques (en particulier l'affaire Rywin en Pologne en 2002-2004[2]).

C'est dans ce contexte très lourd que le SLD s'effondra lors des élections polonaises de 2005 (avec à peine 10 % des voix), et que la « gauche » disparut presque complètement du paysage politique. Depuis les élections

1. Voir chapitre 12, graphique 12.10, p. 743.
2. Lew Rywin, célèbre producteur de cinéma polonais, a été condamné pour avoir tenté de soutirer plusieurs millions d'euros au premier groupe de presse polonais (Agora). Se réclamant du Premier ministre en place, il avait notamment proposé à Agora de monnayer son soutien à un amendement à la loi sur l'audiovisuel.

de 2005, le conflit politico-électoral se structure en Pologne autour d'un affrontement entre les libéraux-conservateurs de la plate-forme civique (PO) et les nationalistes-conservateurs du parti droit et justice (PiS). Or il est frappant de constater à quel point les deux électorats PO et PiS se sont développés suivant des lignes classistes depuis le début des années 2000 et pendant les années 2010. Lors des élections de 2007, 2011 et 2015, les libéraux-conservateurs du PO font leurs meilleurs scores parmi les électeurs aux plus hauts revenus et disposant des diplômes les plus élevés, alors que les nationalistes-conservateurs du PiS séduisent avant tout les catégories les plus modestes, à la fois en termes de revenu et de diplôme. Quant aux sociaux-démocrates du SLD, qui ne comptent plus guère dans l'équilibre des forces, leur électorat est dans une position intermédiaire[1]. Ils attirent des votants dont les revenus sont légèrement au-dessous et les diplômes légèrement au-dessus de la moyenne, mais qui dans tous les cas apparaissent peu clivés par rapport aux deux blocs PO et PiS (voir graphiques 16.3-16.4)[2].

Graphique 16.3
Conflit politique et revenu en Pologne, 2001-2015

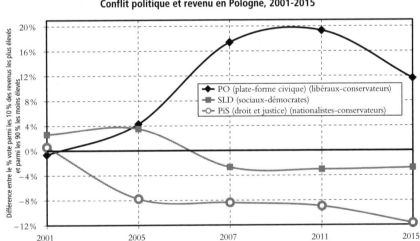

Lecture : entre les élections de 2001 et 2015, le vote PO (plate-forme civique) (libéraux-conservateurs) est devenu plus fortement associé aux groupes aux revenus les plus élevés, alors que le vote PiS (droit et justice) (nationalistes-conservateurs) s'est concentré parmi les catégories disposant des revenus les plus faibles. Sources et séries : voir piketty.pse.ens.fr/ideologie.

1. Lors des élections de 2007, 2011, 2015, le SLD regroupa moins de 10 % des suffrages, contre autour de 30 %-40 % pour chacun des deux blocs PO et PiS.
2. Pour une présentation détaillée de ces résultats, voir A. LINDNER, F. NOVOKMET, T. PIKETTY, T. ZAWISZA, « Political Conflict and Electoral Cleavages in Central-Eastern Europe, 1992-2018 », PSE, 2019.

Graphique 16.4

Conflit politique et diplôme en Pologne, 2001-2015

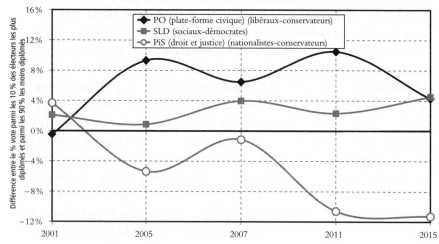

PO (plate-forme civique) (libéraux-conservateurs)
SLD (sociaux-démocrates)
PiS (droit et justice) (nationalistes-conservateurs)

Lecture : entre les élections de 2001 et 2015, le vote PO (plate-forme civique) (libéraux-conservateurs) est devenu plus fortement associé aux électeurs les plus diplômés, alors que le vote PiS (droit et justice) (nationalistes-conservateurs) s'est concentré parmi les catégories d'électeurs les moins diplômés.
Sources et séries : voir piketty.pse.ens.fr/ideologie.

Vu de Bruxelles, Paris et Berlin, on s'inquiète régulièrement du fait que le PiS se montre souvent hostile à l'UE, régulièrement accusée de traiter la Pologne comme un partenaire de second rang, alors que le PO est le bon élève de la classe européenne, toujours prompt à accepter les décisions et les règles de l'UE et à promouvoir les principes de la « concurrence libre et non faussée ». On met en avant, également avec raison, la défense par le PiS des valeurs autoritaires et traditionalistes, par exemple à propos de son opposition farouche à l'avortement et aux couples homosexuels[1]. Il faut toutefois ajouter que le PiS a mis en place depuis son accession au pouvoir en 2015 des mesures fiscales et sociales favorables aux plus bas revenus, en particulier avec une forte augmentation des allocations familiales et une revalorisation des plus basses retraites. À l'inverse, le PO, au pouvoir de 2005 à 2015, avait mené des politiques globalement très favorables aux catégories sociales les plus favorisées. De façon générale, le PiS est moins soucieux que le PO des règles budgétaires et se montre plus dispendieux sur le plan social.

1. Rappelons également que le président du Conseil européen en place depuis 2015, Donald Tusk, était Premier ministre et leader du PO de 2007 à 2014. Voir chapitre 12, p. 751-752.

En ce sens, le PiS développe une idéologie que l'on peut qualifier de « sociale-nationaliste » ou de « sociale-nativiste », s'appuyant à la fois sur des mesures redistributrices sur le plan social et fiscal et sur une défense intransigeante de l'identité polonaise (jugée menacée par les élites sans patrie). La question de l'immigration extraeuropéenne a pris une importance nouvelle à la suite de la crise des réfugiés de 2015, qui a permis au PiS de s'opposer violemment à la tentative (vite abandonnée) de l'UE de répartir les migrants dans l'ensemble de l'Union[1]. On notera toutefois que la structure classiste des électorats PO et PiS était en place avant que la question migratoire ne fasse véritablement son entrée dans le débat.

Il n'est malheureusement pas possible à ce stade de comparer de façon systématique l'évolution de la structure des clivages électoraux dans les différents pays d'Europe de l'Est depuis la transition postcommuniste des années 1990, compte tenu notamment des insuffisances des enquêtes postélectorales disponibles[2]. Il existe une grande variété de situations et un renouvellement rapide des mouvements politiques et des idéologies. On notera cependant que la forme sociale-nativiste tend à se répandre, avec un mélange d'hostilité absolue à l'immigration extraeuropéenne (devenue le symbole de ce que les élites bruxelloises honnies veulent sournoisement imposer aux peuples, alors même que les effectifs de réfugiés envisagés sont en réalité extrêmement réduits à l'échelle de la population européenne) et un ensemble de politiques sociales visant à démontrer que les sociaux-nativistes se soucient davantage des classes populaires et moyennes que les partis proeuropéens.

On observe en particulier en Hongrie une configuration voisine du cas polonais. Le pays est dirigé depuis 2010 par le parti nationaliste-conservateur Fidesz et son chef Viktor Orbán, qui s'est incontestablement établi comme

---

1. La crise de 2015, caractérisée par une arrivée importante de réfugiés en provenance notamment de Syrie, suite à l'embrasement de la guerre civile syrienne en 2012-2014, a conduit à un afflux d'environ 1 million de personnes, soit 0,2 % de la population de l'UE (510 millions), accueillies principalement en Allemagne. Les pays de l'UE ont ensuite décidé de tarir ce flux, en particulier en signant en 2016 un accord financier avec la Turquie visant à fixer les réfugiés dans des camps sur son territoire. Nous verrons plus loin que les flux migratoires entrant dans l'UE, considérés dans leur globalité, ont en réalité baissé depuis la crise économique de 2008. La très grande visibilité médiatique des « colonnes de migrants » de 2015 (traversant les Balkans pour atteindre l'Allemagne et l'Europe du Nord) et surtout leur intense exploitation politique ont toutefois eu un profond impact sur les représentations.

2. Pour une analyse des matériaux disponibles, voir A. LINDNER, F. NOVOKMET, T. PIKETTY, T. ZAWISZA, « Political Conflict and Electoral Cleavages in Central-Eastern Europe, 1992-2018 », art. cité.

l'un des principaux leaders de l'idéologie nativiste au niveau européen. Bien qu'officiellement membre du même groupe parlementaire européen que la CDU allemande et les partis de « centre droit » des différents pays, il n'a pas hésité depuis la crise de 2015 à tapisser son pays de violentes affiches antiréfugiés ainsi que de posters géants dénonçant l'influence néfaste de George Soros, milliardaire d'origine hongroise censé illustrer le complot des élites juives et mondialisées contre les peuples européens. S'agissant de la composante « sociale » de son action, Fidesz insiste, comme le PiS, sur l'augmentation des allocations familiales, qui constitue pour des raisons évidentes la politique emblématique des sociaux-nativistes[1]. Il a également mis en place des emplois aidés visant à mettre les chômeurs au travail, sous le contrôle des administrations et des maires fidèles au pouvoir. Fidesz entend aussi appuyer le développement des entrepreneurs nationaux et des compagnies hongroises, par exemple en leur réservant des marchés publics, ce qui permet aussi de s'assurer de leur loyauté politique. Ces mesures visent également à montrer que Fidesz sait tenir tête aux principes de rigueur budgétaire et aux règles de la concurrence édictés par les traités européens, contrairement à ses rivaux politiques, et en particulier aux sociaux-démocrates, régulièrement accusés d'être aux ordres de Bruxelles[2].

De ce point de vue, les circonstances de l'arrivée au pouvoir de Fidesz en 2010 méritent d'être rappelées. Les élections de 2006 avaient vu comme en 2002 la victoire serrée des sociaux-démocrates hongrois du MSZP (parti refondé en 1990 et directement issu du parti au pouvoir de 1956 à 1989, le MSZMP) face à la coalition emmenée par Fidesz, alors en pleine ascension. Le leader social-démocrate, Ferenc Gyurcsány, Premier ministre hongrois de 2004 à 2009, par ailleurs entrepreneur et l'une des premières fortunes du pays à la suite de privatisations avantageuses réalisées dans les années

---

1. Les allocations familiales et plus généralement les mesures sociales et fiscales de type nataliste permettent de réduire les inégalités (une allocation d'un même montant pour tous les enfants a proportionnellement plus d'importance pour les revenus modestes que pour les revenus élevés) tout en exprimant le besoin de repeupler le pays sans faire appel aux migrants. Les mesures familialistes prises par le PiS et Fidesz depuis 2015 peuvent également être reliées à la prime de 10 000 dollars par naissance (à partir du second enfant) introduite en 2007 par le gouvernement russe, avec apparemment des effets significatifs sur le rattrapage de la natalité. Voir E. IAKOVLEV, I. SORVACHEV, « Short-Run and Long-Run Effects of Sizable Conditional Child Subsidy », New Economic School, Moscou, 2018.

2. En pratique, cela n'empêche pas Fidesz de conserver un vieux fond autoritaire-libéral sur les questions économiques, comme avec la loi adoptée fin 2018 renforçant le pouvoir des employeurs, par exemple pour imposer des heures supplémentaires.

1990, prononça peu après sa réélection de 2006 une allocution aux cadres de son parti qui était supposée restée confidentielle, mais qui fit l'objet de fuites dans les principaux médias hongrois. Dans ce discours, Gyurcsány expliquait sans ambages comment il avait menti depuis des mois pour assurer sa victoire, en particulier en dissimulant aux électeurs les coupes budgétaires à venir et selon lui inévitables, notamment dans les dépenses sociales et dans le cadre de la réforme du système de santé. Dès sa révélation publique, ce discours fit l'effet d'une bombe et déclencha une vague de manifestations sans précédent. Le scandale fut habilement exploité par Orbán et Fidesz, qui y voyaient la preuve tant attendue de l'hypocrisie sans limites des sociaux-démocrates. De fait, il s'agissait d'une occasion idéale permettant à un mouvement comme Fidesz, qui était initialement un parti conservateur-nationaliste, de faire valoir que sa fibre sociale était plus sincère que celle des soi-disant sociaux-démocrates, accusés d'être devenus de vrais libéraux, promarché et proélites. Le Premier ministre Gyurcsány dut finalement démissionner en 2009, dans un contexte rendu plus compliqué encore par la crise financière de 2008 et les politiques d'austérité budgétaire mises en place dans les pays européens. L'ensemble de la séquence conduisit lors des élections de 2010 à l'effondrement durable des sociaux-démocrates et au triomphe de Fidesz, qui remporta également aisément les législatives de 2014 et 2018[1].

L'émergence du social-nativisme : le cas italien

On aurait bien tort de penser que le développement du social-nativisme serait une spécificité est-européenne, sans conséquence pour l'Europe de l'Ouest et le reste du monde. L'Europe de l'Est constitue au contraire un laboratoire portant à son paroxysme deux ingrédients que l'on retrouve ailleurs sous des formes à peine moins extrêmes, et qui concourent à l'émergence du social-nativisme : d'une part, un fort sentiment de désillusion postcommuniste et anti-universaliste, poussant à de violents replis

1. La coalition emmenée par Fidesz (qui inclut aussi les chrétiens-démocrates du KNDP) a obtenu respectivement 53 %, 45 % et 49 % des voix aux élections de 2010, 2014 et 2018, contre respectivement 24 %, 19 % et 12 % au MSZP (alors que les deux blocs faisaient jeu égal autour de 41 %-43 % chacun en 2002 et 2006). L'ensemble est flanqué à droite par le Jobbik (environ 20 % des voix lors des derniers scrutins), qui épouse une ligne encore plus violemment opposée aux migrants noirs et musulmans (pourtant totalement absents de Hongrie) que celle de Fidesz.

identitaires ; d'autre part, une organisation économique mondiale (et notamment européenne) empêchant la mise en place de politiques coordonnées, efficaces et apaisées, de redistribution sociale et de réduction des inégalités. De ce point de vue, il est particulièrement informatif d'examiner la constitution en Italie à la suite des élections législatives de 2018 d'une coalition de type social-nativiste.

Par comparaison aux autres démocraties électorales occidentales, la première particularité du cas italien est que le système de partis en place dans l'après-guerre s'est violemment effondré à la suite des scandales financiers révélés par les juges antimafia en charge de l'enquête *Mani Pulite* (« mains propres ») en 1992. Ces événements provoquèrent la chute des deux partis qui avaient dominé la scène italienne depuis 1945 : le parti de la démocratie chrétienne et le parti socialiste. À la droite de l'échiquier politique, les démocrates-chrétiens furent remplacés dans les années 1990 par un ensemble complexe et changeant de partis, dont le mouvement libéral-conservateur Forza Italia de Silvio Berlusconi et la Lega (la ligue du Nord). La Lega était initialement un parti régionaliste et anti-impôts, revendiquant l'autonomie fiscale de la « Padanie » (l'Italie du Nord) et dénonçant les transferts bénéficiant au sud du pays, jugé paresseux et corrompu. Depuis la crise des réfugiés de 2015, la Lega s'est reconvertie en parti nationaliste et anti-immigrés, spécialisé dans la chasse aux étrangers et la dénonciation de l'invasion noire et musulmane menaçant la péninsule. La Lega attire des voix populaires anti-immigrés, surtout dans le Nord, où le parti conserve aussi un socle de cadres et d'indépendants antipercepteurs.

À la gauche de l'échiquier politique, la situation n'est pas plus simple. L'effondrement en 1992 du parti socialiste et sa dissolution en 1994 ouvrirent un cycle de recomposition et de renouvellement des organisations. Le parti communiste italien, longtemps le plus puissant d'Europe de l'Ouest avec son homologue français, fut durement atteint par la disparition de l'Union soviétique, et décida de se transformer dès 1991 en une nouvelle structure, le PDS (parti démocratique de la gauche). Le PDS et d'autres mouvements participèrent ensuite à la création du PD (parti démocrate) en 2007, avec pour ambition d'unifier la « gauche », à la façon du parti démocrate aux États-Unis. Après avoir remporté en 2013 l'élection organisée par le PD parmi ses sympathisants pour choisir un nouveau leader, Matteo Renzi prit la direction du gouvernement italien entre 2014 et 2016, à la tête d'une coalition menée par le PD.

Par-delà les changements de noms, il faut rappeler que la structure de l'électorat des partis de gauche (PS, PC, PDS, PD) s'est totalement transformée en Italie au cours des dernières décennies. Alors que ces partis faisaient leurs plus gros scores parmi les catégories populaires dans les années 1960 et 1970, la situation s'est par la suite totalement inversée. Dès les années 1980 et 1990, le PS et le PC (puis le PDS) obtenaient de meilleurs résultats parmi les plus diplômés. Cette tendance s'est accentuée pendant les années 2000 et 2010. Lors des élections de 2013 et 2018, le vote pour le PD était de 20 points plus élevé parmi les électeurs les plus diplômés qu'au sein du reste de la population[1]. Les politiques menées par le PD – en particulier l'assouplissement des procédures de licenciement (le *Jobs Act*) décidé par le gouvernement Renzi peu après son arrivée au pouvoir, qui provoqua une forte opposition des syndicats et d'immenses manifestations (1 million de personnes à Rome en octobre 2014) – contribuèrent à accroître l'impopularité du PD parmi les catégories populaires et les salariés modestes. Le fort soutien public apporté à la réforme par la chancelière allemande chrétienne-démocrate Angela Merkel et la certitude que l'adoption parlementaire reposait *de facto* sur une coalition de voix entre le PD et Forza Italia ont contribué à asseoir l'idée que le PD n'avait plus grand-chose à voir avec ses origines socialistes-communistes de l'après-guerre.

Le dernier venu dans le paysage politique italien est le mouvement 5 étoiles (M5S). Fondé en 2009 par l'humoriste Beppe Grillo, le M5S se présente comme un parti antisystème et antiélites, inclassable dans les typologies gauche-droite habituelles, mais dont un des leitmotive est la création d'un revenu de base. Par comparaison au PD, le M5S fait ses plus gros scores chez les électeurs les moins diplômés, dans les catégories populaires du sud du pays et parmi les déçus de tous les partis, séduits par les promesses sur les questions sociales et le développement des régions délaissées. En quelques années, le M5S a réussi à capitaliser sur le mécontentement face aux partis ayant déjà exercé le pouvoir, à commencer par Forza Italia et le PD, et à rassembler entre un quart et un tiers des suffrages suivant les élections.

Lors des élections législatives de 2018, l'électorat s'est divisé en trois grands blocs : le M5S a obtenu 33 % des voix, le PD 23 %, et la coalition

1. Voir graphique 16.2, p. 998. Pour les résultats détaillés sur les clivages éducatifs par parti lors des élections italiennes, voir annexe technique et A. GETHIN, C. MARTINEZ-TOLEDANO, T. PIKETTY, « Political Cleavages and Inequality. Evidence from Electoral Democracies, 1950-2018 », art. cité.

des partis de droite 37 %[1]. Cette dernière était elle-même très hétéroclite, puisqu'elle comprenait un pôle anti-immigrés avec la Lega (17 %), un pôle libéral-conservateur avec Forza Italia (14 %) et d'autres petits partis nationalistes-conservateurs (6 %) oscillant entre les deux. Aucun pôle n'ayant obtenu seul la majorité des sièges, une coalition était nécessaire pour former un gouvernement. Une alliance fut un moment envisagée entre le M5S et le PD, mais la méfiance réciproque était trop forte. Le M5S et la Lega, qui avait déjà fait cause commune lors de l'opposition au *Jobs Act* de Renzi au Parlement italien et dans les grandes manifestations de 2014, se sont alors accordés pour gouverner le pays sur la base d'un programme tentant de faire la synthèse entre les deux partis, avec, d'une part, la mise en place du système de revenu minimum garanti prôné par le M5S et, d'autre part, la politique antiréfugiés intransigeante défendue par la Lega[2]. Ces deux piliers s'incarnent dans la nomination du jeune leader du M5S (Luigi Di Maio) au ministère du Développement économique, du Travail et des Politiques sociales, en charge notamment du revenu minimum et des politiques d'aménagement du territoire et d'investissements publics dans le sud du pays, alors que le chef de la Lega (Matteo Salvini) occupe le poste stratégique de ministre de l'Intérieur. Cela lui a permis de mener dès l'été 2018 des opérations antimigrants spectaculaires, et en particulier de bloquer tout accès aux côtes italiennes pour les bateaux humanitaires venant en aide aux réfugiés en Méditerranée.

La coalition M5S-Lega au pouvoir en Italie depuis 2018 est clairement une alliance politico-idéologique de type social-nativiste, qui fait naturellement penser aux gouvernements PiS en Pologne et Fidesz en Hongrie. Certes rien ne garantit la stabilité de l'attelage italien, qui repose à ce jour sur deux piliers qui n'ont aucunement l'intention de fusionner. Les tensions entre les deux partenaires sont d'ailleurs très vives, et tout semble indiquer que le versant nativiste est en passe de l'emporter. Les opérations antiréfugiés de Salvini lui apportent une popularité croissante et pourraient permettre à la Lega de dépasser le M5S lors des prochaines élections, voire de s'en passer entièrement. Il reste que le simple fait qu'une telle coalition sociale-nativiste

---

1. Le reste des voix (7 %) allant à de petits partis non rattachés à ces trois pôles. Lors des élections de 2016, le M5S avait obtenu 26 % des voix, le PD 30 % et la coalition des partis de droite 29 %.

2. Synthèse pour le moins hétéroclite, puisque la Lega propose dans le même temps de supprimer les impôts nécessaires pour le financement du revenu universel. Je reviendrai plus loin sur ce point.

a pu voir le jour dans une vieille démocratie électorale ouest-européenne comme l'Italie (par ailleurs troisième économie de la zone euro) montre que le phénomène n'est pas limité à l'Europe de l'Est postcommuniste. Les responsables sociaux-nativistes des différents pays, en particulier Orbán et Salvini, n'ont d'ailleurs pas manqué de mettre en scène publiquement leur connivence antiélites et les perspectives communes qu'ils entendent offrir à l'Europe, à la fois sur le terrain anti-immigrés et sur le plan social[1].

Du piège social-nativiste et de la désillusion européenne

Il est naturel de se demander si une coalition politico-idéologique du même type peut s'étendre à d'autres pays, et en particulier en France, ce qui aurait des conséquences considérables sur l'équilibre politique d'ensemble de l'Union européenne. Si l'on examine la répartition des voix lors des élections italiennes de 2018, avec une division en trois blocs (ou plutôt en quatre blocs, si l'on distingue au sein de l'alliance des partis de droite les composantes Lega et Forza Italia, qui se sont d'ailleurs séparées sur la question de l'alliance avec le M5S), on constate que cette structuration de l'espace idéologique comporte à la fois des points communs importants et des différences significatives avec la répartition en quatre quarts observée lors du premier tour de l'élection présidentielle française de 2017[2]. Dans le contexte français, l'équivalent le plus proche de l'alliance M5S-Lega serait un rapprochement entre le mouvement de gauche radicale LFI (La France insoumise) et le Front national (rebaptisé en 2018 Rassemblement national, RN). À ce stade, une alliance LFI-RN paraît toutefois inenvisageable. L'électorat RN rassemble les électeurs les plus farouchement anti-immigrés, alors que l'électorat LFI (tel qu'il s'est exprimé en 2017) regroupe au contraire les personnes les plus favorables à l'immigration[3].

---

1. Lors d'une conférence de presse commune tenue à Milan en août 2018, le Premier ministre hongrois a ainsi déclaré : « Nous avons prouvé que l'immigration peut être arrêtée par la terre, il [Salvini] prouve qu'elle peut être stoppée par la mer. » Le ministre de l'Intérieur italien a quant à lui précisé : « Aujourd'hui commence un parcours commun qui sera suivi de nombreuses autres étapes dans les prochains mois, pour mettre au premier plan le droit au travail, à la santé et à la sécurité. Tout ce que les élites européennes nous refusent. » Voir *Le Monde*, 29 août 2018. Les élections européennes de 2019 ont également confirmé que le versant nativiste de la coalition italienne était en passe de prendre le dessus sur le pôle M5S.

2. Voir chapitre 14, tableau 14.1 et graphique 14.19, p. 915-917.

3. Je fais ici référence au quart « internationaliste-égalitaire » de l'électorat lors de l'élection présidentielle de 2017, qui regroupe non seulement le vote LFI mais aussi celui des autres

Les formes de politiques sociales et de redistribution riches-pauvres favorisées par l'électorat LFI comme par ses cadres s'inscrivent dans l'histoire de la gauche socialiste et communiste, par exemple avec la référence à l'impôt progressif. Le RN s'appuie sur un corpus idéologique très différent, ce qui rend difficilement concevable la négociation d'une plate-forme d'action commune, tout du moins dans un avenir proche. Malgré ses nombreuses tentatives pour se respectabiliser et faire oublier ses origines historiques (vichystes, colonialistes et poujadistes), par exemple en changeant de nom, le RN reste l'héritier d'un mouvement infréquentable pour l'immense majorité des électeurs susceptibles de voter LFI[1].

La rapidité des évolutions observées en Italie invite toutefois à la prudence quant à la multiplicité des trajectoires envisageables à moyen terme. Plusieurs transformations ont rendu possible l'alliance sociale-nativiste italienne de 2018. Il faut d'abord insister sur les effets délétères de la lente décomposition politique en cours en Italie depuis l'effondrement en 1992 du système de partis issu de l'après-guerre. Dans un paysage marqué par la remise en cause généralisée des organisations partidaires et la désillusion face aux structures et aux promesses anciennes, les points de repère politico-idéologiques que l'on croyait solidement ancrés volent en éclats, et des alliances réputées impossibles peuvent devenir acceptables quelques décennies plus tard[2].

Si le cocktail social-nativiste italien a pu être envisagé, c'est aussi du fait de la configuration particulière prise par le conflit migratoire en Italie. Par sa situation géographique, le pays s'est retrouvé à accueillir sur ses côtes une grande partie des réfugiés arrivés par la Méditerranée, en provenance à la fois de la Syrie, du Moyen-Orient et d'Afrique, *via* la Libye[3]. Or les autres

---

partis de gauche (même si la plus grande partie des voix s'est portée sur le candidat LFI, notamment pour des raisons circonstancielles et tactiques liées à la possibilité d'accès au second tour). Voir chapitre 14, tableau 14.1, p. 917.

1. Et également pour l'immense majorité des cadres du parti, La France insoumise ayant toujours pris position en faveur de l'accueil des immigrés.

2. La série *1992*, diffusée en 2015, offre une évocation éclairante et instructive de cette année charnière de l'histoire politique italienne, et permet de mieux prendre conscience de l'ancienneté du processus de décomposition du système de partis. On y croise Leonardo Notte, jeune publicitaire filou mais sympathique qui se retrouve au service de l'ascension berlusconienne. On y voit surtout Pietro Bosco, vétéran de la guerre du Golfe, usé par la vie, qui se retrouve un peu par hasard élu député de la Ligue du Nord, au milieu des vieux politiciens romains et de leurs combines, et dont on se dit qu'il aurait aussi bien pu se retrouver au M5S si l'intrigue s'était déroulée un quart de siècle plus tard.

3. En proie au chaos depuis l'expédition franco-anglaise de 2008, comparable par son impréparation politique et ses effets délétères à l'invasion américano-anglaise de 2003 en Irak

pays européens, prompts à donner des leçons de générosité à la terre entière, et notamment à l'Italie, ont refusé pour la plupart d'envisager une répartition des flux de réfugiés sur une base humaine et rationnelle. L'attitude de la France a été *de facto* particulièrement hypocrite : les policiers français ont été déployés avec acharnement à la frontière italienne pour y refouler les migrants, et au final le pays a accueilli depuis 2015 dix fois moins de réfugiés que l'Allemagne[1]. À l'automne 2018, le gouvernement français a également décidé de fermer ses ports aux navires humanitaires refoulés par l'Italie, et a même été jusqu'à refuser d'accorder un pavillon au navire de l'association SOS Méditerranée, condamné à rester à quai alors que les bilans de noyés en mer s'alourdissaient. Salvini eut beau jeu de dénoncer l'attitude française, et en particulier celle du jeune président Macron élu en 2017, incarnation parfaite à ses yeux de l'hypocrisie des élites européennes face à la question de l'immigration, ce qui lui permit de mieux justifier la dureté de sa politique antimigrants face à l'opinion italienne.

Il faut noter que cette accusation d'hypocrisie fait partie des postures rhétoriques classiques des mouvements anti-immigrés. Le FN comme tous les partis de ce type ont depuis toujours dénoncé la bien-pensance des élites face à l'immigration, toujours promptes à défendre l'ouverture des frontières, mais à condition de ne pas en supporter elles-mêmes les conséquences[2]. Mais ce type de stratégie argumentative (proférée notamment par Jean-Marie et Marine Le Pen en France depuis les années 1980-1990) a généralement du mal à convaincre au-delà des personnes déjà convaincues, tant il paraît clair que ceux qui y ont recours visent surtout à attiser les haines pour mieux se hisser eux-mêmes au pouvoir. Dans le cas de Salvini et du conflit migratoire européen (et notamment franco-italien), cette accusation d'hypocrisie étendue à l'échelle internationale a cependant acquis

---

(même si l'ampleur des pertes humaines entraînées par la guerre de 2003 reste nettement supérieure).

1. Voir annexe technique. La position officielle des gouvernements français, sous Hollande puis Macron, a été que les accords européens dits de Dublin (selon lesquels les demandes d'asile politique devaient être examinées dans le pays de première entrée dans l'espace européen) mériteraient certes d'être réformés, mais que le refus de la Hongrie et de la Pologne rendait malheureusement cette réforme impossible, et par conséquent que la France continuerait de refouler les réfugiés vers l'Italie. Si l'Allemagne avait eu la même attitude en 2015, elle n'aurait pas accueilli 1 million de réfugiés.

2. Nous avons également rencontré des accusations d'hypocrisie similaires lancées par le démocrate John Calhoun à l'encontre des élites industrielles et financières du nord des États-Unis, qui selon lui ne défendaient l'abolition de l'esclavage que pour pouvoir bénéficier d'une main-d'œuvre bon marché, exploitable et jetable à merci. Voir chapitre 6, p. 286.

une plausibilité particulière. Cette configuration spécifique explique en partie la popularité croissante de la Lega en Italie. Cela permet également de mieux comprendre comment le M5S, bien que relativement modéré sur la question des réfugiés, a pu accepter de rentrer dans un accord de gouvernement avec la Lega, sur la base d'un programme violemment anti-réfugiés, mais qui pouvait être présenté comme s'inscrivant dans un même mouvement de dénonciation de l'hypocrisie des élites.

Enfin, et peut-être surtout, l'alliance sociale-nativiste italienne s'est appuyée sur une dénonciation générale des règles européennes, et en particulier des règles budgétaires, accusées d'avoir empêché l'Italie d'investir et de se relever de la crise de 2008 et de la purge qui a suivi. De fait, il est peu contestable que la décision européenne de réduire les déficits à marche forcée dans tous les pays de la zone euro, imposée par l'Allemagne et la France en 2011-2012, a eu pour conséquence une rechute désastreuse du niveau d'activité économique, une nouvelle récession et un chômage en forte hausse, notamment en Europe du Sud[1]. Il est tout aussi évident que le conservatisme franco-allemand sur la question d'une dette publique et d'un taux d'intérêt communs au niveau européen, évolution qui serait pourtant cohérente avec la création d'une monnaie unique et permettrait aux pays du sud de la zone euro de se mettre à l'abri des spéculations et des marchés financiers, s'explique pour une large part par la volonté de l'Allemagne et de la France, préférant continuer de bénéficier seules de taux d'intérêt quasi nuls, quitte à placer le projet européen entre les mains des marchés et des crises financières à venir.

Certes, les réponses proposées par la Lega et le M5S sont loin d'être parfaitement construites et cohérentes. Une partie de la Lega semble envisager une sortie de l'euro et un retour à la lire, ce qui pourrait permettre d'accélérer la réduction de la dette publique par le recours modéré à l'inflation. L'opinion italienne reste cependant majoritairement inquiète face aux conséquences largement imprévisibles d'une telle perspective. La plupart des responsables de la Lega et du M5S préfèrent généralement évoquer un changement de règles à l'intérieur de la zone euro et une utilisation différente des pouvoirs de la Banque centrale européenne. Autrement dit, puisque la BCE a imprimé des milliers de milliards d'euros pour sauver les banques, pourquoi ne pourrait-elle pas aider l'Italie en repoussant sa dette à des jours meilleurs ? Ces débats complexes et inédits, sur lesquels je reviendrai plus loin, restent cependant

---

1. Voir chapitre 12, p. 747-750.

relativement flous et peu développés. Ce qui paraît certain, c'est que ces questions ne pourront être repoussées indéfiniment. L'insatisfaction sociale face à l'Europe ainsi que l'incompréhension profonde face à son incapacité à déployer la même énergie et à mobiliser les mêmes ressources au bénéfice du plus grand nombre que ce qu'elle semble avoir fait pour sauver le secteur financier ne vont pas disparaître comme par enchantement.

Le cas italien montre également que le sentiment de désillusion face à l'Europe, qui relie la Lega et le M5S, peut se révéler un ciment puissant pour constituer des coalitions sociales-nativistes. Ce qui rend la Lega et son chef Salvini si dangereux, c'est précisément la capacité à allier le discours nativiste et social, le discours migratoire et celui sur la dette et la finance, tout cela englobé dans la dénonciation d'une même hypocrisie des élites. Un même ciment pourrait à l'avenir servir d'appui à des coalitions sociales-nativistes dans d'autres pays, y compris en France, où la déception européenne par exemple est très forte au sein des électorats LFI et RN. Le fait que l'Europe est si souvent instrumentalisée pour mener des politiques antisociales, comme on a pu le voir lors de la séquence menant à la crise des Gilets jaunes, en 2017-2019 (suppression de l'ISF au nom de la concurrence européenne, le tout financé par une hausse de la taxe carbone pesant sur le plus grand nombre), rend malheureusement plausible une telle évolution. Pour peu par exemple que le pôle nativiste accepte par opportunisme d'atténuer la violence de son discours anti-immigrés, et de se concentrer sur les questions sociales et le bras de fer avec les institutions européennes, il n'est pas exclu qu'une coalition sociale-nativiste de type Lega-M5S puisse un jour arriver au pouvoir en France.

Le parti démocrate, un social-nativisme qui a réussi ?

Certains lecteurs, y compris parmi des personnes généralement peu favorables aux thèses anti-immigrés, pourraient d'ailleurs être tentés de regarder d'un œil positif l'arrivée au pouvoir en Europe de mouvements sociaux-nativistes. Après tout, le parti démocrate qui mit en place le New Deal aux États-Unis dans les années 1930 et finit par soutenir les droits civiques dans les années 1960 et par faire élire un président noir en 2008 n'était-il pas à l'origine un parti authentiquement social-nativiste ? De fait, après avoir été esclavagiste, et après avoir un temps envisagé de renvoyer les esclaves en Afrique, le parti démocrate s'est reconstruit après la guerre civile sur la base d'une idéologie sociale-différentialiste, mélangeant une politique de ségrégation très stricte vis-à-vis des Noirs dans le sud du pays et une politique relativement sociale et égalitaire vis-à-vis des Blancs (en particulier des migrants blancs italiens et irlandais, et plus généralement des classes populaires blanches), ou tout du moins plus sociale et égalitaire que celle du parti républicain[1]. Ce n'est qu'à partir des années 1940-1950 que le parti démocrate a sérieusement commencé à envisager de se défaire de la partie ségrégationniste de sa plate-forme idéologique, ce qui fut finalement fait dans les années 1960, sous la pression des défenseurs des droits civiques.

En suivant cet exemple, on pourrait imaginer une trajectoire où le PiS, Fidesz, la Liga et le Rassemblement national emprunteraient une même voie en Europe au cours des décennies à venir, avec des mesures sociales relativement égalitaires en faveur des « Européens de souche » et une politique très dure vis-à-vis des migrants et des immigrés d'origine extraeuropéenne et de leurs enfants. Dans un second temps, peut-être d'ici un demi-siècle, ou davantage, la composante nativiste finirait bien par s'estomper et disparaître, et peut-être même par se transformer en ouverture à la diversité des origines, dans un cadre enfin maîtrisé. Une telle vision se heurte cependant à de multiples difficultés. Tout d'abord, avant de devenir le parti du New Deal puis celui des droits civiques, le parti démocrate a causé d'énormes dégâts. Des années 1870 aux années 1960, ses représentants et ses administrations policières et juridictionnelles dans les États du Sud ont imposé la ségrégation aux Noirs, ont empêché les enfants d'aller dans les mêmes écoles, ont soutenu ou couvert les lynchages punitifs organisés par le Ku Klux Klan et d'autres organisations de ce type. L'idée selon laquelle cette trajectoire aurait été la seule voie possible permettant de mener au New Deal et aux droits civiques n'a aucun sens. Il existe toujours des alternatives, d'autres trajectoires et bifurcations possibles qui auraient pu se produire, en fonction de la capacité de mobilisation des acteurs[2].

Dans le contexte européen actuel, les dégâts potentiels que pourrait causer l'arrivée généralisée au pouvoir des sociaux-nativistes seraient du même ordre. Ils ont d'ailleurs déjà commencé, d'une part, en lançant la chasse aux

1. Voir chapitre 6, p. 289-294.

2. Par exemple, les troupes fédérales qui occupèrent le Sud à la fin de la guerre civile auraient fort bien pu imposer la déségrégation. La voie a d'ailleurs été tentée (trop brièvement), et il n'est pas difficile d'imaginer une série d'enchaînements événementiels et d'actions individuelles qui aurait conduit à son succès. De même, les républicains auraient pu conquérir la Maison-Blanche depuis les années 1960 sans avoir recours aux stigmatisations raciales opérées par Nixon, Reagan ou Trump, et en s'appuyant sur des constructions politiques et idéologiques plus ambitieuses.

réfugiés dans les pays où ils sont au pouvoir, et, d'autre part, en parvenant à imposer aux autres gouvernements européens apeurés des politiques migratoires restrictives, avec au passage des milliers de morts en Méditerranée et des centaines de milliers de personnes bloquées dans des camps en Libye ou en Turquie. Si ces partis politiques avaient les coudées franches, ils pourraient fort bien se lancer dans des mesures d'une grande violence visant les immigrés d'origine extraeuropéenne installés en Europe et leurs descendants, y compris sous la forme de déchéances rétrospectives de nationalité et d'expulsions, comme cela a d'ailleurs déjà été pratiqué dans l'histoire dans des régimes réputés démocratiques, en Europe comme aux États-Unis[1].

Par ailleurs, on peut sérieusement douter de la capacité des mouvements sociaux-nativistes actuels à mener une véritable politique de redistribution sociale. À la fin du XIXe siècle et au début du XXe siècle, le parti démocrate aux États-Unis a contribué au développement de nouveaux outils de redistribution sociale, avec notamment la mise en place de l'impôt fédéral sur le revenu et sur l'héritage en 1913-1916 et d'un système fédéral d'assurances sociales (retraites, chômage) et de salaire minimum dans les années 1930, sans oublier que la progressivité fiscale sur les plus hauts revenus et patrimoines fut portée au cours de la période 1930-1980 aux États-Unis au plus haut niveau jamais observé dans l'histoire[2]. Si l'on examine les discours et les pratiques au pouvoir du PiS en Pologne, de Fidesz en Hongrie ou de l'alliance M5S-Lega, il est frappant de constater qu'ils ne proposent aucune augmentation d'impôt explicite sur les plus riches, ce qui serait pourtant bien utile pour financer leurs politiques sociales. Dans le cas du PiS, certaines déductions fiscales favorables aux plus hauts revenus ont été réduites, ce qui a *de facto* conduit à des augmentations d'impôts pour les ménages les plus aisés, mais sans que le nouveau gouvernement polonais ose relever les taux des barèmes d'imposition les concernant[3].

La concurrence interétatique et la montée de l'idéologie marchande-nativiste

En ce qui concerne la coalition M5S-Lega, il est particulièrement intéressant et révélateur de noter que le M5S a accepté de faire figurer dans le contrat

---

1. Voir chapitre 14, p. 907-908.
2. Voir chapitre 10, graphiques 10.11-10.12, p. 525.
3. Voir annexe technique.

de gouvernement la proposition de *flat tax* portée par la Lega pendant la campagne des législatives de 2018 (et issue de la tradition anti-impôts qui caractérise la Lega depuis ses origines). Si cette mesure était appliquée dans son intégralité, cela impliquerait la mise en place d'un impôt pesant à un même taux proportionnel sur tous les niveaux de revenu, et par conséquent le démantèlement complet du système d'impôt progressif (c'est-à-dire avec des taux plus élevés sur les revenus importants et plus faibles pour les plus modestes). Cela entraînerait une énorme perte de recettes fiscales au bénéfice des revenus moyens et élevés, qu'il paraît impensable de compenser par une hausse équivalente pesant sur les plus bas revenus, et qui serait donc financée par une fuite en avant vers l'endettement, à la façon des réformes reaganiennes des années 1980. Cette complication sérieuse explique d'ailleurs pourquoi cette partie du programme a été repoussée et ne sera sans doute appliquée qu'au minimum, avec une réduction de la progressivité et non sa suppression complète. Il reste que le fait même que le M5S a pu souscrire à une telle proposition en dit long sur le manque de colonne vertébrale idéologique qui caractérise ce mouvement. On comprend mal comment il est possible de financer un ambitieux revenu de base et de vastes programmes d'investissements publics, le tout en supprimant toute forme d'impôt progressif sur les plus hauts revenus.

Ce peu d'appétence des sociaux-nativistes du XXIe siècle pour l'impôt progressif peut s'expliquer de différentes façons. Il est possible d'y voir une volonté de ne surtout pas se rattacher à une tradition passée, associée à la gauche sociale-démocrate, socialiste, travailliste ou rooseveltienne. Le M5S est séduit par le revenu de base, qui lui semble novateur et moderne, mais pas par l'impôt progressif permettant de le financer, qui lui paraît compliqué et poussif. Il faut également souligner de nouveau à quel point la création monétaire massive mise en œuvre par les banques centrales depuis 2008 a contribué à transformer les représentations. À partir du moment où la BCE a créé des milliers de milliards d'euros pour sauver les banques, il est très difficile pour les sociaux-nativistes d'admettre qu'il faille en passer par des impôts complexes et potentiellement injustes et contournables pour financer le revenu de base ou les investissements dans l'économie réelle. Cet appel à une création monétaire enfin juste se retrouve en permanence dans les discours du M5S, de la Lega et des autres mouvements sociaux-nativistes. Tant que les gouvernements européens n'auront pas proposé d'autres façons plus convaincantes de mobiliser des ressources, par exemple au moyen d'impôts européens sur les plus aisés, l'idée d'une fuite en avant vers la dette et la création monétaire comme mode de financement principal des dépenses sociales continuera de susciter une large adhésion au sein de l'électorat social-nativiste, et plus généralement au sein de l'opinion publique européenne.

Le peu d'appétence des sociaux-nativistes pour l'impôt progressif est aussi la conséquence de plusieurs décennies de déferlement idéologique anti-impôts et de sanctification du principe de la concurrence absolue de tous contre tous. De fait, l'hypercapitalisme de ce début du XXIᵉ siècle se caractérise par une concurrence interétatique exacerbée. La concurrence pour attirer les hauts revenus et les détenteurs de capitaux existait déjà à la fin du XIXᵉ siècle et au début du XXᵉ siècle. Mais elle n'avait pas la même ampleur, d'une part parce que les moyens de transport et les technologies de l'information n'étaient pas les mêmes, et d'autre part et surtout parce que les traités internationaux développés depuis les années 1980-1990 pour organiser la mondialisation ont *de facto* placé ces technologies au service de la protection des privilèges légaux et fiscaux des plus riches, et non pas au service du plus grand nombre. Il pourrait en aller autrement. Par exemple, il est possible et souhaitable de dénoncer les traités organisant la libre circulation des capitaux et de les remplacer par un système régulé fondé sur un cadastre financier public permettant aux pays qui le souhaitent de mettre en place des impôts redistributifs sur les patrimoines transnationaux et leurs revenus[1]. Mais cela exige de se lancer dans des coopérations internationales importantes et des formes ambitieuses de dépassement de l'État-nation, notamment pour les États qui se trouvent être de petite taille à l'échelle mondiale (comme les États européens). Or il est évident que les partis nativistes et nationalistes sont structurellement mal équipés pour le développement de ce type de dépassement internationaliste.

Il paraît donc très peu probable que les mouvements sociaux-nativistes du début du XXIᵉ siècle se mettent à développer des formes ambitieuses d'impôt progressif et de redistribution sociale. Le plus vraisemblable est qu'une fois arrivés au pouvoir, qu'ils le souhaitent ou non, ils se retrouvent pris dans l'engrenage de la concurrence fiscale et sociale et de la promotion de leur territoire économique. C'est uniquement par opportunisme que le Rassemblement national en France s'est opposé lors de la crise des Gilets jaunes à la suppression de l'ISF. S'il devait arriver au pouvoir, il est probable qu'il se lancerait dans une trajectoire de dumping fiscal exacerbé pour

1. Voir chapitres 11, p. 643-669, 13, p. 785-788, et 17, p. 1140-1150.

attirer les investissements et supprimer les impôts des plus riches, d'une part parce que cela correspond mieux à son vieux fond anti-impôts et à son idéologie de la concurrence entre les peuples, et d'autre part parce que son refus de la coopération internationale et du fédéralisme l'enfermerait dans une logique de dumping. De façon générale, le processus d'éclatement de l'Union européenne (ou tout du moins de renforcement du pouvoir des États et de recentrage du projet européen sur la chasse aux immigrés) que pourrait entraîner l'arrivée au pouvoir des partis nationalistes conduirait à exacerber les forces de la concurrence fiscale et sociale et la tendance à l'accroissement des inégalités et au repli identitaire[1].

De l'idéologie marchande-nativiste et de sa diffusion

Autrement dit, le social-nativisme a toutes les chances de déboucher en pratique sur la promotion d'une idéologie de type marchande-nativiste. Dans le cas du trumpisme, il s'agit d'un choix clairement assumé. Lors de la campagne présidentielle de 2016, Donald Trump a certes tenté de se donner une dimension sociale, en se décrivant comme le meilleur défenseur des travailleurs étatsuniens, victimes de la concurrence sauvage du Mexique et de la Chine, abandonnés par les élites démocrates. Mais les solutions proposées par l'administration Trump, outre les mesures nativistes plus ou moins classiques (réduction des flux migratoires, construction d'un mur, soutien au Brexit et aux gouvernements européens de type nativiste), ont surtout consisté à se lancer dans une véritable fuite en avant vers le dumping fiscal en faveur des plus riches et des plus mobiles. En 1986, le *Tax Reform Act* promu par Reagan avait mis l'accent sur la baisse de la progressivité de l'impôt sur le revenu (avec un taux supérieur réduit à 28 %, qui sera par la suite relevé autour de 35 %-40 % sous Bush et Clinton, mais qui ne reviendra jamais aux niveaux précédents). La réforme fiscale négociée par Trump avec le Congrès en 2017 se situe dans cette lignée et pousse

---

1. Selon une vision plus optimiste, l'éclatement de l'UE et l'abandon de ses règles budgétaires, financières et concurrentialistes pourraient au contraire permettre de reconstituer un affrontement gauche-droite, avec un bloc de gauche qui retrouverait des marges de manœuvre pour proposer une politique sociale et écologique et un bloc de droite probusiness et anti-migrants. C'est par exemple l'hypothèse implicite faite par B. AMABLE et S. PALOMBARINI, *L'Illusion du bloc bourgeois. Alliances sociales et avenir du modèle français, op. cit.*, 2017. On peut toutefois penser que le retour à l'État-nation conduirait surtout à un renforcement de la concurrence généralisée des territoires les uns contre les autres et bénéficierait avant tout aux forces nativistes et nationalistes.

la logique plus loin en se concentrant sur les baisses d'impôts bénificiant aux entreprises et aux « entrepreneurs ». Le taux de l'impôt fédéral sur les bénéfices des sociétés, qui était de 35 % depuis 1993, fut abaissé subitement à 21 % en 2018, avec à la clé une amnistie pour les profits rapatriés, une chute de quasiment de moitié des recettes fiscales en question et très probablement une relance de la compétition mondiale à la baisse de cet impôt pourtant essentiel pour les finances publiques[1]. Par ailleurs, Trump a obtenu la création d'une réduction de l'impôt sur le revenu, spécifiquement destinée aux entrepreneurs non salariés (tels que lui-même) dont les bénéfices (*business income*) seront désormais imposés au taux maximal de 29,6 %, contre 37 % pour les plus hauts salaires. L'impact combiné de ces deux mesures est que le taux d'imposition des 0,01 % des contribuables les plus fortunés (et particulièrement celui des 400 contribuables les plus importants) est pour la première fois passé au-dessous de celui des contribuables situés moins haut dans le centile et le millime supérieurs, tout en se rapprochant fortement du taux effectif d'imposition acquitté par les 50 % les plus pauvres[2]. Trump souhaitait également obtenir la suppression complète de l'impôt progressif sur les successions, mais il n'a pas été suivi par le Congrès sur ce point.

Il est particulièrement frappant de constater la similarité entre les réformes fiscales que les nouveaux présidents Trump et Macron ont tous deux fait adopter fin 2017. En France, outre la suppression de l'impôt sur la fortune (ISF) déjà évoquée, le nouveau gouvernement a fait voter une baisse graduelle de l'impôt sur les sociétés de 33 % à 25 %, ainsi que la mise en place d'un taux réduit d'impôt sur le revenu de 30 % pour les dividendes et intérêts (en lieu et place des 55 % applicables aux plus hauts salaires). Le fait qu'un gouvernement réputé nativiste comme l'administration Trump mène au final une politique fiscale aussi proche de celle mise en place sous un gouvernement supposément de sensibilité plus

---

1. Le taux de l'impôt fédéral sur les bénéfices des sociétés était de 45 %-50 % aux États-Unis des années 1940 aux années 1980, avant d'être abaissé à 34 % en 1988-1992 puis 35 % en 1993-2017 (taux auxquels il faut par ailleurs ajouter les taux des États, généralement autour de 5 %-10 %). Jusqu'en 2018, les États-Unis avaient résisté à la course-poursuite venue d'Europe à la baisse de l'impôt sur les sociétés. Voir chapitre 11, p. 642. La baisse soudaine à 21 % risque de relancer le mouvement.

2. Voir E. SAEZ, G. ZUCMAN, *The Triumph of Injustice, op. cit.* Ces conclusions sont obtenues en appliquant les règles générales de la législation fiscale, et sans même prendre en compte les mécanismes d'optimisation fiscale spécifiquement utilisés par les contribuables les plus riches.

internationaliste comme le gouvernement Macron montre une convergence considérable des idéologies et des pratiques politiques. Les termes peuvent varier : Trump évoque les *job creators*, alors que Macron préfère parler des « premiers de cordée ». Mais au fond les deux développent une idéologie selon laquelle la concurrence de tous contre tous exigerait que l'on offre des réductions fiscales toujours plus importantes aux contribuables les plus mobiles, et que les masses chérissent ces nouveaux bienfaiteurs qui leur apportent tant de bien-être et d'innovations (quitte à oublier au passage que rien de tout cela n'existerait sans les systèmes publics de formation et de recherche fondamentale et les appropriations privées de connaissances publiques).

Ce faisant, chacun des deux gouvernements prend le risque de renforcer la tendance à la montée des inégalités et le sentiment d'abandon des classes populaires et moyennes face à la mondialisation. Le président étatsunien pense s'en sortir en insistant sur le fait qu'il contrôle beaucoup mieux les flux migratoires que ses opposants démocrates, et qu'il est beaucoup plus vigilant que ces derniers vis-à-vis des concurrences commerciales déloyales venant du reste du monde[1]. Il parvient également avec habileté à présenter les *job creators* comme autrement plus utiles que les élites intellectuelles du parti démocrate dans la grande guerre économique mondiale que les États-Unis mènent avec le reste de la planète[2]. Les élites intellectuelles sont sans cesse dénoncées comme condescendantes et donneuses de leçons, toujours promptes à inventer de nouvelles lubies culturelles plus ou moins dangereuses pour les valeurs et la société étatsuniennes. Trump s'évertue

---

1. En pratique, le nouveau traité commercial négocié en 2018 avec le Mexique et le Canada est une copie conforme de l'ancien NAFTA, avec juste ce qu'il faut de petites différences symboliques pour donner de la plausibilité à l'idée de changement, comme par exemple l'introduction d'une clause augmentant marginalement la part de la production de composants automobiles utilisant une main-d'œuvre rémunérée au-delà de 16 dollars par heure, avec pour seule sanction des droits de douane de 2 % à 4 % en cas de non-respect. D'un point de vue financier, la mesure est totalement insignifiante par comparaison aux baisses d'impôts sur les bénéfices votées en 2017.

2. Autant on peut associer en esprit et inspiration l'élection de Reagan en 1980 à l'ouvrage publié en 1963 par Milton Friedman sur l'histoire monétaire des États-Unis (livre qui fonde la doctrine monétariste ; voir chapitre 13, p. 814), autant il est naturel de rattacher celle de Trump en 2016 au livre profondément trumpiste publié en 1996 par Samuel HUNTINGTON, *The Clash of Civilisations and the Remaking of the World Order*, Simon & Schuster, 1996, trad. fr. sous le titre *Le Choc des civilisations*, Éditions Odile Jacob, 1997. Pour résumer, le livre fait l'hypothèse que le conflit idéologique capitalisme-communisme va être remplacé par la guerre des cultures et des identités, envisagées comme des essences figées et anhistoriques (Occident contre Islam, hindouisme, etc.).

notamment à dénoncer la nouvelle passion climatique, inventée selon lui par les scientifiques, les démocrates et tous les peuples jaloux qui entourent le pays pour nuire à la grandeur de l'Amérique[1]. Cet anti-intellectualisme est également utilisé par d'autres gouvernements nativistes en Europe et en Inde, ce qui montre au passage l'importance cruciale d'une plus grande diffusion de l'éducation et d'une meilleure appropriation citoyenne des connaissances scientifiques[2].

Le président français fait le pari inverse. Il espère se maintenir au pouvoir en repoussant ses opposants vers le nativisme et l'antimondialisme, et en misant sur l'attachement majoritaire des électeurs français à la tolérance et à l'ouverture, qui empêchera les Français, le moment venu, de choisir la voie sociale-nativiste (qui en pratique aurait de toute façon toutes les chances de se transformer en voie marchande-nativiste, à la Trump). Au fond, les deux idéologies font le pari qu'il n'existe pas d'alternative au dumping fiscal en faveur des plus riches, et que la seule dimension de différenciation politique qui demeure porte sur le clivage internationaliste-nativiste[3]. Chacune repose sur une simplification abusive de la réalité et une bonne dose d'hypocrisie. D'une part, des politiques de redistribution ambitieuses peuvent encore être menées au niveau national, y compris dans des États-nations de petite taille comme les pays européens[4]. *A fortiori*, au niveau des États-Unis, le gouvernement fédéral a parfaitement les moyens de faire respecter ses décisions en matière fiscale pour peu qu'il en ait la volonté

---

1. L'opposition trumpienne au « brahmanisme » s'est également illustrée dans des mesures fiscales spécifiques visant à une plus forte imposition des présidents d'université (trop payés aux yeux de Trump, à l'inverse des *job creators*) et à taxer comme rémunération salariale les dispenses de droits d'inscription dont bénéficient les doctorants (mesure finalement non adoptée). À l'inverse, la façon dont Trump exige que les pays bénéficiant de la protection militaire des États-Unis acquittent enfin ce qu'ils doivent renvoie clairement à l'imaginaire de la classe guerrière et des tributs militaires de l'ordre trifonctionnel ancien.

2. On notera qu'en Italie le M5S et la Lega se sont également accordés sur des mesures antivaccins, les vaccins étant associés aux élites je-sais-tout (et aussi aux laboratoires pharmaceutiques rapaces). Le PiS en Pologne ou le BJP en Inde s'opposent régulièrement aux chercheurs, accusés de malmener l'identité polonaise ou hindoue éternelle avec leurs fouilles et leurs remises en cause des certitudes les mieux établies. Les attaques de Bolsonaro contre les chercheurs brésiliens relèvent également de ce même mouvement.

3. Ce clivage apparaissant lui-même comme largement factice à la lumière des politiques migratoires et climatiques réellement menées par le gouvernement français.

4. Comme le montre par exemple le fait que les recettes et les bases déclarées à l'ISF en France, en dépit de la concurrence fiscale et de l'administration défaillante de cet impôt, ont très fortement progressé de 1990 à 2018. Voir chapitre 14, p. 928-932, et annexe technique, graphique S14.20.

politique[1]. D'autre part, rien n'interdit de développer des coopérations internationales, en particulier sur le plan fiscal, visant à promouvoir un modèle de développement plus équitable et plus durable.

De la possibilité d'un social-fédéralisme en Europe

Pour sortir du piège social-nativiste, la solution la plus naturelle serait de développer une forme de social-fédéralisme, consistant à s'appuyer sur l'internationalisme et le fédéralisme démocratique pour promouvoir la redistribution des richesses et la justice sociale. Je n'ignore pas que la voie est étroite. L'hypothèse d'une refondation apaisée et harmonieuse de l'Europe n'est malheureusement pas la plus probable, et il est sans doute plus réaliste de se préparer à des évolutions passablement chaotiques, avec des crises politiques, sociales et financières de toute nature, qui peuvent entraîner des risques de décomposition de l'Union européenne ou de la zone euro. Mais quelles que soient les crises à venir, il faudra de toute façon reconstruire : personne n'envisage de retourner à l'autarcie, et il faudra donc de nouveaux traités organisant les relations entre les pays, si possible de façon plus satisfaisante que les traités actuels. Je vais ici me concentrer sur la possibilité d'un social-fédéralisme dans le contexte européen. Nous verrons toutefois que les leçons ont une portée plus générale, d'une part parce que les politiques fiscales et sociales adoptées en Europe peuvent avoir un impact important sur les autres parties du monde, et d'autre part car les formes de coopération transnationale évoquées ici peuvent potentiellement s'appliquer à d'autres ensembles régionaux (par exemple en Afrique, en Amérique latine ou au Moyen-Orient) et réguler les relations entre ensembles régionaux.

L'Union européenne (UE) constitue une tentative sophistiquée et inédite visant à organiser une « union sans cesse plus étroite entre les peuples européens ». En pratique cependant, les institutions européennes, telles qu'elles ont été établies par couches successives depuis le traité de Rome (1957) instituant la CEE jusqu'au traité de Maastricht (1992) établissant l'UE et au traité de Lisbonne (2007) qui en a fixé les règles actuelles, ont surtout eu pour objectif d'organiser un grand marché, garantissant la libre

---

1. Comme le montrent par exemple les mesures de type Fatca prises à l'encontre des banques suisses en 2010 ou les propositions d'impôt fédéral sur la fortune de type Warren (avec *exit tax* de 40 % sur les actifs des personnes choisissant de renoncer à la nationalité étatsunienne). Voir chapitre 11, p. 664-665.

circulation des biens, des capitaux et des travailleurs, sans politique fiscale et sociale commune. Rappelons les principes essentiels de fonctionnement de ces institutions[1]. De façon générale, les décisions prises par l'Union européenne, qu'il s'agisse de règlements, de directives ou d'autres actes législatifs de toute nature, doivent pour entrer en vigueur être adoptées par les deux instances partageant le pouvoir législatif en Europe : d'une part, le Conseil des chefs d'État et de gouvernement (qui se réunit également au niveau ministériel, suivant la nature des questions traitées dans les différents textes et directives : Conseil des ministres des Finances, Conseil des ministres de l'Agriculture, etc.) ; et d'autre part, le Parlement européen, qui est élu au suffrage universel depuis 1979 et qui représente les États membres en fonction de leur population (avec toutefois une surreprésentation des plus petits pays)[2]. Les décisions sont préparées et appliquées par la Commission européenne, qui agit comme une sorte de pouvoir exécutif et de gouvernement européen, avec à sa tête un président de la Commission et des commissaires en charge des différents domaines, nommés par le Conseil des chefs d'État et de gouvernement, dont les nominations doivent être approuvées par le Parlement.

Formellement, l'ensemble a l'aspect d'une structure parlementaire fédérale de type classique, avec un pouvoir exécutif et deux chambres législatives.

1. Voir également les chapitres 11, p. 639-645, et 12, p. 743-749. La référence à « l'union sans cesse plus étroite » est issue de la première phrase du préambule du TFUE (traité sur le fonctionnement de l'Union européenne) adopté à Lisbonne en 2007 en même temps que le TUE (traité sur l'Union européenne). Ces deux textes, qui ne sont entrés en vigueur que graduellement entre 2009 et 2014, constituent le fondement juridique actuel de l'UE. Ils ont été complétés en 2012-2013 par le traité budgétaire (TSCG) fixant les nouvelles règles de déficit et par le traité instituant le MES (Mécanisme européen de stabilité). Les traités adoptés à Lisbonne en 2007 sont pour l'essentiel les mêmes que ceux rejetés par référendum en France en 2005 dans le cadre du traité constitutionnel européen (voir chapitre 14). Ils ont simplement été toilettés : la référence au terme « constitution » a été retirée, le principe de « concurrence libre et non faussée » de l'ancien préambule a été remplacé par celui de la « loyauté dans la concurrence », et surtout l'ensemble a été adopté par la voie parlementaire et non référendaire. Pour les liens vers ces différents textes, qui méritent d'être consultés, voir annexe technique. Voir également D. CHALMERS, G. DAVIES, G. MONTI, *European Union Law. Text and Materials*, Cambridge University Press, 2014.

2. Techniquement, ce sont les Conseils des ministres des différents domaines qui exercent la compétence législative (avec le Parlement européen), alors que le Conseil européen (qui réunit les chefs d'État et de gouvernement, sous l'autorité d'un président du Conseil européen nommé par ces derniers) se concentre sur les grandes orientations politiques et la réforme des traités. Compte tenu du fait que les ministres agissent généralement sous l'autorité de leur chef de gouvernement, il s'agit davantage d'une différence juridique et pratique que véritablement politique.

Deux particularités rendent cependant le système très différent des structures habituelles. Il s'agit d'une part de la prégnance de la règle de l'unanimité, et d'autre part du fait que le Conseil des ministres est en tout état de cause une structure totalement inadaptée pour abriter un processus de délibération parlementaire pluraliste et démocratique.

Il faut tout d'abord rappeler que la plupart des décisions importantes exigent l'unanimité du Conseil des ministres. C'est le cas notamment pour tout ce qui concerne la fiscalité, le budget de l'Union européenne ainsi que les systèmes de protection sociale[1]. Concernant la régulation du marché intérieur, la libre circulation des biens, des capitaux et des personnes, et les accords commerciaux avec le reste du monde, qui sont au fond les seules décisions communes sur lesquelles s'est bâtie la construction européenne, c'est la règle de la majorité qualifiée qui s'applique[2]. Mais dès lors qu'il s'agit d'envisager de mettre en place des politiques fiscales, budgétaires et sociales communes, et en particulier dès que les finances publiques des États membres sont en jeu, c'est la règle de l'unanimité qui prévaut. Concrètement, cela signifie que tous les pays disposent d'un droit de veto. Par exemple, si le Luxembourg, qui comprend environ 500 000 habitants, soit à peine 0,1 % de la population de l'UE (510 millions), souhaite pouvoir taxer les profits des entreprises à un taux de 0 %, et siphonner ainsi l'assiette fiscale de ses voisins, personne ne peut l'en empêcher. Chaque pays, qu'il s'agisse du Luxembourg, de l'Irlande, de Malte ou de Chypre, aussi petit soit-il, peut bloquer n'importe quelle mesure fiscale qui se présente. Comme les traités garantissent par ailleurs la libre circulation absolue des capitaux et des investissements, sans aucune obligation de coopération fiscale, toutes les conditions sont réunies pour une course-poursuite sans fin vers le dumping en faveur des acteurs les plus mobiles.

C'est d'ailleurs cette absence de tout impôt commun et de véritable budget commun qui fait que l'Union européenne s'apparente davantage à

1. La règle de l'unanimité s'applique également à la politique étrangère et de sécurité commune, la coopération policière, l'adhésion de nouveaux membres, la citoyenneté européenne, etc.

2. La règle de la majorité qualifiée est définie de la façon suivante : une décision est adoptée si elle est soutenue par 55 % des pays représentant au moins 65 % de la population de l'UE. Cette règle, adoptée à l'issue de maints débats, constitue la principale innovation du traité sur l'Union européenne adopté à Lisbonne en 2007 (et avant cela du défunt traité constitutionnel européen). Elle s'applique depuis 2014. Auparavant, on utilisait des systèmes basés sur des nombres de voix attribués à chaque pays, qui étaient revus périodiquement et faisaient l'objet d'incessantes disputes.

une union commerciale ou une organisation internationale qu'à un véritable gouvernement fédéral. Aux États-Unis ou en Inde, le gouvernement central s'appuie sur un bicaméralisme lui permettant de lever des ressources au service d'un projet collectif. Alimenté notamment par des impôts fédéraux pesant sur les revenus, les successions et les bénéfices des sociétés, le budget fédéral représente dans les deux cas autour de 15 %-20 % du produit intérieur brut, contre à peine 1 % pour le budget de l'Union européenne, qui faute de fiscalité commune s'appuie sur les versements des États, à l'issue d'une décision prise à l'unanimité des pays.

De la construction d'un espace démocratique transnational

La question est de savoir comment il est possible de sortir de cette situation. Une première possibilité serait d'étendre aux questions fiscales et budgétaires la règle de la majorité qualifiée. Passons sur le fait qu'il ne serait sans doute pas simple de convaincre les petits pays de perdre leur droit de veto fiscal. Il faudrait sans doute pour en arriver là qu'une coalition de pays exerce une pression extrêmement forte sur les autres et les menace de sanctions significatives. Mais en tout état de cause, que l'on parvienne à imposer la règle de la majorité aux 28 États membres (bientôt 27, si le Royaume-Uni confirme son Brexit, ce qui est encore incertain), ou que l'on se contente de l'appliquer au sein d'un plus petit club de pays décidé à aller de l'avant, le problème est que le Conseil des ministres des Finances (ou des chefs de gouvernement) constitue une instance totalement inadaptée pour développer une véritable démocratie parlementaire européenne.

La raison en est simple : cette instance composée d'un seul représentant par pays est une machine à dresser les intérêts nationaux (ou perçus et construits comme tels) les uns contre les autres, et en aucune façon à permettre une délibération pluraliste et la construction de majorités d'idées. Concrètement, au sein de l'Eurogroupe[1], le ministre allemand des Finances représente à lui seul 83 millions de citoyens, le ministre français 67 millions, le ministre grec 11 millions, et ainsi de suite. Dans ces conditions, il est tout simplement impossible d'avoir une délibération apaisée. En particulier, les représentants des plus grands pays ne pourraient se permettre de se faire

---

1. Bien qu'absent des traités, ce terme désigne désormais le Conseil des ministres des Finances des États membres de la zone euro (soit actuellement 19 États sur 28 États membres de l'UE), instance qui a acquis un rôle accru depuis la crise financière de 2008-2009.

mettre publiquement en minorité sur une décision fiscale ou budgétaire dont ils estiment qu'elle engage leur pays de façon importante. Le résultat est que les décisions au sein de l'Eurogroupe (et plus généralement des instances européennes composées de ministres ou de chefs d'État et de gouvernement) sont presque toujours prises à l'unanimité, sous le couvert du consensus, et dans le cadre de délibérations qui se font systématiquement à huis clos. Ajoutons que ces instances ne connaissent aucune des règles qui fondent la démocratie parlementaire. Il n'existe ainsi aucune procédure régissant les amendements et les débats, les temps de parole et les votes, et ainsi de suite. L'idée selon laquelle une telle instance pourrait un jour se retrouver à délibérer et à adopter les lois fiscales s'appliquant à des centaines de millions de personnes n'a guère de sens. On sait depuis fort longtemps, au moins depuis le XVIIIe siècle et les révolutions atlantiques, que le vote de l'impôt est la compétence parlementaire par excellence, et que l'établissement patient des règles fiscales, des assiettes et des taux, exige une délibération publique et contradictoire, sous le regard des citoyens et des journalistes. Il faut pour cela que la pluralité des opinions au sein de chaque pays soit pleinement et largement représentée. Par définition, un Conseil des ministres des Finances ne remplira jamais de telles conditions[1]. Pour résumer : les instances européennes actuelles, qui sont bâties autour du rôle central et dominant joué par les Conseils ministériels, et qui cantonnent le Parlement européen dans un rôle secondaire, ont été conçues pour réguler un grand marché et pour conclure des accords intergouvernementaux ; elles n'ont absolument pas été conçues pour adopter des politiques fiscales et sociales.

Une seconde possibilité, qui est généralement soutenue par les responsables politiques européens les plus convaincus par la perspective fédéraliste, serait de transférer entièrement le pouvoir de voter l'impôt au Parlement européen. Élu au suffrage universel direct, soumis aux règles habituelles de publicité et d'organisation des débats propres aux enceintes parlementaires et prenant ses décisions suivant la règle de la majorité, le Parlement européen est de toute évidence une enceinte nettement plus adaptée pour adopter des

---

1. Rappelons également que les décisions à huis clos et à contretemps prises par l'Eurogroupe après la crise financière de 2008-2009 expliquent la rechute absurde de l'activité économique européenne en 2011-2012 dont l'Europe se remet à peine. Voir chapitre 12, p. 748-749, et annexe technique, graphiques S12.12a-S12.12c. Cette piètre performance de l'Eurogroupe montre le caractère inadapté de cette instance et son incapacité à organiser la délibération et la prise de décision.

impôts et des budgets. Pourtant, même si cette solution est nettement plus satisfaisante que le dispositif actuel, elle pose également plusieurs difficultés. Il importe de bien évaluer tout ce qu'elle implique, et pourquoi elle a sans doute peu de chances de voir le jour. Notons tout d'abord qu'une démocratie européenne viable exigerait en tout état de cause une refonte complète des règles de transparence et d'organisation des lobbies qui caractérisent actuellement la vie politique bruxelloise, et qui posent de très sérieux problèmes[1]. Ensuite, il faut prendre conscience du fait qu'un tel transfert de souveraineté fiscale au Parlement européen impliquerait que les institutions politiques des États membres ne seraient pas représentées directement dans le vote de l'impôt européen[2]. Une telle perspective n'est pas nécessairement problématique en soi, et elle existe d'ailleurs dans d'autres contextes, mais elle mérite néanmoins un examen attentif.

Aux États-Unis, le budget et les impôts fédéraux, ainsi que l'ensemble des lois fédérales, doivent être adoptés par le Congrès fédéral, dont les membres sont élus pour cela et ne représentent pas directement les institutions politiques des États membres. En l'occurrence, dans le système étatsunien, les textes doivent être adoptés dans les mêmes termes par les deux chambres du Congrès. La Chambre des représentants est composée en proportion de la population des États membres, alors que le Sénat comprend deux représentants que chaque État membre élit à cet effet (quelle que soit sa taille). Ce système où aucune des deux Chambres n'a l'ascendant sur l'autre n'est pas un modèle du genre, et il conduit fréquemment à des blocages. Mais il fonctionne à peu près, en particulier grâce au fait qu'il existe un certain équilibre entre la taille des différents États[3]. En Inde, il

---

1. Voir à ce sujet S. LAURENS, *Les Courtiers du capitalisme. Milieux d'affaires et bureaucrates à Bruxelles*, Agone, 2015.

2. Il est à noter que même les projets les plus fédéralistes discutés à ce jour ne sont pas allés jusque-là. En particulier, le projet de traité instituant l'Union européenne adopté en 1984 par le Parlement européen (dit « projet Spinelli ») donnait certes un rôle éminent au Parlement, avec en particulier le pouvoir d'investir et de démettre la Commission et d'examiner et d'amender en premier les projets de lois et directives proposés par la Commission, sans pour autant remettre en cause le fait que les lois et directives devaient également être approuvées dans les mêmes termes par le Conseil des ministres des États membres (avec une possible extension du champ d'application de la règle de majorité qualifiée au sein du Conseil). L'hypothèse fédéraliste optimiste (encore entretenue aujourd'hui) est que le Conseil finira par se plier aux décisions majoritaires du Parlement européen, même si on lui maintient formellement son droit de veto sur l'ensemble des législations.

3. En particulier, la comparaison parfois faite entre le Sénat étatsunien et le Conseil des chefs d'État ou des ministres européens ne tient pas la route. L'équivalent du Conseil serait

existe également deux Chambres : la Lok Sabha (Chambre du peuple) élue directement par les citoyens, avec des circonscriptions soigneusement découpées afin d'assurer sur tout le territoire une représentation proportionnelle à la population ; et la Rajya Sabha (Chambre des États), dont les membres sont élus au suffrage indirect par les législatures des États et territoires de l'Union indienne[1]. Les lois doivent en principe être adoptées dans les mêmes termes par les deux Chambres, mais en cas de désaccord il est possible de les réunir pour adopter le texte final, ce qui en pratique donne un net avantage à la Lok Sabha, compte tenu de sa supériorité numérique[2]. Surtout, s'agissant des lois fiscales et budgétaires (*money bills*), la Lok Sabha a automatiquement le dernier mot.

Rien n'interdit d'imaginer une solution similaire en Europe : le Parlement européen pourrait avoir le dernier mot pour adopter des impôts européens et un budget financé par ces impôts. Il existe cependant deux différences essentielles qui rendent une telle solution peu satisfaisante. Tout d'abord, il est peu probable que les 28 États membres de l'Union européenne acceptent une telle délégation de souveraineté fiscale, au moins dans un premier temps. Il faudrait donc que les pays souhaitant aller de l'avant constituent une sous-chambre au sein du Parlement européen. Ce n'est pas impossible, mais cela exige là encore d'assumer une rupture assez nette avec les autres pays. Ensuite, et surtout, à supposer que les 28 pays soient d'accord, ou qu'un sous-groupe de pays soit prêt à aller de l'avant, la différence centrale avec les États-Unis ou l'Inde est que les États-nations européens préexistent à l'Union européenne. En particulier, cela implique qu'ils sont libres de ratifier ou de dénoncer des traités internationaux, par l'intermédiaire de leur parlement national. Ces parlements nationaux

---

un Sénat composé des gouverneurs des États (le gouverneur de Californie, de New York, etc.), dans une situation où deux États (par exemple la Californie et New York) pèseraient à eux deux la moitié du PIB du pays (ce qui est approximativement le cas de l'Allemagne et de la France au sein de la zone euro). Gageons qu'un tel système fonctionnerait très mal, et que les deux gouverneurs en question se sépareraient fréquemment sans avoir pris la moindre décision. La comparaison parfois effectuée entre le Conseil et le Bundesrat (chambre représentant les États allemands) est tout aussi peu probante. Précisons que c'est depuis le 17e amendement adopté en 1913 que les sénateurs étatsuniens doivent être élus au suffrage universel ; auparavant ils étaient parfois désignés par les législatures des États.

1. Les membres de la Rajya Sabha sont élus sur des listes présentées par les partis et ne sont pas eux-mêmes membres des législatures des États.

2. Précisément 3 545 membres pour la Lok Sabha contre 245 membres pour la Rajya Sabha. En pratique, cette procédure de réunion jointe n'a été utilisée que trois fois depuis l'adoption de la Constitution de 1950, dont une fois en 1963 pour adopter la loi sur la prohibition des dots.

(le Bundestag en Allemagne, l'Assemblée nationale en France, etc.) votent en outre depuis des décennies, parfois depuis le XIXᵉ siècle, des impôts et des budgets qui ont atteint au fil du temps une ampleur considérable, de l'ordre de 30 %-40 % du produit intérieur brut.

Ces prélèvements, débattus et votés par ces instances, ont permis de mettre en place des politiques sociales et éducatives et un modèle de développement inédits dans l'histoire, et qui dans leur ensemble ont été un immense succès historique. Ils ont permis aux pays européens d'atteindre les plus hauts niveaux de vie observés dans l'histoire, le tout en limitant l'ampleur des inégalités (tout du moins par comparaison aux États-Unis et aux autres régions du monde) et en favorisant une relative égalité d'accès à la santé et à l'éducation. Ces parlements nationaux et les budgets et impôts qu'ils adoptent actuellement vont continuer d'exister, au moins pour une très large part. Personne ne pense qu'il pourrait être collectivement souhaitable de tout décider à Bruxelles, et que le budget de l'Union européenne pourrait ou devrait subitement passer de 1 % à 40 % du PIB et remplacer les budgets des États, pas plus que ceux des régions, des communes ou des caisses de sécurité sociale. De la même façon que pour le régime de propriété, qui doit être décentralisé et participatif, l'organisation idéale du régime politique et du système de frontières doit s'appuyer autant que possible sur la décentralisation et la mobilisation des acteurs à tous les niveaux.

Bâtir une souveraineté parlementaire européenne en s'appuyant sur les souverainetés parlementaires nationales

C'est pourquoi il paraît plus approprié, si l'on souhaite bâtir un véritable espace démocratique transnational adapté à la réalité européenne, de s'appuyer également sur les parlements nationaux, au moins pour partie. Une possibilité pourrait être la création, entre les pays qui le souhaitent, d'une Assemblée européenne composée de députés issus pour partie des parlements nationaux (en proportion des populations de chaque pays et des différents groupes politiques présents) et pour partie du Parlement européen (là aussi en proportion des différents groupes politiques présents parmi les représentants des pays décidant d'aller de l'avant). La question de la proportion à retenir met en jeu des considérations complexes qui ne peuvent être tranchées ici. Une proposition qui a émergé récemment dans le débat européen retient comme hypothèse de travail la possibilité qu'une telle Assemblée européenne soit issue pour 80 % de ses membres des parlements nationaux et pour 20 % de ses membres de l'actuel Parlement européen[1].

L'avantage de cette proposition, qui s'appuie sur un projet de traité de démocratisation de l'Europe[2], est qu'elle peut être adoptée par les pays qui le souhaitent sans changer les traités existants. S'il est préférable qu'elle soit adoptée d'emblée par le plus grand nombre possible de pays, et en particulier par l'Allemagne, la France, l'Italie et l'Espagne (qui à elles quatre représentent plus de 70 % de la population et du PIB de la zone euro), rien n'interdit à un plus petit nombre de pays d'avancer et de former par exemple une Assemblée franco-allemande ou franco-italo-belge[3]. En tout état de cause, la proposition consiste à transférer à cette Assemblée européenne la compétence d'adopter quatre grands impôts communs : un impôt sur les bénéfices des sociétés, un impôt sur les hauts revenus, un impôt sur les hauts patrimoines, et une taxe carbone commune. Dans le projet de budget accompagnant la proposition, ces impôts pourraient par exemple rapporter environ 4 % du PIB, et être utilisés pour financer pour moitié un reversement au budget des États (qui pourraient ainsi abaisser les prélèvements pesant sur les classes populaires et moyennes, qui jusqu'ici ont été les victimes de la concurrence fiscale européenne) et pour moitié un budget d'investissements dans la transition énergétique, la recherche et la formation, ainsi qu'un fonds permettant de faciliter et de mutualiser l'accueil des migrants[4]. Il ne s'agit que d'une proposition illustrative, et il

1. Voir le « Manifeste pour la démocratisation de l'Europe » rendu public en décembre 2018 et disponible sur www.tdem.eu. Voir également M. BOUJU, L. CHANCEL, A. L. DELATTE, S. HENNETTE, T. PIKETTY, G. SACRISTE, A. VAUCHEZ, *Changer l'Europe, c'est possible !*, Seuil, 2019.

2. Le projet de traité de démocratisation de l'Europe (TDEM) est aussi disponible sur www.tdem.eu.

3. De façon générale, rien n'interdit aux pays qui le souhaitent de signer des traités bilatéraux ou multilatéraux, tout en respectant leurs autres engagements. Les compétences fiscales discutées ici n'étant pas des compétences de l'Union européenne, le traité de démocratisation peut être adopté sans violer les règles existantes. Pour une analyse juridique de ces questions, voir S. HENNETTE, T. PIKETTY, G. SACRISTE, A. VAUCHEZ, *Pour un traité de démocratisation de l'Europe*, Seuil, 2017. On notera que le traité de coopération bilatérale franco-allemande dit de l'Élysée, lors de son renouvellement début 2019, a mis en place une Assemblée parlementaire franco-allemande composée d'une centaine de membres de l'Assemblée nationale française et du Bundestag allemand. Cette Assemblée est à ce jour purement consultative, mais rien n'interdirait de lui attribuer les compétences décisionnelles évoquées ici.

4. Les impôts proposés prennent la forme d'un impôt commun de 15 % sur les bénéfices des sociétés (doublés d'un taux minimal de 22 % au niveau national, soit au total 37 %), un

appartiendrait évidemment à l'Assemblée européenne de fixer les impôts et les priorités auxquels elle souhaite se consacrer[1].

Le point central est de se donner un espace de délibération et de décision démocratique permettant d'adopter des mesures fortes de justice fiscale, sociale et climatique au niveau européen. Ainsi que nous l'avons vu en analysant la structure des votes lors des référendums français et britanniques de 1992, 2005 et 2016, le divorce entre l'Europe et les classes populaires a atteint une ampleur considérable[2]. Sans mesure concrète et visible permettant de montrer que la construction européenne peut être mise au service d'un objectif de justice fiscale et sociale, il est difficile de voir comment cette réalité pourrait changer.

La proposition pourrait parfaitement fonctionner avec un autre pourcentage de membres issus des parlements nationaux, par exemple 50 % au lieu de 80 %. Cette question mérite un large débat et une réflexion approfondie. Techniquement, le système proposé pourrait également être appliqué avec une proportion nulle de députés nationaux, auquel cas l'Assemblée européenne proposée se confondrait avec l'actuel Parlement européen (limité toutefois aux membres élus par les pays souhaitant avancer dans cette voie). Si un nombre suffisant de pays était déterminé à aller dans cette direction et à confier une telle souveraineté fiscale à cette sous-formation du Parlement européen, il s'agirait là d'une amélioration considérable par rapport au *statu quo* actuel. Il me semble toutefois que réduire trop fortement la proportion de députés nationaux (par exemple au-dessous

---

impôt commun sur les hauts revenus de 10 % au-delà de 200 000 euros de revenu annuel et de 20 % au-delà de 400 000 euros (s'ajoutant aux taux supérieurs d'environ 40 %-50 % actuellement appliqués au niveau national, soit au total 60 %-70 % pour les plus hauts revenus), un impôt commun sur les hauts patrimoines de 1 % au-delà de 1 million d'euros et de 2 % au-delà de 5 millions d'euros (s'ajoutant aux taxes sur la propriété, taxes foncières et autres impôts nationaux sur les patrimoines, et qui pourrait être complété par un impôt commun sur les successions de 10 % au-delà de 1 million et de 20 % au-delà de 2 millions), et une taxe commune sur les émissions carbone (avec un prix initial de 30 euros par tonne, qui a vocation à être réévalué annuellement). Tous les détails sont disponibles sur www.tdem.eu. Ces propositions visent simplement à fixer les idées sur ce que pourrait être un premier budget adopté par l'Assemblée européenne, et ne constituent en aucun cas une expression du niveau idéal de progressivité fiscale sur les hauts revenus et patrimoines (question sur laquelle je reviendrai dans le prochain chapitre).

1. Par exemple, l'Assemblée pourrait également décider de reverser aux États la totalité des recettes, auquel cas l'ensemble du dispositif permettrait simplement aux États membres de mieux imposer les acteurs économiques les plus puissants au niveau fédéral afin de réduire la pression fiscale sur les classes populaires et moyennes au niveau de chaque État, ce qui serait déjà une excellente chose.

2. Voir chapitre 14, graphique 14.20, p. 926, et chapitre 15, graphique 15.18, p. 989.

de 50 %) comporterait des risques importants. Le plus évident est que les parlements nationaux, dans le cas où ils se sentiraient en désaccord trop flagrant avec les politiques fiscales et sociales adoptées par l'Assemblée européenne, pourraient toujours décider de sortir de cette construction et de dénoncer le traité instituant cette Assemblée. À partir du moment où les parlements nationaux restent souverains pour engager leur pays dans des traités internationaux (et donc aussi pour en sortir), ce que personne ne conteste, et ce qui constitue le plus important des pouvoirs, il paraît étrange de leur refuser la possibilité de participer au vote de l'impôt européen[1].

De plus, et surtout, le fait d'impliquer fortement les parlements nationaux dans la composition de l'Assemblée européenne permettrait de transformer *de facto* les élections législatives nationales en élections européennes. Concrètement, à partir du moment où les députés nationaux seraient fortement représentés à l'Assemblée européenne, il deviendrait impossible pour les partis et candidats se présentant aux élections législatives nationales de continuer de se défausser en permanence sur les institutions bruxelloises et d'expliquer qu'ils ne sont pour rien dans les choix européens (attitude qui au fil du temps est malheureusement devenue le sport favori des responsables politiques nationaux en Europe). Dès lors qu'une partie des députés nationaux iraient représenter leur groupe politique à l'Assemblée européenne et seraient susceptibles d'y changer les majorités, il leur faudra expliquer lors des élections législatives nationales quelles politiques européennes (quels impôts européens, quel budget, quel reversement aux budgets nationaux) ils comptent y défendre[2]. La vie politique nationale s'en trouverait profondément européanisée. En ce sens, le fait de bâtir une souveraineté parlementaire européenne en s'appuyant sur

---

1. L'hypothèse selon laquelle on pourrait modifier les Constitutions des pays européens de façon à les empêcher de sortir de l'Union européenne ou des divers traités européens et internationaux les concernant paraît peu réaliste à horizon prévisible, et susciterait des oppositions passionnées et probablement irrésistibles, aussi bien en Allemagne qu'en France et dans tous les pays concernés. Aux États-Unis, la Constitution ne donnait pas la possibilité de sortie aux États du Sud, et cela ne les a pas empêchés de tenter une sécession. Dans le contexte européen, seuls des traités reposant sur l'association volontaire et réversible des États membres paraissent envisageables à ce stade (ce qui ne veut évidemment pas dire qu'il en ira de même éternellement).

2. On peut imaginer que chaque groupe politique choisisse d'envoyer à l'Assemblée européenne ses membres les plus impliqués sur ces sujets. Les réunions à l'Assemblée européenne seraient moins nombreuses que celles des parlements nationaux (par exemple l'équivalent d'une semaine par mois) et pourraient se tenir autant que possible en dehors des sessions parlementaires nationales.

les souverainetés parlementaires nationales me semble au final constituer une forme plus ambitieuse de fédéralisme européen que celle consistant à contourner les parlements nationaux et à s'appuyer entièrement sur un Parlement européen indépendant de ces derniers[1]. Surtout, cette façon originale de construire une souveraineté parlementaire transnationale paraît plus adaptée aux réalités politiques et historiques européennes, qui sont fort différentes des conditions qui ont présidé au développement des autres ensembles fédéraux (États-Unis, Inde, Brésil, Canada, Allemagne, etc.), et exige une approche nouvelle[2].

Reconstruire la confiance, développer des normes de justice communes

Afin de faciliter son acceptation par les différents pays, et afin de bien marquer que l'objectif principal est de réduire les inégalités à l'intérieur des pays, il est également prévu dans le projet proposé de plafonner drastiquement les transferts entre États signataires. Il s'agit d'un point qui peut sembler technique, voire déplaisant, mais qui, compte tenu du climat de défiance qui règne actuellement entre pays européens, est sans doute la seule façon d'espérer obtenir quelques avancées.

Dans le cadre du budget actuel de l'Union européenne (environ 1 % du PIB), la Commission européenne publie les « soldes budgétaires annuels »

1. Le Parlement européen (avec un rôle à l'époque purement consultatif) était composé avant son élection au suffrage universel direct en 1979 par des représentants des parlements nationaux, ce qui explique sans doute les réticences d'une partie des responsables européens se décrivant comme les plus fédéralistes (notamment au sein des membres du Parlement européen) à considérer positivement l'implication des parlements nationaux dans une perspective fédéraliste. L'option défendue ici se situe pourtant clairement dans une telle perspective, puisque l'Assemblée européenne composée pour partie de membres de parlements nationaux a le dernier mot sur le vote du budget et de l'impôt européens (ce qui constitue la plus forte des souverainetés fédérales, et créerait une situation sans rapport avec celle d'avant 1979). Une procédure de concertation est prévue avec le Conseil, mais, en cas de désaccord, c'est l'Assemblée européenne qui tranche. Voir le traité pour la démocratisation de l'Europe (www.tdem.eu), article 8.

2. L'approche défendue ici consiste au fond à envisager une souveraineté européenne s'appuyant sur les institutions politiques nationales, non pas les gouvernements nationaux (comme cela a été fait jusqu'à présent) mais les parlements nationaux (ce qui permet de représenter la pluralité des opinions et d'organiser la délibération et la prise de décision dans un cadre majoritaire apaisé). Le discours tenu par Joschka Fischer à l'université Humbolt en 2000 reposait sur des prémices similaires (mais n'a guère eu d'écho auprès du gouvernement français de l'époque).

de chaque pays, c'est-à-dire la différence entre les contributions versées par chaque État et les dépenses dont il a bénéficié. Au cours de la période 1998-2018, les plus grands contributeurs nets sont l'Allemagne, la France et le Royaume-Uni, avec des soldes contributeurs nets oscillant autour de 0,2 %-0,3 % du PIB suivant les années[1]. Ce thème des transferts versés à l'Europe a joué un rôle non négligeable dans la campagne référendaire sur le Brexit[2]. Le nouveau budget prévu dans le cadre du traité de démocratisation de l'Europe et de l'Assemblée européenne (soit 4 % du PIB dans le projet proposé) s'ajouterait pour les États signataires au budget actuel de l'UE. Afin de se prémunir contre le risque de rejet, le projet prévoit que l'écart entre les recettes et les dépenses ou reversements versés et reçus par les différents États signataires dans le cadre de ce budget additionnel ne puisse excéder 0,1 % du PIB[3]. S'il existe un consensus en ce sens, ce seuil peut naturellement être abaissé ou rehaussé, sans modifier la substance du projet.

Il s'agit d'un point fondamental, car le fantasme de « l'union de transfert » est devenu le point de blocage de toute la réflexion européenne. En particulier, la dénonciation du risque de « transferunion » est devenue depuis la crise de 2008 un discours extrêmement répandu parmi les responsables politiques allemands (notamment au sein de la CDU [parti chrétien-démocrate] de la chancelière Angela Merkel, mais également chez les sociaux-démocrates du SPD), et plus généralement en Europe du Nord (en particulier aux Pays-Bas). Pour résumer, ce discours consiste à voir dans chaque proposition d'impôt commun ou de budget commun une tentative des pays d'Europe du Sud et de la France (réputés mal gérés) de s'approprier une partie des richesses durement produites par les Européens du Nord (supposés vertueux et travailleurs). Il ne m'appartient pas de dire ici comment nous en sommes arrivés à une telle défiance, qui confine parfois au conflit identitaire. Sans doute l'attitude récurrente des gouvernements français consistant à se plaindre des règles budgétaires européennes qu'ils avaient eux-mêmes contribué à faire adopter, tout cela sans en proposer de nouvelles, irrite-t-elle depuis fort longtemps outre-Rhin et ailleurs. Il faut également rappeler que la

---

1. Voir annexe technique.

2. En particulier, le leader de l'UKIP a passé sa campagne à décompter les fonds perdus chaque semaine par le NHS (National Health Service) du fait des transferts à l'Europe, tout cela en gonflant sérieusement les chiffres en jeu.

3. Traité pour la démocratisation de l'Europe, article 9.

crise de la dette grecque a initialement résulté de la manipulation massive par les autorités du pays des statistiques du déficit budgétaire, ce qui a causé une méfiance considérable[1]. À l'inverse, il est évident que le discours germanique selon lequel tous les problèmes européens seraient réglés si chaque pays alignait son système économique sur le modèle allemand n'a guère de sens : personne au monde ne pourrait absorber un excédent commercial allemand généralisé à la taille de l'Europe. Par ailleurs, le fait de se focaliser sur les transferts publics n'est pas satisfaisant. Les échanges privés apportent des bénéfices importants à tous les pays, et notamment à ceux (comme l'Allemagne) qui ont réalisé des investissements très profitables chez leurs voisins. Rappelons que les flux privés de profits sortants des pays d'Europe de l'Est dépassent de beaucoup les flux publics entrants[2]. À l'avenir, il est essentiel qu'une réflexion s'engage afin de prendre en compte les flux et bénéfices privés apportés par l'intégration européenne (et la façon dont ils sont affectés par les politiques menées et le cadre légal et fiscal en vigueur), afin de sortir de cette focalisation exclusive sur les soldes publics[3].

Il reste que dans l'état de méfiance qui existe actuellement entre pays européens, après dix années de crise financière où chacun estime avoir été maltraité par les autres, il paraît peu probable qu'un gouvernement allemand (ou d'ailleurs un gouvernement français ou d'un autre pays) puisse convaincre son opinion de transférer des compétences fiscales et budgétaires à une Assemblée européenne sans plafonner au préalable les transferts qui pourraient en résulter. S'il s'avère possible d'augmenter le seuil proposé de 0,1 %, ce serait une excellente chose[4]. Mais cela ne doit pas servir d'excuse pour le rejet du projet, qui garderait toute son utilité en l'absence de tout transfert explicite. Cela provient notamment du fait que les revenus moyens ne sont pas très différents au sein des principaux pays de la zone euro, si bien que le véritable enjeu est avant tout la réduction

---

1. Fin 2009, le gouvernement grec a annoncé que son déficit était de 12,5 % de son PIB, et non pas de 3,7 % comme il l'avait précédemment dit. Voir D. CHALMERS *et al.*, *European Union Law. Text and Materials*, *op. cit.*, p. 704-753 pour un récit des événements et des réponses européennes.

2. Voir chapitre 12, graphique 12.10, p. 743, et annexe technique, graphique S12.10.

3. On notera que les flux privés sont partiellement pris en compte, dans le sens où les contributions au budget européen (ainsi d'ailleurs que les soldes budgétaires) sont calculées en proportion du revenu national brut (RNB), qui est égal au PIB corrigé des flux nets de revenus avec les autres pays.

4. Par exemple en le portant à 0,5 % ou 1 %, voire davantage en cas de consensus en ce sens.

des inégalités à l'intérieur des pays (et non pas entre pays)[1]. Autrement dit, les classes populaires et moyennes de tous les pays (y compris bien sûr en Allemagne) ont beaucoup à gagner d'une plus grande justice fiscale, par exemple d'un système fiscal qui imposerait enfin à un taux plus élevé les plus grandes sociétés que les petites et moyennes entreprises, les plus hauts revenus et patrimoines que les plus faibles, et les plus fortes émissions carbone que les moins élevées. Le simple fait de pouvoir mettre en place des impôts plus justes à l'intérieur de chaque pays et de se placer à l'abri du risque de concurrence fiscale (car ces nouveaux impôts seraient appliqués en même temps dans plusieurs pays) constitue en soi un progrès décisif, y compris en l'absence de tout transfert.

Par ailleurs, le calcul des transferts publics doit naturellement exclure les dépenses et investissements réalisés dans un pays en vue de satisfaire un objectif d'intérêt commun bénéficiant également à tous les pays, comme la lutte contre le réchauffement climatique ainsi que le fonds d'accueil aux réfugiés et l'accueil d'étudiants d'autres pays signataires. Dans la mesure où le budget commun vise à financer des biens publics européens qui bénéficieront de manière similaire à l'ensemble des États signataires, l'objectif à terme est évidemment que les ressortissants des différents pays appréhendent cet instrument en tant que membres d'une même communauté politique, et non pas au travers du prisme des soldes nationaux, dont on peut espérer qu'ils auront de moins en moins de sens. Mais pour en arriver là, il faut accepter de partir du principe que la confiance devra être bâtie progressivement, tant les écueils nationalistes sont nombreux.

Sortir de la crise permanente de la dette publique en Europe

Le projet social-fédéraliste présenté ici repose avant tout sur une ambition de justice fiscale, sociale et climatique. Il s'agit de permettre à une communauté d'États (en l'occurrence en Europe, mais cela pourrait s'appliquer dans d'autres contextes) de montrer que l'internationalisme peut être mis au service de politiques plus justes que la concurrence sans fin au profit des plus mobiles, habituellement associée à l'intégration européenne (et plus généralement à l'intégration économique internationale et à la mondialisation). Dans le contexte spécifique de la crise de la zone euro, où un

---

1. C'est évidemment moins vrai en dehors de la zone euro et si l'on prend en compte les pays d'Europe de l'Est, qui exigent que l'on assume des transferts et investissements significatifs.

ensemble de pays a choisi de créer une monnaie unique tout en conservant dix-neuf dettes publiques et taux d'intérêt différents, le projet présenté prévoit également la possibilité (si l'Assemblée européenne le décide) d'une mise en commun du taux de refinancement des États pour tout ou partie de leurs dettes[1].

Là encore, compte tenu du climat de défiance décrit plus haut, il importe d'être précis si l'on veut éviter tout malentendu et se donner une chance d'avancer. Il ne s'agit pas de partager les dettes. Autrement dit, il ne s'agit pas de mettre dans un même paquet la dette allemande (64 % du PIB en 2018) et celle de l'Italie (132 % du PIB) et de demander aux contribuables allemands et italiens de rembourser l'ensemble, en oubliant qui a mis quoi dans le paquet. Non pas que l'idée soit totalement saugrenue en soi : les jeunes Italiens ne sont pas plus responsables que les jeunes Allemands des dettes qu'ils ont reçues en legs. Simplement, présenté de cette façon, on voit mal quel mouvement politique allemand pourrait être élu sur un tel programme. Les normes de justice transnationale et les processus de redéfinition des frontières doivent être construits politiquement et historiquement, sur la dette comme sur les autres questions. Concrètement, la proposition envisagée ici pour les dettes européennes s'inspire du « fonds de rédemption de la dette publique » débattu en Allemagne en 2012, à la différence importante près que c'est une instance démocratique (l'Assemblée européenne) et non pas une règle automatique qui décidera du rythme de remboursement[2]. Autrement dit, l'Assemblée européenne pourrait décider de mettre en commun tout ou partie des dettes des États signataires dans un même fonds de refinancement et décider chaque année, à mesure que les dettes viennent à échéance, quelle partie doit être refinancée par l'émission de titres de dette commune. Le point important est que l'on garderait des comptes séparés de façon que chaque pays continue de rembourser sa propre dette mais à un taux d'intérêt identique pour tous.

Ce point peut sembler technique mais il est en réalité fondamental. C'est en effet l'évolution chaotique sur les marchés financiers de l'écart de taux d'intérêt entre pays de la zone euro qui est à l'origine de la crise

---

1. Traité pour la démocratisation de l'Europe, article 10 (www.tdem.eu).

2. Dans la proposition de « fonds de rédemption » (au nom légèrement moralisateur), proposé en 2012 par le conseil d'économistes rattaché à la chancellerie allemande, l'objectif était de ramener l'encours total de dettes à 60 % du PIB en vingt ou trente ans, avec un rythme de remboursement (donc d'excédent budgétaire primaire) décidé à l'avance. Or il n'est ni réaliste ni souhaitable de figer de telles décisions indépendamment de la conjoncture.

européenne de la dette – dette qui, à la veille de la crise de 2008 n'était pourtant pas plus élevée en zone euro qu'aux États-Unis, au Japon ou au Royaume-Uni. C'est cette mauvaise organisation collective et cette incapacité des pays européens à créer un titre de dette commune qui expliquent pour une large part la piètre performance macroéconomique des pays de la zone euro depuis la crise de 2008. Pour résumer, la zone euro a réussi par sa seule faute à transformer une crise financière venue initialement du secteur financier privé étatsunien en une crise européenne durable des dettes publiques. Or ceci a eu des conséquences dramatiques pour les pays européens, en particulier avec la montée du chômage et des mouvements anti-immigrés, alors même que l'Union européenne se caractérisait avant la crise de 2008 par une capacité d'intégration importante : le chômage et l'extrême droite étaient en baisse, et les flux migratoires étaient plus élevés en Europe qu'aux États-Unis[1].

Il faut également rappeler que les traités mis au point dans l'urgence par les pays de la zone euro pour faire face à la crise de la dette n'ont rien réglé quant aux questions de long terme et devront être revus d'une façon ou d'une autre (sauf à accepter qu'ils ne soient jamais respectés, ce qui ne fera que des mécontents et ne conduira qu'à accroître les tensions). Les nouvelles règles fixées par le traité budgétaire (TSCG) de 2012 prévoient en théorie que le déficit ne doit pas dépasser 0,5 % du PIB[2]. Sauf « circonstances exceptionnelles », le non-respect de ces règles entraîne en principe des pénalités automatiques. Mais en pratique ces règles sont totalement inapplicables, tellement elles sont absurdes. Précisons que le déficit visé

1. D'après les données démographiques et migratoires rassemblées par les Nations unies, le flux migratoire entrant en Union européenne (net des sorties) atteignait 1,4 million de personnes par an entre 2000 et 2010, avant de chuter à 0,7 million par an entre 2010 et 2018, en dépit de l'afflux des réfugiés et du pic de 2015. Aux États-Unis, qui se sont relevés plus facilement que l'Europe de la récession de 2008, le flux est resté stable (1 million par an entre 2000 et 2010, 0,9 million entre 2010 et 2018). Voir annexe technique, graphique S16.4. En moyenne, les flux migratoires entrants dans les pays riches représentent un apport annuel d'à peine 0,2 %-0,3 % par an au cours de la période 2000-2020. La nouveauté est que ces flux s'inscrivent dans un contexte de stagnation démographique : le nombre annuel de naissances est maintenant inférieur à 1 % de la population dans nombre de pays riches, ce qui veut dire qu'un apport annuel de 0,2 %-0,3 % peut aboutir à terme à une modification sensible de la composition de la population. L'expérience récente montre que cela peut engendrer des tentatives réussies d'exploitations politiques identitaires, surtout si des politiques adéquates ne sont pas menées pour favoriser les créations d'emplois, de logements et d'infrastructures nécessaires.

2. À l'exception toutefois des pays dont la dette est « sensiblement inférieure à 60 % du PIB », auquel cas le déficit peut atteindre 1 %. Voir le traité sur la stabilité, la coordination et la gouvernance de l'union économique et monétaire (TSCG), article 3.

par les textes européens est toujours le déficit secondaire, c'est-à-dire après paiement des intérêts de la dette. Si un pays a une dette égale à 100 % du PIB, et que le taux d'intérêt est de 4 %, alors les intérêts seront de 4 % du PIB. Pour réaliser un déficit secondaire limité à 0,5 %, il faudra donc réaliser un excédent primaire de 3,5 % du PIB. Autrement dit, les contribuables devraient payer des impôts plus élevés que les dépenses dont ils bénéficient, avec un écart de 3,5 % du PIB, possiblement pendant des décennies. Dans l'absolu, l'approche du TSCG n'est pas illogique : à partir du moment où l'on refuse les mesures exceptionnelles, les rééchelonnements de longue durée et les annulations de dette, que l'inflation est quasi nulle et la croissance limitée, alors seuls d'énormes excédents primaires peuvent réduire à l'horizon de quelques décennies des dettes de l'ordre de 100 % du PIB. Il faut cependant mesurer les conséquences sociales et politiques d'un tel choix. Cela voudrait dire que l'on consacre pendant des dizaines d'années des ressources gigantesques à rembourser des dettes et des intérêts aux détenteurs de patrimoines financiers, alors même que l'on manque de moyens pour investir dans la transition énergétique, la recherche médicale ou la formation.

En pratique, ces règles ne sont pas appliquées et ne le seront sans doute jamais. Par exemple, à l'automne 2018, une nouvelle crise s'est ouverte au sujet du déficit entre la Commission européenne et le gouvernement social-nativiste italien. Le gouvernement italien voulait faire passer le déficit à 2,5 % du PIB, alors que le gouvernement précédent avait promis 1,5 %. Face aux protestations de la Commission, un compromis a finalement été trouvé officiellement à 2 % de déficit, et en réalité sans doute quelque part entre 2 % et 2,5 % (donc dans tous les cas nettement au-dessus de la règle officielle de 0,5 %, que personne ne semble prendre très au sérieux). Compte tenu du fait que les intérêts de la dette représentent actuellement environ 3 % du PIB en Italie, cela signifie tout de même que le pays a actuellement un excédent primaire compris entre 0,5 % et 1 % du PIB, ce qui n'est pas rien : une telle somme permettrait par exemple de doubler (voire de tripler) le budget total de l'enseignement supérieur en Italie (à peine plus de 0,5 % du PIB).

On peut se rassurer en se disant que l'excédent primaire exigé aurait été beaucoup plus élevé si la Commission et l'Eurogroupe avaient décidé d'appliquer plus strictement les règles, et se réjouir d'une telle flexibilité. Mais en réalité cela n'a aucun sens d'écrire des règles hyperrigides, puis de choisir de les ignorer tant elles sont absurdes, et, pour finir, de se retrouver à négocier dans des conditions opaques un compromis peu clair, dans le cadre de négociations à huis clos, hors de toute délibération parlementaire contradictoire[1]. On peut s'en satisfaire et miser sur le fait que l'équilibre futur se fixera autour d'une demande d'excédent primaire positif mais faible (moins de 1 % du PIB). Autrement dit, on demande aux pays endettés de couvrir désormais intégralement leurs dépenses par leurs recettes fiscales, et même légèrement davantage, mais pas de rembourser à marche forcée les dettes du passé. Cela revient finalement à rééchelonner ces dernières à un horizon lointain (ce qui peut sembler être un compromis raisonnable). Le problème est qu'en pratique tout ceci n'est pas assumé clairement, si bien que les demandes faites aux différents pays sont souvent incohérentes et à géométrie variable.

En 2015, il y a clairement eu un choix politique d'humilier la Grèce, coupable aux yeux des autorités européennes (allemandes et françaises en particulier) d'avoir élu un gouvernement de « gauche radicale » en portant au pouvoir la coalition anti-austérité Syriza, issue de la fusion de divers partis communistes, socialistes et écologistes situés à la gauche du parti socialiste grec (le Pasok, discrédité par son passage au pouvoir lors de la tourmente financière de 2009-2012). Syriza remporta les élections et tenta d'adoucir les termes de la politique budgétaire imposée par les dirigeants européens, ce que ces derniers avaient promis. Mais pour éviter d'offrir une victoire symbolique à Syriza, dont on craignait qu'elle ne mène à un phénomène de contagion (en particulier en Espagne où le mouvement Podemos était alors en forte progression), on décida d'imposer à la Grèce une nouvelle purge budgétaire, avec une cible d'excédent primaire de 3 % du PIB, alors même que le niveau d'activité économique était toujours 25 % au-dessous de son niveau de 2007[2]. Ce faisant, on oublia au passage que Syriza, malgré ses défauts, avait le mérite d'être un mouvement internationaliste, ouvert à l'Europe et solidaire avec les migrants arrivant sur les côtes grecques. Il aurait été plus judicieux de s'appuyer sur de tels mouvements pour développer des politiques fiscales plus justes en Europe, y compris en mettant

---

1. La meilleure preuve que les nouvelles règles budgétaires ne sont guère prises au sérieux est que de nombreux responsables politiques européens continuent de se référer à « la règle des 3 % » et ne semblent pas avoir compris que la cible de déficit est désormais de 0,5 %. Ceci illustre également le besoin urgent d'une réappropriation démocratique de ces questions.

2. Voir chapitre 12, p. 748-749, et annexe technique, graphique S12.12c. Pour faire bonne mesure, on expliqua en juillet 2015 à la Grèce qu'elle serait expulsée de la zone euro (hors de toute procédure légale) si elle refusait ces conditions.

mieux à contribution les riches grecs, comme d'ailleurs les riches allemands et français[1]. Les mesures prises découragèrent peut-être les électeurs de gauche radicale. Mais trois ans plus tard, en 2018, c'est un gouvernement social-nativiste qui est arrivé au pouvoir en Italie, une coalition dont l'un des principaux ciments est la chasse aux étrangers, mais avec laquelle on est bien obligé d'être plus conciliant, compte tenu de la taille du pays[2].

Bien qu'amoindris par des taux inhabituellement bas, qui ne dureront peut-être pas éternellement, les intérêts sont actuellement de 2 % du PIB en zone euro (le déficit moyen est de 1 %, et l'excédent primaire de 1 %). Soit plus de 200 milliards d'euros par an, à comparer par exemple avec les malheureux 2 milliards par an investis dans le programme Erasmus pour la mobilité des étudiants. C'est un choix possible, mais il n'est pas sûr que ce soit le meilleur pour préparer l'avenir. Si l'on consacrait de telles sommes à la formation et à la recherche, alors l'Europe pourrait devenir

1. L'hostilité suscitée par Syriza s'explique en partie par les maladresses de ses dirigeants, qui ont parfois donné l'impression pendant la crise de 2015 de demander des règles dérogatoires pour le seul bénéfice de la Grèce, alors que la résolution de la crise de la dette publique de la zone euro exige en réalité des solutions globales, concernant également l'Italie, le Portugal, etc., et la mise en place d'instances parlementaires communes au sein desquelles chaque pays participant (en particulier la Grèce) n'aura qu'un poids limité. Tout laisse cependant à penser que, si les dirigeants européens (en particulier franco-allemands) avaient proposé des réponses globales fondées sur un horizon de justice sociale, alors les responsables de Syriza auraient été les premiers à s'en saisir. Au final, l'hostilité suscitée par Syriza illustre surtout un climat idéologique plus général, marqué notamment par le postcommunisme et par un très grand conservatisme sur les questions économiques et financières. En particulier, les dirigeants est-européens furent souvent les plus hostiles au discours de Syriza, où ils croyaient déceler les fausses promesses des socialo-communistes dont ils avaient autrefois fait les frais (dans un contexte pourtant fort différent), ainsi que l'attitude arrogante de l'ancien membre du club européen face aux nouveaux venus (les conflits identitaires ne sont jamais loin en Europe). De ce point de vue, le fait qu'Angela Merkel soit issue d'Allemagne de l'Est n'est sans doute pas tout à fait anecdotique pour comprendre son conservatisme sur ces questions (doublé d'une amnésie historique considérable, s'agissant en particulier des annulations de dettes dont a bénéficié l'Allemagne dans les années 1950), aussi bien d'ailleurs que son ouverture aux réfugiés politiques venus de Syrie.

2. Des pays de petite taille comme la Grèce ou le Portugal peuvent se retrouver à accepter des cibles élevées d'excédents primaires (jusqu'à 3 %-4 % du PIB actuellement) de peur de se retrouver dans une situation encore pire s'ils sortaient de la zone euro (compte tenu de la petitesse de leurs marchés domestiques et du besoin vital de l'insertion européenne pour leur développement). Dans le cas d'un pays comme l'Italie, il est probable qu'une tentative d'imposer un excédent primaire trop élevé déboucherait sur des pressions internes irrépressibles en faveur de la sortie de l'euro. Par définition, une situation d'équilibre primaire signifie qu'un pays finance ses dépenses par ses impôts et n'a pas besoin des marchés financiers (d'où une tentation autarcique plus forte).

le premier pôle mondial d'innovation, devant les États-Unis. En tout état de cause, de tels choix devraient pouvoir être débattus dans une enceinte démocratique. En cas de nouvelle crise financière, ou simplement en cas de remontée des taux d'intérêt, on se rendrait vite compte du caractère explosif des règles budgétaires fixées en 2012, dont il faudrait bien prendre acte du caractère inapplicable, avec un risque considérable que les rancœurs et tensions entre pays remontent à la surface, faute de s'être donné à temps un cadre démocratique légitime pour traiter de ces questions complexes et trouver le meilleur compromis[1].

S'appuyer sur l'histoire de la dette, dégager des solutions nouvelles

La solution proposée ici consiste à faire confiance à la démocratie parlementaire. Seule une délibération publique, contradictoire et pluraliste peut permettre d'apporter la légitimité nécessaire pour de telles décisions et de s'adapter en temps réel à l'évolution de la situation économique, sociale et politique. Il est temps de revenir sur l'idée fausse inventée lors du traité de Maastricht en 1992 (et exacerbée lors du TSCG de 2012) selon laquelle on pourrait créer une monnaie commune sans démocratie parlementaire, sans dette commune et sans impôts communs, en se contentant d'appliquer des règles budgétaires automatiques. Dans le schéma proposé, l'Assemblée européenne serait compétente pour décider d'une mise en commun du taux de refinancement des États pour tout ou partie de leur dette, et du rythme futur de remboursement et de rééchelonnement de cette dette. Cela implique également que les pays souhaitant bénéficier du titre de dette commune et du taux d'intérêt commun doivent se soumettre aux décisions majoritaires de l'Assemblée européenne (dans laquelle chaque pays n'aura par définition qu'un poids limité). S'ils souhaitent conserver seuls la souveraineté sur leur dette et leur déficit, alors ils ne pourront bénéficier du taux d'intérêt commun. Sur la partie de

---

1. Le point extrême du contournement démocratique a sans doute été atteint par le traité de 2012 instituant le MES (Mécanisme européen de stabilité). Les prêts du MES sont conditionnés à la signature de mémorandums avec des représentants de la BCE, de la Commission et du FMI portant sur les réformes à engager par le pays concerné, réformes qui concernent potentiellement tous les sujets (santé, éducation, retraites, impôts...), le tout sans contrôle parlementaire et sans délibération publique. Voir D. CHALMERS *et al.*, *European Union Law. Text and Materials, op. cit.*, p. 741-753.

la dette qui sera mise en commun, l'Assemblée européenne sera libre de choisir le rythme de remboursement et de rééchelonnement[1]. Une solution pourrait consister à se placer durablement dans une situation d'équilibre primaire : les impôts couvrent les dépenses, ni plus ni moins. Cela équivaut à un rééchelonnement de long terme du remboursement des dettes. Dans la mesure où le taux d'intérêt sur la dette commune sera bas (et où l'action de la BCE, qui sera naturellement amenée à détenir une part significative de ces titres de dette commune, contribuera à conserver ce taux à un bas niveau, par-delà les soubresauts des marchés financiers[2]), et où la croissance nominale à venir sera sensiblement plus élevée (ce qui n'est pas acquis), alors le stock de dette passée finira par représenter une proportion de plus en plus faible du produit intérieur brut au cours des décennies à venir[3].

Certains pourraient être tentés de vouloir graver dans le marbre cette règle d'équilibre primaire[4]. Après tout, à partir du moment où l'on se donne la possibilité démocratique de mettre en place des impôts justes, en particulier avec la possibilité d'une adoption par l'Assemblée européenne d'impôts sur les hauts revenus et patrimoines s'appliquant à tous les pays signataires, l'idée de couvrir les dépenses par les impôts est en règle générale un excellent principe. Le problème est que dans certaines situations, liées par exemple à une crise économique abaissant massivement et temporairement les recettes fiscales, cette règle est de toute évidence trop rigide. Il en va de même dans une situation où les taux d'intérêt à long terme seraient inhabituellement bas (comme actuellement, ce qui laisse penser que les investisseurs privés

---

1. Il n'est formellement pas nécessaire de prévoir d'amender le TSCG, car les règles fixées par ce dernier ne s'appliquent pas au titre des dispositions concernant la dette commune qui seraient le cas échéant prises par les États signataires du traité de démocratisation de l'Europe.

2. Le projet de TDEM prévoit d'ailleurs pour l'Assemblée européenne de plus grandes possibilités de supervisions, d'auditions publiques et de confirmations de nominations à la BCE et au MES que celles existant actuellement. Voir le traité de démocratisation de l'Europe, articles 12-17 (www.tdem.eu).

3. En situation d'équilibre primaire, le stock de dette s'accroît au rythme du taux d'intérêt (puisque l'on ne rembourse ni le capital ni les intérêts, sans pour autant créer de dette supplémentaire, sauf celle liée au remboursement et au rééchelonnement des intérêts), alors que le PIB s'accroît au rythme de la croissance nominale (somme de la croissance réelle et de l'inflation), si bien que le rapport entre les deux diminue dans la mesure où la croissance nominale dépasse le taux d'intérêt. Mais si les deux sont équivalents (mettons 2 % par an dans les deux cas) alors le stock de dette exprimé en pourcentage du PIB ne diminue pas.

4. Il est à noter qu'une telle règle serait en tout état de cause beaucoup moins contraignante que la règle de 0,5 % de déficit secondaire fixée par le TSCG.

manquent de projets d'investissement[1]), et où la puissance publique serait à l'inverse en capacité d'impulser des investissements stratégiques pour l'avenir. Cela peut concerner au premier chef la transition énergétique et le réchauffement climatique, ainsi que la recherche et la formation[2]. La question de savoir dans quelle mesure et avec quelle ampleur la puissance publique est capable d'identifier et d'organiser de tels investissements est certes extrêmement complexe. Il reste qu'il faut bien trouver des instances légitimes pour décider si nous sommes ou non dans de telles situations. En l'absence d'une expérimentation contraire, rien ne permet de penser que l'on puisse faire beaucoup mieux qu'une délibération pluraliste et publique dans le cadre d'une enceinte parlementaire, suivie d'un vote entre représentants élus dans les plus grandes conditions d'égalité possible. L'idée selon laquelle il pourrait être préférable de remplacer tout cela par des règles rigides et automatiques (hypothèse qu'aucune expérience historique ne permet pourtant d'accréditer) relève d'une forme de nihilisme démocratique[3].

En pratique, l'Assemblée européenne pourrait également décider d'accélérer la résorption des dettes en adoptant des mesures spécifiques, par exemple des prélèvements progressifs et exceptionnels sur les patrimoines

1. Cela reflète également l'effet des nouvelles règles prudentielles (qui pour d'excellentes raisons obligent les institutions financières privées à détenir une quantité importante des titres de dette publique les plus sûrs, sans pour autant que cela ait permis de faire diminuer la taille inédite des bilans privés), et surtout le fait qu'il existe à l'échelle internationale peu de titres financiers paraissant aussi sûrs que les dettes publiques étatsuniennes et européennes (ce qui peut donner un avantage durable à ces pays dans le cadre d'une croissance mondiale où la part de l'économie jugée moins sûre par les investisseurs s'accroît, et avec elle l'épargne en quête de placements sûrs).

2. Pour un intéressant projet de création par les États de l'UE qui le souhaitent d'une Banque pour le climat et la biodiversité (en lien avec la Banque européenne d'investissement et la Banque centrale européenne), voir le projet de traité instituant une union pour le climat et la biodiversité rendu public en 2019 dans le cadre du « Pacte Finance-Climat ». De façon générale, il faut souligner que le TDEM a été bâti principalement autour de la problématique de la justice fiscale, et en particulier autour de l'idée d'une Assemblée européenne adoptant des impôts communs afin de financer un budget en équilibre. De nombreuses questions (en particulier financières et bancaires) sont insuffisamment approfondies. L'objectif n'est pas de clore la discussion mais au contraire de l'ouvrir sur une base précise, afin que chacun puisse s'en saisir, l'amender et l'enrichir, par exemple avec les éléments proposés dans le « Pacte Finance-Climat » (qui à l'inverse met peut-être un peu trop l'accent sur les approches bancaires et sur l'emprunt, et pas suffisamment sur la justice fiscale et la démocratisation).

3. Cela étant dit, les défis posés par la démocratie transnationale sont eux-mêmes réels et inédits. Si la règle d'équilibre primaire est une condition pour avancer dans la direction d'une mutualisation du taux d'intérêt sur les dettes publiques européennes, sous la supervision démocratique d'une Assemblée européenne, il s'agirait clairement d'une amélioration sensible par rapport à la situation actuelle.

privés. De telles mesures ont joué un rôle significatif et positif à l'issue du second conflit mondial et dans les années 1950 pour réduire rapidement les dettes publiques et pour dégager des marges financières permettant à la puissance publique d'investir dans la croissance et la reconstruction, notamment en Allemagne et au Japon[1]. Si l'on examine avec recul ces expériences, l'élément le plus problématique de la panoplie de méthodes qui avait alors été utilisée concerne sans nul doute l'inflation, qui avait certes contribué à réduire l'endettement public à marche forcée, mais au prix d'une spoliation brutale d'une partie de l'épargne des classes populaires. Dans ces conditions, il paraît justifié à la lumière de ces expériences de maintenir une cible d'inflation faible dans le mandat de la BCE, et de se concentrer sur les mesures qui ont fait leurs preuves, notamment en termes de fiscalité progressive, avec cette fois-ci une coordination explicite au niveau européen, aussi bien pour ce qui concerne le rééchelonnement de long terme des dettes (avec notamment le rôle de la BCE pour stabiliser les taux à des niveaux très faibles) que pour des mesures fiscales exceptionnelles (possiblement adoptées par l'Assemblée européenne). L'Assemblée européenne pourrait décider de prolonger le rééchelonnement des dettes sur une longue durée, par exemple le temps que les pays de la zone euro aient retrouvé un niveau d'emploi et une trajectoire de croissance corrects par comparaison à l'avant-crise (en particulier en Europe du Sud, et plus généralement au niveau de la zone dans son ensemble). Elle pourrait également décider que le rééchelonnement durera tant que des progrès suffisants n'auront pas été réalisés sur d'autres objectifs jugés plus prioritaires, comme le réchauffement climatique, ce qui paraîtrait assez justifié[2].

Concluons en insistant sur le fait que l'objet ici n'est pas de décider à l'avance de la marche à suivre, mais plutôt d'illustrer le besoin de se donner une instance démocratique à la légitimité incontestable, comme l'Assemblée européenne, reposant à la fois sur les députés des parlements nationaux et du Parlement européen, afin de pouvoir prendre les décisions complexes

---

1. Voir chapitre 10, p. 517-519.

2. En pratique, un rééchelonnement de long terme avec taux d'intérêt nul (ou quasi nul) et non-indexation sur la croissance réelle ou l'inflation conduit *de facto* à une forte baisse de la valeur des dettes par rapport au PIB au bout de quelques décennies, ce qui à terme conduit à dédramatiser les enjeux posés par l'annulation partielle ou totale de ces dettes. C'est par exemple ce qui s'est produit historiquement avec la dette extérieure allemande gelée en 1953 à la conférence de Londres et finalement annulée en 1991. Voir chapitre 10. Les créditeurs étaient en l'occurrence un consortium de pays occidentaux et de banques ; dans le schéma indiqué ici il s'agirait notamment de la BCE et d'autres structures formées à cet effet (comme le MES).

qui s'annoncent. L'idée selon laquelle les problèmes considérables posés par les dettes publiques en Europe vont être réglés par l'application mécanique du traité budgétaire adopté en 2012, qui, en gros, prévoit que les contribuables modestes et moyens des pays européens vont paisiblement accepter de dégager d'énormes excédents primaires au cours des décennies à venir, manque totalement de réalisme. La crise de la dette a exacerbé depuis 2008 des tensions anciennes entre pays européens, et a fini par créer des incompréhensions et des méfiances réciproques de plus en plus vives entre les principaux pays à l'origine de la construction européenne, et notamment entre l'Allemagne, la France et l'Italie. Il y a là le potentiel pour des ruptures politiques graves, voire pour une dislocation de la zone euro. Si l'on continue de prétendre régler ces problèmes dans le huis clos des réunions de chefs d'État et de ministres des Finances et des rapports de force purs et durs, il est probable que l'on s'achemine vers de nouvelles tensions. Seule la constitution d'une véritable démocratie parlementaire transnationale offre la possibilité d'un examen approfondi et au grand jour des différentes options possibles, sur la base des expériences historiques disponibles, et d'un règlement durable des problèmes qui se posent.

Des conditions politiques de la transformation sociale-fédéraliste de l'Europe

L'avantage de l'approche sociale-fédéraliste qui vient d'être présentée est qu'elle permet en principe à un noyau de pays européens qui souhaitent aller vers une union politique et fiscale renforcée (appelons-la l'Union parlementaire européenne, UPE, pour la distinguer de l'UE) d'avancer dans cette direction sans remettre en cause l'Union européenne à 27 ou à 28. Idéalement, le noyau initial de l'UPE devrait comporter les quatre plus grands pays de la zone euro (Allemagne, France, Italie, Espagne), et au minimum deux ou trois d'entre eux pour que cette union renforcée soit viable. Le mieux serait que la quasi-totalité des pays de la zone euro y adhèrent d'emblée, mais il peut aussi exister des pays hors zone euro qui souhaiteraient participer plus rapidement à l'union renforcée que des pays membres de l'euro[1]. Que le noyau initial composant l'UPE comporte 5,

---

1. Il est par exemple tout à fait possible que certains pays d'Europe de l'Est (où de larges pans de l'opinion ne se reconnaissent pas dans l'évolution nativiste-conservatrice, comme le montre la forte abstention, en particulier en Pologne) ou d'Europe nordique rejoignent un tel projet avant des pays comme le Luxembourg et l'Irlande dont les gouvernements ont

10 ou 20 pays, rien n'interdit en théorie à ce système de coexister paisi-blement et durablement avec l'UE pendant le temps qu'il faudra pour convaincre tous les pays de rejoindre l'UPE, permettant ainsi de réunifier les deux structures. Pendant la phase transitoire, les États membres de l'UPE participeront à la fois aux instances et dispositifs créés par cette dernière (à commencer par l'Assemblée européenne et le budget alimenté par des impôts communs qu'elle adoptera) et aux institutions et politiques de l'UE. Si les membres de l'UPE parviennent à démontrer que leur union renforcée fonctionne correctement et permet de commencer à combler le déficit européen de justice fiscale, sociale et climatique, alors on peut espérer que la quasi-totalité des États membres de l'UE rejoignent l'UPE en quelques années, ou peut-être même immédiatement.

Aussi souhaitable soit-il, ce scénario apaisé n'est malheureusement pas le seul possible. En pratique, il est probable que les États qui ont beaucoup misé sur le dumping fiscal, comme le Luxembourg et l'Irlande, se battront farouchement contre ce projet. Non seulement ils refuseront très certai-nement d'y participer, mais ils tenteront sans doute de faire capoter le projet, en arguant que la constitution d'une telle union renforcée serait une violation des traités existants, voire en allant porter plainte devant la Cour de justice de l'Union européenne (CJUE), au motif que seule une révision générale des traités européens (réclamant donc l'unanimité des pays) permettrait de mettre fin à la règle de l'unanimité fiscale et de créer une Assemblée européenne autorisant la prise de ces décisions portant sur la fiscalité à la majorité. L'argument selon lequel il faudrait l'unanimité pour mettre fin à la règle de l'unanimité peut certes sembler particulière-ment spécieux et sans issue ; mais les intérêts nationaux en jeu (ou perçus comme tels) sont si importants qu'on aurait bien tort de s'imaginer qu'un argument de ce type ne sera pas tenu. La CJUE ayant validé en 2012 les traités intergouvernementaux adoptés pour faire face à l'urgence financière, après avoir constaté qu'il n'existait pas d'autre voie juridique viable pour sortir de la crise, on peut penser qu'elle ferait de même avec le traité de démocratisation de l'Europe (ou un texte similaire), au nom de l'urgence démocratique et sociale[1]. Cela étant, le droit n'est pas une science exacte,

---

investi tout leur capital politique depuis les années 1990 à expliquer à leur opinion publique que l'avenir du pays reposait sur le dumping fiscal.

1. Pour une analyse juridique de ce point, voir S. HENNETTE, T. PIKETTY, G. SACRISTE, A. VAUCHEZ, *Pour un traité de démocratisation de l'Europe*, op. cit., p. 15-28. Les traités TSCG et MES se présentent comme de simples traités intergouvernementaux, conclus hors

et rien ne garantit que la CJUE donnera son aval, auquel cas les États porteurs du projet d'union parlementaire renforcée seraient contraints de prendre leurs responsabilités et de dénoncer les traités (c'est-à-dire de sortir des traités européens existants, afin de contraindre les différents États signataires d'en renégocier de nouveaux).

Il faut également souligner qu'indépendamment des modalités permettant l'adoption d'un traité de démocratisation (ou d'un texte similaire), la mise en place d'impôts communs au sein d'un noyau dur de pays entraînera presque inévitablement des tensions avec ceux choisissant de rester en dehors. En particulier, pendant la phase transitoire, les pays membres de l'UPE qui auraient adopté des impôts communs sur les bénéfices des sociétés, sur les hauts revenus et patrimoines et sur les émissions carbone seront naturellement amenés à demander une coopération exemplaire aux États non membres, notamment en termes de transmissions d'informations sur les flux de profits transfrontaliers, les revenus et portefeuilles financiers et le contenu carbone des échanges. Sur la base des expériences passées, il est peu probable que cette coopération soit spontanément exemplaire. Il est probable que seule l'application effective de sanctions commerciales dissuasives permette d'obtenir les résultats souhaités. Par exemple, s'agissant de l'impôt sur les sociétés, une bonne solution permettant de faire face à l'absence de coordination internationale suffisante pourrait consister à répartir les bénéfices mondiaux des sociétés multinationales en proportion des ventes de biens et services réalisés dans les différents pays (indépendamment du lieu où les profits sont officiellement et souvent fictivement localisés)[1]. Tout laisse à penser que des sanctions imposées avec détermination par les plus grands pays de la zone euro vis-à-vis du Luxembourg et de l'Irlande permettraient d'obtenir gain de cause très rapidement. Encore faut-il que cette détermination soit véritablement présente, d'autant plus que les pays sanctionnés ne manqueront pas, là

---

du cadre général prévu pour la révision des traités européens, et certains États refusèrent d'y participer (en particulier le Royaume-Uni et la République tchèque), ce qui n'empêcha pas la CJUE d'approuver la démarche.

1. Sur ce système, qui est utilisé depuis toujours pour répartir les profits imposables entre États aux États-Unis, et qui pourrait être utilisé par les États-Unis ou par les pays européens vis-à-vis des autres pays, voir E. SAEZ, G. ZUCMAN, *The Triumph of Injustice, op. cit.* Voir également chapitre 17, p. 1188. Plus le noyau de pays appliquant ce système est important, plus il a de chances d'imposer une coopération internationale plus ambitieuse. Mais le point essentiel est qu'il peut permettre à un pays seul d'avancer et d'imposer les profits fictivement domiciliés dans des pays peu coopératifs.

encore, de dénoncer dans de telles sanctions des violations caractérisées des traités existants[1].

Considérons par exemple la menace brandie par les États-Unis en 2010 de retirer aux banques suisses leur licence bancaire – ce qui a permis de débloquer la situation en contraignant l'État suisse à revoir (partiellement) sa législation bancaire et à transmettre au fisc étatsunien les informations adéquates sur les contribuables étatsuniens ayant ouvert des comptes dans les banques suisses. Dans le contexte européen, il est probable que, si l'Allemagne, la France et l'Italie avaient adressé (ou adressaient à l'avenir) de telles menaces à l'encontre du Luxembourg ou de la Suisse, alors ces pays ne manqueraient pas d'expliquer que de telles sanctions ne sont pas conformes aux traités européens existants. De telles sanctions sont malheureusement indispensables pour changer le cours des choses, et il est même probable qu'il faille les appliquer effectivement un certain temps pour avoir un réel impact.

Pour résumer, le véritable enjeu n'est pas juridique ou institutionnel : il est avant tout politique et idéologique. La question centrale est de savoir si les pays qui souffrent le plus de la concurrence fiscale, en particulier les pays de plus grande taille (France, Allemagne, Italie, Espagne), considèrent que l'enjeu est suffisamment important pour justifier une stratégie volontariste pouvant aller jusqu'à des sanctions dissuasives à l'encontre des pays non coopératifs (ce qui peut nécessiter une sortie unilatérale des traités existants). Jusqu'ici l'approche suivie par la plupart des gouvernements et mouvements politiques, en particulier par les partis socialistes et sociaux-démocrates de diverses tendances au pouvoir dans ces pays, a été de considérer que la concurrence fiscale était certes un problème, mais qu'il était malheureusement impossible de le résoudre tant que le Luxembourg, l'Irlande et l'ensemble des pays concernés n'acceptent pas volontairement de renoncer à leur droit de veto. Or il est clair depuis longtemps qu'une telle approche ne mène nulle part. La difficulté est que les gouvernements au pouvoir dans les grands pays ont jusqu'ici considéré que l'enjeu n'était pas suffisamment important pour prendre le risque de diviser l'Union européenne en créant des institutions politiques séparées (comme l'Assemblée européenne proposée ici)

---

1. En particulier, la répartition des profits imposables en fonction des ventes revient à imposer des droits de douane sur les exportations de biens et services dans le ou les pays en question, avec pour seule particularité que ces droits de douane sont proportionnels aux profits réalisés par l'entreprise en question au niveau mondial (une entreprise ne réalisant aucun profit ne serait pas imposée).

pour un sous-groupe de pays prêts à aller de l'avant. Les hésitations face à ce risque sont compréhensibles. Mais pour finir, les risques posés par le *statu quo*, à savoir un divorce définitif et potentiellement mortel entre les classes populaires et la construction européenne, me semblent supérieurs. On peut également penser que le processus de construction d'une souveraineté fiscalo-parlementaire transnationale et d'un espace de débat démocratique permettant d'organiser la délibération à cet effet est un processus fragile qui doit presque inévitablement débuter avec un nombre réduit de pays, avant de pouvoir être étendu à d'autres (après en avoir démontré concrètement la viabilité). Autrement dit, si l'on attend pour lancer ce processus (qui aurait gagné à être entamé beaucoup plus tôt) que les 27 ou 28 pays soient prêts à aller de l'avant, il est probable que l'on attende indéfiniment[1].

Au fond, si le processus n'a pas déjà eu lieu, c'est sans doute que de nombreux acteurs et mouvements politiques, en particulier en Allemagne et en France, au centre droit mais aussi au centre gauche, continuent de penser que les bénéfices de la concurrence fiscale (en particulier pour mettre la pression sur les États pour qu'ils évitent de devenir trop dispendieux, dans un contexte où les niveaux de prélèvements obligatoires ont déjà atteint des niveaux historiques inédits) l'emportent sur les coûts associés à cette course-poursuite sans fin au profit des plus mobiles, ou tout du moins ne justifient pas les complications politiques considérables qu'impliquerait toute tentative d'y mettre fin[2]. Un autre facteur idéologique tout aussi puissant est que la construction européenne s'est longtemps appuyée sur le droit sacro-saint des États à s'enrichir par le commerce et la libre circulation des biens, des capitaux et des personnes, puis à s'enrichir une seconde fois en siphonnant la base fiscale de ses voisins. Il s'agit là d'une construction idéologique très spécifique sur le plan historique et politique, et qui aboutit à enrichir les classes sociales élevées de tous les pays (y compris d'ailleurs allemandes et françaises) bien davantage qu'elle ne bénéficie aux classes populaires et moyennes

---

1. Le processus aurait pu commencer quand la CEE comptait six pays (France, Allemagne, Italie, Belgique, Pays-Bas, Luxembourg), comme cela était le cas de 1957 à 1972. Sans doute ces pays étaient-ils encore trop occupés par d'autres défis, en particulier la décolonisation et la reconstruction de leur système politique sur la base d'alternatives gauche-droite viables au niveau national.

2. Comme je l'ai indiqué plus haut, il est possible de répondre à cette préoccupation légitime sur le niveau global des prélèvements obligatoires en reversant aux États membres tout ou partie des recettes obtenues par les impôts communs, afin notamment de financer la réduction des prélèvements pesant sur les classes populaires et moyennes. Si nécessaire, ceci peut être inscrit dans le traité ; ce n'est pas l'option la plus souhaitable, mais il s'agirait déjà d'une amélioration importante par rapport à l'existant.

(y compris irlandaises ou luxembourgeoises). Mais ce droit a été proclamé pendant tellement longtemps qu'il a fini par être perçu comme légitime[1].

Concluons en notant que, si le fait d'être prêt à sortir des traités est sans doute une condition nécessaire pour parvenir à en mettre en place de nouveaux, il ne s'agit nullement d'une condition suffisante. Depuis la crise de 2008, de nombreux mouvements politiques, comme Podemos en Espagne et LFI en France, ont développé l'idée d'une menace de sortie visant à imposer de nouvelles politiques en Europe et en particulier l'harmonisation fiscale et sociale[2]. Le problème est que ces mouvements n'ont jusqu'à présent pas indiqué précisément quel était le nouveau système politique qu'ils souhaitaient mettre en place en Europe. Pour résumer, on sait de quels traités il faut sortir, mais on ignore dans quels nouveaux traités il faudrait entrer. Le problème de cette stratégie est qu'elle peut être aisément caricaturée comme antieuropéenne par les mouvements politiques qui défendent le *statu quo* européen, et en particulier par les gouvernements au pouvoir en Allemagne et en France depuis la crise de 2008 (et qui *de facto* instrumentalisent l'idée européenne pour imposer leur idéologie inégalitaire et leur refus d'impôts communs au niveau européen). Cela fournit un argument de poids pour disqualifier ces mouvements politiques aux yeux d'une opinion publique inquiète par la perspective d'un démantèlement de l'Europe, et donc pour les empêcher de se porter au pouvoir. Par ailleurs, si ces mouvements y parvenaient néanmoins, par exemple en France, il existe un risque que la méfiance accumulée entre les différents États membres (en particulier entre la France et l'Allemagne) débouche de fait sur un processus de sortie chaotique et non maîtrisé des traités européens dans le cadre d'une trajectoire où les rancœurs et les incompréhensions entre pays finiraient par l'emporter sur l'attachement commun à l'idéal européen. L'autre risque, au moins aussi probable à mes yeux, est que cet attachement commun permette d'éviter le démantèlement, mais que l'absence d'engagement

---

1. Un autre facteur expliquant la lenteur du mouvement vers une union fiscalo-parlementaire européenne est lié au développement au sein d'une partie des élites hyperdiplômées (en particulier parmi les économistes) d'une certaine défiance vis-à-vis des assemblés élues, doublée d'un attrait croissant pour une gouvernance par les comités non élus et les règles édictées par eux.

2. Cette stratégie dite du plan A/plan B (avec un plan A correspondant à un changement concerté des traités avec les différents États membres, et un plan B fondé sur une sortie ou une désobéissance aux traités visant à la mise en place de nouveaux traités avec un plus petit nombre de pays) a notamment été développée à la suite de la crise grecque de 2015 et des menaces du gouvernement allemand (et notamment de son ministre des Finances) d'exclure la Grèce de la zone euro afin d'imposer ses vues au gouvernement grec.

précis concernant les nouvelles institutions européennes et les contours exacts de l'harmonisation fiscale et sociale débouche finalement sur un compromis peu ambitieux et décevant, faute d'un débat public préalable et d'une appropriation citoyenne suffisante de ces questions complexes et néanmoins éminemment politiques[1].

Le piège séparatiste et le syndrome catalan

La transformation sociale-fédéraliste de l'Europe revêt des enjeux qui dépassent de très loin le cadre européen. Il s'agit en effet de savoir s'il est possible d'organiser la mondialisation autrement que ce qui a été fait jusqu'à présent, c'est-à-dire s'il est possible de replacer les traités organisant le libre-échange et les unions commerciales dans une perspective plus vaste, celle d'accords internationaux visant à proposer un modèle de développement durable et équitable, avec des perspectives concrètes et atteignables en termes de justice fiscale, sociale et climatique. En l'absence de tels accords, le risque est que la course-poursuite vers le dumping fiscal et la montée des inégalités se poursuivront, avec à la clé le risque que les replis identitaires et xénophobes gagnent encore du terrain, habilement exploités par des mouvements anti-immigrés désireux de se porter au pouvoir.

Un autre risque est ce que l'on peut appeler le piège séparatiste, que l'on a notamment vu à l'œuvre avec la tentative d'organiser un référendum d'autodétermination en Catalogne en 2017. De façon générale, il est frappant de constater à quel point les convictions régionalistes sont clivées en fonction du niveau de revenu et de diplôme en Catalogne. Quand on pose la question aux électeurs catalans de savoir s'ils soutiennent la revendication d'une plus grande autonomie régionale (pouvant aller jusqu'à l'autodétermination), on constate un soutien beaucoup plus marqué à mesure que l'on monte dans la hiérarchie des revenus et des diplômes, avec des soutiens à l'idée régionaliste atteignant 80 % des personnes interrogées parmi les 10 % des revenus ou des diplômés les plus élevés, contre à peine 40 %-50 % de régionalistes parmi les 50 % les plus bas (voir graphiques 16.5-16.6).

1. Il ne s'agit certes pas de défendre ici l'idée selon laquelle il suffirait qu'un gouvernement français soit élu sur une proposition précise de refondation européenne pour que cette dernière s'impose aux autres pays. En revanche, il paraît établi qu'un gouvernement français annonçant une renégociation des traités européens, comme le fit par exemple le candidat socialiste à l'élection présidentielle de 2012, sans fournir la moindre indication précise sur ce qu'il souhaite obtenir ne serait pas en très bonne situation pour obtenir quoi que ce soit une fois élu.

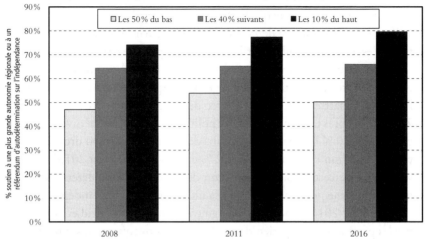

Graphique 16.5

Régionalisme catalan et revenu, 2008-2016

Lecture : en 2008, 47 % des électeurs catalans faisant partie des 50 % des revenus les plus bas soutiennent une plus grande autonomie régionale ou la tenue d'un référendum d'autodétermination sur l'indépendance (les deux réponses sont additionnées), contre 64 % parmi les 40 % suivants et 74 % parmi les 10 % des revenus les plus élevés.
Sources et séries : voir piketty.pse.ens.fr/ideologie.

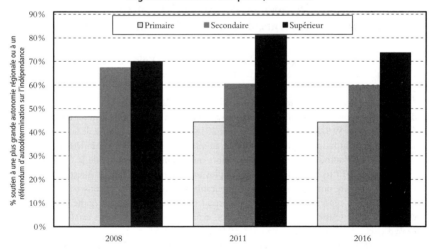

Graphique 16.6

Régionalisme catalan et diplôme, 2008-2016

Lecture : en 2016, 44 % des électeurs catalans sans diplôme (autre que primaire) soutiennent une plus grande autonomie régionale ou la tenue d'un référendum d'autodétermination sur l'indépendance (les deux réponses sont additionnées), contre 60 % permi les diplômés du secondaire et 74 % parmi les diplômés du supérieur.
Sources et séries : voir piketty.pse.ens.fr/ideologie.

Si on se limite au soutien à un référendum d'autodétermination (et que l'on élimine les personnes favorisant une autonomie plus forte à l'intérieur de l'Espagne), on constate que le clivage est encore plus marqué : le soutien à l'indépendance est tiré de façon spectaculaire par les catégories les plus favorisées, et en particulier par les revenus les plus élevés[1].

On remarquera également que le soutien à l'autodétermination a fortement progressé à la suite de la crise économique, qui a durement touché l'Espagne à partir de 2009-2010, avec de surcroît une lourde rechute en 2011-2013 après la mise en place des politiques d'austérité au niveau européen. Seuls 20 % des électeurs catalans défendaient l'idée du droit à l'autodétermination en 2008, contre 32 % en 2011 et 35 % en 2016[2]. C'est sur la base de cette rapide progression du soutien à l'autodétermination que le gouvernement catalan organisa un référendum sur l'indépendance en septembre 2017, contre l'avis du gouvernement de Madrid et boycotté par les partisans du maintien dans l'Espagne, provoquant ainsi une grave crise constitutionnelle, toujours en cours[3].

Il est extrêmement frappant de constater que le régionalisme catalan est beaucoup plus marqué parmi les catégories sociales plus favorisées que parmi les plus modestes. Il est particulièrement intéressant de comparer ce profil social du vote à celui observé lors des référendums sur l'Europe organisés en France en 1992 et 2005 et au Royaume-Uni en 2016, où l'on avait à chaque fois observé que les catégories favorisées plébiscitaient l'Europe, alors que les catégories modestes la rejetaient[4]. Les deux profils sont d'ailleurs parfaitement cohérents, dans le sens où les catégories favorisées qui

1. Voir annexe technique, graphiques S16.5-S16.6. Voir également A. GETHIN, C. MARTINEZ-TOLEDANO, M. MORGAN, « Rising Inequalities and Political Cleavages in Spain », WID.world, 2019.

2. Au total, 57 % des électeurs catalans défendaient en 2008 l'idée que les régions devaient disposer d'une plus grande autonomie (pouvant aller jusqu'à l'autodétermination), contre 61 % en 2011 et 59 % en 2016. Entre 2008 et 2016, on constate une baisse de la proportion soutenant une autonomie régionale renforcée au sein de l'Espagne (sans autodétermination) au bénéfice de l'autodétermination, et ce, alors même que l'autonomie de la Catalogne a augmenté en 2010 (comme nous le verrons plus loin). On notera que les questions posées dans cette enquête portent sur le régime applicable à l'ensemble des régions espagnoles. Si l'on examine les réponses à des questions portant spécifiquement sur le régime à appliquer en Catalogne, le soutien à l'autodétermination exprimé parmi les électeurs catalans est plus élevé d'environ dix points (jusqu'à 45 %-50 % en 2017-2018).

3. Le référendum sur l'indépendance organisé en septembre 2017 a conduit à une victoire du « oui » (90 % de « oui » contre 8 % de « non » et 2 % de « blanc »), mais avec une participation de 42 %.

4. Voir chapitre 14, graphique 14.20, p. 926, et chapitre 15, graphique 15.18, p. 989.

soutiennent l'indépendance catalane (ou une plus forte autonomie) n'ont aucune volonté de quitter l'Europe, bien au contraire. Elles souhaitent que la Catalogne reste dans l'Union européenne, mais en tant qu'État indépendant, de façon à pouvoir continuer de bénéficier de l'intégration commerciale et financière avec l'Europe, tout en conservant leurs recettes fiscales en Catalogne.

Il ne s'agit certes pas de ramener entièrement le régionalisme catalan à cette motivation fiscale. Les facteurs proprement culturels et linguistiques ont également leur importance, ainsi que la mémoire historique du franquisme et de la brutalité du pouvoir centralisateur madrilène. Il reste que la question de l'autonomie fiscale joue un rôle central dans le cas de la Catalogne, surtout s'agissant d'une région nettement plus riche que la moyenne de l'Espagne. Il est naturel de penser que les contribuables les plus aisés soient particulièrement exaspérés à l'idée que leurs impôts partent pour partie dans d'autres régions. À l'inverse, les catégories modestes et moyennes sont peut-être un peu plus sensibles aux vertus de la solidarité fiscale et sociale. De ce point de vue, il est important de souligner que les règles espagnoles de décentralisation fiscale font d'ores et déjà de l'Espagne l'un des pays les plus décentralisés au monde, y compris lorsqu'on le compare à des États fédéraux de beaucoup plus grande taille. En particulier, l'assiette de l'impôt sur le revenu est partagée moitié-moitié depuis 2011 entre le gouvernement fédéral et les régions[1]. Un tel système pose de nombreux problèmes, au sens où il met à mal l'idée même de solidarité à l'intérieur du pays et revient à opposer les régions entre elles, ce qui est particulièrement problématique s'agissant d'un outil comme l'impôt sur le revenu, qui est supposé permettre de réduire les inégalités

---

1. Concrètement, en 2018, les taux de l'impôt sur le revenu alimentant le budget fédéral s'échelonnaient de 9,5 % (pour les revenus imposables annuels inférieurs à 12 450 euros) à 22,5 % (au-delà de 60 000 euros). Si une région décide d'appliquer ces mêmes taux pour la part qui la concerne, alors les contribuables de cette région paient au total des taux d'impôt sur le revenu allant de 19 % à 45 %, avec dans ce cas des recettes partagées moitié-moitié entre Madrid et la région. Chaque région peut aussi décider d'appliquer ses propres tranches et ses propres taux additionnels, plus élevés ou plus faibles que les taux fédéraux. Dans tous les cas, elle touche les recettes correspondantes et n'a plus à les partager avec les autres régions. Ces nouvelles règles de décentralisation fiscale ont été mises en place en 2010 pour la Catalogne comme pour l'ensemble des régions espagnoles. En revanche, le Tribunal constitutionnel espagnol a invalidé en 2010 d'autres aspects du nouveau statut d'autonomie (notamment au sujet de la régionalisation de la justice, par ailleurs discutable) que la Catalogne avait adopté par référendum en 2006 à la suite d'une négociation avec le Parlement espagnol, alors sous majorité socialiste. Cet épisode a contribué au durcissement indépendantiste.

entre les plus pauvres et les plus riches, au-delà des identités régionales ou professionnelles[1].

Par comparaison, l'impôt sur le revenu a toujours été un impôt presque exclusivement fédéral aux États-Unis, pays pourtant sept fois plus peuplé que l'Espagne, et bien connu pour son attachement à la décentralisation et aux droits des États. En particulier, c'est l'impôt fédéral sur le revenu qui assure depuis sa création en 1913 la fonction de progressivité fiscale et qui prélève les taux les plus élevés sur les hauts revenus[2]. Sans doute les contribuables aisés de Californie (État qui est à lui seul presque aussi peuplé que l'Espagne, et six fois plus que la Catalogne) auraient-ils bien aimé conserver pour eux-mêmes et leurs enfants la moitié des recettes de l'impôt fédéral sur les hauts revenus ; mais ils n'y sont jamais parvenus (à dire vrai, ils n'ont jamais vraiment essayé, tant l'idée même aurait été interprétée comme une déclaration de guerre de type sécessionniste). En République fédérale d'Allemagne, exemple plus proche de l'Espagne, l'impôt sur le revenu est exclusivement fédéral : les Länder n'ont pas la possibilité de voter des taux additionnels ni de conserver pour eux la moindre partie des recettes, quoi que puissent en penser les contribuables bavarois. Précisons que la logique des taux additionnels au niveau régional ou local n'est pas forcément néfaste en soi, mais à condition que cela reste mesuré. En choisissant de partager moitié-moitié l'impôt sur le revenu avec les régions, l'Espagne a sans doute été beaucoup trop loin et se retrouve dans une situation où une partie des Catalans voudraient maintenant conserver 100 % des recettes en devenant indépendants.

L'Europe porte également une lourde responsabilité dans cette crise. Outre la gestion calamiteuse de la crise de la zone euro, notamment au détriment de l'Espagne, voici des décennies que l'Union européenne promeut un modèle de développement fondé sur l'idée qu'il est possible de

---

1. Ce système de concurrence interne a également conduit depuis 2011 à des stratégies de dumping et de domiciliation fiscale fictive de ménages aisés et d'entreprises, ce qui risque, à terme, de mettre à mal la progressivité d'ensemble. Voir D. Agrawal, D. Foremny, « Relocation of the Rich : Migration in Response to Top Tax Rate Changes from Spanish Reforms », université de Barcelone-Institut d'économie de Barcelone, avril 2018, https://ssrn.com/abstract=3281544 ou http://dx.doi.org/10.2139/ssrn.3281544.

2. Les taux applicables aux revenus les plus élevés au niveau fédéral ont certes beaucoup varié au cours du temps (plus de 80 % en moyenne entre 1930 et 1980, autour de 40 % depuis les années 1980-1990), mais le fait est qu'ils ont toujours joué un rôle redistributif beaucoup plus important que les taux additionnels adoptés par les États fédérés (généralement entre 5 % et 10 %).

tout avoir en même temps : l'intégration à un grand marché européen et mondial, tout cela sans réelle obligation de solidarité et de financement du bien public. Dans ces conditions, pourquoi ne pas tenter sa chance en faisant de la Catalogne un paradis fiscal à la mode luxembourgeoise ? De fait, aux yeux de nombreux indépendantistes catalans, le projet est bien celui-ci : la constitution en État indépendant permettra de conserver la totalité des recettes pour développer la Catalogne et, s'il le faut, réduire les impôts sur les acteurs les plus mobiles afin d'attirer les investissements vers la région-État, ce qui sera d'autant plus facile que l'on se sera délesté du poids de la solidarité avec le reste de l'Espagne. Il ne fait aucun doute que la politisation de la question catalane aurait été totalement différente si l'Union européenne avait un budget fédéral comparable à celui des États-Unis, financé par des impôts progressifs sur les revenus et les successions au niveau fédéral. Concrètement, si l'essentiel des impôts payés par les hauts revenus catalans alimentait le budget fédéral européen, comme cela est le cas aux États-Unis, alors la sortie de l'Espagne n'aurait eu qu'un intérêt limité d'un point de vue financier. Pour échapper à la solidarité fiscale, il aurait fallu sortir de l'Europe, avec le risque de se faire exclure du grand marché européen, ce qui aurait eu un coût rédhibitoire aux yeux de nombreux Catalans indépendantistes. Je ne dis pas que le mouvement régionaliste et indépendantiste catalan disparaîtrait immédiatement dans un tel système, ni d'ailleurs qu'il devrait disparaître. Mais il serait fortement affaibli, et surtout il se concentrerait sur les questions culturelles, linguistiques et scolaires, qui sont importantes et complexes, au lieu de se focaliser sur les questions fiscales et les comptes d'apothicaire entre régions. La crise catalane, telle qu'elle s'est structurée, apparaît bien comme le symptôme d'une Europe reposant sur une mise en concurrence généralisée des territoires et sur une absence complète de solidarité fiscale, logique qui contribue à conduire à toujours plus de surenchère vers le chacun pour soi. Ce cas illustre également de nouveau l'étroite imbrication entre la question du système politique et celle des inégalités, entre le régime de frontière et le régime de propriété.

Dissonance idéologique, dumping fiscal et syndrome du petit pays

Il faut également souligner à quel point les tentations de la concurrence fiscale peuvent être fortes, y compris pour des communautés dont l'idéologie initiale ne penchait pas particulièrement de ce côté-là. Le Luxembourg, avant de devenir un paradis fiscal, n'avait aucune prédisposition idéologique particulière à se comporter de cette façon. Mais à partir du moment où l'organisation de la mondialisation (et en particulier les traités sur la libre circulation des capitaux) permet de se lancer dans ce type de stratégie, alors la tentation du dumping devient trop forte, quelles que soient les préventions de l'idéologie initiale. Ceci est particulièrement vrai pour les pays de petite taille, qui relativement à la taille de leur économie peuvent espérer attirer des investissements et surtout des bases fiscales importantes (réelles ou fictives) du monde qui les entoure, ce qui peut plus que compenser les pertes de recettes domestiques liées à la baisse des taux d'imposition sur les contribuables aisés[1].

Un cas de dissonance idéologique particulièrement extrême est celui de la Suède[2]. Lors de la crise bancaire suédoise de 1991-1992, le pays avait pu constater la fragilité et la vulnérabilité d'un petit pays pris au milieu de flux financiers et de mouvements de capitaux de grande ampleur. La crise aurait pu être l'occasion de repenser les dangers de la dérégulation financière des années 1980. Mais en pratique elle fut surtout instrumentalisée par tous ceux qui pensaient depuis des décennies que le modèle social suédois avait été trop loin, que les sociaux-démocrates avaient été trop longtemps au pouvoir et qu'il était temps que le pays se rapproche du nouveau modèle libéral anglo-saxon issu de la révolution conservatrice des années 1980. Une première alternance de courte durée eut lieu en 1991-1994, mais les partis libéraux-conservateurs eurent le temps de réduire fortement la progressivité de l'impôt sur le revenu et sur la fortune, et de mettre en

1. Ajoutons qu'il est parfaitement possible dans le cadre légal européen actuel de réduire les taux d'imposition uniquement pour les nouveaux contribuables attirés dans le pays, par exemple au travers d'un régime fiscal spécifique pour les « impatriés », développé notamment par le Danemark. Voir H. KLEVEN, C. LANDAIS, E. SAEZ, E. SCHULTZ, « Migration and Wage Effects of Taxing Top Earners : Evidence from the Foreigners' Tax Scheme in Denmark », *Quarterly Journal of Economics*, vol. 129, n° 1, 2014, p. 333-378.

2. Un cas de dissonance d'une nature un peu différente est fourni par la Norvège, pays qui aime se présenter comme social-démocrate et soucieux de l'environnement, mais qui, pour accumuler d'immenses réserves financières, n'a pas hésité à sortir du sol des hydrocarbures qui auraient dû y rester (pour peu que l'on se soucie des conséquences sur le réchauffement). Dans la série *Occupied* (2015), la mauvaise conscience norvégienne finit par pousser le pays à interrompre sa production, ce qui déclenche une invasion russe visant à redémarrer l'extraction, le tout avec le soutien de l'Union européenne, plus soucieuse de ses approvisionnements que du climat. L'UE est représentée comme particulièrement lâche, notamment sous les traits d'un peu reluisant commissaire européen français.

place dès 1991 un taux d'imposition proportionnel réduit à 30 % sur les revenus financiers (intérêts et dividendes), qui pour la première fois échappèrent au barème progressif d'imposition. Ce mouvement idéologique se poursuivit dans les années 1990 et 2000, et conduisit à la suppression en 2005 et 2007 de l'impôt progressif sur les successions puis de l'impôt progressif sur la fortune[1].

L'abolition de l'impôt successoral décidée en 2005 en Suède, pratiquement en même temps qu'à Hong Kong (2006), illustre la force du « syndrome du petit pays ». Des pays de plus grande taille, comme l'Allemagne, le Royaume-Uni, la France, le Japon ou les États-Unis, ont tous conservé un impôt progressif sur les successions, avec un taux appliqué aux héritages les plus importants compris entre 30 % et 55 % dans ces cinq pays à la fin des années 2010[2]. Autrement dit, les sociaux-démocrates suédois ont jugé utile de supprimer toute forme d'imposition lors de la transmission inter-générationnelle de la fortune, alors que les chrétiens-démocrates allemands, les conservateurs britanniques, les libéraux-gaullistes français et même les républicains étatsuniens jugeaient préférable de maintenir cet impôt, avec des taux d'imposition qui ont baissé au cours des dernières décennies, mais qui restent néanmoins très substantiels pour les plus hauts patrimoines[3]. Lors des débats suédois sur ces questions, la peur de la fuite de capitaux vers les autres pays de la région joua un rôle essentiel. Justifiées ou exagérées, ces craintes ne conduisirent pas pour autant les gouvernements suédois à faire des propositions pour réformer les directives sur la libre circulation des capitaux ou pour mettre en place des coopérations fiscales nouvelles en Europe. De même que pour le cas de la Catalogne, la solution est pourtant

---

1. Voir chapitre 11, p. 670, et G. Du Rietz, M. Henrekson, D. Waldenström, « Swedish Inheritance and Gift Taxation (1885-2004) », *in* M. Henrekson, M. Stenkula (éd.), *Swedish Taxation : Developments since 1862*, Palgrave Macmillan, 2015. L'alternance libérale-conservatrice de 1991-1994 eut également un impact sur le système éducatif avec la promotion de la concurrence. Sur l'influence d'une partie des économistes suédois dans le tournant libéral du début des années 1990, voir A. Lindbeck, P. Molander, T. Persson, O. Peterson, A. Sandmo, B. Swedenborg, N. Thygesen, *Turning Sweden Around*, MIT Press, 1994.

2. Voir chapitre 10, graphique 10.12, p. 525, et annexe technique, graphiques S10.12a-S10.12b. Une tentative d'abolition de l'impôt successoral a eu lieu sous Bush en 2001-2002 aux États-Unis, puis de nouveau sous Trump en 2017-2018, mais à ce jour ces tentatives n'ont pas abouti, une partie des républicains jugeant cette abolition excessive. En revanche, le seuil d'imposition a été fortement relevé, privant en partie cet impôt de sa substance.

3. En Suède, l'impôt successoral a été aboli en 2005 par les sociaux-démocrates, alors que l'impôt sur la fortune a été supprimé en 2007 par les libéraux-conservateurs (au pouvoir en 2006-2014).

simple : il suffirait que l'impôt progressif sur les successions soit prélevé au niveau de l'Union européenne. Les sociaux-démocrates suédois n'ont jamais jugé opportun de faire des propositions allant en ce sens, cela montre à quel point la social-démocratie du XXᵉ siècle et du début du XXIᵉ siècle est restée confinée à l'État-nation dans son agenda programmatique et idéologique. Certes, cela n'empêche pas la Suède de rester un pays plus égalitaire que les autres, grâce à un système avancé d'assurances sociales, financé par des impôts et cotisations importants reposant sur la totalité de la population, et à la qualité et la gratuité du système d'enseignement (y compris supérieur). Il reste que les abolitions de 2005-2007 ont contribué à l'accroissement des inégalités observé au sommet de la répartition des revenus et des patrimoines en Suède depuis 2000, et pourraient fragiliser à terme le modèle suédois[1]. Par ailleurs, cette attitude non coopérative sur le plan international contribue à compliquer le maintien d'une fiscalité progressive dans les autres pays, aussi bien dans les pays riches que dans les pays pauvres et émergents[2].

Ajoutons que le syndrome du « petit pays » est en passe de s'étendre à des États de plus grande taille. Avec la montée en puissance des pays émergents et le développement à une échelle sans précédent de l'économie-monde, presque tous les pays sont sur le point de devenir petits à l'échelle du monde, à commencer bien sûr par la France, l'Allemagne et le Royaume-Uni, ainsi que, dans une certaine mesure, les États-Unis. Pour beaucoup de responsables conservateurs, le choix du Brexit vise précisément à faciliter la reconversion du Royaume-Uni en paradis fiscal et en place financière peu régulée et peu regardante (processus de reconversion postindustrielle qui est d'une certaine façon en cours depuis les années 1980). En l'absence d'une transformation de type social-fédéraliste, le cours de la mondialisation risque fort de conduire à multiplier les trajectoires de ce type.

1. Les abolitions de 2005-2007 reflètent également la perception parmi certains responsables sociaux-démocrates suédois que le pays est devenu tellement égalitaire qu'il n'est plus guère utile d'imposer les plus hauts patrimoines. Ce faisant, il est possible qu'ils oublient que le pays a été extrêmement inégalitaire jusqu'au début du XXᵉ siècle, et que le maintien à long terme d'une forte égalité sociale repose sur des institutions adaptées. Sur le passé hyperinégalitaire de la Suède, voir chapitre 5, p. 229-231.

2. Le cas suédois a été abondamment instrumentalisé lors du débat français sur l'abolition de l'impôt sur la fortune en 2017-2018. Il n'est pas impossible qu'il le soit un jour pour abolir l'impôt successoral. Les effets de diffusion sont encore plus massifs dans les pays moins développés, qui n'ont pas les moyens d'influer seuls sur le régime mondial d'enregistrement et de taxation des patrimoines.

Le piège social-localiste et la construction de l'État transnational

Compte tenu des difficultés considérables liées à la voie sociale-fédéraliste et à la construction d'une puissance publique transnationale, il peut également être tentant pour certains mouvements politiques de se concentrer sur une stratégie de type social-localiste, consistant à promouvoir l'égalité et de nouvelles formes économiques alternatives au niveau local. Par exemple, le mouvement indépendantiste catalan comprend également, quoique de façon minoritaire, des groupes politiques marqués à gauche et considérant que la Catalogne peut être un meilleur échelon que le pouvoir madrilène pour impulser des expérimentations sociales nouvelles (et accessoirement pour sortir du régime monarchique espagnol et s'inscrire enfin dans un cadre républicain). En l'occurrence, il est tout à fait possible que ces forces soient nettement débordées et dominées au sein d'un éventuel État catalan par les mouvances libérales-conservatrices visant à promouvoir un modèle de développement très différent (de type paradis fiscal).

Le fait de promouvoir un agenda social-localiste est certes parfaitement légitime, d'autant plus que l'action aux niveaux local et communal offre des possibilités de redéfinir les rapports sociaux et les relations de propriété qui sont complémentaires à ce qui peut être réalisé au niveau centralisé. Il paraît toutefois important de l'inscrire dans un cadre plus général à visée sociale-fédéraliste. Afin de clarifier les ambiguïtés entre les différentes formes de régionalisme catalan et de marquer sa différence avec ceux qui veulent simplement garder les recettes fiscales pour eux-mêmes et leurs enfants, il serait utile par exemple que la gauche républicaine catalane (pro-indépendance) précise qu'elle est en faveur d'un impôt progressif commun sur les hauts revenus et patrimoines, prélevé au niveau européen. Que la voie vers le social-fédéralisme soit complexe ne dispense pas pour autant de se prononcer clairement pour cette stratégie, bien au contraire.

Ceci est d'autant plus indispensable que le social-localisme débouche sur des actions dont les limites apparaissent souvent assez évidentes si elles ne sont pas complétées par des régulations et des politiques conduites à un niveau plus élevé. Prenons par exemple le cas de la mobilisation contre Google menée récemment à Berlin. Suite à cette mobilisation, Google a finalement décidé de renoncer en octobre 2018 à l'installation d'un « campus » dans le quartier de Kreuzberg. Le projet, comme il en existe déjà à Londres, Madrid,

Séoul, São Paulo, Tel Aviv et Varsovie, devait occuper une ancienne usine électrique en briques rouges, et proposer des rencontres, des événements et des formations professionnelles dans le secteur du numérique. Les associations locales rassemblées dans le collectif Fuck Off Google dénoncèrent avec force la spéculation immobilière, les hausses de loyers et les expulsions de familles à revenu modeste qui allaient en découler dans ce quartier déjà en voie de gentrification, tout cela venant d'une société pratiquant l'évasion fiscale à grande échelle et ne payant quasiment aucun impôt dans les pays où elle réalise ses profits (en particulier en Allemagne). L'affaire fit grand bruit à Berlin, où les chrétiens-démocrates de la CDU dénoncèrent de leur côté le climat « hostile aux entrepreneurs » diffusé selon eux par les sociaux-démocrates du SPD, Die Grünen et le parti de gauche Die Linke, coalition au pouvoir dans la capitale allemande, qui s'en défendirent[1].

Ce type de mobilisation pose des questions complexes. Il est certes passablement insupportable d'entendre la CDU parler d'« entrepreneurs » au sujet d'entreprises ne payant quasiment aucun impôt, d'autant plus que ce parti politique a été à la tête du gouvernement fédéral de l'Allemagne (première puissance économique européenne) tout au long de la période 2005-2019 et n'a rien fait pour changer cet état de fait. En même temps, il est bien clair que les mobilisations locales de cette nature ne suffisent pas car, d'une part, il existera sans doute d'autres villes et communautés qui accepteront de recevoir un « Google campus », et, d'autre part, le véritable enjeu est de pouvoir imposer et réguler les sociétés de cette taille au niveau européen. Or, le SPD, Die Grünen et Die Linke n'ont à ce jour jamais proposé de plate-forme d'action commune permettant de transformer les institutions européennes en vue de pouvoir par exemple adopter un impôt commun sur les bénéfices des plus grandes sociétés au niveau européen, ou au minimum au niveau franco-allemand ou du plus grand nombre de pays possible. Ne s'en tenir qu'au social-localisme et refuser de s'allier sur une base sociale-fédéraliste ambitieuse fournit en outre des angles d'attaque particulièrement efficaces.

Dans d'autres contextes, en particulier aux États-Unis, il est parfois plus aisé d'allier l'engagement social-localiste et social-fédéraliste. Alexandria Ocasio-Cortez (dite « AOC »), nouvelle représentante démocrate de l'État de New York au Congrès fédéral étatsunien depuis novembre 2018,

---

1. Voir « À Berlin, le mouvement Fuck Off Google plus fort que Google », *Le Monde*, 26 octobre 2018.

et membre des Democratic Socialists of America, s'est ainsi illustrée dans la bataille contre l'installation du nouveau quartier général d'Amazon à Brooklyn. Comme à Berlin, le mouvement s'est notamment focalisé sur le fait que la compagnie non seulement ne payait quasiment aucun impôt sur ses profits, mais s'apprêtait à recevoir de très généreux subsides publics, à la suite d'une mise en concurrence de nombreuses villes intéressées pour accueillir ses activités. Le refus d'Amazon d'envisager la moindre présence syndicale au sein de ses établissements a également contribué à exacerber le conflit, qui s'est conclu par l'abandon du projet par la compagnie en janvier 2019. Sans surprise, les groupes de pression républicains et trumpistes se sont déchaînés contre AOC[1]. À la différence des militants berlinois, des élus comme AOC ont cependant la possibilité aux États-Unis de défendre des politiques permettant de réguler les grandes entreprises et de mettre en place des impôts plus progressifs au niveau fédéral, ce qu'ils ne se privent pas de faire (AOC soutient notamment un taux supérieur à 70 % sur les plus hauts revenus)[2]. Dans le contexte européen, en revanche, la possibilité même d'une plate-forme sociale-fédéraliste exige de se mobiliser dans le même temps pour une transformation des institutions européennes et de bâtir des coalitions transnationales dans cette perspective.

La construction du système de partis et de clivages en Inde

Nous venons d'étudier de façon relativement détaillée les conditions du développement d'un social-fédéralisme en Europe, permettant notamment de sortir du piège social-nativiste. Si certains enseignements issus du cas européen ont une pertinence plus générale, il reste qu'il s'agit d'un cas relativement spécifique. Si l'on souhaite mieux comprendre les

---

1. C'est notamment le cas du Job Creators Network, un groupe de pression engagé dans le soutien aux baisses d'impôts sur les sociétés de Donald Trump et dans le « combat contre le socialisme » (« JCN's Next Mission : Fighting Socialism », peut-on lire en une de son site). Le JCN a financé au début de 2019 une violente campagne d'affichage contre AOC sur les murs de New York (« Amazon Pullout : 25 000 Lost NYC Jobs. $4 Billion in Lost Wages. $12 Billion in Lost Economic Activity for NY. Thanks for Nothing, AOC ! »). Le thème du combat contre le socialisme est également monté très haut dans les priorités du Concil of Economic Advisers (CEA) de la Maison-Blanche (comme en témoigne le rapport *The Opportunity Costs of Socialism* publié par le CEA en octobre 2018), ce qui montre que le risque est pris au sérieux et que la bataille idéologique repose sur des moyens matériels significatifs.
2. Il reste à savoir si de tels discours donneront lieu à la mise en place d'une véritable politique fiscale progressive lors de la prochaine alternance étatsunienne (ce qui n'est pas gagné, si l'on en juge par le bilan des administrations démocrates).

transformations des clivages électoraux, la structure des conflits politico-idéologiques au sein de communautés fédérales de grande taille, ou encore les risques de repli identitaire au sein des démocraties électorales, il est absolument essentiel de ne pas s'en tenir à l'étude de l'Europe et des États-Unis. C'est pourquoi nous allons maintenant sortir de la sphère occidentale et nous intéresser à la question des clivages politiques en Inde, puis au Brésil.

L'évolution de la structure des partis et des clivages électoraux est particulièrement intéressante à étudier dans le cas de l'Union indienne, d'une part, car il s'agit de la plus grande République fédérale parlementaire du monde (1,3 milliard d'habitants, contre 510 millions pour l'Union européenne et 320 millions pour les États-Unis), et, d'autre part, car nous allons voir que le système de partis a évolué depuis les années 1960-1970 dans la direction d'un système de type classiste, alors que les démocraties électorales occidentales connaissaient au cours du dernier demi-siècle une évolution inverse. Cette expérience est riche d'enseignements car elle montre que la construction de coalitions égalitaires et de clivages classistes peut emprunter plusieurs chemins et n'est pas tributaire d'une trajectoire unique et d'événements exceptionnels (tels que les deux guerres mondiales et la crise des années 1930 dans les pays occidentaux). Ce décentrement du regard hors de l'Occident est également essentiel pour repenser la question du fédéralisme, et pour mieux comprendre les clivages identitaires et ethno-religieux en formation en Europe au cours des dernières décennies. Des clivages comparables existent en Inde, laquelle a en outre une expérience beaucoup plus ancienne du multiconfessionnalisme, et il est instructif de comparer la forme que prend la politisation de ces questions dans les différents cas.

Au cours des premières élections suivant l'indépendance de l'Inde et la partition avec le Pakistan en 1947, le parti du Congrès (INC, Indian National Congress) jouait un rôle nettement dominant dans le système politique indien. Fondé en 1885, l'INC était l'organisation politique qui avait conduit le pays à l'indépendance par la voie pacifique et parlementaire et jouissait à ce titre d'une grande légitimité. Le parti du Congrès s'est toujours appuyé sur une vision « séculariste » et muticonfessionnelle de l'Inde, insistant sur le respect dû à chacun, peu importe la religion (que l'on soit hindou, musulman, chrétien, sikh, bouddhiste ou juif) ou que l'on soit sans religion. C'est également sous sa direction que fut mis en place dans le cadre de la Constitution de 1950 un système de quotas et de « réservations » visant à donner accès aux anciens intouchables et aux tribus aborigènes discriminés (*scheduled castes/scheduled tribes*, SC/ST) à des places dans l'enseignement supérieur, les emplois publics et les fonctions électives. Ces politiques visaient à sortir le pays du lourd héritage inégalitaire issu de l'ancien système de castes, que le colonialisme britannique avait en outre contribué à figer. En pratique, le Congrès était aussi un parti s'appuyant sur les élites locales traditionnelles, qui étaient souvent issues des plus hautes castes, et en particulier des lettrés brahmanes (à l'image de la famille Nehru-Gandhi). L'INC conjuguait un certain progressisme avec des formes multiples de conservatisme social et politique, à la fois sur les questions de propriété et d'éducation, comme en témoignent l'absence de véritable réforme agraire en Inde et l'investissement insuffisant dans les services publics, sanitaires et éducatifs ouverts aux catégories sociales les plus modestes[1].

Lors des élections législatives menées en 1951, 1957 et 1962, l'INC rassembla entre 45 % et 50 % des voix, ce qui lui permit d'obtenir seul une large majorité des sièges à la Lok Sabha, compte tenu du morcellement des autres forces politiques et du mode de scrutin appliqué[2]. Le reste des voix se partageaient en une multitude de partis idéologiquement très différents, régionalistes, communistes, nationalistes, socialistes, etc., dont aucun ne menaçait sérieusement le parti du Congrès. Lors des élections de 1957 et 1962, le second parti du pays était le CPI (Communist Party of India), avec environ 10 % des voix au niveau fédéral[3]. Les nationalistes hindous du Bharatiya Jana Sangh (BJS – association du peuple hindou) arrivaient en troisième place, avec moins de 7 % des voix. Cette domination sans partage de l'INC commença à s'effriter pendant les années 1960 et 1970. Le Congrès tomba au-dessous de 40 % des voix, et une première alternance politique eut lieu en 1977, avec la victoire du Janata Party (parti du peuple). Il s'agissait cependant d'une alliance anti-INC de circonstance, regroupant à la fois les opposants de gauche et de droite au Congrès d'Indira Gandhi,

---

1. Voir chapitre 8, p. 410-421.

2. Soit un scrutin uninominal à un tour, comme au Royaume-Uni et aux États-Unis.

3. Le CPI s'est ensuite divisé à partir de 1964 en plusieurs organisations, dont le CPI et le CPI(M) (« M » pour « Marxist »), notamment autour du clivage russo-chinois et de la stratégie de conquête du pouvoir (alliance avec l'INC ou stratégie autonome). Le CPI(M) a occupé le pouvoir dans plusieurs États indiens depuis les années 1970, notamment au Bengale occidental et au Kerala, en général à la tête d'alliances de type Left Front ou Left Democratic Front impliquant divers partis de gauche.

sans véritable programme commun[1]. L'expérience ne fut guère concluante. Plus uni et cohérent, l'INC reprit le pouvoir dès les élections de 1980. Au final, le pays aura connu une domination presque ininterrompue de l'INC et de Premiers ministres issus de la lignée Nehru-Gandhi pendant quatre décennies, de la fin des années 1940 à la fin des années 1980[2].

Après cette première phase marquée par la domination du parti du Congrès (1950-1990), la démocratie électorale indienne est entrée au cours de la période 1990-2020 dans une seconde phase, caractérisée par le développement graduel d'un véritable multipartisme permettant des alternances viables au niveau fédéral. De fait, si l'on examine l'évolution des voix obtenues par les différents partis lors des élections à la Lok Sabha, on constate depuis 1990 un effritement continu de la position de l'INC, qui est tombé de près de 40 % des voix en 1989 à moins de 20 % aux élections de 2014. Si l'on ajoute les différents partis centristes alliés au Congrès, on aboutit toutefois à un total d'environ 35 % des voix en 2014, ce qui constitue un bloc beaucoup plus réduit qu'au cours des premières décennies de l'après-guerre, mais tout de même substantiel (voir graphique 16.7)[3].

On assiste par ailleurs depuis 1990 à la montée en puissance du Bharatiya Janata Party (BJP – parti du peuple hindou[4]). Alors que le BJP et ses alliés regroupaient à peine plus de 15 % des voix en 1989, ils en rassemblèrent près de 40 % lors des élections de 2014[5]. Fondé en 1980 à la

---

1. Face à une contestation sociale croissante et multiforme, Indira Gandhi avait mis en place l'état d'urgence dans le pays entre 1975 à 1977, ce qui eut pour effet d'unir temporairement tous les mécontentements contre elle lors des élections de 1977.

2. Se sont ainsi succédé au poste de Premier ministre, Jawaharlal Nehru de 1947 à 1964, puis sa fille Indira Gandhi de 1966 à 1977 et de 1980 à 1984, avant que Rajiv Gandhi n'occupe le poste de 1984 à 1989 à la suite de l'assassinat de sa mère par ses gardes du corps sikhs en 1984. Rappelons que la famille Nehru-Gandhi n'a aucun lien avec le mahatma Gandhi, lui-même engagé avec l'INC pendant l'entre-deux-guerres et jusqu'à son assassinat par un nationaliste hindou en 1948.

3. Ont été inclus comme alliés du Congrès les partis qui ont généralement participé à des alliances avec l'INC, en particulier dans le cadre de l'UPA (United Progressive Alliance). Il s'agit notamment des partis NCP, DMK, TRS et BJD. Voir A. BANERJEE, A. GETHIN, T. PIKETTY, « Growing Cleavages in India ? Evidence from the Changing Structure of the Electorates 1962-2014 », WID.world, Working Paper, 2019/5.

4. Le nom du BJP peut être traduit en « parti du peuple hindou » ou « parti du peuple indien ». Compte tenu du fait que *Bharata* est le nom traditionnel de l'Inde en sanskrit, et que le BJP promeut une idéologie insistant nettement sur l'identité hindoue de l'Inde, la première traduction paraît plus justifiée.

5. Ont été inclus comme alliés du BJP les partis qui ont généralement participé à des alliances avec lui, en particulier dans le cadre de la NDA (National Democratic Alliance).

Graphique 16.7

Les élections législatives en Inde (Lok Sabha), 1962-2014

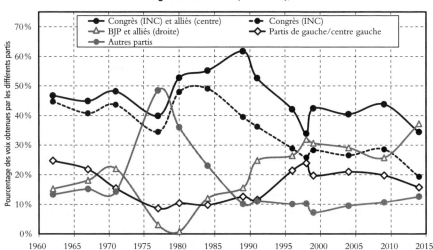

Lecture : lors des législatives de 2014, le parti du Congrès (INC, Indian National Congress) et les partis alliés (centre) ont obtenu 34 % des voix (dont 19 % pour l'INC seul), le BJP (nationalistes hindous) et les partis alliés (droite) 37 % des voix, les partis de gauche et de centre gauche (SP, BSP, CPI, etc.) 16 % des voix et les autres partis 13 % des voix.

Note : lors des législatives de 1977 (post-état d'urgence), le Janata Dal regroupe les opposants à l'INC de gauche et de droite et est ici classé avec les « autres partis ».

Sources et séries : voir piketty.pse.ens.fr/ideologie.

suite de l'échec de la coalition du Janata Party (anti-Congrès), le BJP avait pris la suite du BJS, parti qui avait défendu les couleurs des nationalistes hindous de 1951 à 1977. Précisons que le BJP avait déjà dirigé plusieurs fois le gouvernement fédéral entre 1996 et 2004, dans le cadre de gouvernements de coalition avec d'autres partis anti-Congrès. La nouveauté de l'élection de 2014 est que le BJP et ses proches alliés obtinrent pour la première fois à eux seuls une majorité absolue des sièges à la Lok Sabha, ce qui leur permit de prendre la direction du pays sous la conduite du Premier ministre Modi.

Pour résumer, on observe en Inde depuis 1990 la constitution de deux grands blocs électoraux, l'un autour de l'INC et l'autre autour du BJP. Il faut noter que le BJP est devenu au fil du temps une énorme machine politique et militante. Il se présente lui-même comme « le plus grand parti politique du

---

Il s'agit notamment des partis Shiv Sena, SAD et TDP. Voir A. Banerjee, A. Gethin, T. Piketty, « Growing Cleavages in India ? Evidence from the Changing Structure of the Electorates 1962-2014 », art. cité.

monde[1] ». Le BJP (tout comme son prédécesseur le BJS) constitue par ailleurs la branche politique et électorale d'une vaste organisation missionnaire hindoue, le RSS[2], qui fédère de nombreux mouvements de jeunesse oscillant entre le scoutisme hindou et de véritables structures paramilitaires. Créé en 1925, le RSS se fonde sur une idéologie qui est dans une large mesure l'exact opposé de celle de l'INC (créé en 1885). Alors que l'INC se proposait d'unir l'Inde sur la base du sécularisme et de la diversité religieuse, le RSS a toujours professé un nationalisme strictement hindou et violemment antimusulman. L'un des fondateurs du RSS, Golwalkar, évoque par exemple en 1939 dans l'un des principaux textes fondateurs du mouvement la « guerre de 800 ans » entre les hindous et les musulmans. Il explique comment l'Islam a profondément handicapé le développement de l'hindouisme et de la civilisation indienne dans son ensemble, civilisation dont Golwalkar précise sans ambages qu'elle avait pourtant atteint depuis plusieurs millénaires un degré de raffinement et de sophistication jamais atteint par le christianisme et l'Islam[3]. Le sentiment d'humiliation et le besoin de revanche postcoloniale, suite à près de deux siècles de domination britannique, jouent également un rôle essentiel.

Afin de favoriser la renaissance de la civilisation hindoue, le RSS et le BJP proposent une vision élaborée de l'organisation sociale idéale, qui ne se résume évidemment pas aux violences confessionnelles. En particulier, les principes d'harmonie sociale et de pondération, incarnés par exemple dans le végétarisme, tout comme le respect pour les valeurs familiales traditionnelles, pour la religion hindoue et la culture sanskrite, jouent un rôle essentiel dans les doctrines promues par ces organisations. Il reste que l'antagonisme avec l'islam n'est jamais très loin. Les émeutes de plus en plus violentes attisées à partir de 1984 par le RSS et les diverses organisations religieuses hindoues

---

1. Le BJP revendique officiellement ce titre et précise qu'il a dépassé en 2015 les 110 millions de membres (voir www.bjp.org), contre environ 90 millions de membres pour le PCC (voir chapitre 12, p. 734-739).

2. Rashtriya Swayamsevak Sangh (organisation des volontaires nationaux).

3. Voir M. S. GOLWALKAR, *We or Our Nationhood Defined*, 1939, p. 49-50. Le degré de violence contre l'islam et de nationalisme civilisationnel exprimé par Golwalkar fait naturellement penser aux propos de Chateaubriand dans son *Génie du christianisme* de 1802 (voir chapitre 7, p. 390-391). Le RSS et le BJP se sont parfois illustrés dans des propos et actions contre les chrétiens (en particulier à l'encontre des missionnaires chrétiens et du développement des conversions parmi certaines tribus aborigènes). Mais c'est naturellement la rivalité face à l'islam, qui au fil des siècles a attiré de nombreux convertis issus des plus basses castes, qui a toujours joué le rôle central dans le contexte indien (voir chapitre 8). Un thème classique du RSS est également que l'hindouisme constitue la seule alternative viable aux idéologies occidentales, et en particulier aux idéologies capitalistes et communistes.

en vue de reconstruire un temple hindou à Ayodhya (Uttar Pradesh), cité mythique du dieu Rama évoquée dans le *Râmâyana*, jouèrent ainsi un rôle central dans la montée en puissance du BJP. La destruction en 1992 à Ayodhya de la Babri Masjid (mosquée bâtie au XVIᵉ siècle) par des activistes hindous, après des années de violence, et avec le soutien organisationnel du RSS et du BJP alors au pouvoir dans l'État, marqua une étape décisive[1]. Cet événement fondateur est à l'origine d'innombrables émeutes du même type, et continue de hanter le pays[2]. Dans son manifeste électoral de 2019, la promesse de reconstruction d'un temple de Rama sur le site de la mosquée d'Ayodhya figure toujours en bonne place parmi les revendications prioritaires du BJP[3].

À côté de ces deux blocs électoraux principaux, autour de l'INC et du BJP, il faut également mentionner la présence persistante d'un troisième bloc constitué de partis de gauche et de centre gauche (voir graphique 16.7). On peut rassembler dans ce bloc non seulement les différentes organisations communistes (CPI, CPI(M), etc.), mais également un grand nombre de partis se réclamant de la mouvance socialiste ou sociale-démocrate, comme le Samajwadi Party (SP – parti socialiste, issu de la branche séculariste de la coalition du Janata Party de 1977-1980 et de sa brève reconstitution en 1989-1991 avec le Janata Dal) ainsi que les partis de basses castes comme le Bahujan Samaj Party (BSP – parti de la société majoritaire, sur lequel nous reviendrons plus loin)[4]. Ces partis jouent un rôle politique central dans certains États et regroupent autour de 20 % des voix au niveau fédéral. Ils sont généralement plus proches idéologiquement de l'INC que du BJP, sans être officiellement ralliés à l'un ou l'autre pôle. Les partis SP et BSP ont formé une alliance explicite lors des

---

1. Le RSS, qui avait déjà été interdit brièvement en 1948 à la suite de l'assassinat de Gandhi par un ancien militant de l'organisation, fut interdit de nouveau en 1992 à la suite de la participation de ses militants à la destruction de la mosquée, avant d'être autorisé de nouveau en 1993, les tribunaux ayant jugé qu'il n'y avait pas de preuve de l'implication directe des cadres du RSS dans l'organisation des émeutes. Selon les activistes hindous, la Babri Masjid a été construite au XVIᵉ siècle en lieu et place d'un ancien temple dédié à Rama. Les fouilles archéologiques montrent la multiplicité des constructions présentes dans le voisinage du site, sans permettre de trancher entre les différentes thèses en présence.

2. Outre la destruction de mosquées, les motifs principaux d'émeutes antimusulmans portent sur les abattages d'animaux jugés non conformes et le non-respect de certaines fêtes. Voir chapitre 8, p. 410-411.

3. Voir *Sankalp Patra*, BJP, Lok Sabha, 2019, section « Cultural Heritage ». L'affaire est toujours en conflit devant les tribunaux, avec à la clé de nouvelles fouilles visant à déterminer les contours d'un possible partage du site entre hindous et musulmans.

4. Ont notamment été inclus dans ce groupe les partis suivants : CPI, CPI(M), SP, BSP, JD(U), JD(S), RJD, AITC. Voir A. BANERJEE, A. GETHIN, T. PIKETTY, « Growing Cleavages in India ? Evidence from the Changing Structure of the Electorates 1962-2014 », art. cité.

élections de 2019. La question de leur rapprochement avec le Congrès fait partie des enjeux centraux pour les années à venir[1].

Les clivages politiques indiens :
entre classe, caste et religion

Examinons maintenant comment la structure des différents électorats a évolué en Inde, en lien avec leurs idéologies respectives. Commençons par le vote en faveur du BJP et de ses alliés en fonction de la caste et de la religion (voir graphique 16.8)[2].

Graphique 16.8

Le vote BJP par caste et religion en Inde, 1962-2014

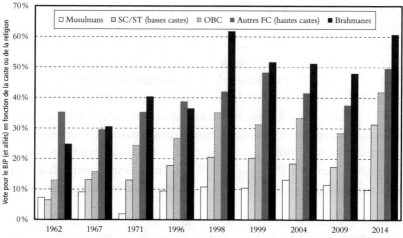

Lecture : en 2014, 10 % des électeurs musulmans ont voté pour le BJP (nationalistes hindous) et les partis alliés, contre 31 % parmi les SC/ST (*scheduled castes/scheduled tribes*, basses castes), 42 % parmi les OBC (*other backward classes*, castes intermédiaires), 49 % parmi les autres FC (*forward castes*, hautes castes sauf brahmanes) et 61 % parmi les brahmanes.
Sources et séries : voir piketty.pse.ens.fr/ideologie.

1. En pratique, les deux blocs SP-BSP et INC-alliés évitent de se présenter l'un contre l'autre dans certains États et circonscriptions stratégiques, dans lesquels l'alliance face au BJP et à ses alliés paraît indispensable, sans pour autant aller jusqu'à la conclusion d'une alliance nationale explicite.

2. Pour une présentation détaillée de ces résultats et des enquêtes postélectorales utilisées, voir annexe technique et A. BANERJEE, A. GETHIN, T. PIKETTY, « Growing Cleavages in India ? Evidence from the Changing Structure of the Electorates 1962-2014 », art. cité. Les fichiers des enquêtes postélectorales réalisées de 1962 à 2014 ont été dans l'ensemble bien conservés, avec malheureusement certains fichiers manquants et enquêtes défectueuses dans les années 1980 et au début des années 1990.

De façon générale, on constate que la structure du vote BJP a toujours été extrêmement clivée. Sans surprise, les électeurs se déclarant de confession musulmane n'ont jamais été tentés par ce parti (à peine 10 % des voix). Autrement dit, 90 % des électeurs musulmans ont toujours voté pour d'autres partis que le BJP. Compte tenu des discours violemment antimusulmans associés au BJP, ce résultat paraît assez peu étonnant. Au sein de l'électorat hindou, on observe que le vote BJP a toujours été une fonction croissante de la caste, au sens où la propension à voter pour le BJP et ses alliés est systématiquement plus faible parmi les castes les plus basses, et notamment au sein des anciens intouchables et tribus aborigènes (*scheduled castes/scheduled tribes*, SC/ST), avant de s'élever légèrement au niveau des OBC (*other backward classes*) et d'atteindre des sommets parmi les hautes castes, et tout particulièrement parmi les brahmanes. Lors des élections de 1998 et 2014, on constate par exemple que plus de 60 % des brahmanes ont voté BJP.

Afin de bien interpréter ces résultats, rappelons que les électeurs musulmans ont représenté autour de 10 %-15 % de la population en Inde entre les années 1960 et les années 2010, contre environ 25 % pour les SC/ST, 40 %-45 % pour les OBC et 15 % pour les hautes castes (dont 6 %-7 % pour les brahmanes)[1]. Précisons aussi qu'il est relativement logique que l'électorat BJP soit à ce point clivé en direction des castes élevées. Cette régularité traduit la perception dominante parmi les basses castes selon laquelle les nationalistes hindous valorisent l'ordre social traditionnel et la domination symbolique et économique des castes élevées. En particulier, le BJP et ses alliés ont souvent marqué leur opposition aux systèmes de quotas en faveur des basses castes, dans lesquels ils voyaient une source de division inutile au sein de la société hindoue, réputée harmonieuse, et accessoirement des places en moins pour leurs enfants dans les universités, les emplois publics et les fonctions électives. Face à ces prises de position, il n'est pas surprenant que les castes bénéficiant des « réservations » (SC/ST et OBC) soient généralement moins attirées par le BJP que les castes élevées.

---

1. Voir chapitre 8, graphiques 8.2-8.5 et tableaux 8.1-8.2, p. 367-369 et p. 405-406. Les électeurs issus des autres religions (chrétiens, bouddhistes, sikhs, etc., soit au total environ 5 % de la population) votent en moyenne de façon proche des musulmans et des basses castes. Les effectifs disponibles dans les enquêtes postélectorales sont cependant trop faibles pour pouvoir analyser séparément leur comportement électoral, et ils ont été omis de l'analyse présentée ici. Voir A. BANERJEE, A. GETHIN, T. PIKETTY, « Growing Cleavages in India ? Evidence from the Changing Structure of the Electorates 1962-2014 », art. cité.

Si l'on examine maintenant le vote pour le Congrès et ses alliés et pour les partis de gauche et de centre gauche, on observe des profils qui sont l'image inversée de ceux observés pour le vote BJP (voir graphiques 16.9-16.10). Autrement dit, la propension à voter pour l'INC et les partis de gauche est maximale parmi les électeurs musulmans, puis s'abaisse légèrement pour les électeurs de basses castes (SC/ST et OBC), avant de se réduire beaucoup plus nettement parmi les hautes castes et particulièrement les brahmanes. En première approximation, cela montre que le Congrès et les partis de gauche ont toujours défendu une vision séculariste de l'Inde, en particulier en prenant la défense des électeurs musulmans face au BJP, et se sont également mobilisés pour la réduction des inégalités entre les basses castes anciennement discriminées et les castes élevées, au travers notamment des systèmes de quotas.

Plusieurs points méritent toutefois d'être précisés. Tout d'abord, l'ampleur des clivages observés doit être soulignée. Parmi les électeurs musulmans, on constate régulièrement des votes à hauteur de 50 %-60 %

Graphique 16.9

Le vote Congrès par caste et religion en Inde, 1962-2014

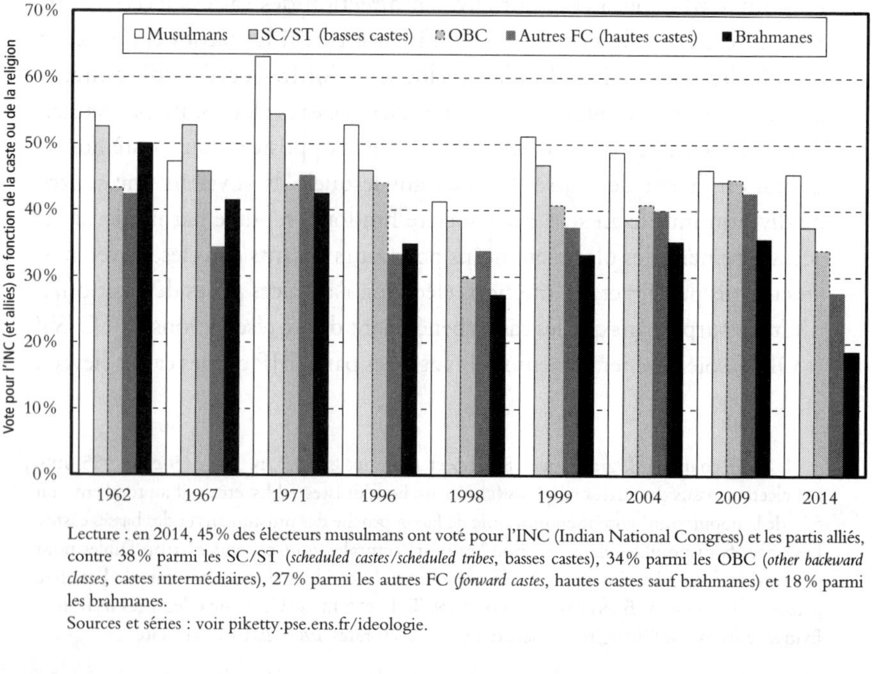

Lecture : en 2014, 45 % des électeurs musulmans ont voté pour l'INC (Indian National Congress) et les partis alliés, contre 38 % parmi les SC/ST (*scheduled castes/scheduled tribes*, basses castes), 34 % parmi les OBC (*other backward classes*, castes intermédiaires), 27 % parmi les autres FC (*forward castes*, hautes castes sauf brahmanes) et 18 % parmi les brahmanes.
Sources et séries : voir piketty.pse.ens.fr/ideologie.

pour l'INC et ses alliés et à hauteur de 20 %-30 % pour les partis de gauche et centre gauche (soit au total 80 %-90 % des voix). Les niveaux observés parmi les électeurs issus des plus basses castes (en particulier SC/ST) sont à peine moins élevés. À l'inverse le soutien obtenu parmi les castes élevées tombe à des niveaux très faibles, notamment en fin de période.

Il est particulièrement intéressant de noter que le parti du Congrès obtenait dans les années 1960 (et très probablement dans les années 1950, même si l'absence d'enquêtes postélectorales avant 1962 interdit de le préciser) un soutien électoral substantiel parmi les hautes castes, et notamment parmi les brahmanes, qui votaient plus fortement pour le Congrès que les autres castes élevées (*kshatriya, rajputs, baniya*, etc.) lors des élections de 1962 et 1967 (voir graphique 16.9). C'est la preuve que l'INC était lors des premières décennies de l'Union indienne un parti quasi hégémonique, obtenant de très fortes proportions des suffrages, autour de 40 %-50 % en moyenne, parmi toutes les catégories de la population, y compris parmi les élites locales et particulièrement les brahmanes, dont était issue la famille Nehru-Gandhi et qui avaient joué un rôle essentiel dans la structuration du parti au niveau local avant et après l'indépendance du pays[1]. Dans les années 1960, le Congrès obtenait encore un soutien qui était à peine plus faible parmi les brahmanes que parmi les musulmans et les basses castes hindoues. Le profil du vote INC s'est par la suite totalement transformé. Le soutien des castes élevées s'est réduit dans les années 1970 et 1980, et davantage encore au cours de la période 1990-2010, à mesure que le vote des hautes castes était capté par le BJP. Lors des élections de 2014, la structure du vote en faveur du Congrès est devenue sans rapport avec celle du vote des années 1960 : les électeurs de confession musulmane et les électeurs issus de basses castes continuent d'accorder leur confiance à l'INC, mais le profil est nettement décroissant à mesure que l'on monte dans la hiérarchie des castes.

---

1. Lors des dernières élections provinciales organisées en 1946 par les Britanniques, avec un suffrage censitaire (environ 20 % de la population adulte disposait du droit de vote), le Congrès obtint 80 % des sièges, dont près de 50 % occupés par des brahmanes, ce qui provoqua la fureur d'Ambedkar. Voir A. Teltumbe, *Republic of Caste. Thinking Equality in a Time of Neoliberal Hindutva*, *op. cit.*, p. 143. Au sujet d'Ambedkar, leader politique des basses castes en conflit avec le Congrès dans l'entre-deux-guerres et dans les années 1940, voir chapitre 8, p. 374-375.

Graphique 16.10

Le vote à gauche par caste et religion en Inde, 1962-2014

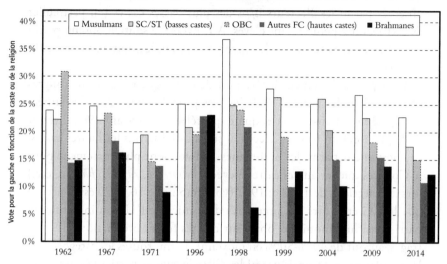

Lecture : en 2014, 23 % des électeurs musulmans ont voté pour les partis de gauche/centre gauche (SP, BSP, CPI, etc.), contre 17 % parmi les SC/ST (*scheduled castes/scheduled tribes*, basses castes), 15 % parmi les OBC (*other backward classes*, castes intermédiaires), 11 % parmi les autres FC (*forward castes*, hautes castes sauf brahmanes) et 12 % parmi les brahmanes.

Sources et séries : voir piketty.pse.ens.fr/ideologie.

Pour résumer : au cours du dernier demi-siècle, l'Inde est progressivement passée d'un système de parti quasi hégémonique lié à l'indépendance (où le Congrès obtenait un soutien massif au sein de toutes les classes sociales, des plus basses aux élites) à un système de partis de type « classiste », au sens où les nationalistes hindous du BJP ont capté de façon disproportionnée le soutien des castes les plus élevées, alors que le Congrès et les partis de gauche obtenaient avant tout celui des plus basses castes. Autrement dit, alors que le système classiste avait tendance à disparaître dans les démocraties électorales occidentales, de plus en plus souvent caractérisées par des systèmes d'élites multiples (avec une « gauche brahmane » captant les voix des plus diplômés et une « droite marchande » se spécialisant sur celles des plus hauts revenus et patrimoines), un système de type classiste faisait son apparition en Inde, à mesure que l'ensemble des hautes castes (brahmanes, guerrières et marchandes) quittaient le Congrès et rejoignaient le BJP.

La difficile émergence de clivages classistes en Inde

Il reste toutefois à préciser un point essentiel : les clivages électoraux observés en Inde peuvent-ils vraiment être décrits comme des clivages « classistes », ou bien ne faudrait-il pas plutôt les qualifier de « castéistes », c'est-à-dire liés davantage à l'identité de caste et à l'identité religieuse qu'à des dimensions socio-économiques ? Il n'est pas simple de répondre précisément à cette question, d'une part parce que ces différentes dimensions sont fortement corrélées les unes aux autres, et d'autre part car les données dont nous disposons dans les enquêtes postélectorales pour les distinguer les unes des autres sont hautement imparfaites.

En ce qui concerne la corrélation entre les différentes dimensions, rappelons tout d'abord que les hautes castes se caractérisent en moyenne par des niveaux de diplôme, de revenu et de patrimoine sensiblement plus élevés que le reste de la population. En particulier, les Indiens se déclarant comme brahmanes, qui, dans les recensements britanniques de l'époque coloniale, étaient déjà les plus diplômés et les plus grands propriétaires, continuent de se situer au sommet des différentes hiérarchies à la fin du XXᵉ siècle et au début du XXIᵉ siècle. Les autres castes élevées ont en moyenne des diplômes sensiblement moins valorisants, mais sont presque aussi avantagées en termes de revenu et de patrimoine. À l'inverse, les musulmans continuent de se situer en moyenne à des positions relativement basses sur les différentes dimensions, à peine plus élevées que celles occupées par les SC/ST, alors que les OBC se situent en position intermédiaire entre ces groupes et les hautes castes[1]. Autrement dit, la hiérarchie des castes utilisée pour représenter les clivages électoraux sur les graphiques 16.6-16.8 correspond approximativement à la hiérarchie socio-économique des classes de diplôme, de revenu et de patrimoine[2].

Cependant, si les deux hiérarchies coïncident en moyenne, elles sont loin d'être parfaitement superposées au niveau individuel. Autrement dit, il existe de nombreux électeurs de hautes castes (y compris des brahmanes) qui ont des niveaux de diplôme, de revenu et de patrimoine plus faibles

---

1. Voir chapitre 8, p. 391-404 et N. BHARTI, « Wealth Inequality, Class and Caste in India, 1951-2012 », art. cité.

2. À la différence importante près que les électeurs musulmans votent davantage à gauche que les SC/ST, alors qu'ils se situent légèrement au-dessus d'eux en termes de hiérarchie socio-économique.

que nombre d'électeurs OBC, musulmans ou issus des rangs SC/ST. Il faut en outre prendre en compte le fait que ces corrélations entre les différentes dimensions des inégalités sociales sont très différentes suivant les États (par exemple, les hautes castes représentent généralement des effectifs beaucoup plus élevés dans le nord de l'Inde que dans le sud de l'Inde) et que la politisation de la caste et de la classe prend également des formes très différentes suivant les régions du pays. Afin de clarifier les choses, la façon la plus naturelle de procéder consiste à introduire des variables de contrôle, c'est-à-dire à raisonner « toutes choses égales par ailleurs ». Malheureusement, les enquêtes postélectorales indiennes ne contiennent pas de variables permettant de mesurer correctement le revenu et le patrimoine (ou, tout du moins, pas sur une base comparable dans le temps). Si l'on introduit des contrôles pour l'État, l'âge, le sexe, le diplôme et la taille d'unité urbaine, on obtient les résultats suivants.

Tout d'abord, si l'on examine le vote BJP parmi les hautes castes (relativement au reste des électeurs), on constate que la prise en compte des variables de contrôle réduit quelque peu l'ampleur de l'effet « hautes castes ». Cet effet reste néanmoins très fort, et tend même à s'accroître au cours du temps (voir graphique 16.11).

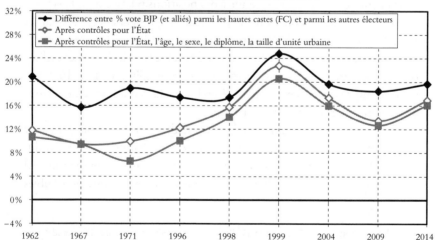

Graphique 16.11
Le vote BJP parmi les hautes castes, 1962-2014

Lecture : au cours de la période 1962-2014, les électeurs de hautes castes (FC, *forward castes*) ont toujours voté plus que les autres pour le BJP (et alliés), avant et après prise en compte des variables de contrôle. L'effet lié à la caste (après prise en compte des variables de contrôle) semble avoir progressé au cours du temps.
Sources et séries : voir piketty.pse.ens.fr/ideologie.

On obtient un résultat comparable si l'on examine le vote BJP parmi les plus basses castes (SC/ST) relativement au reste des électeurs (voir graphique 16.12).

Graphique 16.12

Le vote BJP parmi les basses castes, 1962-2014

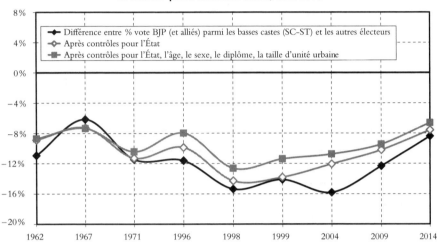

Lecture : au cours de la période 1962-2014, les électeurs de basses castes (SC/ST, *scheduled castes/scheduled tribes*) ont toujours voté moins que les autres pour le BJP (et alliés), avant et après prise en compte des variables de contrôle.
Sources et séries : voir piketty.pse.ens.fr/ideologie.

Enfin, et de façon particulièrement nette, on constate que le clivage religieux entretenu par le BJP entre électeurs hindous (toutes castes confondues) et musulmans est à peine atténué par la prise en compte des variables de contrôle, et surtout qu'il s'est fortement accru au cours du temps (voir graphique 16.13).

Il est difficile de dire comment ces résultats seraient affectés si nous disposions de meilleures variables de contrôle socio-économiques (particulièrement s'agissant du revenu et du patrimoine). Il paraît clair que l'effet du clivage religieux resterait en place, ce qui ne serait pas très étonnant, vu le très fort antagonisme antimusulman entretenu par le BJP. Compte tenu du faible impact des variables de contrôle (en dehors de l'État), il paraît probable que l'effet de la caste resterait également très marqué. Que la caste puisse avoir un effet sur le vote indépendamment des caractéristiques socio-économiques n'a d'ailleurs rien d'étonnant étant donné le rôle central joué dans les débats indiens par les politiques de quotas basées

Graphique 16.13
Le BJP et le clivage religieux en Inde, 1962-2014

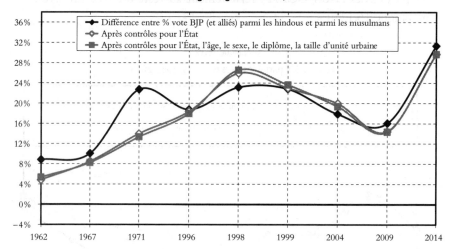

Lecture : au cours de la période 1962-2014, les électeurs hindous (toutes castes confondues : SC/ST, OBC et FC) ont toujours voté plus que les électeurs musulmans pour le BJP (et alliés), avant et après prise en compte des variables de contrôle. L'ampleur de ce clivage religieux a nettement progressé au cours du temps.
Sources et séries : voir piketty.pse.ens.fr/ideologie.

directement sur la caste. Si la redistribution en Inde était principalement basée sur le revenu ou le patrimoine, par exemple au moyen d'impôts et de transferts monétaires dépendant de ces caractéristiques, ou bien de dispositifs d'admission préférentielle dans les universités ou les emplois publics dépendant du revenu parental ou du patrimoine familial (et non de la caste en tant que telle), alors il serait plus surprenant que la caste continue de déterminer à titre principal les clivages politiques. Mais à partir du moment où ces politiques de redistribution sociale basées sur le revenu et le patrimoine ont pour l'instant pris une ampleur limitée en Inde, et que les quotas jouent un rôle central dans la structuration du conflit politique, cette politisation passant par la caste au moins autant que par la classe ne saurait surprendre.

De la perception d'une communauté de destin au sein des classes populaires

Ces résultats sont particulièrement riches en enseignements du point de vue des expériences occidentales, car ils confirment à quel point les clivages électoraux sont construits historiquement et politiquement en fonction des stratégies de mobilisation utilisées, et notamment en fonction des outils de redistribution sociale que l'on se donne. Ils ne sont pas fixés de toute éternité, et ils sont susceptibles d'évoluer dans le temps, en fonction de constructions politico-idéologiques complexes et changeantes. On notera également que contrairement à ce que l'on observe dans les démocraties électorales européennes et étatsuniennes au cours des dernières décennies, où les classes populaires blanches ont tendance à ne pas voter pour les mêmes partis que les minorités musulmanes ou noires, dans le cas indien les basses castes hindoues et la minorité musulmane votent pour les mêmes partis (à savoir le Congrès et les partis de gauche). Là encore, il s'agit d'un enseignement précieux, qui montre à quel point le racisme ou l'islamophobie ne sont pas plus naturels parmi les classes populaires que parmi les élites. Ces attitudes sont construites historiquement et socialement, en fonction des outils de solidarité commune que l'on se donne (ou que l'on ne se donne pas) et des stratégies de mobilisation déployées par les uns et les autres.

En l'occurrence, si les basses castes hindoues et les musulmans votent pour les mêmes partis, ce n'est pas seulement parce que ces deux groupes se sont sentis pris pour cible par les castes élevées et les nationalistes hindous du BJP. C'est aussi parce que le système de quotas a créé une solidarité de fait entre les basses castes et les musulmans. Il faut en particulier insister sur les effets structurants des nouveaux quotas en faveur des OBC mis en place à partir de 1990. Rappelons en effet que seuls les anciens intouchables et tribus aborigènes (SC/ST) étaient initialement concernés par le système initial de « réservations » mis en place dans l'après-guerre. La Constitution de 1950 prévoyait certes son extension aux autres groupes sociaux défavorisés (*other backward classes*), mais la question était tellement explosive qu'il fallut attendre 1990 pour que des quotas en faveur des OBC soient effectivement mis en place, à la suite des travaux et propositions de la commission Mandal en 1978-1980[1]. Or

---

1. L'apport décisif des gouvernements Janata Party de 1977-1980 et Janata Dal de 1989-1991 est d'ailleurs la mise en place de cette commission et des quotas OBC. Voir chapitre 8, p. 418-419, et en particulier les analyses de Christophe Jaffrelot au sujet de la démocratisation par la caste en Inde. Dans une large mesure, la décomposition de la coalition du Janata Party en 1980 s'est faite autour de l'affrontement Mandal *vs* Mandir : les partis sécularistes et socialisants choisirent de soutenir le processus lancé par la commission Mandal et menant aux quotas OBC, alors que les nationalistes hindous sortirent de la coalition et créèrent le BJP, avec pour objectif emblématique la construction d'un temple hindou (Mandir) à Ayodhya. Voir S. BAYLY, *Caste, Society and Politics in India from the 18th Century to the Modern Age, op. cit.*, p. 297-300.

le point central est que contrairement aux quotas en faveur des SC/ST, dont les musulmans étaient exclus, le système de « réservations » en faveur des OBC implémenté à partir de 1990 concernait aussi bien les classes hindoues et musulmanes désavantagées. Un système de commissions, de procédures et de critères était mis en place pour juger des conditions de vie et de dénuement matériel des différents groupes sociaux (en fonction notamment du type d'emploi, du logement occupé et des actifs et terres détenus), indépendamment de la religion. Un critère de revenu identique pour tous les groupes fut également fixé, au-delà duquel il était impossible de bénéficier des quotas[1].

Ces nouveaux quotas firent l'objet d'une opposition farouche de la part des castes élevées, qui craignaient non sans raison que ces « réservations » ne retirent des places précieuses à leurs enfants. Le BJP était particulièrement hostile à ce système, qui non seulement prenait des places aux enfants de ses électeurs, mais qui de surcroît en offrait une partie à la minorité musulmane honnie. À l'inverse, parmi les catégories modestes, ce système a joué un rôle central dans le développement d'une communauté d'intérêts et de destin entre les classes hindoues et musulmanes désavantagées, unies pour la défense de ce système. C'est dans le contexte de ces débats que furent créés plusieurs partis politiques visant à défendre les droits des basses castes (SC/ST et OBC hindoues et musulmanes) face à la mainmise historique des hautes castes sur les positions élevées dans la société indienne. On pense en particulier au parti de basses castes BSP (Bahujan Samaj Party), dont le nom est généralement traduit comme « parti de la société majoritaire ». Créé en 1984 pour défendre les intérêts des catégories modestes et dénoncer les privilèges des classes élevées, dirigé par sa cheffe charismatique Kumari Mayawati, première femme issue des anciens intouchables (SC) à diriger un gouvernement régional en Inde, le BSP fit alliance avec le SP (Samajwadi Party, parti socialiste) lors des élections régionales de 1993 pour déloger le BJP du pouvoir dans l'Uttar Pradesh. Ces affrontements électoraux se prolongèrent des années 1990 aux années 2010 et eurent un retentissement considérable dans l'ensemble du pays[2].

---

1. Le seuil pour faire partie de la *creamy layer* est actuellement de 800 000 roupies par an (ce qui exclut environ 10 % de la population). Voir chapitre 8, p. 414-415.

2. Rappelons que l'Uttar Pradesh (dans le nord de l'Inde) est l'État indien le plus peuplé (210 millions d'habitants en 2018), et que les élections menées dans l'Uttar Pradesh sont fortement médiatisées en Inde.

Quels que soient les limitations de ce programme politique à base de « réservations » et le caractère parfois chaotique des coalitions liées à cette floraison de nouveaux partis, le fait est que le développement des partis de basses castes au cours de la période 1990-2020 joua un rôle déterminant dans la politisation de l'inégalité et la mobilisation des classes populaires dans un sens unitaire. D'une certaine façon, de même que les grands travaux et les assurances sociales du New Deal contribuèrent à créer une communauté d'intérêts entre classes populaires blanches et noires aux États-Unis (au moins pour un temps), on peut dire que les « réservations » en faveur des OBC ont établi une solidarité de destin entre les classes défavorisées hindoues et musulmanes en Inde.

Clivages classistes, clivages identitaires : le piège social-nativiste en Inde

Dans quelle mesure les clivages classistes de type socio-économique et les questions de redistribution vont-ils structurer la démocratie électorale indienne dans les décennies à venir ? S'il est évidemment impossible de répondre par avance à ces questions, on peut toutefois émettre plusieurs hypothèses et souligner l'existence de forces contradictoires. Il y a tout d'abord un ensemble de facteurs qui poussent pour le renforcement des clivages identitaires. De façon générale, le fait que les systèmes de quotas jouent un rôle aussi central dans les débats indiens est problématique. De telles politiques peuvent certes prendre leur place au sein d'un ensemble plus vaste de politiques sociales et fiscales, mais elles ne peuvent se suffire à elles-mêmes. En outre, les « réservations » entraînent parfois des conflits sans fin sur les frontières entre sous-castes et *jatis* qui peuvent contribuer à figer les conflits identitaires.

On assiste par ailleurs au cours des dernières décennies à une tentative délibérée de la part du BJP de durcir encore davantage le clivage religieux et les sentiments antimusulmans. Après avoir tenté en vain de s'opposer aux quotas en faveur des OBC pendant les années 1990, le BJP a progressivement changé de stratégie politique au cours des années 2000 et 2010. Conscient du fait qu'il ne pouvait réunir de majorité en s'adressant uniquement aux castes élevées, le BJP s'est lancé dans une entreprise de séduction des classes populaires hindoues. Cette stratégie s'est notamment incarnée dans la nomination de Modi à la tête du parti (premier leader du BJP à être issu des OBC et non pas des hautes castes), et elle a été couronnée de succès par la victoire électorale du BJP en 2014. De fait, si l'on examine l'évolution de la structure des électorats, il est frappant de constater les progrès réalisés par le BJP et ses alliés lors des législatives de 2014 parmi les SC/ST et les OBC (voir graphique 16.8). De fait, le BJP est parvenu à détacher en partie le vote populaire hindou du vote musulman. Ce phénomène est plus limité dans des États comme l'Uttar Pradesh où les partis de basses castes sont parvenus à mobiliser l'électorat populaire en un sens unitaire, mais il se retrouve dans de nombreux États du nord de l'Inde, par exemple le Gujarat dont est originaire Modi (voir graphique 16.14)[1].

Graphique 16.14
Le vote BJP par caste, religion et État en Inde (1996-2016)

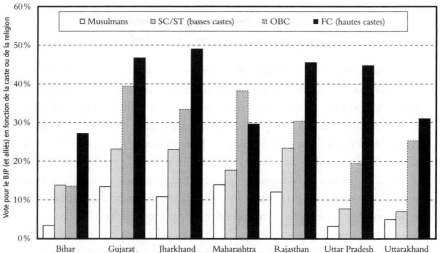

Lecture : dans tous les États indiens, on constate que le BJP (et alliés) obtient un score plus élevé parmi les électeurs FC (*forward castes*, hautes castes) que parmi les OBC (*other backward classes*, castes intermédiaires), SC/ST (*scheduled castes/scheduled tribes*, basses castes) et musulmans.
Note : les résultats indiqués ici portent sur la moyenne des élections régionales 1996-2016.
Sources et séries : voir piketty.pse.ens.fr/ideologie.

1. De façon générale, on observe une grande diversité des dynamiques partidaires au niveau des États, avec une recomposition variable des clivages classistes et castéistes. À Delhi, les victoires remportées en 1998, 2003 et 2008 par l'INC avec le soutien du BSP se sont appuyées sur l'électorat populaire et les migrants, alors que le BJP (qui avait remporté les élections de 1993) réalisait ses meilleurs scores au sein de l'électorat plus aisé et antimigrants. Voir le livre éclairant de S. KUMAR, *Changing Electoral Politics in Delhi. From Caste to Class*, Sage Publications, 2013. Le parti citoyen et anticorruption AAP a repris dans une large mesure l'héritage et l'électorat INC-BSP pour l'emporter face au BJP en 2013 et 2015, ce qui lui a valu une opposition violente du gouvernement fédéral.

La stratégie de séduction du vote populaire hindou mise en œuvre par le BJP sous la direction de Modi s'est appuyée sur plusieurs piliers[1]. Outre l'exaltation de ses origines modestes de petit vendeur de thé du Gujarat (limitrophe du Pakistan), entré comme militant au RSS à l'âge de 8 ans, Modi a toujours pris soin de dénoncer le fait que non seulement le parti du Congrès était aux mains d'une dynastie de privilégiés, mais qu'il était aussi et surtout incapable de défendre l'Inde face aux attaques de l'ennemi intérieur (musulman) et extérieur (pakistanais). Il faut rappeler ici les traces profondes laissées par la partition avec le Pakistan et les échanges de population hindoue et musulmane qui ont suivi[2]. Le conflit est d'une certaine façon toujours en cours dans l'État de Jammu-et-Cachemire, dont le rattachement à l'Inde est contesté par des séparatistes musulmans, qui d'après le gouvernement indien utilisent le Pakistan comme base arrière pour préparer leurs actes terroristes. Lors des émeutes antimusulmans, attisées par Modi et le BJP au Gujarat en 2002, qui furent les plus violentes observées en Inde depuis 1947, des tracts accusaient les populations musulmanes de se préparer à l'insurrection en cas d'invasion par le Pakistan, perspective particulièrement peu plausible[3]. Il faut aussi souligner le traumatisme durable créé en Inde par les attentats terroristes musulmans (impliquant des commandos d'origines pakistanaise et indienne) survenus à Delhi en 2000-2001 et Mumbai en 2008-2009[4].

1. Pour une analyse éclairante de la stratégie conduisant aux élections de 2014 et à ses suites, voir C. JAFFRELOT, *L'Inde de Modi. National-populisme et démocratie ethnique*, Fayard, 2019.

2. Voir à ce sujet M. J. AKBAR, *India : The Siege Within. Challenges to a Nation's Unity*, UBS Publishers Distributors, 1996, nouvelle éd., Roli Books, 2017.

3. Les émeutes de 2002 ont débuté après que des hindous de retour d'Ayodhya (où ils étaient mobilisés pour la construction d'un temple dédié à Rama) avaient été victimes d'un incendie et de projectiles envoyés sur leur train lors de la traversée d'un quartier musulman. Modi, qui était alors *chief minister* du Gujarat, désigna publiquement l'ensemble de la communauté musulmane comme collectivement responsable et appela implicitement aux émeutes. L'attisement du conflit religieux contribua à la réélection continue de Modi comme *chief minister* du Gujarat de 2001 à 2014 et lui servit de rampe de lancement pour les élections fédérales de 2014. Voir C. JAFFRELOT, *L'Inde de Modi. National-populisme et démocratie ethnique, op. cit.*, p. 69-75. Voir aussi C. THOMAS, *Progroms et Ghetto. Les musulmans dans l'Inde contemporaine*, Karthala, 2018.

4. En 2018, dix ans après les attentats de Mumbai, 80 % des sondés continuent de placer le terrorisme islamiste comme menace principale du pays. Pendant son mandat, et contrairement à son prédécesseur BJP Vajpayee, Modi s'est toujours refusé à participer aux cérémonies publiques liées à la fin du ramadan, y voyant une forme de « stratégie d'apaisement » comparable à l'attitude de Chamberlain face aux nazis. Lors des élections de 2014, Modi comparait l'arme du bulletin de vote à celle « des arcs et des flèches sous les Moghols » et traitait régulièrement

L'idée selon laquelle les populations musulmanes de l'Inde, soit quelque 180 millions de personnes, pour certaines islamisées depuis le XIe siècle, seraient personnellement responsables de ces attaques (ou prépareraient activement une invasion pakistanaise) n'a certes guère de sens, pas plus que les accusations de connivence avec le djihadisme islamiste régulièrement lancées à l'encontre du parti du Congrès et des partis de gauche. Mais dans un contexte où chacun est à la recherche d'explications pour des événements objectivement traumatisants, le fait de désigner des complices et des boucs émissaires est malheureusement une attitude fort répandue[1]. Dans ces conditions, il n'est pas surprenant que l'attentat commis par des séparatistes musulmans contre les forces de police indiennes à Pulwama (Jammu-et-Cachemire) quelques mois avant les élections de 2019, suivi de raids aériens indiens sur des camps situés au Pakistan (occasion rêvée pour que Modi exprime sa force), ait eu un impact déterminant sur la campagne et le déroulé des débats, au bénéfice du BJP[2].

On notera que les enjeux politiques suscités par ce durcissement du clivage religieux ne s'arrêtent pas à la question des violences et des émeutes. Dans plusieurs États dirigés par le BJP, notamment au Gujarat et au Maharashtra, des législations ont été mises en place pour mettre la pression sur les musulmans (et à un degré moindre sur les chrétiens et les bouddhistes), d'une part en durcissant les lois à l'encontre des abattages d'animaux (étendues à l'ensemble des bovins et ne concernant plus seulement les vaches, ce qui constitue un motif récurrent de lynchage), et d'autre part en rigidifiant les procédures relatives aux conversions religieuses (jugées trop souples et soumises aux abus de missionnaires musulmans et chrétiens aux yeux des nationalistes hindous, qui accusent les jeunes musulmans de pratiquer le *love djihad* en séduisant de jeunes filles hindoues crédules). Au fond, ce qui

---

Rahul Gandhi de *shehzada* (prince héritier de dynasties musulmanes sous les Moghols). Les occasions d'entretenir l'antagonisme religieux et d'évoquer la domination musulmane passée sont permanentes. Voir C. JAFFRELOT, *L'Inde de Modi. National-populisme et démocratie ethnique, op. cit.*, p. 124-143.

1. Dans un contexte certes moins violent, mais néanmoins de moins en moins paisible, les accusations lancées en France contre les journalistes de Mediapart (soupçonnés de complaisance avec l'extrémisme islamiste, voire avec les auteurs de l'attentat de 2015 contre *Charlie Hebdo*), et plus généralement les accusations d'« islamo-gauchisme » régulièrement proférées à l'égard de toute personne ou mouvement politique défendant la population de confession musulmane et d'origine extraeuropéenne face à la droite xénophobe, anti-immigrés et antiréfugiés, partagent clairement une inspiration commune avec les stratégies du BJP.

2. Le BJP est nettement remonté dans les enquêtes d'opinion après ces événements.

est en jeu dans ces débats est très clairement la définition de qui fait ou ne fait pas partie de la communauté nationale. De multiples déclarations des responsables du BJP et du RSS depuis 2014 montrent que l'objectif est de remettre en cause l'existence même du sécularisme ainsi que du multiconfessionnalisme tel qu'il est garanti par la Constitution de 1950 (que le BJP n'a à ce jour pas pu réformer à sa guise, faute de réunir la majorité requise des deux tiers)[1]. La réécriture complète des programmes scolaires et universitaires visant à présenter toute l'histoire de l'Inde sous un angle exclusivement hindou et en opposition avec l'Islam est d'ores et déjà bien engagée. Il s'agit donc en effet d'un débat sur les frontières mêmes de la communauté, et en l'occurrence sur une frontière intérieure que certains voudraient redéfinir entre ceux qui y appartiennent légitimement et ceux qui doivent se soumettre ou partir.

Ces conflits sur la frontière (extérieure ou intérieure) ont pris d'autres formes dans d'autres contextes. Aux États-Unis, il fut question au XIXᵉ siècle de renvoyer les Noirs en Afrique[2], puis la solution adoptée de 1865 à 1965 consista à les chasser de l'espace blanc. Des latinos détenant la nationalité étatsunienne furent expulsés dans de véritables pogroms dans les années 1930, et des enfants nés d'immigrés sans-papiers sont aujourd'hui menacés. En Europe, les débats ont porté et portent parfois toujours sur les conditions d'acquisition de la nationalité, la légitimité de naturalisations intervenues dans le passé, voire les éventuelles déchéances de nationalité et l'expulsion des immigrés indésirables et de leurs descendants. Les enjeux et les contextes sont chaque fois différents, mais ils illustrent tous comment les conflits sur la frontière peuvent prendre le pas sur les débats autour de la propriété et de la redistribution socio-économique, qui supposent que chacun s'accorde au préalable sur l'appartenance à une même communauté.

---

1. En 2017, le chef du RSS Mohan Bhagwat défendit ainsi le mouvement de reconversion à l'hindouisme baptisé Ghar Wapsi (« retour à la maison ») : « Les musulmans de l'Inde sont aussi des hindous [...]. Nous ramènerons nos frères égarés. Ils ne nous ont pas quittés de leur propre chef. Ils ont été volés, tentés de partir [...]. Maintenant le voleur a été pris et chacun sait que mon bien est en sa possession. Je vais reprendre mon bien, et ce n'est pas la peine d'en faire une montagne [...]. Nous n'avons pas à avoir peur. Pourquoi devrions-nous avoir peur ? Nous ne sommes pas des étrangers. Ceci est notre patrie. Ceci est notre pays. Ceci est le Hindu Rashtra » (voir C. Jaffrelot, *L'Inde de Modi. National-populisme et démocratie ethnique, op. cit.*, 2019, p. 172-173).

2. Cela alla jusqu'à conduire à la création d'un pays, le Liberia, même si le mouvement de migration forcée ne prit jamais l'ampleur envisagée par ses promoteurs. Voir chapitre 6, p. 288.

L'avenir du clivage classiste
et la redistribution en Inde : influences croisées

Malgré ces éléments concourant au renforcement des clivages identitaires et religieux, il faut cependant souligner que d'autres forces au moins aussi importantes poussent en sens inverse. Tout d'abord, la stratégie économique promarché et probusiness du BJP, qui était supposée assurer la puissance internationale du pays, conduit en pratique à une répartition extrêmement inégalitaire des fruits de la croissance. Le BJP se retrouve ainsi confronté au même type de dilemme que les républicains et Trump aux États-Unis. Face au fait qu'une bonne partie de l'électorat ne bénéficie guère de la mondialisation et des politiques probusiness, ils peuvent certes choisir de durcir leurs discours identitaires, contre les musulmans ou les latinos, et d'ailleurs ils ne s'en privent pas. Ce faisant, ils prennent le risque de laisser à d'autres mouvements politiques le soin de proposer des alternatives plus convaincantes. Dans le contexte indien, il est intéressant de noter que la campagne pour les élections de 2019 a notamment été marquée par la proposition faite par le Congrès d'introduire un système de revenu de base : le NYAY[1]. Le montant proposé était de 6 000 roupies par mois et par ménage, soit l'équivalent d'environ 250 euros en parité de pouvoir d'achat (trois fois moins au taux de change courant), ce qui est significatif en Inde (où le revenu médian ne dépasse pas 400 euros par ménage). Ce système concernerait les 20 % des Indiens les plus pauvres. Le coût serait significatif (un peu plus de 1 % du PIB) sans être rédhibitoire.

Cette proposition a au moins le mérite de mettre l'accent de façon concrète et visible sur les questions de redistribution socio-économique et d'aller au-delà des mécanismes de quotas et de « réservations », qui ont certes permis à une fraction des basses castes d'accéder à l'université, à l'emploi public et aux fonctions électives, mais qui ne suffisent pas. Par construction, des mesures comme le revenu de base permettent en outre de créer de façon évidente une perception de communauté de destin entre les classes populaires de différentes origines et confessions. Cependant, comme toujours avec le revenu de base, le risque serait de prendre ce type de proposition pour une solution miracle ou un solde de tout compte.

---

1. *Nyuntam aay yojana* (« système de revenu minimum garanti »).

Les dépenses publiques de santé ont stagné en Inde au cours de la période récente, et les dépenses d'éducation ont même baissé (en pourcentage des richesses produites)[1]. Or c'est notamment sur ce terrain que s'est creusé l'écart avec la Chine (qui a su mobiliser des ressources plus importantes pour élever le niveau de formation et de santé de l'ensemble de sa population) et que se jouera le développement futur du pays[2]. Un équilibre complexe doit donc être trouvé entre la réduction de la pauvreté monétaire et ces investissements sociaux.

De fait, la plus grande limite de la proposition est que le parti du Congrès a choisi de rester discret sur le financement. C'est d'autant plus regrettable que cela aurait été l'occasion pour l'INC de réhabiliter le rôle de l'impôt progressif, et de tourner définitivement la page avec son moment néolibéral des années 1980 et 1990, où des gouvernements dirigés par le Congrès et sensibles aux influences reagano-thatchériennes de l'époque choisirent de réduire fortement la progressivité de l'impôt sur le revenu, ce qui contribua à l'envol des inégalités de revenus depuis cette période[3]. Craignant sans doute les attaques virulentes du BJP et du monde des affaires (qui finance largement les nationalistes hindous) au cas où il aurait proposé de mettre à contribution les plus hauts revenus ou les plus grandes entreprises, le Congrès a jugé préférable d'expliquer que la mesure serait financée par la croissance, sans prélèvement supplémentaire. La stratégie peut se comprendre, mais elle risque de nuire à la crédibilité de l'annonce, et surtout de limiter les capacités d'action et d'investissement social et éducatif de l'INC en cas de victoire, comme cela s'est d'ailleurs produit lors de ses précédents passages au gouvernement.

Il paraît en outre difficile en l'absence de mesures fortes de justice fiscale et sociale, sujet sur lequel il existe une demande importante en Inde, de

---

1. Les dépenses de santé ont stagné à 1,3 % du PIB en moyenne entre 2009-2013 et 2014-2018, alors que l'investissement éducatif passait de 3,1 % à 2,6 %. Voir N. Bharti, L. Chancel, « Tackling Inequality in India. Is the 2019 Election Campaign Up to the Challenge ? », WID.world, 2019.

2. Voir chapitre 8, p. 419-420.

3. Voir A. Banerjee, T. Piketty, « Top Indians Incomes, 1922-2000 », Oxford University Press pour le compte de la *World Bank Economic Review*, 2005 ; L. Chancel, T. Piketty, « Indian Income Inequality 1922-2015 : From British Raj to Billionaire Raj ? », WID.world, Working Paper Series, n° 2017/11. Les baisses d'impôts pour les plus hauts revenus ont eu lieu à la fois sous Rajiv Gandhi de 1984 à 1989 et sous Rao de 1991 à 1996. Voir également J. Crabtree, *The Billionaire Raj. A Journey Through India's New Gilded Age*, Tim Duggan Books, 2018.

nouer une alliance plus explicite entre l'INC et les partis de gauche (en particulier CPI, SP et BSP). Sur la base de l'évolution de structure des votes et des électorats au cours des dernières décennies, un tel rapprochement paraît pourtant naturel pour faire face à la coalition formée par le BJP et ses alliés. En particulier, les compositions des électorats du Congrès et des partis de gauche sont devenues très proches par comparaison à l'électorat BJP (voir graphiques 16.8-16.10). Il est également intéressant de noter que la nouvelle alliance (Gathbandhan) conclue lors de la campagne entre le parti socialiste (SP) et celui des basses castes (BSP) s'est notamment matérialisée par la proposition dans leur manifeste électoral de la création pour la première fois en Inde d'un impôt fédéral sur la fortune, qui rapporterait approximativement les sommes requises pour le financement du NYAY (revenu de base) proposé par le parti du Congrès[1].

Compte tenu du climat sécuritaire dans lequel s'est tenue la campagne, ce qui a bénéficié au BJP, et des fragilités des autres partis (Congrès et gauche), qui n'appartiennent pas pleinement à une même coalition, les élections 2019 se sont conclues par une reconduction au pouvoir des nationalistes hindous[2]. Ces débats vont continuer dans les années qui viennent. Ils auront une importance de plus en plus déterminante pour le reste de la planète, d'une part du fait du rôle croissant de l'Inde à l'échelle mondiale, et d'autre part parce que ces débats se structurent autour de questions identitaires et inégalitaires qui sont finalement assez proches de celles discutées dans les démocraties électorales occidentales. Nous avons toutefois constaté deux différences essentielles et particulièrement instructives pour le reste du monde. D'une part, alors que les démocraties occidentales se sont progressivement éloignées de la structure classiste du conflit politique en vigueur au cours de la période 1950-1980, la démocratie indienne s'est au contraire rapprochée d'une forme particulière de clivage classiste au cours des années

---

1. La proposition défendue dans le programme SP-BSP de 2019 consistait à créer un impôt fédéral sur la fortune à un taux de 2 % sur les patrimoines supérieurs à 25 millions de roupies (environ 1 million d'euros en parité de pouvoir d'achat). Environ 0,1 % de la population indienne serait concernée (soit plus de 10 millions de personnes), pour des recettes d'environ 1 % du PIB. Voir annexe technique. On remarquera que l'introduction d'un système de revenu minimum national en France en 1988 (RMI, revenu minimum d'insertion) s'est également faite en même temps que l'introduction d'un nouvel impôt sur la fortune (ISF) dont les recettes finançaient approximativement le RMI.

2. Le BJP et ses alliés de la NDA (National Democratic Alliance) avaient 336 sièges sur 545 dans la Lok Sabha sortante (dont 281 pour le BJP) ; ils en ont 352 (dont 303 pour le BJP) à la suite des élections de 2019.

1990-2020[1]. D'autre part, alors que les votes des classes populaires blanches et des minorités noires et musulmanes se sont éloignés dans les démocraties occidentales, les basses classes hindoues et la minorité musulmane votent pour les mêmes partis en Inde. Plusieurs trajectoires sont envisageables pour l'avenir, allant du raidissement identitaire, religieux et inégalitaire à la mise en place d'une coalition séculariste et redistributive. En tout état de cause, les choix qui seront faits et les rapports de force changeants et instables qui s'établiront auront un écho qui ira bien au-delà de l'Inde.

Signalons aussi que le système de discrimination positive et de « réservations » mis en place en Inde dans le cadre de la Constitution de 1950 est lui-même en cours de transformation et de redéfinition. Il fut initialement conçu pour donner des possibilités de mobilité sociale ascendante aux basses castes anciennement discriminées (intouchables et tribus aborigènes). Plus généralement, l'objectif était d'atténuer, au moyen de quotas, les effets persistants liés à un très lourd héritage inégalitaire, celui de la société de castes et de sa sédimentation sous le colonialisme britannique. Le système a été étendu en 1990 aux « autres classes défavorisées » (OBC), et un seuil de revenu parental au-delà duquel on ne peut plus avoir droit aux quotas (quelle que soit l'origine de classe ou de caste plus ancienne) a été introduit en 1993. L'application de ce seuil a été étendue aux anciens intouchables et aborigènes (SC/ST) en 2018. Faute de pouvoir réduire autant qu'il le souhaiterait les quotas accessibles aux basses classes, le BJP a fait adopter début 2019 une mesure ouvrant de nouveaux quotas pour les membres des hautes castes (y compris celle des brahmanes) dont le revenu parental est inférieur à ce même seuil, au détriment des membres des hautes castes disposant de revenus supérieurs à ce seuil[2]. Il est intéressant de noter que

---

1. On notera également que la mobilisation électorale au sein des catégories modestes est restée très forte en Inde (parfois même plus forte qu'au sein des catégories aisées), contrairement à ce que l'on observe dans les démocraties électorales occidentales au cours des dernières décennies. Certains chercheurs ont proposé d'y voir la conséquence d'un État tellement faible que les plus riches n'ont pas besoin de se mobiliser pour s'en protéger. Voir K. KASARA, P. SURYANARAYAN, « When Do the Rich Vote Less than the Poor and Why ? Explaining Turnout Inequality around the World », *American Journal of Political Science*, vol. 59, n° 3, 2015, p. 613-627. On peut penser que la capacité de mobilisation des classes populaires des nouveaux partis (comme le BSP) a également joué un rôle.

2. Voir chapitre 8, p. 414-415. L'amendement constitutionnel adopté en janvier 2019 consiste à créer un quota supplémentaire de 10 % (en plus de 50 % de places réservées aux SC/ST et OBC) pour les populations non précédemment couvertes par les quotas (donc en pratique les anciennes hautes castes) dont le revenu annuel est inférieur au seuil de 800 000 roupies. En pratique, ce seuil de revenu (qui conduirait à exclure environ 10 % de la population)

cette mesure a été décidée par le BJP pour faire face au fait qu'une large partie de son électorat se compose de hautes castes désargentées dont la position socio-économique et éducative est trop faible pour bénéficier pleinement de la croissance du pays. Elle a été adoptée à la quasi-unanimité de la Lok Sabha. Ces évolutions laissent à penser que la transformation d'un système de quotas fondé sur la caste et la *jati* en un système s'appuyant de plus en plus sur le revenu parental, la propriété ou d'autres caractéristiques socio-économiques individuelles va probablement se poursuivre à l'avenir.

À un moment où les sociétés occidentales s'interrogent sur la faible présence des enfants des classes populaires dans les filières éducatives les plus sélectives, aussi bien d'ailleurs qu'au sein des assemblées parlementaires et des fonctions politiques et administratives les plus élevées, les expériences indiennes et les modalités de leur transformation méritent d'être regardées de près, sans chercher à les idéaliser ni à les noircir excessivement[1]. Certes, rien ne pourra remplacer un financement adéquat des services éducatifs et sanitaires ouverts au plus grand nombre et une politique ambitieuse de réduction des inégalités de revenus et de redistribution de la propriété. Il reste que des systèmes visant à prendre en compte les origines sociales dans les mécanismes d'affectation scolaire ou les procédures électives peuvent se justifier, en complément à ces autres politiques[2].

À l'inverse, les évolutions politico-idéologiques qui se produiront en Europe et aux États-Unis auront un impact décisif sur les trajectoires qui se dessineront en Inde. Nous avons déjà évoqué l'impact de la « révolution conservatrice » anglo-saxonne des années 1980 sur les politiques fiscales menées dans le reste du monde, et en particulier en Inde. Il en ira de même à l'avenir. Actuellement, quand le SP et le BSP proposent d'établir un impôt progressif sur le patrimoine pour financer le revenu de base proposé par le Congrès, le BJP a beau jeu d'expliquer à l'opinion indienne que ces lubies socialisantes ne sont appliquées nulle part, et que la prospérité du pays doit avant tout reposer sur la stabilité de l'ordre social et du régime de propriété. Si l'Europe se mettait à bâtir un véritable social-fédéralisme, ou

---

s'accompagne d'autres critères concernant la taille du logement et des terres possédées, si bien qu'au total environ 20 %-30 % de la population concernée est exclue. En toute logique, l'application de telles règles devrait s'accompagner d'un système d'enregistrement des revenus et des patrimoines beaucoup plus fiable que celui actuellement disponible. Voir N. BHARTI, L. CHANCEL, « Tackling Inequality in India. Is the 2019 Election Campaign Up to the Challenge ? », art. cité.

1. Voir chapitre 8 pour une discussion plus détaillée de ces expériences indiennes.
2. J'y reviendrai dans le prochain chapitre.

si les États-Unis renouaient avec la forte progressivité fiscale qu'ils ont déjà appliquée avec succès dans le passé, comme cela est évoqué avec de plus en plus d'insistance au sein du parti démocrate, alors il y a fort à parier que le débat en Inde et dans les autres parties du monde prendrait une autre tournure. À l'inverse, si la concurrence fiscale continue de plus belle parmi les pays riches, alors il sera d'autant plus difficile pour des propositions comme celles de la coalition SP-BSP de convaincre l'opinion indienne, compte tenu de la forte hostilité des milieux d'affaires et de leur influence sur le financement de la vie politique et des médias du pays. Dans ce cas, la voie d'un durcissement identitaire antimusulmans du BJP pourrait être la plus probable. Plus que jamais, les différents régimes inégalitaires de la planète et leurs transformations sont étroitement liés les uns aux autres.

La politisation inachevée de l'inégalité au Brésil

Nous venons de voir avec l'Inde l'exemple d'une démocratie électorale où un système de partis nés après l'indépendance a évolué dans une direction classiste au cours des dernières décennies, à rebours des transformations observées dans les pays occidentaux. Il n'est évidemment pas question de proposer ici une analyse des transformations de la structure des clivages politiques dans l'ensemble des sociétés postcoloniales extraoccidentales. Une telle tâche dépasserait de beaucoup l'objet de cet ouvrage. Il est toutefois intéressant d'évoquer le cas du Brésil, où l'on assiste également au cours de la période 1989-2018 à la formation d'un système partidaire spécifique de type classiste, avec là encore de lourds enjeux en termes de redistribution et d'influences croisées avec les autres partis du monde.

Rappelons que le Brésil est le dernier pays de l'espace euro-atlantique à avoir aboli l'esclavage, en 1888, et plus généralement que le pays est resté l'un des plus inégalitaires de la planète. Rappelons également qu'il fallut attendre la fin de la dictature militaire (1964-1985) et la Constitution de 1988 pour que le droit de vote soit étendu à tous, sans condition d'éducation[1]. La première élection présidentielle au suffrage universel se déroula en 1989, et l'ancien ouvrier syndicaliste Lula da Silva se qualifia pour le second tour, où il réussit à réunir 47 % des voix autour de sa candidature,

---

1. La Constitution postesclavagiste de 1891 avait pris soin de préciser que les personnes non alphabétisées n'auraient pas le droit de vote, règle reprise par les Constitutions de 1934 et 1946. En 1950, plus de 50 % de la population adulte était encore privée du droit de vote. Voir chapitre 6, p. 297-298.

soutenue par le parti des travailleurs (PT). Son élection triomphale en 2002, avec 61 % des voix au second tour, puis sa réélection en 2006, avec le même score, lui qui avait été tant moqué par les élites brésiliennes traditionnelles pour son manque d'éducation, et dont on disait qu'il ne pourrait représenter dignement le pays à l'étranger, marquent d'une certaine façon l'entrée symbolique du Brésil dans l'ère du suffrage universel. Le PT arracha deux nouvelles victoires aux élections présidentielles après que Lula eut laissé la place à Dilma Rousseff, avec toutefois des marges de plus en plus réduites (56 % en 2010, 52 % en 2014). Finalement, la victoire du candidat nationaliste-conservateur Jair Bolsonaro en 2018, avec 55 % des voix au second tour contre 45 % pour le candidat du PT Fernando Haddad, marqua un nouveau tournant dans l'histoire politique du pays[1].

Il est toutefois intéressant de noter que la structure de l'électorat du PT et plus généralement du système de partis brésilien ne s'est mise en place que progressivement au cours des trois décennies qui ont suivi la fin de la dictature. Lors de ses débuts dans les années 1980, le PT était initialement un parti qui faisait ses meilleurs scores parmi les ouvriers du secteur industriel, les salariés urbains modestes et moyens, ainsi que les classes intellectuelles qui s'étaient mobilisées contre la dictature[2]. À l'échelle du Brésil, et compte tenu du fait que les plus bas niveaux de formation et de revenu étaient avant tout dans les zones rurales et les régions les plus pauvres, l'électorat du PT était encore dans les années 1990 légèrement plus diplômé que la moyenne du pays (mais avec des revenus un peu plus faibles que la moyenne). Autrement dit, à la sortie de la dictature militaire, de même qu'en Inde après l'indépendance, la structure du vote n'était pas spontanément classiste au Brésil. C'est après l'arrivée au pouvoir de Lula que la composition sociale du vote PT va nettement évoluer. Au cours des élections de 2006, 2010, 2014 et 2018, on constate que le PT fait systématiquement ses scores les plus importants parmi les électeurs les moins diplômés et ceux disposant des revenus les moins élevés (voir graphique 16.15)[3].

---

1. Il faut souligner le climat extrêmement particulier dans lequel se sont déroulées les élections de 2018, Lula, originellement désigné par son parti pour être candidat, se trouvant en prison et ayant été empêché de se présenter par le pouvoir judiciaire.

2. Lula avait été ouvrier syndicaliste dans la région industrielle de São Paulo, alors que Rousseff avait été emprisonnée trois ans sous la dictature militaire avant de faire des études supérieures.

3. De même que pour l'Inde, les enquêtes postélectorales disponibles pour le Brésil ne permettent pas de décomposer de façon systématique le vote par niveau de patrimoine. Pour

Graphique 16.15

La politisation de l'inégalité au Brésil, 1989-2018

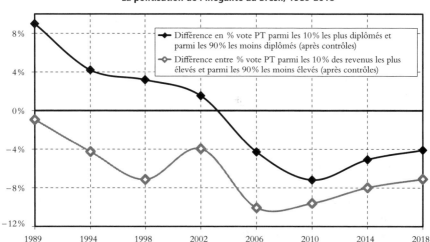

Lecture : au cours de la période 1989-2018, le vote en faveur du PT (parti des travailleurs) au Brésil est devenu de plus en plus nettement associé aux électeurs ayant les plus bas niveaux de revenu et de diplôme, ce qui n'était pas le cas lors des premières élections suivant la fin de la dictature militaire.
Sources et séries : voir piketty.pse.ens.fr/ideologie.

Cette évolution est également spectaculaire au niveau régional. Les régions brésiliennes les plus pauvres, en particulier dans le nord-est du pays, votent de plus en plus massivement pour le PT, alors que les régions les plus riches s'en détournent progressivement. Lors des scrutins de 2014 et 2018, le Nordeste brésilien continue de donner de larges majorités à Rousseff et Haddad, alors que les régions et les villes du Sud (comme São Paulo) rejettent nettement le PT. Cette structure sociale et géographique du vote s'accompagne d'un clivage racial très marqué. À partir de 2006, on constate que les électeurs qui se déclarent comme noirs ou métis (soit un peu plus de la moitié de la population) votent beaucoup plus fortement pour le PT que ceux qui se décrivent comme Blancs, y compris après avoir pris en compte les effets des autres attributs socio-économiques individuels[1].

---

une présentation détaillée des résultats pour le Brésil, voir A. GETHIN, *Cleavage Structures and Distributive Politics*, *op. cit.*, p. 29-41 ; A. GETHIN, M. MORGAN, « Brazil Divided : Hindsights on the Growing Politicization of Inequality », WID.world, 2018.

1. Voir A. GETHIN, *Cleavage Structures and Distributive Politics*, *op. cit.*, p. 38, fig. 3.5. Précisons que les effets du diplôme et du revenu indiqués sur le graphique 16.15 sont ceux estimés après prise en compte des autres variables de contrôle (y compris région et catégorie raciale). En l'absence des contrôles, les effets liés au fait d'appartenir aux 10 % des diplômes

Le fait que le vote PT a évolué dans cette direction est cohérent avec les politiques menées. À partir de 2002, les gouvernements PT vont concentrer leurs efforts sur la réduction de la pauvreté, notamment avec le programme de transferts sociaux Bolsa Familia. On constate dans les données brésiliennes une forte progression des revenus les plus bas, en particulier dans les régions les plus déshéritées du pays, d'où une grande popularité de Bolsa Familia et du PT parmi les populations concernées (ouvriers agricoles, paysans pauvres, domestiques et salariés modestes des services ou de la construction, etc.). À l'inverse, parmi ceux qui emploient ces personnes, ces programmes sociaux ont souvent été perçus comme excessivement dispendieux, alimentant des exigences salariales néfastes. En l'occurrence, les gouvernements PT ont également mis en place des augmentations importantes du salaire minimum, dont la valeur réelle s'était effondrée sous la dictature, et qui a retrouvé au début des années 2010 le niveau qui était déjà le sien dans les années 1950 et au début des années 1960[1]. Le PT a également développé des mécanismes d'accès préférentiel aux universités pour les classes populaires noires et métissées, jusqu'ici largement absentes des campus.

Il est peu contestable que ces politiques de redistribution et cette montée en puissance d'un clivage classiste ont contribué à engendrer une certaine volonté de reprise de contrôle de la situation de la part des élites brésiliennes traditionnelles, mouvement qui s'est exprimé lors de la destitution de Rousseff en 2016 puis de l'élection de Bolsonaro en 2018. Ce dernier se présente comme le président qui mettra fin à la dérive socialisante du pays. Il ne cache pas sa sympathie pour la dictature militaire et son goût pour l'ordre social, le respect de la propriété et les politiques ultrasécuritaires. Comme Trump, Bolsonaro s'appuie également sur l'exploitation des

---

ou des revenus les plus élevés plutôt qu'aux 90 % les moins élevés seraient approximativement deux fois plus conséquents (de l'ordre de 15-20 points et non de 6-10 points). Voir annexe technique, graphique S16.15.

1. Voir M. MORGAN, *Essays on Income Distribution Methodological, Historical and Institutional Perspectives with Applications to the Case of Brazil (1926-2016)*, Paris School of Economics (PSE) et EHESS, 2018, p. 106, fig. 3.5, p. 135-316, fig. 3.24-3.25. Rétrospectivement, il apparaît clairement que c'est le coup d'État de 1964, organisé avec le soutien des États-Unis à l'encontre du président travailliste João Goulart (qui avait été ministre du Travail en 1953 à la fin de l'ère Vargas, au moment des fortes augmentations salariales), qui mit fin à la période de réduction des inégalités de revenus observée entre 1945 et 1964 au Brésil. La prise du pouvoir par les militaires visait dans une large mesure à mettre fin à cette tendance jugée socialisante et subversive pour l'ordre social et propriétariste brésilien.

clivages raciaux et sur la nostalgie de l'ordre de l'homme blanc, dans un pays où les « Blancs » ont officiellement cessé d'être majoritaires[1]. Pour autant, il est bien évident que l'usure naturelle du pouvoir dans une démocratie électorale a joué son rôle dans ce retournement politique, tout autant que les insuffisances évidentes des politiques menées par le PT entre 2002 et 2016. On pense naturellement à l'incapacité du PT à s'attaquer sérieusement au problème de la corruption au Brésil, quand il n'a pas lui-même contribué à pérenniser le système en bénéficiant de versements occultes, dans un pays où la question du financement des campagnes politiques et des médias n'a jamais fait l'objet d'une régulation adéquate. Ces insuffisances sont certes en partie liées au fait que le système électoral et institutionnel brésilien rend très difficile la formation d'une majorité parlementaire. Malgré des victoires présidentielles répétées et massives, avec nettement plus de 50 % des voix aux seconds tours de 2002 à 2010, le PT n'a jamais eu une majorité de députés pour mener sa politique. Il a dû pactiser avec de nombreux partis pour faire adopter ses lois et ses budgets[2]. Il reste que ces enjeux en termes de transparence de la vie publique et de réforme des financements politiques n'ont jamais été clairement expliqués au pays, si bien que le PT a donné l'impression de s'accommoder du système en place et de ses zones grises.

Il faut également souligner le bilan en demi-teinte du PT sur le front des inégalités. S'il est clair que les bas revenus ont bénéficié des politiques menées, avec une augmentation de la part du revenu allant aux 50 % les plus pauvres entre 2002 et 2015, le problème est que cette amélioration s'est faite entièrement aux dépens des classes moyennes, ou plus précisément des groupes sociaux compris entre les 50 % les plus pauvres et les 10 % les plus riches, et aucunement au désavantage des 10 % les plus riches, qui ont réussi à maintenir leur position (pourtant inhabituellement élevée au Brésil).

---

1. Les personnes se déclarant comme « blanches » ne représentaient plus que 48 % de la population lors du recensement de 2010 (contre 54 % en 2000). Cette part reste cependant fortement majoritaire dans les États du Sud. Elle atteint 70-80 % dans l'État de São Paulo et dans les États les plus proches de l'Uruguay et de l'Argentine, contre à peine 20 %-30 % dans l'État de Bahia et dans le Nordeste.

2. Cela provient du fait que le système appliqué pour l'élection du Congrès fédéral brésilien rend très difficile pour un parti d'obtenir une majorité (y compris dans une situation où il obtient plus de 60 % des voix au niveau fédéral pour son candidat au second tour de l'élection présidentielle, comme le PT en 2002 et 2006). En particulier, la Chambre fédérale des députés est élue au niveau de chaque État avec un scrutin proportionnel, ce qui conduit à la multiplication de partis régionaux.

S'agissant des 1 % les plus riches, on observe même entre 2002 et 2015 une augmentation de leur part dans le revenu total, qui reste deux fois plus élevée que celle allant aux 50 % les plus pauvres[1]. Ces résultats décevants et paradoxaux s'expliquent simplement : le PT n'a jamais entrepris de véritable réforme fiscale. Les politiques sociales ont été financées par les classes moyennes et non par les plus riches, pour la bonne et simple raison que le PT n'a jamais réussi à s'attaquer à la régressivité fiscale structurelle du pays, avec de très lourds impôts et taxes indirectes sur la consommation (allant par exemple jusqu'à 30 % sur les factures d'électricité), alors que les impôts progressifs sur les plus hauts revenus et patrimoines sont historiquement peu développés (par exemple, les plus hautes successions paient au maximum un taux de 4 %).

Là encore, ces insuffisances dans les politiques menées ont pour origine à la fois des limitations doctrinales et idéologiques, mais aussi l'absence d'une majorité parlementaire adéquate. Au Brésil comme en Europe et aux États-Unis, il est impossible de réduire les inégalités autant qu'il serait souhaitable sans transformer également le régime politique, institutionnel et électoral. On notera par ailleurs, de même que pour l'Inde, l'importance des influences extérieures. De toute évidence, il aurait été plus facile pour Lula et le PT de développer le rôle de l'impôt progressif sur le revenu et la propriété s'il s'était situé dans un contexte politique et idéologique international où ces politiques avaient le vent en poupe, ce qui pourrait arriver à l'avenir[2]. À l'inverse, l'aggravation du dumping fiscal jouerait objectivement en faveur des orientations inégalitaires et identitaires incarnées par Bolsonaro et la mouvance nationaliste-conservatrice, de la même façon que pour Modi et le BJP en Inde.

1. D'après les estimations disponibles, la part des 50 % les plus pauvres est passée de 12 % à 14 % au Brésil entre 2002 et 2015, alors que celle des 40 % suivants passait de 34 % à 32 % et que celle des 10 % les plus riches était stable à 56 %. Dans le même temps, la part allant aux 1 % les plus riches passait de 26 % à 28 %. M. MORGAN, « Falling Inequality beneath Extreme and Persistent Concentration : New Evidence on Brazil Combining National Accounts, Surveys and Fiscal Data, 2001-2015 », WID.world, Working Paper Series, n° 2017/12, fig. 3-4.

2. On notera que la réduction des inégalités au Brésil en 1945-1964 se situait dans un contexte idéologique international beaucoup plus favorable à l'impôt progressif et à la redistribution.

Clivage identitaire, clivage classiste : la frontière et la propriété

De même que celui de l'Inde, le cas du Brésil montre à quel point il est essentiel de sortir du cadre occidental pour mieux comprendre les dynamiques politiques en jeu autour des inégalités et de la redistribution. Au cours des années 1990-2020, alors que le système gauche-droite de clivage classiste qui prévalait en Europe et aux États-Unis dans les années 1950-1980 s'effritait et était menacé d'effondrement, des formes de clivages classistes se mettaient en place en Inde et au Brésil, suivant des cheminements sociopolitiques spécifiques et avec des fragilités et des potentialités particulières. Ces différentes trajectoires illustrent également le caractère fondamentalement multidimensionnel des conflits politiques et idéologiques.

En particulier, on peut nettement distinguer dans chacun des cas étudiés un clivage de type identitaire et un autre de type classiste. Le clivage identitaire porte sur la question de la frontière, c'est-à-dire sur les limites de la communauté politique à laquelle on s'identifie, les origines et les identités ethno-religieuses de ses membres. Le clivage classiste porte sur les questions d'inégalité socio-économique et de redistribution, et en particulier sur la question de la propriété. Ces clivages prennent des formes diverses en Europe et aux États-Unis, en Inde et en Chine, au Brésil ou en Afrique du Sud, en Russie ou au Moyen-Orient. Mais on retrouve ces deux dimensions dans la plupart des sociétés, le plus souvent avec de multiples ramifications et sous-dimensions.

De façon générale, le clivage classiste ne peut l'emporter que si l'on parvient à dépasser le clivage identitaire : pour que le conflit politique puisse se focaliser sur les inégalités de propriété, de revenu et de diplôme, il faut d'abord que l'on s'accorde sur les frontières de la communauté. Or le clivage identitaire n'est pas simplement une invention des acteurs politiques qui cherchent à l'instrumentaliser pour se hisser au pouvoir (même si de tels acteurs sont aisément repérables dans toutes les sociétés). La question de la frontière recouvre des interrogations complexes et fondamentales. Dans une économie-monde où les différentes sociétés sont liées par de multiples flux commerciaux, financiers, migratoires et culturels, mais où elles continuent de fonctionner comme des communautés politiques séparées, au moins en partie, il est crucial de décrire la forme que doivent prendre ces relations, dans une perspective dynamique. Le monde postcolonial a donné naissance à des interactions et des mélanges au sein de mêmes sociétés de groupes humains qui auparavant n'avaient quasiment aucun contact entre eux (autrement que par l'intermédiaire des armes ou des rapports de domination de type colonial). Il s'agit d'un progrès civilisationnel considérable, mais qui dans le même temps a conduit au développement de clivages identitaires nouveaux.

Parallèlement, l'effondrement du communisme a eu tendance à affaiblir, au moins pour un temps, l'espoir dans la possibilité même d'une économie juste et d'un dépassement du capitalisme par la justice sociale et fiscale. Autrement dit, au moment même où le clivage identitaire se durcissait, le clivage classiste s'effaçait. Là se trouve sans doute l'explication principale pour la montée des inégalités observée depuis les années 1980-1990. Les explications fondées sur la technologie ou l'économie manquent l'essentiel, c'est-à-dire le fait qu'il existe toujours plusieurs façons d'organiser les relations économiques et les rapports de propriété, comme le montre l'extraordinaire diversité politico-idéologique des régimes inégalitaires que nous avons étudiés dans cette enquête.

Durcissement du clivage identitaire et des conflits sur la frontière, affaiblissement du clivage et des débats sur la propriété : ce schéma se retrouve dans quasiment toutes les régions du monde. Mais au-delà de ce schéma général, les variations entre sociétés sont profondes. Loin des déterminismes de toute sorte, la diversité des trajectoires montre l'importance des stratégies de mobilisation sociale et politique. La perspective longue et comparative est ici essentielle. Des transformations profondes des régimes inégalitaires ont eu lieu dans l'histoire bien avant les deux guerres mondiales du XXᵉ siècle, et il serait particulièrement conservateur et déplacé de s'en remettre à de tels chocs pour envisager un nouveau mouvement de réduction historique des inégalités. L'étude de l'Inde et du Brésil a également montré que la domination des clivages identitaires sur les clivages classistes n'avait rien d'inéluctable. Dans ces deux pays, les classes populaires issues d'origines et d'identités diverses ont pu se retrouver dans de mêmes coalitions politiques redistributives. Tout dépend des outils institutionnels et des politiques sociales et fiscales que l'on se donne afin de permettre à des groupes d'origines diverses de comprendre que ce qui les rassemble l'emporte sur ce qui les divise.

L'étude d'autres configurations électorales nationales apporterait d'autres illustrations de cette réalité générale[1]. Le cas d'Israël fournit sans doute l'exemple le plus extrême d'une démocratie électorale où le

---

1. Il faut souligner que cette multidimensionnalité des conflits politico-idéologiques est aussi à l'œuvre dans des pays qui ne sont pas des démocraties électorales pluralistes, comme la Chine, la Russie, l'Égypte ou l'Arabie saoudite. Simplement elle est plus compliquée à

conflit identitaire a tout emporté sur son passage. La question de la relation avec les populations palestiniennes et les Arabes israéliens est quasiment devenue la seule question politique significative. Au cours de la période 1950-1980, les travaillistes israéliens occupaient une place centrale dans le système de partis et mettaient l'accent sur la réduction des inégalités socio-économiques et le développement de formes coopératives originales. Faute d'avoir su penser à temps une solution politique viable et adaptée aux communautés humaines en jeu, ce qui aurait impliqué la création d'un État palestinien ou le développement d'une forme originale d'État fédéral binational, le parti travailliste a quasiment disparu de la scène électorale israélienne, pour laisser la place à des escalades sans fin entre factions sécuritaires[1]. Au sein des pays musulmans, on constate que les dimensions religieuses et sociales du conflit électoral se sont combinées de façon différente dans le temps et suivant les pays. En Turquie, le parti kémaliste CHP (parti républicain du peuple) était, dans les années 1950-1970, à la fois le plus laïc et le plus prisé des classes populaires. La séparation avec les sensibilités plus religieuses s'était notamment faite sur les questions de réforme agraire et de redistribution de terres aux paysans pauvres, qui avaient mécontenté non seulement les propriétaires mais aussi tous ceux qui voulaient protéger les terres détenues par les fondations pieuses et préserver le rôle social de ces dernières. Dans les années 1990-2010, le parti AKP (parti de la justice et du développement) a réussi à rassembler une part importante de l'électorat populaire autour d'un discours de renouveau musulman et nationaliste, alors que le vote CHP s'est en partie déplacé vers les villes[2]. On observe un rôle mobilisateur similaire mais plus durable des réformes agraires en Indonésie[3]. Nous avons également évoqué

---

appréhender et se laisse moins facilement voir, ou bien par bribes, ce qui ne facilite pas les apprentissages collectifs.

1. Le vote travailliste, très fort parmi les catégories populaires dans les années 1960-1970, avait déjà commencé à se concentrer sur les catégories plus diplômées dans les années 1980-1990, ce qui semble refléter à la fois la transformation du contexte idéologique global (perte de vitesse du socialisme) et l'évolution du clivage entre d'une part les Israéliens d'origine européenne ou nord-américaine (ashkénazes) et d'autre part ceux d'origine moyen-orientale ou nord-africaine (mizrahims, séfarades). Voir Y. BERMAN, « The Long-Run Evolution of Political Cleavages in Israël, 1969-2015 », WID.world, 2018. On notera par ailleurs l'absence quasi totale de données fiscales sur les revenus et les patrimoines en Israël, en dépit des traditions travaillistes et parlementaires du pays.

2. Voir F. M. WUTHRICH, *National Elections in Turkey. People, Politics and the Party System*, Syracuse University Press, 2015.

3. Au début des années 1960, une partie des élites traditionnelles avaient transféré des terres à des fondations pieuses (*waqf*) pour éviter la réforme agraire, et ces stratégies continuent de

l'absence de réformes agraires en Afrique du Sud, où l'existence d'un parti hégémonique postapartheid rend incertain le développement de clivages de type classiste[1]. En rassemblant ces matériaux et en étudiant de près ces différentes expériences, il est possible de mieux comprendre les interactions complexes entre conflits socio-économiques et propriétaristes et clivages ethno-religieux et identitaires, et la très grande diversité des trajectoires observées, au-delà du cadre occidental.

Mais quelle que soit l'importance des marges d'autonomie propres à chaque aire culturelle et à chaque trajectoire nationale ou régionale, il ne faut pas négliger le rôle clé du contexte idéologique dominant au niveau planétaire. Nous l'avons vu dans le cas de l'Inde ou du Brésil : la capacité des forces politiques en présence à promouvoir des stratégies crédibles de redistribution et à donner de la voix au clivage classiste dépend de façon importante des évolutions en cours dans les pays occidentaux[2]. Compte tenu du poids économique, commercial et financier des États-Unis et de l'Union européenne, et de leur impact déterminant sur le cadre légal dans lequel s'organisent les échanges, les transformations politico-idéologiques en cours au sein de ces deux ensembles auront un poids déterminant. Les évolutions à venir en Chine et en Inde, et à moyen terme au Brésil, en Indonésie ou au Nigeria, joueront également un rôle croissant, au sein d'un paysage idéologique mondial de plus en plus connecté. Ce qui est certain, c'est que le poids de l'idéologie n'est pas près de diminuer, bien au contraire. Jamais la complexité des questions posées au sujet du régime de propriété et du système de frontières n'a été aussi forte ; jamais les incertitudes sur les réponses à apporter n'ont été aussi extrêmes, en cet âge

---

conditionner la géographie du vote pour les partis islamistes dans les années 2000-2010. Voir S. Bazzi, G. Koelher, B. Marx, « The Institutional Foundations of Religious Politics : Evidence from Indonesia », Sciences Po, 2018. Voir aussi P. J. Tan, « Explaining Party System Institutionalization in Indonesia », *in* A. Hicken, E. Martinez Kuhonta, *Party System Institutionalization in Asia*, Cambridge University Press, 2015, p. 236-259.

1. Voir chapitre 7, p. 352-353.

2. Les cas évoqués plus haut illustrent également l'importance des influences extérieures dans les dynamiques partidaires. En Indonésie, mais aussi en Malaisie, en Thaïlande et en Turquie, l'héritage de la guerre froide et l'écrasement des mouvements communistes et socialistes ont handicapé la formation de clivages classistes et favorisé l'émergence de partis religieux. En Afrique du Sud, la défense des propriétaires blancs par les gouvernements occidentaux (tout récemment par Donald Trump) ne facilite pas la mise en place d'une réforme agraire ambitieuse. En Israël, il est bien évident que la structure du conflit politique pourrait changer du tout au tout si les États-Unis ou l'Union européenne décidaient d'imposer un règlement politique au conflit israélo-palestinien.

qui se veut postidéologique mais qui en réalité est entièrement pétri par l'idéologie. Pour autant, je suis convaincu, à l'issue de ce cheminement historique, qu'il est possible de s'appuyer sur les expériences relatées dans ce livre pour tenter de dessiner les contours d'un socialisme participatif et internationaliste, c'est-à-dire de repérer dans les expériences du passé les formes d'organisation nouvelle du régime de propriété et du système de frontières qui pourraient contribuer à la mise en place d'une société juste et à l'affaiblissement des menaces identitaires. C'est ce à quoi le dernier chapitre de ce livre va se consacrer.

Impasses et chausse-trapes du débat sur le populisme

Avant d'en arriver là, un point terminologique mérite toutefois une précision. J'ai évité autant que possible d'avoir recours dans cette enquête à la notion de « populisme ». La raison en est simple : ce concept ne permet pas d'analyser correctement les évolutions en cours. Les conflits polico-idéologiques observés dans les différentes régions de la planète sont profondément multidimensionnels. Ils mettent notamment en jeu des clivages sur le système de frontières et sur le régime de propriété. Or la notion de « populisme », telle qu'elle a été utilisée dans le débat public récent, parfois jusqu'à satiété, revient souvent à tout mélanger dans une espèce de soupe indigeste.

Trop souvent, la notion est instrumentalisée par des acteurs politiques pour désigner tout ce qu'ils n'aiment pas et dont ils souhaitent se démarquer. Il est entendu qu'un parti anti-immigrés, ou qu'un parti se complaisant dans la stigmatisation des étrangers, sera considéré comme « populiste ». Mais un discours visant à demander aux plus riches de payer des impôts plus importants sera également qualifié de « populiste ». Et si un parti évoque la possibilité qu'une dette publique ne soit pas intégralement remboursée, alors on le traitera sans hésiter de « populiste ». En pratique, ce terme est devenu l'arme suprême permettant à des catégories sociales objectivement très favorisées de disqualifier à l'avance toute critique de leurs options politiques et programmatiques. Plus besoin de débattre du fond, par exemple du fait qu'il existe plusieurs politiques fiscales ou sociales possibles et de multiples modes d'organisation de la mondialisation. Il suffit de désigner les contradicteurs comme relevant du « populisme » pour pouvoir cesser de discuter et de penser, en toute bonne conscience. En France, il est ainsi devenu courant depuis l'élection présidentielle de 2017 de ranger dans la même rubrique de « populiste » les électorats rassemblés au premier tour par Jean-Luc Mélenchon et par Marine Le Pen, en oubliant au passage que le premier regroupe les électeurs qui sont en moyenne le plus ouverts à l'immigration et la seconde ceux qui y sont le plus farouchement hostiles[1]. Aux États-Unis, il n'était pas rare en 2016 de mettre dans la case « populiste » à la fois le socialiste internationaliste Bernie Sanders et le businessman nativiste Donald Trump. En Inde, on pourrait aussi choisir de qualifier de « populiste » à la fois le BJP antimusulmans de Modi et les partis socialistes et communistes ou les mouvements de basses castes proposant des plates-formes et des options rigoureusement inverses. Au Brésil, le label « populiste » est parfois utilisé pour désigner alternativement le mouvement autoritaire-conservateur incarné par Bolsonaro ou le parti des travailleurs de l'ex-président Lula.

Il me semble que la notion de « populisme » est à éviter absolument, car elle ne permet pas de penser la complexité du monde. En particulier, elle fait l'impasse sur le caractère multidimensionnel du conflit politique, et omet que les positions prises sur la question de la frontière et celle de la propriété peuvent être fort différentes. Il faut au contraire distinguer soigneusement ces différentes dimensions de questionnement, et surtout analyser précisément et rigoureusement les différentes réponses politiques et institutionnelles qui sont vraiment en jeu. Le premier problème du débat sur le populisme est sa vacuité : la notion autorise à ne parler de rien de précis. Le débat autour de la dette publique, en particulier dans le contexte de la zone euro, illustre sans doute le point le plus bas touché par l'usage de cette notion. Dès lors qu'un acteur politique, un manifestant ou un citoyen évoque la possibilité que lesdites dettes ne soient pas entièrement et immédiatement remboursées, les foudres des commentateurs éclairés s'abattent sur l'impudent : voici bien l'idée la plus « populiste » que l'on puisse avoir.

Ce faisant, les commentateurs éclairés en question semblent ignorer à peu près tout de l'histoire de la dette publique, et en particulier que de très nombreuses annulations ont eu lieu depuis des siècles, notamment au XXᵉ siècle, souvent avec succès. Les dettes publiques supérieures à 200 % du produit intérieur brut observées dans de nombreux pays occidentaux en 1945-1950, notamment en Allemagne, au Japon, en France et dans la plupart des pays européens, ont été supprimées en quelques années par un

1. Voir chapitre 14, tableau 14.1, p. 917.

mélange d'impôts exceptionnels sur le capital privé, d'annulations pures et simples, de reports de longue durée ou d'inflation[1]. La construction européenne s'est bâtie dans les années 1950 sur l'oubli des dettes du passé, et c'est ce qui a permis de se tourner vers les jeunes générations et d'investir dans l'avenir. Chaque situation est certes différente, et il faut maintenant trouver des solutions nouvelles pour sortir par le haut des problèmes posés par les dettes publiques actuelles, en s'appuyant sur les réussites et les limitations des expériences du passé, comme j'ai tenté de le montrer plus haut. Mais traiter de « populistes » ceux qui ouvrent un débat nécessaire et incontournable, quand on est soi-même dans une situation d'ignorance historique qui frise l'inconscience, voilà qui est vraiment insupportable. Concrètement, les responsables de la Lega et du M5S en Italie ou les militants des Gilets jaunes en France qui proposent un référendum populaire pour annuler la dette n'ont certes pas intégré toute la complexité de l'enjeu, et le fait que cette question ne pourra pas se régler par « oui » ou par « non ». Il faut d'urgence débattre des modalités institutionnelles, fiscales et financières précises permettant de rééchelonner les dettes, car ce sont ces « détails » qui font par exemple qu'une tentative d'annuler les dettes retombe sur les plus riches (par exemple au travers d'un impôt progressif sur la propriété) ou au contraire sur les plus pauvres (par exemple au travers de l'inflation). La réponse à ces demandes sociales parfois confuses mais légitimes ne doit pas être de fermer le débat mais au contraire de l'ouvrir, dans toute sa complexité.

Concluons en notant que la pire conséquence du débat sur le populisme est peut-être qu'il finit par engendrer de nouveaux conflits de type identitaire et par bloquer toute délibération constructive. Car si le terme est généralement utilisé de façon péjorative, son usage est également revendiqué par certaines des personnes incriminées comme un élément positif leur permettant de définir leur identité, généralement de façon tout aussi nébuleuse que ceux qui l'emploient pour les dénigrer, ce qui fort naturellement ajoute à la confusion ambiante. Le terme de « populiste » est ainsi utilisé par certains mouvements anti-immigrés pour montrer qu'ils se soucient du « peuple » (réputé unanimement hostile à l'immigration) et non des « élites » qui veulent imposer des flux migratoires sans limites à toute la planète. Mais certains mouvements de la gauche dite « radicale » (comme Podemos en Espagne ou LFI en France) ont également

---

1. Voir chapitre 10, p. 517-520.

revendiqué le terme de « populisme » ces dernières années, pas toujours avec prudence, par exemple pour marquer leur différence avec les anciens partis de « gauche » (socialistes et sociaux-démocrates), accusés d'avoir trahi les classes populaires. L'accusation peut se concevoir, mais il faudra bien plus qu'un mot chargé, totémique et dangereusement polysémique pour y mettre fin. En pratique, le terme vise à rappeler en permanence que l'objectif est de rassembler le « peuple » contre les élites (ou bien contre la « caste », qui suivant les cas peut être financière, politique ou médiatique, ou tout à la fois), tout en évitant le plus souvent de débattre précisément des institutions que l'on souhaiterait mettre en place pour améliorer réellement les conditions de vie des classes populaires, par exemple au niveau européen. Le terme de « populisme » revient parfois à nier l'importance de l'idéologie : on fait implicitement l'hypothèse que le rapport de force pur et dur est la seule chose qui importe, et que les détails institutionnels se régleront d'eux-mêmes une fois que le rapport de force aura été établi et que le « peuple » aura triomphé[1].

Or toute l'histoire des régimes inégalitaires étudiée dans ce livre démontre le contraire. Les changements historiques de grande ampleur découlent de la rencontre de logiques événementielles et de mobilisations de court terme et d'évolutions politico-idéologiques et d'enjeux institutionnels de plus long terme. À la fin du XIXᵉ siècle et au début du XXᵉ siècle, le mouvement rassemblé autour du People's Party aux États-Unis a joué un rôle utile non pas parce qu'il revendiquait le terme de « populiste » (qui est en soi ni nécessaire ni suffisant), mais parce qu'il s'est de fait inscrit dans un mouvement politique et idéologique de fond, qui a notamment abouti au 16ᵉ amendement à la Constitution étatsunienne et à la création d'un impôt fédéral sur le revenu en 1913, qui allait devenir l'un des plus

---

1. De ce point de vue, il est frappant de constater à quel point les ouvrages associés au « populisme de gauche » ne traitent pas ou peu des formes institutionnelles permettant de dépasser le capitalisme. Malgré le grand intérêt de ces livres, les questions sociales-fédéralistes évoquées plus haut ne sont pas abordées, pas plus que celles du régime de propriété, de la redéfinition des droits de vote dans les entreprises ou de l'impôt progressif sur la propriété. Voir par exemple E. LACLAU, *La Raison populiste*, Seuil, 2008 ; J.-L. MÉLENCHON, *L'Ère du peuple*, Fayard, 2014 ; C. MOUFLE, *Pour un populisme de gauche*, Albin Michel, 2018. Ces travaux semblent partir du principe que la priorité est d'entretenir un antagonisme peuple/élite permettant de mobiliser des électeurs lassés par les mensonges des alternances gauche-droite (et parfois séduits par les discours xénophobes). L'hypothèse implicite est que la question du contenu programmatique et institutionnel (par exemple sur l'Europe ou la propriété) sera traitée après que de nouveaux rapports de force auront été établis.

progressifs de l'histoire et permettre le financement du New Deal et la compression des inégalités.

Pour toutes ces raisons, il me semble important de se méfier des impasses et des chausse-trapes du débat sur le « populisme », et de se concentrer sur les questions de contenu, et en particulier sur la réflexion autour du régime de propriété, du système fiscal, social et éducatif, et du régime de frontière, c'est-à-dire sur les institutions sociales, fiscales et politiques susceptibles de contribuer à la mise en place d'une société juste et de permettre aux clivages classistes de reprendre le dessus sur les clivages identitaires.

Chapitre 17

ÉLÉMENTS POUR UN SOCIALISME PARTICIPATIF AU XXIe SIÈCLE

J'ai essayé dans cet ouvrage de présenter une histoire raisonnée des régimes inégalitaires, depuis les sociétés trifonctionnelles et esclavagistes anciennes jusqu'aux sociétés hypercapitalistes et postcoloniales modernes. Toutes les sociétés humaines ont besoin de justifier leurs inégalités. Leur histoire se structure autour des idéologies qu'elles développent afin d'organiser les rapports entre les groupes sociaux et les relations de propriété et de frontière, au travers de dispositifs institutionnels complexes et changeants. Cette quête d'une inégalité juste n'est certes pas exempte d'hypocrisie de la part des groupes dominants, mais elle contient toujours des éléments de plausibilité et de sincérité dont il est possible d'extraire des leçons utiles pour la suite.

J'ai également tenté de montrer dans les derniers chapitres de ce livre les dangers considérables entraînés par la remontée des inégalités socio-économiques observée depuis les années 1980-1990. Faute d'avoir su se renouveler suffisamment, dans un contexte marqué par l'internationalisation des échanges et la tertiarisation éducative, la coalition sociale-démocrate et le système gauche-droite qui avaient permis la réduction des inégalités au milieu du XXe siècle se sont progressivement décomposés. La révolution conservatrice des années 1980, l'effondrement du communisme soviétique et le développement d'une nouvelle idéologie de type néopropriétariste ont conduit le monde vers des niveaux impressionnants et incontrôlés de concentration des revenus et des patrimoines en ce début de XXIe siècle. Ces inégalités engendrent un peu partout des tensions sociales croissantes. Faute de débouché politique constructif à visée égalitaire et universelle, ces frustrations nourrissent la montée des clivages identitaires et nationalistes que l'on observe actuellement dans pratiquement toutes les régions du monde, aux États-Unis et en Europe, en Inde et au Brésil, en Chine ou au Moyen-Orient. À partir du moment où l'on explique qu'il n'existe aucune alternative crédible à l'organisation socio-économique actuelle et aux inégalités entre classes, il n'est pas étonnant que les espoirs de changement se reportent sur l'exaltation de la frontière et de l'identité.

Or, le nouveau récit hyperinégalitaire qui s'est imposé depuis les années 1980-1990 n'est pas une fatalité. S'il est en partie le produit de l'histoire et du désastre communiste, il découle aussi de l'insuffisante diffusion des connaissances, de barrières disciplinaires trop rigides et d'une appropriation citoyenne limitée des questions économiques et financières, qui sont trop souvent abandonnées à d'autres. Sur la base des expériences historiques disponibles, je suis convaincu qu'il est possible de dépasser le système capitaliste actuel et de dessiner les contours d'un nouveau socialisme participatif pour le XXIe siècle, c'est-à-dire une nouvelle perspective égalitaire à visée universelle, fondée sur la propriété sociale, l'éducation et le partage des savoirs et des pouvoirs. Je vais tenter dans ce dernier chapitre de rassembler quelques-uns des éléments permettant d'avancer dans cette direction, sur la base des enseignements déjà évoqués dans les chapitres précédents. Je vais commencer par étudier les conditions d'une propriété juste. Cela exige de développer de nouvelles formes de propriété sociale, de partage des droits de vote et de participation à la prise de décision dans les entreprises. Cela demande également de remplacer la notion de la propriété privée permanente par celle de propriété temporaire, au travers d'un impôt fortement progressif sur les propriétés importantes permettant de financer une dotation universelle en capital et d'organiser ainsi une circulation permanente des biens et de la fortune. J'analyserai également le rôle de l'impôt progressif sur le revenu et du revenu de base ainsi que la question de la justice éducative. J'aborderai enfin la question de la démocratie et de la frontière, et la façon dont il est possible de repenser l'organisation actuelle de l'économie-monde au profit d'un système démocratique transnational fondé sur la justice sociale, fiscale et climatique.

Disons-le clairement : il serait absurde de prétendre apporter sur des questions aussi complexes des réponses parfaitement satisfaisantes et convaincantes, des solutions qu'il n'y aurait plus qu'à appliquer les yeux fermés. Telle n'est évidemment pas la vocation des lignes qui suivent. Toute l'histoire des régimes inégalitaires montre que ce sont avant tout les mobilisations sociales et politiques et les expérimentations concrètes qui permettent le changement historique. L'histoire est le produit des crises et ne s'écrit jamais de la façon prévue dans les livres. Pour autant, il me semble utile de faire le point dans ce chapitre final sur les leçons qu'il est possible de tirer des matériaux disponibles et sur les positions que je serais amené à défendre si je disposais d'un temps de délibération infini. J'ignore la forme que prendront les crises à venir et la façon dont elles puiseront dans les répertoires d'idées existants pour inventer des trajectoires nouvelles. Mais il ne fait aucun doute que les idéologies continueront de jouer un rôle central, pour le meilleur et pour le pire.

La justice comme participation et comme délibération

Qu'est-ce qu'une société juste ? Dans le cadre de ce livre, je propose la définition imparfaite suivante. La société juste est celle qui permet à l'ensemble de ses membres d'accéder aux biens fondamentaux les plus étendus possible. Parmi ces biens fondamentaux figurent notamment l'éducation, la santé, le droit de vote, et plus généralement la participation la plus complète de tous aux différentes formes de la vie sociale, culturelle, économique, civique et politique. La société juste organise les relations socio-économiques, les rapports de propriété et la répartition des revenus et des patrimoines, afin de permettre aux membres les moins favorisés de bénéficier des conditions d'existence les plus élevées possible. La société juste n'implique pas l'uniformité ou l'égalité absolue. Dans la mesure où elle résulte d'aspirations différentes et de choix de vie distincts, et où elle permet d'améliorer les conditions de vie et d'accroître l'étendue des opportunités ouvertes aux plus défavorisés, alors l'inégalité des revenus et de propriété peut être juste. Mais ceci doit être démontré et non supposé, et cet argument ne doit pas être utilisé pour justifier n'importe quel niveau d'inégalité, comme cela est trop souvent fait.

Cette définition imprécise de la société juste ne règle pas tous les problèmes, tant s'en faut. Seule la délibération collective peut permettre d'aller plus loin, sur la base des expériences historiques et individuelles dont nous disposons, et de la participation de tous ses membres. C'est d'ailleurs pourquoi la délibération est à la fois une fin et un moyen. Cette définition permet toutefois de poser certains principes. En particulier, l'égalité d'accès aux biens fondamentaux doit être absolue : on ne peut pas offrir une participation politique, une éducation ou un revenu plus étendus à certains groupes en privant d'autres groupes de l'accès au droit de vote, à l'école ou à la santé. La question consistant à savoir où s'arrêtent les biens fondamentaux (éducation, santé, logement, culture, etc.) fait évidemment partie du débat et ne peut être tranchée indépendamment de la société considérée et du contexte historique.

De façon générale, il me semble que les questions intéressantes commencent quand on entre dans l'étude de l'idée de justice au sein de sociétés historiques particulières, et que l'on analyse comment les conflits autour de la justice s'incarnent dans des discours, des institutions et des dispositifs sociaux, fiscaux et éducatifs spécifiques. Certains trouveront peut-être que les principes de justice que je viens d'énoncer s'approchent de ceux formulés par John Rawls en 1971[1]. C'est en partie le cas, à la condition toutefois d'ajouter que l'on retrouve des principes similaires sous des formes beaucoup plus anciennes dans différentes civilisations, ainsi que dans l'article 1 de la Déclaration des droits de l'homme et du citoyen de 1789[2]. Or les grandes déclarations de principe telles que celles formulées lors de la Révolution française ou au moment de l'indépendance des États-Unis n'ont aucunement empêché de très fortes inégalités sociales de perdurer, voire de s'exacerber dans ces deux pays au cours du XIXᵉ siècle et jusqu'au début du XXᵉ siècle, sans parler des violents systèmes de domination coloniale, esclavagiste et statutaire qu'ils ont mis en place jusqu'aux années 1960. C'est pourquoi il faut se méfier des principes abstraits et généraux de justice sociale et se concentrer sur la façon dont ils s'incarnent dans des sociétés particulières et dans des politiques et des institutions concrètes[3].

1. En particulier avec son « principe de différence » : « Social and economic inequalities are to be to the greatest benefit of the least advantaged members of society. » Cette formulation, issue de *Theory of Justice* (1971) a été reprise et précisée dans *Political Liberalism*, publié en 1993. Cette théorie a souvent été résumée par l'idée du *maximin* (l'objectif social suprême consisterait à maximiser le bien-être minimum), alors que Rawls insiste également sur l'égalité absolue des droits fondamentaux.

2. « Les hommes naissent et demeurent libres et égaux en droits. Les distinctions sociales ne peuvent être fondées que sur l'utilité commune. » La seconde partie a souvent été interprétée comme ouvrant la voie à une inégalité juste, à partir du moment où elle repose sur l'égalité d'accès aux professions et où elle est dans l'intérêt des plus modestes. Voir T. PIKETTY, *Le Capital au XXIᵉ siècle, op. cit.*, p. 766-768.

3. La principale limite de l'approche rawlsienne est précisément qu'elle reste relativement abstraite et ne se prononce pas précisément sur les niveaux d'inégalité et de progressivité fiscale qu'elle implique. C'est par exemple ce qui permet à Hayek d'écrire dans la préface de *Law, Legislation and Liberty* (1982) qu'il se sent proche de Rawls et de son « principe de différence », principe qui de fait a souvent été utilisé pour justifier n'importe quel niveau d'inégalité en évoquant des considérations incitatives mal établies.

Les éléments pour un socialisme participatif qui vont être présentés ci-après se fondent avant tout sur les enseignements des évolutions historiques qui ont été présentées dans ce livre, et en particulier sur les leçons des transformations considérables des régimes inégalitaires observées depuis le début du XXᵉ siècle. Ils ont été pensés pour des sociétés historiques particulières, à savoir celles du début du XIXᵉ siècle. Certains éléments évoqués plus loin demandent pour être mis en place une capacité étatique, administrative et fiscale relativement avancée, et, en ce sens, sont plus directement adaptés aux sociétés occidentales et non occidentales les plus développées. Mais ils ont été pensés avec une visée universelle et ils peuvent également s'appliquer graduellement dans les pays pauvres et émergents. Les propositions développées ici relèvent de la tradition du socialisme démocratique, notamment pour ce qui concerne l'accent mis sur le dépassement de la propriété privée et l'implication des salariés et de leurs représentants dans la gouvernance des entreprises (qui a par exemple joué un rôle central dans la social-démocratie germanique et nordique). Je préfère parler de « socialisme participatif » pour insister sur l'objectif de participation et de décentralisation et pour distinguer nettement ce projet du socialisme étatique hypercentralisé expérimenté dans les pays relevant au XXᵉ siècle du communisme de type soviétique (et encore à l'œuvre dans une large mesure au sein du secteur public chinois). La vision proposée fait également jouer un rôle essentiel au système éducatif et au thème de la propriété temporaire et de l'impôt progressif, qui a tenu une place centrale dans le progressisme anglo-saxon, ainsi que dans les débats de la Révolution française (sans aboutir).

Compte tenu du bilan largement positif du socialisme démocratique et de la social-démocratie au XXᵉ siècle, en particulier en Europe occidentale, il me semble que le mot « socialisme » mérite encore d'être utilisé au XXIᵉ siècle, en l'occurrence en s'inscrivant dans cette tradition, tout en cherchant à la dépasser et à répondre aux insuffisances sociales-démocrates les plus criantes observées au cours des dernières décennies. En tout état de cause, le fond des propositions évoquées ici est plus important que l'étiquette qu'on leur donne, et je peux comprendre que certains lecteurs jugent le mot « socialisme » définitivement abîmé par l'expérience soviétique (ou par des expériences de gouvernement plus récentes qui n'ont eu de « socialistes » que le nom) et préfèrent développer de nouveaux termes (même si je ne partage pas cette conclusion). J'espère néanmoins qu'ils accepteront de suivre mon raisonnement et les propositions qui en découlent, et qui en réalité sont issues d'expériences et traditions multiples[1].

Précisons enfin que les options défendues ici correspondent à l'expérience de pensée suivante. Supposons que nous disposions d'un temps infini pour débattre au sein d'une immense agora mondiale et convaincre les citoyens du monde de la meilleure façon d'organiser le régime de propriété, le système fiscal et éducatif, le système de frontières et le régime démocratique lui-même. Les options indiquées plus loin sont celles que je défendrai dans ce cadre, sur la base des connaissances historiques accumulées pour écrire ce livre, et dans l'espoir de convaincre le plus grand nombre de personnes, en vue de leur possible mise en place. Si cette expérience de pensée me semble utile, il va de soi qu'elle est relativement artificielle, à plusieurs titres. Tout d'abord, personne ne dispose de ce temps quasi infini. En particulier, les mouvements et partis disposent souvent de très peu de temps pour essayer de communiquer leurs idées et propositions aux citoyens, compte tenu de l'attention limitée que ces derniers leur accordent (souvent pour de bonnes raisons, car ils peuvent avoir d'autres priorités dans la vie que de les écouter).

Ensuite et surtout, si cette expérience de délibération infinie se déroulait réellement, alors je serais sans nul doute amené à revoir profondément les positions que je vais défendre, qui sont uniquement le reflet des arguments, des informations et des sources historiques fort limités auxquels j'ai été exposé jusqu'ici, et qui s'enrichissent à chaque délibération supplémentaire. J'ai déjà été amené à revoir profondément mes positions à la suite de mes lectures et des rencontres et débats auxquels j'ai eu la chance de participer, et il en ira de même à l'avenir. Autrement dit, la justice doit avant tout être conçue comme le résultat d'une délibération collective toujours en cours. Aucun livre, aucun être humain ne pourra jamais définir à lui seul le régime de propriété idéal, le système de vote parfait ou le barème fiscal

---

1. Certaines idées présentées ici, en particulier au sujet de la circulation de la propriété et de l'imposition des successions et des patrimoines, sont proches en esprit de celles d'auteurs issus du socialisme solidariste français comme Léon Bourgeois et Émile Durkheim (voir chapitre 11, p. 654-655). Notons également la proximité avec la notion de *property-owning democracy* développée notamment par James Meade. Le problème est que cette notion (de même que les concepts rawlsiens) a parfois été utilisée de façon nettement conservatrice. Voir par exemple B. JACKSON, « Property-Owning Democracy : A Short History », *in* M. O'NEILL, T. WILLIAMSON, *Property-Owning Democracy. Rawls and Beyond*, Blackwell, 2012. Par construction, les options défendues ici s'appuient sur les expériences historiques des différents pays depuis le XIXᵉ siècle et mêlent donc plusieurs traditions intellectuelles.

miracle. Seule une vaste expérimentation collective, au fur et à mesure de l'histoire des sociétés humaines, pourra nous permettre de faire quelques progrès dans cette direction en s'appuyant sur l'expérience de chacun et la délibération la plus étendue possible (à défaut d'être infinie). Les éléments développés ci-après visent simplement à indiquer quelques pistes d'expérimentations possibles, sur la base des trajectoires historiques analysées au cours des chapitres précédents.

Du dépassement du capitalisme et de la propriété privée

Qu'est-ce qu'une propriété juste ? Il s'agit de la question la plus complexe et la plus centrale à laquelle il faut tenter de répondre pour définir le socialisme participatif et envisager un dépassement du capitalisme. J'ai défini dans le cadre de cette enquête le propriétarisme comme l'idéologie politique fondée sur la défense absolue de la propriété privée, et le capitalisme comme l'extension du propriétarisme à l'âge de la grande industrie, de la finance internationale, et aujourd'hui de l'économie digitale. Le capitalisme repose à son fondement sur la concentration du pouvoir économique au niveau des propriétaires du capital. En principe, les propriétaires du capital immobilier peuvent décider à qui ils souhaitent le louer et à quel prix, alors que les propriétaires du capital financier et professionnel détiennent seuls les rênes de la gouvernance des entreprises, suivant le principe « une action, une voix », ce qui leur permet notamment de décider souverainement qui embaucher et pour quel salaire.

En pratique, ce modèle de capitalisme pur et dur a connu de multiples variantes et amendements qui ont contribué à faire évoluer la notion de propriété privée depuis le XIXe siècle, notamment au travers du système légal et social et du système fiscal. D'une part, le système légal et social a permis de limiter le pouvoir des propriétaires, par exemple en donnant aux locataires des protections de long terme contre les évictions et les changements de loyer, voire parfois en leur donnant la possibilité de racheter à bas prix le logement ou la terre au bout d'un usage suffisamment long, ce qui revient à une véritable redistribution de la propriété. De même, les pouvoirs des actionnaires dans les entreprises ont été fortement encadrés par le droit du travail et le droit social, allant dans certains pays jusqu'au partage des droits de vote entre représentants des salariés et des actionnaires au sein des conseils d'administration, ce qui là encore pourrait conduire en allant plus loin à une véritable redéfinition du droit de propriété. D'autre part, le système fiscal a également contribué à réduire les droits des propriétaires. L'impôt progressif sur les successions, dont les taux applicables aux transmissions les plus importantes ont atteint 30 %-40 % dans la plupart des pays développés au cours du XXe siècle (voire 70 %-80 % aux États-Unis et au Royaume-Uni pendant de longues décennies), revient *de facto* à transformer la propriété permanente en une forme de propriété temporaire. Autrement dit, chaque génération peut accumuler des biens considérables, mais à la condition qu'elle en rende une part conséquente à la collectivité lors du passage à la génération suivante ou aux autres héritiers potentiels, qui doivent ainsi repartir sur de nouvelles bases. Par ailleurs, l'impôt progressif sur le revenu, dont les taux ont atteint des niveaux comparables à ceux de l'impôt successoral au XXe siècle (voire encore plus élevés dans les pays anglo-saxons), et qui historiquement visait avant tout les plus hauts revenus du capital, a également eu pour conséquence de compliquer considérablement la perpétuation dans le temps de propriétés importantes (sauf à accepter de réduire drastiquement son train de vie).

Afin de dépasser le capitalisme et la propriété privée et de mettre en place le socialisme participatif, je propose de m'appuyer sur ces deux piliers et de les approfondir. Pour résumer, il est possible en faisant évoluer le système légal et fiscal d'aller beaucoup plus loin que ce qui a été fait jusqu'à présent, d'une part en instituant une véritable propriété sociale du capital, grâce à un meilleur partage du pouvoir dans les entreprises, et d'autre part en mettant en place un principe de propriété temporaire du capital, dans le cadre d'un impôt fortement progressif sur les propriétés importantes permettant le financement d'une dotation universelle en capital et la circulation permanente des biens.

Partager le pouvoir dans les entreprises : une stratégie d'expérimentation

Commençons par la propriété sociale. Des systèmes de partage des droits de vote sont en place en Europe germanique et nordique depuis la fin des années 1940 et le début des années 1950. Les représentants des salariés disposent ainsi de la moitié des voix dans les conseils d'administration en Allemagne et d'un tiers des voix en Suède (y compris, dans le cas suédois, dans les petites entreprises), indépendamment de toute participation au capital[1]. Ces nouvelles règles dites de « cogestion » ont été obtenues de haute lutte par les syndicats et leurs représentants politiques, dans le cadre d'un mouvement revendicatif débutant à la fin du XIXe siècle et parvenant à établir un rapport de force plus favorable après le premier conflit mondial, et surtout à l'issue du second conflit mondial. Ces changements légaux substantiels allèrent de pair avec des innovations constitutionnelles importantes. En particulier, les Constitutions allemandes de 1919 et 1949 adoptèrent une définition sociale du droit de la propriété, dont les termes doivent être fixés par la loi en fonction de l'intérêt général et du bien de la communauté, hors de toute sacralisation. Initialement combattues avec vigueur par les actionnaires privés, ces règles sont maintenant appliquées depuis plus d'un demi-siècle et font l'objet d'un très large consensus dans les pays concernés.

Tous les éléments dont nous disposons suggèrent que ces règles ont été un grand succès. Elles ont permis une plus grande implication des salariés dans la définition des stratégies de long terme des entreprises, et d'équilibrer la toute-puissance souvent néfaste des actionnaires et des intérêts financiers de court terme. Ces règles ont favorisé l'émergence en Europe germanique et nordique d'un modèle social et économique à la fois plus productif et moins inégalitaire que tous les autres modèles expérimentés jusqu'ici. Dès lors, il me paraît justifié de l'appliquer sans attendre dans les autres pays, dans sa version maximale, avec la moitié des droits de vote dans les conseils d'administration ou de direction de toutes les entreprises privées, y compris les plus petites[2].

Aussi prometteuse soit-elle, la cogestion germanique et nordique comporte de nombreuses limitations, à commencer par le fait que les actionnaires détiennent toujours la voix décisive en cas d'égalité des votes. Pour aller plus loin, deux voies semblent particulièrement intéressantes. D'une part, la déconcentration de la propriété permise par l'impôt progressif, la dotation en capital et la circulation des biens, que nous analyserons plus loin, peut permettre aux salariés d'acquérir des actions de leur entreprise et de faire basculer la majorité, en ajoutant des voix actionnariales à la moitié des voix dont ils disposent comme salariés. D'autre part, les règles reliant apports en capital et droits de vote doivent elles-mêmes être repensées. Ainsi

---

1. Voir chapitre 11, p. 578-598, pour une analyse plus détaillée.

2. Suivant les pays, les formes juridiques et la taille des entreprises, l'organe en charge de décider de la politique générale de l'entreprise peut prendre la forme d'un conseil de surveillance ou d'un simple conseil de direction et non d'un conseil d'administration au sens strict.

que je l'ai déjà noté, il ne serait pas dans l'intérêt général de supprimer tout lien entre apport en capital et pouvoir économique, au moins dans les plus petites entreprises. Si une personne met toutes ses économies pour mener à bien un projet qui lui tient à cœur, il n'est pas anormal qu'elle dispose de plus de voix qu'un salarié qu'elle aurait embauché la veille, et qui s'apprête peut-être lui-même à faire des économies pour développer son propre projet[1].

La question est de savoir s'il ne serait pas justifié de plafonner les voix des actionnaires les plus importants dans les entreprises de plus grande taille, au-delà du fait que la moitié des voix irait en tout état de cause aux représentants des salariés. Une proposition en ce sens a été faite récemment concernant les « sociétés de médias à but non lucratif » : les apports en capitaux supérieurs à 10 % du capital n'apporteraient des droits de vote que pour un tiers de leur montant, les droits de vote associés aux apports plus faibles (journalistes, lecteurs, *crowdfunders*, etc.) étant majorés d'autant. Initialement pensée pour les médias et dans un cadre non lucratif[2], cette proposition pourrait être étendue à d'autres secteurs et pour des entreprises du secteur lucratif. De façon générale, une bonne formule pourrait être d'appliquer un plafonnement similaire des droits de vote pour tous les apports en capital supérieurs à 10 % dans les entreprises de taille suffisamment importante[3]. La justification est qu'il n'existe aucune raison dans une structure de grande taille de concentrer indéfiniment le pouvoir entre les mains d'une seule personne et de se priver des bénéfices de la délibération collective.

On remarquera au passage qu'il existe dans de nombreux secteurs de multiples structures publiques ou privées qui s'organisent très bien en l'absence d'actionnaires. Par exemple, quand elles ne sont pas publiques ou

---

1. Voir chapitres 11, p. 596-598, et 12, p. 691-693.

2. Voir J. CAGÉ, *Sauver les médias. Capitalisme, Crowdfunding et Démocratie, op. cit.* L'interdiction de réaliser des profits (ainsi éventuellement que de revendre ses parts, au moins au-delà d'un certain seuil) aurait pour contrepartie la possibilité pour les médias de bénéficier des réductions fiscales pour dons, ouvertes depuis longtemps aux structures non lucratives dans le domaine éducatif ou artistique. Je reviendrai plus loin sur cette question des dons et de leur régime fiscal.

3. Par exemple, le seuil d'apport en capital au-delà duquel se déclenche le plafonnement des droits de vote pourrait être de 90 % pour les petites entreprises (au-dessous de 10 salariés) puis s'abaisser graduellement à 10 % pour les plus grandes (au-delà de 100 salariés). Il va de soi que ces seuils méritent d'amples discussions et expérimentations et n'ont pas vocation à être fixés ici.

semi-publiques, la plupart des universités prennent la forme de fondations. Les généreux donateurs qui leur apportent une partie de leurs ressources peuvent parfois en tirer quelques avantages (comme l'admission préférentielle de leurs enfants, voire parfois une place au conseil d'administration), ce qui mériterait d'ailleurs une régulation beaucoup plus stricte. Ce modèle d'organisation pose également d'autres problèmes qu'il faudrait corriger[1]. Il n'en reste pas moins que la position des donateurs est beaucoup plus précaire que celle des actionnaires. Leur apport est incorporé irrévocablement à la dotation en capital de l'université, et le conseil d'administration est libre de se renouveler et de les écarter comme bon lui semble, ce qui est impossible avec des actionnaires et leurs descendants. Cela ne les empêche pas de donner et ces organisations de fonctionner, bien au contraire. Certains ont parfois tenté d'organiser des universités ou des écoles sous forme de sociétés par actions, mais les résultats ont été tellement catastrophiques (à l'image de la Trump University) que ces tentatives ont presque entièrement disparu[2]. Cela illustre assez clairement qu'il est non seulement possible de limiter drastiquement le pouvoir de ceux qui apportent du capital, mais que cela est souvent préférable pour la qualité de fonctionnement des organisations en question. On pourrait faire des observations similaires pour des organisations dans les secteurs de la santé, de la culture, des transports ou de l'environnement, dont tout indique qu'ils joueront un rôle central à l'avenir. De façon générale, l'idée selon laquelle le modèle de la société par actions et de la règle « une action, une voix » constituerait une forme indépassable d'organisation économique ne résiste pas un instant à l'analyse.

La déconcentration de la propriété et le plafonnement des droits de vote actionnariaux les plus importants constituent les deux façons les plus naturelles d'aller au-delà de la cogestion germanique et nordique. Il en existe d'autres, par exemple les propositions formulées récemment dans le contexte des débats britanniques consistant à faire élire une partie des administrateurs

---

1. Ce modèle entraîne notamment des inégalités croissantes au sein du système universitaire qui mériteraient d'être corrigées, et sur lesquelles nous reviendrons plus loin.

2. Ces échecs semblent notamment s'expliquer par le fait que la logique lucrative tend à miner les valeurs de désintéressement et de motivation intrinsèque par ailleurs centrales pour ces organisations et ces métiers. Pour des raisons similaires, les expériences de primes monétaires directement reliées aux résultats des élèves et étudiants aux examens ont généralement conduit à des résultats très négatifs (bachotage intensif sur certaines questions souvent posées aux examens, oubli accéléré des savoirs et des compétences sur toutes les autres dimensions).

par des assemblées mixtes salariés-actionnaires[1]. Cela pourrait permettre à des délibérations et des coalitions d'un type nouveau de se développer, au-delà des jeux de rôle stéréotypés auxquels la cogestion conduit parfois. Clore le débat ici et maintenant n'aurait aucun sens : c'est dans l'expérimentation concrète et les trajectoires sociohistoriques réelles que se développeront ces nouvelles formes d'organisation et de rapports sociaux. Ce qui est certain, c'est qu'il existe de multiples pistes permettant d'aller au-delà de la cogestion et de dépasser le capitalisme par la propriété sociale et le partage du pouvoir.

L'impôt progressif sur la propriété et la circulation du capital

Quelle que soit son importance, le dépassement du capitalisme par la propriété sociale et par le partage du pouvoir et des droits de vote au sein des entreprises ne suffit pas. À partir du moment où l'on accepte l'idée que la propriété privée continuera de jouer un rôle dans la société juste, en particulier dans les petites et moyennes entreprises, il est essentiel de trouver des dispositifs institutionnels permettant d'éviter que la propriété se concentre sans limites, ce qui n'aurait aucune utilité du point de vue de l'intérêt général, quelles que soient les raisons poussant par ailleurs à cette concentration. De ce point de vue, les expériences historiques dont nous disposons sont parfaitement claires. La concentration extrême de la propriété dans la quasi-totalité des sociétés (notamment européennes) jusqu'au début du XXe siècle, avec généralement autour de 80 %-90 % des biens détenus par les 10 % les plus riches (et jusqu'à 60 %-70 % par les 1 % les plus riches), n'avait aucune utilité du point de vue de l'intérêt général. La preuve la plus évidente est que la très forte compression de ces inégalités à la suite des chocs et des transformations politico-idéologiques des années 1914-1945 n'a aucunement empêché le processus de développement économique de suivre son cours. La concentration de propriété a été sensiblement plus faible depuis le second conflit mondial (avec généralement autour de 50 %-60 % des biens détenus par le décile supérieur et 20 %-30 % par le centile supérieur) que ce qu'elle était avant 1914, alors que la croissance s'est accélérée[2]. Quoi qu'aient pu en penser les

1. Voir chapitre 11, p. 594-595.
2. Voir chapitre 10, graphiques 10.4 et 10.5, p. 497 et 498, chapitre 11, graphiques 11.12-11.15, p. 633-635.

propriétaires de la Belle Époque (1880-1914), l'inégalité extrême n'était pas le prix à payer pour la prospérité et le développement industriel. Tout indique au contraire qu'elle a contribué à attiser les tensions sociales et nationalistes, tout en empêchant les investissements sociaux et éducatifs qui ont rendu possible le modèle de développement équilibré de l'après-guerre. Par ailleurs, la forte remontée de la concentration de la propriété observée depuis les années 1980-1990 aux États-Unis, ainsi qu'en Russie, en Inde, en Chine et à un degré moindre en Europe, montre que l'inégalité patrimoniale extrême peut se reconstituer pour toutes sortes de raisons, comme des privatisations avantageuses ou des rendements financiers structurellement plus élevés pour les plus hauts portefeuilles, sans que cela soit nécessairement porteur d'une croissance plus élevée pour la majorité de la population, bien au contraire[1].

Afin d'éviter qu'une concentration démesurée de la propriété ne se reconstitue de nouveau, les impôts progressifs sur les successions et les revenus doivent continuer de jouer à l'avenir le rôle qu'ils ont rempli au cours du XXᵉ siècle, avec des taux atteignant ou dépassant 70 %-90 % au sommet de la hiérarchie des patrimoines et des revenus pendant des décennies (notamment aux États-Unis et au Royaume-Uni), décennies qui avec le recul dont nous disposons apparaissent comme les périodes de plus forte croissance jamais observées[2]. L'expérience historique indique cependant que ces deux impôts ne sont pas suffisants et qu'ils doivent être complétés par un impôt progressif annuel sur la propriété, qui doit être considéré comme l'outil central permettant d'assurer une véritable circulation du capital.

Il existe plusieurs raisons pour cela. Tout d'abord, par comparaison à l'impôt sur le revenu, l'impôt sur la propriété est moins aisément manipulable, en particulier pour les plus grandes fortunes, dont le revenu au sens fiscal ne représente souvent qu'une fraction insignifiante du patrimoine, alors que l'essentiel du revenu au sens économique s'accumule dans des holdings familiales ou des structures spécifiques. Si l'on se limite à utiliser un impôt progressif sur le revenu, alors cela implique presque mécaniquement que les plus hauts patrimoines acquittent des impôts minuscules en proportion de leur richesse[3].

---

1. Voir chapitre 13, graphiques 13.8 et 13.9, p. 782 et 783, et tableau 13.1, p. 799.

2. Voir chapitre 10, graphiques 10.11 et 10.12, p. 525.

3. Par exemple, Warren Buffett a acquitté 1,8 million de dollars au titre de l'impôt fédéral sur le revenu en 2015, pour une fortune estimée à 65 milliards de dollars, soit un taux d'impo-

Par ailleurs, il faut souligner que le patrimoine constitue en soi un indicateur de la capacité à contribuer aux charges communes, et que cet indicateur est au moins aussi pertinent et durable que le revenu annuel, qui peut varier pour toutes sortes de raisons qui n'ont pas nécessairement un impact sur le montant de l'impôt juste (ou en tout état de cause qui ne sont pas les seules à prendre en compte). Par exemple, si un propriétaire détient des biens importants, sous forme de maisons, d'immeubles, d'entrepôts et d'usines, et qu'il ne génère aucun revenu significatif de ces biens (indépendamment de toute manipulation), par exemple parce qu'il se les réserve pour son usage propre ou en a peu renouvelé l'utilisation, alors ce n'est certainement pas une raison pour l'exonérer de tout impôt, bien au contraire. De fait, dans tous les pays où il existe un impôt sur le patrimoine immobilier (qu'il s'agisse d'ailleurs de logements, de bureaux ou de biens professionnels de toute nature), comme la *property tax* aux États-Unis ou la taxe foncière en France, personne ne songerait à exempter d'impôt les propriétaires importants (particuliers ou entreprises) au motif qu'ils n'en tireraient aucun revenu[1]. En pratique, le problème est que ces impôts issus des XVIIIe et XIXe siècles exonèrent nombre d'actifs (notamment immatériels et financiers) et qu'ils ont généralement été établis de façon proportionnelle à la valeur des biens (avec un même taux appliqué à l'ensemble des actifs, quelle que soit l'ampleur des détentions indivi-

---

sition de 0,003 % en proportion de son patrimoine. Voir E. SAEZ, G. ZUCMAN, *The Triumph of Injustice, op. cit.*, p. 155-156. Les montants rendus publics pour des milliardaires d'autres pays, par exemple Liliane Bettencourt en France au début des années 2010, sont similaires : un revenu au sens fiscal et donc un impôt sur le revenu de quelques millions d'euros, à comparer à une fortune de plusieurs milliards d'euros. Une possibilité serait d'appliquer le barème de l'impôt sur le revenu à un revenu économique estimé sur la base du patrimoine (par exemple en appliquant à ce dernier un rendement réaliste), mais cela exigerait en tout état de cause que les patrimoines soient correctement déclarés et enregistrés (et pas seulement les revenus).

1. Sauf pour des personnes disposant de biens de faible ampleur. Mais personne ne songerait à exempter de taxe foncière ou de *property tax* un multipropriétaire d'immeubles, d'entrepôts ou de bureaux au motif qu'il n'en tirerait aucun revenu significatif, alors qu'il lui suffirait de vendre une fraction limitée de ses biens pour acquitter l'impôt en question, ce qui contribuerait d'ailleurs à une utile circulation du patrimoine en direction de détenteurs plus dynamiques. Il s'agit de l'argument classique en faveur de l'impôt sur la propriété, indépendamment de tout revenu, et il est en partie pertinent, tout du moins jusqu'à un certain point : si tout le système fiscal dépendait du capital détenu, alors une entreprise réalisant temporairement des pertes acquitterait autant d'impôts qu'une autre faisant d'énormes bénéfices (pour un même capital), ce qui pourrait pousser la première à la faillite pour de très mauvaises raisons. C'est pourquoi le système fiscal idéal doit toujours trouver un équilibre entre la taxation de la propriété et celle du revenu. Voir annexe technique.

duelles). C'est pourquoi leur rôle redistributif a toujours été beaucoup plus limité que ce qu'il aurait pu être et pourrait être si l'on appliquait un barème avec des taux progressifs dépendant du montant total des propriétés individuelles (c'est-à-dire la valeur totale des actifs de toute nature, immobiliers, professionnels, financiers, etc., détenus par une personne donnée, nette des dettes)[1].

Il faut aussi ajouter que par comparaison à l'impôt progressif sur les successions, qui est également une forme d'impôt sur la propriété (au sens où il dépend uniquement de la détention de biens, et en l'occurrence de leur transmission, indépendamment de tout revenu), l'avantage de l'impôt annuel sur la propriété est qu'il peut s'adapter beaucoup plus vite à l'évolution de la richesse et de la capacité contributive des uns et des autres. Par exemple, on ne va pas attendre que Mark Zuckerberg ou Jeff Bezos atteignent 90 ans et transmettent leur fortune pour commencer à leur faire payer des impôts. Par construction, l'impôt successoral n'est pas un bon outil pour mettre à contribution les fortunes nouvellement constituées. Il faut pour cela avoir recours à l'impôt annuel sur le patrimoine, surtout dans un monde où l'espérance de vie s'allonge considérablement. Il faut également souligner que les impôts annuels sur la propriété actuellement appliqués (comme la *property tax* étatsunienne ou la taxe foncière française), en dépit de toutes leurs limitations, ont toujours permis de prélever des recettes beaucoup plus significatives que l'impôt successoral, tout en étant beaucoup moins impopulaires que ce dernier. De façon générale, il est frappant de constater à quel point l'impôt sur les successions apparaît dans toutes les enquêtes comme l'un des prélèvements les plus impopulaires, alors que les impôts annuels sur la propriété et l'impôt sur le revenu sont relativement bien acceptés, et que l'impôt progressif sur la fortune (ISF en France ou *millionaire tax* aux États-Unis) est plébiscité dans les enquêtes[2]. Autrement dit, les contribuables préfèrent acquitter pendant

1. Sur l'histoire de ces impôts sur la propriété, issus des XVIIIe-XIXe siècles, et sur ces débats, voir chapitres 4, p. 178-181, et 11, p. 658-663.

2. Voir à ce sujet A. SPIRE, *Résistance à l'impôt, attachement à l'État*, Seuil, 2018. Cette enquête montre aussi que les contribuables modestes et moyens ont une perception assez exacte de la faible progressivité d'ensemble du système fiscal, voire de la régressivité au sommet (compte tenu du poids des taxes indirectes – TVA, taxes sur l'essence, etc. – et des cotisations et prélèvements proportionnels – CSG – pesant sur les salaires bas et moyens, et des possibilités de contournement fiscal et de manipulation du revenu en haut de la hiérarchie), ainsi que de l'inégalité d'accès des différentes classes sociales à certaines dépenses publiques (en particulier éducation et santé). Voir également M. FORSÉ, M. PARODI, « Les Français et la justice

des décennies un impôt annuel de l'ordre de 1 % ou 2 % par an sur la valeur de leurs propriétés plutôt que de devoir payer 20 % ou 30 % lors de la transmission successorale.

L'hostilité d'une partie des classes populaires et moyennes à l'impôt successoral peut certes s'expliquer par une perception erronée du poids réel de cet impôt (perception que les mouvements politiques opposés à la progressivité fiscale se chargent naturellement d'entretenir). Mais elle reflète également une crainte compréhensible de la part de nouveaux accédants à la propriété immobilière, disposant souvent de liquidités et d'actifs financiers limités, à l'idée que leurs enfants doivent acquitter en une seule fois un impôt tellement élevé qu'ils devront vendre le bien en question (un logement, une maison de campagne, une petite entreprise) afin de pouvoir réunir la somme[1]. De fait, dès lors que l'on prend en compte ces différents éléments, il apparaît justifié que l'impôt annuel sur la propriété joue un rôle plus important que l'impôt successoral (en termes de recettes fiscales), à la condition toutefois que cet impôt annuel devienne progressif[2].

La diffusion de la propriété et la dotation universelle en capital

Enfin et surtout, l'impôt progressif sur la propriété apparaît comme un outil indispensable permettant d'assurer une plus grande circulation et une plus large diffusion de la propriété que ce qui a été réalisé jusqu'à présent. L'impôt progressif sur l'héritage et sur le revenu, tel qu'il s'est appliqué depuis le début du XXe siècle, a certes contribué à une réduction importante des inégalités de revenus et de patrimoines au cours du siècle écoulé dans les pays capitalistes, aussi bien d'ailleurs en Europe qu'aux États-Unis ou au Japon. Mais quelle que soit l'importance de ce mouvement historique, il ne faut pas perdre de vue que la propriété n'a en

---

fiscale », *Revue de l'OFCE*, n° 137, 2015, p. 97-132. Sur la structure des prélèvements et la question de la progressivité, voir chapitre 11, graphique 11.19, p. 649.

1. Sur la composition des patrimoines modestes, moyens et élevés, voir chapitre 11, graphique 11.17, p. 647.

2. D'un point de vue théorique, dès que l'on introduit des contraintes de crédit, ou bien des variations futures de la valeur des actifs et de leur rendement (imprévisibles lors de la transmission), il devient préférable de prélever une part importante de l'impôt successoral sous forme d'impôt annuel sur la propriété. Voir E. SAEZ, T. PIKETTY, « A Theory of Optimal Inheritance Taxation », *Econometrica*, vol. 81, n° 5, 2013.

réalité jamais cessé d'être extrêmement concentrée. En Europe, la part des 10 % des plus riches dans le total des propriétés privées est certes passée d'environ 80 %-90 % en 1900-1910 à environ 50 %-60 % en 2010-2020. Mais outre que cela reste une part très élevée pour seulement 10 % de la population, cette déconcentration s'est réalisée presque exclusivement au bénéfice des 40 % suivants (dont la part est passée d'à peine 10 % à 30 %-40 % du total). En revanche, la diffusion de la propriété ne s'est jamais véritablement étendue aux 50 % les plus pauvres, dont la part dans le patrimoine privé total s'est toujours située autour de 5 %-10 % (voire au-dessous de 5 %), dans tous les pays et à toutes les époques pour lesquelles des données sont disponibles[1]. Depuis les années 1980-1990, la part de la propriété privée détenue par les classes populaires (les 50 % les plus pauvres) et les classes moyennes patrimoniales (ainsi que l'on peut nommer les 40 % suivants) s'est en outre rétrécie dans la quasi-totalité des pays. C'est notamment le cas aux États-Unis, où la part détenue par les classes aisées (les 10 % les plus riches) a nettement dépassé 70 % du total au cours des années 2010. C'est aussi le cas en Europe, à un degré moindre, ainsi qu'en Inde, en Chine et en Russie, où le niveau de concentration patrimoniale tend à se rapprocher à vive allure (voire à le dépasser dans le cas de la Russie) de celui observé aux États-Unis[2].

Cette diffusion limitée de la propriété implique que les 50 % les plus pauvres ont toujours eu des possibilités limitées de participation à la vie économique, et en particulier à la création d'entreprises et à la gouvernance de ces dernières. Ceci ne correspond pas à l'idéal de participation vers lequel doit tendre la société juste. De multiples tentatives ont eu lieu pour diffuser plus largement la propriété, en particulier dans le cadre de réformes agraires visant à mettre fin aux grands domaines de plusieurs centaines ou milliers d'hectares et à permettre aux classes rurales modestes de pouvoir travailler sur leur propre terre et d'en recueillir les fruits (au lieu de payer des loyers à leurs propriétaires). Des redistributions de terres d'importance variable suivant les régions eurent ainsi lieu en France à la fin du XVIIIe siècle et au début du XIXe siècle au cours de la Révolution française, même si les paysans les plus

1. Voir chapitre 4, graphiques 4.1 et 4.2, p. 161 et 163, et chapitre 5, graphiques 5.4 et 5.5, p. 237 et 238. On retrouve cette part extrêmement faible des 50 % les plus pauvres dans le patrimoine total (autour de 5 %-10 %) au sein de chaque tranche d'âge. Voir annexe technique, graphique S11.18.

2. Voir chapitre 10, graphiques 10.4 et 10.5, p. 497 et 498, et chapitre 13, graphiques 13.8-13.10, p. 782, 783 et 801.

pauvres n'en furent pas toujours les premiers bénéficiaires[1]. Des réformes agraires parfois plus ambitieuses furent mises en œuvre dans de nombreux pays au cours des deux derniers siècles, comme en Irlande ou en Espagne à la fin du XIXe siècle et au cours des premières décennies du XXe siècle, au Mexique à la suite de la révolution de 1910, au Japon ou en Corée aux lendemains du second conflit mondial, ou encore dans certains États de l'Inde (comme le Bengale occidental ou le Kerala) dans les années 1970 et 1980[2].

Ces dispositifs ont joué un rôle significatif pour diffuser la propriété dans ces différents contextes. Ils se sont toutefois heurtés à plusieurs difficultés structurelles. Tout d'abord, le fait de se limiter à la redistribution de la propriété terrienne n'admet pas de justification évidente (sauf celle de la simplicité de mise en œuvre, surtout s'agissant de sociétés majoritairement rurales). En pratique, les différentes formes de capital sont complémentaires les unes des autres, et l'hyperconcentration des autres types d'actifs (équipements, outils, entrepôts, bureaux, immeubles, liquidités, actifs financiers de toute nature) pose le même genre de problèmes que celle de la propriété terrienne. En particulier, elle entraîne l'hyperconcentration du pouvoir économique entre quelques mains. Par ailleurs, les réformes agraires ont tendance à faire l'hypothèse qu'il suffit de redistribuer la propriété une fois pour toutes pour que la société se développe ensuite de façon éternellement harmonieuse. Or l'expérience historique montre que l'inégalité patrimoniale extrême tend toujours à se reformer sous d'autres formes, à mesure que les sociétés agraires du passé laissent la place à des sociétés fondées sur la propriété industrielle, immobilière et financière. Cela peut être dû par exemple à des bouleversements économiques bénéficiant à une minorité (comme des privatisations avantageuses ou des révolutions technologiques) et à divers mécanismes cumulatifs permettant aux détentions initiales les plus importantes de se reproduire en moyenne plus vite que les autres (rendements financiers, pouvoir de marché, optimisation légale et fiscale).

Si l'on souhaite véritablement diffuser la propriété, et permettre ainsi aux 50 % les plus pauvres de détenir une part significative des actifs et de

1. Voir chapitres 3-4.
2. Voir chapitres 5, p. 197-198 et 221-225, et 11, p. 653-654. En revanche, aux États-Unis ou en Afrique du Sud, aucune redistribution de terres n'a eu lieu en faveur des anciens esclaves (qui avaient pourtant travaillé pendant des siècles sans être rémunérés, et à qui les Nordistes avaient promis « une mule et quarante acres de terre », soit environ 16 hectares, afin de les mobiliser contre les Sudistes à la fin de la guerre civile) ou des populations noires victimes de l'apartheid (débat qui est d'ailleurs toujours en cours). Voir chapitres 6, p. 283, et 7, p. 353.

participer pleinement à la vie économique et sociale, il paraît donc indispensable de généraliser la notion de réforme agraire en la transformant en un processus permanent concernant l'ensemble du capital privé. La façon la plus logique de procéder serait de mettre en place un système de dotation en capital versée à chaque jeune adulte (par exemple à l'âge de 25 ans) et financée par un impôt progressif sur la propriété privée. Par construction, un tel système permet de diffuser la propriété à la base tout en limitant sa concentration au sommet.

Le triptyque de l'impôt progressif : propriété, héritage, revenu

Afin de fixer les idées, j'ai indiqué sur le tableau 17.1 un exemple de ce à quoi pourrait ressembler un système d'impôts permettant de mettre en place cette dotation en capital. Considéré dans son ensemble, le système fiscal de la société juste reposerait sur trois grands impôts progressifs : un impôt progressif annuel sur la propriété, un impôt progressif sur l'héritage et un impôt progressif sur le revenu[1]. Dans le schéma retenu ici, l'impôt annuel sur la propriété et l'impôt sur les successions rapporteraient au total environ 5 % du revenu national[2], sommes qui seraient entièrement utilisées pour financer la dotation en capital. L'impôt progressif sur le revenu, dans lequel ont également été inclus ici les cotisations sociales et la taxe progressive sur les émissions carbone, rapporterait autour de 45 % du revenu national et permettrait de financer toutes les autres dépenses publiques, en particulier le revenu de base et surtout l'État social (y compris les systèmes de santé et d'éducation, les régimes de retraites, etc.)[3].

---

1. Au cours de l'histoire, les impôts annuels sur la propriété (c'est-à-dire assis sur la détention de biens) ont également été désignés sous d'autres appellations, comme l'impôt sur le patrimoine, l'impôt sur le capital, l'impôt sur la fortune, la taxe foncière ou contribution foncière, etc. Voir chapitre 11, p. 650-669. Je préfère parler d'impôt sur la propriété, car cela permet, me semble-t-il, de mieux mettre l'accent sur la propriété comme relation sociale. Par ailleurs, je reviendrai plus loin sur le rôle de l'impôt sur les bénéfices des sociétés, qui a ici été inclus avec l'impôt progressif sur le revenu.

2. Dont environ 4 % pour l'impôt annuel sur la propriété et 1 % pour l'impôt sur l'héritage.

3. Dans le système d'impôts présenté ici, il n'y a pas de taxes indirectes (sauf quand il s'agit de corriger une externalité, comme avec la taxe carbone, sur laquelle je reviendrai plus loin). De façon générale, les taxes indirectes (comme la TVA) sont extrêmement régressives et il me semble préférable de leur substituer à terme des impôts progressifs sur la propriété, l'héritage et le revenu.

Tableau 17.1

La circulation de la propriété et l'impôt progressif

Impôt progressif sur la propriété (financement de la dotation en capital versée à chaque jeune adulte)			Impôt progressif sur le revenu (financement du revenu de base et de l'État social et écologique)	
Multiple du patrimoine moyen	Impôt annuel sur la propriété (taux effectif d'imposition)	Impôt sur les successions (taux effectif d'imposition)	Multiple du revenu moyen	Taux effectif d'imposition (y compris cotisations sociales et taxe carbone)
0,5	0,1 %	5 %	0,5	10 %
2	1 %	20 %	2	40 %
5	2 %	50 %	5	50 %
10	5 %	60 %	10	60 %
100	10 %	70 %	100	70 %
1 000	60 %	80 %	1 000	80 %
10 000	90 %	90 %	10 000	90 %

Lecture : le système fiscal proposé comprend un impôt progressif sur la propriété (impôt annuel et impôt successoral) finançant une dotation en capital à chaque jeune adulte et un impôt progressif sur le revenu (y compris cotisations sociales et taxe progressive sur les émissions carbone) finançant le revenu de base et l'État social et écologique (santé, éducation, retraites, chômage, énergie, etc.). Ce système de circulation de la propriété est l'un des éléments constitutifs du socialisme participatif, avec le partage des droits de vote à 50-50 entre représentants des salariés et actionnaires dans les entreprises.
Note : dans l'exemple donné ici, l'impôt progressif sur la propriété prélève environ 5 % du revenu national (permettant de financer une dotation en capital équivalant à 60 % du patrimoine moyen versée à 25 ans) et l'impôt progressif sur le revenu environ 45 % du revenu national (permettant de financer un revenu de base annuel équivalant à 60 % du revenu moyen après impôt, à hauteur de 5 % du revenu national, et l'État social et écologique à hauteur de 40 % du revenu national).

Je vais commencer par me concentrer sur le bloc patrimonial, c'est-à-dire l'ensemble constitué par l'impôt progressif sur la propriété et l'héritage et la dotation universelle en capital, et je reviendrai plus loin sur le bloc en charge des revenus et de l'État social.

Plusieurs points méritent d'être soulignés. De façon générale, les éléments chiffrés indiqués ici ont uniquement une valeur illustrative. Le choix exact des paramètres exigerait une discussion approfondie et une large délibération démocratique que cet ouvrage n'a aucunement vocation à clore[1].

1. Les seuils, les taux et les recettes indiqués sur le tableau 17.1 ont été calculés en se fondant sur les répartitions moyennes des patrimoines et des revenus observées aux États-Unis et en Europe à la fin des années 2010. Les seuils étant exprimés en multiples du patrimoine moyen et du revenu moyen, et les répartitions des patrimoines et des revenus étant relativement proches en Inde, en Chine et en Russie (en première approximation), les barèmes qu'il conviendrait d'appliquer dans ces pays pour produire des recettes équivalentes (en proportion du revenu national) seraient également assez proches. L'objectif ici est de fixer des ordres de grandeur

Précisons également que le bloc patrimonial correspond à une version relativement ambitieuse de ce à quoi pourrait ressembler en général une dotation en capital. Concrètement, avec des recettes de l'ordre de 5 % du revenu national provenant de l'impôt sur la propriété et sur l'héritage, il est possible de financer pour chaque jeune adulte atteignant 25 ans une dotation équivalant à environ 60 % du patrimoine moyen par adulte[1].

Prenons un exemple. Dans les pays riches (Europe de l'Ouest, États-Unis, Japon), le patrimoine privé moyen est à la fin des années 2010 d'environ 200 000 euros par adulte[2]. Dans ce cas, la dotation en capital sera donc de 120 000 euros. *De facto*, ce système aboutirait à une forme d'héritage pour tous. Actuellement, compte tenu de l'extrême concentration de la propriété, les 50 % les plus pauvres ne reçoivent quasiment rien (à peine 5 %-10 % du patrimoine moyen), alors que parmi les 10 % les plus riches certains jeunes adultes héritent de plusieurs centaines de milliers d'euros et d'autres de plusieurs millions ou dizaines de millions d'euros. Avec le système proposé ici, chaque jeune adulte peut commencer sa vie person-nelle et professionnelle avec un patrimoine égal à 60 % du patrimoine moyen, ce qui offre des possibilités nouvelles pour acquérir un logement ou financer un projet de création d'entreprise. On notera que ce système public d'héritage pour tous permet en outre à chaque jeune adulte de disposer d'un capital à l'âge de 25 ans, alors que l'héritage privé conduit à des incertitudes considérables sur l'âge où l'on hérite (compte tenu des

---

et non de fournir des calculs définitifs. De façon générale, dans les pays où la concentration des patrimoines et des revenus est plus forte (comme aux États-Unis), les taux les plus élevés pourraient être légèrement abaissés pour produire les mêmes recettes ; ils devraient au contraire être légèrement augmentés dans les pays où la concentration est moins forte (comme en Europe). Voir annexe technique.

1. La taille d'une génération (c'est-à-dire le nombre de personnes atteignant 25 ans chaque année) représente actuellement approximativement 1,5 % de la population adulte en Europe, aux États-Unis ou en Chine, et légèrement plus en Inde (où l'espérance de vie est moins élevée). Par exemple, en France, chaque génération comprend autour de 750 000-800 000 personnes, pour une population adulte d'environ 50 millions (et une population totale de 67 millions en 2018). Le total des patrimoines privés est de l'ordre de 5-6 années de revenu national dans l'ensemble de ces pays. Une dotation en capital égale à 60 % du patrimoine moyen par adulte équivaut donc à 3-3,5 années de revenu national moyen par adulte, pour un coût total de l'ordre de 5 % du revenu national à partir du moment où une telle somme est distribuée chaque année à 1,5 % de la population adulte. Voir annexe technique.

2. Pour un revenu national moyen de l'ordre de 35 000-40 000 euros par an et par adulte (d'où un ratio moyen patrimoine/revenu de l'ordre de 5-6). Sur la répartition et la com-position du patrimoine et du revenu par types d'actifs et de ressources, voir chapitre 11, graphiques 11.16 et 11.17, p. 646 et 647.

variations très fortes de l'âge au décès, aussi bien que de l'âge à la naissance des enfants), et en pratique à des transmissions de plus en plus tardives. Il faut d'ailleurs signaler que le système proposé ici permettrait un très fort rajeunissement des patrimoines, dont tout porte à penser qu'il serait une excellente chose pour le dynamisme social et économique[1].

Le système proposé s'appuie sur une longue tradition. Dès 1795, Thomas Paine défendait dans son livre *Justice agraire* la mise en place d'un impôt successoral visant à financer un système de revenu de base[2]. Plus récemment, Anthony Atkinson a proposé d'affecter les recettes de l'impôt progressif sur les successions au financement d'une dotation en capital à chaque jeune adulte[3]. La principale nouveauté de la proposition formulée ici est d'utiliser à la fois les recettes de l'impôt successoral et d'un impôt annuel et progressif sur la propriété pour financer la dotation en capital, ce qui permet d'atteindre des montants beaucoup plus importants et une circulation substantielle et permanente de la propriété[4]. On notera que les montants que je propose de mobiliser pour financer la dotation en capital sont substantiels (5 % du revenu national) et correspondent à une augmentation significative des impôts sur la propriété et sur l'héritage pour les plus aisés[5]. Pour autant, il s'agit de sommes qui restent

1. Actuellement, le patrimoine moyen à 25 ans est d'à peine 30 % du patrimoine moyen par adulte (et très inégalement réparti). Voir annexe technique. On notera que le système public d'héritage proposé ici aurait également un intérêt dans une société où la propriété serait parfaitement égalitaire au sein de chaque génération, dans le sens où il permettrait d'égaliser les âges à l'héritage et de rajeunir le patrimoine et donc la répartition du pouvoir économique.

2. Voir chapitre 3, p. 149-150. Voir également le livre passionnant de P. Van Parijs, Y. Vanderborght, *Le Revenu de base inconditionnel. Une proposition radicale*, La Découverte, 2019.

3. Voir A. B. Atkinson, *Inégalités*, Seuil, 2016. L'originalité de la proposition d'Atkinson, que je reprends et prolonge ici, est que la dotation en capital est envisagée conjointement avec un ambitieux système de revenu de base et d'État social (et non pas en substitut à ce dernier). Pour d'intéressantes propositions centrées respectivement sur le revenu de base et la dotation en capital, voir P. Van Parijs, Y. Vanderborght, *Le Revenu de base inconditionnel. Une proposition radicale, op. cit.*, et B. Ackerman, A. Alstot, *The Stakeholder Society*, Yale University Press, 1999.

4. Dans la proposition d'Atkinson, la dotation en capital financée par l'impôt successoral, y compris après forte augmentation de ce dernier, est d'à peine 5 %-10 % du patrimoine moyen (10 000-20 000 euros au Royaume-Uni ou en France actuellement), soit un montant proche de l'héritage moyen reçu aujourd'hui par les 50 % les plus pauvres, ce qui constituerait déjà une augmentation significative. Financée à la fois par l'impôt successoral et l'impôt annuel sur la propriété, la dotation atteint ici 60 % du patrimoine moyen (soit environ 120 000 euros au Royaume-Uni ou en France actuellement).

5. Actuellement, les impôts annuels sur la propriété (de type *property tax* aux États-Unis ou taxe foncière en France) représentent entre 2 % et 3 % du revenu national, et l'impôt

limitées par rapport à la totalité des prélèvements obligatoires (ici fixés à 50 % du revenu national). Dans l'absolu, rien n'interdit d'envisager un système de dotation en capital plus ambitieux que celui considéré ici, par exemple avec un transfert équivalant au patrimoine moyen de la société considérée[1].

Il faut également rappeler que ce système a vocation de mon point de vue à s'appliquer conjointement avec les nouvelles règles de partage et de plafonnement des droits de vote dans les entreprises analysées plus haut. Dès lors, cette diffusion et ce rajeunissement de la propriété auraient un effet amplifié sur la répartition réelle du pouvoir économique et son renouvellement.

Du retour de la progressivité fiscale et de la réforme agraire permanente

Venons-en maintenant aux taux et aux barèmes des impôts progressifs permettant de financer l'ensemble. S'agissant des taux d'imposition applicables aux plus hautes successions et aux plus hauts revenus, je propose qu'ils atteignent des niveaux de l'ordre de 60 %-70 % au-delà de 10 fois la moyenne des patrimoines et des revenus, et de l'ordre de 80 %-90 % au-delà de cent fois la moyenne (voir tableau 17.1)[2]. Ces niveaux sont conformes à ce qui a été appliqué au XXᵉ siècle dans de nombreux pays pendant des décennies (en particulier aux États-Unis et au Royaume-Uni

---

successoral moins de 0,5 %. En moyenne dans l'Union européenne, les différents types d'impôts sur la propriété (prélevés annuellement ou lors des successions ou des transactions) rapportent près de 3 % du revenu national. Voir *Taxation Trends in the EU. 2018 Edition*, Commission européenne, graph. 22, p. 41. Dans le système proposé ici, l'impôt annuel sur la propriété rapporte environ 4 % du revenu national et l'impôt successoral 1 %, soit au total 5 %, mais avec une beaucoup plus forte progressivité que dans les impôts existants, ce qui permet d'abaisser ces impôts sur les patrimoines modestes et moyens.

1. En particulier, même si l'impôt successoral n'aura jamais la même importance que l'impôt annuel sur la propriété, et doit faire l'objet d'une pédagogie et d'une transparence particulières, il est naturel d'envisager de l'augmenter tendanciellement à l'avenir, compte tenu du poids croissant de l'héritage dans le patrimoine total au cours des décennies récentes. Voir F. ALVAREDO, B. GARBINTI, T. PIKETTY, « On the Share of Inheritance in Aggregate Wealth : Europe and the USA, 1900-2010 », *Economica*, n° 84, 2017, p. 239-260.

2. On pourrait vouloir exprimer les barèmes en multiples de la médiane et non de la moyenne. Le problème est que le patrimoine médian est souvent extrêmement proche de zéro, si bien que cela n'aurait pas beaucoup de sens. Par ailleurs, le fait de se référer aux revenus et patrimoines moyens permet de mieux visualiser l'ampleur des recettes et des redistributions en jeu.

au cours de la période 1930-1980), et en l'occurrence durant des périodes dont il apparaît aujourd'hui qu'elles ont été parmi les plus dynamiques jamais observées en termes de croissance économique[1]. Dans ces conditions, il paraît raisonnable de les appliquer de nouveau[2]. Ceci marquerait par ailleurs une nette volonté de réduction des inégalités et de rupture avec le reaganisme et pourrait entraîner des effets de recomposition importants concernant la structure du conflit électoral et politique.

La partie la plus innovante des barèmes proposés ici, et qui mérite davantage discussion, concerne l'impôt progressif annuel sur la propriété. En pratique, les barèmes appliqués dans l'histoire pour imposer les patrimoines ont été relativement incohérents. Dans le cadre des impôts sur la propriété immobilière (résidentielle et professionnelle) issus du XIXe siècle, de type *property tax* aux États-Unis ou taxe foncière en France, le taux effectif d'imposition se situe actuellement autour de 1 %. Ces taxes omettant de prendre en compte les actifs financiers (particulièrement importants pour les patrimoines élevés) et les dettes (qui par définition sont proportionnellement plus lourdes parmi les moins riches), il s'agit en réalité d'impôts lourdement régressifs sur le patrimoine, avec des taux réels d'imposition beaucoup plus lourds sur les patrimoines les plus faibles que sur les plus élevés[3]. S'agissant des impôts progressifs sur la fortune, expérimentés dans différents pays au cours du XXe siècle, en particulier en Europe germanique et nordique, ainsi qu'en France au cours des dernières décennies avec l'ISF, les taux varient généralement de 0 % pour les patrimoines les plus faibles jusqu'à 2 %-3 % pour les plus élevés[4].

---

1. Voir chapitre 11, graphiques 11.12-11.15, p. 633-635.

2. Par ailleurs, si l'on essaie de modéliser les différents effets en jeu (en particulier sur les inégalités, la mobilité et les incitations au travail et à l'épargne), et avec toutes les prudences de rigueur liées à ce type d'exercice, on peut montrer que l'impôt successoral idéal (pour un objectif social de type rawlsien) implique des taux extrêmement élevés (70 %-80 % ou davantage) sur les successions les plus élevées. Voir E. SAEZ, T. PIKETTY, « A Theory of Optimal Inheritance Taxation », art. cité. De même, le taux optimal à appliquer aux plus hauts revenus apparaît supérieur à 80 %. Voir T. PIKETTY, E. SAEZ, S. STANTCHEVA, « Optimal Taxation of Top Labour Incomes : A Tale of Three Elasticities », *American Economic Journal : Economic Policy*, vol. 6, n° 1, février 2014, p. 230-271.

3. Voir chapitre 11, p. 662-663. On notera qu'un impôt prélevé au taux proportionnel de 1 % sur tous les patrimoines privés (y compris les actifs financiers, soit au total 500 %-600 % du revenu national) rapporterait par définition 5 %-6 % du revenu national, ce qui montre au passage que les recettes envisagées ici pour l'impôt progressif sur la propriété et sur l'héritage n'ont rien d'extravagant.

4. Voir chapitre 11, p. 665-669.

Lors des épisodes de réforme agraire, les taux de prélèvement implicites imposés sur les plus grands domaines étaient parfois autrement plus élevés. Par exemple, si l'on décide que toutes les terres au-delà de 500 hectares doivent être redistribuées aux paysans sans terre, alors cela correspond à un taux effectif d'imposition de 75 % pour un domaine de 2 000 hectares[1]. Dans le cas théorique d'un seul individu détenant à lui seul toute l'Irlande, ou bien d'une personne possédant une substance ou une formule d'une valeur infinie pour le reste de l'humanité, il paraît clair que le bon sens conduirait à un taux de redistribution proche de 100 %[2]. Dans le cadre des divers prélèvements exceptionnels sur le capital immobilier et financier pratiqués à l'issue du second conflit mondial, des taux atteignant 40 %-50 % (et parfois davantage) furent appliqués aux plus hauts patrimoines[3].

Le barème indiqué sur le tableau 17.1 pour l'impôt progressif sur la propriété tente de combiner ces différentes expériences de façon cohérente. Le taux d'imposition est de 0,1 % pour les patrimoines inférieurs au patrimoine moyen, avant de s'élever graduellement à 1 % au niveau de deux fois le patrimoine moyen, 10 % au niveau de cent fois le patrimoine moyen, 60 % au niveau de mille fois le patrimoine moyen (soit 200 millions d'euros si le patrimoine moyen par adulte est de 200 000 euros) et 90 % au niveau de dix mille fois le patrimoine moyen (soit 2 milliards d'euros). Par comparaison à l'actuel système d'imposition proportionnelle de la propriété immobilière en place dans de nombreux pays, ce barème entraînerait une réduction fiscale substantielle pour les 80 %-90 % de la population les moins riches en patrimoine et faciliterait donc leur accession à la propriété. À l'inverse, l'alourdissement serait conséquent pour les plus hauts patrimoines. Pour les milliardaires, le taux de 90 % reviendrait à diviser immédiatement leur patrimoine par dix et à ramener la part des milliardaires dans le

---

1. On notera que les taux d'imposition indiqués sur le tableau 17.1 sont exprimés en termes de taux effectif directement applicable aux niveaux de patrimoine ou de revenu considérés (avec une progression linéaire du taux effectif entre les niveaux indiqués). Pour les taux marginaux implicites correspondant aux différentes tranches, voir annexe technique.

2. Voir chapitre 11, p. 654-655. La métaphore du trésor d'une valeur infinie a récemment été exploitée au cinéma dans le film *Black Panther* (2018). On notera que le Wakanda décide finalement de faire bénéficier le reste de la planète de ses richesses (sous forme notamment de vibranium, que le petit pays africain n'a pas manqué de valoriser grâce à ses recherches et sa sage organisation), contrairement à la Norvège avec ses hydrocarbures polluants.

3. Voir chapitre 10, p. 517-519.

patrimoine total à un niveau inférieur à ce qu'elle était au cours de la période 1950-1980[1].

J'insiste de nouveau sur le fait que les taux indiqués ici n'ont qu'une valeur illustrative et devraient faire l'objet d'une délibération collective et d'une expérimentation approfondie. En particulier, l'une des vertus de l'impôt progressif sur la propriété est de promouvoir la transparence sur les patrimoines. Autrement dit, la mise en place d'un tel impôt, éventuellement avec des taux plus modérés que ceux indiqués ici, permettra de produire davantage d'informations sur les rythmes de progression des différents niveaux de patrimoine et d'ajuster les taux appliqués par la suite en fonction des objectifs de déconcentration de la propriété que se donne la société. Les éléments disponibles à ce stade indiquent que les plus grandes fortunes ont progressé à des rythmes moyens de l'ordre de 6 %-8 % par an depuis les années 1980-1990[2]. Cela suggère que des taux d'imposition d'au moins 5 %-10 % sont nécessaires pour réduire la concentration de la propriété au sommet de la répartition, ou tout du moins pour la stabiliser[3]. On notera également qu'il n'est pas strictement nécessaire (sauf urgence particulière) d'appliquer en une seule fois des taux de l'ordre de 60 % ou 90 % sur les plus hauts patrimoines : des taux de 10 % ou 20 % peuvent avoir le même effet en quelques années. Les taux indiqués sur le tableau 17.1 visent avant tout à indiquer l'étendue des possibles et à stimuler la discussion.

Précisons enfin qu'il est essentiel en tout état de cause que l'impôt progressif sur la propriété et sur l'héritage envisagé ici porte sur le patrimoine global, c'est-à-dire sur la valeur totale de l'ensemble des actifs immobiliers, professionnels et financiers (nets de dettes) détenus ou reçus par une

1. Voir annexe technique. Aux États-Unis, la part des 0,001 % les plus riches (environ 2 300 personnes sur une population adulte totale de 230 millions) atteint environ 6 % du patrimoine total à la fin des années 2010 (soit environ six mille fois le patrimoine moyen pour chacun des membres de ce groupe), contre environ 1 % du patrimoine total dans les années 1950-1980 (environ mille fois le patrimoine moyen). La part des 1 % les plus riches (environ 2,3 millions de personnes) atteint 40 % à la fin des années 2010 (soit environ quarante fois le patrimoine moyen) contre 20 %-25 % dans les années 1950-1980 (vingt à vingt-cinq fois le patrimoine moyen). Le barème proposé permettrait de ramener immédiatement la part des 0,001 % les plus riches à son niveau antérieur, et ferait de même pour la part des 1 % les plus riches au bout de dix ou quinze ans d'application.

2. Voir chapitre 13, tableau 13.1, p. 799.

3. Voir E. SAEZ, G. ZUCMAN, *The Triumph of Injustice*, *op. cit*, p. 204-208 pour des simulations analysant dans quelle mesure des taux de 5 % au-delà de 1 milliard et 8 % au-delà de 100 milliards permettraient de réduire la concentration de la propriété aux États-Unis.

personne donnée, sans exception[1]. De la même façon, l'impôt progressif sur le revenu doit porter sur le revenu global, c'est-à-dire sur l'ensemble des revenus du travail (salaires, pensions de retraite, revenus d'activité des non-salariés, etc.) et du capital (dividendes, intérêts, profits, loyers, etc.)[2]. Les expériences historiques disponibles montrent en effet que, si l'on ne traite pas les diverses formes d'actifs et de revenus de la même façon dans le cadre de la mise en place de la progressivité fiscale, alors les comportements d'optimisation fiscale et les perceptions d'injustice horizontale risquent fort de miner gravement le fonctionnement du système, aussi bien sur le plan technique que sur celui de son acceptabilité démocratique[3]. En particulier, cela n'aurait guère de sens d'exempter de l'impôt sur la propriété ou sur l'héritage telle ou telle catégorie d'actifs, car cela conduirait à un contournement de l'impôt[4].

1. De façon générale, la progressivité de l'impôt successoral peut s'appliquer au niveau de l'héritage reçu par chaque héritier ou de l'héritage total légué par le défunt. La première solution me semble préférable et il s'agit de celle envisagée ici, avec en l'occurrence une application de la progressivité à l'héritage total reçu au cours de la vie, au fur et à mesure que les dons et héritages sont perçus. Une personne recevant au cours de sa vie l'équivalent de 0,5 fois le patrimoine moyen (100 000 euros) acquitterait un impôt successoral de 5 % (5 000 euros), soit au total un héritage perçu de 215 000 euros (après ajout de la dotation en capital de 120 000 euros). Une personne recevant deux fois le patrimoine moyen (400 000 euros) acquitterait un impôt de 20 % (80 000 euros), soit au total un héritage perçu de 440 000 euros en tenant compte de la dotation. En revanche une personne recevant cinq fois le patrimoine moyen (1 million d'euros) acquitterait un impôt de 50 % (500 000 euros), d'où un héritage perçu de 620 000 euros en tenant compte de la dotation. Les taux indiqués sur le tableau 17.1 le sont à titre illustratif et méritent une ample discussion.

2. Les revenus et patrimoines communs des couples peuvent être divisés par deux pour l'application des barèmes, qui sont ici exprimés au niveau du revenu et du patrimoine individuels. La question des enfants à charge est mieux traitée à mes yeux par le système de revenu de base et d'allocations familiales (au sein de l'État social) que par des réductions d'impôts.

3. Les tentatives d'instituer des taux plus réduits sur les revenus du capital que sur les revenus du travail (comme en Suède en 1991) ont par exemple conduit à des transferts totalement fictifs et économiquement inutiles entre différentes catégories de revenus, par exemple entre revenus salariaux et dividendes. Voir à ce sujet E. Saez et G. Zucman, *The Triumph of Injustice*, *op. cit.*, qui proposent d'imposer l'ensemble des revenus du capital (y compris les profits non distribués pour les sociétés non cotées et les plus-values pour les cotées) aux mêmes taux que les revenus du travail.

4. En particulier, l'idée selon laquelle il faudrait exonérer le capital « productif » se heurte au fait que le capital est toujours productif d'une façon ou d'une autre (y compris bien sûr l'immobilier résidentiel, qui produit des services de logement, c'est-à-dire la possibilité de vivre sous un toit, ce qui est au moins aussi utile que le fait de disposer de bureaux ou d'entrepôts pour produire d'autres biens et services), de même d'ailleurs que le travail. Si l'on commence

Vers la propriété sociale et temporaire

Récapitulons. Le modèle de socialisme participatif proposé ici repose sur deux piliers essentiels visant à dépasser le système actuel de propriété privée, d'une part par la propriété sociale et le partage des droits de vote dans les entreprises, et d'autre part par la propriété temporaire et la circulation du capital. En combinant les deux éléments, on aboutit à un système de propriété qui n'a plus grand-chose à voir avec le capitalisme privé tel qu'on le connaît actuellement, et qui constitue un réel dépassement du capitalisme.

Ces propositions peuvent sembler radicales. Je souligne toutefois le fait qu'elles se situent en réalité dans la lignée d'une évolution qui a débuté à la fin du XIXᵉ siècle et au début du XXᵉ siècle, aussi bien pour ce qui concerne le partage du pouvoir dans les entreprises que la montée en puissance de l'impôt progressif. Ce mouvement s'est interrompu au cours des dernières décennies, d'une part, parce que la social-démocratie n'a pas suffisamment renouvelé et internationalisé son projet, et, d'autre part, parce que l'échec dramatique du communisme de type soviétique a conduit à lancer le monde dans une phase de dérégulation sans limites et de renoncement à toute ambition égalitaire à partir des années 1980-1990 (basculement dont la Russie et ses oligarques constituent sans nul doute l'illustration la plus extrême)[1]. L'habileté avec laquelle les promoteurs de la révolution conservatrice et néopropriétariste des années 1980 et les tenants de la ligne nationaliste et anti-immigrés ont réussi à occuper le vide politico-idéologique a fait le reste. Depuis la crise de 2008, on voit toutefois les prémices d'un nouveau mouvement se mettre en place, avec une multiplication des débats et des propositions concernant de nouvelles formes de partage du pouvoir et d'impôt progressif[2]. L'idéologie néopropriétariste reste certes très vivace, de même que la tentation du repli nativiste, mais une évolution est nettement perceptible. Les éléments indiqués ici ne font que s'inscrire dans ce mouvement, tout en tentant de le replacer dans une perspective historique plus générale.

En particulier, la notion de propriété temporaire incarnée par l'impôt progressif sur la propriété décrit plus haut ne constitue finalement qu'un

---

à exempter d'impôt le capital ou le travail au motif qu'il serait productif, on risque fort de se retrouver très vite sans aucun impôt.

1. Voir chapitre 12, p. 697-705.
2. Voir chapitre 11, p. 592-597 et 664-665.

prolongement des formes de propriété temporaire impliquées par les impôts progressifs sur les successions et sur les revenus déjà expérimentés au xxᵉ siècle. De façon générale, ces dispositifs institutionnels reposent sur une vision de la propriété comme relation sociale, et qui doit par conséquent être régulée comme telle. L'idée selon laquelle il existerait une propriété strictement privée et des formes de droits naturels et inviolables de certaines personnes sur certains biens ne résiste guère à l'analyse. L'accumulation de biens est toujours le fruit d'un processus social, qui dépend notamment des infrastructures publiques (en particulier du système légal, fiscal et éducatif), de la division du travail social et des connaissances accumulées par l'humanité depuis des siècles. Dans ces conditions, il est parfaitement logique que les personnes ayant accumulé des détentions patrimoniales importantes en rendent une fraction chaque année à la communauté, et qu'ainsi la propriété devienne temporaire et non plus permanente. Au fond, le seul argument qui s'oppose vraiment à cette logique est celui de la boîte de Pandore, selon lequel la remise en cause des droits de propriété privée déboucherait inévitablement sur le chaos généralisé, et qu'il vaudrait mieux par conséquent ne jamais ouvrir cette boîte. Mais cet argument conservateur a été définitivement battu en brèche par l'expérience du xxᵉ siècle, qui a démontré qu'une très forte progressivité fiscale non seulement pouvait aller de pair avec une croissance rapide, mais qu'il s'agissait d'un élément constitutif d'une stratégie de développement fondée sur une relative égalité socio-éducative.

Les expériences historiques disponibles livrent des pistes d'expérimentations possibles, et non des solutions toutes faites. C'est une vérité sur laquelle il faut insister. S'agissant de la question du lien entre capital, pouvoir et droits de vote dans les entreprises comme de celle de la progressivité fiscale et de la circulation permanente de la propriété, seules des expérimentations concrètes réussies permettront de faire évoluer de façon décisive les représentations et les réalités, ainsi qu'il en a toujours été dans l'histoire des régimes inégalitaires[1].

---

1. Je parle ici d'expérimentations à grande échelle, à la suite de transitions politiques et de l'arrivée au pouvoir de nouveaux gouvernements. Je ne néglige pas l'importance des expérimentations locales dans la production de connaissances, mais il me semble que seules des expérimentations à échelle réelle peuvent permettre de faire évoluer de façon décisive les perceptions sur ces questions.

De la transparence patrimoniale dans un seul pays

Idéalement, le retour de la progressivité fiscale et le développement de l'impôt progressif sur la propriété devraient se faire dans le cadre de la plus grande coopération internationale possible. La meilleure solution serait la constitution d'un cadastre financier public permettant aux États et aux administrations fiscales d'échanger toutes les informations nécessaires sur les détenteurs ultimes des actifs financiers émis dans les différents pays. De tels registres existent déjà, mais ils sont pour une large part à la main d'intermédiaires privés. Il suffirait pourtant que les États qui le souhaitent, aussi bien en Europe qu'aux États-Unis et dans les autres parties du monde, changent les termes des accords qui les lient pour mettre en place un registre public, qui ne poserait aucun problème technique[1].

Je reviendrai plus loin sur la façon dont on peut envisager la transformation du cadre légal organisant la mondialisation et la réécriture des traités régulant les échanges financiers et commerciaux, afin de développer une forme de social-fédéralisme au niveau mondial. À ce stade, je veux simplement souligner que les États disposent de marges de manœuvre importantes pour avancer dans la direction de la réduction des inégalités et d'une propriété juste sans attendre que de telles coopérations internationales se mettent en place. Cela est évident pour des États de grande taille comme les États-Unis ou encore la Chine, et demain l'Inde. Dans le cas des États-Unis, il ne fait aucun doute que le gouvernement fédéral, s'il en a la volonté politique, a parfaitement les moyens de faire respecter ses décisions en matière fiscale. Nous avons déjà évoqué les menaces de sanctions contre les banques suisses en 2010, qui ont immédiatement conduit à un changement de la législation helvétique[2]. Ceci pourrait être fait de façon beaucoup plus systématique.

Il faut également rappeler que les États-Unis appliquent de larges pans de leur législation fiscale à toutes les personnes détenant la nationalité état-sunienne, où qu'elles résident dans le monde. Autrement dit, les personnes souhaitant échapper à cette législation doivent renoncer à cette nationalité, voire dans certains cas renoncer à avoir des activités économiques aux États-Unis (ou même à utiliser le dollar, directement ou indirectement, où que ce soit sur la planète), ce qui peut devenir très coûteux pour les individus

1. Voir chapitre 13, p. 785-788.
2. Voir chapitre 13, p. 793.

ou les entreprises en question[1]. Dans les débats en cours sur l'introduction d'un impôt fédéral sur la fortune aux États-Unis, il est intéressant de noter que ces propositions s'accompagnent de mesures radicales permettant d'appliquer rigoureusement ce type de mesure, par exemple avec une *exit tax* égale à 40 % de la valeur des actifs des personnes qui choisiraient de renoncer à la nationalité étatsunienne et de relocaliser leur patrimoine dans d'autres parties du monde[2]. Pour résumer : la question de savoir si les États-Unis vont ou non mettre en place une fiscalité plus progressive (pouvant aller jusqu'au système d'impôt progressif sur la propriété et de circulation du capital décrit plus haut) est purement politique et idéologique ; elle ne pose aucun problème technique.

Il est également important de faire remarquer que les États de plus faible taille, par exemple la France, s'ils ont évidemment plus à gagner du développement de coopérations internationales, disposent eux aussi de très larges marges de manœuvre pour mettre en place leur propre politique au niveau national. Cela vaut non seulement pour la mise en place de nouvelles règles concernant le partage du pouvoir et des droits de vote dans les entreprises (ainsi que le montrent des pays comme l'Allemagne ou la Suède, qui appliquent de telles règles depuis des décennies, sans attendre leur lente diffusion internationale), mais également pour ce qui concerne l'impôt progressif sur la propriété et la réduction des inégalités de revenus et de patrimoines. Ceci est important, en particulier car cela va à l'encontre du discours fataliste tenu par de nombreux acteurs au cours des dernières décennies pour imposer l'idée que la mondialisation obligerait à une politique unique (celle qu'ils préconisent), discours qui a largement contribué à l'abandon de toute perspective de réforme ambitieuse du système économique et au mouvement de repli nationaliste et nativiste. En pratique, on

---

1. Cette capacité de l'État fédéral étatsunien à faire respecter ses décisions s'exerce d'ailleurs souvent au nom des intérêts commerciaux ou géopolitiques du pays (ou perçus comme tels, dans des conditions qui s'apparentent parfois à des tributs guerriers des temps anciens), par exemple à l'encontre de grandes entreprises européennes accusées de contourner diverses législations fédérales concernant les mesures d'embargo sur l'Iran ou sur d'autres pays. Cette capacité étatique pourrait parfaitement s'exercer au nom d'objectifs plus universels, en particulier pour défendre l'application d'un impôt lourdement progressif sur les plus hauts revenus et patrimoines.

2. C'est le cas notamment dans la proposition d'Elizabeth Warren visant à introduire un impôt sur la fortune de 2 % au-delà de 50 millions de dollars et de 3 % au-delà de 1 milliard de dollars. Voir chapitre 11, p. 664-665. Voir aussi E. SAEZ et G. ZUCMAN, « How Would a Progressive Wealth Tax Work ? », Berkeley, 2019, qui évaluent les recettes de cet impôt à plus de 1 % du PIB des États-Unis.

observe par exemple que les recettes de l'impôt sur la fortune (ISF) ont été multipliées par plus de quatre entre 1990 et 2018, c'est-à-dire plus de deux fois plus vite que le PIB, ce qui montre assez clairement qu'il est possible d'appliquer un tel impôt dans un seul pays tout en bénéficiant de rentrées fiscales en forte hausse[1]. Encore faut-il préciser que l'administration de cet impôt a toujours été gravement défaillante. En particulier, le contrôle fiscal a toujours été notoirement insuffisant, et les gouvernements successifs ont fait le choix de laisser les individus déclarer eux-mêmes leurs actifs sans vérification systématique, alors qu'il aurait été aisé d'instituer un système de déclarations préremplies de patrimoines à partir des informations transmises par les banques et institutions financières au sujet des actifs financiers (et par le cadastre immobilier déjà existant au sujet des actifs immobiliers, mis à jour à partir des valeurs des dernières transactions), comme cela se fait de façon routinière pour les déclarations de revenus. Cela aurait permis (et pourrait permettre à l'avenir) une progression des recettes fiscales de l'ISF encore plus forte que celle observée.

De façon plus générale, rien n'interdit à un État de taille moyenne (comme la France) de mettre en place une beaucoup plus grande transparence patrimoniale, y compris en l'absence de toute coopération internationale. Cela est évident pour tous les actifs immobiliers basés sur un territoire national donné, qu'il s'agisse d'ailleurs de logements résidentiels ou d'actifs professionnels (bureaux, usines, entrepôts, boutiques, restaurants, etc.), et plus généralement pour toutes les entreprises ayant une activité ou un intérêt économique sur le territoire en question. Prenons le cas de la taxe foncière en France. De même que la *property tax* aux États-Unis ou les impôts similaires dans les autres pays, cette taxe est due par les détenteurs de biens immobiliers (résidentiels ou professionnels) situés sur le territoire français.

Il est important de préciser que cette taxe est due par tous les propriétaires de ces biens, qu'il s'agisse de particuliers ou d'entreprises, et qu'ils soient eux-mêmes basés en France ou à l'étranger (ou détenus par des personnes basées en France ou à l'étranger). Actuellement, le montant de la taxe foncière ne dépend pas de l'identité du propriétaire et de l'ampleur de ses détentions patrimoniales (puisqu'il s'agit d'un impôt strictement proportionnel), si bien que l'Administration n'a besoin d'aucune

---

1. Voir chapitre 14, p. 928-932, et annexe technique, graphique S14.20. Rappelons également que les plus hauts patrimoines financiers ont progressé encore plus fortement que les patrimoines immobiliers, qui ont eux-mêmes progressé plus vite que le PIB.

information supplémentaire pour établir l'impôt (autre que le nom de la personne ou de la structure à laquelle il convient de facturer l'impôt). Mais l'Administration pourrait très bien exiger des propriétaires de ces biens, lorsqu'il s'agit d'entreprises ou de structures légales de diverses natures (holdings, fondations, etc.), qu'ils lui transmettent les identités des actionnaires et les parts correspondantes, faute de quoi des sanctions dissuasives seraient appliquées[1]. De cette façon, en utilisant également les informations sur les portefeuilles financiers, transmises par les banques et institutions financières, l'administration fiscale française (comme celle des autres pays) pourrait parfaitement transformer la taxe foncière en un impôt progressif sur le patrimoine net individuel, en prenant en compte automatiquement l'ensemble des biens résidentiels ou professionnels détenus en France, directement ou par l'intermédiaire d'actions, de parts ou d'actifs financiers de diverses natures. Plus généralement, la puissance publique pourrait exiger de toutes les entreprises ayant une activité ou un intérêt en France de transmettre les informations sur leurs détenteurs, dans la mesure où l'information est utile pour appliquer la législation fiscale qu'elle a choisi d'adopter[2].

Cette transparence patrimoniale permettrait de mettre en place un impôt progressif et unifié sur la propriété, issu de l'ancienne taxe foncière et de l'ancien impôt sur la fortune, avec à la clé une forte diminution d'impôt pour tous ceux qui détiennent des patrimoines modestes et moyens ou qui sont en voie d'accession à la propriété, et une augmentation pour ceux qui détiennent déjà des patrimoines importants[3]. Par exemple, une

---

1. La sanction la plus évidente serait d'appliquer à l'entreprise ou à la structure légale en question le barème de l'impôt progressif sur la propriété individuelle, en faisant l'hypothèse qu'un seul individu détient entièrement la structure en question (faute d'information supplémentaire).

2. Les détenteurs des actions des sociétés cotées font l'objet d'un enregistrement auprès des dépositaires centraux (structures privées) et des banques concernées. Les sociétés refusant de prendre les dispositions nécessaires pour que les informations adéquates sur leur actionnariat soient transmises à l'administration fiscale française (ou d'un autre pays concerné) se verraient imposer des sanctions en proportion du préjudice subi (qui peut être calculé sur la base des estimations disponibles sur la structure internationale des patrimoines), et qui pourraient être prélevées sur la base des ventes de biens et services réalisés en France, de la même façon que pour l'impôt sur les sociétés (voir chapitre 16, p. 1052). Les actionnaires des sociétés non cotées sont généralement connus des sociétés elles-mêmes, mais peuvent poser d'autres problèmes liés à la valorisation des parts (qui peut être estimée sur la base de leurs comptes et des valorisations de sociétés cotées comparables).

3. Le principe général pourrait être que l'impôt s'applique au patrimoine mondial des résidents français et de toutes les personnes détenant un élément de patrimoine localisé en

personne détenant une maison ou un bien professionnel d'une valeur de 300 000 euros, mais avec une dette de 250 000 euros, serait imposée sur la base d'un patrimoine net de seulement 50 000 euros, ce qui avec un barème progressif du type de celui indiqué sur le tableau 17.1 conduirait à un impôt sur la propriété quasi nul, et donc à une forte baisse d'impôt par rapport à l'actuelle taxe foncière. À l'inverse, une autre personne détenant un bien d'une même valeur de 300 000 euros ainsi qu'un portefeuille financier de 2 millions d'euros, et qui actuellement paie la même taxe foncière que la première (ce qui en dit long sur l'absurdité, l'injustice et l'archaïsme du système fiscal en vigueur, directement issu du début du XIXᵉ siècle), ferait face à une augmentation d'impôt sur la propriété[1].

Avec un tel système, la seule stratégie d'évitement possible pour les détenteurs de biens résidentiels ou professionnels basés en France serait de quitter le territoire et de vendre les actifs correspondants. Face à cela, des mesures de type *exit tax* pourraient être appliquées[2]. En tout état de cause, il faut souligner que cette stratégie d'évitement impliquerait de vendre les biens (logements et entreprises), de sorte que les prix de ces derniers baisseraient et pourraient ainsi être achetés par tous ceux qui resteraient dans le pays (qui *a priori* seraient les plus nombreux, et parmi eux des millions de personnes fort compétentes). À la réflexion, cette possible baisse des prix serait une excellente chose, au moins jusqu'à un certain point. En France

---

France (logements ou entreprises) ; tous seraient soumis à l'obligation déclarative (sous peine de sanctions dissuasives). Des accords seraient pris pour éviter les cas de double imposition s'il est attesté que le propriétaire en question paie un impôt sur la propriété égal ou supérieur dans un autre pays (étant entendu que le problème actuel est surtout d'éviter l'absence complète d'imposition des patrimoines transfrontaliers).

1. Une telle réforme pourrait se faire à prélèvement constant, étant entendu que la taxe foncière rapporte actuellement environ 40 milliards d'euros en France (près de 2 % du PIB) alors que l'ISF rapportait environ 5 milliards (moins de 0,3 % du PIB) avant sa transformation en IFI en 2018-2019. Compte tenu de la concentration du patrimoine, le poids payé par le centile supérieur (qui détient 20 %-25 % du patrimoine total) atteindrait au moins 10-15 milliards d'euros. Cette réforme pourrait également se faire avec des recettes en hausse, conjointement à une augmentation de la progressivité de l'impôt successoral, de façon à financer une dotation universelle en capital du type de celle décrite plus haut (voir tableau 17.1).

2. L'*exit tax* se justifie par le fait qu'il n'existe aucun droit naturel à s'enrichir en profitant du système collectif, légal, éducatif, etc., d'un pays donné puis à en extraire la richesse sans en reverser la moindre part. Le système d'*exit tax* mis en place en 2008, bien que beaucoup moins rigoureux que celui débattu actuellement aux États-Unis (en particulier, il portait uniquement sur les plus-values latentes et non sur le patrimoine total, avec de multiples possibilités d'exonérations), a été presque totalement supprimé en 2018-2019, dans la foulée de la division par cinq des recettes de l'ISF.

comme dans les autres pays, la flambée du prix des actifs (notamment dans les grandes métropoles) est en partie alimentée par des propriétaires français et étrangers accumulant des biens dont ils ne savent que faire et qui pourraient utilement être transmis à des détenteurs moins riches. Le point important est qu'un pays comme la France pourrait parfaitement imposer ces nouvelles obligations de transparence aux entreprises et autres entités et personnes morales détenant des biens sur son territoire sans que ceci nécessite l'accord d'autres pays[1].

De l'inscription constitutionnelle de la justice fiscale

Ajoutons enfin que le développement de nouvelles formes de progressivité fiscale et de dépassement de la propriété privée par la propriété sociale et temporaire peut demander des modifications constitutionnelles. Cela n'a d'ailleurs rien de nouveau. En 1913, il fallut amender la Constitution des États-Unis pour permettre la création d'un impôt fédéral sur le revenu, puis d'un impôt fédéral sur les successions. Le développement de la cogestion et du rôle des syndicats dans la gouvernance des entreprises conduisit à l'inscription d'une définition sociale et collective de la notion de propriété dans les constitutions adoptées en Allemagne en 1919 et 1949[2]. De la même manière, afin de pouvoir mettre en place les systèmes de partage des droits de vote et d'impôts progressifs sur la propriété et sur le revenu, présentés plus haut, il peut s'avérer nécessaire d'apporter des modifications aux constitutions actuellement en vigueur dans les différents pays.

De façon générale, il faut souligner que les constitutions et les déclarations de droits établies à la fin du XVIIIe siècle et au cours du XIXe siècle étaient profondément imprégnées de l'idéologie propriétariste de l'époque. Cela s'incarnait notamment dans une véritable protection constitutionnelle accordée aux droits de propriété privée établis dans le passé, qui ne devaient être remis en cause sous aucun prétexte, quelle que soit la majorité politique du moment. C'est d'ailleurs dans ce contexte que furent adoptées au Royaume-Uni et en France des compensations financières pour les propriétaires d'esclaves lors du vote des abolitions de 1833 et 1848. Il paraissait en effet impensable dans l'esprit de la classe dirigeante de

---

1. Même s'il est évidemment préférable d'inscrire une telle évolution dans un cadre international et social-fédéraliste, comme nous le verrons plus loin.
2. Voir chapitre 11, p. 580, pour les formulations retenues.

l'époque que l'on puisse priver les propriétaires de leurs droits sans une juste compensation. En revanche, personne ne jugea utile d'indemniser les esclaves en compensation des torts qu'ils avaient subis[1]. Le respect dû aux propriétaires continue d'imprégner nombre de constitutions encore en vigueur en ce début de XXIe siècle, qui devraient notamment être amendées pour permettre la mise en place d'un véritable système de circulation de la propriété et de dotation en capital. Par la même occasion, il serait important d'inscrire dans les constitutions un principe de justice fiscale fondé explicitement sur la notion de progressivité, de façon que les impôts payés ne puissent représenter une proportion des revenus et des propriétés plus faible pour les citoyens plus riches que pour les plus pauvres (et puissent naturellement représenter une proportion plus élevée, suivant des termes fixés par la loi, sans que le juge constitutionnel puisse y mettre de limites)[2].

Dans le même esprit, la Constitution ou les lois fondamentales devraient faire obligation à l'État de publier chaque année des estimations incontestables des impôts réellement acquittés par les différentes classes de revenus et de patrimoines, de façon que les citoyens puissent avoir un débat informé sur ces questions et que leurs représentants soient en mesure d'ajuster les paramètres du système fiscal en fonction d'informations fiables. Ces questions sont d'autant plus importantes que le manque d'informations suffisamment détaillées est souvent l'un des principaux facteurs limitant les possibilités de mobilisation et de contrôle citoyens sur ces questions. Ceci vaut d'ailleurs aussi bien dans le cadre des démocraties électorales des pays capitalistes (où le manque de transparence fiscale est criant, tout autant d'ailleurs en Europe qu'aux États-Unis ou en Inde) que dans celui des autres systèmes politiques, et notamment en Chine communiste ou en Russie, où la volonté officiellement proclamée de lutter contre la corruption contraste singulièrement avec l'indigence des données fiscales qui sont rendues publiques[3].

---

1. Voir chapitre 6, p. 253-259.

2. Une formulation possible pourrait être la suivante : « La loi fixe les conditions d'exercice de la propriété et veille à favoriser sa diffusion, au besoin par un système d'impôt progressif sur la propriété et de dotation en capital. De façon générale, l'impôt est réparti entre tous les citoyens en raison de leurs facultés. Si l'on exprime les impôts réellement acquittés en proportion des propriétés et des revenus détenus par les citoyens, cette proportion ne saurait être plus faible pour les citoyens plus riches que pour les plus pauvres. Elle peut être plus élevée, suivant des termes fixés par la loi. »

3. Voir chapitres 12-13.

Il faut par ailleurs rappeler que les différentes cours suprêmes et autres tribunaux constitutionnels chargés de veiller au respect des constitutions et de trancher les litiges en dernier recours dans les différents pays occidentaux se sont souvent montrés extrêmement conservateurs sur les plans social et économique. Dès lors que la Constitution leur laisse un interstice leur permettant de faire valoir leurs opinions partisanes, les juges s'y engouffrent et tentent de les faire passer pour des règles de droit. De multiples épisodes issus de l'histoire des cours suprêmes, depuis le XIXᵉ siècle jusqu'au début du XXIᵉ siècle, montrent à quel point la prudence et la méfiance vis-à-vis du pouvoir des juges sur les questions économiques et sociales sont justi-fiées. En 1895, la Cour suprême des États-Unis décida d'interpréter les formulations ambiguës de la Constitution en un sens nettement conser-vateur en décrétant qu'il était impossible d'adopter un impôt fédéral sur le revenu (ce qui mena, à la suite d'un long processus, à l'amendement constitutionnel de 1913). L'année suivante, en 1896, les mêmes juges considérèrent dans le sinistre arrêt *Plessy v. Ferguson* qu'il était parfaite-ment légal pour les États du Sud de pratiquer la ségrégation raciale autant qu'ils le souhaitaient[1].

Pendant les années 1930, la Cour suprême s'illustra de nouveau en censurant à de multiples reprises des législations sociales et financières adoptées par le Congrès dans le cadre du New Deal, au motif que cer-taines de ces régulations constituaient une atteinte inacceptable à la liberté d'entreprendre et à la liberté contractuelle privée[2]. Réélu en novembre 1936 avec 61 % des voix et furieux de devoir retarder la mise en œuvre de sa politique, Roosevelt annonça début 1937 son intention de faire adopter une loi lui permettant de nommer de nouveaux juges et de débloquer

---

1. Dans cet arrêt de 1896, la Cour suprême donna raison par sept voix contre une au juge de Louisiane Ferguson contre le plaignant Plessy, un métis de Louisiane (plus précisément un *octoroon*, c'est-à-dire une personne dont l'ascendance était européenne pour sept huitièmes et africaine pour un huitième), qui avait tenté de braver la loi adoptée en 1890 dans cet État et qui empêchait toutes les personnes ayant du sang noir d'accéder aux mêmes wagons de train que les Blancs. Cet arrêt eut force de loi et constitua le fondement légal de l'ordre ségrégationniste aux États-Unis jusqu'à l'arrêt *Brown v. Board of Education* de 1954 et aux nouvelles lois fédérales de 1964-1965.

2. On notera toutefois que la Cour suprême ne put s'opposer à la forte progressivité fiscale mise en place par Roosevelt (et en particulier sa *wealth tax* de 1935 fixant un taux de 75 % sur les plus hauts revenus – voir p. 657). Depuis l'amendement constitutionnel de 1913 et la forte poussée de progressivité à la fin des années 1910, il était acquis que le pouvoir politique était entièrement libre de fixer les taux.

enfin la situation[1]. Finalement, face à la pression exercée par les autorités politiques, la Cour suprême décida quelques mois plus tard de changer sa jurisprudence en validant une loi décisive sur le salaire minimum, loi qu'elle avait précédemment censurée[2].

Depuis les années 1970-1980, à la suite des nominations faites par les présidents républicains, la Cour suprême a repris un cours de plus en plus conservateur, notamment en décidant d'abolir une à une toutes les législations visant à limiter l'usage de l'argent privé dans la vie politique et le financement des campagnes, tout cela au nom de la défense du *free speech* et de la nouvelle interprétation que les juges avaient décidé de faire de cette notion[3]. La conséquence est que, si les démocrates décidaient à l'avenir de remettre en place des législations en ce domaine, il leur faudrait commencer par changer la Constitution (ce qui est complexe, mais a été fait à de nombreuses reprises dans le passé, et ne doit pas être perdu de vue comme horizon lorsque cela est indispensable) ou bien par changer la loi fixant la composition de la Cour suprême, ce qui est plus simple mais généralement considéré avec suspicion[4].

1. La Constitution des États-Unis étant muette sur le sujet, c'est uniquement par la loi et la tradition que le nombre de membres de la Cour suprême a été fixé à neuf juges nommés à vie, sans limite d'âge (à l'image du pape et du Guide suprême iranien). La *Judicial Procedures Reform Bill* de 1937 (plus communément appelée *Court-Packing Plan*) permettait à Roosevelt de nommer jusqu'à six nouveaux juges (un pour chaque juge atteignant 70 ans) et de changer ainsi la majorité en sa faveur.

2. Cet arrêt décisif de 1937 est généralement considéré comme inaugurant une nouvelle période dans l'histoire de la Cour suprême, plus ouverte à l'intervention du gouvernement dans la vie économique. Notons toutefois que la majorité démocrate au Congrès refusa de ratifier le *Court-Packing Plan* de Roosevelt (qui ne put donc procéder aux nouvelles nominations), à la fois par conservatisme constitutionnel et parce que la Cour suprême avait ajusté son attitude face aux menaces.

3. En particulier, l'arrêt *Buckley* a invalidé en 1976 le principe d'un plafond global de dépenses de campagne, l'arrêt *Citizens United* a interdit en 2010 tout plafond aux financements politiques par les entreprises, et l'arrêt *McCutcheon* a aboli en 2014 toute limite aux dons individuels. Voir J. CAGÉ, *Le Prix de la démocratie, op. cit.* Voir également T. KUHNER, *Capitalism v. Democracy. Money in Politics and the Free Market Constitution*, Stanford University Press, 2014 ; J. ATTANASIO, *Politics and Capital. Auctioning the American Dream*, Oxford University Press, 2018.

4. En règle générale, les intellectuels étasuniens proches des démocrates sont devenus relativement conservateurs sur ces questions constitutionnelles. S'agissant de la Cour suprême, ils considèrent souvent que le mieux que l'on puisse faire est de revenir à l'équilibre antérieur consistant à laisser chaque président procéder aux nominations de son choix (équilibre rompu en 2016 quand le Congrès à majorité républicaine a refusé de considérer une nomination pourtant très centriste proposée par Obama afin de permettre à Trump de procéder à une

Les exemples d'abus de pouvoir de la part de juges constitutionnels ne se limitent malheureusement pas à la Cour suprême des États-Unis. Un cas particulièrement extrême est apporté par l'affaire Kirchhoff en Allemagne. Juriste fiscal visiblement très énervé contre l'impôt, Paul Kirchhoff fut pendant la campagne électorale allemande de 2005 présenté comme le futur ministre des Finances d'Angela Merkel, avec à la clé une proposition choc : une *flat tax* limitant à 25 % le taux d'imposition des plus hauts revenus. Dans la sphère politique, chacun est bien sûr libre de ses opinions, qui, en l'occurrence, n'ont guère séduit les Allemands : tout indique que cette proposition a fortement contribué à réduire le score attendu par la CDU, si bien que Merkel fut contrainte de former une coalition avec le SPD et de se séparer de son conseiller. Mais le point intéressant de l'affaire est qu'en 1995, alors qu'il était juge au Tribunal constitutionnel allemand, le même Paul Kirchhoff avait rendu un arrêt jugeant inconstitutionnelle toute imposition du revenu supérieure à 50 %. L'affaire fit scandale et l'arrêt fut finalement cassé en 1999 par les juges constitutionnels allemands, qui confirmèrent en 2006 qu'il n'entrait pas dans leurs attributions de fixer des limites quantitatives aux taux d'imposition.

En France, un ancien président du Conseil constitutionnel, et par ailleurs plusieurs fois ministre dans des gouvernements conservateurs, a récemment expliqué que la décision dont il était le plus fier était un arrêt pris en 2012 afin de censurer le taux marginal d'imposition de 75 % au-delà de 1 million d'euros adopté par la majorité de l'époque. Cette censure s'imposait car, selon lui, les principes constitutionnels français impliquent que l'impôt doit rester une « contribution » et ne peut pas devenir une « spoliation »[1]. Le problème est que la Constitution française ne fixe nulle part une telle limite chiffrée, qui relève de la pure interprétation personnelle[2]. Comme tout citoyen, l'ancien président du

---

nomination supplémentaire). Voir par exemple S. LEVITSKY et D. ZIBLATT, *How Democracies Die*, Penguin, 2018, p. 118-119, qui jugent très sévèrement le *Court-Packing Plan* de Roosevelt. Pourtant cet équilibre antérieur à 2016 n'avait rien de particulièrement vertueux ou rationnel : suivant les hasards des états de santé de quelques juges très âgés et des dates des mandats présidentiels républicains et démocrates, la composition de la Cour suprême peut changer du tout au tout et bloquer entièrement le processus politique pendant des décennies.

1. Voir entretien avec J.-L. Debré sur France Inter, 16 février 2019.

2. En l'occurrence, le problème additionnel est que le gouvernement Hollande ne souhaitait pas vraiment adopter cette promesse de campagne de dernière minute, et en particulier se refusait à l'appliquer à tous les revenus dans le cadre d'une nouvelle tranche permanente de l'impôt sur le revenu. Au final, la mesure fut appliquée en 2013-2014 dans le cadre d'une

Conseil constitutionnel est évidemment libre de considérer que les taux de l'ordre de 70 %-90 % qui ont été appliqués pendant des décennies aux plus hauts revenus et successions dans de nombreux pays au cours du XXᵉ siècle (en particulier aux États-Unis et au Royaume-Uni) n'ont pas donné les résultats souhaités, ou plus généralement qu'il ne s'agit pas d'une bonne politique à ses yeux[1]. Il peut faire valoir ses arguments par voie de presse, dans des discours, avec ses amis, ou même en écrivant un livre. Mais le fait qu'il puisse utiliser ses fonctions de juge constitutionnel pour faire prévaloir son point de vue, sans même avoir à apporter le moindre élément d'argumentation sérieux, témoigne clairement d'un abus de pouvoir caractérisé.

Concluons cette discussion en notant que les cours constitutionnelles et les tribunaux de dernier recours sont des institutions éminemment précieuses et fragiles, et qu'il est essentiel de limiter les capacités des gouvernements élus à les instrumentaliser à leur guise. Pour autant, précisément parce qu'il s'agit d'institutions précieuses et fragiles, il est tout aussi important d'empêcher les juges à qui sont confiées ces fonctions éminentes de les abîmer en les instrumentalisant à leur guise. C'est pourquoi il est crucial de bien clarifier ce qui relève du juridique et du politique. Il me semble que le plus sage serait d'inscrire dans les constitutions un principe minimal de justice fiscale fondé sur la notion de non-régressivité (à savoir que les impôts ne doivent pas représenter une proportion du revenu et de la propriété plus faible pour les citoyens plus riches que pour les plus pauvres) et de contraindre les gouvernements à rendre publiques les informations adéquates sur la répartition du prélèvement permettant d'en juger. Surtout, il est essentiel de laisser aux lois et aux assemblées élues le soin de fixer le niveau souhaitable de progressivité fiscale, en s'appuyant sur une délibération publique et sur l'ensemble des expériences historiques et personnelles disponibles, sans que les juges puissent intervenir.

---

contribution exceptionnelle des entreprises versant des rémunérations supérieures à 1 million d'euros.

1. Voir chapitre 10, graphiques 10.11 et 10.12, p. 525.

Revenu de base et salaire juste :
le rôle de l'impôt progressif sur le revenu

Je me suis jusqu'ici concentré sur le problème de la diffusion de la propriété. Aussi important soit-il, cet enjeu est loin d'être le seul en question en matière de réduction des inégalités. Dans le cadre du système fiscal proposé sur le tableau 17.1, l'impôt progressif sur la propriété (impôt annuel et impôt successoral réunis) apporte des recettes annuelles équivalant à 5 % du revenu national, contre 45 % du revenu national pour l'impôt progressif sur le revenu. Cela ne signifie certes pas que le premier joue un rôle neuf fois moins important que le second. Le bloc patrimonial, constitué de l'impôt progressif sur la propriété et de la dotation universelle en capital, a un impact structurel et à long terme sur la répartition des patrimoines et du pouvoir économique qui dépasse de beaucoup son poids strictement fiscal. Il reste que c'est l'impôt progressif sur le revenu qui doit constituer à mes yeux le mode principal de financement de l'État social et des dépenses publiques en général (éducation, santé, retraites, etc.). Précisons d'emblée que j'ai inclus pour simplifier au sein de l'impôt progressif sur le revenu non seulement l'impôt sur le revenu au sens strict mais également les cotisations sociales et les autres prélèvements sociaux assis sur les salaires, les revenus d'activités non salariées et parfois les revenus du capital.

Ces prélèvements sociaux s'apparentent de fait à une forme d'impôt sur le revenu, dans le sens où le montant prélevé dépend des revenus, parfois avec des taux variables suivant le niveau de salaire ou de revenu. La différence essentielle est que ces prélèvements sont généralement versés non pas dans le budget général de l'État, mais dans des caisses sociales dédiées par exemple au financement de l'assurance-maladie, du système de retraite, des allocations-chômage, etc. Il me semble tout à fait essentiel que de tels systèmes de prélèvements dédiés et de caisses séparées puissent continuer à s'appliquer. Compte tenu du niveau global très élevé des prélèvements obligatoires (ici fixés à 50 % du revenu national, mais qui dans l'absolu pourraient être encore plus importants si les besoins le justifiaient), il est capital de tout faire pour favoriser une meilleure appropriation citoyenne des impôts et de leurs usages sociaux, ce qui peut passer par des caisses séparées pour différents types de dépenses, et plus généralement par la plus grande transparence possible sur l'origine et la destination des prélèvements.

En pratique, on observe suivant les pays une grande diversité de situations quant à la composition du prélèvement fiscal. Au sein des pays d'Europe occidentale, où les prélèvements obligatoires se sont stabilisés autour de 40 %-50 % du revenu national dans les années 1990-2020, on constate généralement que l'impôt sur le revenu (y compris l'impôt sur les bénéfices des sociétés) représente autour de 10 %-15 % du revenu national[1], alors que les cotisations sociales (et autres prélèvements sociaux) peuvent atteindre environ 15 %-20 % du revenu national et les taxes indirectes (TVA et autres taxes sur la consommation) autour de 10 %-15 % du revenu national[2]. De façon générale, les taxes indirectes (en particulier sous forme de droits de douane) étaient dominantes jusqu'au XIXᵉ siècle dans tous les pays, avant d'être graduellement remplacées par les impôts sur les revenus et les cotisations sociales comme mode principal de prélèvement. De mon point de vue, les taxes indirectes n'ont pas de véritable justification (à l'exception de celles visant à corriger une externalité comme la taxe carbone, sur laquelle je reviendrai plus loin[3]), et devraient, dans l'absolu, être remplacées par des impôts pesant sur le revenu ou la propriété. En particulier, les taxes indirectes (comme la TVA) ne permettent pas de répartir la charge fiscale en fonction du niveau de revenu ou de propriété, ce qui constitue une limitation majeure d'un point de vue économique comme de celui de la transparence démocratique[4].

1. J'inclus l'impôt sur les bénéfices des sociétés dans le système d'impôt progressif sur le revenu car ces deux impôts gagnent à être analysés conjointement. Idéalement, l'impôt sur les sociétés pourrait être une sorte de précompte à l'impôt sur le revenu payé par l'actionnaire au titre de ses dividendes. En pratique, du fait du manque de coopération internationale et de transparence quant aux propriétaires finaux des entreprises, certains contribuables échappent à l'imposition des revenus qu'ils tirent de leur capital, si bien qu'il est crucial de conserver une imposition directe au niveau des sociétés. Je reviendrai plus loin sur cette question.

2. Voir chapitres 10-11 (et en particulier graphiques 10.14, 10.15 et 11.19) pour une analyse plus détaillée des différents types de prélèvements et de dépenses publiques. Dans certains pays, comme au Danemark, les cotisations sociales sont formellement intégrées dans l'impôt sur le revenu, si bien que ce dernier représente à lui seul jusqu'à 35 % du revenu national. Voir *Taxation Trends in the EU. 2018 Edition*, Commission européenne, table DK. 1, p. 76-77.

3. Une externalité correspond à une situation où la consommation d'un bien ou service particulier par une personne donnée entraîne des effets externes indésirables sur les autres individus, typiquement au travers de la pollution ou de l'émission de gaz à effet de serre.

4. Il est certes possible avec la TVA et les taxes indirectes d'imposer à un taux plus réduit certains biens et services plutôt que d'autres, mais le ciblage social obtenu est beaucoup plus grossier que si l'on utilise directement le revenu ou le patrimoine. L'autre argument en faveur de la TVA consiste à pouvoir imposer les importations et exempter les exportations, mais cela n'a pas de véritable intérêt et témoigne plutôt d'une absence de coordination fiscale

L'analyse détaillée de la façon dont il convient d'organiser les différents types de dépenses publiques et les multiples composantes de l'État social (assurance-maladie universelle, régime unifié de retraites, etc.) dépasserait de beaucoup le cadre de ce livre. Je reviendrai plus loin sur le cas de la répartition de la dépense d'éducation, qui joue un rôle central dans la formation et la persistance des inégalités. Je veux simplement préciser ici le rôle joué par le système de revenu de base au sein de l'État social et de la société juste. Le fait qu'il existe un revenu de base, c'est-à-dire un système de revenu minimum garanti, dans de nombreux pays, et en particulier dans la plupart des pays d'Europe occidentale, est une excellente chose. Ces systèmes peuvent et doivent être améliorés, en particulier en les rendant plus automatiques et universels, notamment vis-à-vis des demandeurs sans domicile, qui ont souvent le plus grand mal à accéder au revenu de base, au logement et plus généralement à des parcours adéquats d'insertion sociale et professionnelle. Il est également essentiel de généraliser le revenu de base à l'ensemble des personnes disposant de bas salaires et revenus d'activité, et en mettant en place de façon aussi systématique que possible le versement automatique du revenu de base sur les bulletins de salaire des personnes considérées, sans qu'elles aient à le demander, en lien avec le système d'impôt progressif sur le revenu (également prélevé automatiquement à la source).

Par exemple, une version relativement ambitieuse du revenu de base, telle que celle indiquée sur le tableau 17.1, pourrait consister à mettre en place un revenu minimum équivalant à 60 % du revenu moyen après impôt pour les personnes sans autres ressources, et dont le montant versé déclinerait avec le revenu et concernerait environ 30 % de la population, pour un coût total d'environ 5 % du revenu national[1]. Là encore, ce paramétrage n'est

---

internationale (en particulier dans le cadre de la concurrence intraeuropéenne). Je reviendrai plus loin sur l'usage possible de l'imposition des importations dans le but de remédier au manque de coordination internationale. Notons enfin que la TVA exonère en pratique de nombreux biens et services (comme les services financiers ou les biens d'investissement) pour des raisons distributives peu claires. Une TVA taxant véritablement l'ensemble de la valeur ajoutée produite sur un territoire donné serait équivalente à une taxe proportionnelle sur tous les revenus (profits et masse salariale) et pourrait être envisagée comme la première tranche du système d'impôts sur les revenus. Voir E. SAEZ, G. ZUCMAN, *The Triumph of Injustice, op. cit.*, et la discussion sur la *national income tax*.

1. Le montant moyen versé serait de l'ordre de 30 % du revenu moyen après impôt, soit 16,5 % du revenu national moyen par adulte (compte tenu du taux moyen d'imposition de 45 % pesant sur les revenus, y compris cotisations sociales et taxe carbone), d'où un coût

donné qu'à titre illustratif : ces choix méritent une large délibération qu'il n'est pas question de trancher ici[1].

Mais le point important sur lequel il convient d'insister est que la justice sociale ne doit pas s'arrêter au revenu de base. Dans l'exemple indiqué sur le tableau 17.1, les dépenses publiques prises en charge dans le cadre de l'État social représentent environ 40 % du revenu national (en particulier au titre des systèmes de santé et d'éducation, des retraites, de l'allocation-chômage et des allocations familiales, etc.), contre 5 % pour le revenu de base et 5 % pour la dotation en capital. Les ordres de grandeur sont importants. Ils expriment l'idée que la société juste doit se fonder sur une logique d'accès universel à des biens fondamentaux, au premier rang desquels la santé, l'éducation, l'emploi, la relation salariale et le salaire différé pour les personnes âgées (sous forme de pension de retraite) et privées d'emploi (sous forme d'allocation-chômage). L'objectif doit être de transformer l'ensemble de la répartition des revenus et de la propriété, et par là même la répartition du pouvoir et des opportunités, et pas simplement le niveau du revenu minimum. L'ambition doit être celle d'une société fondée sur la juste rémunération du travail, autrement dit le salaire juste. Le revenu de base peut y contribuer, en améliorant le revenu des personnes trop faiblement rémunérées. Mais cela exige aussi et surtout de repenser un ensemble de dispositifs institutionnels complémentaires les uns des autres.

Il s'agit notamment du système éducatif. Afin que chacun ait une chance d'accéder à un emploi correctement rémunéré, il faut sortir de l'hypocrisie

---

total de l'ordre de 5 % du revenu national après versement d'un tel montant à 30 % de la population. Voir annexe technique.

1. Pour une description plus détaillée d'un tel système dans le cas français, avec versement automatique du revenu de base sur les bulletins de salaire, voir par exemple P. A. MUET, *Un impôt juste, c'est possible !*, Seuil, 2018. Dans le cas étatsunien, une ambitieuse proposition d'augmentation de l'EITC (*Earned income tax credit*, qui fonctionne comme un supplément de revenu aux bas salaires) a récemment été formulée par L. KENWORTHY, *Social-Democratic Capitalism*, Oxford University Press, 2019, p. 210, fig. 7.15. Une différence importante est que l'EITC, ce crédit d'impôt ciblé sur les foyers des salariés modestes, reste versé à part dans cette formulation. De façon générale, l'avantage du versement automatique sur le bulletin de salaire est que cela permet d'encastrer la notion de revenu de base au sein d'une vision de la société juste fondée sur la relation salariale et le droit du travail et syndical. À l'inverse, un système fondé sur un versement séparé du revenu de base (tel que proposé par exemple par P. VAN PARIJS et Y. VANDERBORGHT, *Le Revenu de base inconditionnel...*, *op. cit.*, qui envisagent un versement à chaque adulte, indépendamment du revenu) risquerait d'affaiblir ce lien et pourrait être instrumentalisé pour favoriser l'hyperflexibilisation et l'émiettement du travail. Cela conduirait par ailleurs à gonfler fortement et artificiellement le niveau des impôts, avec à la clé un risque de diminution des ressources disponibles pour l'État social.

consistant à investir davantage de moyens dans les filières élitistes que dans les filières les plus fréquentées par les étudiants socialement défavorisés. Il s'agit également du système de droit du travail et plus généralement du système légal. Les négociations salariales, le salaire minimum, les échelles de salaires et le partage des droits de vote entre les représentants des salariés et des actionnaires peuvent contribuer à la mise en place du salaire juste, à une meilleure répartition du pouvoir économique et à un plus grand investissement des salariés dans la stratégie des entreprises.

Il s'agit enfin du système fiscal. Outre l'impôt progressif sur la propriété et la dotation en capital, qui favorise la participation des salariés, il faut souligner le rôle de l'impôt progressif sur le revenu qui doit contribuer au salaire juste en réduisant les écarts de revenus au niveau correspondant à une société juste. En particulier, l'expérience historique montre que les taux marginaux de l'ordre de 70 %-90 % sur les plus hauts revenus ont permis de mettre fin aux rémunérations astronomiques et inutiles, au plus grand bénéfice des salaires moins élevés et de l'efficacité économique et sociale d'ensemble[1]. De fait, tout indique qu'un barème d'imposition du type de celui indiqué sur le tableau 17.1 permettrait de revenir à une échelle de salaires plus resserrée et à de meilleurs salaires dans le bas et le milieu de la répartition[2]. On notera également que le barème proposé atteint assez vite des niveaux d'imposition relativement élevés, avec par exemple un taux effectif global de l'ordre de 40 % (y compris les cotisations sociales) pour les revenus autour de deux fois le revenu moyen. Cela est nécessaire pour financer un État social ambitieux et universel, notamment en termes de systèmes de santé et de retraites. Il faut toutefois rappeler qu'en l'absence de tels systèmes publics les salariés en question devraient acquitter d'importants versements à des fonds de pension et à des assurances santé privées, qui en pratique peuvent s'avérer nettement plus coûteux que les systèmes publics[3].

---

1. Voir chapitre 11, p. 621-622.

2. Cela ne signifie évidemment pas que le barème indiqué à titre purement illustratif sur le tableau 17.1 règle à lui seul la question de l'inégalité juste. La question de savoir jusqu'où l'échelle des salaires et des revenus peut être réduite dans l'intérêt des plus défavorisés est une question toujours en cours, et sur laquelle on ne peut faire des progrès supplémentaires que par des expérimentations réelles.

3. Aux États-Unis, si l'on inclut le coût des assurances privées dans les prélèvements, on constate que le profil des prélèvements s'élève fortement et devient nettement régressif, au détriment des catégories moyennes et populaires. Voir E. Saez, G. Zucman, *The Triumph of Injustice, op. cit.*, p. 213.

Pour résumer, il faut éviter de faire du revenu de base une sorte de solution miracle qui permettrait de se dispenser de tous ces autres dispositifs institutionnels. Dans le passé, l'idée du revenu de base a parfois été instrumentalisée pour promouvoir une forme de « solde de tout compte » justifiant de fortes coupes dans les autres programmes sociaux[1]. Il importe donc de penser le revenu de base comme un élément d'un ensemble plus ambitieux incluant notamment l'impôt progressif sur la propriété et sur le revenu, la dotation en capital et l'État social.

La question de la taxation progressive des émissions carbone

Venons-en maintenant à la question de la taxe carbone. De façon générale, ainsi que nous l'avons déjà évoqué, le réchauffement climatique constitue avec la montée des inégalités le principal défi auquel fait face la planète en ce début de XXIe siècle. Plusieurs facteurs conduisent à penser que ces deux enjeux sont intimement liés et qu'ils ne pourront être résolus que si on les traite de concert. Cela tient tout d'abord au fait que les émissions carbone sont fortement concentrées au sein d'un petit groupe d'émetteurs constitué principalement de personnes à hauts revenus et à hauts patrimoines dans les pays les plus riches du monde (particulièrement aux États-Unis)[2]. Par ailleurs, l'ampleur des transformations des modes de vie rendues nécessaires pour faire face au changement climatique est telle que leur acceptation sociale et politique doit nécessairement passer par la construction de normes de justice exigeantes et vérifiables. Concrètement, on voit mal comment les catégories modestes et moyennes des pays riches comme des pays émergents seraient disposées à faire des efforts importants si elles ont le sentiment que les catégories supérieures continuent paisiblement de les regarder du haut de leur niveau de vie et de leurs émissions.

Les mesures de réduction des inégalités évoquées précédemment, et en particulier la forte augmentation de la progressivité fiscale sur les hauts revenus et patrimoines, apparaissent par conséquent comme une condition nécessaire pour lutter contre le réchauffement climatique. Pour autant,

---

1. C'était notamment l'esprit des propositions de revenu de base et d'impôt négatif formulées par Milton Friedman dans son livre *Free to Choose* de 1980.
2. Voir chapitre 13, graphique 13.7, p. 777.

il ne s'agit pas d'une condition suffisante. Parmi les autres outils le plus souvent évoqués figure notamment la taxation des émissions carbone. Plusieurs précautions doivent toutefois être prises pour qu'une telle solution soit viable. Tout d'abord, la taxe carbone ne peut pas être vue comme la solution unique. Bien souvent, la façon la plus efficace pour réduire les émissions passe par des normes, des interdictions et des règles strictes, concernant les véhicules de transport, le chauffage, l'isolation des logements, etc., bien davantage que par le fait de mettre un prix plus élevé sur le carbone.

Ensuite, la condition absolue pour qu'une taxe carbone soit acceptée et joue pleinement son rôle est de consacrer la totalité de ses recettes à la compensation des ménages modestes et moyens les plus durement touchés par les hausses de taxes et au financement de la transition énergétique. La façon de faire la plus naturelle serait d'intégrer la taxe carbone dans le système d'impôt progressif sur le revenu, comme cela a été fait sur le tableau 17.1. Autrement dit, à chaque augmentation de taxe carbone, on calculerait l'impact moyen sur les différents niveaux de revenus en fonction des structures moyennes de dépenses, et on ajusterait automatiquement le barème de l'impôt progressif sur le revenu et du système de transferts et de revenu de base afin de neutraliser l'effet. On conserverait ainsi le signal prix (c'est-à-dire le fait que les consommations plus carbonées coûteraient plus cher que celles moins carbonées, de façon à inciter à un changement des modes de consommation) mais sans grever le pouvoir d'achat total des plus modestes[1]. À l'inverse, la méthode utilisée en France en 2017-2018, consistant à utiliser les hausses de taxe carbone pesant sur les plus modestes pour financer les baisses d'impôts sur la fortune et sur le revenu des plus riches – ce qui a conduit à la crise des Gilets jaunes et au blocage de l'ensemble du système français de taxe carbone – constitue la stratégie à éviter absolument[2].

Enfin, il est légitime de se demander s'il ne faudrait pas envisager la mise en place d'une taxation progressive des émissions carbone. À ce jour, les formes de taxe carbone utilisées ont été essentiellement proportionnelles. Autrement dit, on vise à imposer toutes les émissions au même taux, qu'il s'agisse de celles de personnes émettant 5 ou 10 tonnes de

---

1. Dans certains cas, les transferts compensatoires devront prendre en compte non seulement le revenu mais aussi le type d'habitat et d'agglomération, l'existence de transports en commun, etc.
2. Voir chapitres 13, p. 779-780, et 14, p. 922-924.

carbone (équivalent CO_2) par an, c'est-à-dire à proximité de la moyenne mondiale, ou de celles de personnes émettant 100 ou 150 tonnes par an, ce qui correspond aux 1 % des individus émettant le plus haut niveau mondial. Le problème d'un tel système est que les plus gros émetteurs, pour peu qu'ils en aient les moyens, peuvent se retrouver à ne rien changer à leur mode de vie hautement carboné, ce qui n'est pas forcément la meilleure façon de bâtir une norme de justice acceptable par le plus grand nombre. La réduction d'ensemble des inégalités socio-économiques par l'impôt progressif sur le revenu et la propriété atténuerait ces disparités et contribuerait à les rendre davantage acceptables, mais il n'est pas certain que ce soit suffisant. Une solution parfois évoquée est celle de la « carte carbone », consistant à distribuer un quota égal pour tous d'émissions annuelles (par exemple 5 ou 10 tonnes), tout en permettant à chacun de vendre tout ou partie de son quota. De cette façon, les plus pauvres ou les moins polluants verraient immédiatement l'intérêt financier de permettre aux plus riches ou aux plus polluants d'émettre davantage. Cela revient cependant à admettre de nouveau un droit de polluer sans limites pour les personnes disposant de moyens financiers suffisants. Par ailleurs, sur la base des marchés de droits à polluer déjà expérimentés pour les entreprises, tout laisse à penser qu'un tel marché étendu aux particuliers risque fort d'être volatil et manipulable à l'extrême, avec à la clé des vagues spéculatives et des acteurs réalisant d'énormes profits aux dépens d'autres, et un signal prix particulièrement bruité.

Une meilleure solution pourrait être une véritable taxation progressive des émissions carbone au niveau des consommateurs individuels. Par exemple, les cinq premières tonnes d'émissions individuelles pourraient être pas ou peu taxées, puis les dix suivantes pourraient l'être davantage, et ainsi de suite, éventuellement jusqu'à un niveau d'émissions maximal, au-delà duquel toute émission serait interdite, sous peine de sanction dissuasive (par exemple au travers d'une taxation confiscatoire du revenu ou du patrimoine)[1]. De même qu'avec la « carte carbone », cette solution suppose que l'on puisse mesurer les émissions au niveau individuel. Cela soulève des enjeux complexes, qui pourraient néanmoins

---

1. Ce barème est donné à titre illustratif et peut constituer un point de départ compte tenu du fait que la moyenne des émissions mondiales est actuellement autour de 5-6 tonnes par habitant. Il devrait toutefois être rapidement renforcé si l'on souhaite tenir l'objectif de limitation de hausse des températures à 1,5-2 °C (qui exige d'après les estimations disponibles de réduire les émissions à environ 1-2 tonnes par habitant d'ici à la fin du siècle).

être surmontés (par exemple au moyen des informations contenues dans les cartes de paiement individuelles) si l'on décidait qu'il s'agit d'un enjeu central pour l'avenir de la planète[1]. Par ailleurs, cela est d'ores et déjà réalisable pour certaines consommations, par exemple pour les factures d'électricité. Il serait également possible dans un premier temps d'approximer une taxe carbone progressive en imposant à des taux plus élevés les biens et services généralement associés à des émissions individuelles plus élevées, par exemple le kérosène utilisé dans le transport aérien, ou mieux encore les billets d'avion en classe affaires. Ce qui est certain, c'est que le développement d'une politique climatique durable passera par la définition de nouvelles normes de justice environnementale et fiscale acceptables par le plus grand nombre, ce qui n'est absolument pas le cas actuellement[2].

De la construction d'une norme de justice éducative

Venons-en maintenant à la question de la justice éducative. Il s'agit d'un enjeu central, pour de multiples raisons. De façon générale, l'émancipation par l'éducation et la diffusion du savoir doit être au cœur de tout projet de société juste et en particulier du socialisme participatif. Historiquement, ce sont d'ailleurs les progrès de l'éducation qui ont permis le développement économique et le progrès humain, et non pas la sacralisation de l'inégalité

---

1. Tous les nouveaux impôts ont été accusés en leur temps d'être impraticables, excessivement complexes et inquisitoriaux. C'était notamment le cas de l'impôt sur le revenu au XIXᵉ siècle et jusqu'au début du XXᵉ siècle. Cela étant dit, l'utilisation des relevés bancaires pose des questions complexes liées au respect de la vie privée. Il me semble toutefois étrange de refuser d'envisager la possibilité que l'on puisse parvenir à développer des procédures publiques permettant un usage maîtrisé de ces informations, alors même que l'on a appris à faire confiance aux établissements bancaires privés pour ne pas faire d'usage abusif de ces mêmes informations.

2. On peut aussi se demander s'il faut uniquement envisager la taxation progressive au niveau des consommations individuelles (ce qui peut sembler le plus logique en vue de responsabiliser les consommateurs, en particulier dans les pays riches) ou bien s'il ne faudrait pas également étudier la possibilité d'une taxation progressive des productions individuelles (sur la base des revenus individuels – salaires et profits – générés par la production de biens et services responsables des émissions carbone), ce qui pourrait dans certains cas être plus efficace. Les deux formes de taxation (côté consommateur ou côté producteur) sont en principe équivalentes en cas de taxation proportionnelle. Ce n'est plus le cas dès lors que l'on envisage une taxation progressive.

et de la propriété[1]. Nous avons également vu dans les chapitres précédents comment l'expansion éducative et le développement de l'enseignement supérieur s'étaient accompagnés d'un retournement complet des clivages politiques. Dans les années 1950-1980, les partis démocrates, travaillistes, socialistes et sociaux-démocrates réalisaient leurs meilleurs scores parmi les électeurs les moins diplômés. La situation s'est graduellement inversée, et ces mêmes mouvements politiques se sont mis à obtenir dans les années 1990-2020 leurs plus hauts scores parmi les plus diplômés. Pour résumer : les forces politiques qui formaient dans l'après-guerre le parti des travailleurs sont progressivement devenues le parti des diplômés à la fin du XXe siècle et au début du XXIe siècle. L'explication la plus naturelle est que les électeurs les moins diplômés ont eu le sentiment d'être abandonnés par ces partis, dont l'attention et les priorités se seraient de plus en plus tournées vers les gagnants du système éducatif, et dans une certaine mesure les gagnants de la mondialisation. Cette transformation politico-idéologique revêt une importance cruciale pour notre enquête. En particulier, elle constitue un élément important permettant de mieux comprendre l'effondrement du système gauche-droite de l'après-guerre et la montée des inégalités depuis les années 1980-1990[2].

Nous avons déjà longuement insisté sur les très fortes inégalités en termes de probabilités d'accès à l'enseignement supérieur aux États-Unis, qui sont étroitement reliées au percentile de revenu parental, ainsi que la stratification extrême du système éducatif entre les meilleures universités et les autres[3]. Si le parti démocrate souhaite reconquérir l'électorat populaire, il lui faudra sans doute apporter des preuves tangibles du fait qu'il se soucie davantage des enfants issus des catégories modestes et moyennes et de l'amélioration de leurs conditions de formation, et un peu moins des enfants de ceux qui sont eux-mêmes issus des écoles et des universités les plus élitistes. Nous avons en outre noté que l'inégalité éducative et l'hypocrisie des discours méritocratiques concernaient également, suivant des modalités différentes, les pays régis par un système principalement public et prétendument égalitaire, comme la France[4].

---

1. Voir chapitres 11-12. Sur le rôle central de l'égalité par l'éducation et le savoir dans une perspective Socialiste durkheimienne (davantage que marxiste), voir B. KARSENTI, C. LEMIEUX, *Socialisme et Sociologie*, Éditions de l'EHESS, 2017, p. 43-48.

2. Voir chapitres 14-16.

3. Voir Introduction, graphique 0.8, p. 53, et chapitre 15, p. 939-944.

4. Voir chapitre 14, p. 876-885.

Afin de préciser ce point, j'ai représenté sur le graphique 17.1 la répartition de l'investissement éducatif public actuellement en application en France.

Graphique 17.1

L'inégalité de l'investissement éducatif en France (2018)

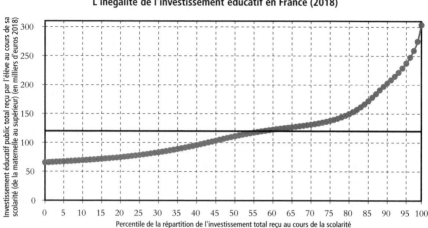

Lecture : l'investissement éducatif public total dont auront bénéficié au cours de l'ensemble de leur scolarité (de la maternelle au supérieur) les élèves de la génération atteignant 20 ans en 2018 se monte en moyenne à environ 120 k€ (soit approximativement 15 années de scolarité pour un coût moyen de 8 k€ par an). Au sein de cette génération, les 10 % des élèves ayant bénéficié de l'investissement public le plus faible ont reçu environ 65-70 k€, alors que les 10 % ayant bénéficié de l'investissement public le plus important ont reçu entre 200 k€ et 300 k€.
Note : les coûts moyens par filière et par année de scolarité s'échelonnent dans le système français en 2015-2018 entre 5-6 k€ dans la maternelle-primaire, 8-10 k€ dans le secondaire, 9-10 k€ à l'université et 15-16 k€ dans les classes préparatoires aux grandes écoles.
Sources et séries : voir piketty.pse.ens.fr/ideologie.

Si l'on examine l'ensemble des jeunes adultes atteignant 20 ans en 2018, on peut estimer sur la base des dernières enquêtes et tendances disponibles que l'investissement éducatif public total dont ils auront bénéficié au cours de l'ensemble de leur scolarité (de la maternelle au supérieur) se situera en moyenne à environ 120 000 euros, ce qui correspond approximativement à quinze années de scolarité pour un coût moyen de 8 000 euros par an. Il s'agit là d'une situation moyenne, avec en pratique d'énormes disparités liées notamment à l'âge de fin de scolarité et au type de filière suivie dans le secondaire et surtout dans le supérieur[1]. Au sein de cette génération,

---

1. Les variations liées à la fréquentation de la maternelle (qui concerne en principe les enfants de 3 à 6 ans, mais n'est pas obligatoire, et peut parfois être accessible dès l'âge de 2 ans, suivant les lieux et les années), jouent également un rôle, mais beaucoup plus réduit. Les estimations présentées ici sont fondées sur des enquêtes auprès des ménages permettant d'estimer la répartition des études suivies au sein d'une génération donnée, et se contentent d'attribuer

les 10 % des élèves ayant bénéficié de l'investissement public le plus faible auront reçu environ 65 000-70 000 euros chacun, alors que les 10 % ayant bénéficié de l'investissement public le plus important auront reçu entre 200 000 euros et 300 000 euros chacun. Le premier groupe est constitué de personnes ayant quitté le système scolaire dès 16 ans (âge de la scolarité obligatoire) et ayant réalisé une scolarité longue d'à peine dix années, pour un coût moyen de 6 000-7 000 euros par année. À l'inverse le second groupe comprend des personnes effectuant des études supérieures longues, parfois au-delà de l'âge de 25 ans, et des scolarités complètes de plus de vingt années. Outre la longueur des études supérieures, l'autre élément important déterminant l'inégalité de la dépense éducative est le passage par les filières sélectives du supérieur, et en particulier par les classes préparatoires aux grandes écoles, où les étudiants bénéficient d'un taux d'encadrement beaucoup plus élevé que dans les filières universitaires non sélectives[1].

Au final, les écarts sont très substantiels : l'inégalité de dépense publique reçue entre les différents groupes d'élèves peut atteindre 150 000 euros si l'on compare le décile le plus haut et le décile le plus bas, voire plus de 200 000 euros si l'on compare le centile supérieur et le décile le plus bas, soit l'équivalent du patrimoine moyen par adulte en France actuellement. C'est un peu comme si certains enfants recevaient un héritage supplémentaire par rapport à d'autres, étant entendu que l'héritage est lui-même réparti de façon très inégalitaire[2]. Par ailleurs, même si ceux qui font les études les plus courtes ne sont pas systématiquement les personnes ayant les origines familiales les plus défavorisées, et ceux qui font les études les plus longues ne sont pas toujours issus des milieux les plus favorisés, il existe naturellement une corrélation positive et significative entre les deux dimensions, si bien

---

un même coût par année suivie dans une filière donnée (primaire, collège, lycée, etc.). Tous les détails sur la construction de ces données sont disponibles en ligne. Voir également S. ZUBER, « L'inégalité de la dépense publique d'éducation en France, 1900-2000 », EHESS, 2003, et C. BONNEAU, « The Concentration of Educational Investment in the US (1970-2018), with a Comparison to France », EHESS, 2019.

1. Selon les données officielles, la scolarité en classes préparatoires revient à 15 000-16 000 euros par an, contre environ 9 000-10 000 euros à l'université. On notera par ailleurs une baisse d'environ 10 % de l'investissement réel par étudiant du supérieur entre 2008 et 2018, parce que les budgets publics n'ont pas suivi l'évolution du nombre d'étudiants. Voir *Repères et Références statistiques 2018*, ministère de l'Éducation nationale, 2019, section 10.5, p. 325. Voir également annexe technique, graphique S14.11e.

2. Rappelons que les 50 % les moins dotés en héritage ne reçoivent quasiment rien (à peine 10 000-20 000 euros en moyenne) alors que les 10 % les mieux dotés reçoivent plusieurs centaines de milliers d'euros, voire pour certains plusieurs millions ou dizaines de millions.

que dans de nombreux cas les effets de l'investissement éducatif public et de l'héritage privé se cumulent[1]. Soulignons enfin que les hypothèses réalisées pour faire ces estimations nous conduisent probablement à sous-estimer de façon importante l'ampleur réelle de ces écarts. En particulier, les estimations officielles sur le coût des filières sélectives et non sélectives, que nous avons utilisées ici, sous-estiment sans doute fortement l'écart réel[2].

Essayons maintenant de voir suivant quels principes on pourrait tenter de définir une répartition juste de l'investissement éducatif. Précisons de nouveau que, de la même façon que pour la propriété juste et l'impôt juste, il ne s'agit évidemment pas de fournir une solution close, ce dont je serais bien incapable, mais simplement de proposer des pistes pour la délibération collective. Tout d'abord, il paraît clair qu'il faudrait également prendre en compte l'investissement éducatif privé, ce qui conduirait à accroître l'inégalité de la dépense éducative. L'effet resterait limité dans un pays comme la France, où le système éducatif est principalement public. Mais il aurait une importance massive aux États-Unis, où l'investissement par étudiant peut atteindre des niveaux extrêmement élevés pour ceux qui ont accès aux universités privées les plus coûteuses et les plus riches, sans rapport avec les moyens dont disposent les étudiants des universités publiques et autres *community colleges*[3].

En ce qui concerne la répartition de l'investissement éducatif public observée dans un pays comme la France, une norme de justice relativement naturelle consisterait à faire en sorte que tous les enfants aient droit à la

---

1. Les données disponibles indiquent que le lien entre revenu parental et accès au supérieur est moins extrême en France qu'aux États-Unis, mais tout de même très élevé. Voir annexe technique.

2. Les estimations officielles (15 000-16 000 euros par an en classes préparatoires, 9 000-10 000 euros à l'université) incluent en effet dans les coûts universitaires l'ensemble des dépenses liées aux laboratoires de recherche universitaire, ce qui ne bénéficie pas nécessairement aux étudiants en formation, tout du moins au niveau des premières années d'université. Dans le cas des classes préparatoires, les enseignants n'ont pas de mission de recherche et sont concentrés sur l'objectif de formation, si bien que cela biaise fortement la comparaison. Si l'on retirait les dépenses de recherche et que l'on se concentrait sur les étudiants universitaires de niveau licence, le coût par année d'études serait inférieur à 5 000 euros. Voir annexe technique.

3. De fait, la concentration de la dépense éducative totale (publique et privée) apparaît sensiblement plus élevée aux États-Unis qu'en France, et en forte hausse au cours des dernières décennies, ce qui peut contribuer à expliquer la montée des inégalités de revenus. Encore faut-il préciser que les données disponibles ne permettent pas de prendre parfaitement en compte toutes les inégalités de dépenses entre universités aussi bien qu'au niveau du système primaire et secondaire qui est, pour une large part, financé par les impôts locaux aux États-Unis. Voir C. BONNEAU, « The Concentration of Educational Investment in the US (1970-2018), with a Comparison to France », art. cité.

même dépense d'éducation, qui pourrait être utilisée dans le cadre de la formation initiale ou continue. Autrement dit, une personne quittant l'école à 16 ans ou 18 ans et qui n'aurait donc utilisé qu'une dépense éducative de 70 000 euros ou 100 000 euros lors de sa formation initiale, à l'image des 40 % d'une génération bénéficiant de la dépense la plus faible, pourrait ensuite utiliser dans le cours de sa vie un capital éducation d'une valeur de 100 000 ou 150 000 euros afin de se hisser au niveau des 10 % ayant bénéficié de la dépense la plus forte en formation initiale (voir graphique 17.1)[1]. Ce capital pourrait ainsi permettre de reprendre une formation à 25 ans ou 35 ans ou tout au long de la vie[2]. Dans l'absolu, on pourrait aussi imaginer que ces personnes puissent sous certaines conditions bénéficier d'une partie de cette somme comme capital monétaire, qui viendrait alors s'ajouter à la dotation universelle en capital. Il me semble cependant préférable d'utiliser ces moyens pour améliorer les opportunités d'éducation ouvertes à tous, et en particulier aux jeunes issus de classes sociales défavorisées[3]. Outre la possibilité donnée de reprendre des études (qui dans de nombreux cas resterait sans doute théorique), il faut aussi et surtout réaliser les investissements nécessaires dans l'enseignement primaire et secondaire permettant réellement l'émancipation par l'éducation lors de la période de formation initiale.

Pourtant il existe en ce domaine une immense hypocrisie. En France comme dans de nombreux pays, des dispositifs dits d'éducation priori-taire sont supposés permettre d'orienter les ressources éducatives vers

1. Une autre solution pourrait consister à faire payer des droits d'inscription élevés à ceux qui ont la chance de poursuivre leur formation initiale dans le supérieur (et qui sont en moyenne socialement plus favorisés), comme l'a fait le New Labour au Royaume-Uni (voir chapitre 15, p. 975-976). Le problème est que cette solution se fait au détriment des étudiants d'origine modeste, qui peuvent soit être découragés de faire des études, soit se retrouver endettés pendant de longues années, alors que les étudiants favorisés bénéficieront du soutien financier de leurs parents. Il paraît préférable de mettre davantage à contribution ces derniers, au bénéfice de l'ensemble des enfants et pas simplement des leurs.

2. On peut également imaginer que le capital éducation puisse être partiellement utilisé sous forme d'allocation pendant les études, y compris avant 25 ans (âge ouvrant droit au revenu de base en France), et non seulement en tant que droit d'accès à des études gratuites.

3. Si l'on portait au niveau du 90e percentile (soit environ 200 000 euros en France actuel-lement) l'investissement éducatif actuellement dépensé pour les 90 % des enfants bénéficiant de la dépense la plus faible, alors le coût supplémentaire serait de l'ordre de 2,5 %-3 % du revenu national (pour un budget éducatif total d'actuellement 5,5 %-6 % du revenu national). Il s'agirait d'un coût significatif mais pas insurmontable, et justifié eu égard aux enjeux et à la dangereuse stagnation de l'investissement éducatif dans les pays riches depuis les années 1980-1990. Voir chapitre 10, graphique 10.15, p. 537.

les quartiers, écoles, collèges et lycées socialement défavorisés. En réalité, comme nous l'avons déjà noté, ce sont au contraire les établissements socialement les plus favorisés qui bénéficient en pratique des enseignants les plus expérimentés, les plus formés et les mieux rémunérés, et cet effet l'emporte nettement sur les maigres primes allouées aux enseignants débutants ou contractuels officiant dans les zones défavorisées[1]. S'il existait une réelle augmentation des moyens en faveur des établissements primaires et secondaires les plus défavorisés, alors le premier effet serait de faire remonter les niveaux d'investissements éducatifs les plus bas indiqués sur le graphique 17.1, et de rendre ainsi la répartition de la dépense éducative plus égalitaire et plus juste.

Sortir de l'hypocrisie éducative, promouvoir la transparence

De façon générale, si l'on souhaite construire des normes acceptables de justice éducative, il est indispensable de promouvoir une beaucoup plus grande transparence en matière d'allocation des moyens. Actuellement, dans la plupart des pays, les procédures régulant les dépenses éducatives sont relativement opaques et ne permettent pas une appropriation collective et citoyenne. On se retrouve dans des situations où la rémunération moyenne des enseignants est d'autant plus élevée que les établissements sont socialement favorisés, ou encore où l'investissement éducatif public est quatre fois plus élevé pour certains groupes (qui se trouvent être également les plus favorisés) que pour d'autres au sein d'une même génération, le tout en toute bonne conscience, sans que personne ait jamais véritablement eu à faire de tels choix, à les examiner, à en débattre, et éventuellement à les faire évoluer. Je ne prétends nullement qu'il est simple de définir la justice éducative, et ce n'est certainement pas ce livre qui va clore le débat. Mais pour que ce débat puisse avoir lieu, il est important de commencer par faire en sorte que la publication de ce type de données sur la réalité de l'investissement éducatif devienne une obligation légale (voire constitutionnelle). Il deviendrait alors possible de se fixer des objectifs, et de vérifier année après année dans quelle mesure ils ont été atteints.

---

1. Voir chapitre 14, p. 881-884, et les travaux réalisés par Asma Benhenda. Les établissements défavorisés bénéficient d'effectifs plus faibles par classe, mais cela permet simplement de compenser l'effet lié aux rémunérations des enseignants, qui va en sens inverse.

En l'occurrence, il me semble qu'un objectif raisonnable serait d'une part de faire en sorte que la rémunération moyenne des enseignants cesse d'être une fonction croissante du pourcentage d'élèves favorisés dans les collèges et les lycées, et, d'autre part, plus généralement, d'accroître réellement et substantiellement les moyens investis dans les établissements primaires et secondaires les plus défavorisés, de façon à rendre plus égalitaire la répartition globale de l'investissement éducatif par génération (telle que représentée sur le graphique 17.1). De tels changements, qui n'auraient rien de négligeable, doivent pouvoir être vérifiés publiquement. Ils permettraient également d'accroître sensiblement les chances d'accès à l'enseignement supérieur des élèves d'origine sociale défavorisée. Toutes les études indiquent en effet que les investissements précoces, en particulier au primaire et au collège, sont les plus à même de corriger les inégalités de réussite scolaire entre enfants issus de différentes origines sociales.

Cela étant posé, cette politique d'affectation prioritaire des moyens doit aussi être complétée par une prise en compte des origines sociales dans les procédures d'admission et d'affectation dans les lycées et dans l'enseignement supérieur. Cela peut se faire de différentes façons, soit en prenant directement en compte les origines individuelles (par exemple avec des systèmes de points dépendant du revenu parental et qui s'ajouteraient aux notes scolaires obtenues, ou bien en utilisant des quotas sociaux par filière, ce qui est sans doute préférable), soit en utilisant le quartier ou l'établissement d'origine (par exemple en décidant que les meilleurs élèves de chaque collège ou lycée doivent être pris dans telle ou telle filière). Là encore, il ne m'appartient évidemment pas de trancher ici ces questions délicates. De tels arbitrages exigent des compromis sociaux et politiques complexes qui ne pourront être faits qu'à l'issue d'expérimentations sophistiquées et d'une vaste délibération et appropriation citoyenne. Par nature les choix qui seront faits devront sans cesse être remis en cause, améliorés et adaptés aux transformations en cours. Il me semble important toutefois d'insister sur le fait que la construction d'une norme de justice acceptable par tous, ou plus modestement d'un minimum de confiance collective dans le système utilisé, est un processus extrêmement délicat et fragile. Cela demande des conditions de grande transparence, qui vont souvent à l'encontre des habitudes des responsables politiques et parfois des administrations scolaires.

Certains pays, à commencer par l'Inde, ont une plus longue expérience que les autres pour appliquer des dispositifs de quotas et de « réservations » de places à l'université pour les catégories sociales spécifiques. Dans le cas de l'Inde, ces politiques ont d'abord concerné à partir de 1950 les catégories historiquement discriminées, avant d'être étendues depuis 1990 à l'ensemble des classes sociales défavorisées, ce qui a joué un rôle majeur dans la structuration du conflit politico-idéologique dans le pays[1]. Ces expériences sont riches d'enseignements mais ne peuvent évidemment être transposées telles quelles dans des contextes différents. De nombreux pays en Europe ont commencé plus récemment à prendre en compte les origines familiales dans les procédures d'admission, malheureusement avec un manque criant de transparence. En France, les algorithmes utilisés pour les admissions aux lycées (Affelnet) et dans l'enseignement supérieur (APB puis Parcoursup depuis 2018) restent dans une large mesure un secret d'État[2]. En outre, la façon dont ces mécanismes prennent en compte les origines familiales et le revenu parental se caractérise par de très violentes discontinuités, ce qui n'est pas de nature à construire du consensus social à leur sujet[3]. Aux États-Unis, l'interdiction par les tribunaux d'utiliser les origines raciales dans les procédures d'admission se double d'une interdiction d'utiliser le revenu parental (ce qui est beaucoup plus discutable), si bien que les mécanismes utilisés ont souvent recours au quartier d'origine[4]. Malheureusement cela ne permet pas de promouvoir la mixité autant qu'on pourrait le souhaiter, car ce sont souvent les plus favorisés des quartiers défavorisés qui bénéficient du mécanisme, d'où l'intérêt en règle générale d'utiliser des caractéristiques individuelles comme le revenu parental. Au Royaume-Uni, des propositions ont été faites pour promouvoir le tirage au sort (au sein de groupes d'élèves ayant obtenu plus d'un certain nombre de points dans les épreuves scolaires) afin de démocratiser l'accès aux institutions les plus élitistes, ce qui revient à utiliser des quotas sociaux au sein du groupe en

---

1. Voir chapitres 8, p. 410-415, et 16, p. 1082-1085.

2. En particulier, les quotas d'élèves boursiers qui doivent être acceptés dans les différentes filières (notamment dans les classes préparatoires) ne sont pas rendus publics.

3. Concrètement, seuls les élèves boursiers (soit approximativement les 15 %-20 % des élèves au revenu parental le plus bas) disposent de points supplémentaires dans Affelnet (ou de quotas sociaux dans Parcoursup), ce qui a permis dans certains cas une forte augmentation de la mixité au bénéfice de ces groupes, mais est relativement injuste vis-à-vis des groupes placés légèrement au-dessus. Un système prenant en compte de façon plus continue le revenu parental et les origines sociales serait nettement préférable. Voir G. FACK, J. GRENET, A. BENHENDA, *L'Impact des procédures de sectorisation et d'affectation sur la mixité sociale et scolaire dans les lycées d'Île-de-France*, rapport n° 3 de l'IPP (Institut des politiques publiques), juin 2014.

4. Voir par exemple le cas des lycées publics de Chicago étudié par G. ELLISON, P. PATHAK, « The Efficiency of Race-Neutral Alternatives to Race-Based Affirmative Action : Evidence from Chicago's Exam Schools », NBER, 2016.

question. Cela permettrait en outre de limiter l'hyperinvestissement financier et émotionnel des parents visant à permettre à leurs enfants d'obtenir des *test scores* toujours plus élevés, au moyen de cours additionnels toujours plus précoces et toujours plus excluant pour les catégories de parents qui n'ont ni les moyens ni les codes nécessaires[1]. Un bon compromis pourrait être une prise en compte très limitée des notes (au-delà d'un certain seuil), tempérée par un objectif prioritaire de mixité sociale. Il ne fait guère de doute que ces débats, qui, dans une large mesure, ne font que commencer, joueront un rôle central au cours des décennies à venir. Leur politisation ne fait elle-même que commencer, et pourrait à terme contribuer à transformer de nouveau la structure du clivage politico-éducatif[2].

Concluons enfin en mentionnant le problème particulier posé par la coexistence d'établissements publics et privés, aussi bien au niveau du primaire et du secondaire que du supérieur. En pratique, les établissements privés bénéficient généralement de financements publics, directement ou indirectement, au travers d'un statut légal et fiscal spécifique. Surtout, ils participent à l'exercice d'un service public essentiel, à savoir le droit de chaque enfant à la formation et au savoir. Dans ces conditions, il est indispensable qu'ils fassent l'objet d'une régulation commune avec les établissements publics, à la fois pour ce qui concerne les moyens disponibles et les procédures d'admission, faute de quoi tous les efforts faits pour construire des normes de justice acceptables dans le secteur public seront immédiatement contournés par le passage dans le privé. En France, les écoles, collèges et lycées privés disposent de moyens publics substantiels, auxquels s'ajoutent les moyens apportés par les parents, ainsi que le droit de sélectionner les élèves aux origines sociales qui leur conviennent[3]. Cela forme un ensemble difficilement justifiable en termes de justice éducative. Aux États-Unis, les universités privées refusent de rendre publics leurs règles et algorithmes d'admission, et exigent qu'on les croie sur parole quand elles affirment que leurs procédures préférentielles en faveur des enfants d'anciens élèves et de personnes fortunées faisant des dons à l'université sont utilisées avec modération[4]. Là encore, cela ne facilite guère l'élaboration d'une norme de justice acceptable par tous.

1. Voir L. E. MAJOR, S. MACHIN, *Social Mobility and its Ennemies*, Pelican Books, 2018.
2. Dans des conditions espérons-le plus paisibles que celles prédites par Michael Young en 1958 dans *The Rise of the Meritocracy*. Voir chapitre 13, p. 829.
3. Voir chapitre 14, p. 883.
4. Voir chapitres 11, p. 627-629, et 15, p. 939-944.

La progression vertigineuse des dotations en capital des plus riches universités privées au cours des dernières décennies, en particulier aux États-Unis, compte tenu notamment des très forts rendements financiers obtenus sur les marchés internationaux, pose également des problèmes spécifiques[1]. Afin de limiter la croissance sans limites de ces dotations, il est parfois question dans le débat public de rehausser l'obligation de dépenser annuellement une part de ces dotations, qui pourrait passer de 4 %-5 % actuellement (suivant les universités) à 10 % ou 15 %. Le problème est que les plus riches universités ne savent déjà plus très bien comment dépenser leur argent, et, à l'inverse, que les universités et *colleges* publics accessibles aux catégories sociales les plus défavorisées manquent cruellement de moyens[2]. Dans ces conditions, une politique relativement logique consisterait à imposer à un barème d'imposition progressive les dotations en capital des universités afin de financer un fonds permettant de doter les universités plus pauvres. Le barème d'imposition n'a aucune raison d'être le même que celui appliqué aux propriétés détenues par les individus privés, car il s'agit d'un contexte différent et d'une réalité socio-économique spécifique, et il ne m'appartient pas de le fixer ici. Il me semble toutefois qu'une telle question mérite réflexion. Il est en effet très difficile d'imaginer un scénario menant à une éducation juste aux États-Unis si on laisse les écarts de moyens entre universités élitistes et universités pauvres croître sans limites. Cette question pourrait également se poser pour des fondations et des structures non lucratives dans d'autres secteurs d'activité, comme la culture, la santé ou les médias, et devrait trouver des réponses adaptées, en fonction de l'intérêt général et de la façon dont on peut le définir dans les différents cas[3].

La démocratie juste : les bons pour l'égalité démocratique

Toutes les trajectoires historiques étudiées dans ce livre montrent à quel point la structure des inégalités est intimement liée à la forme du régime

1. Sur ce point, voir chapitre 11, p. 627, et T. PIKETTY, *Le Capital au XXIᵉ siècle, op. cit.*, chapitre 12, tableau 12.2, p. 716.
2. Afin de bien situer le contexte, rappelons que les universités étatsuniennes les plus élitistes admettent davantage d'étudiants au sein des 1 % les plus riches que parmi les 60 % les plus pauvres de la répartition des revenus. Voir chapitre 15, p. 942-943.
3. S'il s'agit de fondations au service de familles ou d'individus privés, alors il est bien évident qu'elles doivent être imposées comme des propriétés privées. La frontière n'est toutefois pas toujours simple à définir, et c'est pourquoi il importe pour échapper à l'impôt sur la propriété de droit commun de définir des règles précises, concernant notamment la gouvernance des fondations en question (et le fait qu'elles ne sont pas à la main de leur généreux donateur).

politique en place. Qu'il s'agisse des sociétés trifonctionnelles anciennes ou des sociétés de propriétaires qui s'épanouissent au XIXe siècle, ou bien encore des sociétés esclavagistes ou des sociétés coloniales, c'est bien le mode d'organisation du pouvoir politique qui permet à un certain type de régime inégalitaire de perdurer. Depuis le milieu du XXe siècle, on s'imagine parfois que les institutions politiques des sociétés occidentales auraient atteint une espèce de perfection indépassable sous la forme de la démocratie électorale et parlementaire. En réalité, ce modèle est éminemment perfectible, et il est d'ailleurs de plus en plus contesté.

La plus évidente parmi ses limites est son incapacité actuelle à faire face à la montée des inégalités. J'ai tenté de montrer dans ce livre que ces difficultés devaient être replacées dans le cadre d'une histoire politique et idéologique longue et complexe, celle des régimes inégalitaires. Leur résolution exige également des transformations importantes des règles politiques en vigueur. Par exemple, nous avons noté plus haut que la mise en place de la propriété sociale et temporaire, par le partage des droits dans les entreprises et l'impôt progressif sur la propriété, pouvait demander des modifications du cadre légal et constitutionnel. Ce fut d'ailleurs le cas dans le passé pour ces mêmes questions, en particulier avec la Constitution allemande de 1949 rendant possibles la cogestion et la propriété sociale des entreprises, et avec l'amendement de 1913 à la Constitution étatsunienne autorisant la création d'un impôt fédéral sur le revenu et sur les successions, qui allait devenir le plus progressif de l'histoire. D'autres modifications des règles politiques jouèrent un rôle tout aussi important dans la réduction des inégalités dans les autres pays. Il fallut mettre fin au droit de veto de la Chambre des lords au Royaume-Uni, lors de la crise constitutionnelle de 1910-1911, faute de quoi le développement de l'impôt progressif n'aurait pas pu voir le jour. En France, les réformes sociales et fiscales de 1945 et de 1981 auraient eu beaucoup de mal à être adoptées si le Sénat avait conservé le droit de veto qui était le sien sous la IIIe République, et contre lequel les socialistes et les communistes se sont battus d'arrache-pied en 1945-1946. S'imaginer qu'il en ira différemment à l'avenir serait un leurre : la transformation du régime politique et celle de la structure des inégalités continueront d'aller de pair. S'interdire de changer les règles au motif que cela serait trop compliqué reviendrait à ignorer les enseignements de l'histoire et à empêcher tout changement réel. Nous avons déjà évoqué dans le chapitre 16 la question de la règle de l'unanimité sur les questions fiscales en Europe et le besoin d'une refondation sociale-fédéraliste de la construction européenne. Plus généralement, nous reviendrons plus loin sur la nécessité de transformer la nature des règles et des traités régissant l'organisation économique et sociale des relations entre États.

Il est un autre aspect du régime politique auquel il est urgent de s'intéresser davantage : celui du financement de la vie politique et de la démocratie électorale. En théorie, le suffrage universel repose sur un principe simple : une femme (ou un homme), une voix. En pratique, les intérêts financiers et économiques, soit directement au travers du financement des partis et des campagnes, soit indirectement au travers des médias, des think tanks ou des universités, peuvent avoir un effet décuplé sur les processus politiques. Nous avons déjà évoqué plus haut le cas des sociétés de médias à but non lucratif, qui pourraient devenir la norme pour organiser la production d'informations, ce qui permettrait de placer les organes de presse et d'information dans une situation de beaucoup plus grande indépendance face à leurs financeurs (et en particulier face aux actionnaires les plus importants, grâce au plafonnement des droits de vote)[1]. Il faut aussi considérer la question des financements politiques directs, qui peuvent pour des raisons évidentes biaiser les priorités des partis et mouvements politiques, et compliquer considérablement l'adoption de mesures adéquates pour lutter contre les inégalités, compte tenu par exemple de l'hostilité souvent radicale des personnes les plus aisées à la mise en place d'une fiscalité plus progressive.

Or on constate que cette question des financements politiques n'a jamais été véritablement pensée de façon cohérente. Certes de nombreux pays ont mis en place des éléments de législation permettant de fixer des limites au pouvoir de l'argent privé en politique, et parfois d'instaurer de timides systèmes de financement public, comme en Allemagne dès les années 1950, aux États-Unis et en Italie dans les années 1970 et 1980, ou encore en France dans les années 1990. Mais il est frappant de constater à quel point ces tentatives ont été morcelées, incomplètes, et surtout ne se sont pas vraiment appuyées les unes sur les autres. Contrairement à d'autres domaines peut-être plus visibles de la législation des États, où les

---

1. Voir J. CAGÉ, *Sauver les médias. Capitalisme, financement participatif et démocratie*, *op. cit.* Le soutien apporté au développement de nouveaux médias citoyens et participatifs devrait également s'accompagner d'une prise de contrôle publique (ou tout du moins d'une régulation publique extrêmement forte) des plates-formes digitales en situation de quasi-monopole et de l'imposition de règles extrêmement strictes permettant de lutter contre les contenus sponsorisés et l'extension sans limites de la publicité (qui pollue désormais jusqu'aux devantures des monuments historiques) et de promouvoir l'épanouissement d'une délibération démocratique et égalitaire.

effets de diffusion et d'apprentissage mutuel ont été plus rapides (comme dans une certaine mesure pour l'impôt progressif, pour le meilleur et pour le pire), les dispositifs touchant au rôle de l'argent en politique semblent avoir été conçus de façon presque complètement indépendante dans les différents pays. Les travaux récemment réalisés par Julia Cagé ont pourtant permis de montrer à quel point un examen méticuleux de cette histoire mouvementée était riche d'enseignements. Notamment, l'analyse des différentes mesures qui ont été expérimentées jusqu'ici suggère qu'un système particulièrement prometteur serait celui des « bons pour l'égalité démocratique »[1].

Pour résumer, l'idée serait de donner à chaque citoyen un bon annuel d'une même valeur, par exemple 5 euros par an, lui permettant de choisir le parti ou mouvement politique de son choix. Le choix se ferait en ligne, par exemple au moment où l'on valide sa déclaration de revenus et de patrimoine. Seuls les mouvements obtenant le soutien d'un pourcentage minimal de la population (qui pourrait être fixé à 1 %) seraient éligibles. S'agissant des personnes choisissant de ne pas indiquer de mouvement politique (ou de celles indiquant un mouvement recueillant un soutien trop faible), la valeur de leurs bons annuels serait allouée en proportion des choix réalisés par les autres citoyens[2]. Ce dernier point est important, car l'absence d'une règle de ce type a conduit à l'effondrement de systèmes de financement public expérimentés notamment aux États-Unis, compte tenu du très grand nombre de citoyens choisissant de ne pas contribuer au financement public des partis. Or la démocratie n'est pas une option : si certaines personnes ne souhaitent pas s'engager, cela ne doit pas réduire le financement public envisagé (au demeurant peu considérable). Le système de bons pour l'égalité démocratique s'accompagnerait par ailleurs d'une interdiction totale des dons politiques des entreprises et autres personnes morales (comme cela est déjà le cas dans de nombreux pays européens, par exemple en France depuis 1995) et d'un plafonnement radical des dons et cotisations des individus privés (que Julia Cagé propose de limiter à 200 euros par an). Ce nouveau régime de financement de la vie politique

---

1. Voir J. CAGÉ, *Le Prix de la démocratie, op. cit.* Je précise à l'intention du lecteur intéressé que Julia Cagé est ma compagne, ce qui ne l'empêche pas d'écrire d'excellents livres, et ce qui ne m'empêche pas de lire ses travaux avec un esprit critique.

2. Afin de favoriser l'émergence de nouveaux mouvements, on pourrait aussi imaginer que les citoyens expriment deux choix, le premier s'appliquant si le mouvement en question dépasse le seuil de 1 %, et le second prenant le relais dans le cas contraire.

s'accompagnerait également d'obligations extrêmement strictes à l'égard des partis et des mouvements politiques souhaitant présenter des candidats aux élections, à la fois en ce qui concerne la publication de leurs comptes et la transparence sur leurs statuts et leurs règles de gouvernance interne, qui sont parfois extrêmement opaques.

Vers une démocratie participative et égalitaire

L'objectif central des bons pour l'égalité démocratique est de promouvoir une démocratie participative et égalitaire. Actuellement, l'importance des financements privés biaise de façon considérable les processus politiques. C'est le cas en particulier aux États-Unis, où les réglementations publiques (qui au demeurant ont toujours été insuffisantes) ont été balayées par la jurisprudence de la Cour suprême au cours des dernières décennies. Mais c'est également le cas dans les démocraties électorales des pays émergents, comme l'Inde et le Brésil, ainsi qu'en Europe, où les règles en vigueur sont également insatisfaisantes, et parfois totalement scandaleuses. On le voit notamment en France, où les dons politiques des personnes privées aux partis sont autorisés à hauteur de 7 500 euros par an et par contribuable, et de surcroît donnent lieu à une réduction d'impôt égale aux deux tiers du don réalisé (soit 5 000 euros sur un don de 7 500 euros). En pratique, on constate sans surprise que ce sont principalement des contribuables très aisés, en particulier au sein du centile supérieur de la répartition des revenus, qui s'approchent de ces plafonds. Autrement dit, les préférences politiques des plus riches sont directement et explicitement subventionnées par le reste de la population. Les sommes en jeu sont loin d'être négligeables : le montant total des réductions d'impôt pour dons aux partis et organisations politiques avoisine les 60-70 millions d'euros par an, soit approximativement les mêmes ressources que la totalité du financement public accordé officiellement aux partis politiques en France (en proportion des voix et des sièges obtenus lors des dernières élections législatives)[1]. Concrètement, le régime actuellement en vigueur en France

---

1. Voir J. CAGÉ, *Le Prix de la démocratie, op. cit.* De façon générale, il est frappant de constater à quel point chaque pays a bricolé des ensembles de dispositifs incohérents sur ces questions, sans vraiment chercher à apprendre de l'expérience des autres. Par exemple, la France a interdit les dons des personnes morales, mais a imaginé ce système invraisemblable de subvention directe des préférences politiques des plus riches (qui existe dans d'autres pays sous forme de déductions du revenu imposable, mais en général de façon moins extrême).

revient à consacrer environ 2-3 euros par an et par citoyen au financement officiel des partis, et à ajouter à cela des réductions d'impôt allant jusqu'à 5 000 euros pour subventionner les préférences des plus riches. Les bons pour l'égalité démocratique permettraient de supprimer totalement les réductions d'impôt liées aux dons politiques et de réutiliser l'ensemble des sommes d'une façon égalitaire. Par comparaison au système actuel fondé sur les résultats aux dernières élections, la proposition permettrait en outre une participation plus réactive des citoyens et un plus grand renouvellement des partis et mouvements politiques.

Comme le suggère Julia Cagé, la logique des bons pour l'égalité démocratique pourrait également être appliquée pour d'autres questions que le financement de la vie politique. En particulier, un tel dispositif pourrait remplacer les systèmes existants de réductions d'impôt et de déductions fiscales pour les dons, qui reviennent eux aussi à faire subventionner par le reste des contribuables les préférences culturelles ou philanthropiques des plus riches. Autrement dit, on pourrait partir des sommes actuellement consacrées à ces diverses réductions d'impôt et déductions fiscales, et les allouer sous forme de bons d'un même montant pour tous les contribuables. La question de savoir quelle serait la liste des associations et fondations et des secteurs d'activité (santé, culture, lutte contre la pauvreté, éducation, médias, etc.) susceptibles de recevoir ces dons mériterait une très large délibération. Ce mécanisme offre également une piste pour repenser la question épineuse du financement des cultes[1].

À l'inverse, l'Allemagne a innové dans l'après-guerre en mettant en place un système novateur de financement public des partis et des fondations pluralistes rattachées à chaque parti et consacrées à la production d'idées et de programmes politiques. Dans le même temps, l'Allemagne a omis d'interdire les dons des personnes morales, si bien que toutes les grandes entreprises allemandes subventionnent tous les partis, ce qui n'est peut-être pas sans rapport avec les positions observées sur des sujets comme les exportations et la taille de l'excédent commercial du pays.

1. Actuellement, certains pays comme l'Italie pratiquent un système où les contribuables peuvent indiquer à l'État à quelle religion ils souhaitent voir consacrer une fraction de leurs impôts (en l'occurrence égale à 8 ‰), alors que, dans d'autres pays comme l'Allemagne, l'administration fiscale aide à collecter l'impôt cultuel, au sens où les contribuables rattachés à une religion paient un supplément d'impôt pour la religion au moment de leur déclaration (cela s'ajoute donc à leurs impôts, contrairement au système italien). On notera que la religion musulmane est dans les deux cas exclue du système (et que, dans le système italien, les musulmans paient *de facto* pour subventionner les autres cultes), officiellement au motif que les pouvoirs publics n'ont pas identifié d'organisation adéquate. Voir F. MESSNER, *Public Funding of Religions in Europe*, Ashgate, 2015. Voir également J. CAGÉ, *Le Prix de la démocratie, op. cit.*, p. 77-78. En France, le système est particulièrement hypocrite : les religions ne

La question de l'ampleur des moyens qu'il serait justifié d'allouer à un tel système est tout aussi centrale, et il ne m'appartient pas de la trancher ici. Si les sommes en jeu représentaient une fraction importante des prélèvements obligatoires, alors il s'agirait d'une forme élaborée de démocratie directe, permettant aux citoyens de décider eux-mêmes d'une part substantielle des budgets publics. Il s'agit là d'une des pistes les plus prometteuses conduisant à une réappropriation citoyenne d'un processus démocratique qui apparaît souvent peu réactif aux aspirations populaires[1]. En pratique, le système de délibération parlementaire fournit toutefois un cadre indispensable pour décider de la grande majorité de l'allocation des fonds publics. Ces décisions méritent une délibération approfondie et contradictoire, au grand jour, sous le regard des citoyens et des médias. Le champ de la démocratie directe doit être étendu, par la voie du budget participatif et des bons égalitaires comme par celui du référendum[2]. Mais il paraît peu probable qu'il puisse remplacer purement et simplement le cadre délibératif associé à la démocratie parlementaire. L'esprit des bons pour l'égalité démocratique est plutôt de rendre la démocratie parlementaire plus dynamique et participative en permettant à tous les citoyens, quels que soient leurs origines sociales et leurs moyens financiers, de participer

---

reçoivent officiellement aucun financement public, sauf les lieux de culte construits avant 1905 (qui se trouvent être essentiellement des églises catholiques) et les écoles, collèges et lycées privés déjà en place (qui se trouvent être catholiques dans leur immense majorité). Précisons enfin que le régime spécifique des cultes et de leur financement par les contribuables toujours en vigueur en Alsace et en Moselle ne concerne pas le culte musulman qui se trouve, comme dans le régime général, exclu du système.

1. On notera également à quel point le système actuel d'incitation fiscale aux dons politiques et philanthropiques revient *de facto* à donner plus de poids aux plus riches dans la définition du bien public et s'apparente à une forme de système censitaire. Le passage à un système à base de bons égalitaires constituerait une amélioration décisive. Les citoyens-contribuables ne souhaitant pas choisir de cause philanthropique pourraient également se voir offrir la possibilité que leur bon soit alloué de la même façon que ceux qui font un choix, ou bien de la façon de l'allocation moyenne des fonds publics établie par l'Assemblée parlementaire.

2. Nous avons toutefois noté dans le cas du Brexit ainsi que dans celui de débats complexes et essentiels comme l'annulation des dettes à quel point le référendum ne pouvait jouer un rôle utile que si des alternatives précises sur les différentes formes de mises en œuvre possibles avaient au préalable été formulées, ce qui en soi exige une délibération approfondie dans un cadre approprié. En pratique, l'illusion de la démocratie directe spontanée, sans assemblée ni intermédiaire, peut aisément conduire à des confiscations du pouvoir encore plus extrêmes que celles auxquelles on pense remédier. Il faut notamment prendre soin de définir des modes de financement concernant les campagnes référendaires, faute de quoi elles peuvent être capturées par les lobbies et les intérêts financiers. Toutes ces questions sont surmontables, mais doivent être pensées soigneusement.

en permanence au renouvellement des mouvements politiques et des organisations collectives permettant de concevoir des plates-formes et des programmes électoraux, qui feront ensuite l'objet de délibérations et de décisions dans le cadre des assemblées élues[1].

La frontière juste : repenser le social-fédéralisme à l'échelle mondiale

Venons-en maintenant à ce qui constitue sans nul doute la question la plus délicate pour définir la société juste : celle de la frontière juste. L'organisation actuelle du monde repose sur des postulats auxquels nous sommes tellement habitués qu'ils nous paraissent parfois indépassables, mais qui en réalité correspondent à un régime politico-idéologique très spécifique. On considère d'une part que les relations entre les pays doivent être organisées sur la base de la libre circulation la plus absolue des biens, des services et des capitaux, et que des pays qui refuseraient ces règles s'excluraient quasiment du monde civilisé. On considère d'autre part que les choix politiques à l'intérieur des pays, notamment en termes de système fiscal, social ou légal, ne concernent que ces seuls pays et doivent faire l'objet d'une souveraineté strictement nationale. Le problème est que ces postulats conduisent immédiatement à des contradictions dont l'ampleur n'a fait que s'accroître au cours des dernières décennies, et qui menacent de faire exploser le cours actuel de la mondialisation. La solution est d'organiser cette dernière différemment, c'est-à-dire en remplaçant les actuels accords commerciaux par des traités beaucoup plus ambitieux visant à promouvoir un modèle de développement équitable et durable, incluant des objectifs communs vérifiables (notamment sur l'impôt juste et les émissions carbone) et au besoin des procédures de délibération démocratique adaptées (sous forme d'assemblées transnationales). Ces traités de codéveloppement d'un type nouveau pourraient inclure si nécessaire des mesures visant à faciliter

---

1. La proposition s'accompagne également de la création de quotas sociaux de manière à assurer une meilleure représentation des différentes origines sociales au sein des assemblées parlementaires, à la façon de ce qui se pratique en Inde. Voir J. CAGÉ, *Le Prix de la démocratie, op. cit.* Le tirage au sort peut également permettre une participation sociale diversifiée à des assemblées délibératives, sans le stigmate possiblement associé aux quotas, mais au prix d'une renonciation à notre capacité collective à choisir les personnes les mieux à même de nous représenter (y compris au sein d'une origine sociale donnée), ce qui serait relativement nihiliste si cela devait s'appliquer à grande échelle.

les échanges. Mais la question de la libéralisation des flux commerciaux et financiers ne doit plus en être le cœur. Le commerce et la finance doivent devenir ce qu'ils auraient toujours dû être : un moyen au service d'objectifs plus élevés.

L'une des contradictions les plus évidentes du système actuel est que la libre circulation des biens et des capitaux est organisée d'une façon telle qu'elle réduit considérablement les capacités des États à choisir leurs politiques fiscales et sociales. Autrement dit, loin de fournir le cadre neutre qu'elles prétendent apporter, les règles internationales actuellement en vigueur poussent à l'adoption de certaines politiques et contraignent directement les souverainetés nationales. En particulier, nous avons vu que les accords sur la libéralisation des flux de capitaux mis en place depuis les années 1980-1990 ne comportaient aucun dispositif de coopération fiscale et de transmission automatique d'informations permettant de garder la trace des actifs transfrontaliers et de leurs propriétaires[1]. C'est notamment le cas en Europe, qui a, dans une large mesure, mené ce mouvement mondial et qui a mis en place des règles qui empêchent *de facto* les États de lutter contre les stratégies de contournement fiscal et réglementaire par des structures offshore (ou tout du moins qui contraignent les États à dénoncer ces traités s'ils veulent imposer des sanctions adéquates)[2]. Le choix de ce régime légal spécifique traduit en partie une volonté consciente de certains acteurs de promouvoir la concurrence fiscale entre États européens (jugés trop dispendieux). Il est également la conséquence d'une certaine improvisation autour de décisions dont on avait mal anticipé

1. Voir chapitres 11, p. 643-650, et 13, p. 792-795.
2. Par exemple, les obligations déclaratives décrites plus haut concernant les propriétaires de logements et d'entreprises localisés en France pourraient possiblement être contestées au nom du fait qu'elles imposent des contraintes trop fortes à la libre circulation des capitaux. Il est pourtant urgent de soumettre l'ensemble des entités détenant des actifs (quel que soit leur système juridique de rattachement) à des règles de transparence très strictes, et par ailleurs de réduire drastiquement la possibilité d'enregistrer sa société dans des territoires et juridictions où ne se déroule aucune activité économique réelle. Actuellement les règles de conflit de droit (c'est-à-dire les règles juridiques applicables lorsque de mêmes entités relèvent de plusieurs systèmes juridiques) sont très favorables aux compagnies qui ont les moyens d'organiser ce type de contournement, dans le sens où les pays laissent souvent les entreprises organiser leurs activités depuis des entités auxquelles elles ne peuvent pas ensuite imposer de règles. Précisons que c'est la Cour de justice de l'UE qui a, dans plusieurs cas, obligé à une lecture très stricte des règles de mobilité des capitaux (certaines codifiées imprécisément dans le traité de Maastricht), jugeant par exemple que l'Allemagne devait cesser d'appliquer la « théorie du siège », selon laquelle elle ne reconnaissait pas la personnalité morale à une entité basée aux Pays-Bas. Voir K. PISTOR, *The Code of Capital. How the Law Creates Wealth and Inequality*, op. cit.

dans les années 1980-1990 toutes les conséquences pour les décennies à venir, notamment en termes de développement des paradis fiscaux et de la finance offshore. Pour résumer, ces accords ont été signés à une autre époque, à un moment où l'on ne s'inquiétait pas comme aujourd'hui de la montée des inégalités, des excès du capitalisme financier et des risques de repli identitaire et nationaliste.

Par ailleurs, la fiction d'une souveraineté strictement nationale en ce qui concerne les choix sociaux et fiscaux des sociétés est également battue en brèche parce que les représentations de la justice sont de plus en plus souvent transnationales. S'il existe des flux d'aide au développement des pays riches vers les pays pauvres (au demeurant insuffisants et souvent inadéquats), ce n'est pas uniquement pour des raisons intéressées, par exemple l'objectif de tarir les flux migratoires. C'est également parce que les habitants des pays riches (ou tout du moins une partie d'entre eux) pensent qu'il est injuste que les personnes nées dans les pays pauvres aient des opportunités de vie plus limitées que les leurs, et que cette inégalité injuste doit être corrigée, tout du moins en partie, jusqu'à un certain point et pour un certain coût, suivant des perceptions complexes et changeantes, en fonction notamment des informations restreintes dont disposent les uns et les autres sur le lien entre les flux d'aide et la mise en place de stratégies de développement réussies. À ce sujet, il est frappant de constater que l'objectif qui fait actuellement figure de point de référence en la matière, à savoir le fait de consacrer 1 % de son revenu national brut à l'aide au développement, constitue une norme qui sans être extraordinairement généreuse implique néanmoins des sommes qui sont loin d'être entièrement négligeables par comparaison à des transferts du même type[1].

Par ailleurs, les perceptions en matière de justice transnationale et globale jouent un rôle croissant dans les débats autour de l'environnement, de l'anthropocène, de la biodiversité et du changement climatique. Les efforts réalisés en vue de limiter le réchauffement sont certes notoirement insuffisants. Mais le fait même que certains pays ou régions du monde réduisent

---

1. L'aide au développement atteint 1 % du RNB en Suède, 0,7 % au Royaume-Uni et 0,4 % en Allemagne et en France. L'objectif officiel fixé dans le cadre de l'OCDE est de 0,7 %, mais le niveau suédois fait souvent figure de nouvel horizon implicite. Ces montants sont supérieurs aux transferts nets versés par ces pays au titre de l'Union européenne (environ 0,2 %-0,3 % du RNB), transferts dont la dénonciation a joué un rôle non négligeable dans les débats sur le Brexit. Voir chapitres 12, p. 743, et 15, p. 989. Cela suggère que ces flux sont perçus différemment en fonction du niveau de développement du pays receveur, et sont peut-être mieux acceptés lorsqu'il s'agit d'aider des pays perçus comme particulièrement pauvres.

leurs émissions, sans attendre que tous les autres fassent de même, serait difficilement explicable dans un monde où chacun ne se soucie que de lui-même ou de son pays. Il reste que ces débats sont marqués par de grandes hypocrisies et de multiples incohérences. En décembre 2015, 196 pays réunis à Paris se mirent d'accord sur un objectif théorique visant à limiter le réchauffement à moins de 1,5 °C par rapport aux niveaux pré-industriels, ce qui exigerait notamment de laisser dans le sol de nombreux hydrocarbures, tels que ceux issus des sables bitumineux de l'Alberta, dont le Canada venait justement de relancer l'exploitation. Cela n'a pas empêché l'Union européenne de conclure dès 2016 avec le Canada un nouveau traité commercial, le CETA, contenant toutes sortes de mesures contraignantes concernant la libéralisation du commerce et des investissements, mais n'en incluant aucune concernant les questions environnementales ou fiscales. Il aurait pourtant été possible d'ajouter des cibles d'émissions carbone ou des taux minimaux communs d'imposition des bénéfices des sociétés, avec des mécanismes de vérification et de sanctions permettant de s'assurer de leur application, comme on sait le faire s'agissant des questions commerciales ou financières[1].

Le point de contradiction le plus violent entre le mode actuel d'organisation de la mondialisation et les représentations de la justice transnationale concerne naturellement la question de la libre circulation des personnes. Dans le cadre du paradigme dominant, les États civilisés sont tenus de se conformer à la libre circulation absolue des biens, des services et des capitaux, mais sont parfaitement libres de s'opposer autant qu'ils le souhaitent à celle des personnes, si bien que cette question devient en quelque sorte le seul sujet d'affrontement politique autorisé. L'Union européenne se caractérise par le fait qu'elle a réalisé la libre circulation en son sein, tout en restant beaucoup plus restrictive vis-à-vis des personnes arrivant d'Afrique et du Moyen-Orient, y compris quand ces dernières fuient la misère et la guerre. Depuis la crise des réfugiés de 2015, la plupart des dirigeants européens ont soutenu l'idée selon laquelle les flux devaient

---

1. On notera que CETA est l'acronyme du *Comprehensive Economic and Trade Agreement* (« Accord économique et commercial global »), ce qui signifie qu'il s'agit non pas d'un traité commercial classique, mais qu'il inclut également des mesures visant à le transformer en accord économique « global », ce qui en pratique signifie essentiellement des mesures supplémentaires de « protection des investissements » (comme la possibilité pour des investisseurs de contourner les tribunaux de droit commun et d'avoir recours à des cours arbitrales privées dans leurs litiges face aux États). De toute évidence, il existe plusieurs conceptions contradictoires de la façon dont les traités doivent s'étendre.

être taris à n'importe quel coût, y compris celui de laisser plusieurs dizaines de milliers de personnes se noyer en Méditerranée, afin d'envoyer un signal visant à décourager les suivants[1]. Une partie de l'opinion européenne ne se reconnaît pas dans cette politique. D'autres segments de l'opinion affichent au contraire une grande hostilité aux migrants extraeuropéens et suivent en cela les mouvements politiques nativistes qui se sont développés en Europe depuis les années 1980-1990 pour exploiter les thèmes identitaires, contribuant ainsi à une transformation considérable de la structure des clivages politiques. Ainsi que nous l'avons vu, cette transformation avait cependant commencé bien avant que le clivage migratoire ne devienne central, et elle s'explique au moins autant par l'abandon de toute politique ambitieuse en matière de redistribution et de réduction des inégalités que par les attitudes anti-immigrés[2].

Pour résumer, les représentations de la justice s'expriment bel et bien à un niveau transnational, qu'il s'agisse de l'aide au développement, de l'environnement ou de la libre circulation des personnes, mais ces représentations sont souvent confuses et contradictoires. Le point important est qu'elles ne sont pas figées de toute éternité : elles sont construites historiquement et politiquement.

Vers une justice transnationale

Ces éléments étant posés, comment définir la justice au niveau transnational ? Il est plus facile de commencer par le cas de pays ayant approximativement le même niveau de développement, comme les pays européens. Nous avons vu dans le chapitre précédent comment pourrait fonctionner un modèle de social-fédéralisme à l'échelle de l'Union européenne[3]. Le principe général est de pouvoir déléguer à une Assemblée transnationale (en l'occurrence ici une Assemblée européenne) le soin de prendre des décisions communes concernant les biens publics globaux, comme le climat ou la recherche, et la justice fiscale globale, avec notamment la possibilité de voter des impôts communs sur les plus hauts revenus et patrimoines, sur les plus grandes entreprises et sur les émissions carbone (voir tableau 17.2). En règle générale, cette Assemblée transnationale pourrait être formée de

---

1. L'Organisation internationale pour les migrations (OIM) recense officiellement 19 000 migrants noyés en Méditerranée entre 2014 et 2018 (voir www.iom.int).
2. Voir chapitres 14-15.
3. Voir chapitre 16, p. 1026-1055.

membres des parlements nationaux des États membres, ou bien de députés transnationaux élus spécialement à cet effet, ou encore d'un mélange des deux. J'ai insisté dans le cas européen sur l'intérêt qu'il y aurait à développer une souveraineté parlementaire européenne s'appuyant à titre principal sur les souverainetés parlementaires nationales, de façon à impliquer les députés nationaux dans le processus politique et à éviter qu'ils ne se réfugient dans une posture de protestation qui pourrait finir par mener à l'effondrement de l'ensemble. Mais il est bien évident qu'il existe plusieurs façons d'organiser une Assemblée transnationale, et que différentes solutions peuvent être adoptées et expérimentées en fonction du contexte.

Tableau 17.2
**Une nouvelle organisation de la mondialisation :
la démocratie transnationale**

Assemblée transnationale En charge des **biens publics globaux** (climat, recherche, etc.) et de la **justice fiscale globale** (impôts communs sur les plus hauts patrimoines et revenus et les plus grandes entreprises, taxes carbone)				
Assemblée nationale Pays A	**Assemblée nationale Pays B**	**Assemblée nationale Pays C**	**Assemblée nationale Pays D**	...

Lecture : selon l'organisation proposée, les traités régulant la mondialisation (circulation des biens, des capitaux et des personnes) prévoiraient désormais la création entre les États et Unions régionales concernés d'une Assemblée transnationale en charge des biens publics globaux (climat, recherche, etc.) et de la justice fiscale globale (impôts communs sur les plus hauts patrimoines et revenus et les plus grandes entreprises, taxes carbone).
Note : les pays A, B, C, D peuvent être des États comme la France, l'Allemagne, l'Italie, l'Espagne, etc., auquel cas l'Assemblée transnationale serait l'Assemblée européenne ; ou bien les pays A, B, etc., peuvent être des Unions régionales comme l'Union européenne, l'Union africaine, etc., auquel cas l'Assemblée transnationale serait celle de l'Union euro-africaine. L'Assemblée transnationale peut être formée de députés des Assemblées nationales et/ou de députés transnationaux élus spécialement à cet effet, suivant les cas.

Nous avons également vu dans le cas européen le caractère extrêmement sensible de la question des transferts, y compris s'agissant de pays caractérisés par des revenus moyens quasi identiques, comme le sont l'Allemagne et la France à l'échelle du monde. Cela peut justifier, dans le cadre d'un processus graduel de construction d'une relation de confiance, d'imposer pour la durée qui sera nécessaire des limites strictes sur l'ampleur des transferts en jeu. On peut espérer que l'ampleur des projets communs et des objectifs partagés, en particulier concernant l'environnement et le climat, la recherche et la production de nouveaux savoirs, la justice et la réduction des inégalités, finira par l'emporter sur la comptabilité des transferts transfrontaliers. De façon générale, il n'y a évidemment aucune raison naturelle pour laquelle il existerait davantage de solidarité entre les Bavarois et les Bas-Saxons ou entre les Franciliens et les Bretons plutôt qu'entre ces derniers et les Piémontais ou les Catalans. Aucune de ces solidarités n'existe spontanément : elles ont été construites historiquement et politiquement en démontrant par la preuve et les réalisations communes que les avantages de l'inclusion en une même communauté l'emportaient sur les logiques de frontière[1].

Ce modèle de démocratie transnationale décrit à l'échelle de l'Europe pourrait également s'appliquer à une échelle plus large. Compte tenu des liens de proximité liés à des échanges humains et économiques plus importants, le plus logique serait que des ensembles régionaux se forment et collaborent entre eux, par exemple entre l'Union européenne et l'Union africaine[2], l'Union européenne et les États-Unis d'Amérique, et ainsi de suite. Lorsque les décisions peuvent être prises directement dans le cadre d'un traité intergouvernemental, il n'existe aucune raison de les déléguer à une Assemblée transnationale. Pourtant de très nombreuses décisions doivent être révisées et précisées en permanence, et surtout doivent faire l'objet d'une délibération publique et contradictoire dans une enceinte parlementaire, ce qui permet notamment de constater la pluralité des opinions à l'intérieur des pays et de sortir des chocs d'intérêts nationaux (ou perçus et construits comme tels) découlant mécaniquement des huis clos entre chefs d'État. Par exemple, une Assemblée euro-africaine pourrait être en charge d'adopter le mode d'imposition des bénéfices

---

1. Sur la construction des imaginaires communs à l'origine des États-nations, en lien avec la diffusion de l'imprimerie, voir le livre classique de B. ANDERSON, *Imagined Communities. Reflection on the Origins and Spread of Modern Nationalism*, Verso, 1983 (nouvelle éd., 2006). Malgré les succès de l'idéologie de l'État-nation, diverses formes politiques impériales ou fédérales plus ou moins décentralisées n'ont en réalité jamais cessé de jouer un rôle central. Voir J. BURBANK, F. COOPER, *Empires in World History*, Princeton University Press, 2010 ; ID., « Un monde d'empires », *in* P. BOUCHERON, N. DELALANDE, *Pour une histoire-monde*, PUF, 2013, p. 37-48. Voir également le chapitre 7, p. 354-359, sur les travaux de F. Cooper consacrés aux débats fédéralistes dans l'empire français et en Afrique en 1945-1960, et le chapitre 10, p. 559-565, sur les analyses de H. Arendt sur les idéologies impériales et fédérales. Voir aussi U. BECK, E. GRANDE, *Das kosmopolitische Europa : Gesellschaft und Politik in der Zweiten Moderne*, Suhrkamp, 2004 (trad. fr. sous le titre *Pour un empire européen*, Flammarion, 2007).

2. L'Union africaine a remplacé en 2002 l'Organisation pour l'unité africaine. Lors du sommet de l'UA réuni à Addis-Abeba en 2018, les principes d'une union commerciale et de possibles impôts communs ont été adoptés, ainsi qu'un protocole sur la libre circulation des personnes au sein de l'UA.

des sociétés multinationales européennes investissant en Afrique (ou un jour des sociétés africaines opérant en Europe), d'instaurer des mesures compensatoires pour faire face au réchauffement ou encore de réguler les flux migratoires.

S'agissant des transferts, il est important de fixer d'emblée leurs limites et leur ampleur, sans s'interdire des évolutions futures. Par comparaison à l'aide actuelle au développement, qui en pratique rémunère pour une large part des consultants occidentaux, le principe général pourrait être qu'elle abonde directement les budgets des États concernés, à partir du moment où des principes de respect des droits individuels et des procédures électorales (qui devront être scrupuleusement définis) sont satisfaits. Le contournement des institutions étatiques africaines (ou plus généralement des pays pauvres) par les organisations internationales, gouvernementales ou non gouvernementales, est un facteur qui n'a pas contribué à la formation de l'État en Afrique au cours des dernières décennies. Il en va de même des pertes de recettes fiscales causées par l'imposition par les pays riches de la suppression très rapide des taxes commerciales, sans que l'on ait véritablement cherché à aider au développement d'impôts plus justes, en particulier sur les bénéfices, revenus et patrimoines, bien au contraire[1]. Si elle était versée entièrement et directement aux États, l'aide publique au développement actuellement financée par les pays riches pourrait augmenter considérablement les moyens des États africains pour financer des écoles et des services de santé de meilleure qualité. Personne ne peut préjuger à l'avance où conduiraient de telles délibérations et procédures démocratiques transnationales, mais il n'est pas exclu qu'une norme d'égalité éducative (selon laquelle tous les enfants doivent bénéficier d'un même investissement éducatif, qu'ils soient nés en Europe ou en Afrique) finisse graduellement par s'imposer, ainsi, à terme, qu'une norme de dotation en capital égale pour tous[2].

---

1. Voir chapitre 13, graphique 13.12, p. 808.

2. Cette norme de justice transnationale devrait être appliquée en prenant en compte les différences des prix (c'est-à-dire en exprimant la dotation en capital en parité de pouvoir d'achat). Il reste qu'une telle norme au niveau euro-africain ou mondial conduirait évidemment à une baisse significative du niveau de la dotation en capital pour les jeunes adultes des pays riches (qui serait approximativement divisée par deux). Une telle norme serait beaucoup plus satisfaisante que les logiques de réparations internationales et intergénérationnelles évoquées dans le cadre des relations entre la France et Haïti (voir chapitre 6, p. 263-266). Mais à partir du moment où une telle norme n'est pas en place et que les réparations permettent de s'en approcher, alors il paraît difficile de s'opposer à ces dernières.

Dans l'absolu, ces Assemblées transnationales pourraient être amenées à convenir des règles permettant d'aller vers la libre circulation des personnes. À ce sujet, il n'est pas inutile de rappeler qu'il existe au sein même de l'Union européenne des restrictions non négligeables à la liberté de circulation. En pratique, les citoyens des États membres de l'UE ont le droit de se déplacer et d'aller travailler dans un autre État membre sans autorisation particulière, ce qui n'est pas rien, par comparaison aux régimes en vigueur pour les ressortissants d'autres pays, pour lesquels l'obtention d'un visa de travail exige des procédures spécifiques et souvent très lourdes pour l'employeur comme pour la personne concernée. Pour autant, s'ils ne trouvent pas d'emploi, leur droit de séjour dans un autre État membre est en règle générale limité à trois mois. De surcroît, ils ne peuvent demander à bénéficier d'aides sociales et obtenir le statut de résident permanent qu'au bout d'une durée de séjour ou d'emploi qui peut aller jusqu'à cinq ans[1]. Dans l'absolu, rien n'interdirait de modifier les traités européens de façon que ce droit aux aides sociales puisse s'appliquer immédiatement. Mais il faudrait dans ce cas prévoir des formes de mutualisation du coût des dépenses sociales correspondantes. On voit sur cet exemple comment les logiques d'accès aux droits fondamentaux (à commencer par la libre circulation) doivent être traitées conjointement avec les logiques fiscales et budgétaires. Il faut faire des progrès sur les deux fronts de concert, faute de quoi l'ensemble peut se retrouver déséquilibré et fragilisé[2].

Un autre exemple illustrant ce point concerne les droits d'inscription universitaires. Le gouvernement français a décidé en 2019 que seuls les étudiants issus de l'Union européenne continueraient dorénavant de payer les droits actuels, qui sont relativement modestes (170 euros par an en licence, 240 euros en master), alors que les étudiants extraeuropéens devront désormais acquitter des montants nettement plus élevés (2 800 euros en licence, 3 800 euros en master). Le décret du gouvernement prévoit certes la possibilité de dérogations, mais à la condition expresse qu'elles ne portent

1. Voir D. CHALMERS *et al.*, *European Union Law. Text and Materials*, *op. cit.*, p. 475-491.
2. Le cas du développement de la liberté de circulation à l'échelle britannique au cours du XVIIIe et du XIXe siècle, tel qu'analysé notamment par Karl Polanyi, illustre ce risque. Pour Polanyi, la mobilité limitée des travailleurs anglais les plus pauvres avant la fin du XVIIIe siècle avait pour contrepartie le financement au niveau communal des rémunérations minimales apportées dans le cadre des *Poor Laws*. Sans chercher à idéaliser ce système, autoritaire et peu généreux, Polanyi montre comment la constitution d'un marché du travail britannique unifié au XIXe siècle est allée de pair avec un désencastrement social des forces économiques et une aggravation des inégalités.

pas sur plus de 10 % des étudiants. Autrement dit, dans l'immense majorité des cas, les étudiants maliens ou soudanais devront payer entre dix et vingt fois plus cher que des étudiants luxembourgeois ou norvégiens, quand bien même ces derniers auraient un revenu parental dix ou vingt fois plus élevé que les premiers[1]. Fort logiquement, un grand nombre d'étudiants et d'universitaires français sont peu convaincus par cette nouvelle norme de justice imaginée par le pouvoir en place.

Le cas est intéressant, car il illustre de nouveau le besoin de lier la question de la libre circulation à celle de la mutualisation du financement des services publics, et donc à la mise en place d'impôts communs. En l'occurrence, le principe selon lequel tous les étudiants européens peuvent aller étudier dans le pays de leur choix et payer les mêmes droits que les étudiants nationaux est une excellente chose. Mais ce principe fonctionnerait encore mieux si l'on avait prévu un financement commun, qui pourrait par exemple être basé sur un impôt fédéral prélevé au niveau européen sur les plus hauts revenus, avec des taux progressifs et un barème qui pourraient être débattus et adoptés au sein de l'Assemblée européenne. Créer des droits sans se préoccuper de leur financement, et même en interdisant la possibilité d'impôts communs et en mettant en place les conditions d'une concurrence fiscale exacerbée compliquant considérablement le développement d'impôts justes permettant de financer l'enseignement supérieur et les services publics en général, ne paraît pas être la meilleure façon de pérenniser ces droits. En outre, si ce système de financement commun existait, au moins entre les États européens qui le souhaitent, alors cela permettrait de dessiner naturellement une solution pour les étudiants extraeuropéens. Concrètement, si l'Allemagne et la France finançaient leurs universités par un impôt commun et progressif fondé sur le revenu des parents, alors il ne serait pas illogique de proposer un accord du même type s'agissant des étudiants maliens. Autrement dit, le traité de codéveloppement établi entre l'Allemagne, la France et le Mali pourrait décider que les étudiants maliens bénéficient du même tarif que les étudiants allemands et français, à la condition qu'un même impôt progressif soit prélevé sur les revenus des parents maliens les plus riches et alimente un fonds commun de financement universitaire[2]. Il s'agit en tout cas d'une norme de justice possible, et il me semble qu'une

---

1. Les tarifs européens s'appliquent également aux étudiants s'ils sont des ressortissants des États associés à l'Union européenne, y compris la Norvège et la Suisse.

2. Compte tenu des faibles revenus en vigueur au Mali (y compris après ajustement des tranches du barème afin d'appliquer le principe de parité du pouvoir d'achat), il est probable

délibération démocratique publique et contradictoire pourrait conduire à un tel choix.

Entre coopération et repli :
l'évolution du régime inégalitaire transnational

Je viens de décrire un scénario coopératif et idéal (voire idyllique) permettant de conduire à une vaste démocratie transnationale de façon concentrique, et menant à terme à la mise en place d'impôts communs et justes, à l'émergence d'un droit universel à l'éducation et à la dotation en capital, à la généralisation de la libre circulation, et *de facto* à une quasi-abolition des frontières[1]. Ce faisant, je n'ignore pas que d'autres scénarios sont possibles. Comme nous l'avons vu dans le chapitre précédent, il n'est pas acquis que les États de l'Union européenne, ou même simplement deux ou trois d'entre eux, parviennent à se mettre d'accord dans un avenir proche sur une procédure démocratique leur permettant d'adopter des impôts en commun. Pendant ce temps, l'Union indienne – et son 1,3 milliard d'habitants – parvient à adopter un impôt progressif sur le revenu s'appliquant à l'ensemble de ses membres ainsi que des règles communes permettant aux classes défavorisées d'accéder à l'université. Le modèle indien fait certes face à d'autres difficultés. Il montre néanmoins que le fédéralisme démocratique prend parfois des formes que ne soupçonneraient pas des Français, des Suisses et des Luxembourgeois. La construction d'une norme de confiance mutuelle et de justice transnationale est un exercice délicat et éminemment fragile, et personne ne peut prédire comment évolueront ces coopérations.

Entre la voie de la coopération idéale menant au social-fédéralisme mondial et le chemin du repli nationaliste et identitaire généralisé, il existe naturellement un grand nombre de trajectoires et de bifurcations possibles. Pour avancer en direction d'une mondialisation plus juste, deux principes

---

que la contribution malienne au fonds en question serait fort réduite, et sans doute nettement inférieure à l'aide au développement versée par ailleurs.

1. Précisons toutefois que dans le scénario exposé ici, la plupart des décisions et des financements continueraient d'être pris et administrés au niveau des assemblées nationales, régionales et locales, qui constituent souvent le meilleur échelon pour organiser la délibération (par exemple au sujet des programmes scolaires dans les différentes langues, des infrastructures locales de transports, des systèmes de santé, etc.), dans la logique de socialisme participatif et décentralisé que je défends. Seuls les biens publics globaux et la taxation des acteurs économiques transnationaux ont vocation à être régulés directement à l'échelon transnational.

paraissent essentiels. Tout d'abord, s'il est clair qu'un grand nombre de règles et de traités organisant les échanges commerciaux et financiers doivent être profondément transformés, il est important de s'astreindre à proposer un nouveau cadre légal international avant de les dénoncer. Comme nous l'avons vu dans le chapitre précédent au sujet de la réforme des institutions européennes, il peut être tentant pour des responsables politiques d'annoncer une sortie des traités existants, sans pour autant préciser les nouveaux traités dans lesquels on souhaite s'inscrire. C'est approximativement ce qui s'est passé avec le Brexit. Les conservateurs britanniques ont choisi de proposer aux électeurs de décider par référendum s'ils souhaitaient sortir de l'UE, sans pour autant indiquer comment ils comptaient organiser les relations futures avec l'UE en cas de sortie. Or, sauf à retourner à l'autarcie (ce que personne ne souhaite), il existe de multiples façons de réguler ces relations, et les débats qui ont suivi le référendum de 2016 montrent qu'il n'est pas simple de s'accorder sur l'une d'entre elles[1].

Ensuite, s'il est essentiel de proposer un nouveau cadre coopératif avant de sortir du cadre existant, il est cependant impossible d'attendre que tout le monde soit d'accord pour avancer. Il est donc crucial d'imaginer des solutions permettant à quelques pays d'aller dans la voie sociale-fédéraliste en concluant des traités de codéveloppement entre eux, tout en restant ouverts à ceux qui veulent rejoindre le projet. Cela est vrai au niveau européen comme à un niveau international plus général. Par exemple, la dénonciation des accords organisant actuellement la libre circulation des capitaux, qu'elle soit le fait d'un seul pays ou d'un groupe quelconque de pays, doit permettre de proposer à tous ceux qui le souhaitent de rejoindre un cadre où les investissements internationaux et la propriété transfrontalière resteraient parfaitement possibles, mais à la condition de mettre en place les obligations déclaratives et les coopérations nécessaires pour répartir l'impôt de façon juste, c'est-à-dire en fonction de la capacité contributive de chacun, et en particulier de l'étendue de ses propriétés et de ses revenus.

---

1. Parmi les solutions envisagées figure la possibilité que le Royaume-Uni se retrouve à appliquer quasiment les mêmes réglementations commerciales que celles qui prévalaient avant le Brexit, mais en ayant perdu la possibilité de participer à l'élaboration de ces règles. Quelle que soit la solution retenue, il est probable que la forme de la relation entre les îles Britanniques et le continent continuera de stimuler des débats pour les décennies à venir, en fonction notamment des nouvelles formes d'union fiscale, sociale et climatique que les pays établiront (ou pas) et de leur capacité à imposer de nouvelles règles de codéveloppement allant de pair avec la libre circulation des biens et des capitaux.

De même, il importe que les sanctions imposées aux États non coopératifs prennent des formes réversibles et qui indiquent clairement que l'objectif est la mise en place d'un système coopératif, égalitaire et inclusif, et non pas le durcissement des relations interétatiques. Nous avons par exemple déjà évoqué le cas de l'impôt sur les bénéfices des sociétés. La solution idéale serait que tous les États, en Europe comme dans le reste de la planète, cessent de se livrer une concurrence néfaste et instaurent des coopérations nouvelles. On pourrait ainsi parvenir à ce que les profits réalisés par les grandes sociétés multinationales soient répartis entre les États de façon transparente, en fonction de l'activité économique réelle réalisée dans les différents territoires, avec des taux minimaux d'imposition compatibles avec le niveau général des prélèvements obligatoires et le financement de l'État social. En pratique, si ce scénario ne se réalise pas, n'importe quel groupe de pays (y compris un pays seul) pourrait le mettre en place de façon isolée, en prélevant la part de l'impôt mondial sur les sociétés qui lui revient en proportion des ventes de biens et services réalisées sur son territoire[1]. Certains dénonceront de telles pratiques comme relevant d'une forme de retour du protectionnisme, mais il s'agit en réalité de quelque chose de très différent : ce sont bien les profits des sociétés qui sont visés et non les échanges, qui sont simplement utilisés comme indicateur vérifiable permettant de répartir les profits, faute d'une coopération suffisante. Dès lors qu'une coopération adéquate sera en place, ce système transitoire pourra être remplacé par un meilleur système.

Ce cas de l'impôt sur les sociétés est particulièrement important, car la course-poursuite vers la non-imposition des bénéfices des sociétés constitue sans nul doute le risque le plus lourd que court actuellement le système fiscal mondial. À terme, si l'on ne prend pas des mesures radicales de ce type pour arrêter la course-poursuite vers le bas, c'est en effet la possibilité même de prélever un impôt progressif sur le revenu qui est en cause[2]. Mais

---

1. Voir chapitre 16, p. 1052, et E. SAEZ, G. ZUCMAN, *The Triumph of Injustice, op. cit.* Autrement dit, si une compagnie réalise 100 milliards de profits dans le monde et 10 % de ses ventes dans un pays donné, et que ce pays fixe à 30 % le taux de son impôt sur les bénéfices des sociétés, alors cette compagnie devra verser 3 milliards au pays en question, en proportion de ses ventes dans le pays. Les profits mondiaux des compagnies peuvent être estimés par diverses sources, et chaque pays peut imposer des sanctions adéquates aux compagnies ne fournissant pas les éléments utiles. Rappelons que c'est ainsi que sont répartis les profits imposables des compagnies entre États aux États-Unis.

2. Dans un système parfaitement coopératif et transparent, l'impôt sur les bénéfices des sociétés n'aurait qu'un rôle limité : il s'agirait alors d'un simple précompte à l'impôt sur le

on pourrait également appliquer ce type de logique à d'autres impôts. J'ai évoqué plus haut le cas de l'impôt progressif sur la propriété. Les compagnies qui refusent de coopérer à la mise en place d'une véritable transparence sur leur actionnariat pourraient se voir prélever les sommes ainsi soustraites à l'impôt progressif sur la propriété en proportion de leurs ventes de biens et services dans le pays en question. Il en va de même pour la taxation des émissions carbone. Faute d'une politique adéquate coordonnée permettant la réduction des émissions, il est impératif d'imposer le contenu carbone sur la base des ventes de biens et services réalisées dans les différents pays. Mais là encore, il convient de préciser que la solution coopérative souhaitée est différente (par exemple sous forme d'une taxation progressive coordonnée des émissions individuelles) et d'indiquer le chemin permettant d'y parvenir.

Récapitulons. L'idéologie actuelle de la mondialisation, telle qu'elle s'est développée dans les années 1980-1990, est actuellement en crise et en phase de redéfinition. Les frustrations créées par la montée des inégalités ont peu à peu conduit les classes populaires et moyennes des pays riches à se défier de l'intégration internationale et du libéralisme économique sans limites. Ces tensions ont contribué à l'émergence de mouvements nationalistes et identitaires, qui pourraient nourrir un mouvement de remise en cause désordonnée des échanges. L'idéologie nationaliste pourrait également (et sans doute plus probablement) alimenter une fuite en avant vers la concurrence de tous contre tous et le dumping fiscal et social vis-à-vis de l'extérieur, le tout s'accompagnant à l'intérieur des États par le durcissement identitaire et autoritaire à l'encontre des minorités et des immigrés, de façon à souder le corps social national face à ses ennemis déclarés. Cela a d'ailleurs déjà commencé à se produire non seulement en Europe et aux États-Unis, mais également en Inde et au Brésil, et d'une certaine façon en Chine vis-à-vis

---

revenu, dans le sens où c'est ce dernier qui permet de calculer l'impôt dû en fonction du niveau total des dividendes et des autres revenus perçus par un contribuable individuel. Mais dans un système peu coopératif et transparent, l'impôt sur les sociétés joue un rôle beaucoup plus important, car ce précompte n'est souvent que le seul et dernier impôt que l'on peut faire payer, faute de retrouver l'identité des détenteurs finaux des profits. Il est en outre aisé de maquiller n'importe quel revenu en profits de société : il suffit d'abriter dans une structure dédiée ses activités de consultant ou ses droits d'auteur, avec l'aide active de conseillers bancaires pour qui tout cela relève de l'évidence, et de payer ses impôts de l'étranger. C'est pourquoi il est essentiel de mettre en place une stratégie permettant d'éviter que cet impôt poursuive sa course-poursuite vers la non-imposition complète de tous ceux qui ont les moyens de ce type de montage.

des dissidents. Face à la faillite annoncée des idéologies fondées sur le libéralisme et le nationalisme, seul le développement d'un véritable socialisme participatif et internationaliste, s'appuyant sur le social-fédéralisme et une nouvelle organisation coopérative de l'économie-monde, pourrait permettre de résoudre ces contradictions. Face à l'ampleur des défis, j'ai essayé de décrire quelques pistes permettant d'illustrer le fait que des solutions existent pour avancer graduellement dans cette direction. Mais il est bien évident que ces éléments n'ont pas vocation à fournir des solutions closes. Ils visent surtout à suggérer que l'imagination tout à la fois idéologique et institutionnelle des sociétés humaines ne va pas s'arrêter là. Toute l'histoire des régimes inégalitaires étudiée dans cet ouvrage démontre l'ampleur du répertoire politico-idéologique, et le fait que les moments de bifurcations mettent en jeu à la fois des logiques événementielles de court terme et des évolutions intellectuelles de plus long terme. Toutes les idéologies ont leur faiblesse, et en même temps les sociétés humaines ne peuvent vivre sans idéologies tentant de donner du sens à leurs inégalités. Il en ira de même à l'avenir, en particulier à l'échelle transnationale.

CONCLUSION

J'ai tenté dans ce livre de proposer une histoire à la fois économique, sociale, intellectuelle et politique des régimes inégalitaires, c'est-à-dire une histoire des systèmes de justification et de structuration de l'inégalité sociale, depuis les sociétés trifonctionnelles et esclavagistes anciennes jusqu'aux sociétés postcoloniales et hypercapitalistes modernes. Il va de soi qu'un tel projet sera toujours en cours : aucun livre ne pourra jamais épuiser une matière aussi vaste. Par définition, toutes les conclusions obtenues sont fragiles et provisoires. Elles reposent sur des recherches imparfaites qui ont vocation à être étoffées et étendues à l'avenir. J'espère surtout que ce livre aura permis au lecteur de préciser ses idées et sa propre idéologie de l'égalité et de l'inégalité sociales, et contribuera à stimuler de nouvelles réflexions sur ces questions.

L'histoire comme lutte des idéologies et comme quête de la justice

« L'histoire de toute société jusqu'à nos jours n'a été que l'histoire de la lutte des classes », écrivaient Friedrich Engels et Karl Marx en 1848 dans le *Manifeste du parti communiste*. L'affirmation reste pertinente, mais je suis tenté à l'issue de cette enquête de la reformuler de la façon suivante : l'histoire de toute société jusqu'à nos jours n'a été que l'histoire de la lutte des idéologies et de la quête de la justice. Autrement dit, les idées et les idéologies comptent dans l'histoire. La position sociale, aussi importante soit-elle, ne suffit pas à forger une théorie de la société juste, une théorie de la propriété, une théorie de la frontière, une théorie de l'impôt, de l'éducation, du salaire, de la démocratie. Or sans réponses précises à ces questions complexes, sans une stratégie claire d'expérimentation politique et d'apprentissage social, les luttes n'ont pas de débouché politique bien défini. Cela peut parfois mener après la prise du pouvoir à des constructions politico-idéologiques encore plus oppressantes que celles que l'on entendait renverser.

L'histoire du XXe siècle et du désastre communiste oblige aujourd'hui à une étude minutieuse des régimes inégalitaires et de leurs justifications, et surtout des dispositifs institutionnels et des modes d'organisation socio-économique permettant réellement l'émancipation humaine et sociale. L'histoire de l'inégalité ne saurait se réduire à un éternel affrontement entre les oppresseurs du peuple et les fiers défenseurs de ce dernier. Elle repose de part et d'autre sur des constructions intellectuelles et institutionnelles sophistiquées, qui ne sont certes pas toujours exemptes d'hypocrisie et de volonté de perpétuation de la part des groupes dominants, mais qui méritent néanmoins d'être examinées de près. À la différence de la lutte des classes, la lutte des idéologies repose sur le partage des connaissances et des expériences, le respect de l'autre, la délibération et la démocratie. Personne ne détiendra jamais la vérité absolue sur la propriété juste, la frontière juste, la démocratie juste, l'impôt ou l'éducation juste. L'histoire des sociétés humaines peut se voir comme celle de la quête de la justice. Seules la confrontation minutieuse des expériences historiques et personnelles et la délibération la plus étendue peuvent permettre de faire des progrès dans cette direction.

Pour autant, la lutte des idéologies et la quête de la justice reposent aussi sur l'expression de positions clairement définies et d'antagonismes assumés. Sur la base des expériences analysées dans ce livre, je suis convaincu qu'il est possible de dépasser le capitalisme et la propriété privée et de mettre en place une société juste, sur la base du socialisme participatif et du social-fédéralisme. Cela passe notamment par l'établissement d'un régime de propriété sociale et temporaire, reposant d'une part sur le plafonnement et le partage des droits de vote et du pouvoir avec les salariés dans les entreprises, et d'autre part sur un impôt fortement progressif sur la propriété, une dotation universelle en capital et la circulation permanente des biens. Cela implique également un système d'impôt progressif sur le revenu et de régulation collective des émissions carbone permettant de financer les assurances sociales et le revenu de base, la transition écologique et la mise en place d'un véritable droit égalitaire à l'éducation. Cela passe enfin par le développement d'une nouvelle forme d'organisation de la mondialisation, avec des traités de codéveloppement plaçant à leur cœur des objectifs quantifiés de justice sociale, fiscale et climatique, et conditionnant à leur réalisation la poursuite des échanges commerciaux et des flux financiers. Cette redéfinition du cadre légal exige la sortie d'un certain nombre de traités en vigueur, en particulier les accords de libre circulation des capitaux mis en place depuis les années 1980-1990, qui empêchent la réalisation de ces objectifs, et leur remplacement par de nouvelles règles reposant sur la transparence financière, la coopération fiscale et la démocratie transnationale.

Certaines des conclusions obtenues peuvent sembler radicales. En réalité, elles se situent dans la lignée d'un mouvement vers le socialisme démocratique qui est en route depuis la fin du XIXe siècle au travers de transformations profondes du système légal, social et fiscal. La forte réduction des inégalités observée au milieu du XXe siècle a été rendue possible par la construction d'un État social reposant sur une relative égalité éducative et sur un certain nombre d'innovations radicales, comme la cogestion germanique et nordique ou la progressivité fiscale à l'anglo-saxonne. La révolution conservatrice des années 1980 et la chute du communisme ont interrompu ce mouvement et ont contribué à faire entrer le monde depuis les années 1980-1990 dans une nouvelle phase de foi indéfinie dans l'autorégulation des marchés et de quasi-sacralisation de la propriété. L'incapacité de la coalition sociale-démocrate à dépasser le cadre de l'État-nation et à renouveler son programme, dans un contexte marqué par l'internationalisation des échanges et la tertiarisation éducative, a également contribué à l'effondrement du système gauche-droite qui avait permis la compression des écarts dans l'après-guerre. Mais face aux défis posés par la remontée historique des inégalités, le rejet de la mondialisation et le développement de nouvelles formes de repli identitaire, la prise de conscience des limites du capitalisme mondial dérégulé s'est accélérée depuis la crise financière de 2008. Les réflexions visant à mettre en place un nouveau modèle économique, à la fois plus équitable et plus durable, ont repris leur cours. Les éléments rassemblés ici sous l'étiquette du socialisme participatif et du social-fédéralisme ne font dans une large mesure que reprendre des développements visibles dans différentes parties du monde et remettre ces évolutions dans une perspective historique plus large.

L'histoire des régimes inégalitaires étudiée dans ce livre montre cependant à quel point de telles transformations politico-idéologiques ne sauraient être envisagées de façon déterministe. De multiples trajectoires sont toujours possibles, en fonction de rapports de force impliquant à la fois des logiques événementielles de court terme et des évolutions intellectuelles de plus long terme, qui apparaissent souvent comme autant de répertoires d'idées dans lesquels les moments de crise peuvent aller puiser. Le risque d'une nouvelle vague de concurrence exacerbée et de dumping fiscalo-social est malheureusement bien réel, avec à la clé un possible raidissement nationaliste et identitaire, qui est d'ailleurs visible aussi bien en Europe et aux États-Unis qu'en Inde, au Brésil ou en Chine.

Des limites de la désoccidentalisation du regard

J'ai tenté dans ce livre de décentrer le regard sur l'histoire des régimes inégalitaires. Le cas de l'Inde s'est avéré particulièrement instructif. Outre que l'Union indienne offre l'exemple d'un fédéralisme démocratique opérant au sein d'une communauté humaine de très grande ampleur, le cas indien montre comment il est possible de faire appel aux outils de l'État de droit pour tenter de sortir d'un très lourd héritage inégalitaire, lié à la rencontre entre une société de castes ancienne et sa rigidification par la puissance coloniale britannique. Les outils institutionnels développés à cet effet ont notamment pris la forme de quotas et de « réservations » de places à l'université, dans l'emploi public et dans les fonctions électives pour les personnes issues de classes sociales défavorisées et historiquement discriminées. Ils n'ont pas suffi à résoudre tous les problèmes, tant s'en faut. Mais de telles expériences sont riches d'enseignements pour le reste de la planète, et en particulier pour les démocraties électorales occidentales, qui vont elles aussi devoir faire face à d'immenses inégalités éducatives (longtemps éludées) et qui commencent tout juste leur apprentissage du multiconfessionnalisme (que l'Inde connaît depuis dix siècles). Plus généralement, j'ai essayé de montrer à quel point il est indispensable pour comprendre le monde actuel de revenir sur l'histoire longue des régimes inégalitaires, et en particulier sur la façon dont les puissances propriétaristes et coloniales européennes ont affecté le développement des sociétés trifonctionnelles extraeuropéennes. Outre que les traces de cette histoire sont encore bien présentes dans la structure des inégalités contemporaines, l'étude des idéologies inégalitaires anciennes et de leur sophistication permet aussi de mieux mettre à distance les idéologies du présent, qui ne sont pas toujours plus sages que celles qui les ont précédées, et qui finiront elles aussi par être remplacées.

Malgré tous mes efforts en vue de décentrer le regard, je veux dire néanmoins à quel point ce livre reste déséquilibré : un peu moins sans doute que mon livre précédent, mais beaucoup trop tout de même. La Révolution française revient sans cesse et l'expérience de l'Europe et des États-Unis est constamment sollicitée, sans rapport avec leur poids démographique. Jack Goody, dans son livre sur « le vol de l'histoire », a dénoncé avec justesse la tentation souvent irrépressible, y compris parfois sous la plume de chercheurs en sciences sociales bien intentionnés, d'écrire l'histoire depuis un point de vue occidentalo-centré, en prêtant au monde euroaméricain des inventions scientifiques qui ne sont pas les siennes, quand on ne lui attribue pas l'invention de l'amour courtois ou du goût pour la liberté, de la tendresse filiale ou de la famille nucléaire, de l'humanisme ou de la démocratie[1]. J'ai tenté dans ce livre d'échapper à ce biais, mais je ne suis pas sûr d'y être parvenu. Pour une raison simple : mon regard est profondément influencé par mon ancrage culturel, les limitations des connaissances et par-dessus tout par l'extrême faiblesse de mes compétences linguistiques. Ce livre est celui de quelqu'un qui ne lit correctement que le français et l'anglais, et qui ne connaît bien qu'un ensemble limité de sources primaires. Cette enquête brasse large, trop peut-être, et je m'excuse auprès des spécialistes des différents domaines pour les approximations et les raccourcis qu'ils y trouveront. J'espère qu'elle sera très vite complétée et dépassée par de multiples travaux renouvelant notre compréhension de régimes inégalitaires particuliers, notamment dans les nombreuses aires géographiques et culturelles mal couvertes dans cet ouvrage.

Sans doute mon regard est-il aussi déterminé par ma trajectoire personnelle, plus encore que je ne l'imagine. Je pourrais évoquer la diversité des milieux sociaux et des persuasions politiques à laquelle mes origines familiales m'ont exposé. J'ai également vu mes deux grand-mères souffrir du modèle patriarcal qui était imposé à leur génération. L'une était malheureuse de sa vie bourgeoise et est disparue prématurément à Paris en 1987. L'autre a été domestique de ferme à 13 ans, pendant le second conflit mondial, et s'est éteinte en 2018, dans l'Indre-et-Loire. J'ai entendu l'une de mes arrière-grand-mères, née en 1897 et disparue en 2001, me raconter ses souvenirs d'avant 1914, quand la France préparait sa revanche contre l'Allemagne. Né en 1971, je suis devenu adulte grâce à la liberté que

---

1. Voir J. GOODY, *The Theft of History*, Cambridge University Press, 2006 (nouvelle éd. fr. sous le titre *Le Vol de l'histoire. Comment l'Europe a imposé le récit de son passé au reste du monde*, Gallimard, « Folio histoire », 2015).

m'ont donnée mes parents, puis en écoutant à la radio l'effondrement des dictatures communistes lorsque j'étais étudiant en 1989, suivi de la guerre du Golfe en 1991. Si j'examine comment ma vision de l'histoire et de l'économie a évolué depuis mes 18 ans, je crois que ce sont avant tout les sources historiques que j'ai découvertes et exploitées qui m'ont conduit à modifier sensiblement mes conceptions initiales (qui étaient plus libérales et moins socialistes qu'elles ne le sont devenues). En particulier, l'écriture des *Hauts Revenus en France au XX*ᵉ *siècle* (2001) m'a fait comprendre à quel point la réduction des inégalités s'était faite dans la violence au cours du siècle dernier. La crise de 2008 m'a également amené à m'intéresser de plus près aux fragilités financières, patrimoniales et internationales du capitalisme mondial et à l'histoire du capital et de son accumulation, qui est au cœur du *Capital au XXI*ᵉ *siècle* (2013). Le présent livre s'appuie quant à lui sur de nouvelles sources issues aussi bien de l'histoire coloniale que des enquêtes postélectorales, ce qui m'a conduit à développer une approche politico-idéologique des régimes inégalitaires. Mais sans doute s'agit-il là d'une reconstruction trop rationnelle, qui néglige les effets cachés de mes expériences personnelles anciennes et récentes sur la production de tel ou tel raisonnement. J'ai tenté dans ce livre de restituer au lecteur la partie consciente de mon cheminement, c'est-à-dire les sources historiques, les travaux et les lectures qui m'ont amené aux positions que je défends, autant que je puisse en juger.

Du rôle civique et politique des sciences sociales

Les chercheurs en sciences sociales ont beaucoup de chance. Ils sont payés par la société pour lire des livres, explorer des sources nouvelles, synthétiser ce qu'il est possible d'apprendre des archives et des enquêtes disponibles, et tenter de restituer ce qu'ils ont appris à ceux qui les rétribuent (c'est-à-dire le reste de la société). Ils ont parfois tendance à perdre un peu trop de temps dans des querelles disciplinaires et des assignations identitaires stériles. Pourtant, malgré cela, les sciences sociales existent bel et bien et jouent un rôle indispensable au service du débat public et de la confrontation démocratique. J'ai tenté de montrer dans ce livre qu'il était possible de mobiliser des méthodes et des matériaux issus des différentes sciences sociales pour analyser l'histoire des régimes inégalitaires, dans ses dimensions à la fois sociales, économiques, politiques et intellectuelles.

Je suis convaincu qu'une partie de notre désarroi démocratique contemporain provient d'une autonomisation excessive du savoir économique vis-à-vis des autres sciences sociales et de la sphère civique et politique. Cette autonomisation est pour partie la conséquence de la technicité et de la complexification croissante de la sphère économique. Mais elle résulte également d'une tentation récurrente des professionnels de ce savoir, qu'ils opèrent à l'université ou dans le monde marchand, de s'arroger un monopole d'expertise et une capacité d'analyse qu'ils n'ont pas. En réalité, seul le croisement des approches économiques, historiques, sociologiques, culturelles et politiques peut permettre de faire quelques progrès dans notre compréhension des phénomènes socio-économiques. Cela vaut notamment pour l'étude des inégalités entre classes sociales et de leurs transformations dans l'histoire, mais il me semble que la leçon est plus générale. Ce livre s'est nourri des travaux de nombreux chercheurs en sciences sociales de toutes les disciplines, sans lesquels cette enquête n'aurait pu exister[1]. J'ai également tenté de montrer comment le regard de la littérature et du cinéma pouvait apporter une perspective complémentaire indispensable à celle des sciences sociales.

Cette autonomisation excessive du savoir économique est aussi la conséquence du fait que les historiens, sociologues, politistes et autres philosophes ont trop souvent abandonné aux économistes l'étude des questions économiques. Or l'économie politique et historique, telle que j'ai tenté de la pratiquer dans cette enquête, concerne toutes les sciences sociales. Tous les chercheurs en sciences sociales doivent, me semble-t-il, intégrer les évolutions socio-économiques dans leurs analyses, rassembler des données quantitatives et historiques chaque fois que cela est utile et se reposer sur d'autres types de méthodes et de matériaux dès lors que cela est nécessaire. L'abandon des sources quantitatives et statistiques par une large part des chercheurs en sciences sociales est d'autant plus regrettable que seul un regard critique sur ces sources et les conditions de leur construction sociale, historique et politique peut permettre d'en faire un usage raisonné. De fait, cette attitude a contribué à l'autonomisation du

---

1. Parmi les chercheurs récents et moins récents particulièrement sollicités au cours de mon enquête, mentionnons notamment Mathieu Arnoux, Rafe Blaufarb, Erik Bengtsson, Denis Cogneau, Frederick Cooper, Nicolas Barreyre, Julia Cagé, Noam Maggor, Katharina Pistor, Sanjay Subrahmanyam, Serge Gruzinski, Susan Bayly, Kenneth Pomeranz, Hannah Arendt, Karl Polanyi, Or Rosenboim, Barbara Wootton, Christophe Jaffrelot, etc. Des dizaines d'autres auteurs sont cités au fil des chapitres.

savoir économique autant qu'à son appauvrissement. J'espère que ce livre pourra contribuer à y remédier.

Au-delà de la sphère des chercheurs, l'autonomisation du savoir économique a également des effets délétères sur la sphère civique et politique, car elle nourrit le fatalisme et le sentiment d'impuissance. En particulier, le journaliste et le citoyen s'inclinent trop souvent devant l'expertise de l'économiste, pourtant fort limitée, et se refusent à avoir une opinion sur le salaire et le profit, l'impôt et la dette, le commerce et le capital. Or il ne s'agit pas de matières facultatives pour l'exercice de la souveraineté démocratique. Surtout, ces questions sont complexes d'une façon qui ne justifie aucunement leur abandon à une petite caste d'experts, bien au contraire. La complexité qui est la leur est telle que seule une vaste délibération collective, fondée sur les raisonnements, les cheminements et les expériences de toutes et de tous, peut nous permettre d'espérer quelques progrès dans leur résolution. Ce livre a dans le fond un unique objet : contribuer à la réappropriation citoyenne du savoir économique et historique. Que le lecteur se sente en désaccord avec certaines de mes conclusions n'a au fond guère d'importance, car il s'agit pour moi d'ouvrir le débat, jamais de le trancher. Si cet ouvrage a pu éveiller son intérêt sur des questions nouvelles et lui permettre de s'approprier des savoirs qu'il ne détenait pas, alors mon objectif aura été pleinement atteint.

Liste des graphiques et tableaux

Table des matières

Introduction à la théorie de la redistribution des richesses
Economica, 1994

L'Économie des inégalités
La Découverte, 1997 (7ᵉ éd., 2015)

Les Hauts Revenus en France au XXᵉ siècle
Inégalités et redistribution, 1901-1998
Grasset, 2001 (2ᵉ édition, 2014) ; « Points Histoire », 2016

Vive la gauche américaine ! Chroniques 1998-2004
Éditions de l'Aube, 2004

L'Impact de la taille des classes sur la réussite scolaire
dans les écoles, collèges et lycées français
(coécrit avec Mathieu Valdenaire)
MEN, 2006

Top Incomes over the Twentieth Century
A Contrast between Continental European
and English-Speaking Countries
(codirigé avec Anthony Atkinson)
Oxford University Press, 2007

Pour un nouveau système de retraite
Des comptes individuels de cotisations financés par répartition
(coécrit avec Antoine Bozio)
Éd. Rue d'Ulm, 2008

Top Incomes : A Global Perspective
(codirigé avec Anthony Atkinson)
Oxford University Press, 2010

On the Long-Run Evolution of Inheritance
France 1820-2050
École d'économie de Paris, 2010

Pour une révolution fiscale
Un impôt sur le revenu pour le XXIᵉ siècle
(coécrit avec Camille Landais et Emmanuel Saez)
Seuil, 2011

Peut-on sauver l'Europe ?
Chroniques 2004-2012
Les Liens qui libèrent, 2012 ; Actes Sud, « Babel Essais », 2015

Capital Is Back : Wealth-Income Ratios in Rich Countries
1700-2010
(coécrit avec Gabriel Zucman)
École d'économie de Paris, 2013

Le Capital au XXIᵉ siècle
Seuil, 2013 ; « Points Histoire », 2019

Aux urnes, citoyens !
Chroniques 2012-2016
Les Liens qui libèrent, 2016 ; Actes Sud, « Babel Essais », 2018

Pour un traité de démocratisation de l'Europe
(avec Stéphanie Hennette, Guillaume Sacriste et Antoine Vauchez)
Seuil, 2017

Rapport sur les inégalités mondiales. 2018
(avec Facundo Alvaredo, Lucas Chancel, Emmanuel Saez et Gabriel Zucman)
Seuil, 2018

Changer l'Europe, c'est possible !
(avec Manon Bouju, Lucas Chancel, Anne-Laure Delatte, Stéphanie Hennette, Guillaume Sacriste et Antoine Vauchez)
Seuil, « Points Essais », 2019

Pierre Rosanvallon
La Contre-démocratie
La politique à l'âge de la défiance
2006

Amy Chua
Le Monde en feu
Violences sociales et mondialisation
2007

Stéphane Audoin-Rouzeau
Combattre
Une anthropologie historique de la guerre moderne (XIXᵉ-XXIᵉ siècle)
2008

Pierre Rosanvallon
La Légitimité démocratique
Impartialité, réflexivité, proximité
2008

Jon Elster
Le Désintéressement
Traité critique de l'homme économique I
2009

Jon Elster
L'Irrationalité
Traité critique de l'homme économique II
2010

Charles Taylor
L'Âge séculier
2011

Pierre Rosanvallon
La Société des égaux
2011

Abhijit V. Banerjee et Esther Duflo
Repenser la pauvreté
2012

Alain Prochiantz
Qu'est-ce que le vivant ?
2012

John Scheid
Les Dieux, l'État et l'individu
Réflexions sur la religion civique à Rome
2013

Thomas Piketty
Le Capital au XXIᵉ siècle
2013

Thomas Römer
L'Invention de Dieu
2014

Pierre Rosanvallon
Le Bon Gouvernement
2015

Patrice Flichy
Les Nouvelles Frontières du travail à l'ère numérique
2017

Pierre Rosanvallon
Notre histoire intellectuelle et politique
2018

François Déroche
Le Coran, une histoire plurielle
2019